がん種	レジメン	
多発性骨髄腫	94パノビノスタット＋ボルテゾミブ＋デキサメタゾン	1コー ・パノ に内 ・デキ 12 ・ボル
	ポマリドミド＋デキサメタゾン	**1コースは28日間** ・**ポマリドミド**は21日間内服し，7日間休薬 ・**デキサメタゾン**はday 1，8，15，22に内服
	95KRd（カルフィルゾミブ＋デキサメタゾン＋レナリドミド）	**1コースは28日間** ・**レナリドミド**は21日間内服し，7日間休薬 ・**デキサメタゾン**はday 1，8，15，22に内服（**カルフィルゾミブ**の投与日に応じて注射で投与する場合がある） ・**カルフィルゾミブ**はday 1，2，8，9，15，16に投与
	96IRd（イキサゾミブ＋デキサメタゾン＋レナリドミド）	**1コースは28日間** ・**イキサゾミブ**はday 1，8，15に内服 ・**レナリドミド**は21日間内服し，7日間休薬 ・**デキサメタゾン**はday 1，8，15，22に内服
	97ERd（デキサメタゾン＋エロツズマブ＋レナリドミド）	**1コースは28日間** ・**レナリドミド**は21日間内服し，7日間休薬 ・**デキサメタゾン**はday 1，8，15，22に内服（**エロツズマブ**の投与日に応じて注射で投与する場合がある） ・**エロツズマブ**は最初の2コースは1週間間隔で4回（day 1，8，15，22），3コース以降は2週間間隔で2回（day 1，15）投与
	98DLd（ダラツムマブ＋レナリドミド＋デキサメタゾン）	**1コースは28日間** ・**レナリドミド**は21日間内服し，7日間休薬 ・**デキサメタゾン**はday 1，8，15，22に内服（**ダラツムマブ**の投与日に応じて注射で投与する場合がある） ・**ダラツムマブ**は最初の2コースは1週間間隔で4回（day 1，8，15，22），3〜6コースは2週間間隔で2回（day 1，15），7コース以降は4週間隔で1回（day 1）投与
	DMPB（ダラツムマブ＋ボルテゾミブ＋メルファラン＋プレドニゾロン）	**1〜9コースは42日間，10コース目以降は28日間** ・**メルファラン**は4日間内服，**プレドニゾロン**4日間内服し，38日間休薬（10コース以降は投与なし） ・**ダラツムマブ**は最初の1コースは1週間間隔で6回（day 1，8，15，22，29，36），2〜9コースは3週間間隔で2回（day 1，22），10コース以降は4週間隔で1回（day 1）投与 ・**ボルテゾミブ**は最初の1コースはday 1，4，8，11，22，25，29，32，2〜9コースはday 1，8，22，29で投与（10コース以降は投与なし）

（がん研究会有明病院）

がん化学療法 レジメン管理マニュアル

第4版

■監修

濱　敏弘　がん研究会有明病院薬剤部シニア・アドバイザー

■編集

青山　剛　がん研究会有明病院薬剤部チーフ

池末 裕明　神戸市立医療センター中央市民病院薬剤部副部長

内田まやこ　同志社女子大学薬学部臨床薬学教育研究センター教授

佐藤 淳也　国際医療福祉大学病院薬剤部長

高田 慎也　国立病院機構北海道がんセンター薬剤部主任

土屋 雅美　宮城県立がんセンター薬剤部主任

医学書院

がん化学療法レジメン管理マニュアル

発　行　2012年11月1日　第1版第1刷
　　　　2014年3月15日　第1版第3刷
　　　　2016年6月15日　第2版第1刷
　　　　2017年9月1日　第2版第3刷
　　　　2019年8月15日　第3版第1刷
　　　　2021年4月1日　第3版第3刷
　　　　2023年2月15日　第4版第1刷©

監　修　濱　敏弘

編　集　青山　剛・池末裕明・内田まやこ・佐藤淳也・
　　　　高田慎也・土屋雅美

発行者　株式会社　医学書院
　　　　代表取締役　金原　俊
　　　　〒113-8719　東京都文京区本郷1-28-23
　　　　電話　03-3817-5600(社内案内)

印刷・製本　三美印刷

ISBN978-4-260-05028-9

執筆者一覧（50音順）

四十物由香　日立総合病院薬務局外来薬剤管理指導係主任

青山　　剛　がん研究会有明病院薬剤部チーフ

吾妻　慧一　がん研究会有明病院薬剤部

鐙屋　舞子　秋田大学医学部附属病院薬剤部薬剤主任

網野　一真　諏訪赤十字病院薬剤部化学療法課長

新井　隆広　群馬県立がんセンター薬剤部主幹

荒川　裕貴　トヨタ記念病院薬剤科主任

安藤　洋介　藤田医科大学ばんたね病院薬剤部係長

飯原　大稔　岐阜大学医学部附属病院薬剤部副薬剤部長

池末　裕明　神戸市立医療センター中央市民病院薬剤部副部長

石川　　寛　静岡県立静岡がんセンター薬剤部副薬剤長

石原　正志　岐阜大学医学部附属病院治験管理副部門長

伊勢崎竜也　亀田総合病院薬剤部臨床薬剤科主任

伊藤　佳織　藤田医科大学医学部臨床薬剤科講師

井上　裕貴　国立病院機構名古屋医療センター臨床研究センター研究企画管理部治験主任

伊與田友和　福島県立医科大学附属病院臨床腫瘍センター

上ノ段友里　中津市立中津市民病院診療部薬剤科主任

臼井　浩明　杏林大学医学部付属病院薬剤部係長

内田まやこ　同志社女子大学薬学部臨床薬学教育研究センター教授

内田ゆみ子　前 国家公務員共済組合連合会虎の門病院薬剤部

内山　将伸　福岡大学病院薬剤部主任

梅原　健吾　国立病院機構北海道がんセンター薬剤部

衛藤　智章　国立病院機構九州がんセンター薬剤部主任

大神　正宏　茨城県立中央病院薬剤局薬剤科副薬剤科長

大橋　養賢　国立国際医療研究センター病院薬剤部医薬品情報管理室長

岡田　浩司　東北医科薬科大学病院薬剤部長

奥田　泰考　自治医科大学附属病院薬剤部主任

奥山　裕子　八戸市立市民病院薬局・副薬局長

小野　寛之　大分大学医学部附属病院薬剤部

柏村友一郎　国家公務員共済組合連合会虎の門病院薬剤部
亀岡　春菜　四国がんセンター薬剤部
北澤　文章　地域医療機能推進機構大和郡山病院薬剤部薬剤部長
北出　紘規　加賀市医療センター薬剤室
熊谷　史由　東北労災病院薬剤部主任
組橋　由記　徳島赤十字病院薬剤部薬事管理課長
蔵田　靖子　岡山大学病院薬剤部
郷　真貴子　大垣市民病院薬剤部係長
小暮　友毅　東広島医療センター副薬剤部長
牛膓　沙織　名古屋掖済会病院副薬剤部長
小林　一男　がん研究会有明病院薬剤部チーフ
小林美奈子　国立病院機構仙台医療センター薬剤部
金剛　圭佑　神戸低侵襲がん医療センター薬剤部主任
斎藤　恭正　厚木市立病院薬剤部門長
齋藤　佳敬　北海道大学病院薬剤部主任
阪田　安彦　広島市立病院機構広島市立北部医療センター安佐市民病院薬剤部副部長
坂田　幸雄　市立函館病院薬剤部薬物療法科長
桜田　宏明　一宮市立市民病院薬剤局長
佐藤　淳也　国際医療福祉大学病院薬剤部長
清水　久範　がん研究会有明病院薬剤部副部長
末廣真理維　聖マリアンナ医科大学病院薬剤部主任
鈴木　真也　国立がん研究センター東病院薬剤部病棟薬剤業務主任
陶山　登之　島根大学医学部附属病院薬剤部薬剤主任
妹尾　啓司　広島市立病院機構広島市立広島市民病院薬剤部
高田　慎也　国立病院機構北海道がんセンター薬剤部主任
髙橋　克之　近畿大学薬学部臨床薬学部門社会薬学分野講師
髙橋　毅行　鹿児島大学病院薬剤部
田島　英　栃木県立がんセンター薬剤部主査
田中　怜　静岡県立静岡がんセンター薬剤部主任
玉木　慎也　KKR 札幌医療センター薬剤科薬剤科長
辻　俊輔　函館五稜郭病院薬剤科係長
土屋　雅美　宮城県立がんセンター薬剤部主任
照井　一史　弘前大学医学部附属病院薬剤部主任
藤堂　真紀　埼玉医科大学国際医療センター薬剤部主任

徳留　　章　札幌東徳洲会病院薬剤部臨床試験センター医学研究所主任
友松　拓哉　がん研究会有明病院薬剤部
外山　智章　獨協医科大学病院薬剤部課長補佐
中島　寿久　国立がん研究センター中央病院薬剤部主任
中西　由衣　伊勢赤十字病院薬剤部
中村　勝之　札幌医科大学附属病院薬剤部主査
中村　花絵　浜の町病院薬剤部
中村　匡志　がん研究会有明病院薬剤部
二瓶　　哲　岩手医科大学附属病院薬剤部主任
根本　真記　がん研究会有明病院医療安全管理部主任
野田　哲史　滋賀医科大学医学部附属病院薬剤部
橋本　直弥　愛知県がんセンター薬剤部専門員
橋本　浩季　松山赤十字病院薬剤部係長
林　　克剛　宮城県立がんセンター薬剤部主任
林　　稔展　福岡大学薬学部准教授
葉山　達也　日本大学医学部附属板橋病院薬剤部技術長補佐
原田　知彦　神奈川県立がんセンター医療の質管理部医療安全推進室副室長
日置　三紀　滋賀医科大学医学部附属病院薬剤部
平手　大輔　手稲渓仁会病院薬剤部統括主任
藤井　千賀　堺市立総合医療センター薬剤科副科長
藤井　宏典　岐阜大学医学部附属病院薬剤部薬剤主任
藤田行代志　群馬県立がんセンター薬剤部薬剤課長
藤原季美子　近畿大学病院薬剤部技術科長
星加　寿子　住友別子病院薬剤部医薬品管理科主任
前　勇太郎　がん研究会有明病院薬剤部チーフ
前田　章光　愛知県がんセンター薬剤部専門員
牧　　陽介　国立病院機構小倉医療センター薬剤部主任
槙原　克也　淀川キリスト教病院薬剤部係長
水上　皓喜　広島市立病院機構広島市立広島市民病院薬剤部
湊川　紘子　聖マリアンナ医科大学病院薬剤部係長
南　　晴奈　九州大学病院薬剤部
向山　直樹　日本赤十字社愛知医療センター名古屋第一病院薬剤部課長

森岡　友美　鹿児島厚生連病院診療支援部薬剤科主査
矢野　琢也　住友別子病院薬剤部医薬品情報科長
山本　扇里　岐阜大学医学部附属病院薬剤部
山本　泰大　小牧市民病院薬局主任
吉成　宏顕　国際医療福祉大学病院薬剤部副主任
吉野新太郎　神戸市立医療センター中央市民病院薬剤部主査
吉野　真樹　新潟県立がんセンター新潟病院薬剤部薬剤科長
米澤　美和　石川県立中央病院薬剤部副部長
龍島　靖明　国立病院機構埼玉病院薬剤部主任
渡邊　裕之　パナソニック健康保険組合松下記念病院薬剤部副部長

ご注意

□本書に記載されているレジメン・治療・副作用対策・服薬指導などに関して，著者，編集者，監修者ならびに出版社は，発行時点の最新の情報に基づいて正確を期するように最善の努力を払っています．しかし，医学，医療の進歩によって，記載された内容があらゆる点において正確かつ完全であると保証するものではありません．
□したがって本書に記載されているレジメン・治療・副作用対策・服薬指導などを個々の患者に適用するときには，読者ご自身の責任で判断されるようお願いいたします．本書に記載されているレジメン・治療・副作用対策・服薬指導などによる不測の事故に対して，著者，編集者，監修者ならびに出版社はその責任を負いかねます．
□本書の投与前基準，減量・中止基準で示した ULN，LLN は，JCOG 共用基準範囲（付録 2，→ 899 頁）に基づきます．自施設の ULN，LLN も確認してください．

株式会社　**医学書院**

第４版　監修の序

本書『がん化学療法レジメン管理マニュアル』は，その時代の代表的な治療レジメンを選択し，①支持療法を含む投与スケジュール，②投与前の患者選択基準，投与・減量・中止基準，処方監査項目，③調剤および投与時の注意点，④投与後の副作用マネジメントのポイントについて解説するとともに，⑤臨床の第一線で活躍している執筆者が経験した薬学的ケアの実践例を紹介する構成で，がん薬物療法に携わる薬剤師業務の一助になることを目指してきました．類書も多い中，薬剤師だけでなく，がん薬物療法に携わる他の医療職種の方々にも支持され，第4版を発刊することができました．第4版では，2022年現在のエビデンスや診療ガイドラインに基づき，また，がん種とステージを考慮して，これまでで最も多い111種のレジメンを収載しました．

初版から約10年が経ち，がん薬物療法の進化とともにレジメンの概念，あるいはレジメンに求める内容が変わってきたと感じます．

2000年代初頭，日本各地で発生した抗がん薬の誤投与や過量投与の原因の1つに，治療スケジュールが治療に関わる医師，薬剤師，看護師間で共有されていないことが挙げられました．医療事故のない安心・安全ながん医療を実施するためには，医師を中心として多職種の専門性を活かしたチーム医療の推進が必要であると，「がん医療水準均てん化の推進に関する検討会報告書(2005年)」において提言されました．そして，誤投与を防止するための情報をチームで共有するためのツールとして，レジメンの整備(見える化)が薬剤師を中心として進みました．そしてそこに，処方オーダリングシステムや電子カルテの普及という要素が重なり，2000年代初頭に発生していた誤投与は大きく減少しました．またこの時の提言に基づいて，本書の執筆陣を占めるがん専門薬剤師の制度も誕生しました．今では，がん専門薬剤師は，安全ながん薬物療法を実施するチーム医療の一員として欠かせない存在となり，他職種からも高く評価されるようになりました．

多くの抗がん薬やがん免疫療法薬の登場およびゲノム解析の進歩により，標準治療から個別化治療の時代になってきました．このような治療の進化とともに，レジメンも進化していると感じます．レジメンは，「誤投与を防止するための治療計画書」から，「効果的で，安心・安全ながん薬物療法を適切に実施するための治療計画書」に変わってきました．リスク管理を図るための情報共有ツールというレジメンの本質は変わりませんが，安心・安全の目標値が変わり，その時代が求める安心・安全のレベルに合わせて，レジメンとして共有される情報が変わってきました．そのため，本書では，版を重ねてもいくつか同じレジメンを収載しています．本書はその時代の新しいレジメンを紹介するだけでなく，よく知られよく使われるレジメンでもその時代が求める安心・安全のレベルを示してきました．

また近年，がん薬物療法を取り巻く新たな問題が２つ発生しています．１つは，新型コロナウイルス感染症（COVID-19）の蔓延の長期化による診療体制への影響と，患者の受診行動の変容に伴うレジメン変更です．そしてもう１つは，薬物治療に欠かせないエッセンシャルドラッグやキードラッグの供給不足のため，レジメンや処方変更が余儀なくされる状況です．

このような状況の中，薬剤師が最適ながん薬物療法を望む患者さんの期待に応え，本書がその業務を支える１冊となることを，執筆および編集に携わっていただいたすべての関係者と一緒に願っています．

2023 年１月

がん研究会有明病院薬剤部シニア・アドバイザー
濱　敏弘

初版　監修の序

がん化学療法の進歩には，新規抗がん剤の開発に加えて，従来からある抗がん剤の組み合わせ（レジメン）の工夫や，強力な支持療法薬の登場が大きく寄与している．そして，抗がん剤による数々の副作用をコントロールしながら治療を継続することが重要である．抗がん剤を上手に使いこなすために，がん診療に携わる専門的な知識と技能を有する医師，薬剤師，看護師などからなるチーム医療が大きな役割を果たしている．

がん医療を支える社会環境も変化してきている．がん医療水準の均てん化を目指し，中核となる地域がん診療連携拠点病院が指定され，地域連携が推進されるようになった．また，がん患者の高齢化とともに合併症を有する患者が増加し，直接がん医療に関わらない病院医療スタッフや，院外処方箋を応需する保険薬局薬剤師にも，がん患者と対面する機会が増え，レジメンや支持療法薬についての知識が求められるようになった．現在，がん治療は1つの医療機関では完結しない時代といえる．

筆者はかねてから，効果的で安心・安全ながん化学療法を実施するために，次のことを考えていた．すなわち，「院内外の薬剤師が，抗がん剤治療に深く関わっている薬剤師の『処方監査のポイント』や『ベッドサイドでの薬学的ケアのポイント』を学び，共有し，実践してほしい」「他の医療スタッフの方々にも，安全管理に対する薬剤師の視点を理解してほしい」ということである．

そんな折，光栄なことに，医学書院よりがん化学療法レジメンをまとめたハンドブックを発刊するという企画を持ちかけていただいた．このお誘いに対して，いま必要とされる書籍は2012年現在の代表的な標準レジメンを単に列挙したものではなく，安心・安全ながん化学療法を実施するために，薬剤師が行うべきこと，見落としてはいけないことなど標準的な薬学的ケアを前面に出したものではないかと提案した．すなわち，抗がん剤治療のセーフティマネジャーである薬剤師が，処方監査時に確認すべきこと，抗がん剤調製時に注意すべきこと，投与開始時に確認すること，副作用の評価と対策など，抗がん剤治療の安全を担保するために薬剤師の視点からレジメンを解説した書籍である．

そのため執筆は，現在，がん診療の第一線で活躍されている薬剤師の先生方にお願いし，処方監査から副作用モニタリングまでの薬学的介入のポイントをまとめていただき，さらに薬学的ケアの具体的な実践例と解説を付けていただくことにした．そんな監修者の思いと意図を酌み取って，執筆と編集に携わっていただいた先生方に深く感謝申し上げる．

本書は，効果的で安心・安全ながん化学療法を実施し，患者のQOL の維持向上を図るために必要なことを薬剤師の視点からまとめた一冊である．多くの医療スタッフの皆さんに活用していただき，抗がん剤治療を受ける一人でも多くの患者の安全確保につながる一助になれば幸いである．

2012 年 9 月

がん研有明病院薬剤部長
濱 敏弘

目 次

第1章 乳がん 1

第2章 肺がん 183

Ⅰ. 小細胞肺がん

Ⅱ. 非小細胞肺がん

第3章 大腸がん 321

第4章 胃がん 429

第5章 肝胆膵がん 475

第6章 婦人科がん 535

略語・欧文用語集

ACE	アンジオテンシン変換酵素
ALL	急性リンパ性白血病
ALP	アルカリホスファターゼ
APTT	活性化部分トロンボプラスチン時間
ARB	アンジオテンシンⅡ受容体拮抗薬
ASCO	米国臨床腫瘍学会
AUC	血中濃度-時間曲線下面積
BCRP	乳がん耐性蛋白質
BNP	脳性ナトリウム利尿ペプチド
BRONJ	ビスホスホネート関連顎骨壊死
BSC	ベストサポーティブケア
BUN	血中尿素窒素
Ccr	クレアチニンクリアランス
CCRT	化学療法・放射線治療同時併用療法
CINV	化学療法誘発性悪心・嘔吐
CIPN	化学療法誘発性末梢神経障害
CISNE	Clinical Index of Stable Febrile Neutropenia
CML	慢性骨髄性白血病
CR	完全奏効
Cr	クレアチニン
CRP	C 反応性蛋白
CTCAE	有害事象共通用語規準
CYP	シトクロム P450
D-Bil	直接ビリルビン
DEHP	フタル酸ジ-2-エチルヘキシル
DFS	無病生存期間
DLBCL	びまん性大細胞型 B 細胞性リンパ腫
DLF	投与量規制因子
DLST	リンパ球刺激試験
DLT	用量制限毒性
DOAC	直接経口抗凝固薬
ECOG	Eastern Cooperative Oncology Group
EFS	無イベント生存
EGFR	上皮成長因子受容体
ELN	European Leukemia Net
EORTC	欧州がん研究治療機構
FN	発熱性好中球減少症
FT_3	遊離トリヨードサイロニン
FT_4	遊離サイロキシン
FTU	フィンガーチップユニット
G-CSF	顆粒球コロニー刺激因子
GFR	糸球体濾過量
Hb	ヘモグロビン
HBV	B 型肝炎ウイルス
HEC	高度催吐性化学療法
HFS	手足症候群
IARC	国際がん研究機関
ICI	免疫チェックポイント阻害薬
IDSA	米国感染症学会
IF	インタビューフォーム
ILD	間質性肺疾患
irAE	免疫関連有害事象
JCOG	日本臨床腫瘍グループ
JSCO	日本癌治療学会
JSMO	日本臨床腫瘍学会
KL-6	シアル化糖鎖抗原 KL-6

KPS	Karnofsky Performance Scale
LEC	軽度催吐性化学療法
LLN	（施設）基準値下限
LVEF	左室駆出率
MASCC	国際がんサポートケア学会
MEC	中等度催吐性化学療法
MMR	分子遺伝学的大奏効
mTOR	哺乳類ラパマイシン標的蛋白質
nadir	最低値
NCCN	全米総合がん情報ネットワーク
NCI	米国国立がん研究所
NRS	数値評価スケール（Numerical Rating Scale）
NSAIDs	非ステロイド性抗炎症薬
NSCLC	非小細胞がん
OCT	有機カチオントランスポーター
ONJ	顎骨壊死
OS	全生存期間
PaO_2	動脈血酸素分圧
PD	病勢進行
PDR	Physician's desk reference
PFS	無増悪生存期間
PPI	プロトンポンプ阻害薬
PR	部分奏効
PS	パフォーマンスステータス
PSA	前立腺特異抗原
PT-INR	プロトロンビン時間国際標準比
RDI	相対用量強度
SCLC	小細胞がん
Scr	血清クレアチニン
SD	安定
SIADH	抗利尿ホルモン不適切分泌症候群
SJS	スティーブンス-ジョンソン症候群
SP-D	サーファクタントプロテインD
SpO_2	経皮的動脈血酸素飽和度
SRE	骨関連事象
SU薬	スルホニルウレア薬
T-Bil	総ビリルビン
TC	総コレステロール
TEN	中毒性表皮壊死症
TFI	初回治療後無投薬期間
TG	トリグリセリド
TKI	チロシンキナーゼ阻害薬
TLS	腫瘍崩壊症候群
TPS	Tumor Proportion Score
TSH	甲状腺刺激ホルモン
TTP	無増悪期間
UGT	UDPグルクロン酸転移酵素
ULN	（施設）基準値上限
UPC	尿蛋白/クレアチニン
VAS	Visual Analogue Scale
VEGF	血管内皮細胞増殖因子

第1章

乳がん

□乳がんの薬物療法は，内分泌療法と化学療法があり，術前および術後，転移再発治療と目的により使用薬剤が異なる．乳がんは，ホルモン依存性の場合，内分泌療法（抗エストロゲン薬，アロマターゼ阻害薬，LH-RH アナログなど），HER2 陽性であればHER2 を阻害する薬剤が選択される．

□ステージ 1～3A 期までの乳がんは手術適用となり，術前または術後にアントラサイクリン系やタキサン系抗がん薬を基本とした化学療法が行われる．1 AC（ドキソルビシン＋シクロホスファミド），2 FEC100（フルオロウラシル＋エピルビシン＋シクロホスファミド），3 TC（ドセタキセル＋シクロホスファミド），4 TAC（ドセタキセル＋ドキソルビシン＋シクロホスファミド），5パクリタキセル，6パクリタキセル＋ベバシズマブ，15ドセタキセル，16 nab-パクリタキセルなどが適用される．HER2 陽性の場合，7トラスツズマブの単剤や併用療法，21トラスツズマブ＋ラパチニブ，22 TCH（ドセタキセル＋カルボプラチン＋トラスツズマブ），リンパ節転移陽性や術前補助化学療法が効果不良の場合，トラスツズマブに8ペルツズマブ併用や10トラスツズマブ エムタンシンが使用される．いずれも周術期に行う薬物療法の目的は，転移を制御することにより，治癒をめざし再発を予防することである．

□ステージ 3B～3C 期は，化学療法と放射線治療による集学的治療が行われる．前述の化学療法が奏効した場合に限り手術適用となる．

□ステージ 4 期の手術不能・再発転移乳がんの治癒は困難である．化学療法の目的は，生存期間の延長と症状緩和（QOL 維持・改善）である．したがって，QOL を損なわない治療選択が重要である．レジメンとしては，これまで[11]エリブリンや[10]トラスツズマブ エムタンシン，[20]ビノレルビン，[12]エキセメスタン＋エベロリムス，[9]カペシタビン，[23]GT（パクリタキセル＋ゲムシタビン）などが主なレジメンであった．最近，免疫チェックポイント阻害薬や新薬が登場している．[17]アテゾリズマブ＋nab-パクリタキセルは，PD-L1 陽性のホルモンおよび HER2 陰性の場合に使用される．また，新薬として[19]トラスツズマブ デルクステカンは，HER2 陽性の場合に使用される．さらに，[18]アベマシクリブや[13]パルボシクリブは，サイクリン依存性キナーゼ（CDK）4/6 選択的な阻害作用を有する経口抗がん薬である．これら CDK 阻害薬は，エストロゲン受容体陽性（ER＋）かつ CDK の過剰発現があり，ホルモン受容体陽性かつ HER2 陰性の場合に[13]レトロゾールや[14]フルベストラントなどの抗ホルモン薬と併用される．

（佐藤淳也）

1 AC(ドキソルビシン＋シクロホスファミド)

POINT

- 対象は，術前・術後補助化学療法や転移・再発症例．術前・術後化学療法は，治癒や根治に関わるため治療強度を保つことが重要である．
- 高度催吐性リスクに該当するので，制吐療法として NK_1 受容体拮抗薬，5-HT_3 受容体拮抗薬，デキサメタゾンを使用した3剤併用が基本となる．
- ドキソルビシンの累積投与量が心毒性の発現率と相関するため，処方監査時に累積投与量が500 mg/m^2 を超えていないことを確認し，LVEFを事前に確認する[1]．

1 レジメンと副作用対策（→次頁参照）

1コース期間：21日間　**総コース**：4コース

2 抗がん薬の処方監査

□ドキソルビシンの総投与量が500 mg/m^2 を超えると心毒性のリスクが増大するため，本治療以前の治療歴を含め，アントラサイクリン系抗がん薬の投与歴を確認する[2]．

□過去にアントラサイクリン系抗がん薬を使用している場合には，以下の換算比で累積投与量を確認する．

一般名	累積投与量上限	ドキソルビシン換算比
ドキソルビシン	500 mg/m^2	1
エピルビシン	900 mg/m^2	1/2
ピラルビシン	950 mg/m^2	1/2
ダウノルビシン	25 mg/kg	3/4
ミトキサントロン	160 mg/m^2	3

例：エピルビシンの治療歴がある場合の投与可能なドキソルビシン量

・FEC（フルオロウラシル500 mg/m^2，エピルビシン100 mg/m^2，シクロホスファミド500 mg/m^2）療法を4コース施行後，AC療法を選択する場合．エピルビシン100 mg/m^2×4コースで累積投与量は400 mg/m^2 でドキソルビシン換算としては，1/2量である200 mg/m^2 となり，その後投与可能なドキソルビシンは300 mg/m^2 となる．
ただし，上限量は，安全性を保証する投与量ではないので注意する（既往症によってはより低用量でも心不全を発生する）．

1		医薬品名 投与量	投与方法 投与時間	1	2	3	4	5	6	7	8	9	～	14	15	16	17	18	19	20	21
レジメン（AC）	Rp1	ホスアプレピタント 150 mg/body	点滴静注 60 分	↓																	
		パロノセトロン 0.75 mg/body																			
		デキサメタゾン 9.9 mg/body																			
		生理食塩液 250 mL																			
	Rp2	ドキソルビシン 60 mg/m²	点滴静注 15 分	↓																	
		生理食塩液 50 mL																			
	Rp3	シクロホスファミド 600 mg/m²	点滴静注 30 分	↓																	
		生理食塩液 100 mL																			
	Rp4	デキサメタゾン 8 mg/body	経口 1 日 2 回		↓	↓	↓														

ホスアプレピタントは，内服薬であるアプレピタントに替えることができる．その際には，経口 1 日目 125 mg（抗がん薬投与 60～90 分前），2，3 日目 80 mg（午前中）で最大 5 日目まで投与する．

副作用対策

静脈炎，血管外漏出

投与を中止し，残存した薬剤を除去しルート抜去．ドキソルビシンは起壊死性抗がん薬に該当する．ステロイド外用薬塗布．漏出時早期（6 時間以内）は，解毒薬としてデクスラゾキサン（サビーン®）の点滴静注が有効

悪心・嘔吐

HEC レジメンに分類されるためホスアプレピタントを含む高度催吐性リスクに準じた 3 剤併用を標準療法とし，効果不良の場合，オランザピン 5 mg を追加検討．

出血性膀胱炎

投与数日間は飲水を施行．血尿や排尿時痛が生じた場合は申し出るよう指導．メスナの使用を検討．

骨髄抑制

感染予防対策の徹底と患者指導（手洗いや手指消毒の励行）を行う．前コースで FN が発現した場合，または投与延期が必要となった場合は G-CSF の予防投与も考慮．

心毒性

ドキソルビシンの累積投与量と心毒性発現に相関あり．処方監査時に累積投与量を確認するとともに，心機能（LVEF）をモニタリング．

脱毛

ほぼ必発で 2～3 週後がピーク．事前にウィッグなどの情報を提供しておく．治療終了後は回復．

□治療開始前に LVEF 測定など心機能検査の有無を確認する（LVEF 正常範囲≧55％）．

□高度催吐性リスクに分類されるため，NK_1 受容体拮抗薬，5-HT_3 受容体拮抗薬およびデキサメタゾンの 3 剤併用で対策していることを確認する．

□ホスアプレピタントを投与する場合には，CV ポートがある場

合を除き血管痛，静脈炎が生じやすいため150 mgを250 mLの生理食塩液に希釈して60分間投与を推奨する．

□パロノセトロンを使用したAC療法において，ステロイドの副作用（血糖上昇，不眠，胃部不快感，骨量低下など）を減じる目的でday 2，3のデキサメタゾンを使用しない投与方法（steroid sparing）は，ステロイド通常投与に対する非劣性が示されており選択肢の1つとなる[3)]．

□再発リスクが高くかつ十分な骨髄機能を有する症例には，術後化学療法としてG-CSF製剤のペグフィルグラスチム（3.6 mg/body）併用のdose-dense AC（ドキソルビシン60 mg/m^2，シクロホスファミド600 mg/m^2）療法を行うことがある[4)]．参考として，dose-dense ACのスケジュールを以下に記す．

	day 1	day 2	…	day 15	day 16
ドキソルビシン60 mg/m^2	○			○	
シクロホスファミド600 mg/m^2	○			○	
ペグフィルグラスチム（3.6 mg/body）		○			○

□化学療法前にB型肝炎ウイルス感染の検査の有無を確認する．HBV抗原陽性の場合，核酸アナログ（エンテカビル，テノホビル ジソプロキシル，テノホビル アラフェナミド）の投与を行う．HBs抗原陰性例でもHBs抗体およびHBc抗体を確認し陽性の場合，HBV-DNA定量を行う[5)]．

3 抗がん薬の調剤

シクロホスファミド

□職業的曝露による発がん性と気化性（23℃で揮発する）があるため，閉鎖式薬物移送システムを用いて調製する．

□溶解しにくいため溶解後よく振り，結晶が残存していないか確認する．

□生理食塩液に溶解し6時間後にはpHが規格外となるため，調製後は速やかに使用する．

4 抗がん薬の投与

投与基準[6, 7]

好中球数	≧1,500/μL	AST	≦75 U/L（ULN×2.5）
血小板数	≧10 万/μL	ALT	≦（女）57.5 U/L（ULN×2.5）
Hb	＞9.0 g/dL	Scr	＜1.5 mg/dL
T-Bil	＜1.5 mg/dL	LVEF	≧55％

減量・中止基準

□術後再発予防を目的とした化学療法は治療強度（dose intensity）を保つことで再発予防効果が高まる．術前・術後化学療法における治療強度の低下は，予後に影響をきたす可能性があるため，治療強度が低下しないように注意する．

□G-CSF 製剤のペグフィルグラスチム（3.6 mg/body）の併用を行い，治療強度を下げずに治療継続を試みる（2 次予防的投与）．

□ペグフィルグラスチムの 2 次予防的投与が無効な場合（腋窩にて 37.5℃を超える発熱や好中球減少を伴う全身感染症を認めた場合），ドキソルビシンとシクロホスファミドの投与量を 75％に減量する[8]．

腎機能障害

ドキソルビシン	腎機能障害時の投与量調節は不要	
シクロホスファミド	eGFR または Ccr＜10 mL/分	25％減量

肝機能障害

ドキソルビシン	T-Bil 1.5～3.0 mg/dL または AST/ALT 60～180 U/L	50％減量
	T-Bil 3.1～5.0 mg/dL または AST/ALT ＞180 U/L	75％減量
	T-Bil＞5.0 mg/dL	中止
シクロホスファミド	T-Bil 3.1～5.0 mg/dL	25％減量

（標準用量を 100％とした場合）

注意点

ドキソルビシン

□起壊死性抗がん薬に分類されるため，投与中の血管外漏出に注意する．

□血管外漏出に注意し投与部位の観察を行うとともに，疼痛や違和感がある際に知らせるよう患者指導を行う．特にドキソルビシンは，漏出直後は炎症が認められなくても，遅発性に皮膚の壊死を生じる．ドキソルビシンが大量に漏出した場合は，解毒薬であるデクスラゾキサンの使用を考慮．投与期間（3日間）や薬剤費についても患者に十分説明し，同意を得た上で施行する（詳細は111「デクスラゾキサン」の項→885頁）．

□デクスラゾキサン（サビーン® 点滴静注用500 mg）の使用法：1日1回，1日目および2日目は1,000 mg/m^2，3日目は500 mg/m^2 を1～2時間かけて3日間連続で静脈内投与する．血管外漏出後6時間以内に投与を開始し，投与2日目および3日目は投与1日目と同時刻に投与する．

シクロホスファミド

□非炎症性抗がん薬に分類され，血管外漏出時は十分な観察と必要に応じて処置を行う．

□出血性膀胱炎は代謝物のアクロレインが尿中に排泄される際に，尿路粘膜を障害して発現するとされている．予防のために多めの水分と排尿を促すよう患者に説明する．

5 副作用マネジメント

発現率

□手術可能な乳がん患者（第Ⅲ相臨床試験，n＝1,492）[8]

副作用		発現率(%)	副作用		発現率(%)
白血球減少	Grade 3	3.4	下痢	>4回/日の下痢	2.6
	Grade 4	0.3		脱水を伴う下痢	0.3
血小板減少	Grade 3	0.0	脱毛	<50%の脱毛	3.0
	Grade 4	0.1		>50%の脱毛	19.9
悪心・嘔吐	悪心のみ	15.5		完全脱毛	69.5
	嘔吐≦12時間	34.4	感染症	全身性	0.9
	嘔吐＞12時間	36.8		敗血症，ショック	1.5
	耐えがたい嘔吐	4.7			

□転移性乳がん患者（第Ⅲ相臨床試験，n＝135）[6)]

副作用	発現率（%）	副作用	発現率（%）
好中球減少（Grade 4）	81.5	口内炎	8.9
悪心・嘔吐	17.8	血小板減少	8.1
心機能障害*1	13.6	感染	3.0
FN	8.9		

*1 LVEF がベースラインから 10%以上低下または正常限界以下

評価と観察のポイント

#1 コース目

□**投与初期（day 1〜7）**：悪心・嘔吐の確認．血管外漏出や静脈炎の症状の有無（刺入部の痛み，腫脹および血管痛）．シクロホスファミドによる出血性膀胱炎の症状の有無．ドキソルビシンで尿が赤色に着色するため，色調による判別が困難な場合がある．排尿困難や排尿時痛などの自覚症状で評価する．

□**投与中期（day 7〜14）**：骨髄抑制（好中球減少）に注意．また，感染症状，口内炎の有無を確認する．

□**投与後期（day 14 以降）**：脱毛の状況に応じてウィッグ，帽子およびバンダナなどの対応について説明する．

#2 コース目以降

□労作時の呼吸困難，息切れ，下肢の浮腫，頻脈および LVEF などを適宜モニタリングする．

副作用対策のポイント

悪心・嘔吐

□高度催吐性リスクのレジメンであり「アプレピタントあるいはホスアプレピタント＋5-HT$_3$ 受容体拮抗薬＋デキサメタゾン」による 3 剤併用制吐療法を基本とする．効果不十分の場合，以下の通り制吐薬の調整や追加を検討．症状発現時の対応を事前に説明する．

□ドパミン D$_2$ 受容体拮抗薬（ドンペリドン，メトクロプラミド，プロクロルペラジン）の作用機序の異なる制吐薬の追加．さらに，効果不良の場合，糖尿病の既往がないことを確認し，オランザピン（1 日 1 回，1 回 5 mg を治療当日の就寝前より 4〜6 日間）の投与を検討[9)]．高齢者や非喫煙者では AUC が高くなるため，傾眠やめまいの副作用に注意する．

□予測性の悪心・嘔吐では，ベンゾジアゼピン系抗不安薬（ロラゼパム 1 回 0.5〜1.5 mg またはアルプラゾラム 1 回 0.4〜0.8 mg を治療前夜から当日に服用）を検討する．

血管痛，静脈炎

□ホスアプレピタントを使用する場合には，血管痛，静脈炎発現の可能性があるため，希釈液量を 250 mL とし，60 分かけて緩徐に投与．ドキソルビシンの投与部位に注意する．

出血性膀胱炎

□多めの水分摂取により尿量を増やすとともに排尿を促し，膀胱への尿の滞留を減少させる．ドキソルビシンによる尿の色調変化は事前に患者説明．自覚症状についても患者指導を行う．

感染予防

□投与中期（day 7 以降）は，易感染状態にある．FN の徴候を見逃さず素早く対処できるように発現時期，感染予防対策，症状の基準（37.5℃以上の発熱），発現時の対処方法（外来の場合，緊急連絡先）などを事前に患者指導しておく．

□術後化学療法として AC 療法と TC 療法を比較した第Ⅲ相試験では，Grade 4 の好中球減少は AC 療法で 43％に認められたが 95％の患者が減量せず完遂した．AC 療法の FN 発症率は 13％で認められた[7]．

□FN 発症頻度 10〜20％のレジメンでは FN 発症リスクとなる患者側因子（65 歳以上，放射線治療歴，肝腎機能障害など）を考慮し，1 コース目で FN を生じた場合に次コースよりペグフィルグラスチムの 2 次予防的投与を行う[10]（詳細は 110「ペグフィルグラスチム」の項→878 頁）．

FN

□MASCC スコア（**表 1-1**）で低リスクの場合は，「シプロフロキサシン（1 日 3 回，1 回 200 mg）＋アモキシシリン・クラブラン酸（1 日 3 回，1 回アモキシシリン 250 mg・クラブラン酸 125 mg）」を併用．単剤の場合，レボフロキサシン（1 日 1 回，1 回 500 mg）やモキシフロキサシン（1 日 1 回，1 回 400 mg）の使用を検討する．

口内炎

□口腔ケアと含嗽について指導．発現時は，アズレンスルホン酸ナトリウムによる含嗽や，痛みに応じて局所麻酔薬（リドカイン

表 1-1　MASCC スコア

項目		スコア
臨床症状（右記の※印 3 つのうち，1 つを選択）	※無症状	5
	※軽度症状	5
	※中等度の症状	3
血圧低下なし		5
慢性閉塞性肺疾患なし		4
固形がんである，あるいは造血器腫瘍で真菌感染症の既往なし		4
脱水症状なし		3
外来管理中に発熱した患者		3
60 歳未満（16 歳未満には適応しない）		2

など），消炎鎮痛薬含嗽の使用を検討．治療開始後 2〜3 週頃より発現し，4 コース終了後は回復することをあらかじめ説明する．

脱毛

□脱毛のプロセスをあらかじめ知らせ，ウィッグ，帽子およびバンダナを事前に用意するなど対処方法について説明する．

6 薬学的ケア

CASE

□40 歳代女性．左乳がん術後〔T1cN1M0/Stage II A，ER（−），PgR（−），HER2（−）〕，心電図異常なし，LVEF68％，術後化学療法として AC 療法開始．

□制吐療法としてホスアプレピタント，パロノセトロンおよびデキサメタゾンが投与されたが，day 2 以降に遅発性の悪心（Grade 1）が出現しメトクロプラミド錠 5 mg の頓用で対応し問題なく経過した．

□4 コース終了後も心電図に異常がないことを確認．心不全に伴う症状（労作時の息切れ，胸痛，下肢の浮腫など）が認められた場合はすぐに連絡するよう説明．脱毛は治療終了後に回復することをあらかじめ説明した．

解説

□AC 療法は高度催吐性リスクのレジメンであるため，3 剤併用した制吐療法を行う．年齢（若年），性別（女性），乗り物酔いの既往や飲酒歴は悪心・嘔吐の因子となる可能性もあるためパロノセトロンを使用．さらに効果不十分な場合は機序の異なるドパミンD_2受容体拮抗薬（メトクロプラミド5 mg，頓用）やオランザピン（1日1回，1回5 mgを治療当日の就寝前より4〜6日間）の追加を検討．

□ドキソルビシンの心毒性は累積投与量依存性で発現頻度が高くなることが報告されているため定期的なモニタリングが重要となる．心不全の治療として用いられるACE阻害薬（エナラプリル　1日1回，1回2.5 mgより開始）やβ遮断薬（カルベジロール　1日2回，1回1.25 mgより開始）がアントラサイクリン系抗がん薬による心機能障害の予防に有用であるとの報告もある[11)]．

□脱毛は避けられない副作用であるため事前に知らせることは精神的な準備として重要である．ウィッグをあらかじめ用意してもらうことや染毛を避けるなど患者が安心して準備できるような患者指導を行う．

引用文献

1）Swain SM, et al：Cancer 97：2869-79, 2003（PMID：12767102）
2）赤澤　宏：心臓 49：805-11，2017
3）Ito Y, et al：J Clin Oncol 36：1000-6, 2018（PMID：29443652）
4）Citron ML, et al：J Clin Oncol 21：1431-9, 2003（PMID：12668651）
5）免疫抑制・化学療法により発症するB型肝炎対策ガイドライン（資料3）．日本肝臓学会肝炎診療ガイドライン作成委員会（編）：B型肝炎治療ガイドライン第3.4版．2021
6）Biganzoli L, et al：J Clin Oncol 20：3114-21, 2002（PMID：12118025）
7）Jones SE, et al：J Clin Oncol 24：5381-7, 2006（PMID：17135639）
8）Fisher B, et al：J Clin Oncol 8：1483-96, 1990（PMID：2202791）
9）Navari RM, et al：N Engl J Med 375：134-42, 2016（PMID：27410922）
10）日本臨床腫瘍学会（編）：発熱性好中球減少症（FN）診療ガイドライン，改訂第2版．南江堂，2017
11）Armenian SH, et al：J Clin Oncol 35：893-911, 2017（PMID：27918725）

（吉成宏顕）

2 FEC100（フルオロウラシル＋エピルビシン＋シクロホスファミド）

POINT

- ■周術期に用いるレジメンであり，再発率低下，乳房温存率向上（術前）のため，治療強度を保つことが重要である．減量・休薬を避けるため，骨髄抑制，悪心・嘔吐などの副作用に対する支持療法を確実に行う．
- ■高度催吐性リスクのレジメンであり，初回から適切な制吐対策〔$5\text{-}HT_3$ 受容体拮抗薬（パロノセトロン），NK_1 受容体拮抗薬，デキサメタゾン〕を行う．悪心・嘔吐発現時は第1にオランザピン（ジプレキサ®）の追加を考慮する（糖尿病は禁忌）．
- ■エピルビシンは起壊死性抗がん薬に該当するため，投与中は血管外漏出に注意し，発生した際はデクスラゾキサンの使用を考慮する．

1 レジメンと副作用対策（→次頁参照）

適応：乳がん周術期（術前・術後）の補助化学療法

1コース期間：21日間　**総コース**：4〜6コース

2 抗がん薬の処方監査

- □HBVの再活性化予防のため，投与前にHBs抗原，HBs抗体，HBc抗体検査を確認する．検査結果に応じて，抗HBV薬の予防投与，HBV-DNAの定期測定を行う．
- □エピルビシンは心毒性があるため，心疾患（不整脈，心不全，心膜炎，QT延長）の有無，LVEF（正常範囲≧55％）を確認する．
- □アントラサイクリン系抗がん薬の前治療歴がないか確認した上で，アントラサイクリン系抗がん薬の累積投与量を確認する．累積投与量として，エピルビシンとして900 mg/m^2（ドキソルビシン換算で500 mg/m^2）を超えていないことを確認する．
- □高度催吐性リスクに分類されるレジメンであり，制吐薬として，3剤併用療法〔$5\text{-}HT_3$ 受容体拮抗薬（パロノセトロン），NK_1 受容体拮抗薬，デキサメタゾン〕が行われていることを確認する．

2		医薬品名 投与量	投与方法 投与時間	1	2	3	4	5	6	7	8	9	10	~	14	15	16	17	18	~	21
レジメン（FEC100）	Rp1	パロノセトロン 0.75 mg デキサメタゾン 9.9 mg	点滴注射 15分	↓																	
	Rp2	エピルビシン 100 mg/m² 生理食塩液 50 mL	全開 5分	↓																	
	Rp3	シクロホスファミド 500 mg/m² 生理食塩液 250 mL	点滴注射 30分	↓																	
	Rp4	フルオロウラシル 500 mg/m² 生理食塩液 50 mL	点滴注射 10分	↓																	
	Rp5	アプレピタント 125 mg	経口	↓																	
		アプレピタント 80 mg	経口		↓	↓															
	Rp6	デキサメタゾン 8 mg/body	経口	(	↓	↓	↓	)													

アプレピタントは，注射薬であるホスアプレピタントに変えることができる．その際には，生理食塩液 250 mL に希釈して，60 分で投与する．ホスアプレピタント使用時は，抗がん薬投与時の注射部位反応の頻度が増加するため注意する．

AC 療法のエビデンスから，2 日目以降のデキサメタゾンの上乗せ効果は証明されていない．

副作用対策

血管外漏出，静脈炎，血管痛

エピルビシンは起壊死性抗がん薬に該当する．漏出時早期（6 時間以内）に，デクスラゾキサンの使用を検討する．濃度が高くても短時間投与の方が静脈炎が少ない．血管痛は生理食塩液を側管から同時投与すると緩和することがある．

悪心・嘔吐

高度催吐性リスクに準じた制吐対策（パロノセトロン，アプレピタント，デキサメタゾン）を行う．効果不十分の場合は，オランザピン（糖尿病患者には禁忌）の追加を検討する．2 日目以降のデキサメタゾン投与の上乗せ効果は証明されていない．悪心・嘔吐が遷延する場合，アプレピタント 80 mg の投与を 4，5 日目まで延長してもよい．

出血性膀胱炎

投与後数日間の飲水を励行し，尿量を確保する．特に膀胱炎の既往がある場合は注意する．血尿や排尿時痛の自覚症状があれば連絡をするよう指導し，症状に応じて抗菌薬投与を検討する．

骨髄抑制

感染予防対策（うがい，手洗い，外出時のマスク）の徹底を患者に指導する．FN が起こった場合や，好中球減少症で治療延期となった場合は，ペグフィルグラスチムの予防投与を考慮する．ただし，ペグフィルグラスチムの投与は，翌日以降に行う．

脱毛

避けられない副作用であり，投与 2 週後から抜け始める．事前にウィッグなどの情報提供をしておく．治療終了後 2〜3 か月後から生え始めることを事前に説明する．

心障害

エピルビシンの累積投与量と心毒性発現は相関がある．処方監査時に，累積投与量が 900 mg/m²（ドキソルビシン換算で 500 mg/m²）を超えていないことを確認する．LVEF をモニタリングする．

3 抗がん薬の調剤

エピルビシン

□液剤の場合，冷所保存によりエピルビシンが自己会合を起こし，粘性が増すことがあるので，使用前20～30分間常温に放置するか，または気泡がでないよう原液を緩やかに振盪してから使用する．

□凍結乾燥製剤では，溶解時のpH変化により安定性が低下することがあるため，注射用水または生理食塩液で溶解する．

シクロホスファミド

□揮発性（23℃で揮発）で，強い発がん作用があるため，閉鎖式薬物移送システムを用いて調製する．

□溶解性が悪い製剤のため，結晶の残存がないかを確認する．

4 抗がん薬の投与

投与基準[1)]

好中球数	>1,200/μL	ALP（JSCC）	≦805 U/L（≦ULN×2.5）
血小板数	>10万/μL	AST	≦45 U/L（≦ULN×1.5）
T-Bil	≦1.5 mg/dL（≦ULN）	Ccr	>60 mL/分

減量・中止基準[2)]

□最初にFNの発現があったときは，次サイクルよりペグフィルグラスチム（ジーラスタ®皮下注3.6 mg）の予防投与を行う（詳細は110「ペグフィルグラスチム」の項→878頁）．ペグフィルグラスチムの2次予防的投与を行ってもFNが起こった時は，エピルビシンの投与量を25%減量する．

腎機能障害[3, 4)]

薬剤名	Scr（mg/dL）	Ccr（mL/分）	用量
フルオロウラシル	—	—	減量の必要なし
エピルビシン	>5.0	—	減量を考慮する（指針なし）
シクロホスファミド	—	10～50	25%減量
	—	<10	50%減量

肝機能障害[3, 4]

薬剤名	T-Bil (mg/dL)	AST (U/L)	用量
フルオロウラシル	>5.0	—	投与しない
エピルビシン	1.2～3.0	60～120(ULN×2～4)	50%減量
	>3.0	>120 (>ULN×4)	75%減量
シクロホスファミド	3.0～5.0	>180	25%減量
	>5.0	—	投与しない

エピルビシン

□起壊死性抗がん薬に該当するため，投与中は血管外漏出に注意し，漏出時に医療スタッフが迅速かつ適切な対応ができるよう，各施設において血管外漏出マニュアルをあらかじめ作成しておく．アントラサイクリン系抗がん薬であるため，漏出時はデクスラゾキサンの投与が有効だが，高価な薬剤であり，漏出発生後6時間以内の早期に投与しなければならないため，医薬品卸売会社と連携し，迅速に納品される体制を構築しておく(詳細は111「デクスラゾキサン」の項→885頁)．

シクロホスファミド

□揮発性(23℃で揮発)で，強い発がん作用があるため，投与時も閉鎖式薬物移送システムを用いる．また，尿排泄物にも投与量の10%程度が排泄するため，排尿を洋式便器で行い尿飛散を避ける，便器の蓋をしてよく流すよう指導する．

注意点

□再発率低下，乳房温存率向上(術前)のため，治療強度を保つことが重要である．減量・休薬を避けるため，骨髄抑制，悪心・嘔吐などの副作用に対する支持療法を確実に行う．

5 副作用マネジメント

発現率[2)]

□FEC単独とFEC followed by DTXを比較した第Ⅲ相臨床試験(FEC単独群 n＝995)

副作用	Grade 3以上(%)	副作用	Grade 3以上(%)
好中球減少	33.6	口内炎	4.0
FN	8.4	脱毛(Grade 3)	83.9
悪心・嘔吐	20.5	無月経(全Grade)	72.4

評価と観察のポイント

□**エピルビシン投与中**：pH が低く，粘性性が高いため，血管痛，静脈炎を起こしやすく，投与中は穿刺部位の観察を注意深く行う．

□**シクロホスファミド投与中**：頻度不明だが鼻道刺激（wasabi nose）があるため，患者には事前に説明を行っておく．

副作用対策のポイント

悪心・嘔吐

□3 剤併用療法（5-HT_3 受容体拮抗薬，NK_1 受容体拮抗薬，デキサメタゾン）を行っても，悪心・嘔吐の発現があった場合は，オランザピン 5 mg の追加投与を検討する[5]．5-HT_3 受容体拮抗薬については，グラニセトロン（カイトリル®）よりもパロノセトロン（アロキシ®）の制吐効果が高い[6]．AC 療法のエビデンスから 2 日目以降のデキサメタゾン投与の上乗せ効果は証明されていないため[7]，特に糖尿病の患者ではリスクベネフィットを考慮する．

出血性膀胱炎

□予防のために，投与後 2〜3 日間の飲水を励行する．特に膀胱炎の既往がある場合は注意する．血尿や排尿時痛の自覚症状があれば連絡をするよう指導し，症状に応じて抗菌薬の投与を検討する．翌日まではエピルビシンによる赤色尿が出るため，血尿と間違えないよう説明する．

骨髄抑制，FN

□nadir の時期（day 5〜14）を説明し，患者に感染対策をしっかりと行うよう指導する．高齢者，肺疾患，地理的理由ですぐに受診できない患者には，初回投与時からペグフィルグラスチム（ジーラスタ®）の 1 次予防的投与を検討する．前コースで FN の発現があった場合は，ペグフィルグラスチムの 2 次予防的投与を検討する．

□ペグフィルグラスチムの投与は，投与翌日以降に行う．

□呼吸器疾患などのリスク因子を持たない患者には，レボフロキサシン 500 mg などの経口抗菌薬をあらかじめ処方しておいて，37.5℃以上の発熱時に服薬するよう対策することも有効である．ただし，この場合，2 日経ても解熱しない場合，受診勧奨する．

脱毛

□点滴2週間後から脱毛が始まり，治療終了後から2，3か月で生え始めること，ウィッグや帽子は事前に準備しておくことを説明する．

心障害

□アントラサイクリン系の心障害は予後不良であり，下肢浮腫，尿量低下，急激な体重減少，労作時の呼吸苦，動悸，息切れ，咳嗽，易疲労感などのうっ血性症状を確認し，LVFFを適宜モニタリングする．

6 薬学的ケア

CASE

□50歳代女性，左乳がん術前化学療法として，FEC療法が開始となった．ホルモン（－），HER2（－），Ki-67 80%．高度肥満（身長156 cm，体重108 kg，BSA 2.04，BMI 44）で，糖尿病の現病歴〔メトホルミン（メトグルコ®）1回250 mg　1日3回内服中で，治療開始前のHbA1c 5.8%〕あり．

□投与量に対する介入：初回投与時の処方監査を行ったところ，75%の投与量でオーダーされていた．医師に問い合わせたところ，「高度肥満であり投与量が多すぎるため，実際の体重ではなく，身長からの理想体重（身長156 cmの理想体重54 kg）で投与量設定をした」と返答あり．肥満患者で投与量を95%未満にすると効果が低下する報告[8)]があるため，実体重での投与量を提案し，100%の投与量へ変更となった．Grade 2以上の副作用発現はなく，減量せずに既定の4コースを完遂した．

□糖尿病に対する制吐薬の介入：FEC療法3コース目実施時の検査では，HbA1c 7.2%と悪化し，制吐薬として使用のデキサメタゾン〔day 1：9.9 mg（注射），day 2～4：8 mg/日（内服）〕の影響が考えられた．1，2コース目はともに悪心・嘔吐はなく，day 1にアプレピタント，パロノセトロンが使用されていた．デキサメタゾンの内服（day 2～4：8 mg/日）の中止を医師に提案し中止となった．4コース目実施時の検査ではHbA1c 6.5%と低下．3，4コース目も悪心・嘔吐の発現はなかった．

解説

□肥満患者への投与量設定は，固形がんにおいては実体重を用いる．特に周術期の化学療法での安易な減量は，再発率および生存率の悪化につながるため，肥満を理由にした減量は行わない．ASCOのガイドラインでは，肥満患者への投与量設定[9]について次のような記載がある．「肥満患者の40％は実体重での投与を受けていなかった．特に治癒を目指す治療では実体重を基に投与する．実体重で投与した肥満患者で短長期的に副作用が増加したというエビデンスはない．肥満患者は非肥満患者と比べ，骨髄抑制の程度が少ないもしくは同程度である」．

□抗がん薬の制吐療法において，AC療法のエビデンスから，2日目以降のデキサメタゾンの上乗せ効果は証明されていない．FEC療法もAC療法と同様の催吐性と考えられるため，特に糖尿病の患者では，ステロイド使用のリスクベネフィットを考え，ステロイドスペアリングを検討すべきである．

引用文献

1）Martín M, et al：J Natl Cancer Inst 100：805-14, 2008（PMID：18505968）
2）Roché H, et al：J Clin Oncol 24：5664-71, 2006（PMID：17116941）
3）ELLENCE，米国添付文書
4）Chu E, et al：Physicians' cancer chemotherapy drug manual. Jones & Bartlett Learning, 2019
5）Navari RM, et al：N Engl J Med 375：134-42, 2016（PMID：27410922）
6）Saito M, et al：Lancet Oncol 10：115-24, 2009（PMID：19135415）
7）日本癌治療学会（編）：制吐薬適正使用ガイドライン，第2版（一部改訂版 ver.2.2）．日本癌治療学会，2018
8）Rosner GL, et al：J Clin Oncol 14：3000-8, 1996（PMID：8918498）
9）Griggs JJ, et al：J Clin Oncol 30：1553-61, 2012（PMID：22473167）

（龍島靖明）

3 TC(ドセタキセル+シクロホスファミド)

DTX+CPA

POINT

- ■早期乳がんの術後補助化学療法の1つ．心毒性などアンスラサイクリン系抗がん薬の使用が適さない症例で選択される．
- ■ドセタキセルの投与量が多いため，好中球減少症に注意する．術後補助化学療法であり減量は望ましくないため，患者指導と支持療法を十分に行い治療強度を維持する．
- ■中等度催吐リスクに該当するので，5-HT_3受容体拮抗薬とデキサメタゾンによる制吐療法を行う．

1 レジメンと副作用対策（→次頁参照）

適応：早期乳がんの術後補助化学療法

1コース期間：21日間　**総コース**：4コース

2 抗がん薬の処方監査

□本レジメンの適応（再発低リスクや心疾患の既往がある患者の術後補助化学療法）であることを確認する[1, 2]．

□化学療法により，HBVの再活性化のリスクがあるため，化学療法前にHBV感染の有無を確認する[3]．

- **HBs抗原陽性例**…エンテカビル0.5 mgを1日1回空腹時に投与．
- **HBs抗原陰性例**…HBc抗体およびHBs抗体の確認を行い，いずれか陽性の場合，HBV-DNA定量を行う．定量値が検出感度以上の場合は，エンテカビルを投与する．

□ドセタキセルには，エタノールを含む製剤と含まない製剤がある．エタノールを含む製剤の場合，アルコール不耐の患者への投与を避ける必要があるため，飲酒習慣などアルコール耐性を確認する．また，ポリソルベート80を含むため，ポリソルベート含有製剤に対し重篤な過敏症の既往のある患者には禁忌である．

□中等度催吐リスクに該当するため，制吐療法は5-HT_3受容体拮抗薬とデキサメタゾンの2剤併用であることを確認する[4]．

□ペグフィルグラスチムを抗がん薬投与から24時間以内に使用すると血液毒性が増加する[5]．ペグフィルグラスチムを併用する場合は，抗がん薬投与後翌日以降であるかを確認する．

3		医薬品名 投与量	投与方法 投与時間	1	2	3	4	5	6	7	8	9	10	11	~	14	15	~	19	20	21
レジメン（TC）	Rp1	グラニセトロン 3 mg/body デキサメタゾン 6.6 mg/body 生理食塩液 50 mL	点滴注射 15〜30 分	↓																	
	Rp2	ドセタキセル 75 mg/m² 生理食塩液 250 mL	点滴注射 60 分	↓																	
	Rp3	シクロホスファミド 600 mg/m² 生理食塩液 100 mL	点滴注射 30 分	↓																	
	Rp4	デキサメタゾン 4 mg/body	経口 1 日 1 回		↓	↓															
	Rp5	ペグフィルグラスチム 3.6 mg/body	皮下注		↓																

FN を発症した以降のコースではペグフィルグラスチム投与が必須

副作用対策	1	2	3	4	5	6	7	8	9	10	11	~	14	15	~	19	20	21
静脈炎，血管外漏出	■																	
ドセタキセルは起壊死性抗がん薬のため，血管外漏出に十分注意する．漏出時は，ステロイド注射の局注，ステロイド外用薬塗布，漏出部位の冷却を行う．抜針後も投与部位付近に疼痛や灼熱感，硬結，腫脹，発赤がみられた場合は病院に連絡するよう指導する．																		
骨痛，筋肉痛			■	■	■													
ペグフィルグラスチム投与後に骨痛を，ドセタキセル投与後に筋肉痛を数日間訴える場合がある．疼痛時は，NSAIDs を頓用する．																		
好中球減少							■	■	■	■	■	■	■					
①感染予防対策（手洗い，うがい），②FN の徴候（発熱，悪寒，咽頭痛）がみられた際の抗菌薬や解熱薬の使用方法，③緊急受診の目安について事前に指導する．																		
悪心・嘔吐	■	■	■	■	■	■	■	■	■	■								
MEC レジメンに分類されるため $5HT_3$-受容体拮抗薬とデキサメタゾン 2 剤併用．効果不十分の場合はアプレピタント追加．																		
脱毛								■	■	■	■	■	■	■	■	■	■	■
ほぼ必発で 2〜3 週後がピーク．事前にウィッグなどの情報を提供しておく．治療終了後は数か月かけて回復する．																		
浮腫																■	■	■
定期的に体重を測定し，増加を観察．浮腫が自他覚的にも疑われる場合，ステロイドの増量や前投与を行う．																		
出血性膀胱炎	■	■	■															
飲水励行し，排尿を我慢しないよう指導．																		
爪毒性，爪周炎																■	■	■
爪周囲の皮膚の荒れに始まり，爪変色，爪変形，割れやすくなる．数か月後から剥離しやすくなるので，爪周囲の外用薬塗布や爪保護を指導．																		
手足症候群																■	■	■
手掌や足裏の皮膚の発赤，腫脹に始まり，重症化すると強い疼痛，皮膚剥離が起こる場合がある．ドセタキセル投与中と投与前後 15 分間，手足を冷却することで発症抑制可能．																		
アレルギー症状	■	■																
ドセタキセルの添加物ポリソルベート 80（およびマクロゴール 400）による過敏症やショックに注意．アルコール不耐性の場合，専用溶解液を使用しない調製方法を選択するか，エタノールフリー製剤を選択する．																		

3 抗がん薬の調剤

□シクロホスファミドは，安全キャビネットを使用した調製を行っても調製者の尿からシクロホスファミドが検出されたという報告もあり[6)]，閉鎖式調製器具の使用が推奨されている[7)]．100 mg 製剤は 5 mL 以上，500 mg 製剤は 25 mL 以上の注射用水または生理食塩液を加え，激しく振盪し完全に溶解する．

□ドセタキセルには，専用溶解液で溶解する製剤（タキソテール®）とプレミックス製剤（ワンタキソテール®），エタノールフリー製剤の 3 種類があり，それぞれ調製方法が異なるため注意する．また，調製後の薬液は泡立ちやすいため，搬送中も含め振り混ぜないよう注意する．

□アルコール不耐の患者にはエタノールフリー製剤を用いるか，エタノールを含む添付溶解液を使用しない方法で調製する．

□溶解・希釈後の安定性（室温，散光下）[8, 9)]

	希釈液	溶解・希釈後の濃度	残存率 95%以上
エンドキサン®*1	生理食塩液 5%ブドウ糖液	500 mg/500 mL	24 時間
タキソテール®*2	生理食塩液 5%ブドウ糖液	220 mg/250 mL	4 時間

*1 希釈液のボトルから 25 mL 抜き取り 500 mg バイアルに加え完全に溶解し，全量を希釈液のボトルに戻す

*2 添付溶解液（13%エタノール溶液）で溶解後，各希釈液に混和

4 抗がん薬の投与

投与基準[1)]

好中球数	≧1,400/μL	D-Bil	≦1.5 mg/dL
血小板数	≧10 万/μL	AST, ALT	AST≦90 U/L（≦ULN×3） ALT 記載なし
Hb	≧9 g/dL	Scr	≦（女）1.5 mg/dL

減量・中止基準

中止基準

□Grade 3 以上の非血液毒性（悪心，嘔吐を除く）．

□制吐薬使用下での Grade 4 の嘔吐．

□Grade 4 の血液毒性．

□7 日間以上続く，経口抗菌薬を要する FN．

腎機能障害

ドセタキセル[10]	減量基準はないが慎重投与
シクロホスファミド	記載なし

肝機能障害

ドセタキセル[10] *3	・G-CSF 使用下で FN 発症 ・Grade 3～4 の口内炎 ・重度の皮膚症状，中等度の神経障害	60 mg/m^2 に減量
	60 mg/m^2 に減量後も上記症状が出現	投与中止
シクロホスファミド	記載なし	

*3 海外添付文書　TAC（ドセタキセル＋ドキソルビシン＋シクロホスファミド）療法における減量基準を引用

注意点

□ドセタキセル投与中の過敏症発症率は約 2%で，初回投与時，2 回目投与時に多く，投与後 10 分以内に発現する．前投薬に抗ヒスタミン薬を追加する，投与速度減速などの対応で再投与可能[11]．

□ドセタキセルは起壊死性抗がん薬に分類されるので血管外漏出に注意．漏出時は，できる限り薬液を吸引したのち抜針し，ステロイド注射と 1%リドカイン注を混合したものを局注し，strongest クラスのステロイド外用薬を塗布する．

5 副作用マネジメント

発現率

副作用		海外（n=506）[1]		国内（n=53）[12]	
		全体	Grade 3 以上	全体	Grade 3 以上
血液毒性	好中球減少	62	61	100	98.1
	血小板減少	<1	<1	—	—
	貧血	5	<1	28.3	1.9
	FN	5	5	28.3	28.3
非血液毒性	悪心	53	2	35.9	0
	嘔吐	14	<1	7.5	0
	浮腫	34	<1	24.5	0
	口内炎	33	<1	18.9	0
	筋肉痛	33	0	39.7	0
	脱毛	—	—	100	0
	爪障害	—	—	28.3	0
	膀胱炎	—	—	3.8	0

評価と観察のポイント

□投与中はアレルギー症状（くしゃみ，咳，熱感，蕁麻疹，瘙痒感，顔面紅潮，咽頭不快感，呼吸困難感）の有無やバイタルサインをモニタリングする．注射部位の痛みや腫れ，熱感など血管外漏出がないか注意深く観察するとともに，症状発現時は速やかに申し出るよう患者に指導する．

投与初期（day 1〜7）

□悪心・嘔吐，便通，筋肉痛・骨痛の程度を評価し，次コースでの介入の基準とする．便秘は，5-HT_3 受容体拮抗薬の副作用としても高頻度で出現し，食欲不振が遷延する原因にもなる．

□シクロホスファミドによる出血性膀胱炎は，血尿や排尿時痛（灼熱感）などの自覚症状で評価する．

投与後期（day 7 以降）

□好中球減少が生じている時期であり，発熱，悪寒，咽頭痛など感染を疑う症状がないか確認する．

□ドセタキセルよる手足症候群，皮疹，爪の変化を観察する．

□ドセタキセルによる浮腫は用量依存的に発現する．体重をモニタリングする．

副作用対策のポイント

□初回投与後の悪心・嘔吐が十分制御できていない場合，次コースではアプレピタントを追加する．

□便秘は食欲不振の原因となるだけでなく，硬便により肛門裂傷を伴うと感染のリスクも高まる．治療開始前の排便状況を確認した上で，制吐薬の影響で便秘になりやすいことを説明し，積極的に緩下剤を使用するよう指導する．

□ドセタキセルによる皮膚症状，爪症状の予防に保湿薬を用いたケアを指導する．症状が現れたらステロイド外用薬を使用する．

□ドセタキセルによる浮腫が生活に支障をきたす場合，デキサメタゾンを制吐薬として使用する分も含め，投与前日から 4〜8 mg/回，1 日 2 回で 3 日間程度服用する．

□投与後期（day 7 以降）は，易感染状態にある．FN の徴候を見逃さず迅速に対処できるよう，発現時期，初期症状，抗菌薬の使用基準（37.5℃以上の発熱，悪寒，咽頭痛），発現時の対処方法（外来の場合，緊急連絡先）などを事前に患者に指導する．

□FN への対策

①シプロフロキサシン（シプロキサン® 錠）200 mg　1回1錠　1日3回
②アモキシシリン・クラブラン酸配合錠（オーグメンチン® 配合錠 250RS）　1回1錠　1日3回
①と②を3日間継続して併用する
・緩下剤として酸化マグネシウムを使用している場合はシプロフロキサシンとの同時服用を避けるよう事前に指導する

6 薬学的ケア

CASE

□50歳代女性．乳がん術後，浸潤性乳管がん，リンパ節転移なし，術後補助化学療法としてTC療法が選択された．初回から外来治療であり，薬剤師は副作用の発現時期と初期症状，支持療法薬の使用方法について説明を行った．血管外漏出について説明し，投与中刺入部に痛みなどの違和感があればすぐに申し出ること，帰宅後でも症状出現した場合は病院に連絡するよう指導した．手足症候群予防のため，ドセタキセル投与中と前後15分の計90分間手足のクーリングを行った．

□抗がん薬翌日にペグフィルグラスチム皮下注の投与が予定されていたため，骨痛，筋肉痛が出現した場合はロキソプロフェン錠を服用するよう指導した．

□3コース目 day 14に発熱あり，シプロフロキサシン錠，アモキシシリン・クラブラン酸配合錠内服，翌日には症状軽快した．

□予定の4コースを減量することなく完遂することができた．

解説

□術後補助化学療法は，根治性を高めるため治療強度を維持することが重要である．支持療法を十分に行い，治療延期，減量をできるだけ避ける．TC療法はFN発症リスク20％以上であり，G-CSFによる1次予防を検討してもよい．

□FN発症時は迅速に対処できるよう，経口抗菌薬が処方される場合がある．37.5℃以上の発熱，悪寒，咽頭痛など感冒様症状が現れたら抗菌薬の内服を開始，症状が軽快しても処方された日数分の抗菌薬を飲みきるよう指導する．抗菌薬服用後も改善しない，あるいは再燃した場合は受診するよう指導する．

□ドセタキセル投与数日後から筋肉痛が，ペグフィルグラスチム投与後から骨痛が出現し，時に体動困難となる症例をしばしば経験する．疼痛時はNSAIDsの頓用が有効である．

□手足症候群の予防に手足の冷却が有効だが，投与中の行動が制限され，冷却による不快感が苦痛になることもあり，十分説明した上で，希望する患者に実施する．

引用文献

1) Jones SE, et al：J Clin Oncol 24：5381-87, 2006（PMID 17135639）
2) Blum JL, et al：J Clin Oncol 35：2647-55, 2017（PMID 28398846）
3) 坪内博仁，他：肝臓 50：38-42, 2009
4) 日本癌治療学会（編）：制吐薬適正使用ガイドライン，第2版．金原出版，2015
5) ジーラスタ® 皮下注，添付文書（協和発酵キリン）
6) Sessink PJ, et al：Hops Pharm 48：204-12, 2013（PMID 24421463）
7) 日本がん看護学会，日本臨床腫瘍学会，日本臨床腫瘍薬学会（編）：がん薬物療法における職業性曝露対策ガイドライン 2019年版．金原出版，2019
8) 注射用エンドキサン®，インタビューフォーム（塩野義製薬）
9) タキソテール® 点滴静注用，インタビューフォーム（協和発酵キリン）
10) ドセタキセル，海外添付文書
11) 和田伸子，他：癌の臨床 58：137-42, 2012
12) Takabatake D, et al：Jpn J Clin Oncol 39：478-83, 2009（PMID 19491086）

（奥山裕子）

4 TAC(ドセタキセル＋ドキソルビシン＋シクロホスファミド)＋Peg-G-CSF

DTX＋DXR＋CPA＋Peg-G-CSF

POINT

■本治療の対象患者は，リンパ節転移陽性乳がんの術後補助化学療法である．リンパ節転移陰性患者に対して推奨するだけの根拠はない．

■タキサンの投与方法について，アントラサイクリンとの同時投与と順次投与について比較試験の報告があり，同時投与群では血液毒性が強く発現する[1,2]．

■治療強度を維持することが求められるので，あらかじめ副作用対策を十分に行う．

1 レジメンと副作用対策 (→次頁参照)

適応：リンパ節転移陽性乳がんの術後補助化学療法

1コース期間：21日間　**総コース**：6サイクル

2 抗がん薬の処方監査

□本レジメンの適応（リンパ節転移陽性など高リスク術後補助化学療法）であることを確認する．通常，治療は術後3か月以内に開始する[3]．

□ペグフィルグラスチムの使用は必須である．ただし，抗がん薬投与から24時間以上あけて使用すること[4]．

□高度催吐性リスク分類に応じた制吐療法が実施されていることを確認する[5]．

□心疾患の有無（LVEFが50〜55％以上），過去のアントラサイクリン系薬剤の投与歴を確認する．

□HBs抗原およびHBs抗体およびHBc抗体の確認を行い，HBs抗原陽性例はエンテカビルの内服などB型肝炎治療ガイドラインに沿った対応をする[6]．

□ポリソルベート80含有製剤に対し重篤な過敏症の既往歴のある患者は禁忌である．

□糖尿病の既往のある患者は血糖コントロールの状況を把握し，必要に応じて糖尿病内分泌内科にコンサルトし，パロノセトロンを使用するなど2コース目以降可能な限りステロイドの減量を試みる[7]．

4		医薬品名 投与量	投与方法 投与時間	1	2	3	4	5	6	7	8	9	10	～	14	15	～	18	19	20	21
レジメン（TAC＋Peg-G-CSF）	Rp1	パロノセトロン 0.75 mg/body デキサメタゾン 9.9 mg/body 生理食塩液 50 mL	点滴注射 15 分	↓																	
	Rp2	ドセタキセル 75 mg/m^2 生理食塩液 250 mL	点滴注射 60 分	↓																	
	Rp3	ドキソルビシン 50 mg/m^2 生理食塩液 50 mL	点滴注射 15 分	↓																	
	Rp4	シクロホスファミド 500 mg/m^2 生理食塩液 100 mL	点滴注射 30 分	↓																	
	Rp5	アプレピタント	経口	↓	↓	↓															
	Rp6	デキサメタゾン 8 mg/body	経口 1 日 1 回		↓	↓	↓														
	Rp7	ペグフィルグラスチム 3.6 mg/body	皮下注		↓																

（Rp5 アプレピタント）初日 125 mg を治療開始 90 分前に内服する．翌日以降は，朝 80 mg を内服する．悪心・嘔吐が遷延する場合，5 日間までの延長が可能．また，ホスアプレピタント 150 mg またはホスネツピタント 235 mg の点滴静注を採用してもよい．

副作用対策

副作用	1	2	3	4	5	6	7	8	9	10	～	14	15	～	18	19	20	21
静脈炎，血管外漏出	■																	
骨痛			■	■	■													
好中球減少							■	■	■	■	■	■						
悪心・嘔吐	■	■	■	■	■	■	■	■	■	■								
脱毛								■	■	■	■	■	■	■	■	■	■	■
浮腫																■	■	■
出血性膀胱炎	■	■	■															
爪毒性，爪周炎																■	■	■
アレルギー症状	■	■																

静脈炎，血管外漏出

ドキソルビシン，ドセタキセルは，起壊死性抗がん薬に該当する．ドキソルビシンは，実施可能であれば投与時間の短縮（ワンショット静注）が静脈炎のリスクを下げる．

骨痛

ペグフィルグラスチムの使用により，骨痛を訴える場合がある．その場合，NSAIDs を頓用する．

好中球減少

ドセタキセルは一般的な抗がん薬の好中球減少時期（10 日～14 日）よりも早く，7 日程度で好中球が下がるので注意する．

悪心・嘔吐

高度催吐性レジメンに分類されるためアプレピタント，パロノセトロンを含む 3 剤併用を標準療法とし，効果不良の場合，オランザピン 5 mg を追加することもよい．

脱毛

ほぼ必発で 1 コース目が終わる頃にピークを迎える．事前にウィッグなどの情報を提供しておく．

浮腫

定期的に体重を測定し，増加を観察する．浮腫が自他覚的にも疑われる場合，ステロイドの増量や前投与を行う．

出血性膀胱炎

水分摂取を心掛け尿量を確保する．血尿が出現した場合は申し出るよう指導する．

爪毒性，爪周炎

爪周囲の皮膚の荒れに始まり，爪変色，爪変形，割れやすくなる．数か月後～剥離しやすくなるので，爪周囲の外用薬塗布や爪保護を指導する．

アレルギー症状

ドセタキセルの添加物ポリソルベート 80（およびマクロゴール 400）による過敏症やショックに注意する．

3 抗がん薬の調剤

□ドセタキセルは，商品によりエタノールを含むものと含まないものがあり，調製方法が異なるため，添付の調製方法を必ず確認する．

□シクロホスファミドは揮発性薬剤であり，職業的曝露を防ぐために，閉鎖式調製器具を使用した調製，投与が望ましい．

4 抗がん薬の投与

投与基準[8, 9]

好中球数	≧1500/μL
血小板数	≧10 万/μL
Hb	≧8～10 g/dL
AST，ALT	AST≦90 U/L， ALT≦(女)69 U/L[*1] (≦ULN×3)

T-Bil	≦2.3 mg/dL[*1] (≦ULN×1.5)
Scr	≦(女)1.5 mg/dL

[*1] 施設基準：AST：10～30 U/L，ALT：(女) 7～23 U/L，T-Bil≦1.5 mg/dL

減量・中止基準

□前コースで Grade 3 以上の非血液毒性 (肝機能障害や腎機能障害は，下記基準に従う)，Grade 4 の血液毒性 (7 日以上持続あるいは FN を伴うものなど) を認めた場合，各薬剤の 20～25% 減量を考慮する．

好中球数	<500/μL
血小板数	<2.5 万/μL
FN	好中球数<1,000/μL かつ 38℃以上の発熱 (CTCAE v5.0) 好中球数 500/μL 未満または低下傾向 (48 時間以内に 1,000/μL 未満) かつ腋窩 37.5℃以上 (日本臨床腫瘍学会)

腎機能障害

	GFR	用量
ドセタキセル	—	調節不要
ドキソルビシン	—	調節不要
シクロホスファミド	10 mL/分未満	25%減量

肝機能障害

	T-Bil (mg/dL)	AST，ALT (U/L)	ALP (IFCC) (U/L)	用量
ドセタキセル	＞1.5	AST＞45 ALT＞35	＞282	投与中止
ドキソルビシン	1.2〜3.0	—	—	50%減量
	3.1〜5.0			75%減量
	＞5.0			投与中止
シクロホスファミド	3.1〜5.0	—	—	25%減量

Up to date 参照．施設基準：AST：10〜30 U/L，（女）ALT：7〜23 U/L，T-Bil 1.5 mg/dL，ALP (IFCC)：38〜113 U/L

注意点

□特に初回および2回目投与時，過敏症に注意する．あらかじめ，患者に過敏症の危険がある薬剤を使用することを伝え，体調の変化を感じたら申し出るよう伝える．

□ドセタキセルとドキソルビシンは，起壊死性抗がん薬に分類され，血管外漏出時にはステロイドと1%リドカインと混合して1時間以内に局注し，strongest クラスのステロイド外用薬の処方を依頼する．また，ドキソルビシンの大量漏出時は，デクスラゾキサンの使用を考慮する（詳細は111「デクスラゾキサン」の項→885頁）．

5 副作用マネジメント

発現率[9, 10]

症状		海外 (n=744) *2		国内 (n=29) *3	
		全体 (%)	Grade≧3 (%)	全体 (%)	Grade≧3 (%)
血液	好中球減少	71.4	65.5	—	100
	血小板減少	39.4	2.0	—	13.8
	貧血	91.5	4.3	—	0
	FN	28.8	—	10.3	10.3
非血液	悪心	80.5	5.1	≧50	—
	嘔吐	44.5	4.3	≧50	—
	浮腫	33.7	0.5	—	—
	口内炎	69.4	7.1	—	—
	脱毛	97.8	—	≧50	—
	爪障害	18.5	0.4	—	—
	心機能障害	1.6	0.1		—

*2 海外 PhaseⅢ：シプロフロキサシン 500 mg の予防投与あり，G-CSF は2次予防的投与

*3 国内ペグフィルグラスチムの用量設定試験，3.6 mg の1次予防的投与群

評価と観察のポイント

□投与初期（day 1～7），客観的な判断のため，具体的な食事内容やもともとの嗜好について聴き出すと状況が把握しやすい．

□シクロホスファミドによる出血性膀胱炎は，ドキソルビシンで尿が赤色に着色するため，色調による判別が難しく，排尿困難や排尿時の灼熱感などの自覚症状で評価する．

□投与後期（day 7 以降），ペグフィルグラスチムを使用しても，FN のリスクはあるため，発熱，悪寒などの自覚症状を把握するとともに，症状自覚時は，受診を勧奨する．

□ドセタキセルによる浮腫は，下肢の浮腫だけでなく，顔面の腫れとして出現することもあるので，全体を注意深く観察する．

□ドセタキセルによる爪毒性や爪囲炎については，患者の価値観にあった対応を提案する必要があるため，仕事や生活スタイルにも気を配っていく．局所クーリングが有効であることがある[11]．

副作用対策のポイント

□ドセタキセルによる浮腫が生活上支障ある場合は，制吐薬で使用するデキサメタゾンの使用期間および投与量を 8～16 mg/日，3 日間とする．

□ペグフィルグラスチム投与後数日間，骨痛や発熱が出現することがあるため，NSAIDs の頓服で対処する．

□初回に悪心・嘔吐が十分制御できていなければ，5-HT_3 受容体制拮抗薬をパロノセトロンに変更する．さらに，効果不良の場合，糖尿病の既往がないことを確認し，オランザピン 5 mg を当日眠前から 4 日間ほど服用する．

□FN 発現時の対処方法を事前に患者に指導しておく．

6 薬学的ケア

CASE

□30 歳代女性．リンパ節転移陽性の乳がん患者．術後補助療法として TAC 療法が選択された．患者には 5 歳の娘がおり，子供のとの関わりについて心配していた．脱毛については開始前からウィッグの選定を行い，アピアランスケアに努めた．2 コース目の面談時，抗がん薬曝露の心配から，子供とは別室で寝ているとの情報を得た．抗がん薬投与を受けた患者の体液や排泄物の取り扱いについて注意喚起したためである．幼い子供にとって母親とのスキンシップは何より大切であることを伝え，曝露についてより具体的な説明をし，理解を得た．精神的に不安定だった患者と娘は落ち着くことができた．

解説

□抗がん薬治療の説明をする際，どうしても副作用の話ばかりになりがちであるが，患者の周囲で支える人の存在にも目を配る必要がある．幼い子供を持つ母親の場合，日々の生活をどのように保持するか，子供とどのように接するかも踏まえ，具体的に話し合っていく必要がある．

引用文献

1）Swain SM, et al：N Engl J Med 362：2053-65, 2010（PMID：20519679）
2）Eiermann W, et al：J Clin Oncol 29：3877-84, 2011（PMID：21911726）
3）Chavez-MacGregor M, et al：JAMA Oncol 2：322-9, 2016（PMID：26659132）
4）Lyman GH, et al：Support Care Cancer 25：2619-29, 2017（PMID：28484882）
5）日本癌治療学会：制吐薬適正使用ガイドライン，第2版（一部改訂版 ver. 2.2）．日本癌治療学会，2018
6）日本肝臓学会：B型肝炎治療ガイドライン，第3.4版．2021
7）長坂沙織，他：医療薬学 33：310-317, 2007
8）Kosaka Y, et al：Support Care Cancer 23：1137-43, 2015（PMID：25576433）
9）Masuda N, et al：Support Care Cancer 23：2891-8, 2015（PMID：25733000）
10）Martin M, et al：N Engl J Med 352：2302-13, 2005（PMID：15930421）
11）Scotté F, et al：J Clin Oncol 23：4424-9, 2005（PMID：15994152）

（牛膓沙織）

5 パクリタキセル（タキソール®）

PTX

POINT

- 術前・術後化学療法としての weekly パクリタキセル（PTX）療法（80 mg/m^2，day 1，1 コース 7 日間），進行・再発化学療法としての weekly PTX 療法（80 mg/m^2，day 1，8，15，1 コース 28 日間）があるので注意が必要．
- 溶剤として無水エタノールを含有するため，投与前にアルコール過敏の有無について確認．PTX と溶解補助剤のポリオキシエチレンヒマシ油による過敏症予防のための前投薬を使用する．
- 代表的な副作用である末梢神経障害は，患者の QOL を著しく低下させる可能性がある．有効な治療法が乏しいため，患者から細かく症状の聴き取りを行い，日常生活への支障が懸念される場合は減量・中止を考慮．

1 レジメンと副作用対策（→次頁参照）

適応 1：AC 療法 4 コース後の術前・術後乳がん患者に実施（AC followed by weekly PTX）
パクリタキセル　点滴静注　80 mg/m^2　day 1
1 コース期間：7 日間　**総コース**：12 コース

適応 2：1 次治療およびタキサン系未使用の進行・再発乳がん患者に対する 2 次治療
パクリタキセル　点滴静注　80 mg/m^2　day 1, 8, 15
1 コース期間：28 日間　**総コース**：可能な限り継続

2 抗がん薬の処方監査

□レジメンの適応を確認（術前・術後乳がん，または進行・再発乳がん）．3 週間に 1 回投与の tri-weekly パクリタキセル療法（175 mg/m^2，day 1，1 コース 21 日間）も存在するが，術前・術後乳がん，進行・再発乳がんともに weekly 投与法の有効性の方が良好であり，毒性も少ないことが報告されている[1,2]．

□溶剤として無水エタノールを含有するため，投与前にアルコール過敏の有無について確認する．アルコールに過敏な患者は慎重投与となる．飲酒習慣はなくても，機会飲酒歴があれば投与可能と考える．アルコール不耐性患者には，必要に応じてドセ

5		医薬品名 投与量	投与方法 投与時間	1	2	3	4	～	7	8	9	10	11	～	15	16	17	18	～	21
レジメン	Rp1	デキサメタゾン 6.6 mg/body ファモチジン 20 mg/body d-クロルフェニラミン 5 mg/body 生理食塩液 100 mL	点滴静注 30 分	↓						↓					↓					
	Rp2	パクリタキセル 80 mg/m² 5%ブドウ糖液 250 mL	点滴静注 60 分	↓						↓					↓					

副作用対策	1	2	3	4	～	7	8	9	10	11	～	15	16	17	18	～	21
過敏症	■						■					■					
症状：瘙痒感，発疹，顔面紅潮，発汗，血圧低下，徐脈，呼吸困難 対策：前投薬は必須．初回投与時は特に注意．細かく観察するとともに患者には初期症状について指導．																	
静脈炎，血管外漏出	■						■					■					
症状：パクリタキセルは起壊死性抗がん薬に該当．漏出により硬結・皮膚壊死． 対策：投与中は刺入部位を細かく観察するとともに，患者には異変時知らせるように指導．																	
白血球減少，好中球減少							■	■	■	■	■	■	■	■	■	■	■
基本的な感染予防対策（手洗い，うがい），FN の徴候（発熱，悪寒，咽頭痛）がみられた際の抗菌薬や解熱薬の使用方法，緊急受診の目安について十分に指導する．																	
末梢神経障害							■	■	■	■	■	■	■	■	■	■	■
症状：手足のしびれ，感覚鈍麻．コース数の増加とともに増強． 対策：症状緩和にデュロキセチンが使用されることがあるが，効果は限定的．休薬・減量により重症化を防ぐ．																	
関節痛，筋肉痛		■	■					■	■				■	■			
症状：投与後 2，3 日目より出現し 1 週間以内には改善する． 対策：通常は無処置で改善するが，症状が強い時は NSAIDs を使用する.．																	
脱毛												■	■	■	■	■	■
ほぼ必発で 2～3 週後がピーク．事前にウィッグなどの情報を提供しておく．治療終了後は回復．																	

キタキセルや nab-パクリタキセルなどにレジメン変更を検討する．

□パクリタキセルと溶解補助剤のポリオキシエチレンヒマシ油による過敏症予防のため，前投薬としてジフェンヒドラミン内服（ジフェンヒドラミン注またはクロルフェニラミン注を上記 Rp1 に混注でも可），H_2 ブロッカー，デキサメタゾンが処方されていることを確認する．

□前投薬のデキサメタゾンは初回投与時 6.6 mg とし，次回投与時までに過敏症状の発現がみられなかった場合，または臨床上特に問題のない過敏症状の場合は，2週目の投与より半量（3.3 mg）に減量し投与してもよい．以降の投与週においても同様の場合，半量ずつ最低1 mgまで減量し投与してもよい．

□併用禁忌薬使用の有無を確認する．次の薬品は併用禁忌となる〔これらの薬剤とのアルコール反応（顔面潮紅，血圧降下，悪心，頻脈，めまい，呼吸困難，視力低下など）を起こすおそれがある〕．

・ジスルフィラム・シアナミド・プロカルバジン

□併用注意薬を使用中ではないか確認する．次の薬品は併用注意（パクリタキセルの代謝酵素がCYP2C8，CYP3A4であるためパクリタキセルの血中濃度が上昇するおそれあり）．

・ビタミンA
・アゾール系抗真菌薬（ミコナゾールなど）
・マクロライド系抗菌薬（エリスロマイシンなど）
・ステロイド系ホルモン薬（エチニルエストラジオールなど）
・ジヒドロピリジン系Ca拮抗薬（ニフェジピンなど）
・シクロスポリン
・ベラパミル
・キニジン
・ミダゾラム
・フェナセチン
・ラパチニブ

3 抗がん薬の調剤

□調製時に，注射針に塗布されているシリコーン油により不溶物を生じることがあるため，調製後に薬液中に不溶物がないか目視で確認する．シリコーン油フリーのプラスチック注射針による調製はこれを防げる．

□weekly療法の場合，250 mLの5%ブドウ糖注射液または生理食塩液に混和する．

4 抗がん薬の投与

投与基準[3)]

□以下を満たさなければ，1週間休薬．

白血球数	≧3,000/μL	Hb	≧9 g/dL
好中球数	≧1,500/μL	末梢神経障害	≦Grade 2
血小板数	≧7.5万/μL		

□同一サイクル内での投与にあたっては，投与前の臨床検査で白血球数が2,000/μL未満または好中球数が1,000/μL未満であれば，骨髄機能が回復するまでは投与を延期．

減量・中止基準[3)]

□投与後下記に該当する場合は，次回の投与量を 80 mg/m² が 60 mg/m² に減量．

白血球数	＜1,000/μL	末梢神経障害	≧Grade 3

腎機能障害

□腎機能低下例では慎重投与となっているが，腎排泄率が 10％未満であり，腎機能低下例への減量は通常必要ない．

肝機能障害

□米国添付文書の 175 mg/m², 3 時間投与法における肝機能障害時の推奨投与量．この情報を参考にして減量・中止を検討する．

AST，ALT		T-Bil	パクリタキセル投与量
AST＜300 U/L または ALT＜(女)230 U/L (＜ULN×10)	かつ	≦1.88 mg/dL (≦ULN×1.25)	減量なし
AST＜300 U/L または ALT＜(女)230 U/L (＜ULN×10)	かつ	1.89～3.0 mg/dL (ULN×1.26～2.0)	135 mg/m²
AST＜300 U/L または ALT＜(女)230 U/L (＜ULN×10)	かつ	3.01～7.5 mg/dL (ULN×2.01～5.0)	90 mg/m²
AST≧300 U/L または ALT≧(女)230 U/L (≧ULN×10)	または	＞7.5 mg/dL (＞ULN×5.0)	中止

注意点

□パクリタキセル投与の 30 分前までに前投薬の投与を終了する．

□パクリタキセルが結晶として析出する可能性があるので，投与時には，0.22 μm 以下のメンブランフィルターを用いたインラインフィルターを通して投与する．

□可塑剤として DEHP を含有している点滴用セットの使用を避ける．

□輸液で希釈された薬液は表面張力が低下し，1 滴の大きさが生理食塩液などに比べ小さくなるため，自然落下方式で投与する場合，輸液セットに表示されている滴数で投与速度を設定すると，目標に比べ投与速度が低下するので，滴数を増加させて設定するなどの調整が必要である．また，滴下制御型輸液ポンプを用いる場合は，流量を増加させて設定するなどの調整が必要である．

□weekly 療法の投与時間は 60 分である．

□パクリタキセルは起壊死性抗がん薬に分類される．血管外漏出により，注射部位に硬結・壊死を起こすことがあるので投与中は刺入部を慎重に観察するとともに，患者には異変があるときにはすぐに知らせるように指導する．

5 副作用マネジメント

発現率

□国内副作用の概要（再審査終了時および効能追加時の集計，n＝181）

副作用	発現率（%）	Grade 3/4(%)	副作用	発現率（%）	Grade 3/4(%)
白血球減少	77.9	24.3	浮腫	17.1	0.6
好中球減少	75.1	31.5	ALT 上昇	38.1	1.1
末梢神経障害	76.8	5.0	AST 上昇	28.7	1.1
脱毛	92.3	—	LDH 上昇	26.5	—
爪障害	20.4	—	ALP 上昇	10.6	0.6
疲労	70.2	2.8			

評価と観察のポイント

□**過敏症**：投与中に瘙痒感，発疹，顔面紅潮，発汗，血圧低下，徐脈，呼吸困難が現れることがある．特に初回投与時はバイタルサイン測定，症状の確認を細かく行う．

□**血管外漏出**：パクリタキセルは起壊死性抗がん薬に分類されている．投与中は刺入部位の観察を十分に行う．

□**中枢神経抑制**：パクリタキセルの溶剤に無水エタノールを含有するため，前投薬で投与される抗ヒスタミン薬とアルコールの相互作用による中枢神経抑制作用の増強の可能性があるため，投与後の眠気，めまい，ふらつきの症状の有無を観察する．

□**関節痛，筋肉痛**：投与後 2，3 日で現れ，数日間持続することがある．

□**末梢神経障害**：手足のしびれ，感覚鈍麻がコース数の増加とともに増強する．用量規制因子となっており，軽度であれば投与中止により回復するが，重篤なものは回復までに年単位の時間を要する場合がある．主観的症状であるため，客観的評価が難しく，医療従事者と患者の認識のギャップが指摘されている．日常生活の動作や生活上の問題（ボタンが留めづらい，つまずきやすいなど）から，徴候を見出す．あるいはNRSのような痛みの評価スケールを使用する．

□**爪障害**：爪囲炎，爪の変形，爪の変色といった症状が起こることがある．重症度は低いが患者のQOLを損ねる副作用であるため，患者への聴き取りとともに手足の爪の観察を行う．

副作用対策のポイント

□**過敏症**：予防のための前投薬は必須である．特に，投与初回，2回目などの早期に過敏症は発生しやすい．初期はバイタルのモニタリングを徹底するとともに，患者には初期症状について説明し，異変時は知らせるように指導する．

□**血管外漏出**：患者には刺入部位に痛みや異変を感じた際は，すぐに知らせるように指導する．

□**中枢神経抑制**：投与後は，自動車運転など危険を伴う機械の操作に従事しないように指導する．

□**関節痛，筋肉痛**：多くは無処置で軽快するが，痛みが強い場合は鎮痛薬を使用する．

□**末梢神経障害**：現在のところ減量・休薬以外に効果的な対策はない．ASCOガイドライン[4)]では末梢神経障害の予防法はなく，症状緩和として推奨される方法はデュロキセチンのみとなっている．2022年1月現在，国内のデュロキセチンの適応はうつ病・うつ状態，糖尿病性神経障害・線維筋痛症・慢性腰痛症・変形性関節症に伴う疼痛となっている．デュロキセチンを使用する場合は，少量から開始し，眠気・めまいの副作用に注意しながら徐々に増量する．

□**爪障害**：指先や爪辺縁は乾燥による角化や亀裂が生じやすい部位である．意識的に指先や爪にも保湿薬を塗布する．患者には爪を短く切りすぎないように，角は爪やすりを使用して丸く削る方法について指導する[5)]．重症の場合は皮膚科との連携を考慮する．

6 薬学的ケア

CASE 1

□AC療法4コース後，weekly PTX療法開始になった症例．心房細動既往あり，ワルファリン2 mg/日内服中．AC療法開始時点から医師にPT-INRを細かくモニタリングすることを提案し実施されており，AC療法実施中のPT-INRは2前後で推移していた．weekly PTX開始後のPT-INRは1回投与後2.35，2回投与後3.02と上昇傾向が認められたためワルファリンの減量を提案．その後はワルファリン1.5 mg/日で治療継続し，過度のPT-INR上昇はなく，予定されたweekly PTX療法を完遂した．

CASE 2

□再発乳がんに対してweekly PTX療法が導入となった症例．2コース目開始時，患者より爪の変色，爪床痛の訴えありCTCAE Grade 2と評価．看護師と協議し，医師の許可を得たのち，患者に説明を行ってフローズングローブを装着してPTXの投与を行うこととした．3コース目以降は，爪の変色は改善しなかったが，爪床痛は改善傾向が見られ，爪障害はGrade 1で推移し，PDとなる5コースまで継続可能であった．

解説

□PTXとワルファリンの薬物相互作用については両剤の添付文書に記載はないものの，いくつかの報告がある[6, 7]．両剤のアルブミン結合部位が同じであることから，この薬物相互作用は血漿蛋白結合置換を介して発現する可能性が高いと考えられている．がん化学療法とワルファリンの相互作用は添付文書未記載の内容も含めて注意が必要であり，PT-INRの細やかなモニタリングは出血などの重篤な副作用発現防止に寄与する．

□爪障害は特徴的な副作用の1つであり，フローズングローブによる予防効果[8)]，治療中に発生した爪障害に対して氷冷法が有効であったという報告[9)]がある．冷却による血流量の減少により手指の毛細血管から爪母細胞に至る抗がん薬の流入を減少させることがメカニズムとして提唱されている．エビデンスレベルは低いが患者と相談の上，合意が得られれば手の冷却法を考慮してもよい．冷たさに耐えられない患者もいるため，患者に応じた対応が必要となる．

引用文献

1) Sparano JA, et al：N Engl J Med 358：1663-71, 2008 (PMID：18420499)
2) Green MC, et al：J Clin Oncol 23：5983-92, 2005 (PMID：16087943)

3) タキソール® 注射液，インタビューフォーム．2018 年 2 月改訂（ブリストル・マイヤーズ スクイブ）
4) Loprinzi CL, et al：J Clin Oncol 38：3325-48, 2020（PMID：32663120）
5) 濱口恵子，他（編）：がん化学療法ケアガイド，第 3 版．pp 232-51，中山書店，2020
6) 近藤麻伊，他：心臓 42：230-5：2010
7) 垣尾尚美，他：医療薬学 37：443-8：2011
8) Scotté F, et al：J Clin Oncol 23：4424-9, 2005（PMID：15994152）
9) 佐田竜尚，他：医療薬学 34：131-34：2008

（岡田浩司）

6 パクリタキセル＋ベバシズマブ

PTX＋Bev

POINT

- ■ベバシズマブによる血圧上昇は，どのタイミングで生じるかわからない．患者教育が重要であり，家庭血圧の測定，血圧手帳などを活用する．
- ■ベバシズマブによる蛋白尿は，治療継続の可否に関係する．蛋白尿Grade 2以上の場合，UPCRの検査追加を検討する．
- ■外来治療では，血圧や末梢神経障害などのモニタリングを保険調剤薬剤師と連携，情報を共有する．その際は，副作用対策を含めた指導内容を統一し，患者の不安を取り除くことを心掛ける．

1 レジメンと副作用対策（→次頁参照）

適応：HER2陰性の転移・再発乳がんに対する1次化学療法においてPFSの延長と奏効率の改善を認めたが，明らかなOSの延長は認められなかった[1]．適応についてはER，PgR，HER2発現状況を含め主治医と慎重に検討

投与スケジュール：3投薬1休で1コース28日間

総コース：可能な限り継続

2 抗がん薬の処方監査

- □パクリタキセルによる過敏症に注意する．過敏症予防のためパクリタキセル投与30分前までデキサメタゾンとして8 mg，ラニチジンとして50 mgまたはファモチジンとして20 mgを静脈内投与．パクリタキセル国内添付文書では，ジフェンヒドラミンとして50 mgを経口投与とあるが，乳癌診療ガイドライン2018年版の化学療法レジメン処方例では「クロルフェニラミン10 mg（ポララミン®5 mg相当）を静脈内投与」としている[2]．
- □投与前に確認する検査項目として骨髄機能，肝腎機能，凝固系異常・糖尿病・高血圧症・アルコール不耐の有無を確認する．
- □デキサメタゾンの初回投与は6.6 mgとし，次回投与時までに過敏症の発現がみられない場合，また臨床上特に問題のない過敏症状の場合は2週目の投与量より半量3.3 mgに減量し，投与してもよい．

6		医薬品名 投与量	投与方法 投与時間	1	2	3	4	～	7	8	9	10	11	～	14	15	16	17	18	～	28
レジメン（PTX＋Bev）	Rp1	クロルフェニラミン 10 mg/body	点滴注射 30分	↓						↓						↓					
		デキサメタゾン 6.6 mg/body																			
		ファモチジン 20 mg/body																			
		生理食塩液 100 mL																			
	Rp2	パクリタキセル 90 mg/m^2	点滴注射 60分	↓						↓						↓					
		生理食塩液 250 mL																			
	Rp3	ベバシズマブ 10 mg/kg	点滴注射 90分	↓												↓					
		生理食塩液 100 mL																			

クロルフェニラミン：パクリタキセル添付文書ではジフェンヒドラミン塩酸塩50 mg内服だが，クロルフェニラミン点滴静注を用いてもよい．

ベバシズマブ：投与時間は初回90分だが忍容性に問題がない場合，2回目60分，3回目以降30分まで変更可．

副作用対策

過敏症

症状として蕁麻疹，息苦しさ，顔面紅潮，瘙痒感，血圧低下，徐脈，発汗がある．
対策：前投薬の有無の確認．投与前後のバイタルサイン測定（血圧，SpO_2）

静脈炎，血管外漏出

パクリタキセルは漏出時に起壊死性抗がん薬に該当する．
対策：点滴前に手術した側と反対にラインどりしているか確認．疼痛，腫脹が生じた際の連絡先を含め，対応を決めておく．

関節痛，筋肉痛

投与数時間後から2～3日後に現れる．自然に軽快することが多い．
対策：症状によりNSAIDsを服用．

白血球，好中球減少

MASCCスコアにより，FN発症後のリスク分類を実施．随伴症状を含め迅速な対応が必要．

末梢神経障害

手袋靴下型の症状が多く，疼痛，しびれ，感覚麻痺が現れ総投与量と相関する．
対策：早期から発症する可能性があり，日常生活への影響の有無を確認するため，保険調剤薬剤師との連携を図る．

高血圧

無症候の場合が多く，発症時期はわからない．
対策：早期から発症する可能性があり，外来治療後は血圧測定の指導を保険調剤薬剤師に依頼する．

尿蛋白

無症候性で自覚症状がなく，累積投与量にかかわらず発現時期は一定でない．
対策：定期的な検査を実施する．

出血

最も頻度が高い事象は鼻出血であるが，重度な疾患の可能性もある．
対応：軽微な症状であるが，患者に不安感が生じないように伝える．

□パクリタキセルはアルコール含有のためジスルフィラム，シアナミド，プロカルバジンとの併用は禁忌．アゾール系抗真菌薬，マクロライド系抗菌薬，シクロスポリン，ベラパミルなどはP450-CYP2C8，CYP3A4を阻害，パクリタキセルの代謝が阻害されパクリタキセルの血中濃度が上昇する可能性がある[3]．
□ベバシズマブの術後投与は，術創状態が治癒していることを確認してから行う．なお，国内外の臨床試験では，治癒が確認された症例でも手術後28日以内の症例は除外されている[4]．
□ベバシズマブは，喀血（2.5 mL以上の鮮血の喀出）の既往歴のある患者は禁忌となっている．
□投与開始前に血圧のコントロールの有無，蛋白尿Grade 1を認めた場合，血圧や肥満度，年齢を含めて確認する．

3 抗がん薬の調剤

□パクリタキセルの調製時，注射針に塗布されているシリコーン油により不溶物が生じることがある．調製後に薬液中に不溶物がないか目視で確認する．また，輸液で希釈するとき，液がわずかにかすんで見えることがある．これは溶剤として用いたポリオキシエチレンヒマシ油に由来するものであり，0.22 μm以下のフィルターで捕捉できるため，臨床使用時の安全性に問題ない[3]．
□パクリタキセルは粘稠性が高く，細い注射針での調製は時間がかかるだけでなく薬液採取・注入時にシリンジ内圧が変化しやすいので18G注射針を選択する．また，希釈・調製時に泡立つことがあるので注意する[5]．
□ベバシズマブの調製時，必ず生理食塩液を使用する．ブドウ糖液を混合した場合，力価の低下が生じるおそれがあるためブドウ糖溶液との混合を避け，ベバシズマブとブドウ糖溶液の同じ点滴ラインを用いた同時投与は行わないこと．

4 抗がん薬の投与

投与基準[1]

好中球数	≧1,500/μL	AST	≦60 U/L（≦ULN×2）【肝転移が認められた場合】≦150 U/L（≦ULN×5）
血小板数	≧10万/μL		
T-Bil	≦1.5 mg/dL		
Scr	≦2 mg/dL	PT-INR	≦1.5
		尿蛋白（24時間蓄尿）	＜0.5 g/dL

減量・中止基準[1)]

□血液毒性

<table>
<tr><th>事象</th><th>パクリタキセル</th><th>ベバシズマブ</th></tr>
<tr><td>好中球数≧1,500/μL かつ
血小板数≧10 万/μL</td><td>90 mg/m^2（通常用量）維持</td><td>—</td></tr>
<tr><td>好中球数＜1,500～1,000/μL または
血小板数＜10 万～7.5 万/μL</td><td>65 mg/m^2 に減量</td><td>—</td></tr>
<tr><td>好中球数＜1,000～500/μL または
血小板数＜7.5 万～5 万/μL</td><td>好中球数≧1,500/μL かつ血小板数≧100,000/μL に回復するまで休薬．3 週超の休薬で改善がみられない場合中止</td><td>—</td></tr>
<tr><td>好中球数＜1,000/μL で発熱（≧38.5 ℃）を伴う</td><td rowspan="4">65 mg/m^2 に減量．その後は増量しない．再開後に再発が認められた場合は中止</td><td>—</td></tr>
<tr><td>好中球数≦500/μL が 5 日以上連続</td><td>—</td></tr>
<tr><td>血小板数≦4 万/μL を伴う出血</td><td>—</td></tr>
<tr><td>血小板数≦2 万/μL</td><td>—</td></tr>
</table>

□非血液毒性

<table>
<tr><th colspan="2">事象</th><th colspan="2">パクリタキセル</th><th>ベバシズマブ</th></tr>
<tr><td colspan="2">治療を有する血栓症</td><td colspan="2">—</td><td>中止</td></tr>
<tr><td rowspan="2">動脈血栓塞栓症</td><td>Grade 3 以上</td><td colspan="2">—</td><td>中止</td></tr>
<tr><td>Grade 2</td><td>—</td><td colspan="2">中止（新規発症，またはベバシズマブ投与により悪化）</td></tr>
<tr><td colspan="2">中等度または重度の出血：入院，輸血および介入を必要とするもの</td><td colspan="2">中止</td><td>中止</td></tr>
<tr><td colspan="2">コントロール不能または症候性の高血圧</td><td colspan="2">—</td><td>中止</td></tr>
<tr><td rowspan="3">尿蛋白定性（≧＋1）の場合は 1 度休薬．24 時間蓄尿による定量検査を実施＊1．定量 UPC</td><td>＜0.5 g/24 時間</td><td colspan="2">—</td><td>投与可</td></tr>
<tr><td>≧0.5～≦2 g/24 時間</td><td>—</td><td colspan="2">投与可．24 時間蓄尿による定量検査を 4 週ごとに実施</td></tr>
<tr><td>＞2 g/24 時間</td><td>—</td><td colspan="2">≦2 g/24 h までに改善するまで休薬．24 時間蓄尿による定量検査を 4 週ごとに実施</td></tr>
<tr><td rowspan="2">パクリタキセル投与時のアレルギー反応/過敏症</td><td>中等症（中等度の潮紅，呼吸困難，胸部不快感）</td><td colspan="2">中断，抗ヒスタミン薬や副腎皮質ホルモン薬による治療を行う．回復後は慎重に投与し，再発が認められた場合は中止</td><td>—</td></tr>
<tr><td>生命に関わる重篤な症状（治療を要する低血圧，血管性浮腫，呼吸困難，全身性蕁麻疹）</td><td colspan="2">中断，抗ヒスタミン薬や副腎皮質ホルモン薬による治療，必要に応じてアドレナリンまたは気管支拡張薬の投与を行う</td><td>—</td></tr>
</table>

＊1 蛋白尿で陽性が認められた場合，24 時間蓄尿による定量検査が完了するまでベバシズマブは休薬．スポット尿による尿蛋白/クレアチニン比〔(尿蛋白定量結果（mg/dL）/尿中クレアチニン濃度（mg/dL)〕を用いてもよい〔この数値は，1 日尿蛋白排泄量（g/日）と等しい〕．

腎機能障害

□記載なし.

肝機能障害[4)]

□パクリタキセル

検査値	投与量
AST≦150 U/L（ULN×5）かつ T-Bil≦1.5 mg/dL	90 mg/m^2（通常用量）を維持
AST＞150 U/L（ULN×5）～≦300 U/L（ULN×10）または T-Bil 1.6～2.5 mg/dL	65 mg/m^2 に減量
AST＞300 U/L（ULN×10）または T-Bil≧2.6 mg/dL	AST≦300 U/L（ULN×10）かつ T-Bil ≦2.5 mg/dL に回復するまで休薬 3 週間を超える休薬で，回復がみられない場合は中止

□ベバシズマブ：記載なし.

注意点

□血管外漏出時の組織障害度分類でパクリタキセルは起壊死性薬剤に分類されている．少量の漏出でも重篤な組織壊死を起こしうるので穿刺部位の観察が必要である.

5 副作用マネジメント

発現率

	JO19901（n＝120）国内第Ⅱ相試験[6)]		MERiDiAN（n＝238）国際第Ⅲ相試験[7)]（日本人含む）	
	全 Grade(%)	Grade 3 以上(%)	全 Grade(%)	Grade 3 以上(%)
高血圧	51.7	16.7	31.1	10.9
うっ血性心不全	1.7	0	1.3	0.4
蛋白尿	59.2	0	10.5	0.4
出血	79.2	2.5	44.5	0.8
動脈血栓塞栓症	0.8	0.8	1.7	0
静脈血栓塞栓症	4.2	1.7	4.6	3.8
創傷治癒遅延	5.0	0	2.9	0.4
消化管穿孔	0	0	2.1	1.3
好中球減少症	75.8	42.5	38.7	24.8

評価と観察のポイント

□**高血圧**：血圧上昇はどのタイミングで生じるかわからない．家庭血圧の数値を 1 日 2 回，座位にて起床時と夕方に計測し，可能ならば1機会2回の平均値を血圧手帳などに記録することを促し，確認する．ただし，患者負担にならない配慮が必要である．血圧≧140/90 mmHg の上昇や随伴症状がある場合，治療を開始する．

□**尿蛋白**：尿蛋白は無症候性であり自覚症状がなく，累積投与量にかかわらず発現時期は一定でない．Grade 2 以上の尿蛋白が現れた場合，Grade 1 以下に回復するまでベバシズマブ投与を休薬する．ただし，Grade 2 であっても 24 時間蓄尿による定量検査を実施し，蛋白量が 2 g/24 時間以下であれば投与可能である[4]．

□**出血**：最も頻度が高い事象は鼻出血である．非重篤で軽快するが，重度な出血として消化管出血，肺出血，脳出血，腫瘍関連出血の報告がある[4]．

□**過敏症**：初回投与から発現する可能性があり，前投薬により発現頻度を減少するのは可能だが，投与しても 2〜4％の重篤な過敏反応を発症する．

□**末梢神経障害**：主な症状として手足のしびれ，刺痛，焼けるような痛み，感覚異常を認める．混合型多発神経障害で四肢の知覚障害を主体とし，1 回投与量と総投与量に相関する．weekly レジメンの方が tri-weekly レジメンより末梢神経障害が重篤化する報告があり，投与回数や一定期間の頻度が関与する可能性も指摘されている．神経障害性疼痛を伴うこともある．

□**関節痛，筋肉痛**：一般に投与開始 2〜3 日で現れ，数日間持続する．

副作用対策のポイント

投与前

□初回投与時に降圧薬内服があった場合，血圧が安定しているかを確認する．

□鼻出血は患者の不安を煽ることになり，あらかじめ出血の可能性について指導を行う．

□パクリタキセルによる過敏症予防薬の処方確認をする．

高血圧

□降圧目標，治療薬剤について基準はない．高血圧治療ガイドライン 2019 に従い Grade 2（140/90 mmHg 以上）で単剤の薬物治療を始める．ARB から開始しコントロール不良の場合は Ca

拮抗薬を追加する．効果不十分な場合は，併用薬を増量しコントロール不良であれば休薬する．この際，Ca 拮抗薬はパクリタキセルの代謝に関与する CYP を阻害し，骨髄抑制などを増強するおそれがあるので注意する[3]．

尿蛋白

□まず定性で Grade 2 の場合，血圧のコントロールが保持されていること，薬剤性以外に起因する可能性を確認するため激しい運動や月経の有無を聴取する．Grade 2 が継続した場合，day 1，15 の検査項目に定量である UPC の追加を主治医に提案する．

末梢神経障害

□外来治療においては保険調剤薬剤師と情報共有を図り，早期からの症状に注視する．日常での歩行や家事における状況を聴き取り，日常生活に支障をきたす前に介入する．

□プレガバリン（リリカ®）：神経障害性疼痛の保険適用がある．殺細胞性抗がん薬による末梢神経障害の症状（しびれ，痛み）の緩和に投与を推奨できるだけのエビデンスはない[8]．

□デュロキセチン（サインバルタ®）：殺細胞性抗がん薬による末梢神経障害による症状に対して効果が証明されているが[9]，評価は指先の疼痛であり注意が必要．糖尿病性神経障害などが適用であり，保険適用外となる．

□ミロガバリン（タリージェ®）：神経障害性疼痛の保険適用となるが，十分なエビデンスはない．

6 薬学的ケア

CASE

□60 歳代女性．左乳がん ER＋，PgR＋，HER2（−），術後 3 年 Th5 に骨転移．内分泌療法治療中に肝転移が出現し，ベバシズマブ・パクリタキセル併用療法となった．開始直後から起床時に微量の鼻出血および声のかすれ，発声について違和感を訴えていたが，ベバシズマブによる副作用の可能性であると患者に説明したところ，理解を示し継続治療となった．11 コース day 1，15 尿蛋白定性 2＋によりベバシズマブは休止，パクリタキセルのみ投与となった．12 コース治療前に主治医からベバシズマブの継続について相談があり，UPCR について説明，尿定性の結果次第で点滴当日の検査項目を追加するよう提案した．

□12 コース day 1 尿定性 2+ であり，主治医から UPC の検査項目が追加された．検査結果が 2 未満（<2 g/24 時間）のためベバシズマブを投与，病状進行するまで継続して治療することができた．

解説

□鼻出血（70.8%），発声障害（10.8%）[6] の報告がある．出血は発現時期にばらつきがあり，患者にとって思いがけない症状のため初回服薬指導時に伝えておくことが望ましい．

□一般に尿定性は試験紙法で実施しており，定性結果と濃度範囲はかなり乖離がある．さらに尿中蛋白含有量が同じでも希釈尿環境で +，濃縮尿環境で 3+ の結果になることがある[10]．

□尿蛋白の対処法として Grade 2 以上の場合，Grade 1 以下になるまで休薬とあるが，Grade 2 であっても蛋白量が 2 g/24 時間未満であれば投与可能である．随時尿の UPC が 1 日量の蛋白量として代用可能であると報告があり[11]，一般外来診療において同一症例の尿蛋白量の経時的変化をモニタリングする際に有用である．

□Grade 2 以上の場合，検査項目に UPC を追加することで主治医が治療の継続・中止の判断材料となりうる．

引用文献

1）Miller K, et al：N Engl J Med 357：2666-76, 2007（PMID：18160686）
2）日本乳癌学会（編）：乳癌診療ガイドライン 治療編 2018 年版．p 200，金原出版，2018
3）パクリタキセル注，インタビューフォーム（日本化薬）
4）アバスチン® 点滴静注用，適正使用ガイド，乳癌．2020 年 10 月改訂
5）日本病院薬剤師会（監修）：抗がん薬調製マニュアル，第 4 版．p 16，じほう，2019
6）承認時評価資料（JO19901）
7）Miles D, et al：Eur J Cancer 70：146-55, 2017（PMID：27817944）
8）日本がんサポーティブケア学会（編）：がん薬物療法に伴う末梢神経障害マネジメントの手引き 2017 年版．p 40，金原出版，2017
9）Smith EM, et al：JAMA 309：1359-67, 2013（PMID：23549581）
10）横井 徹：日内会誌 96：1021-3, 2007
11）佐藤昌志：日腎会誌 38：8-12, 1996

（斎藤恭正）

7 トラスツズマブ（ハーセプチン®）

POINT

- ■HER2 過剰発現〔IHC3＋（IHC 法）〕であることを確認する．
- ■術前・術後の投与期間は 1 年間を超えない．
- ■心疾患の既往の有無や心エコーによる左室収縮・拡張機能評価を行う．

1 レジメンと副作用対策

適応：HER2 過剰発現が確認された乳がん

術前・術後治療：術前・術後で合計 1 年間

転移・再発後：PD となってもトラスツズマブのみは継続する場合が多い

7		医薬品名 投与量	投与方法 投与時間	1	2	3	～	6	7	8	9	～	12	13	14	15	16	～	19	20	21
レジメン（3 週ごと投与）	Rp1	トラスツズマブ 初回 8 mg/kg，2 回目以降 6 mg/kg 生理食塩液 250 mL	点滴注射 初回 90 分 忍容性に問題なければ 2 回目以降 30 分まで短縮可	↓	3 週間に 1 回投与，1 コース 21 日間																
レジメン（毎週投与）	Rp1	トラスツズマブ 初回 4 mg/kg，2 回目以降 2 mg/kg 生理食塩液 250 mL	点滴注射 初回 90 分 忍容性に問題なければ 2 回目以降 30 分まで短縮可	↓	1 週間に 1 回投与，1 コース 7 日間					↓						↓					
副作用対策	infusion reaction																				
	特徴：高頻度．発熱，悪寒，悪心，嘔吐，頭痛，瘙痒，咳嗽，発疹，倦怠感などが投与初期に発現する可能性がある 対策：症状出現時は解熱鎮痛薬，抗ヒスタミン薬，副腎皮質ステロイド薬の投与を考慮．ただし，発現回避等を目的とした前投薬の予防投与の有用性は確認されていない．																				
	（治療継続上問題）心機能障害																				
	特徴：重篤．頻脈，血圧変動，心拍数増加，動悸，不整脈 対策：投与前に心エコーによる LVEF を確認し，≧55％であることを確認．LVEF が＜40％へ低下した場合や 40～45％でベースラインより 10％以上低下した場合は 3 週間以内に再評価し，それでも回復していない場合は投与を中止．																				
	（治療継続上問題）間質性肺炎																				
	特徴：重篤．発熱，息切れ，呼吸困難，乾性咳嗽，倦怠感が初期症状として発現する． 対策：定期的に胸部 CT 検査，血液検査（KL-6，SP-D など）を実施．																				

2 抗がん薬の処方監査

- □病理検査（浸潤部）の結果，HER2陽性である．HER2陽性（HER2過剰発現）とは免疫組織化学法（IHC法；immunohistochemistry法）でIHC 3+あるいは蛍光 *in situ* ハイブリダイゼーション法（FISH法）で陽性（HER2/CEP17比≧2.0）[1]であること．
- □投与開始前のLVEFが十分であることを確認（HERA試験[2]ではLVEF≧55％が適格基準．CLEOPATRA試験[3]ではLVEF≧50％が適格基準）．
- □何らかの理由により投与予定日より1週間を超えた後に投与する場合は，改めて初回投与量で投与する．次回以降は，毎週投与で2 mg/kgを1週間間隔で，3週間ごと投与では6 mg/kgを3週間間隔で投与する．
- □術前後の治療の際には投与期間は1年を超えない[2]．術後補助化学療法は1年を超える投与の有効性および安全性は確立していない．1年以上投与してもDFSは延長せず，心毒性などの有害事象が増加する．
- □アントラサイクリン系抗がん薬と同時に併用すると，心不全の発生頻度が増すため，原則同時併用しない[4]．
- □トラスツズマブ投与中あるいは投与後の病勢が進行した場合でも，トラスツズマブは継続し，併用する抗がん薬を変更することがある[5-7]．
- □重篤な心機能障害（心不全，不整脈，心臓弁膜症，心筋梗塞，狭心症など）の有無を確認する．症状が悪化するおそれがあるため，治療上やむをえないと判断される場合を除き，投与しない．
- □トラスツズマブによる心機能低下（心機能障害）は可逆的であることが多い．
- □アントラサイクリン系薬剤の前治療歴（累積投与量がドキソルビシン換算として約350 mg/m^{2}以上[8]）の有無を確認して，投与の必要性を考慮し，定期的に心機能を確認し，慎重に投与する．
- □パクリタキセルとの併用でトラスツズマブの血中濃度が1.5倍上昇するといわれているため，心機能を定期的にモニタリングしていく必要がある[9]．
- □胸部へ放射線治療実施の有無を確認する．胸部への放射線照射との併用時には，放射線の適切な治療計画を設定した上で，心機能障害の発現の有無に留意する.

- □妊婦または妊娠する可能性のある患者，授乳中の患者には投与中および投与終了後最低7か月間は，適切な避妊法や授乳を中止する.
- □高齢者に投与する場合，特に心機能，肝・腎機能検査，血液検査を行うなど，患者の状態を観察しながら慎重に投与する.

3 抗がん薬の調剤[10)]

- □調製は日局注射用水（注射用60：3.0 mL，注射用150：7.2 mL）により溶解してトラスツズマブ（遺伝子組換え）21 mg/mLの濃度とした後，必要量（mL）を注射筒で抜き取り，ただちに日局生理食塩液250 mLに希釈する．抜き取り量を以下に示す.

毎週投与	初回	［体重（kg）×4（mg/kg）］/21（mg/mL）
	2回目以降	［体重（kg）×2（mg/kg）］/21（mg/mL）
3週ごと投与	初回	［体重（kg）×8（mg/kg）］/21（mg/mL）
	2回目以降	［体重（kg）×6（mg/kg）］/21（mg/mL）

- □ポリソルベートを含有しており，泡立ちやすいため，溶解時は静かに転倒混和し，ほぼ泡が消えるまで数分間放置する.
- □用時調製し，調製後は速やかに使用する．また残液は廃棄する.
- □調製には，日局注射用水，日局生理食塩液以外は使用しない.
- □ブドウ糖溶液と混合した場合，蛋白凝集が起こるため使用しない.

4 抗がん薬の投与

投与基準

- □HER2過剰発現〔IHC3+（IHC法）またはFISH陽性（FISH法）〕である.
- □LVEFが十分である（投与開始前≧55%，投与中≧50%）.
- □血液毒性があってもトラスツズマブ単独であれば投与可能である.
- □トラスツズマブ単独の場合，毎回投与前に血液検査は必ずしも必要ではない.

減量・中止基準

腎機能障害

- □減量基準なし.

肝機能障害

- □減量基準なし.

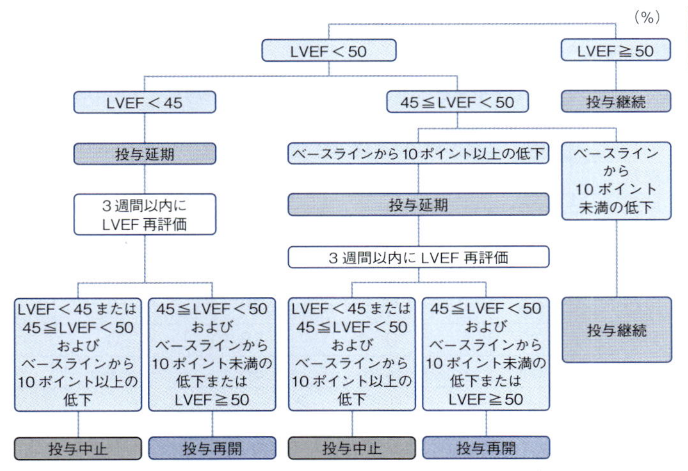

図 7-1　HERA 試験における心機能評価アルゴリズム[11, 12]

□トラスツズマブ投与中に NYHA 分類Ⅲ/Ⅳに該当する心障害が発現した場合は，トラスツズマブの投与を中止する．

□LVEF を定期的に測定し，HERA 試験における心機能評価アルゴリズム[11, 12]を参考に休薬・再開を検討する（図 7-1）．

注意点

□infusion reaction は投与初期に最も発現率が高いため，特に初回時は開始前にバイタルサイン（血圧，脈拍，体温など）を測定し，投与中にもバイタルサインを測定する．

□ブドウ糖溶液と混和すると蛋白凝集が起こるため，ブドウ糖溶液の同じ点滴ラインを用いた同時投与は行わない．

□一般名が類似しているトラスツズマブ エムタンシン（カドサイラ® 点滴静注用）およびトラスツズマブ デルクステカン（エンハーツ® 点滴静注用）との取り違えに注意する．

□点滴静注のみとし，静脈内大量投与，急速静注をしない．

5 副作用マネジメント

発現率[2, 13-15]

副作用	標準用量群*1 (n=58)		高用量群*2 (n=55)	
	発現率 (%)	重篤な有害事象 (%) (Grade 3 以上)	発現率 (%)	重篤な有害事象 (%) (Grade 3 以上)
発熱	36	2	45	0
悪寒	22	0	40	2
悪心	37	3	47	2
嘔吐	25	2	33	4
頭痛	29	3	38	2
発疹	20	0	38	0
無力症	53	7	58	7
心障害*3	2.6			

トラスツズマブ 1 年投与群における心関連有害事象 (n=1,678)	発現率 (%)
重篤なうっ血性心不全 (NYHA III/IV)	0.6
症候性うっ血性心不全	2.0
確定診断された LVEF の有意な低下	3.0
心関連の有害事象によるトラスツズマブ治療の中止	4.0

*1 標準用量群→初回 4 mg/kg，2 回目以降 2 mg/kg，1 週間 1 回投与
*2 高用量群→初回 8 mg/kg，2 回目以降 4 mg/kg，1 週間 1 回投与
*3 ここでいう心障害は，心不全（うっ血性心不全，心筋症または LVEF 低下 >10 ポイント）

評価と観察のポイント

infusion reaction

□トラスツズマブ投与中または投与開始後 24 時間以内に多く，その中でも軽度～中等度の場合は点滴開始 2 時間以内に現れることがあるため，患者の状態を十分に観察することが重要である．

□軽度～中等度の症状として，発熱，悪寒が主症状であり，他に悪心，頭痛，咳嗽，めまい，発疹などの症状が起こるため，投与中から投与開始後 24 時間はこれらの症状の有無を確認する．

□初回投与時に約 40%の頻度で発現し，2 回目以降はその頻度は少なくなる．

□安静時呼吸困難（肺転移，循環器疾患などによる）のある患者や既往歴のある患者では重篤化しやすいため注意が必要である．

心機能低下

□心障害はLVEFが最も重要な指標となるため，投与開始前に心エコーなどによりLVEFが十分であることを必ず確認し，定期的にLVEFを測定し，心機能を評価する．

□投与前に化学療法を施行する場合は，化学療法完了後に心機能評価を行う．

□LVEF算出は，心エコーの実施を必須とし，MUGAスキャン（Multigated Acquisition Scan；心臓スキャンマルチゲート法）も考慮する．

□心エコー，心電図，胸部X線画像の所見を適宜確認する．

□心不全症状などに関連する可能性の自他覚所見（心筋壁の動きや，心筋の収縮具合，動悸，息切れ，頻脈），既往症などを確認する．

□心エコーなどによりLVEFを定期的（モニタリング頻度の目安として，通常：12週ごと，無症候性心機能障害患者：6～8週ごと[16]）に測定し患者の状態を確認する．

□トラスツズマブ投与終了後も患者の自覚症状（動悸，息切れ，頻脈）を定期的に確認する．投与終了後24か月間は，6か月ごとの心機能評価が推奨されている[11]．

□左室収縮機能障害［心臓障害］のNCI CTCAE v5.0によるGrade分類[17]

Grade	説明
1	―
2	―
3	心拍出量の低下により症状があるが治療に反応する
4	心拍出量の低下による心不全が治療に反応しないまたはコントロール不良；心室補助装置や静脈内昇圧剤のサポートまたは心臓移植を要する
5	死亡

□駆出率減少［臨床検査］のNCI CTCAE v5.0によるGrade分類[17]

Grade	説明
1	―
2	安静時駆出率（EF）40～50%；ベースラインから10～20%低下
3	安静時駆出率（EF）20～40%；ベースラインから≧20%低下
4	安静時駆出率（EF）<20%
5	―

副作用対策のポイント

infusion reaction

□初回投与時に発現する可能性が高いため，初回時には緊急時に速やかな対応が可能な体制を整えておく．患者には事前に説明し，発熱や悪寒などの症状出現時にはすぐにスタッフに申し出るよう説明しておく．投与中に異常が認められた場合はただちに治療を中断し，軽度～中等度であれば解熱鎮痛薬，抗ヒスタミン薬などを投与し，症状が回復するまで患者の状態を十分に観察する．点滴速度を遅くして再投与可能であるが，患者の状態を観察の上，判断する．また，重篤な場合は，酸素吸入，β-アゴニスト，副腎皮質ホルモン薬の投与など，適切な処置を行う．2回目以降も発現することはあるが，発現回避などを目的とした前投薬（解熱鎮痛薬，抗ヒスタミン薬，副腎皮質ホルモン薬など）の予防投与の有用性は確認されていない．

心機能低下

□投与期間中は，動悸，息切れ，頻脈，浮腫，呼吸困難などの心障害，うっ血性心不全に特徴的な前駆症状の有無を確認する．NYHA Ⅲ/Ⅳに該当するような心障害が発現した場合は，投与を中止し心機能の回復をモニタリングする．

□心不全ステージ：ニューヨーク心臓協会の分類（NYHA 分類）

クラス	説明
Ⅰ	心疾患はあるが身体活動に制限はない．日常的な身体活動では著しい疲労，動悸，呼吸困難あるいは狭心痛を生じない．
Ⅱ	軽度の身体活動の制限がある．安静時には無症状．日常的な身体活動で疲労，動悸，呼吸困難あるいは狭心痛を生じる．
Ⅲ	高度な身体活動の制限がある．安静時には無症状．日常的な身体活動以下の労作で疲労，動悸，呼吸困難あるいは狭心痛を生じる．
Ⅳ	心疾患のためいかなる身体活動も制限される．心不全症状や狭心痛が安静時にも存在する．わずかな労作でこれらの症状は増悪する．

ⅡS 度：身体活動に軽度制限のあるもの．
ⅡM 度：身体活動に中等度制限のあるもの．

6 薬学的ケア

CASE

□40 歳代女性．HER2（＋）．術後化学療法として EC 療法後，パクリタキセルの併用でトラスツズマブ投与開始．治療開始時の LVEF は 55％以上であった．治療継続中に下肢の浮腫と疲労感を訴えるようになったため，これまで乳腺外科で定期的な心機能検査が行われ評価していたが，今回患者の主訴をもとに投与前に心機能検査の追加と循環器専門医への受診を主治医に提案．心エコー検査の結果，LVEF 48％と投与開始時に比べて低下していたが，ベースラインから10ポイント未満の低下であったため，その日の投与は継続された．患者の訴える自覚症状は持続していたため，今後，心機能評価は循環器専門医に併診しながら投与を継続することとなった．心機能評価について適正使用ガイド[16]を参照に，心エコー検査を12週ごとから8週ごとに実施することを循環器専門医に提案し，心不全に対するバイオマーカーなどの検査も含め，経過観察しながらトラスツズマブ治療が継続された．

解説

□トラスツズマブによる心筋障害は可逆的であるため，適切な休薬と観察期間をおくことでがん治療の継続が可能である．

□アントラサイクリン投与の既往がある症例においてトラスツズマブ心筋症の頻度が高く，重症化や中止後の心機能改善期間が遅延する可能性がある．

□定期的な心機能チェック，トロポニン，BNPやNT-proBNPなどのバイオマーカー測定により心不全症状の早期指標を見逃さないようにすることが重要である．

□type2心筋障害（トラスツズマブ心筋症）の発症に用量依存性はないが，3〜6か月以内に発症することが多いため，投与から3か月後に心エコー検査を施行し，LVEFを確認する．その後，心不全出現時には休薬ならびに循環器専門医を受診する．

□がん治療関連心機能障害（CTRCD；cancer therapeutics-related cardiac dysfunction）に対する治療は心不全治療ガイドラインに準拠し治療を行う．

引用文献

1）Wolff AC, et al：J Clin Oncol 31：3997-4013, 2013（PMID：24101045）
2）Goldhirsch A, et al：Lancet 382：1021-28, 2013（PMID：23871490）
3）Baselga J, et al：N Engl J Med 366：109-19, 2012（PMID：22149875）
4）Slamon DJ, et al：N Engl J Med 344：783-92, 2001（PMID：11248153）
5）Von Minckwitz G, et al：J Clin Oncol 27：1999-2006, 2009（PMID：19289619）
6）Verma S, et al：N Engl J Med 367：1783-91, 2012（PMID：23020162）

7) Extra JM, et al：Oncologist 15：799-809, 2010 (PMID：20671105)
8) Von Hoff DD, et al：Ann Intern Med 91：710-7, 1979 (PMID：496103)
9) 南 博信（編）：抗悪性腫瘍薬コンサルトブック―薬理学的特性に基づく治療，改訂第2版．p 134，南江堂，2017
10) ハーセプチン® 注射用 60/ハーセプチン® 注射用 150，添付文書（中外製薬）
11) Suter TM, et al：J Clin Oncol 25：3859-65, 2007 (PMID：17646669)
12) SmPC (Summary of Product Characteristic：EU 製品情報概要)
13) Vogel CL, et al：J Clin Oncol 20：719-26, 2002 (PMID：11821453)
14) Smith I, et al：Lancet 369：29-36, 2007 (PMID：17208639)
15) Cameron D, et al：Lancet 389：1195-205, 2017 (PMID：28215665)
16) ハーセプチン® 注射用，適正使用ガイド，乳癌（中外製薬）
17) 有害事象共通用語規準 v5.0 日本語訳 JCOG 版 (CTCAE v5.0-JCOG)

（石原正志）

8 ペルツズマブ＋トラスツズマブ

PER＋TRA

POINT

■術前・術後の投与期間は 1 年間である．
■初回投与時は infusion reaction の発現に注意する．
■本治療は，殺細胞抗がん薬による化学療法との併用療法の後，「ペルツズマブ＋トラスツズマブ」2 剤のみによる維持療法が継続されることもある．

1 レジメンと副作用対策（→次頁参照）

HER2 陽性転移性乳がんに対し，ドセタキセルまたはパクリタキセルを追加した 3 剤併用療法の有効性が示されている[1-3]．

適応，投与スケジュール：HER2 陽性早期乳がん患者の術前・術後療法として，化学療法と組み合わせて投与[4-6]．その後，合計 1 年間（最大 18 コース），ペルツズマブ＋トラスツズマブの 2 剤を投与．

1 コース期間：21 日間

2 抗がん薬の処方監査

□病理検査の結果，HER2 陽性であることを確認する．HER2 陽性とは，免疫組織化学（IHC）法 3+，あるいは IHC 法 2+ かつ蛍光 *in situ* ハイブリダイゼーション（FISH）法陽性（HER2/CEP17 比≧2.0）である．

□投与開始前に，心エコーなどにより LVEF が十分であることを必ず確認する（臨床試験の適格基準において，LVEF は転移・再発後[1]では≧50％，術前・術後[4-6]では≧55％とされていた）．

□投与中は心症状の発現状況・重篤度などに応じて適宜心機能検査（心エコーなど）を行い，患者の状態（LVEF の変動を含む）を十分に観察し，休薬，投与再開，あるいは中止を判断する．特に以下の患者については，心機能検査を頻回に行う．

- アントラサイクリン系薬剤を投与中の患者またはその前治療歴のある患者

8		医薬品名 投与量	投与方法 投与時間	1	2	3	4	5	6	7	8	9	10	11	12	13	14	15	16	~	21
レジメン（PER＋TRA）	Rp1	生理食塩液 50～100 mL	点滴静注	↓																	
	Rp2	ペルツズマブ 初回 840 mg/body 2 回目以降 420 mg/body 生理食塩液 250 mL	点滴静注 初回 60 分 2 回目以降 は 30 分 まで短縮可	↓																	
	Rp3	トラスツズマブ 初回 8 mg/kg 2 回目以降 6 mg/kg 生理食塩液 250 mL	点滴静注 初回 90 分 2 回目以降 は 30 分 まで短縮可	↓																	

ペルツズマブ注，トラスツズマブ注は，初回投与時の忍容性が良好であれば，2 回目以降は 30 分まで投与を短縮することができる．

副作用対策	1	2	3	4	5	6	7	8	9	10	11	12	13	14	15	16	~	21
infusion reaction	■																	
下痢	■	■	■															
左室機能不全																		
間質性肺疾患																		

infusion reaction：決められた投与速度より速くしない．症状出現時は解熱鎮痛薬，抗ヒスタミン薬，副腎皮質ホルモン薬の投与を考慮．ただし，予防投与のエビデンスは乏しい．

下痢：化学療法を併用しなければ低 Grade がほとんどであるが，症状出現時は整腸薬やロペラミドにて対処．下痢の際は水分摂取を指導する．

左室機能不全：投与開始前には，患者の心機能を必ず確認する．また，心疾患の状態や重篤度に応じて 3～6 か月に 1 回程度，心エコーを用いた心機能評価を行う．動悸，息切れ，頻脈，末梢性浮腫などの症状が現れることがある．

間質性肺疾患：咳嗽，息切れ，呼吸困難，発熱などが現れた場合，ステロイドの投与などを検討する．

- 胸部へ放射線を照射中の患者
- 心不全症状のある患者
- 冠動脈疾患（心筋梗塞，狭心症など）の患者またはその既往歴のある患者
- 高血圧症の患者またはその既往歴のある患者

□ペルツズマブ単剤治療による有効性は未確立であり，必ずトラスツズマブと併用する．

□ペルツズマブ，トラスツズマブともに初回と 2 回目以降の投与量が異なるため確認する．

	初回	2 回目以降
ペルツズマブ	840 mg/body	420 mg/body
トラスツズマブ	8 mg/kg	6 mg/kg

□何らかの理由により予定された投与が遅れた際には，以下の通り投与することが望ましい．

ペルツズマブ	前回投与日から 6 週間以上の時には，改めて初回投与量の 840 mg を 60 分かけて投与する．
トラスツズマブ	投与予定日より 1 週間を超えた後に投与する際は，改めて初回投与量の 8 mg/kg を 90 分かけて投与する．

□ペルツズマブ，トラスツズマブともに減量規定はなく，重篤な有害事象が発現した場合は休薬する．

□HER2 陽性転移・再発乳がんの 1 次治療として「ペルツズマブ＋トラスツズマブ＋ドセタキセル」療法は，最も強く推奨される治療である．6 サイクル終了後に，病勢が落ち着いており，かつドセタキセルによる有害事象が強い場合は，「ペルツズマブ＋トラスツズマブ」の 2 剤のみで病勢コントロールが可能である．「ペルツズマブ＋トラスツズマブ」併用療法の治療回数に上限はなく，CREOPATRA 試験においては，PD まで治療継続すると規定されていた[1]．

□「ペルツズマブ＋トラスツズマブ＋パクリタキセル」療法は，第 II 相試験の結果ではあるが良好な効果と高い忍容性が示されており，ドセタキセルの投与が困難な場合のオプションとして選択される[7]．パクリタキセルの場合は，毎週投与となる．

□ペルツズマブ投与中の骨病変への緩和的放射線治療は可能であるが，胸部放射線治療についての安全性は未確立である．

□血液毒性があっても，「ペルツズマブ＋トラスツズマブ」のみ投与することは可能である．

3 抗がん薬の調剤

ペルツズマブ

□調製時には，日局生理食塩液以外は使用しないこと．

□過量充填されているため，840 mg 投与時は 28 mL，420 mg 投与時は 14 mL を抜き取る．

□生理食塩液 250 mL に溶解し，なるべく泡が立たないよう静かに転倒混和する．

□用時調製し，調製後は速やかに使用すること．

□他剤と混注しないこと．

トラスツズマブ

□調製時には，日局注射用水，日局生理食塩液以外は使用しないこと．

□日局注射用水（点滴静注用 60 mg：3.0 mL，点滴静注用 150 mg：7.2 mL）で溶解して 21 mg/mL の濃度とした後，必要量を抜き取り，日局生理食塩液 250 mL に希釈する．

□ポリソルベートを含有しており，泡立ちやすいため，溶解時は静かに転倒混和する．泡立った場合は，大体の泡が消えるまで数分間放置する．

□用時調製し，調製後は速やかに使用すること．

□他剤と混注しないこと．

4 抗がん薬の投与

投与基準

□LVEF が 50％以上であること（臨床試験の適格基準においては転移・再発後[1]では 50％以上，術前・術後[4-6]では 55％以上とされていた）．

減量・中止基準

□「ペルツズマブ＋トラスツズマブ」の 2 剤併用の場合，白血球数や好中球数，血小板減少などの骨髄抑制などによる具体的な減量・中止基準はない．

腎機能障害　肝機能障害

□基準なし．

注意点

□トラスツズマブと 5％ブドウ糖溶液を混合した場合，蛋白凝集が起こるため，ブドウ糖溶液との混合を避け，トラスツズマブとブドウ糖溶液の同じ点滴ラインを用いた同時投与は行わないこと．

□製造工程（精製工程）において，孔径 0.2 μm のフィルターで無菌濾過して得られた濾液を原薬としているため，0.22 μm 以下のメンブランフィルターを用いたインラインフィルターを使用可能である．

□投与順序は，「ペルツズマブ→トラスツズマブ」とする．殺細胞性抗がん薬を併用する場合は，トラスツズマブの後に投与する．

□投与時は，infusion reaction や過敏症に注意する．特に，初回投与時は infusion reaction の発現率が高いため，必ずペルツズマブは60分以上，トラスツズマブは90分以上かけて投与する．

□初回投与時は，血圧，体温，酸素飽和度などのバイタルサインを確認し，悪寒や体温上昇が認められた場合は，速やかに投与を中断し患者の状態を十分に観察する．

□初回投与時にinfusion reactionや過敏症が出現しなくても，2回目に出現する場合もあるため，注意深く観察する．

□軽度～中等度のinfusion reactionが発現した場合は，次回以降の投与前に抗ヒスタミン薬や副腎皮質ホルモン薬，解熱鎮痛薬の投与を考慮してもよい．

□重度のinfusion reactionが発現した場合は，再投与は行わない．

□血管外漏出について，ペルツズマブおよびトラスツズマブは非炎症性抗がん薬に分類される[8]．

5 副作用マネジメント

発現率

症状	海外第II相臨床試験[7] (n＝66)		国際共同第III相臨床試験[2] (n＝303)＊2	
	全体（%）＊1	Grade≧3（%）	全体（%）	Grade≧3（%）
下痢	64	3	23	2
疲労	33	—	13	1
悪心	27	—	10	<1
発疹	26	2	16	<1
頭痛	20	—		—
関節痛	17	—	—	—
咳	14	—	—	—
食欲不振	14	—	—	—
無力症	12	2	12	1
めまい	12	—	—	—
筋痙攣	12	—	—	—
筋肉痛	12	—	—	—
錯感覚	11	—	—	—
瘙痒	11	2	11	—
嘔吐	11	—	—	—

＊1 全Gradeの有害事象の発現率が10%以上だったもの
＊2「ペルツズマブ＋トラスツズマブ＋ドセタキセル」群でドセタキセル中止後の副作用

infusion reaction[9, 10]

□ペルツズマブ：4.5%.

□トラスツズマブ：初回：39.7%，2回目以降：2.3%以下（国内製造販売後調査）.

評価と観察のポイント

□**投与中**（投与開始〜24時間以内）：infusion reactionの発現有無を観察する．投与初回に起こりやすい．患者に具体的な症状（主に悪寒，発熱．その他，疲労，悪心，紅斑，高血圧，呼吸困難など）を説明しておき，変化を感じたらすぐに知らせてもらう．

□**全コース**：3か月に1回はLVEFを測定し，心機能の評価を行う．下痢，皮疹は化学療法を併用しなければ，低gradeであることが多い．皮疹は手指や腕，足指など露出した部分を観察する．咳嗽，息切れ，呼吸困難，発熱が認められた場合は，間質性肺疾患を疑い，胸部X線やKL-6の検査を行う．

副作用対策のポイント

□いずれも予防的な対応はせず，症状発現時に対応する．

□**infusion reaction**：症状が出現した場合，いったん中断して回復を待って再投与する．改善がみられない場合や改善しても再開後に再度症状が出現する場合は，その日の投与継続は困難となる．症状に応じて以下のNSAIDs，抗ヒスタミン薬，副腎皮質ステロイド薬などの使用や酸素吸入を行う．

例：			
	ロキソプロフェン	1回60 mg	経口投与
	クロルフェニラミン	1回5 mg	静脈内投与
	ヒドロコルチゾン	1回100 mg	静脈内投与

前投薬は必須ではないが，infusion reactionの予防にNSAIDsが有効であったとの報告もある[11]．しかしながら，抗ヒスタミン薬や副腎皮質ホルモン薬も含め，予防投与の有効性は明らかではない．レトロスペクティブな研究であるが，危険因子としてbody mass index（BMI）の増大，StageⅣ，前投与なし（タキサン系抗がん薬のアレルギー反応予防のための前投薬），および好酸球割合低値が報告されている[12, 13]．

□**心不全**：特にLVEFが50%未満となった患者で注意が必要である．HER2陽性早期乳がんでは，LVEF50%未満で初回投与前の値からLVEFが10％以上低下した場合に，最低3週間，投与を延期する．HER2陽性転移・再発乳がんでは，LVEFが40％未満の場合や，40％≦LVEF＜45％で初回投与前の値よりLVEFが10％以上低下した場合に，最低3週間，投与を延期する[9]．投与延期後3週間以内にLVEFを再評価して，投与継続の可否について慎重に判断する．心機能障害は可逆的であり早期発見に努める．

□**下痢**：症状出現時には，整腸薬の定期内服やロペラミドの頓服で対処する．

例：ロペラミド　1回1 mg　下痢がひどい時に経口投与

□**皮疹**：症状出現時は保湿薬を使用し，かゆみや炎症が強い場合には，外用ステロイドを追加する．

例：ヘパリン類似物質ローション0.3％　1日2〜3回患部に塗擦

6 薬学的ケア

CASE

□40歳代女性の乳がん患者．右乳房全切除術および腋窩リンパ節郭清し，StageⅡB，ホルモン受容体陰性，HER2陽性と診断された．術後化学療法として外来において「ドキソルビシン＋シクロホスファミド」療法を4コース実施し，その後，「ペルツズマブ＋トラスツズマブ＋ドセタキセル」療法を行うこととなった．心エコー検査によりLVEFは65％であり，心機能には問題なかった．

□投与前にinfusion reaction（主な自覚症状は悪寒，発熱）について指導した．初回投与時は，特にトラスツズマブにおいてinfusion reactionが出やすいためロキソプロフェンの予防投与を提案した．投与中，発熱などの症状はなく，2コース目以降は予防投与なしでも症状は発現しなかった．

□「ペルツズマブ＋トラスツズマブ＋ドセタキセル」療法中にGrade 2の下痢が出現したが，ロペラミドを頓用することによりコントロール可能であった．ドセタキセルの投与が終わってからの2剤併用療法では，下痢はGrade 1となった．ビフィズス菌の整腸薬により下痢は治まった．3剤併用療法4コース後に2剤併用療法を13コース実施し，LVEFの低下もなく，無事に合計1年間の術後化学療法が終了した．

解説

- □術後化学療法であるため，投与開始前に心エコー検査によりLVEFが55％以上であることを確認する．投与中も定期的に心機能を確認する．
- □infusion reactionは，ペルツズマブよりトラスツズマブにおいて発現率が高い．また，ほとんどが初回に発現する．前投薬は必須ではないが，infusion reactionの予防にNSAIDsが有効であったとの報告もある[11)]．
- □下痢は化学療法と併用でなければ軽度のことが多い．症状に応じて，整腸剤やロペラミドで対応する．

引用文献

1）Baselga J, et al：N Engl J Med 366：109-19, 2012（PMID：22149875）
2）Swain SM, et al：Lancet Oncol 14：461-71, 2013（PMID：23602601）
3）Swain SM, et al：N Engl J Med 372：724-34, 2015（PMID：25693012）
4）von Minckwitz G, et al：N Engl J Med 377：122-31, 2017（PMID：28581356）
5）Gianni L, et al：Lancet Oncol 13：25-32, 2012（PMID：22153890）
6）Schneeweiss A, et al：Ann Oncol 24：2278-84, 2013（PMID：23704196）
7）Dang C, et al：J Clin Oncol 33：442-7, 2015（PMID：25547504）
8）Boulanger J, et al：Support Care Cancer 23：1459-71, 2015（PMID：25711653）
9）パージェタ® 点滴静注，適正使用ガイド（中外製薬）
10）ハーセプチン® 注射用，適正使用ガイド，乳癌（中外製薬）
11）Tokuda Y, et al：Breast Cancer 8：310-5, 2001（PMID：11791123）
12）Thompson LM, et al：Oncologist 19：228-34, 2014（PMID：24536030）
13）Takahashi M, et al：Anticancer Res 40：4047-51, 2020（PMID：32620651）

（藤田行代志）

9 カペシタビン（ゼローダ®）

POINT

- 手足症候群が高頻度に発現するため，定期的に皮膚症状の観察を行う．外用薬のアドヒアランスの確認を行う．
- 2つの投与方法（A法とB法）があり，投与量とスケジュールが異なるため注意．
- ワルファリンカリウムやフェニトインとは，薬物相互作用があるため併用薬の作用増強に注意する．

1 レジメンと副作用対策（→次頁参照）

適応：手術不能または再発乳がん

A法：825 mg/m^2/回　1日2回　朝夕食後　21日間投与7日間休薬　**総コース**：可能な限り継続

B法：1,250 mg/m^2/回　1日2回　朝夕食後　14日間投与7日間休薬　**総コース**：可能な限り継続

2 抗がん薬の処方監査[1)]

□テガフール・ギメラシル・オテラシルカリウム配合薬が以前に使用されていた場合，投与中止後7日以内でないことを確認する．

□重篤な腎障害（Ccrが30 mL/分未満）のある患者は，副作用が重症化する可能性があるため投与禁忌である[2)]．

□ワルファリンカリウム服用患者においては，併用開始数日後からカペシタビン投与中止後1か月以内の期間に血液凝固能検査値異常，出血の発現が報告されている．定期的に血液凝固能検査（プロトロンビン時間，INRなど）を行い，必要に応じてワルファリンカリウムの休薬や減量，他の抗凝固薬への変更を行うなど適切な処置を行う．

□フェニトイン服用患者においては，カペシタビン併用によりフェニトインの血中濃度が上昇し中毒症状（眼振，ふらつき，眠気）を発現することもあるので，併用時には注意が必要である．定期的にフェニトインの血中濃度モニタリングを行う（治療有効濃度は10〜20 μg/mL）．

9		医薬品名 投与量	投与方法 投与時間	1	2	3	4	5	6	7	8	9	10	11	12	13	14	～	21	～	28
レジメン（A法）	Rp1	カペシタビン*1 1,800～3,000 mg/日	経口 1日2回 朝夕食後	↓	↓	↓	↓	↓	↓	↓	↓	↓	↓	↓	↓	↓	↓	↓	↓		
レジメン（B法）	Rp1	カペシタビン*2 3,000～4,800 mg/日	経口 1日2回 朝夕食後	↓	↓	↓	↓	↓	↓	↓	↓	↓	↓	↓	↓	↓	↓				
副作用対策	手足症候群									■	■	■	■	■	■	■	■	■	■	■	■
	保湿剤を使用した予防を行う．症状が悪化した場合は，ステロイド外用剤の使用を検討する．Grade 2以上で休薬・減量を検討する．																				
	悪心・嘔吐			■	■	■	■	■	■	■	■	■	■	■	■	■	■	■	■		
	催吐性リスクは軽度であり，制吐剤の予防投与は推奨されていない．症状発現時にはドパミンD2受容体拮抗薬（ドンペリドンまたはメトクロプラミド）の使用を検討する．																				
	下痢						■	■	■	■	■	■	■	■	■	■	■	■	■		
	症状発現時には整腸剤の服用あるいは水分補給を行う．重度な場合，止瀉剤（ロペラミド）の使用も検討する．																				
	口内炎						■	■	■	■	■	■	■	■	■	■	■	■	■	■	■
	口腔内を清潔に保つために口腔ケアを実施する．症状発現時には含嗽剤の使用も検討する．																				
	肝機能障害									■	■	■	■	■	■	■	■	■	■		
	肝機能を定期的に検査する．異常が認められた場合は，休薬・減量を検討する．肝庇護剤の使用も検討する．																				
	好中球減少												■	■	■	■	■	■	■		
	手洗い，うがいなどの感染予防対策を実施する．																				

*1 投与量

体表面積	投与量
＜1.31 m²	900 mg/回
1.31～1.64 m²	1,200 mg/回
1.64 m²≦	1,500 mg/回

*2 投与量

体表面積	投与量
＜1.33 m²	1,500 mg/回
1.33～1.57 m²	1,800 mg/回
1.57～1.81 m²	2,100 mg/回
1.81 m²≦	2,400 mg/回

3 抗がん薬の調剤

□朝夕食後で処方されているか確認する．

□体表面積およびA法またはB法に準じた投与量，スケジュールであるかを確認する．

□手足症候群予防に保湿剤（ヘパリン類似物質含有軟膏または尿素軟膏）が処方されているか確認する．

4 抗がん薬の投与

投与基準[1)]

□ECOG PS：0～2.

□主要臓器機能が十分に保持されている.

検査項目	目安	検査項目	目安
白血球数	≧3,000/μL	AST	≦75 U/L（≦ULN×2.5）
好中球数	≧1,500/μL	ALT	≦（女）57.5 U/L（≦ULN×2.5）
血小板数	≧10万/μL	T-Bil	<2.25 mg/dL（<ULN×1.5）
Hb	≧9.0 g/dL	BUN	≦25 mg/dL

減量・中止基準[1,3)]

腎機能障害

□EU の SmPC（製品情報概要）では，腎障害の目安ならびにカペシタビン錠の投与量について，以下のように記載されている.

投与開始前のCcr（mL/分）	51～80	減量不要	<30	投与禁忌
	30～50	25%減量（減量段階1）		

肝機能障害

□記載なし．中等度の肝機能障害においては薬物動態に影響がなかったとの報告もあるが，重度の肝機能障害における安全性は確認されていない.

□**A 法**：明確な休薬・減量基準はないが，Grade 2 の副作用を発現した場合，Grade 0 または 1 に回復するまで休薬後，同一用量にて投与継続が可能．Grade 3 の副作用を発現した場合，初回発現時は休薬後同一用量にて再開可能だが，再度発現した場合は減量して再開する.

体表面積	1回用量		
	初回投与量	減量段階 1	減量段階 2
1.31 m^2 未満	900 mg（3錠）	600 mg（2錠）	—
1.31 m^2 以上 1.64 m^2 未満	1,200 mg（4錠）	900 mg（3錠）	600 mg（2錠）
1.64 m^2 以上	1,500 mg（5錠）	1,200 mg（4錠）	900 mg（3錠）

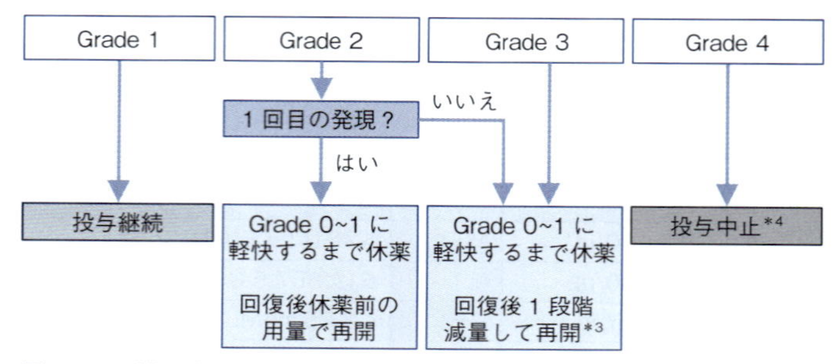

図 9-1　副作用対応フローチャート

*3 3 段階以上の減量は不可．その場合，投与中止．

*4 治療継続が望ましいと判断された場合は Grade 0～1 に軽快後減量段階 2 で再開．

□**B 法**：以下のフローチャートおよび減量基準に基づいて休薬・減量・再開を行う（**図 9-1**）．

<table>
<tr><th rowspan="2">体表面積</th><th colspan="3">1 回用量</th></tr>
<tr><th>初回投与量</th><th>減量段階 1</th><th>減量段階 2</th></tr>
<tr><td>1.13 m² 未満</td><td rowspan="3">1,500 mg
(5 錠)</td><td>900 mg
(3 錠)</td><td rowspan="2">600 mg
(2 錠)</td></tr>
<tr><td>1.13 m² 以上 1.21 m² 未満</td><td rowspan="3">1,200 mg
(4 錠)</td></tr>
<tr><td>1.21 m² 以上 1.33 m² 未満</td><td rowspan="4">900 mg
(3 錠)</td></tr>
<tr><td>1.33 m² 以上 1.45 m² 未満</td><td rowspan="2">1,800 mg
(6 錠)</td></tr>
<tr><td>1.45 m² 以上 1.57 m² 未満</td><td rowspan="3">1,500 mg
(5 錠)</td></tr>
<tr><td>1.57 m² 以上 1.69 m² 未満</td><td rowspan="3">2,100 mg
(7 錠)</td></tr>
<tr><td>1.69 m² 以上 1.77 m² 未満</td><td rowspan="3">1,200 mg
(4 錠)</td></tr>
<tr><td>1.77 m² 以上 1.81 m² 未満</td><td rowspan="2">1,800 mg
(6 錠)</td></tr>
<tr><td>1.81 m² 以上</td><td>2,400 mg
(8 錠)</td></tr>
</table>

注意点

□1 日 2 回朝夕食後 30 分以内に服用するように指導．

□飲み忘れた場合，2 回分を一度に服用しないように指導．

5 副作用マネジメント

発現率[1)]

副作用	A法（n=203）		B法（n=95）	
	全体（%）	Grade 3/4（%）	全体（%）	Grade 3/4（%）
手足症候群	50.7	11.3	76.8	13.7
色素沈着	6.4	—	28.4	—
悪心	26.1	—	42.1	1.1
嘔吐	10.8	—	21.1	—
食欲不振	25.6	1.5	40	4.2
下痢	20.2	1.5	36.8	2.1
口内炎	14.8	0.5	38.9	—
倦怠感	—	—	16.8	1.1
T-Bil上昇	28.6	10.8	12.6	5.3
白血球減少	33.0	0.5	7.4	1.1
Hb減少	18.7	2.0	—	—
血小板減少	8.4	—	4.2	3.2

A法：第Ⅰ相臨床試験および第Ⅱ相臨床試験の併合集計結果
B法：国内第Ⅱ相臨床試験の併合集計結果

評価と観察のポイント

□治療期間中は下記の臨床症状に注意し患者を観察することと，定期的に血液検査を行い，下記検査項目に異常がないか確認する．

臨床症状	皮膚症状	手足症候群，色素沈着
	消化器症状	悪心・嘔吐，食欲不振，下痢，口内炎
	感染症	発熱
臨床検査値	血液毒性	白血球，好中球，血小板，Hb
	肝機能障害	T-Bil, AST, ALT

□ジヒドロピリミジンデヒドロゲナーゼ（DPD）欠損患者がごくまれに存在し，投与初期に重篤な副作用を発現する報告があり，注意が必要である．

副作用対策のポイント

手足症候群（表 9-1）[3)]

□予防対策として保湿剤を適切な量で定期的に塗布するように指導する．好発部位は，手と足のグローブ，ソックス範囲である．finger tip unit（人差し指第1関節まで軟膏をチューブか

表 9-1　手足症候群の評価（手掌・足底発赤知覚不全症候群）

Grade	定義	例
1	疼痛を伴わない軽微な皮膚の変化または皮膚炎	紅斑，浮腫，角質増殖症
2	疼痛を伴う皮膚の変化	角層剥離，水疱，出血，亀裂，浮腫，角質増殖症，身の回り以外の ADL の制限
3	疼痛を伴う高度の皮膚の変化	角層剥離，水疱，出血，亀裂，浮腫，角質増殖症，身の回りの ADL の制限

ら出す量が，1 FTU であり軟膏 0.5 g に相当する，ローションは硬貨 1 枚分）の概念に基づくと 1 回両手には 2 FTU（1 g），両足には 4 FTU（2 g）が適正量となる．

□保湿剤の選択は，踵の角質硬化があるような場合，尿素軟膏が有効である．ただし，潰瘍が生じるような場合，尿素軟膏はしみる場合があるため，ヘパリン類似物質軟膏を使用する．

□非薬物的予防法としては，皮膚の圧迫や長時間の歩行による物理的刺激，長時間の入浴による熱刺激，直射日光の回避を行うように指導する．

□予防対策をとっても症状が増悪する場合は，strong 以上のステロイド外用剤の塗布や鎮痛剤の服用を行う．また，症状の程度や発現回数によってはフローチャートを参考に休薬･減量を行う．

悪心・嘔吐

□制吐薬適正使用ガイドラインでは催吐性リスクは軽度であり，制吐剤の予防投与は推奨されていない[4]．

□Grade 2 以上の悪心・嘔吐を発現した場合は，休薬し制吐剤（ドンペリドン 10 mg/回あるいはメトクロプラミド 5～10 mg/回）を使用する．Grade 2 を複数回あるいは Grade 3 の悪心・嘔吐を発現した場合は 1 段階減量して治療再開する．

□食事面の工夫を行う（具体的には，においのする料理を避ける，冷ましてから食べる，時間をかけて少しずつ食べる）．

下痢

□整腸剤の服用あるいは水分補給（可能であればスポーツドリンク）を行う．重度な場合，止痢剤（ロペラミド 1～2 mg/回）の使用も検討する．

口内炎

□口腔内を清潔に保つために日頃から口腔ケアを実施する．症状発現時にはアズレンスルホン酸ナトリウム水和物含嗽剤を使用する．コントロール不良な場合は，ポラプレジンク＋アルギン酸ナトリウム混合含嗽剤あるいはアズレンスルホン酸ナトリウム＋4％リドカイン混合含嗽剤（リドカインとして1〜2 mg/mL）の使用も検討する．

6 薬学的ケア

CASE

□50歳代女性．乳がん術後再発に対する2次治療としてカペシタビンによる治療を開始．既往歴としてくも膜下出血あり，術後後遺症によるてんかん発作に対する治療薬としてフェニトイン200 mg/日を内服中．カペシタビン併用下において，フェニトインの血中濃度上昇が報告されていることから，主治医に定期的なフェニトインの血中濃度測定を提案し，各コース開始時に測定することとなった．2コース目開始時，フェニトインの血中濃度が12.7 μg/mLから33.7 μg/mLと上昇した．中毒症状は発現していないことを確認した上で，主治医にフェニトイン100 mg/日への減量を提案し，提案通り減量となった．3コース目開始時の血中濃度は11.1 μg/mLと治療有効濃度に低下．以降フェニトインの血中濃度が中毒域に上昇することなく治療継続できた．

解説

□カペシタビンによるCYP2C9の活性低下により，フェニトインの血中濃度上昇が報告されているため，併用期間中はフェニトインの血中濃度の変化および中毒症状の有無について確認を行う．フェニトインは併用禁忌ではないが，可能であれば主治医と協議し相互作用のない他の抗てんかん薬への変更を考慮する．

引用文献

1）ゼローダ®錠，適正使用ガイド，2020年12月改訂
2）Cassidy J, et al：Ann Oncol 13：566–75, 2002（PMID：12056707）
3）厚生労働省（編）：重篤副作用疾患別対応マニュアル　手足症候群，2019年9月改定
4）日本癌治療学会（編）：制吐薬適正使用ガイドライン，第2版．金原出版，2015

（北出紘規）

10 トラスツズマブ エムタンシン（カドサイラ®）

T-DM1

POINT

- ■適応は手術不能または再発乳がんの2次治療以降，および早期乳がんに対する術後薬物療法である.
- ■患者の心障害，肺臓炎，出血のリスクとなる合併症・既往歴などを確認する.
- ■投与開始前および投与期間中は心機能，血小板数，肝機能を確認する.

1 レジメンと副作用対策[1, 2] （→次頁参照）

適応：HER2陽性の手術不能または再発乳がん（2次治療以降），HER2陽性の乳がんにおける術後薬物療法（術前薬物療法により病理学的完全奏効が認められなかった患者が対象）
※適応共通でトラスツズマブおよびタキサン系抗がん薬の治療歴のある患者が対象

1コース期間：21日間

総コース：手術不能または再発では可能な限り継続，術後薬物療法の場合は14回まで（有害事象などの理由により途中で中止した場合は，トラスツズマブ±ペルツズマブに変更し，残りの投与回数の治療を実施可能）

2 抗がん薬の処方監査[1, 2]

□**禁忌**：トラスツズマブに対し過敏症の既往，妊婦または妊娠している可能性のある女性.

□投与前に確認しておくべき検査：LVEF，血小板数，肝機能（AST，ALT，T-Bil）.

□**前投薬**：悪心・嘔吐，infusion reactionに対する前投薬は必須ではない，催吐性リスクは軽度リスクに位置づけられておりデキサメタゾン注6.6 mgの予防投与を行う[3].

□**投与時間**：初回投与時は90分かけて点滴静注，初回投与で忍容性がよければ2回目以降は30分に短縮可能.

□**放射線療法の併用**：手術不能または再発では有効性および安全性は確立していない（海外第Ⅲ相臨床試験において緩和放射線

10		医薬品名 投与量	投与方法 投与時間	1	2	3	4	5	6	7	8	9	10	11	12	13	14	15	16	～	21
レジメン	Rp1	デキサメタゾン 6.6 mg/body 生理食塩液 50 mL	点滴注射 15 分	↓																	
	Rp2	トラスツズマブ エムタンシン 3.6 mg/kg 生理食塩液 250 mL	点滴注射 初回 90 分 2 回目以降 30 分	↓																	

副作用対策

infusion reaction

好発現時期である初回の投与中または投与開始後 24 時間以内は慎重に観察．患者には infusion reaction の症状（発熱，悪寒，呼吸困難，低血圧，頻脈，潮紅など）をあらかじめ伝えておき，点滴中または終了後に異常を感じたらただちに申し出るように指導．

血小板減少

各投与コースの day 1 に検査．1 コース目は最低値となる day 6～8 にも追加検査を行うことが望ましい．

出血

患者には重度の出血に伴う症状（頭痛，悪心・嘔吐，腹痛，血痰，胸痛など）をあらかじめ伝えておき，異常を感じたら病院に連絡するように指導．

肝機能障害

各投与コースの day 1 に検査．1 コース目は最低値となる day 6～8 にも追加検査を行うことが望ましい．

末梢神経障害

タキサン系抗がん薬の治療歴がある患者が対象となるため，既存の末梢神経障害（手や足のしびれ感，痛みなど）の有無を確認し，ベースラインからの変化を評価．

間質性肺炎

患者には間質性肺炎などの症状（呼吸困難，咳嗽，倦怠感，発熱など）をあらかじめ伝えておき，異常を感じたら病院に連絡するように指導．

心障害

患者には心不全などの症状（息切れ，動悸，頻脈，下肢浮腫など）をあらかじめ伝えておき，異常を感じたら病院に連絡するように指導．

療法は許容），術後薬物療法では併用可能．

□ **内分泌療法の併用**：手術不能または再発では有効性および安全性は確立していない，術後薬物療法では併用可能．

□ **手術から投与開始までの間隔**：規定なし．

3 抗がん薬の調剤[1, 2)]

□ **溶解**：添付の注射用水（点滴静注用 100 mg：5 mL，点滴静注用 160 mg：8 mL）で溶解．溶解後濃度は 20 mg/mL．

□ **希釈**：生理食塩液 250 mL に希釈．5%ブドウ糖液は使用不可．

4 抗がん薬の投与

投与基準[1, 2]

有害事象	HER2 陽性の手術不能または再発乳がん	HER2 陽性の乳がんにおける術後薬物療法
LVEF	≧50%	≧50%
血小板数	≧10 万/μL	≧10 万/μL
AST	≦75 U/L (≦ULN×2.5)	≦45 U/L (≦ULN×1.5)
ALT	≦(女) 57.5 U/L (≦ULN×2.5)	≦(女) 34.5 U/L (≦ULN×1.5)
T-Bil	≦2.25 mg/dL (≦ULN×1.5)	≦1.5 mg/dL (≦ULN)

減量・中止基準[1, 2]

減量の目安

減量段階	投与量
通常投与量	3.6 mg/kg
1 段階減量	3.0 mg/kg
2 段階減量	2.4 mg/kg
3 段階減量	投与中止

LVEF 低下

	HER2 陽性の手術不能または再発乳がん	HER2 陽性の乳がんにおける術後薬物療法
40%≦LVEF≦45% (40%≦LVEF≦50%) *1 かつベースラインからの絶対値の変化≧10%	休薬：3 週間以内に再測定，LVEF のベースラインからの絶対値の変化<10%に回復しない場合は中止	休薬：3 週間以内に再測定，LVEF<50 % が認められ，かつ LVEF のベースラインからの絶対値の変化<10%に回復しない場合は中止
LVEF<40% (LVEF<45%) *1	休薬：3 週間以内に再測定，再度 LVEF<40%が認められた場合は中止	休薬：3 週間以内に再測定，再度 LVEF<45%が認められた場合は中止
症候性うっ血性心不全 Grade 3 または 4 の左室収縮機能不全 (LVSD) Grade 3 もしくは 4 の心不全，または LVEF<45%を伴う Grade 2 の心不全	中止	中止

*1 HER2 陽性の乳がんにおける術後薬物療法の場合

AST，ALT 増加

	HER2 陽性の手術不能または再発乳がん	HER2 陽性の乳がんにおける術後薬物療法
Grade 2〔90 U/L＜AST＜150 U/L，69 U/L＜ALT（女）＜115 U/L（ULN×3＜AST，ALT＜ULN×5）〕	AST＞90 U/L または ALT＞（女）69 U/L（＞ULN×3）かつ T-Bil＞3.0 mg/dL（＞ULN×2.0）の場合は中止	【AST】 休薬：Grade 1 以下に回復後，減量せず再開可能 【ALT】 休薬：Grade 1 以下に回復後，1 段階減量して再開可能
Grade 3〔150 U/L＜AST＜600 U/L，115 U/L＜ALT（女）＜460 U/L（ULN×5＜AST，ALT＜ULN×20）〕	休薬：Grade 2 以下に回復後，1 段階減量して再開可能	【AST，ALT】 休薬：Grade 1 以下に回復後，減量せず再開可能
Grade 4〔AST＞600 U/L，ALT＞（女）460 U/L（＞ULN×20）〕	中止	中止

高ビリルビン血症

	HER2 陽性の手術不能または再発乳がん	HER2 陽性の乳がんにおける術後薬物療法
1.5 mg/dL＜T-Bil＜3.0 mg/dL（ULN＜T-Bil＜ULN×2）	—	休薬：T-Bil≦1.5 mg/dL（≦ULN×1.0）に回復後，1 段階減量して再開可能
T-Bil＞3.0 mg/dL（＞ULN×2.0）	AST＞90 U/L または ALT＞（女）69 U/L（＞ULN×3）かつ T-Bil＞3.0 mg/dL（＞ULN×2）の場合は中止	中止
Grade 2〔2.25 mg/dL＜T-Bil＜4.5 mg/dL（ULN×1.5＜T-Bil＜ULN×3）〕	休薬：Grade 1 以下に回復後，減量せず再開可能	—
Grade 3〔4.5 mg/dL＜T-Bil＜15 mg/dL（ULN×3＜T-Bil＜ULN×10）〕	休薬：Grade 1 以下に回復後，1 段階減量して再開可能	—
Grade 4〔T-Bil＞15 mg/dL（＞ULN×10）〕	中止	—

血小板減少症

	HER2 陽性の手術不能または再発乳がん	HER2 陽性の乳がんにおける術後薬物療法
Grade 2（＜7.5 万～5 万/μL）	—	休薬：Grade 1 以下に回復後，減量せず再開可能，血小板減少症による 2 回目休薬後の再開においては 1 段階減量しての再開を考慮
Grade 3（＜5 万～2.5 万/μL）	休薬：Grade 1 以下に回復後，減量せず再開可能	
Grade 4（＜2.5 万/μL）	休薬：Grade 1 以下に回復後，1 段階減量して再開可能	休薬：Grade 1 以下に回復後，1 段階減量して再開可能

末梢神経障害

	HER2 陽性の手術不能または再発乳がん	HER2 陽性の乳がんにおける術後薬物療法
Grade 3 または 4	休薬：Grade 2 以下に回復後，減量せず再開可能	休薬：Grade 2 以下に回復後，減量せず再開可能

結節性再生性過形成（NRH）

	HER2 陽性の手術不能または再発乳がん	HER2 陽性の乳がんにおける術後薬物療法
すべての Grade	—	中止

間質性肺疾患または肺臓炎と診断された場合

HER2 陽性の手術不能または再発乳がん	HER2 陽性の乳がんにおける術後薬物療法
—	中止

放射線療法に関連する肺臓炎

	HER2 陽性の手術不能または再発乳がん	HER2 陽性の乳がんにおける術後薬物療法
Grade 2	—	標準治療にて回復しない場合は中止
Grade 3 または 4	—	中止

腎機能障害[4)]

軽度（Ccr 60～89 mL/分）	用量調整は不要
中等度（Ccr 30～59 mL/分）	用量調整は不要
重度（Ccr 30 mL/分未満）	データなし

肝機能障害[4)]

□Child-Pugh 分類

項目	1 点	2 点	3 点
脳症	ない	軽度	ときどき昏睡
腹水	ない	少量	中等度
血清ビリルビン値（mg/dL）	2.0 未満	2.0～3.0	3.0 超
血清アルブミン値（g/dL）	3.5 超	2.8～3.5	2.8 未満
プロトトンビン活性値（%）	70 超	40～70	40 未満

各項目のポイントを加算し，その合計点で分類．
A：5～6 点，B：7～9 点，C：10 点以上．

Child-Pugh 分類 A	用量調整は不要
Child-Pugh 分類 B	用量調整は不要
Child-Pugh 分類 C	データなし

注意点[1,2)]

□**フィルター**：0.2 または 0.22 μm インラインフィルター（ポリエーテルスルホン製またはポリスルホン製）を通して投与.

□**点滴ライン**：ブドウ糖溶液の同じ点滴ラインを用いた同時投与は不可.

□**infusion reaction**：好発現時期は初回の投与中または投与開始後 24 時間以内. 投与中はバイタルサイン（血圧, 脈拍, 体温, 呼吸）のモニタリングや, 自他覚症状を慎重に観察.

□**血管外漏出**：non-vesicant に分類される. 血管外漏出後に皮膚が壊死した報告もあるため, 投与時は薬液が血管外に漏れないように注意.

5 副作用マネジメント

発現率[5-7)]

有害事象	HER2 陽性の手術不能または再発乳がん				HER2 陽性の乳がんにおける術後薬物療法	
	海外第Ⅲ相臨床試験 EMILIA 試（n=490）		国内第Ⅱ相臨床試験 JO22997 試験（n=73）		海外第Ⅲ相臨床試験 KATHERINE 試験（n=740）	
	全体（%）	Grade≧3（%）	全体（%）	Grade≧3（%）	全体（%）	Grade≧3（%）
血小板減少症	30.4	13.9	27.4	21.9	28.5	5.6
AST 増加	22.4	4.3	20.5	13.7	28.4	0.5
ALT 増加	16.9	2.9	11.0	8.2	23.1	0.4
高ビリルビン血症	2.9	0.4	5.5	0	6.6	0
出血	29.8	1.4	53.4	1.4	29.2	0.4
末梢神経障害	23.3	3.1	16.4	1.4	32.3	1.6
infusion reaction・過敏症	21.9	0	2.7	0	7.7	0.1
間質性肺疾患	1.4	0.2	1.4	1.4	2.8	0.4
心障害	1.8	0.2	2.7	0	3.1	0.5

評価と観察のポイント

投与中〜終了直後

□**infusion reaction**：発熱, 悪寒, 呼吸困難, 紅潮などの自他覚症状を確認. バイタルサイン（血圧, 脈拍, 体温, 呼吸）の変化を確認. 自他覚症状とバイタルサインを評価し, 重症度をトリアージ.

投与後

□**血小板減少症**：血小板数の変動を確認．各投与コースの day 1 に検査を行う場合，day 8 頃に最低値を示すことを念頭に置いて評価[6]．

□**出血**：鼻出血が高頻度に生じるが，数日で回復することが多い．頭痛，嘔気・嘔吐，腹痛，血痰，胸痛などの自覚症状がある場合には，頭蓋内出血，消化管出血，呼吸器系出血などの重度の出血の可能性も疑う．血小板減少症を伴う場合もあるが，血小板数と出血の関係は不明であり，血小板数が正常値であっても出血を生じることがあるので注意する．

□**肝機能障害**：AST，ALT，T-Bil などの変動を確認．各投与コースの day 1 に検査を行う場合，day 8 頃に一過性の上昇を示すことを念頭に置いて観察[6]．腹痛，嘔吐，吐血などの自覚症状がある場合には，門脈圧亢進症（腹水，食道静脈瘤，脾腫）を伴う結節性再生性過形成（NRH）の可能性も疑う．

□**末梢神経障害**：手や足のしびれ感，痛みなどの自覚症状を確認．これらの症状は主観的で個人差が大きいため，医療者は患者の QOL が損なわれないよう過小評価に注意．ボタンがかけにくい，文字が書きにくい，歩きにくいなどの日常生活への影響を具体的に確認する．

□**間質性肺疾患**：呼吸困難，咳嗽，倦怠感，発熱などの自覚症状を確認．無症状であっても胸部 X 線や CT の画像所見で発見されることがある．KL-6，S-PD などの間質性肺炎マーカーも診断補助として適宜追加．術後薬物療法では放射線療法の併用により放射線肺臓炎が起こることも念頭に置いて観察する[7]．

□**心障害**：息切れ，動悸，頻脈，下肢浮腫などの自覚症状を確認．心エコー検査などによる LVEF 測定を定期的に実施することが望ましい（12 週ごとを目安）．心電図（不整脈など），胸部 X 線（心胸郭比など）の検査も適宜行う．心筋トロポニン T，BNP などの心不全バイオマーカーも診断補助として適宜追加．

副作用対策のポイント

投与中～終了直後

□**infusion reaction**：異常が認められた場合は投与速度を下げる，または投与を中断．重症度に応じて投与中止，補液（生理食塩液などの細胞外液），副腎皮質ホルモン薬（メチルプレドニゾロンなど），抗ヒスタミン薬（d-クロルフェニラミンなど）などの適切な処置を行う．

投与後

□ **血小板減少症**：多くの患者は休薬や減量により治療継続が可能．

□ **出血**：Grade 4の血小板減少症がみられた患者（最低値として），血小板数＜10万/μLの患者（治療開始前値として），抗凝固療法を受けている患者では出血リスクが増加するおそれがあるため，投与する際には慎重に対応．

□ **肝機能障害**：多くの患者は休薬や減量により治療継続が可能．対症療法として，肝庇護療法（ウルソデオキシコール酸，グリチルリチン配合薬など）が行われることがある．ただし，肝庇護療法の有効性は不明であるため，漫然投与に注意する．NRHが疑われる場合には肝臓専門医と相談の上，肝生検などの実施を考慮．

□ **末梢神経障害**：疼痛を伴うしびれが生じた場合には，対症療法としてプレガバリン，デュロキセチンなどの神経障害性疼痛治療薬が用いられることがある．

□ **間質性肺疾患**：症候性の肺疾患のある患者では肺臓炎リスクが増加するおそれがあるため，投与の際には慎重に対応．間質性肺炎症状や検査異常（異常陰影など）が認められた場合は，投与中止を検討．間質性肺疾患が発現した場合には，呼吸器内科医との相談の上，ステロイド治療などの処置を行う．

□ **心障害**：アントラサイクリン系薬剤の投与歴のある患者，胸部への放射線治療中の患者，うっ血性心不全もしくは治療を要する重篤な不整脈のある患者，冠動脈疾患（心筋梗塞，狭心症など）の患者，高血圧症の患者では心障害リスクが増加するおそれがあるため，投与する際は慎重に対応．心不全症状や検査異常（LVEF低下など）が認められた場合は，投与中止を検討．心障害が発現した場合には，速やかに循環器内科医に相談する．

6 薬学的ケア

CASE

□ 70歳代女性．HER2陽性の乳がんStageⅣ，骨転移あり．1次治療のドセタキセル＋トラスツズマブ＋ペルツズマブ療法がPD判定となり，2次治療としてトラスツズマブ エムタンシン療法が開始された．

□治療開始前の検査により，肝機能はAST 29 U/L，ALT 15 U/L，T-Bil 1.3 mg/dL．肝機能の他，LVEF，血小板数も投与基準を満たしていることを確認した．

□5コース目day 1の検査により，肝機能はAST 39 U/L，ALT 19 U/L，T-Bil 2.4 mg/dL．HBV既感染者であるが，HBV-DNA定量検査で異常がないことを確認した．肝転移の所見はない．その他の服用歴として，少なくとも1か月以内に服用開始となった薬剤もない．以上より，トラスツズマブ エムタンシン投与による肝機能障害を疑った．Grade 2の高ビリルビン血症を認めたため，Grade 1以下に回復するまでトラスツズマブ エムタンシンを休薬とした．

□1週間の延期により，高ビリルビン血症はGrade 1（T-Bil 1.8 mg/dL）まで回復した．トラスツズマブ エムタンシン投与による肝機能障害と考えられ，減量・中止基準に基づき5コース目は減量せず再開．対症療法として，ウルソデオキシコール酸，グリチルリチン配合薬の内服による肝庇護療法開始．その後，ASTやALT，T-Bilは基準値内で治療を継続できた．

解説

□肝機能障害は多くの薬剤で起こる可能性があるため，服用歴を聴取する．

□肝機能障害を疑う際には，薬剤以外の原因（腫瘍，ウイルス性肝炎，アルコール性肝障害など）を除外する．たとえば，治療開始前にHBVスクリーニングを行い，HBVキャリアの患者または既往感染者の場合は定期的にHBV-DNA定量検査を行う．

□肝転移のある患者では，腫瘍の影響によりAST，ALT，T-Bilなどの肝機能値が増加することが多いため，データの解釈に注意する．今回のCASEでは肝転移なし．

□トラスツズマブ エムタンシンによる肝機能障害を疑う場合，重症度に応じて休薬や減量を検討する．休薬後，肝機能障害が重篤化しないか（回復するか）を見極めることで原因薬剤を鑑別する．

引用文献

1）カドサイラ® 点滴静注用，添付文書（中外製薬）
2）カドサイラ® 点滴静注用，適正使用ガイド（中外製薬）
3）日本癌治療学会（編）：制吐薬適正使用ガイドライン，第2版（一部改訂

版 ver.2.2）．日本癌治療学会，2018
4) KADCYLA®，米国添付文書（Genentech）
5) Verma S, et al：N Engl J Med 367：1783-91, 2012（PMID：23020162）
6) Kashiwaba M, et al：Jpn J Clin Oncol 46：407-14, 2016（PMID：26917603）
7) von Minckwitz G, et al：N Engl J Med 380：617-28, 2019（PMID：30516102）

（二瓶 哲）

11 エリブリン（ハラヴェン®）

POINT

- ■単剤で唯一，OS を延長させた日本発の薬剤である[1]．微小管阻害薬であり，がん微小環境へのユニークな作用も持つ．
- ■骨髄抑制（特に好中球減少）の頻度が高いため，投与中は頻回な血液検査と感染症に対する注意が必要である．
- ■投与方法は 2〜5 分間かけた短時間の点滴静注である．

1 レジメンと副作用対策（→次頁参照）

適応：手術不能または再発乳がん，悪性軟部腫瘍

投与スケジュール：週 1 回投与を 2 週間連続で行い 3 週目は休薬

1 コース期間：21 日間　**総コース**：繰り返し投与を行い可能な限り継続

2 抗がん薬の処方監査

- □本レジメンの適応（手術不能・再発例，アントラサイクリン系抗がん薬およびタキサン系抗がん薬を含む化学療法の施行例）について確認する．
- □投与前に，血算値，肝機能，心電図，電解質，HBs 抗原スクリーニングについて確認する．
- □高度な骨髄抑制，本剤の成分に対して過敏症の既往，妊娠または妊婦の可能性がある患者は投与禁忌である．
- □軽度催吐リスクに分類されるので，制吐目的でデキサメタゾン注射液 6.6 mg を使用する[6]．
- □放射線照射との併用は推奨されていないが，併用時は骨髄抑制が増強するおそれがあるので注意する．
- □ごく少量（1 バイアルあたり 0.1 mL）であるがアルコールを含んでいる（体表面積 1.5 m^2 の場合で 0.21 mL）ので，アルコール過敏症には注意する．

3 抗がん薬の調剤

- □5%ブドウ糖で希釈した場合，反応生成物が検出されるので，希釈する場合は日本薬局方生理食塩水を使用．

11		医薬品名 投与量	投与方法 投与時間	1	2	3	4	5	6	7	8	9	10	11	12	13	14	15	16	～	21
レジメン	Rp1	デキサメタゾン 6.6 mg/body 生理食塩液 50 mL	点滴注射 15 分	↓							↓										
	Rp2	エリブリン 75 mg/m² 生理食塩液 50 mL	点滴注射 2～5 分	↓							↓										
	Rp3	生理食塩液 20 mL	ルート内 フラッシュ	↓							↓										

副作用対策

静脈炎，血管外漏出

エリブリン漏出時には非壊死性抗がん薬に該当[2]．静脈炎予防のために投与後は生食にてフラッシュを施行.

好中球減少，白血球減少

①感染予防対策（手洗い，うがい），②FN の徴候（発熱，悪寒，咽頭痛）がみられた際の抗菌薬や解熱薬の使用方法，③緊急受診の目安について事前に指導.
nadir 発現までの中央値は投与後 14 日であり，その後 7 日程度で回復[3].

末梢神経障害(末梢ニューロパチー)

手足のしびれや指先のピリピリ感が出現したら注意.
発現までの中央値は投与後 39.1 週であり，回復までの中央値は 8.1 週[4].

肝機能障害

採血で必ず確認．特に Grade 4 の好中球減少時は肝機能低下に注意[5].

間質性肺炎

症状が疑われる場合は胸部 X 線検査を行うなど観察を十分に行う.

皮膚粘膜眼症候群，多形紅斑

国内および国外臨床試験では報告ないが，国内にて自発報告あり[5]，ざ瘡様皮疹の出現時は注意.

脱毛

発現率約 50%，2～3 週後から発現する可能性があるので事前にウィッグなどの情報を提供しておく．治療終了後は回復.

□0.01 mg/mL 未満の濃度に希釈しない.

□シリンジに入れた後，室温保存では 6 時間以内，冷蔵保存では 24 時間以内に投与.

□調製時には手袋，ゴーグルおよび保護衣を着用する.

4 抗がん薬の投与

投与基準[5]

□各サイクル 1 週目（day 1），2 週目（day 8）ともに好中球数≧1,000/μL 以上，かつ血小板数≧7.5 万/μL 以上，かつ非血液毒性≦G2 以下の場合

好中球数	≧1,000/μL	非血液毒性	≦Grade 2
血小板数	≧7.5 万/μL		

減量・中止基準[5)]

各サイクル1週目（day 1）

□前サイクルにおいて下記の副作用が出現した場合，減量した上で投与する．

- 7日間を超えて継続する好中球減少（<500/μL）
- 発熱または感染を伴う好中球減少（<1,000/μL）
- 血小板減少（<2.5万/μL）
- 輸血を要する血小板減少（<5万/μL）
- Grade 3以上の非血液毒性
- 副作用などにより，2週目（day 8）に休薬した場合

各サイクル2週目（day 8）

□投与基準を満たさない場合，投与を延期．

□投与延期後1週間以内に投与前基準まで回復した場合は減量して再開．

□投与延期後1週間以内に投与前基準まで回復しない場合は休薬．

減量の目安

減量前の投与	減量後の投与
1.4 mg/m^2	1.1 mg/m^2
1.1 mg/m^2	0.7 mg/m^2
0.7 mg/m^2	投与中止を考慮

腎機能障害

□Ccrが中等度腎機能障害（30～50 mL/分）および重度腎機能障害（15～<30 mL/分）時は1段階減量（1.1 mg/m^2）で治療を開始する[7)]．

肝機能障害

□肝機能障害の投与量[7)]（Child-Pugh分類については10「トラスツマブ エムタンシン」の項→77頁）

肝機能	投与
Child-Pugh分類A	1.1 mg/m^2
Child-Pugh分類B	0.7 mg/m^2

□肝機能障害の投与量[5)]

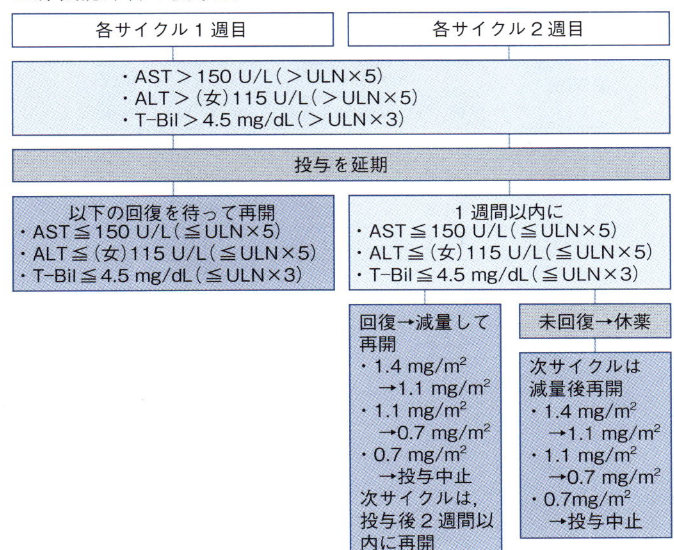

注意点

□好中球減少症は次サイクル開始時までには投与可能なレベルまで回復することが多く[4)]，各患者の好中球減少のパターンを観察することが重要である．

□好中球減少などで標準的スケジュールが実施できない患者には，隔週投与法（day 1，15 投与，day 8，22 休）の忍容性が高いことが報告されている[8)]．

5 副作用マネジメント

発現率[1, 4, 9, 10]

（　）例数

副作用		国内第Ⅱ相臨床試験*1 (n=81)		外国第Ⅱ，Ⅲ相臨床試験*2 (n=827)	
		全体（%）	Grade≧3（%）	全体（%）	Grade≧3（%）
血液毒性	好中球減少	98.8	95.1	56.2	49.2
	白血球減少	98.8	74.1	23.1	14.3
	FN	14.8	14.8	4.7	4.7
	血小板減少	11.1	0	3.0	1.1
	貧血	8.6	0	20.7	1.5
非血液毒性	脱毛症	58.0	0	49.8	0
	疲労	44.4	1.2	29.4	3.3
	食欲減退	43.2	1.2	18.7	0.4
	悪心	42.0	1.2	35.1	1.1
	口内炎	39.5	2.5	8.7	0.7
	味覚異常	33.3	0	9.6	0
	AST 増加	29.6	4.9	2.5	0.7
	ALT 増加	27.2	1.2	3.1	1.1
	末梢神経障害	24.7	3.7	32.0	6.9
	嘔吐	14.8	0	14.6	0.5
	下痢	13.6	0	15.2	0.6
	便秘	12.3	0	16.3	0.4
	倦怠感	11.1	1.2	0.2	0
	肝機能障害	6.2	0	1.3	0.8
	間質性肺炎	1.2	1.2	0.1	0

*1 国内 221 試験
*2 外国 201 試験［3 週サイクル群（n=33）］，外国 211 試験（n=291），外国 305 試験（n=503）

評価と観察のポイント

投与時

□過敏反応などの症状の有無を観察．

投与初期（day 1〜7）

□悪心・嘔吐の状況や食事摂取状況を確認．遅延性もあり注意．

投与後期（day 7 以降）

□骨髄抑制（特に好中球減少）や感染症（発熱，悪寒，咳嗽，咽頭痛など）の症状出現に注意.

□肝機能障害に伴う倦怠感や黄疸に注意．また，肝機能低下による Grade 4 の好中球減少増加にも注意.

□脱毛は約半数に発現するため説明は必須であり，2 サイクルまでの発現割合は 88.7％である[4].

□末梢神経障害の発現は 25〜30％に認められる．投与前の発現状況や前治療薬の種類によって頻度や重症度に影響を与える傾向はみられていない.

投与全期間

□QT 間隔延長の早期発見のために適宜心電図検査を実施し，観察.

□間質性肺炎の初期症状（発熱，空咳，息切れなど）に注意.

副作用対策のポイント

悪心・嘔吐

□軽度催吐リスクに準じた制吐療法として，予防的に各サイクルの day 1，8 にデキサメタゾン注射液 6.6 mg を投与[6]．コントロールできない場合はドパミン D_2 受容体拮抗薬（メトクロプラミドやプロクロルペラジン）や 5-HT_3 受容体拮抗薬（グラニセトロン）の併用も考慮.

骨髄抑制（特に好中球減少），FN

□治療開始より，手洗いやうがいなど日常生活で感染に気をつけるように十分に指導．また，FN の徴候を見逃さないように素早く対応するために，感染時期や発現時の緊急時対応連絡先について事前に患者に伝えておく．FN 発現時は，MASCC スコア（1「AC」の項→10 頁）でリスク評価を行った後，低リスクの場合はシプロフロキサシン 200 mg　1 日 3 回およびアモキシシリン・クラブラン酸（アモキシシリンとして 250 mg）1 日 3 回の内服薬を併用する[11]．高リスクの場合は，セフェピム，タゾバクタム・ピペラシリンまたはカルバペネム系抗菌薬などの注射薬の投与を検討．必要に応じて G-CSF 製剤の治療的使用や治療薬の変更を考慮する[12].

末梢神経障害

□蓄積毒性は認められないが，投与が長期にわたるに伴い累積発現率は直線的に増加しており，発現率が高くなる可能性は否定できない．したがって，個々の患者のリスクとベネフィットを勘案して，適宜，減量や休薬を行う[3]．また，末梢神経障害がある場合はプレガバリン，ミロガバリン，牛車腎気丸（ごしゃじんきがん） 保険適用外 やデュロキセチン 保険適用外 の使用を考慮する．

肝機能障害

□外国臨床試験では死亡例も報告されており[5]，肝機能障害のある患者には適切な減量や休薬，中止で対応する．実臨床では支持療法として肝庇護薬（グリチルリチン酸やウルソデオキシコール酸）を使用することがある．ただし，グリチルリチン酸による偽アルドステロン症の低 K に注意．

6 薬学的ケア

CASE

□40 歳代女性．左乳がんの術後再発（肺転移）にて StageⅣ，サブタイプ分類はトリプルネガティブ（ホルモン受容体陰性および HER2 陰性）．1 次治療および 2 次治療 PD にて今回 3 次治療としてエリブリン療法治療開始となる．

□CV ポート造設なく末梢静脈より投与となったが，静脈炎症状なく投与終了．前治療にて口内炎が残存していたので，主治医と協議しエリブリン投与による感染予防目的にアズレンスルホン酸ナトリウム含嗽水が処方となり，その後改善．また，1 サイクル day 8 に白血球が 2,800/μL および好中球数が 1,420/μL へと低下した．day 15 には白血球が 2,200/μL および好中球数が 1,080/μL まで低下したが，day 15 が nadir でありその後約 1 週間で速やかに回復．

□骨髄機能は各サイクル day 1 には，投与基準値以上に回復．白血球減少および好中球減少はあるが，いずれも Grade 2 まで低下し回復しコントロール範囲内で経過．

□3 サイクル治療開始時に指先のピリピリ感の訴えあり．「前サイクルまでは感じなかった」とのこと．1 次治療ではパクリタキセルを使用していることも踏まえ，早期の対応が重要だと感じ，薬剤の減量ではなく支持療法としてプレガバリン 75 mg 1 日 2 回の処方提案．以降，末梢神経障害の症状の増強なく，かつ治療強度を維持し継続．

解説

□乳癌診療ガイドライン[13]においてエリブリンは 2 次治療以降での使用が推奨されており，以前の治療歴と副作用発現状況や患者状態を把握しておくことが重要であり，治療前にあらかじめ確認しておく．

□末梢静脈から投与する場合は静脈炎にも注意．また，1サイクル目から骨髄抑制（Grade 3以上の白血球減少および好中球減少）が発現する可能性がある[4]ので，FNの発現リスクが高いと予想される患者には感染対策や症状，緊急時対応などについて指導する．また，FN発現時の対処についてはガイドラインで十分に確認しておく[12]．

□骨髄抑制の多くはday 8〜15にかけて出現するが，次サイクルまでには投与基準値まで回復することが多い[4]．

□末梢神経障害についてはできるだけ早い段階から介入していくことが重要である．また，治療薬のエビデンスとして，第1選択薬はプレガバリンやデュロキセチンを用いる[14]．支持療法でコントロールできない場合は，治療薬の減量・休薬または変更を考える．

引用文献

1) Cortes J, et al：Lancet 377：914-23, 2011（PMID：21376385）
2) Boulanger J, et al：Support Care Cancer 23：1459-71, 2015（PMID：25711653）
3) ハラヴェン® 静注1 mg，使用成績調査（HAL01調査）
4) Aogi K, et al：Ann Oncol 23：1441-8, 2012（PMID：21989327）
5) ハラヴェン® 静注1 mg，適正使用ガイド
6) 日本癌治療学会（編）：制吐適正使用ガイドライン，第2版．金原出版，2015
7) ハラヴェン，米国添付文書（FDA）
8) Ohtani S, et al：Breast Cancer 25：438-46, 2018（PMID：29435730）
9) Linda T Vahdat, et al：J Clin Oncol 27：2954-61, 2009（PMID：19349550）
10) Cortes J, et al：J Clin Oncol 28：3922-8, 2010（PMID：20679609
11) Klastersky J, et al：J Clin Oncol 18：3038-51, 2000（PMID：10944139）
12) 日本臨床腫瘍学会（編）：発熱性好中球減少症（FN）ガイドライン，改訂第2版．南江堂，2017
13) 日本乳癌学会（編）：乳癌診療ガイドライン1 治療編 2018年版 第4版．金原出版，2018
14) 日本がんサポーティブケア学会（編）：がん薬物療法に伴う末梢神経障害のマネジメントの手引き，2017年版．金原出版，2017

（坂田幸雄）

12 エキセメスタン＋エベロリムス

EXE＋EVE

POINT

- ■閉経後ホルモン受容体陽性転移・再発乳がんの3次以降の内分泌療法（非ステロイド性アロマターゼ阻害薬耐性の場合）に推奨されている[1]．
- ■肝炎ウイルスの再活性化のリスクが高い薬剤であるため，投与前はガイドライン[2]に従った検査を実施し，投与中も定期的に検査を行い徴候や症状の発現に注意．
- ■間質性肺疾患の早期発見，口内炎の重篤化に留意．

1 レジメンと副作用対策

適応：手術不能または再発乳がん．

投与スケジュール：両剤とも連日服用，休薬期間なし．PDが確認されるまで継続．

12		医薬品名 投与量	投与方法 投与時間	1	2	～	14	15	16	～	25	26	27	28	29	30	31	32	～	56	57
レジメン	Rp1	エキセメスタン 25 mg/body	経口1日1回食後	↓	↓	↓	↓	↓	↓	↓	↓	↓	↓	↓	↓	↓	↓	↓	↓	↓	↓
レジメン	Rp2	エベロリムス 10 mg/body	経口1日1回食後	↓	↓	↓	↓	↓	↓	↓	↓	↓	↓	↓	↓	↓	↓	↓	↓	↓	↓
副作用対策	**間質性肺炎**																				
	臨床症状（咳嗽，呼吸困難，発熱）と定期的に胸部CT検査，血液検査（KL-6，SP-D）を実施．画像上の異常所見のみで臨床症状が認められない場合もある																				
	感染症																				
	投与前にHBVキャリアの確認，投与中は感染症やHBV再活性化に注意．																				
	口内炎																				
	口腔ケアを徹底し，含嗽薬を用いて予防に努める．デキサメタゾン含嗽液はオプションの1つと考えられる．BOLERO-2試験では投与開始28日目までの発現頻度が高い．ヨード，アルコールや過酸化水素を含む含嗽薬の使用は避ける																				
	高血糖，糖尿病																				
	投与前に空腹時血糖を測定し，血糖コントロールをしておく．投与後は定期的に血糖を測定．																				
	脂質異常																				
	投与前より定期的にコレステロール，トリグリセリドを測定する．BOLERO-2試験では投与開始29～56日目までの発現頻度が高い．																				

2 抗がん薬の処方監査

□非ステロイド性アロマターゼ阻害薬（エキセメスタン）の治療歴がないことを確認．

□投与前の画像検査において肺の異常陰影と間質性肺疾患の臨床症状（咳嗽，呼吸困難，発熱）を認めないことを確認．

□HBV 検査で HBs 抗原陽性あるいは HBs 抗原陰性で HBc 抗体陽性または HBs 抗体陽性の場合は，HBV-DNA 定量検査により検出感度以上（20 IU/mL = 1.3 Log IU/mL）なら核酸アナログ（例：エンテカビル）の予防投与が必要．

□CYP3A4 または P 糖蛋白を阻害する薬剤（例：イトラコナゾール，ニカルジピン）との併用でエベロリムスの血中濃度が大きく上昇し，半減期が延長する可能性がある．

□CYP3A4 または P 糖蛋白を誘導する薬剤（例：リファンピシン，フェノバルビタール）との併用でエベロリムスの血中濃度が低下する可能性がある．

□エベロリムスは食後に服用することで AUC が 22〜32％低下[3]し，エキセメスタンは AUC が 39％上昇[4]する．BOLERO-2 試験[5]では，食事による血中濃度の変動を避けるために毎日同じ時刻，1 日 1 回食後に連日投与していた．以上により，食後決まった時間の服薬を指導する．

3 抗がん薬の調剤

□性質上，粉砕や簡易懸濁は行うべきではないが，エキセメスタンは簡易懸濁法にて投与可能[6]．

□乳がんに適応のあるエベロリムス製剤は，アフィニトール® 錠のみであり，アフィニトール® 分散錠およびサーティカン® 錠には保険適応がない．

4 抗がん薬の投与

投与基準

エキセメスタン

□投与前基準はない．

エベロリムス

検査項目	投与基準
好中球数	≧1,500/μL
血小板数	≧10 万/μL
Hb	≧9 g/dL
ALT，AST	【肝転移なしの場合】AST≦75 U/L，ALT≦（女）57.5 U/L（≦ULN×2.5）
	【肝転移ありの場合】AST≦150 U/L，ALT≦（女）115 U/L（≦ULN×5.0）

検査項目	投与基準
T-Bil	≦2.25 mg/dL（≦ULN×1.5）
Cr	≦（女）1.18（いずれも≦ULN×1.5）
空腹時総コレステロール	≦300 mg/dL または≦7.75 mmol/L
空腹時トリグリセリド	（≦女）292.5 U/L（いずれも≦ULN×2.5）

減量・中止基準

エキセメスタン

□肝機能障害が認められた場合は中止を考慮．減量基準はない．

エベロリムス

□次頁の**表 12-1**.

腎機能障害

□エキセメスタンおよびエベロリムス：腎機能障害による減量基準はない．

肝機能障害

□エキセメスタン：肝機能障害による減量基準はない．

□エベロリムス

Child-Pugh 分類(スコア)	A (5～6)	減量を考慮
	B (7～9)	有益性が危険性を上回る場合にのみ減量しての投与を検討
	C (10～15)	可能な限り投与は避ける

5 副作用マネジメント

発現率[5)]

副作用		全体 (%)	Grade 3 以上 (%)
血液毒性	血小板減少	12	3
	貧血	16	6
非血液毒性	口内炎	56	8
	皮疹	36	1
	倦怠感	33	3
	下痢	30	2
	食欲低下	29	1
	悪心	27	1
	高血糖	13	4
	肺炎	12	3
	関節痛	16	1
	背部痛	11	0

表 12-1 エベロリムスの減量・中止基準

	用量と投与スケジュール
開始用量	10 mg の連日投与
1 段階減量	5 mg の連日投与
2 段階減量	5 mg の隔日投与

<table>
<tr><th>副作用</th><th>Grade*1</th><th>対応</th></tr>
<tr><td rowspan="4">間質性肺炎</td><td>1</td><td>同一用量で継続</td></tr>
<tr><td>2</td><td>症状改善するまで休薬し，投与を再開する場合は 1 段階減量</td></tr>
<tr><td>3</td><td>投与を中止し，治療上の有益性が危険性よりも上回ると判断できる場合のみ，1 段階減量で再開</td></tr>
<tr><td>4</td><td>投与を中止し，再投与は行わない</td></tr>
<tr><td rowspan="4">口内炎</td><td>1</td><td>同一用量で継続</td></tr>
<tr><td>2</td><td>Grade 1 以下に回復するまで休薬し，同じ用量で再開．再度 Grade 2 の口内炎が出現した場合は，Grade 1 以下に回復するまで休薬し，1 段階減量で再開</td></tr>
<tr><td>3</td><td>Grade 1 以下に回復するまで休薬し，1 段階減量で再開</td></tr>
<tr><td>4</td><td>投与を中止</td></tr>
<tr><td rowspan="4">高血糖</td><td>1</td><td rowspan="2">同一用量で継続</td></tr>
<tr><td>2</td></tr>
<tr><td>3</td><td>一時的に休薬し，再開する場合は 1 段階減量で再開</td></tr>
<tr><td>4</td><td>投与を中止</td></tr>
<tr><td rowspan="4">非血液毒性</td><td>1</td><td>同一用量で継続</td></tr>
<tr><td>2</td><td>Grade 1 以下に回復するまで休薬し，同じ用量で再開．再度 Grade 2 の口内炎が出現した場合は，Grade 1 以下に回復するまで休薬し，1 段階減量で再開</td></tr>
<tr><td>3</td><td>Grade 1 以下に回復するまで休薬し，1 段階減量で再開</td></tr>
<tr><td>4</td><td>投与を中止</td></tr>
<tr><td rowspan="4">血小板</td><td>1</td><td>同一用量で継続</td></tr>
<tr><td>2</td><td>Grade 1 以下に回復するまで休薬し，同じ用量で再開．再度，Grade 2 となった場合は，Grade 1 以下に回復するまで休薬し，1 段階減量で再開</td></tr>
<tr><td>3</td><td>Grade 1 以下に回復するまで休薬し，1 段階減量で再開．再度 Grade 3 となった場合は，投与を中止</td></tr>
<tr><td>4</td><td>投与を中止</td></tr>
</table>

4 週間を超える投与中断を要する有害事象が発生した場合は，投与を中止
*1 CTCAE v4.0

評価と観察のポイント

エキセメスタン

□内服開始後 2～3 か月以内に関節のこわばりや関節痛が起こり，閉経後早期（5 年以内）例で発症しやすいとの報告がある[1)].

エベロリムス

□間質性肺疾患の早期発見のために，臨床症状（咳嗽，呼吸困難，発熱）について投与前に患者に説明し，臨床症状のチェックと定期的な胸部 CT 検査，血液検査（KL-6，SP-D）を実施．投与初期でも投与期間が長くなっても出現する可能性がある．対応が適切でないと重篤化し，死亡例も報告されているため注意．

□口内炎は高率に発現し，特に投与開始 1 か月間に発現することが多い[7)].

□高血糖の発現や糖尿病の発症や増悪が現れることがあり，特に投与開始 1 か月間に発現することが多い[7)].

副作用対策のポイント

エキセメスタン

□関節痛には NSAIDs やアセトアミノフェンが有効とされる[1)].

エベロリムス

□間質性肺疾患に対して副腎皮質ホルモン薬を使用する場合は，中等症ではプレドニゾロン換算で 0.5～1.0 mg/kg/日を原因薬剤，重症度，治療反応性を考慮して投与．治療期間に定まった基準はないが，おおよその目安は 2 か月程度で，改善があれば 1 か月以内，改善が悪ければ 3 か月以上を要することもある．中止する場合には，漸減し中止する．重症例では，パルス療法（メチルプレドニゾロン 500～1,000 mg/日を 3 日間）を行い，プレドニゾロン換算で 0.5～1.0 mg/kg/日で継続し，治療反応をみながら漸減する[7)].

□肝障害などの副作用が発現した場合や，エベロリムス投与中に HBV 再活性化がみられた場合には，ただちに中止せず，対応を肝臓専門医と相談することを検討する[7)].

□侵襲性の全身性真菌症感染症と診断された場合，ただちにエベロリムスの投与を中止し，適切な抗真菌薬を投与．この場合は，エベロリムスの投与は再開しない[7)].

□Grade 1 の口内炎ではアズレンスルホン酸ナトリウムや 0.9% 生理食塩水含嗽薬を 1 日数回使用．Grade 2 以上であれば，局所副腎皮質ホルモン薬の塗布が推奨される[7]．

□エベロリムスによる口内炎はデキサメタゾン含嗽液で予防されることが報告されている[8]．

□投与期間中は定期的にコレステロール，トリグリセリドを測定し，脂質異常が認められれば休薬または減量．また，対症療法が必要な場合にはスタチン系薬剤を投与[7]．

6 薬学的ケア

CASE

□70歳代女性．15年前に左乳がんと診断され，左乳房温存手術とセンチネルリンパ節生検を実施．pT1cN0M0，ER（＋）PgR（＋）p53（－）Ki67（＋）HER2（1＋）であった．術後はアナストロゾール単独投与を開始．術後7年目に胸膜転移を指摘されフルベストラント使用，その後のPDとなり3次治療としてエキセメスタン＋エベロリムス療法を開始．

□投与前の胸部CT検査にて異常はないことを確認．また，HBs抗原は陰性であると確認できたが，他のHBs抗体・HBc抗体は未測定であったため医師に確認を依頼．その結果，HBs抗体陰性，HBc抗体陰性であることを確認．

□治療開始1週後に口内炎（Grade 2）が出現し，休薬と「アズレンスルホン酸ナトリウム＋生理食塩液」の混合含嗽薬およびデキサメタゾン口腔用軟膏の併用を医師に提案，処方となり指導を実施．治療中はGrade 1で経過．

□治療開始2週後より労作性呼吸困難（Grade 2）出現したため，呼吸器内科コンサルトを提案．呼吸器内科コンサルトの結果，治療は一時中止となり外来で経過観察となった．患者には症状が悪化した場合は連絡をするよう指導．その後，間質性肺疾患の症状を疑うような咳嗽，呼吸困難，発熱は認めなかった．

□治療開始7週後に高コレステロール血症（Grade 2）を認めたため，スタチン系薬剤を提案，処方となり指導を実施．治療中はGrade 1で経過．

解説

□非ステロイド性アロマターゼ阻害薬による治療歴があり，ステロイド性アロマターゼ阻害薬による治療歴がないこと，間質性肺炎の所見の有無，HBVキャリアの有無を確認する．

□エベロリムスは口内炎の発現頻度は高いため，治療開始前の口腔内環境の確認および口腔ケアの対応が望まれる．本CASEでは歯科受診をしておらず，歯科受診をしていれば，重篤化を防げた可能性はある．また，副腎皮質ホルモンの口腔内軟膏の長期連用により口腔内カンジダ症をきたす場合もあるため注意が必要である．

□間質性肺疾患は死亡例も報告されている．早期発見が重要であり，間質性肺疾患の自覚症状について患者や家族に十分な理解を得ることが重要.

□高コレステロール血症を認めた場合は，速やかに薬剤を提案し，早期に対応する．

引用文献

1）日本乳癌学会（編）：乳癌診療ガイドライン1 治療編 2018年版第4版．金原出版，2018
2）日本肝臓学会肝炎診療ガイドライン作成委員会（編）：B型肝炎治療ガイドライン，第3.4版．2021
3）アフィニトール® 錠，インタビューフォーム，2019年8月改訂
4）アロマシン® 錠，インタビューフォーム，2020年9月改訂
5）Baselga J, et al：N Engl J Med 366：520-9, 2012（PMID：22149876）
6）倉田なおみ（編）：内服薬 経管投与ハンドブック，第3版．じほう，2015
7）アフィニトール® 錠適正使用ガイド．手術不能または再発乳癌（ノバルティスファーマ）
8）Rugo HS, et al：Lancet Oncol 18：654-62, 2017（PMID：28314691）

（四十物由香）

13 パルボシクリブ＋レトロゾール

PAL＋LET

POINT

- 対象患者はホルモン受容体陽性 HER2 陰性の閉経後手術不能または再発乳がん．
- Grade≧3 の好中球減少が 50%以上の患者で起こるが，FN の頻度は低い．
- カプセル剤と錠剤があり，血中濃度に対する食事による影響が異なる．

1 レジメンと副作用対策

適応：ホルモン受容体陽性 HER2 陰性の閉経後手術不能または再発乳がん

投与スケジュール

パルボシクリブ　1回125 mg　1日1回　21日間投与7日間休薬

レトロゾール　1回2.5 mg　1日1回　連日投与

1コース期間：28日間　**総コース**：可能な限り継続

13		医薬品名 投与量	投与方法 投与時間	1	2	3	～	12	13	14	15	16	17	18	19	20	21	22	23	～	28
レジメン	Rp1	パルボシクリブ 125 mg	経口 1日1回	↓	↓	↓	↓	↓	↓	↓	↓	↓	↓	↓	↓	↓	↓				
	Rp2	レトロゾール 2.5 mg	経口 1日1回	↓	↓	↓	↓	↓	↓	↓	↓	↓	↓	↓	↓	↓	↓	↓	↓	↓	↓
副作用対策	**好中球減少**										■	■	■	■	■	■	■				
	最初の1，2サイクルに多く発現する．Grade 3/4の場合，休薬する．																				
	口内炎										■	■	■	■	■	■	■				
	口内炎が発現した場合は，アズレンによる含嗽および口腔ケアを行う．																				
	下痢			■	■	■	■	■	■	■	■	■	■	■	■	■	■				
	下痢が発現した場合は，十分な水分補給を行い，必要に応じてロペラミドを使用する．																				
	悪心			■	■	■	■	■	■	■	■	■	■	■	■	■	■				
	必要に応じて，ドパミン受容体拮抗薬を使用する．																				

2 抗がん薬の処方監査

□ホルモン受容体陽性 HER2 陰性の閉経後手術不能または再発乳がんに対する1次治療であることを確認する[1]．

パルボシクリブ

□CYP3Aで代謝されるため，CYP3Aを阻害する薬剤（例：イトラコナゾール，クラリスロマイシン），CYP3Aを誘導する薬剤（例：フェニトイン，カルバマゼピン）との併用により，パルボシクリブの血中濃度が変動する可能性がある．また，CYP3Aの基質となる薬剤（例：ミダゾラム，フェンタニル）との併用はパルボシクリブのCYP3A阻害作用により，併用薬の血中濃度が上昇する可能性がある．

□錠剤は食事と関係なく服用することができるが，カプセル剤は空腹時投与でAUCが低下するため，食後に服用する．

レトロゾール

□食事と関係なく投与することができる．

3 抗がん薬の調剤

□パルボシクリブ，レトロゾールのいずれの薬剤も動物実験において，催奇形性が認められているため，錠剤の粉砕，カプセル剤の脱カプセルは行わないことが望ましいが，やむを得ず粉砕を行う場合は，手袋やガウンといった個人防護具を用い，曝露対策を行う．

□レトロゾールは簡易懸濁法による投与が可能である[2]．

4 抗がん薬の投与

投与基準

□パルボシクリブ[3]

全身状態	過去に実施した抗癌治療または外科的処置の急性毒性がCTCAEのGrade 1以下にまで回復している（脱毛症を除く）
	ECOG PSが0～2
好中球数	≧1,500/μL
血小板数	≧10万/μL
Hb	≧9.0 g/dL
AST，ALT	AST＜90 U/L（＜ULN×3），ALT＜(女)69 U/L（＜ULN×3）
T-Bil	＜2.25 mg/dL（＜ULN×1.5）

□レトロゾール：投与基準なし．

減量・中止基準

□パルボシクリブ[3)]

用量レベル	投与量
投与開始用量，通常投与量	1回125 mg　1日1回
1段階減量	1回100 mg　1日1回
2段階減量	1回75 mg　1日1回

副作用	Grade	対応	
好中球減少症，血小板減少症	1，2	同一投与量を継続	
	3	FN なし	Grade 2 以下の回復するまで休薬し，同一投与量で投与再開
		FN あり	Grade 2 以下の回復するまで休薬し，1段階減量して投与再開
	4	Grade 2 以下の回復するまで休薬し，1段階減量して投与再開	
非血液毒性	1，2	同一投与量を継続	
	≧3	治療により症状が Grade 2 以下に改善した場合は，同一投与量を継続	
		治療しても症状が継続する場合は，Grade 1 以下または Grade 2 で安全性に問題がない状態に回復するまで休薬し，1段階減量して投与再開	

□レトロゾール：減量・中止基準なし．

腎機能障害

□パルボシクリブ：軽度，中等度および重度の腎機能障害を有する患者における用量調節は不要．

□レトロゾール：Ccr≧10 mL/分の腎機能障害を有する患者における用量調節は不要．Ccr＜10 mL/分の腎機能障害を有する患者における十分な情報はない．

肝機能障害

□パルボシクリブ：軽度および中等度の肝機能障害を有する患者における用量調節は不要．重度の肝機能障害を有する患者においては AUC が増加するため，減量（75 mg　1日1回）を考慮．

軽度	T-Bil≦1.5 mg/dL（ULN）かつ AST＞30 U/L（ULN），または 1.5 mg/dL（ULN）＜T-Bil≦2.25 mg/dL（ULN×1.5）かつ AST 規定なし
中等度	2.25 mg/dL（ULN×1.5）＜T-Bil≦4.5 mg/dL（ULN×3）かつ AST 規定なし
重度	T-Bil＞4.5 mg/dL（ULN×3）かつ AST 規定なし

□レトロゾール：軽度および中等度の肝機能障害（Child-Pugh分類 A または B）を有する患者における用量調節は不要．重度の肝機能障害（Child-Pugh 分類 C）および肝硬変を有する患者においては 1 日おきに 2.5 mg を投与する[4]．

注意点

□パルボシクリブ：投与量の下限は 75 mg/日である．

5 副作用マネジメント

発現率[5, 6]

副作用		海外（n=444）		国内（n=42）	
		全体（%）	Grade 3≧（%）	全体（%）	Grade 3≧（%）
血液毒性	好中球減少	79.5	66.4	100	92.9
	白血球減少	39.0	24.8	83.3	59.5
	貧血	24.1	5.4	21.4	4.8
	血小板減少	15.5	1.6	26.2	0
非血液毒性	口内炎	—	—	76.2	0
	倦怠感	37.4	1.8	—	—
	悪心	35.1	0.2	11.9	0
	関節痛	33.3	0.7	—	—
	脱毛	32.9	—	19.0	—
	下痢	26.1	1.4	11.9	0
	背部痛	21.6	1.4	—	—
	頭痛	21.4	0.2	14.3	0

評価と観察のポイント

好中球減少症

□Grade 3/4 の好中球減少症は投与初期（最初の 1，2 サイクル目，投与開始から好中球減少症の初回発現までの期間の中央値は 15 日，持続期間中央値は 7 日）に多く発現するため，1，2 サイクル目は投与開始 2 週後に血液検査を行い，好中球減少の程度を評価することにより，3 週間投与 1 週間休薬のスケジュール維持が可能な用量の調節を行う．

間質性肺疾患

□間質性肺疾患の初期症状（呼吸困難，咳嗽，発熱など）が発現した場合は，速やかに連絡するよう指導する．

疲労・倦怠感

□治療可能な疾患（脱水，貧血，甲状腺機能障害）の有無を評価．

副作用対策のポイント

副作用	対策
好中球減少症	Grade 3 以上の場合パルボシクリブの減量または休薬により対応し，必要に応じて G-CSF 製剤を投与する．
口内炎	アズレンによる含嗽および口腔ケアを行う．
下痢	十分な水分補給を行い，必要に応じてロペラミドを使用する．
悪心	必要に応じて，ドパミン受容体拮抗薬を使用する．

6 薬学的ケア

CASE

□60 歳代女性．右腋窩リンパ節転移，骨転移．ER（＋），PgR（＋），HER2（－）．T4N1M1 StageⅣの進行右乳がんに対し，パルボシクリブ＋レトロゾール療法が開始となった．

□臨床検査値は基準値内であった．

□投与初期に好中球減少症を発現することが多いことから，37.5℃以上の発熱や咽頭痛があった時は連絡するよう指導．

□1 サイクル目 day 15 に好中球減少を認めたが，Grade 2 であり，パルボシクリブは 125 mg で継続した．2 サイクル目 day 1 に Grade 3 の好中球減少を認めたため，2 サイクル目開始を 1 週間延期した．1 週間後，Grade 2 に回復したため，パルボシクリブを 100 mg に減量しての開始を提案．その後パルボシクリブ 100 mg で 3 週服用 1 週休薬のスケジュールで PD まで継続した．

解説

□パルボシクリブによる好中球減少症は投与初期に発現することが多く，初期は 2 週間ごとに血液検査をする必要がある．好中球減少の Grade を評価し，適切に減量または休薬することにより，治療継続が可能となる．

引用文献

1） 日本乳癌学会（編）：乳癌診療ガイドライン 1 治療編 2018 年版 第 4 版．金原出版，2018
2） 倉田なおみ（編）：内服薬 経管投与ハンドブック，第 4 版．じほう，2020
3） イブランス® カプセル，適正使用ガイド（ファイザー）
4） レトロゾール，海外添付文書
5） Finn RS, et al：N Engl J Med 375：1925-36, 2016（PMID：27959613）
6） Takahashi M, et al：Cancer Med 9：4929-40, 2020（PMID：32420697）

（大神正宏）

14 フルベストラント(フェソロデックス®)

POINT

■閉経後ホルモン受容体陽性転移・再発乳がんの1次，2次内分泌治療に推奨されている[1].

1 レジメンと副作用対策

投与スケジュール：第1コースは14日ごと，第2コース以降は28日ごとに筋肉注射．1コースの期間は28日間で，PDが確認されるまで継続．

投与量：フルベストラント250 mgを1本ずつ左右臀部に筋肉内(1日500 mg)投与し，一側の臀部に投与しない．また，硬結に至ることがあるので，注射部位を毎回変更する．

14		医薬品名 投与量	投与方法 投与時間	1	2	～	15	16	～	29	30	～	～	57	58	～	～	85	86	～	～
レジメン	Rp1	フルベストラント 500 mg/body	左右の臀部に1筒250 mgずつ筋注	↓			↓			↓				↓				↓			
副作用対策	注射部位反応(硬結，疼痛，出血，血腫，膿瘍)			■	■		■	■		■	■			■	■			■	■		

初回，2週後，4週間後，その後4週ごと

①筋肉内注射時の疼痛：薬液はあらかじめ室温程度に温め，ゆっくり注入（1～2分）．あわせて腹臥位で爪先を内側に向けて臀部の筋肉をリラックスさせる．
②皮下組織障害：注射部位の視診・触診による皮下組織厚のアセスメントが重要(中臀筋まで注射針を到達させること)．
注射部位は毎回変更し，注射後は注射部位を揉まず，軽く押さえる程度にする．

2 抗がん薬の処方監査

□腹臥位を保持できるか(再発・進行した患者では，肺・肝転移や骨転移を有している場合が多く，胸水・腹水や骨転移による疼痛により体位の保持が困難な場合もある)．

□閉経前の患者に対しては，LH-RH作動薬（ゴセレリン，リュープロレリン）投与下でCDK4/6阻害薬（パルボシクリブまたはアベマシクリブ）と併用する．

3 抗がん薬の調剤

□本剤は冷所保存であるが，投与時の刺激や疼痛軽減のため，投与前に室温に戻す．

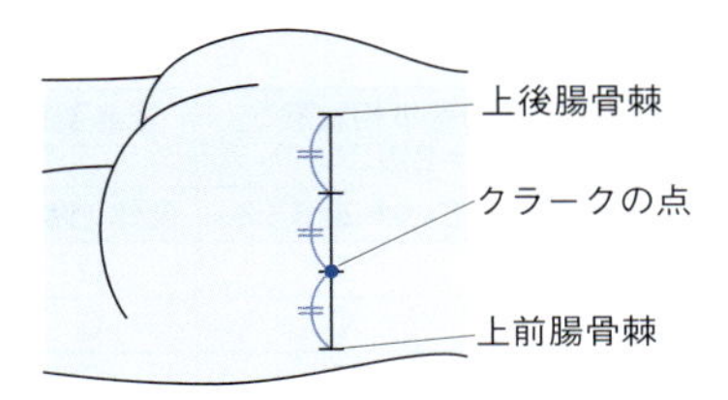

図 14-1　筋肉内注射によるフルベストラントの投与部位の特定

4 抗がん薬の投与

投与基準

□投与前基準の該当なし.

減量・中止基準

腎機能障害

□減量基準はない.

肝機能障害

□減量基準はない（ただし，Child-Pugh 分類 A および B の肝機能障害では，$AUC_{0\text{-}t}$ がそれぞれ健常者または肝機能正常患者の 1.2 倍，1.8 倍高くなる）[2].

注意点

□臀部筋肉注射では，薬液を確実に中臀筋に注入する必要がある．筋肉に注射針が到達せず，皮下組織に薬液が注入もしくは漏出した場合は，皮下組織損傷を引き起こす可能性がある．また血管・神経の損傷を最も回避しやすい[3]とされている「クラークの点」による投与部位の特定を推奨する（**図 14-1**）.

5 副作用マネジメント

発現率（表 14-1）[4, 5]

□注射部位反応[6]

	全体（%）	Grade≧3（%）
注射部位疼痛	29	0
注射部位硬結	24	0
注射部位瘙痒感	11	0

評価と観察のポイント

□投与前は患者の皮下脂肪厚や筋肉量を視診・触診を行い，投与部位のアセスメントを行う.

表 14-1　副作用の発現率

		国際共同第Ⅲ相試験[4] (n＝228)		国内臨床試験（2 試験）[5] (n＝56)	
		全体（%）	Grade≧3（%）	全体（%）	Grade≧3（%）
血液毒性	ALT 上昇	7	0	0	0
	AST 上昇	5	0	0	0
	貧血	4	0	2	0
非血液毒性	関節痛	17	0	0	0
	ホットフラッシュ	11	0	14	0
	疲労	11	0	5	0
	悪心	11	0	2	0
	背部痛	9	＜1	4	0
	筋肉痛	7	0	2	0
	高血圧	7	0	0	0
	不眠	7	0	2	0

〔国際共同第Ⅲ相試験（FALCON）[5]〕

□投与中は電撃痛や下肢のしびれの有無を確認する．

□投与後は下肢の脱力感のため動かしにくくなる可能性があるため，立ち上がる際には転倒に気をつけるよう促す．

副作用対策のポイント

□「レジメンと副作用対策」（→102 頁）．

6　薬学的ケア

CASE

□30 歳代女性．閉経前，ホルモン（＋），HER2（－），StageⅡB．術後に内分泌治療を 1 年間行うも，挙児希望のため治療中止した経緯あり．2 年後に多発骨転移が明らかになり，再発の 1 次治療としてタモキシフェン＋リュープロレリンに加え，デノスマブによる治療を開始した．しかし PD を制御できず，2 次治療としてリュープロレリン＋フルベストラント＋アベマシクリブによる治療を開始した．デノスマブは継続．

□仙骨および右腸骨に転移があるも疼痛なく，腹臥位の保持は可能であった．

□3 種類の注射薬の投与経路（皮下注，筋注）および内服薬について各々の投与スケジュールを把握できるよう治療日誌を利用した．

□治療開始 2 か月後に，本剤の注射部位である臀部に限局した疼痛が遷延し，衣服の着脱や長時間の座位が制限されたため，治療継続への不安を表出した．

□硬結の発生がないことを確認し，医療スタッフに「毎回投与部位を変え，抜針後に止血を確認し，投与部位は揉まないよう[4]」との情報共有の介入を行った．

□その後，投与時は看護師と積極的にコミュニケーションを図り，疼痛の悪化はなく，動作の制限は経時的に軽減し，治療を継続している．

解説

□再発・進行がんでは，治癒は困難であるものの，治療の手立てがない病態では決してないことを十分に説明して，希望を損なわない配慮が必要である[1]．そのため治療内容に対する理解度の把握は重要であり，治療日誌の利用により投与スケジュールの理解を深めるとともに内服薬のアドヒアランス向上に努める．

□本剤は，ヒマシ油を含む粘性の薬液であり，誤って皮下に投与すると潰瘍化する可能性[7]や添加物であるベンジルアルコールの局所刺激による疼痛発生のリスクもあるため，「確実に筋肉へ薬液を到達させる」必要性について医療スタッフへ情報提供する．

□肥満体型の患者には，必要に応じて注射針の長いカテラン針を使用する[3]．

□硬結，疼痛，出血，血腫，膿瘍など注射部位反応による動作の制限は，心身ともにストレスであり，治療継続への意欲低下の一因となりうる．

引用文献

1) 日本乳癌学会（編）：乳癌診療ガイドライン1 治療編 2018年版 第4版．金原出版，2018
2) フェソロデックス® 筋注，添付文書
3) 佐藤好恵，他：日本看護研究学会雑誌 28（1）：45-52, 2005
4) フェソロデックス® 投与マニュアル（アストラゼネカ）
5) Robertson JFR, et al：Lancet 388：2997-3005, 2016（PMID：27908454）
6) 承認時の評価資料：国内臨床試験（0062試験，FINDERI1における500 mg投与群）
7) 磯貝理恵子，他：臨床皮膚科 73：1002-6, 2019

（米澤美和）

15 ドセタキセル（タキソテール®）

DTX

POINT

- ■用量規定毒性である好中球減少に注意して感染予防対策を行う.
- ■末梢神経障害，浮腫は総投与量に依存的なので継続した評価が重要である.
- ■脱毛，爪障害などの外観の変化に対してアピアランスケアも実施する.

1 レジメンと副作用対策（→次頁参照）

臨床試験では 100 mg/m² だが，わが国の乳がんに対する保険適用は 60 mg/m² が標準用量である.

術前あるいは術後補助化学療法[1,2]：75 mg/m² を 4 コース

進行再発乳がん[3]：60 mg/m²

1 コース期間：21 日間

2 抗がん薬の処方監査

□治療目的や HER2 発現状況によって投与量や投与回数，抗 HER2 治療薬を併用することもあるので初回投与前にそれらを確認する.

□投与速度：60 分かけて静脈内投与する.

□本剤またはポリソルベート 80 含有製剤に対し重篤な過敏症の既往歴がないか確認する.

□ドセタキセルには，アルコール含有あるいは非含有製剤があり，使用する薬剤に合わせて飲酒習慣などアルコール耐性・過敏症を確認する.

□軽度催吐性リスクのため，前投薬としてデキサメタゾン注射液 6.6 mg を使用する.

□浮腫対策として点滴翌日からデキサメタゾン 8 mg/日を 2～4 日間内服も検討する[4].

□周術期の化学療法中に FN を発症した患者には，次コースよりペグフィルグラスチムの 2 次予防的投与も検討する.

3 抗がん薬の調剤

□ドセタキセルは専用溶解液で溶解する製剤（10 mg/mL）とプ

15		医薬品名 投与量	投与方法 投与時間	1	2	3	4	5	6	7	8	9	10	11	12	13	14	～	19	20	21
レジメン	Rp1	デキサメタゾン 6.6 mg/body 生理食塩液 50 mL	点滴注射 15 分	↓																	
	Rp2	ドセタキセル 60 mg/m^2 生理食塩液 250 mL	点滴注射 60 分	↓																	
	Rp3	デキサメタゾン 8 mg/body	経口 1 日 1 回		↓	↓	↓														
副作用対策	**静脈炎，血管外漏出**			■																	
	漏出時には起壊死性抗がん薬に該当する.																				
	好中球減少									■	■	■	■	■	■	■	■				
	①感染予防対策（手洗い，うがい），②FN の徴候（発熱，悪寒，咽頭痛）がみられた際の抗菌薬や解熱薬の使用方法，③緊急受診の目安について事前に指導.																				
	悪心・嘔吐			■	■	■	■	■	■	■	■	■	■								
	LEC レジメンに分類されるが，効果不良時はオランザピン 5 mg の追加を検討.																				
	脱毛										■	■	■	■	■	■	■	■	■	■	■
	事前にウィッグなどの情報を提供．頭皮のかゆみと痛みに注意.																				
	浮腫																		■	■	■
	定期的に体重を測定し，増加を観察．浮腫が自他覚的にも疑われる場合，ステロイドの増量や前投与を行う																				
	爪毒性，爪周炎																		■	■	■
	爪周囲の皮膚の荒れに始まり，爪変色，爪変形，割れやすくなる，など．数か月後より剥離しやすくなるので，爪周囲の外用薬塗布や爪保護を指導.																				
	アレルギー症状			■	■																
	ドセタキセルの添加物ポリソルベート 80（およびマクロゴール 400）による過敏症やショックに注意．アルコール不耐性の場合，専用溶解液を使用しない調製方法を選択.																				

レミックス製剤（20 mg/mL）があり，薬剤濃度が異なることがある．また，アルコール含有製剤と非含有製剤があるので施設内の運用状況を確認する必要があるので注意する.

□専用溶解液で溶解する製剤を院内採用しており，アルコール不耐性のある患者への投薬時には，アルコールを含む添付溶解液を使用せず，生理食塩液または 5% ブドウ糖液などの希釈液から必要量（80 mg 製剤には 7 mL，20 mg 製剤には 1.8 mL）を抜き取り，バイアル内に注入し，ただちに激しく振り混ぜる．泡が消えるまで倒立させて放置し，溶液が透明で均一に混和していることを確認してから溶解する.

4 抗がん薬の投与

投与基準

T-Bil	≦1.5 mg/dL（＜ULN）	白血球数	≧4,000/μL
ALP（JSCC）	≦805 U/L（≦ULN×2.5）	好中球数	≧2,000/μL
Scr	＜（女）0.79 mg/dL	血小板数	≧10 万/μL
AST，ALT	AST≦45 U/L，ALT≦（女）34.5 U/L（いずれも≦ULN×1.5）	ECOG PS	0～2

主要臓器機能が十分に保持されている．

減量・中止基準

□骨髄機能障害：好中球数≦2,000/μL．

腎機能障害

□なし．

肝機能障害

□T-bil ＞1.5 mg/dL．

□女性：ALP（JSCC）＞805 U/L，AST＞45 U/L，ALT＞34.5 U/L（両方もしくはいずれか）．

注意点

□ドセタキセルは初回投与時だけでなく 2 回目以降にも過敏症を発現することがある．通常投与数分以内に生じることが多く，バイタルサインのモニタリングを行うなどの対策が必要である．医療者のモニタリングに加え，あらかじめ患者には，過敏症の危険がある薬剤を使用することを伝え，投与中に体調の変化を感じたら申し出るような患者指導も重要である．

□ドセタキセルは起壊死性抗がん薬に分類されるため，投与中の血管外漏出に注意する[5]．ただし，血管に沿って色素沈着を生じることがあり，有痛性などから鑑別が必要である．

□用量規定因子である好中球減少や減量基準である肝機能だけでなく，全身状況（発熱，浮腫，口腔粘膜炎）を確認する．

□ドセタキセルのクリアランスに影響する因子として，α_1-酸性糖蛋白，肝機能，年齢，体表面積がある．

□好中球減少のリスク因子として，高齢，低蛋白血症（α_1-酸性糖蛋白低値），前治療歴があり，肝機能障害のある患者では副作用が強い可能性がある[6-8]．

5 副作用マネジメント

発現率[2)]

副作用名	国内：NSAS B-02	
	AC×4＋DTX×4（n＝263, Grade≧3）	DTX×8（n＝261, Grade≧3）
好中球減少	19.5	6.9
FN	11.1	8.1
口腔粘膜炎	1.1	0
筋肉痛	3.1	0.8
関節痛	3.8	1.6
流涙	0	0.4
感覚ニューロパチー	0.4	3.8
運動ニューロパチー	0.8	1.3

評価と観察のポイント

- □用量規制因子である好中球減少には注意が必要である．臨床試験でのFNの発症リスクは20％以下[1, 2)]であるためペグフィルグラスチムによる一律の1次予防的投与は行わない[9)]．ただし，前コースのFNやGrade 4の好中球減少を認めた場合は，次コースよりペグフィルグラスチムの2次予防的投与を考慮する．
- □軽度催吐性リスク薬であり，前投薬としてデキサメタゾンを投与するが[10)]，悪心・嘔吐出現時には中等度催吐性リスクへ前投薬を強化することを検討する．頓服薬としてオランザピンを使用した際には糖尿病の有無を確認する必要がある．
- □過敏症は投与開始から数分以内（中央値5分）で特に1～2コースで発現することが多い[11)]．
- □総投与量が300～400 mg/m^{2}に達すると毛細血管透過性亢進に伴う浮腫の出現頻度が高くなる[4)]ため，総投与量，定期的な体重の変化を確認する．
- □脱毛，爪毒性，流涙，味覚異常を観察する．
- □蓄積性の末梢神経症状（感覚・運動神経障害）や関節痛・筋肉痛を訴えた場合は，早期介入できるよう確認する．
- □口腔粘膜炎の予防として口腔状況の事前評価と治療中の口腔内の清潔を継続する．
- □間質性肺炎は予後不良になるため初期症状（発熱や空咳，呼吸困難など）の見逃しに注意する[12)]．

副作用対策のポイント

□MASCC スコアによるリスク評価を行う．FN の症状が出現した場合には速やかに抗菌薬の内服もしくは医療機関の受診を指導．投与前に好中球減少のリスク因子（高齢，栄養不良，開放創，口内炎，血管内留置器具，糖尿病，心血管合併症）を確認する．

□アレルギーは 70 mg/m² 以上で高頻度となる．希釈濃度（0.02 w/v％以下）や流速濃度が過敏症発現のリスク因子であることが報告されている．

□間質性肺炎は予後不良になるため[12)]，発熱や空咳，呼吸困難の初期症状について注意する．

□血管外漏出に関連する患者因子（高齢，栄養不良，穿刺血管の細さ，治療回数）[13)] から，穿刺固定部位を評価，穿刺時，抜針時に施入部位の症状を記録する．

□浮腫予防のためにデキサメタゾン経口剤 8 mg/日を 2～3 日間内服も検討する[4)]．浮腫，体重増加はリンパ浮腫や静脈血栓塞栓症でないことを確認する．

□女性の脱毛の苦痛は高く，8％の患者で治療を拒否する[14)] ことがあり，ウィッグの準備と同時に精神的ケアを行う．65％の患者では白髪，くせ毛，細くなるといった元の髪質と異なる．ドセタキセルによる化学療法施行後，2 年経過した場合も毛髪の量や質に不満を持っている患者は多い[15)]．

□関節痛，筋肉痛は投与後 24～48 時間に出現し，3～5 日で回復することが多い[16)]．症状がつらい場合，NSAIDs や芍薬甘草湯（しゃくやくかんぞうとう），ガバペンチノイドなどの使用報告ある[17)]．

□蓄積性の末梢神経症状は治療終了後も継続するので，予防的にフローズングローブを使用することも検討する[18, 19)]．

□爪甲変形や爪甲剝離は 2～3 コース以降に出現する[20)]．爪毒性を予防するためにフローズングローブを使用することも検討する[21)]．

□口腔粘膜炎は悪心，下痢，感染症と密に関係しており[22)]，口腔粘膜炎だけでなく，消化器障害や骨髄機能にも注意を傾ける．

□流涙や涙道閉塞が出現する[23)] こともあり，治療強度を維持するために早期から人工涙液による洗眼や，ステロイド点眼液による消炎を行い，眼科にコンサルトする．

6 薬学的ケア

CASE

□40歳代女性．術前補助化学療法としてEC療法を4コース完遂後，ドセタキセル療法へ移行した．1コース目day 4～9に全身の筋肉痛（NRS＝5）があり，事前に処方していた頓服薬アセトアミノフェン600 mg/回を内服したが疼痛軽減が得られなかったことを聴取した．ドセタキセルによる筋肉痛と考えアセトアミノフェンからロキソプロフェンナトリウム（180 mg/日毎食後）内服への変更を提案し，処方になり2コース目の関節痛はNRS＝1に軽減した．

□2コース目day 8でGrade 4の有熱性の好中球減少を確認したので3コース目はFN発症リスクを減らすべくペグフィルグラスチム実施について医師と協議し，3コース目にペグフィルグラスチムを投薬することになる．ペグフィルグラスチム投薬1週間後にNRS＝10の背中と腰の疼痛の訴えがあり来院し，アセトアミノフェン4,000 mg/日の追加を提案し，処方になることで疼痛軽減しdose intensityを維持し4コース完遂することができた．

解説

□タキサン系薬剤投薬後に，数日で筋肉痛・関節痛が発現することがある．これはタキサン関連急性疼痛症候群として知られており，発現機序は不明である．患者の痛みに寄り添って適切な鎮痛薬を必要日数投与することが重要である．

□ドセタキセル療法のFNの発症割合は16％であるが，補助療法の治療で休薬・減量せず85％以上の治療強度を維持することが重要であり，ペグフィルグラスチムによる2次予防を検討する．

□ペグフィルグラスチム投与後数日間，骨痛や発熱が出現することがある[24)]．ロキソプロフェンやナプロキセンなどのNSAIDsで対処可能である[25)]．NSAIDs内服に伴う消化器症状も確認が必要である．またFNによる発熱をマスクすることもあるので投与後数日の頓用とする．

引用文献

1）Sparano JA, et al：N Engl J Med 358：1663-71, 2008（PMID：18420499）

2) Watanabe T, et al：Cancer 123：759-68, 2017（PMID：28081304）
3) Chan S, et al：J Clin Oncol 17：2341-54, 1999（PMID：10561296）
4) Piccart MJ, et al：J Clin Oncol 15：3149-55, 1997（PMID：9294478）
5) 皿山泰子：皮膚と科学 3：381-4, 2006
6) Minami H, et al：Cancer Sci 97：235-41, 2006（PMID：16542221）
7) Puisset F, et al：Br J Cancer 97：290-6, 2007（PMID：17595656）
8) Hooker AC, et al：Clin Pharmacol Ther 84：111-8, 2008（PMID：18183036）
9) 日本癌治療学会（編）：G-CSF 適正使用ガイドライン，2013 年度版 Ver. 2
10) 日本癌治療学会（編）：制吐薬適正使用ガイドライン，第 2 版．金原出版，2015
11) 和田信子：癌の臨床 58：137-42, 2012
12) Read WL, et al：Cancer 94：847-53, 2002（PMID：11857321）
13) Wengström Y, et al：Eur J Oncol Nurs 12：357-61, 2008（PMID：18765210）
14) McGarvey EL, et al：Cancer Pract 9：283-9, 2001（PMID：11879330）
15) Wang J, et al：Pharm Res 23：2505-14, 2006（PMID：16972183）
16) Hanai A, et al：J Natl Cancer Inst 110, 141-8, 2018（PMID：29924336）
17) Fernandes R, et al：Support Care Cancer 24：1583-94, 2016（PMID：26386706）
18) Markman M, et al：Support Care Cancer 11：144-7, 2003（PMID：12618923）
19) Imai A, et al：Oncol Lett 3：1181-5, 2012（PMID：22783414）
20) 小濱圭佑，他：癌と化学療法 36：615-8, 2009
21) Scotté F, et al：J Clin Oncol 23：4424-9, 2005（PMID：15994152）
22) Keefe DM, et al：Cancer 109：820-31, 2007（PMID：17236223）
23) 野口祐介，他：癌と化学療法 43：737-41, 2016
24) ジーラスタ®皮下注，添付文書（協和発酵キリン）
25) Kirshner JJ, et al：J Clin Oncol 30：1974-9, 2012（PMID：22508813）

（熊谷史由）

16 nab-パクリタキセル(アブラキサン®)

POINT

■nab-パクリタキセルの末梢神経障害は，weekly 投与と比較して3週ごとの投与方法が Grade 3 の発現率が高い．投与初期から末梢神経障害が発現するため，早期から問診を行い，症状を確認し対処を行う．
■nab-パクリタキセルの主成分であるパクリタキセルは，壊死性抗がん薬の可能性があり，血管外漏出に注意する．
■骨髄抑制が DLT なので，感染について十分注意する．

1 レジメンと副作用対策（→次頁参照）

1 コース期間：21 日間　**総コース**：PD まで

2 抗がん薬の処方監査

□添付文書では効能効果に乳がんと記載がされている[1]．臨床試験では転移性乳がんが対象となって実施されたことに留意する[2]．海外の添付文書には Metastatic Breast Cancer と明記されている[3]．
□nab-パクリタキセル単剤による毎週投与法は 保険適用外 となる（毎週投与法は，併用療法の用法である）．
□化学療法前に HBV 感染や結核感染を確認する．
□パクリタキセルおよびアルブミンに対して過敏症の既往がないことを確認する．
□前治療の影響により重篤な骨髄抑制の状態，また感染症を併発している患者には禁忌．
□従来のパクリタキセルに使用されていたポリオキシエチレンヒマシ油および無水エタノールを含有していないため，本剤の使用においては抗ヒスタミン薬の前投薬を必要としない．
□weekly 投与法は 100 mg/m^2 を 30 分で投与する．3 週投与し，1 週休薬する．ただし，本法はアテゾリズマブとの併用療法に限られる．

3 抗がん薬の調製

□nab-パクリタキセルの調製は以下の通り．1 バイアルあたり生理食塩液 20 mL をバイアルの内壁伝いに，直接，内容物にか

16		医薬品名 投与量	投与方法 投与時間	1	2	3	4	5	6	7	8	9	10	11	12	13	14	15	~	20	21
レジメン	Rp1	デキサメタゾン 3.3～6.6 mg/body 生理食塩液 50～100 mL	点滴注射 15～30 分	↓																	
	Rp2	生理食塩液 50 mL	点滴注射 5～10 分	↓																	
	Rp3	nab-パクリタキセル 260 mg/m^2 生理食塩液 100 mL	点滴注射 30 分	↓			輸液バックを空にし，nab-パクリタキセル投与に用いる．														
	Rp4	生理食塩液 50 mL	点滴注射 5～10 分	↓																	

副作用対策	1	2	3	4	5	6	7	8	9	10	11	12	13	14	15	~	20	21
静脈炎，血管外漏出	■																	
末梢神経障害	■	■	■	■	■	■	■	■	■	■	■	■	■	■	■	~	■	■
悪心・嘔吐	■	■	■	■	■	■	■	■	■	■								
筋肉痛，関節痛		■	■	■	■	■	■	■	■	■								
好中球減少			■	■	■	■	■	■	■	■	■	■	■	■	■	~	■	■
脱毛														■	■	~	■	■

静脈炎，血管外漏出
本剤の主成分であるパクリタキセルは壊死性抗がん薬である可能性が高い．漏出時には起壊死性抗がん薬に準拠した対処が必要．

末梢神経障害
本投与法は，他のパクリタキセル製剤よりパクリタキセルの投与量が多く，分布特性が異なるため，しびれなどの症状の程度および発現頻度が高くなり，注意が必要．

悪心・嘔吐
パクリタキセルは軽度催吐性リスクに分類される．突出嘔吐があった場合には，経口 5-HT$_3$ 拮抗薬，プロクロルペラジン，メトクロプラミド，ドンペリドンなどの使用を考慮する．

筋肉痛，関節痛
肩や膝・大腿関節の痛み，筋肉痛を生じることがある．一般に軽度で発症後数日のうちに改善することが多い．NSAIDs でコントロール可能となる．

好中球減少
適正使用ガイドによると好中球減少最低値までの日数は 8 日（中央値），最低値から回復までの日数は 12 日（G-CSF なし，中央値）となっている．

脱毛
発現はほぼ必発．2～3 週後がピーク．事前にウィッグなどの情報を提供しておく．

けないよう泡立ちに注意しながらゆっくりと注入する．内容物が確実に濡れるよう 5 分間以上バイアルを静置する．内容物が十分に濡れたら，均一な白色ないし黄色の懸濁液になるまで，静かに円弧を描くように回したり，緩やかに上下に転倒を繰り返して混和する．

□調製した懸濁液は必要量をバイアルから抜き取り，事前に用意した空の点滴バッグにゆっくりと注入する．nab-パクリタキセルのナノ粒子が崩壊したり，パクリタキセルの結晶が析出してしまう可能性があるため，懸濁液を生理食塩液に入れて希釈しないように注意する．

□懸濁液を保存する場合には箱に戻し，冷蔵庫（2～8℃）に遮光保存して 8 時間以内に使用する．

□インラインフィルターは目詰まりするため使用しない.
□nab-パクリタキセル投与時には投与前後で生理食塩液でのルートフラッシュが推奨されている.
□nab-パクリタキセルは特定生物由来製品に該当するため，本剤を投与した記録〔医薬品名（販売名），その製造番号または製造記号（ロット番号），投与した患者の氏名，住所，使用年月日など〕を作成し，投与日から少なくとも20年間保管することが必要となる.

4 抗がん薬の投与

投与基準[4)]

項目		適正使用基準
骨髄機能	ECOG PS	0～2
	白血球数	≧4,000/μL，≦12,000/μL
	好中球数	≧2,000/μL
	血小板数	≧10万/μL
	Hb	≧9.0 g/dL
肝機能	AST，ALT	AST≦75 U/L, ALT≦(女) 57.5 U/L (≦ULN×2.5)*1
	T-Bil	≦1.5 mg/dL
腎機能	Scr	≦1.5 mg/dL
心機能	心電図	臨床上問題となる所見なし
神経障害	末梢神経障害	≦Grade 1

*1 原疾患に起因または肝転移を有する場合は，ULN上限の5倍まで許容する

減量・中止基準[4)]

項目	減量基準	次コース開始基準
好中球数	＜500/μL*2	≧1,500/μL
FN	発現	認めない/回復
血小板数	＜5万/μL	≧10万/μL
肝機能値（AST，ALT）	医師が同一用量で投与継続困難と判断	AST≦75 U/L ALT≦(女)57.5 U/L (≦ULN×2.5)
末梢神経障害	≧Grade 3	≦Grade 1
皮膚障害	≧Grade 2	≦Grade 1
皮膚炎または下痢	≧Grade 3	≦Grade 1
非血液学的毒性（脱毛は除く）	≧Grade 3	≦Grade 2

*2 添付文書においては「好中球数が7日間以上にわたって500/μL未満となった場合は投与量を減量すること」と記載されている

□減量の目安[4)]

減量段階	通常投与量	1段階減量	2段階減量
投与量	260 mg/m^2	220 mg/m^2	180 mg/m^2

腎機能障害

□添付文書と適正使用ガイドには腎機能障害時の減量基準の記載なし.

□米国添付文書においても記載なし.

肝機能障害

□ビリルビンが3.0～7.5 mg/dLの患者（130 mg/m^{2}投与）ではクリアランスが低下傾向を示し，投与前ビリルビン値とクリアランスには負の相関が認められたとの報告がある[4)].

□パクリタキセルの代謝部位は肝臓であり，排泄は主として胆汁を経由して糞中に排泄される．nab-パクリタキセル投与後のパクリタキセルおよびその代謝物の糞中排泄率は21.49％（範囲5.88～44.11），尿中排泄率は4.10％（範囲1.34～5.85）だった[5)].

□肝機能障害時の投与目安（米国添付文書）[3)]

肝障害	AST		ビリルビン	投与量
中程度	<300 U/L (<10×ULN)	かつ	>2.25から≦4.5 mg/dL (>1.5から≦3×ULN)	200 mg/m^2
重度	<300 U/L (<10×ULN)	かつ	>4.5から≦7.5 mg/dL (>3から≦5×ULN)	200 mg/m^2
	>300 U/L (>10×ULN)	もしくは	>7.5 mg/dL (>5×ULN)	投与は推奨されない

高齢者への投与

□65歳以上の患者では，鼻血，下痢，脱水症，倦怠感，末梢性浮腫の発生率が高くなったと報告があるため注意する[3)].

注意点

□nab-パクリタキセルの主成分であるパクリタキセルは壊死性抗がん薬である可能性が高い[6)]．そのため，血管外漏出により硬結や壊死を起こすことがあるため，投与中は漏出の有無を確認する.

□投与前後は生理食塩液でフラッシュすることが推奨されている.

5 副作用マネジメント

発現率

□海外第Ⅲ相試験（安全性評価対象症例数 n＝229）[4]

副作用発現率	発現率 (%)	Grade 3/4 (%)
脱毛	90.4	—
好中球減少	80.1	34.1
白血球減少	71.7	6.6
末梢神経障害	71.2	10.5
Hb 減少	46.5	1.3
リンパ球減少	45.6	4.4
疲労	38.9	6.1
関節痛	31.9	6.1
悪心	29.3	2.6
筋肉痛	26.6	7.0
下痢	24.9	0.4
嘔吐	16.2	2.2
口内炎/咽頭炎	14.8	1.7
血小板減少	11.9	0.4
発熱	11.4	0.9
四肢痛	11.4	0.9
FN	1.7	1.7

悪心・嘔吐

□nab-パクリタキセルは，軽度催吐性リスクに分類されている[7]．海外の臨床試験の結果から，悪心および嘔吐の頻度は全Grade でそれぞれ 29.3％および 16.2％と報告されている[4]．そのため，投与後の悪心・嘔吐について十分に問診する必要があり，突出的に悪心・嘔吐が強い場合，経口 5-HT_3 系制吐薬の追加，プロクロルペラジン錠，メトクロプラミド錠，ドンペリドン坐薬などの使用を考慮する．不安が強く，予測性の悪心・嘔吐がある症例には，ロラゼパム錠 1 mg やアルプラゾラム錠 0.4 mg などの抗不安薬の化学療法前日および当日実施前頓用を考慮する．

好中球減少

□骨髄抑制が DLT となっている．好中球減少最低値までの日数は 8 日（中央値），最低値から回復までの日数は 12 日（G-CSF なし，中央値）となっている[4]．

□FN の発現率は 1.7％であるため，ペグフィルグラスチムの一次予防的投与は一律に行わない．

末梢神経障害

□260 mg/m^2 3 週ごとの投与法では，他のパクリタキセル製剤よりパクリタキセルの投与量が多く，分布特性が異なるため，末梢神経障害の発現頻度が高くなり，注意が必要である．

□使用成績調査においては（n＝934）末梢神経障害の発現率が1コース目41.3％，2コース目55％，4コース目62％，6コース目60.7％だった[4]．投与初期から末梢神経障害が発現するため，早期から問診を行い，症状を確認し対処を行う．Grade 3以上の末梢神経障害を認めた場合は，投与を延期し，軽快または回復（Grade 1以下）を確認する．海外第Ⅲ相試験においてはGrade 3の末梢神経障害発現からGrade 1～2に回復までに22日と報告がある（中央値）[2]．

□患者自身が早期に気付くように，具体的な症状を説明し医療従事者へ報告できるよう指導する．感覚鈍麻がある場合は，打撲や熱傷などに気付きにくいため，身体の観察や事故に注意するよう指導する．

□化学療法起因の末梢神経障害に対する治療薬において，強く推奨されるものはないが，デュロキセチンやガバペンチノイド（プレガバリンやミロガバリン）の報告[8, 9]があり，臨床的に使用されている．これらの薬剤は眠気やめまいなどの副作用を有するため，メリット・デメリットを考慮して使用する．1～2週間程度を評価期間として漸増し，無効の場合には多剤に切り替え漫然として使用しないことに留意する．デュロキセチンは保険適用外のため注意する．

□サージカルグローブを事前に着用し，治療を開始することで末梢神経障害が軽減するエビデンスがある[10, 11]．本法の導入は施設のルールに従い，使用する際には十分な説明と同意を得ることが必要．

関節痛，筋肉痛

□肩や膝・大腿関節の痛み，筋肉痛を生じることがある．一般的に投与後数日間の一過的なことが多く，NSAIDsにて対処する．

下痢

□投与後1週間以内で発現しやすいがGrade 1～2で一過的であるため，ロペラミドなどで対処する．

黄斑浮腫

□乳がんの使用成績調査（n＝934）では1.7％[4]，投与方法は異なるが国内第Ⅱ相試験（J-0201試験）においては7％の頻度で報告されている[12]．発現時期は211日（中央値，範囲22～933日）．視力低下，霧視，ものが歪んで見える（変視）などの症状が現われることがあるため，速やかに眼科受診を促し，休薬や減量を行う．nab-パクリタキセルに起因する黄斑浮腫の報告では，中止後約1カ月で改善傾向を認め，その後2～6か月で視力が回復し，黄斑浮腫はほぼ消失している[13]．

6 薬学的ケア

CASE

- □50歳代女性．転移性乳がんに対してnab-パクリタキセルを開始した．2コース目投与後より手足に末梢神経障害Grade 2となり，神経痛や異常感覚による痛みを訴えていた．ADLに影響する運動神経障害はなく，腫瘍マーカーが大きく低下したことから主治医は継続を提案した．しかし患者は，「心が折れるかと思った」ほどの痛みであったため，nab-パクリタキセル治療の継続を躊躇していた．そのため，腎機能には問題がないことを確認した上で，末梢神経障害の痛みに対してミロガバリン1回5mgの1日2回経口投与を提案し処方された．
- □1週間後，手足の痛みは軽減したため，本治療に対して前向きな発言をするようになった．ミロガバリンの眠気やめまいなどの症状がなかったため，ミロガバリン1回10mgの1日2回経口投与を提案し処方された．
- □末梢神経障害はGrade 1に改善し，患者からは治療継続の希望があったため2コース目の投与が実施された．3コース目以降の末梢神経障害はGrade 1のまま残存したが，「心が折れる」ような痛みの発症はなく治療継続することができた．ミロガバリンの副作用である眠気やめまいは起こらなかった．

解説

- □ミロガバリンは，初期用量1回5mgを1日2回経口投与し，その後1回用量として5mgずつ1週間以上の間隔をあけて漸増し，1回15mgを1日2回経口投与する．
- □腎機能障害患者に投与する場合は，投与量および投与間隔を調節する必要がある．
- □ミロガバリンはめまい，傾眠，意識消失などが起こることがあるので，注意する．体重増加をきたすことがあるため体重についてもモニターする．
- □効果がない場合には漫然と投与せず，別の薬剤を提案することや減量休薬を提案することを考慮する．

引用文献

1) アブラキサン® 点滴静注用，添付文書
2) Gradishar WJ, et al：J Clin Oncol 23：7794-803, 2005（PMID：16172456）
3) アブラキサン海外添付文書
4) アブラキサン，適正使用ガイド，乳がん
5) アブラキサン® 点滴静注用，インタビューフォーム
6) Boulanger J, et al：Support Care Cancer 23：1459-71, 2015（PMID：25711653）
7) 日本癌治療学会（編）：制吐薬適正使用ガイドライン，第2版．金原出版，2015
8) Loprinzi CL, et al：J Clin Oncol 38：3325-48, 2020（PMID：32663120）
9) Jordan B, et al：Ann Oncol 31：1306-19, 2020（PMID：32739407）
10) Tsuyuki S, et al：Breast 47：22-7, 2019（PMID：31302389）
11) Kanbayashi Y, et al：Breast 49：219-24, 2020（PMID：31901783）
12) アブラキサン，適正使用ガイド，胃がん
13) 平野 彩：日職災医誌 69：190-4, 2021

（外山智章）

17 アテゾリズマブ＋nab-パクリタキセル

POINT

- 全身状態良好な，PD-L1 陽性トリプルネガティブ乳がんの転移・再発の 1 次治療である．
- nab-パクリタキセル投与による注意すべき副作用として，末梢神経障害，骨髄抑制，感染症，間質性肺疾患などがある．
- アテゾリズマブによる irAE を念頭に，定期的な臨床検査と症状のモニタリングに留意する．

1 レジメンと副作用対策（→次頁参照）

適応：PD-L1 陽性（≧1％）のホルモン受容体陰性かつ HER2 陰性の手術不能または再発乳がん

投与スケジュール：nab-パクリタキセルは，3 投 1 休（週 1 回投与を 3 週間連続し，4 週目は休薬する）．アテゾリズマブは，2 週間ごとに投与を繰り返す．

1 コース期間：28 日間　**総コース**：可能な限り継続する．

2 抗がん薬の処方監査

□PD-L1 の発現を確認する．

□本剤の成分（アルブミンなどの添加物含む）に対して過敏症の既往歴の有無を確認する．

□骨髄抑制は DLT であり，重篤な骨髄抑制や感染症を合併している患者には禁忌である．

□irAE 発現に備え，専用の検査項目でスクリーニング，モニタリングする（推奨される代表的なものとして以下）．初回投与前のスクリーニング検査はできる限りすべての項目を実施する[1-3]．

- 血液学的・生化学的検査（投与ごと），凝固検査，HBV（必要時）
- SpO_2（投与ごと），胸部 X 線，胸部 CT，KL-6，SP-D/A（定期的に）
- TSH，FT_4，FT_3（2 サイクルごとまたは定期的に），コルチゾール，ACTH（定期的に）
- 随時血糖，尿糖，尿中ケトン体（投与ごと），HbA1c，抗 GAD 抗体（必要時）
- 抗核抗体，リウマトイド因子（RF），抗 TPO 抗体，抗 Tg 抗

17	医薬品名 投与量	投与方法 投与時間	1	2	～	5	6	7	8	9	～	12	13	14	15	16	～	19	～	28
レジメン	Rp. 1～3はインラインフィルターの【ある】ルートで投与する																			
Rp1	（ルート確保用） 生理食塩液 50 mL	点滴注射 5分	↓												↓					
Rp2	アテゾリズマブ 840 mg/body 生理食塩液 100 mL	点滴注射 初回60分 2回目以降30分も可能	↓												↓					
Rp3	（ルート洗浄用） 生理食塩液 50 mL	点滴注射 5分	↓												↓					
	Rp. 4～7はインラインフィルターの【ない】ルートで投与する																			
Rp4	デキサメタゾン 6.6 mg/body 生理食塩液 50 mL	点滴注射 15分	↓						↓						↓					
Rp5	（ルート洗浄用） 生理食塩液 50 mL	点滴注射 5分	↓						↓						↓					
Rp6	nab-パクリタキセル 100 mg/m^2 生理食塩液 50 mL （空の点滴バッグに注入）	点滴注射 30分	↓						↓						↓					
Rp7	（ルート洗浄用） 生理食塩液 50 mL	点滴注射 5分	↓						↓						↓					

副作用対策

infusion reaction，過敏症
初回投与時に認めることが多い．初期症状（発熱，発疹，紅潮，瘙痒感）のモニタリングと早期対応に留意．

悪心・嘔吐
LECレジメンに分類されるが，効果不十分の場合は積極的に制吐対策を強化する．

筋肉痛，関節痛
軽度，かつ一過性で自然消失することが多い．適宜，NSAIDsなどの抗炎症薬を使用．

好中球減少
①感染予防対策（手洗い，うがい），②FNの徴候（発熱，悪寒，咽頭痛）がみられた際の抗菌薬や解熱薬の使用方法，③緊急受診の目安について事前に指導．

末梢神経障害
投与コースの増加とともに増強．程度により，nab-パクリタキセルの減量や休薬を検討．

脱毛
ほぼ必発で2～3週後がピーク．

免疫関連有害事象（irAE）
免疫の過剰反応により，全身性で多様な症状が時期不定で発現する．主なirAEとして，間質性肺疾患，腸炎，内分泌障害（甲状腺・下垂体・副腎），皮膚障害，肝・腎炎，劇症1型糖尿病，神経・筋障害，心筋炎がある．

体（必要時）

- 心電図（必要時）

□アテゾリズマブは，重篤な infusion reaction が現れることがある．予防投与は必須ではないが，必要に応じて抗ヒスタミン薬や解熱鎮痛薬，全身性ステロイドの投与を考慮する．

□nab-パクリタキセル製剤は，他のパクリタキセル製剤とは異なり，ポリオキシエチレンヒマシ油およびエタノールなどの溶媒を使用していないことから，過敏症予防のための抗ヒスタミン薬，ステロイド薬の前投薬が必須ではない．また，可塑剤としてDEHPを含有する点滴セットの使用も可能である．ただし，脂肪乳剤になるために，インラインフィルターは通過しない．

□LEC（軽度催吐性化学療法）に該当するため，制吐療法ガイドラインに準ずれば，デキサメタゾン6.6 mg（もしくは3.3 mg）点滴を前投薬するのが標準的である．しかし，ICIに対するステロイドの併用については，その効果減弱への懸念は議論のあるところである．IMpassion130におけるステロイド使用率は45.7％（n＝451）であった[1-3]．ステロイドフリーにする場合，パロノセトロン単独あるいはオランザピンを単独あるいは併用する方法などもある．

3 抗がん薬の調剤

アテゾリズマブ[4]

□必要量840 mg（14 mL）をバイアルから抜き取り，生理食塩液で希釈して使用する．

□生理食塩液以外には混合しない．

□濃度設定は，適合性試験および国内外の臨床試験結果より調製時の最終濃度を3.2～12.0 mg/mLとするよう改訂されている（本剤14 mL 840 mg製剤を生理食塩液約100 mLに希釈の場合，最終濃度は7.3 mg/mLとなる）．

□用時調製し，調製後は速やかに使用する．

□他剤と混注しない．

nab-パクリタキセル[5]

□特定生物由来製剤であるため，使用記録（医薬品名），製造番号または製造記号（ロット番号），使用年月日，使用した患者の氏名，住所などを作成し，使用日から少なくとも20年間保管．

□懸濁液の調製には，必ず生理食塩液を使用する．また，懸濁液は他の薬剤とは混注しない．

□注射針に塗布されているシリコーン油により，調製時に不溶物を生じることがある．使用前に懸濁液に未懸濁物，不溶物，沈殿物が認められ，再懸濁させても沈殿物が認められた場合は使用しない．

□1バイアル当たり生理食塩液20 mLをバイアルの内壁伝いに，直接，内容物にかけないよう泡立ちに注意しながらゆっくりと注入．内容物が確実に濡れるよう5分間以上バイアルを静置後，均一な白色ないし黄色の懸濁液になるまで，静かに円弧を描くように回したり，緩やかに上下に転倒を繰り返して混和．

□調製した懸濁液は必要量をバイアルから抜き取り，事前に用意した空の点滴バッグなどにゆっくりと注入．懸濁液を生理食塩液に入れて希釈しない．

□懸濁液は調製後速やかに使用するか，冷蔵庫（2～8℃）に遮光保存して8時間以内に使用．

4 抗がん薬の投与

投与基準[1-5]

ECOG PS	0～1
白血球数	≦12,000/μL
好中球数	≧1,500/μL
リンパ球数	≧500/μL
血小板数	≧10万/μL
Hb	≧9.0 g/dL
AST，ALT	AST≦75 U/L (≦ULN×2.5*1) ALT≦(女)≦57.5 U/L (≦ULN×2.5*1)

ALP (JSCC)	≦805 U/L (≦ULN×2.5*2)
T-Bil	≦1.875 mg/dL (≦ULN×1.25*3)
Scr	≦(女) 1.5 mg/dL
PT-INR	≦1.8 (≦ULN×1.5)
aPTT	≦60 (≦ULN×1.5)

*1 肝転移症例では≦ULN×5まで許容
*2 肝・骨転移症例では≦ULN×5まで許容
*3 ジルベール症候群では≦ULN×3まで許容

□また，特にアテゾリズマブに関して，下記に該当する患者への投与は推奨されない[6]．適応する場合は慎重に使用する．

- 間質性肺疾患の合併または既往のある患者
- 胸部画像検査で間質影を認める患者および活動性の放射線肺臓炎や感染性肺炎などの肺に炎症性変化がみられる患者
- 自己免疫疾患の合併，または慢性的なもしくは再発性の自己免疫疾患の既往歴のある患者
- 臓器移植歴（造血幹細胞移植歴を含む）のある患者
- ECOG PS 3～4の患者

減量・中止基準

アテゾリズマブ[2)]

□減量は行わない．副作用が発現した場合は休薬または中止する．

□間質性肺疾患（肺臓炎）

Grade 2	・Grade 1 以下に回復するまで休薬． ・12 週間を超える休薬後も Grade 1 以下まで回復しない場合，中止．
Grade 3 以上または再発性	中止

□大腸炎，下痢

Grade 2 または 3	・Grade 1 以下に回復するまで休薬． ・12 週間を超える休薬後も Grade 1 以下まで回復しない場合，中止．
Grade 4	中止

□内分泌障害

Grade 3 以上の高血糖	血糖値が安定するまで休薬．
・症候性の甲状腺機能低下症 ・症候性の甲状腺機能亢進症，または TSH 0.1 μU/mL 未満の無症候性の甲状腺機能亢進症	左記の状態が回復するまで休薬．
・Grade 2 以上の副腎機能不全 ・Grade 2 または 3 の下垂体炎，下垂体機能低下症	・Grade 1 以下に回復するまで休薬． ・12 週間を超える休薬後も Grade 1 以下まで回復しない場合，中止．
Grade 4 または再発性の下垂体炎，下垂体機能低下症	中止

□皮膚障害

Grade 3	・Grade 1 以下に回復するまで休薬． ・12 週間を超える休薬後も Grade 1 以下まで回復しない場合，中止．
Grade 4 または再発性の下垂体炎，下垂体機能低下症	中止

□膵炎

・Grade 3 以上のアミラーゼまたはリパーゼ高値 ・Grade 2 または 3 の膵炎	・Grade 1 以下に回復するまで休薬． ・12 週間を超える休薬後も Grade 1 以下まで回復しない場合，中止．
Grade 4 または再発性の膵炎	中止

□infusion reaction

Grade 1	・投与速度 50%に減速. ・軽快後，30 分経過観察. ・再発がない場合は速度を元に戻すことができる.
Grade 2	投与中断，軽快後に投与速度 50%に減速して再開.
Grade 3 以上	中止

□その他の副作用（脳炎，髄膜炎，無力症，神経障害，腎炎，筋炎，心筋炎，眼障害）

Grade 2	・Grade 1 以下に回復するまで休薬. ・12 週間を超える休薬後も Grade 1 以下まで回復しない場合，中止.
・Grade 3 以上 ・脳炎，髄膜炎，重症筋無力症，Guillain-Barré 症候群の場合は全 Grade	中止

腎機能障害

Grade 2	Scr（女）1.185～2.37 mg/dL（ULN×1.5～3）	・Grade 1 以下に回復するまで休薬. ・12 週間を超える休薬後も Grade 1 以下まで回復しない場合，中止.
Grade 3 以上	Scr＞（女）2.37 mg/dL（＞ULN×3）	中止

肝機能障害

Grade 2 （5 日を超えて継続する）	・AST 90～150 U/L ・ALT（女）69～115 U/L（ULN×3～5） ・T-Bil 2.25～4.5 mg/dL（ULN×1.5～3）	・肝機能検査を頻回に行う. ・Grade 1 以下に回復するまで休薬. ・12 週間を超える休薬後も Grade 1 以下まで回復しない場合，中止.
Grade 3 以上	・AST＞ 150 U/L ・ALT＞(女)115 U/L(＞ULN×5) ・T-Bil 4.5 mg/dL(＞ULN×3)	中止

Grade は NCI-CTCAE v4.0 に準じる.

nab-パクリタキセル[3)]

□コース内（day 8, 15）の投与基準と次コース開始基準

項目	コース内（day 8, 15）	次コース（day 1）
好中球数	≧1,000/μL	≧1,500/μL
FN	認めない/回復	
血小板数	≧7.5 万/μL	≧10 万/μL
AST，ALT	AST≦90 U/L（≦ULN×3[*4]） ALT≦（女）69 U/L（≦ULN×3[*4]）	
T-Bil	≦2.25 mg/dL（ULN×1.5）	
Scr	—	≦（女）1.185 （≦ULN×1.5）
末梢神経障害	≦Grade 2 または前コースで≧Grade 3 が発現した場合：Grade 1 に回復後	
皮膚障害	≦Grade 1	
粘膜炎または下痢	≦Grade 1	
非血液学的毒性（脱毛除く）	≦Grade 2	

[*4] 肝転移症例では≦ULN×5 まで許容

□減量基準

好中球数	<500/μL，または<1,500/μL のため 7 日間以上延期した場合
FN	発現
血小板数	<5 万/μL
AST，ALT	医師が同一用量で継続困難と判断する場合
末梢神経障害	≧Grade 3
皮膚障害	≧Grade 2
粘膜炎または下痢	≧Grade 3
非血液学的毒性（脱毛除く）	≧Grade 3

Grade は NCI-CTCAE v4.0 に準じる．

□減量の目安：E 法

減量段階	nab-パクリタキセル
通常投与量	100 mg/m^2
1 段階減量	75 mg/m^2
2 段階減量	50 mg/m^2

腎機能障害

□用量調節不要．

肝機能障害[7)]

AST＜300 U/L（＜ULN×10） かつ T-Bil 1.5～2.25 mg/dL （ULN×1～1.5）	100 mg/m^2（用量調節不要）
AST＜300 U/L（＜ULN×10） かつ T-Bil 2.25～7.5 mg/dL （ULN×1.5～5）	AST＜300 U/L　かつ T-Bil≦2.25 mg/dL となるまで治療を中断する． 75 mg/m^{2}[*5] に減量．3 週間以内に上記基準に回復しない場合，中止．
AST＞300 U/L（＞ULN×10） または ALT＞(女)230 U/L （＞ULN×10） または　T-Bil＞7.5 mg/dL （＞ULN×5）	中止

*5 減量治療 2 サイクルの忍容性を確認したうえで，以降の治療における再増量を慎重に検討．

注意点

□nab-パクリタキセルの血管外漏出分類は起壊死性薬（vesicant）に分類されている[8)]．

□アテゾリズマブ投与時は 0.2 または 0.22 μm のインラインフィルターを使用し，nab-パクリタキセル投与時はインラインフィルターを使用しないこと．

□アテゾリズマブの点滴時間は初回 60 分だが，忍容性が良好であれば 2 回目以降は 30 分に短縮できる．nab-パクリタキセルは 30 分で点滴する．

5 副作用マネジメント

発現率[1-5)]

□国際共同第Ⅲ相試験（IMpassion130 試験）における副作用（全 Grade で発現率 5％以上）

(n=452)	全体 (%)	Grade≧3 (%)
脱毛	56.4	0.7
悪心	46.0	1.1
咳嗽	24.8	0
末梢性感覚ニューロパチー	21.7	5.5
好中球減少症	20.8	8.2
発熱	18.8	0.7
甲状腺機能低下症	13.7	0

□日本人集団

(n＝34)	全体 (%)	Grade≧3 (%)
発疹	29.4	0
瘙痒症	17.6	0
末梢性感覚ニューロパチー	58.8	0
悪心	47.1	0
口内炎	26.5	0
上腹部痛	8.8	0
好中球減少症	11.8	8.8
白血球減少症	8.8	5.9
好中球数減少	44.1	17.6
白血球数減少	29.4	11.8
爪囲炎	20.6	0
甲状腺機能低下症	11.8	0
甲状腺機能亢進症	5.9	0
不眠症	5.9	0

□免疫関連有害事象の発現状況（国際共同第Ⅲ相試験：IMpassion130 試験）

(n＝452)	全体 (%)	Grade≧3 (%)	発現時期（日）：初回発現日中央値（四分位範囲）
間質性肺疾患	3.1	0.2	99.0（57.0〜165.0）
肝機能障害・肝炎	15.3	5.3	43.0（18.0〜92.0）
大腸炎	1.1	0.2	203.0（148.0〜245.0）
下痢	32.5	1.3	重度の下痢（Grade 3 以上） 38.0（24.0〜142.0）
膵炎	0.4	0.2	29.0，183.0（初回発現日）
1 型糖尿病	0.2	0.2	121.0（初回発現日）
甲状腺機能障害	19.9	0.2	113.5（58.0〜169.0）
副腎機能障害	1.3	0.4	144.0（141.0〜148.0）
下垂体機能障害	0	0	—
脳炎，髄膜炎	1.1	0	77.0（43.0〜83.0）
神経障害	42.0	9.3	72.0（35.0〜130.0）
重症筋無力症	0	0	—

(n=452)	全体 (%)	Grade≧3 (%)	発現時期 (日)：初回発現日中央値 (四分位範囲)
皮膚障害	46.2	1.3	重度の皮膚障害 (Grade 3 以上) 68.0 (40.0〜181.0)
腎機能障害	1.1	0.4	140.0 (111.0〜154.0)
筋炎	0	0	—
横紋筋融解症	0	0	—
心筋炎	0	0	—
血球貪食症候群	0	0	—
infusion reaction	2.7	0	23.5 (15.0〜46.5)

評価と観察のポイント

投与中

□infusion reaction，アナフィラキシー様症状（くしゃみ，悪心・嘔吐，熱感・疼痛，蕁麻疹，瘙痒感，顔面蒼白，発汗，冷汗，呼吸困難，顔面浮腫，咳嗽，喘鳴，脈拍微弱，不整脈，痙攣，四肢蒼白，チアノーゼ出現など）の有無を確認する．

□悪心・嘔吐，排便状況を評価し，消化器症状はできる限り早期に解決する．

全コース・全時期

□過度の免疫反応に起因すると考えられるさまざまな病態が現れることがある．観察を十分に行い，異常が認められた場合には適切な鑑別診断を行うこと．

□頻度の高い自覚症状として，全身倦怠感や食欲不振，悪心が報告される（**表 17-1**）．nab-パクリタキセルによる影響の他，重篤な irAE に関連する一症状である可能性がある．

□irAE は投与終了後に現れることや同時多発する可能性もあり，多角的に評価する[9]．

□nab-パクリタキセルの有害事象と irAE が混在する可能性もあることに留意．

□好中球減少の頻度は高い．定期的な検査値評価と発熱などの臨床症状の継続的なモニタリングが重要である．

□末梢神経障害は，nab-パクリタキセルの総投与量に依存して発現頻度が高まるため，症状を適宜アセスメントし，休薬や減量を考慮．特に機能障害を伴う Grade 3 以上の所見には，迅速に対処する．

表 17-1　irAE の初期症状とアセスメントのポイント

患者の訴え	疑われる副作用	ポイント
明らかに咳が増えた，呼吸苦が強くなった，高熱（38℃以上）	間質性肺炎，心筋炎による心不全	間質性肺炎では Grade 2 以上を示唆する所見．労作時の呼吸苦増悪は要注意．起坐呼吸は心疾患に特徴的．
明らかに疲れやすい，だるくて動けない，食欲が落ちた，抑うつ，意識障害	1 型糖尿病，甲状腺機能低下症，下垂体機能低下症，下垂体炎，副腎不全，肝炎，肝機能障害	疲労，倦怠感以外の情報も重要．検査情報（血糖，内分泌，電解質，肝機能など）から総合的に評価．筋炎の可能性も視野に入れる．
下痢が続いている，腹痛，血便	大腸炎，腸管穿孔	下痢，大腸炎では Grade 2 以上を示唆する所見．併存疾患や併用薬，普段の傾向にも配慮する．
手足に力が入らない，まぶたが重い，ものが二重に見える	自己免疫性筋炎，重症筋無力症	顔面筋麻痺，嚥下困難，構音障害，呼吸困難といった頭部，呼吸器官の所見が多い．
視野が狭い，視力が落ちた	ぶどう膜炎	筋炎の可能性も視野に入れる．
蕁麻疹，ぶつぶつが出た	皮疹	重篤な皮膚症状との鑑別のため，発熱や倦怠感などの全身症状と粘膜炎の有無を確認する．
動悸がする，汗が出る，手が震える，便の回数が多い	甲状腺機能亢進症	甲状腺ホルモン検査値の動態確認．併存疾患や併用薬，普段の傾向にも配慮する．
のどが渇く，尿が多い	1 型糖尿病	劇症 1 型糖尿病では上気道炎症状や消化器症状の併発が特徴的．PD に伴う高 Ca 血症での利尿，脱水，口渇の可能性もある．
意識障害	副腎クリーゼ，ケトアシドーシス	検査情報（血糖，内分泌，電解質など）から総合的に評価．脳転移による意識障害にも配慮．副腎クリーゼの他，疾病要因（SIADH）での低 Na 血症の可能性もある．PD に伴う高 Ca 血症での意識障害，傾眠傾向の可能性もある．

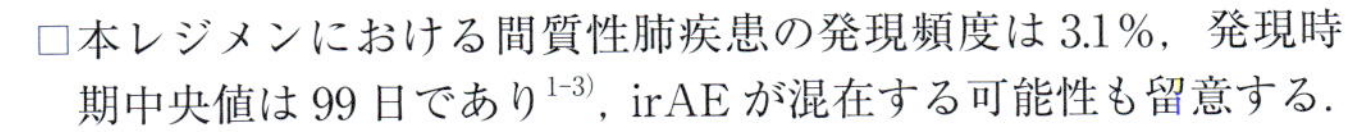

□本レジメンにおける間質性肺疾患の発現頻度は 3.1％，発現時期中央値は 99 日であり[1-3]，irAE が混在する可能性も留意する．

□IMpassion130 における報告例はないが，nab-パクリタキセルによる脳神経麻痺や黄斑浮腫にも注意する．臨床症状は，

irAEにおける脳炎やぶどう膜炎と類似する点に注意する.

□注射部位反応を発現した症例で，異なる部位にパクリタキセルを再投与し，以前の注射部位に同反応を再発する，いわゆる「recall 現象」が発現する場合がある.

□放射線照射部位の皮膚異常を発現した症例にパクリタキセルを投与した場合，同部位に同様の皮膚異常を再発する，いわゆる「radiation recall 現象」が発現する場合がある.

副作用対策のポイント

投与中

□infusion reactionへの予防投与は必須ではないが，必要に応じて抗ヒスタミン薬や解熱鎮痛薬，全身性ステロイドの投与を考慮する.

- ジフェンヒドラミン50 mg経口投与（または同等の抗ヒスタミン薬）
- アセトアミノフェン500〜1,000 mg経口投与（または同等の解熱薬）

□IMpassion130における日本人集団での悪心の発現頻度は47.1%と高頻度である．試験における支持療法については任意とされていたが，実状として，5-HT_3受容体拮抗薬やステロイドの併用率は約45%と高かった[1-3]．本レジメンはLECに該当するが，症例背景などに応じて，適宜制吐対策のランクアップも検討すべきである.

全コース・全時期

①主にirAE対策

□irAEを疑う場合，できる限り専門医による早期介入が望ましい.

□irAE発症に影響する代表的な因子として以下のものが報告され[10-12]，適用時は注意する.

- 間質性肺疾患…間質性肺炎の合併や既往，喘息，COPD合併，胸部放射線照射歴.
- 劇症1型糖尿病…HLA DRB1*04：05-DQB1*04：01.
- 自己免疫疾患の合併，家族歴を有する.
- 免疫系に影響を与える薬剤との併用.

□肺障害，腸炎，肝障害の場合の重症度に応じた対応[13, 14]を以下に示す.

irAE	CTCAE Grade		
	1	2	3，4
肺障害	休薬考慮	・休薬/中止 ・PSL 1〜2 mg/kg ・抗菌薬予防投与 ・48〜72 時間で判定	・中止 ・mPSL 2〜4 mg/kg ・日和見感染対策 ・48 時間で判定
腸炎	治療継続	・休薬 ・PSL 0.5〜1 mg/kg ・3〜5 日で判定	・休止/中止 ・PSL 1〜2 mg/kg ・インフリキシマブ 5 mg/kg 追加検討 ・3 日で判定
肝障害	治療継続	・休薬 ・5〜7 日＜持続 ・mPSL 0.5〜1 mg/kg ・日和見感染対策検討	・休止/中止 ・mPSL 1〜2 mg/kg ・ミコフェノール酸モフェチル 1 回 1 g を 1 日 2 回追加 ・日和見感染対策 ・3〜5 日で判定

PSL：プレドニゾロン，mPSL：メチルプレドニゾロン

□irAE の治療を意図するステロイドの漸減期間は少なくとも 4〜6 週を要する．長期間にわたってステロイドや免疫抑制薬の投与が必要となる場合，日和見感染を防ぐため ST 合剤，状況に応じて抗真菌薬，抗結核薬の予防投与を行う．患者特性や併用薬の状況に応じて，消化性潰瘍予防（胃粘膜保護薬，PPI），骨粗鬆症予防（ビタミン D，カルシウム製剤）など諸処の対策も検討する．

□**下痢，大腸炎**：止瀉剤（ロペラミド）の漫然とした使用は避ける．Grade 2 以上では感染などの他の原因を除外しステロイドの治療を検討．症状が持続，重篤化する場合，消化管穿孔や敗血症などがないことを確認し，インフリキシマブ 5 mg/kg 保険適用外 の使用も検討する．

□**間質性肺疾患**：原疾患の増悪や感染症といった他の要因を除外し，特に感染症に対する治療を並行して実施することを検討する．ただし，抗菌薬投与のためにステロイドによる治療開始が遅延しないよう注意．Grade 2 以上でステロイドの治療を検討．症状が持続，重篤化する場合，その他の免疫抑制薬（シクロホスファミド，インフリキシマブなど） 保険適用外 の使用も検討する．

□**甲状腺・下垂体・副腎機能障害**：自覚症状での判断が難しく，

諸検査値（TSH，FT_3，FT_4，ACTH，コルチゾール，電解質）の動態をモニタリングすることが重要である．甲状腺機能低下症ではGrade 2以上の有症時，もしくはTSH＞10 μIU/mLとなる場合において，甲状腺ホルモン補充療法を開始する．この際，ACTHとコルチゾールを測定し，副腎機能障害の併発がないことを確認した上で開始すること．副腎機能障害の併発がある場合，甲状腺ホルモンのみ補充を行うと副腎機能不全が悪化するため，副腎皮質ホルモンの投与を先行させること．副腎クリーゼを疑う場合，敗血症を除外の上，ストレス用量の鉱質コルチコイド作用を有するステロイドを速やかに開始する．

- 甲状腺ホルモン補充…レボチロキシン25～50 μg/日（FT_4を確認し適宜増減）
- 副腎皮質ホルモン補充…ヒドロコルチゾン10～20 mg/日（適宜調整）（低Na血症などの塩喪失症状が強い場合，フルドロコルチゾン0.05～0.2 mg/日を考慮）
- 副腎クリーゼ対応…ヒドロコルチゾン100～200 mg/日を持続静注もしくは4分割投与

□**肝機能障害，肝炎**：特に自己免疫性肝炎では自覚症状に乏しい．原因精査を十分に行う．Grade 2以上でステロイドの治療を検討．症状が持続，重篤化する場合，その他の免疫抑制薬（特にミコフェノール酸モフェチル　1回1g 1日2回 保険適用外）の使用も検討する．インフリキシマブには肝毒性があるため使用は避ける．

□**1型糖尿病**：特に劇症1型糖尿病や糖尿病ケトアシドーシスが疑われる場合は，専門医の介入のもと迅速に対処する．初期対応において，糖液を含む輸液投与など，病態悪化を招く対処は避けること．他のirAEと異なり，ステロイド薬の使用は血糖値を著しく上昇させる可能性があり，推奨されない．

②主にnab-パクリタキセルの副作用対策

□末梢神経障害の多くは四肢遠位（手指や足）のしびれ感，痛み，灼熱感を生じることで始まる．増強すると感覚障害，歩行障害などを起こす．感覚障害と同時に四肢末梢の運動麻痺を認めることもある．Grade 3以上では投与を延期し，減量はGrade 2以上から検討する．ビタミンB_1，B_6製剤，メコバラミン，プレガバリン，牛車腎気丸（ごしゃじんきがん），ロキソプロフェン，デュロキセチン 保険適用外 などが対症療法として使用される場合がある[15]．サージカルグローブを用いた予防効果も報告されている[16]．

□本レジメンの日本人集団におけるGrade 3以上の好中球減少症発現頻度は8.8%，初回発現日中央値は27日，回復までの日数中央値（Grade 3以上）は13日であり，骨髄抑制の持続によるFNの他，好中球減少の有無にかかわらず，敗血症を含む感染症が報告されている[1-3]．患者に対するうがい，手洗い励行などの感染予防に関する注意喚起の他，発熱時においては，診療ガイドラインに準じた迅速な対応を検討する．

6 薬学的ケア

CASE

□50歳代女性．PD-L1陽性トリプルネガティブ乳がんの再発治療でアテゾリズマブ＋nab-パクリタキセルを開始．事前のスクリーニングではリウマトイド因子陽性，手指関節に時折自覚する関節痛には，市販のロキソプロフェンナトリウム製剤を頓服していたが，専門医の受診は特になかった．初回投与後3日目より手指関節痛の増悪の他，足・膝関節痛の出現があり，ロキソプロフェンナトリウム製剤の一時的な定期服用について主治医に処方提案し，適用後除痛を得た．症状は5日程度で軽快するが，nab-パクリタキセル投与後は必発したため，ロキソプロフェンナトリウムの一時的な定期服用を患者に提案，以降良好な除痛を得て継続治療となった．なお，アテゾリズマブ投与下にて，免疫関連関節炎や筋炎など，痛みを伴うirAEの可能性も鑑み，CK値モニタリングと専門医の介入を主治医に提案した．

解説

□タキサン関連急性疼痛症候群（TAPS；taxane acute pain syndrome）は，投与後数日で発現し7日以内に回復すること，下半身（足，膝）に発現することが多い[17]．

□TAPSは神経障害との関連を示唆する報告もあり，重症例（Grade 3以上）ではnab-パクリタキセルの減量も検討すべき[3, 17]．

□自己免疫疾患症例ではirAEが早期に発現する傾向がある[18]．リウマチを疑う症例であり，irAE免疫関連関節炎を否定できない．

□irAE免疫関連関節炎である場合，Grade 1でNSAIDsを，Grade 2ではプレドニゾロン 10 mg/日以下を，重症例は高用量ステロイドと他の免疫抑制薬が考慮される[13)]．
□irAE筋炎の可能性も考慮した臨床所見のモニタリングと専門医の介入が望ましい．
□リウマチ疾患の合併について評価が必要である．リウマチ治療薬投与が必要となる場合，アテゾリズマブ使用下における投与の適否について，専門医と協議する必要がある．

引用文献

1) Schmid P, et al：N Engl J Med 379：2108-21, 2018（PMID：30345906）
2) テセントリク® 点滴静注，適正使用ガイド．2020年12月改訂
3) アブラキサン® 点滴静注用，適正使用ガイド，乳癌．2021年8月改訂
4) テセントリク® 点滴静注，インタビューフォーム．2020年12月改訂（第11版）
5) アブラキサン® 点滴静注用，医薬品インタビューフォーム．2021年8月改訂（第12版）
6) 厚生労働省：最適使用推進ガイドライン アテゾリズマブ 乳癌（令和2年9月改訂）（https://www.pmda.go.jp/files/000236798.pdf）
7) Schmid P, et al：N Engl J Med 379：2108-21, 2018（PMID：30345906）Protocol（https://www.nejm.org/doi/suppl/10.1056/NEJMoa1809615/suppl_file/nejmoa1809615_protocol.pdf）
8) Pérez Fidalgo JA, et al：Ann Oncol 23 Suppl 7：vii167-73, 2012（PMID：22997449）
9) Postow MA, et al：N Engl J Med 378：158-68, 2018（PMID：29320654）
10) Sul J, et al：Oncologist 21：643-50, 2016（PMID：27026676）
11) Champiat S, et al：Ann Oncol 27：559-74, 2016（PMID：26715621）
12) Menzies AM, et al：Ann Oncol 28：368-76, 2017（PMID：27687304）
13) 日本臨床腫瘍学会（編）：がん免疫療法ガイドライン，第2版．金原出版，2019
14) NCCN Clinical Practice Guidelines in Oncology（NCCN Guidelines®）. Management of Immunotherapy-Related Toxicities（version 3.2021-May 14, 2021）
15) Smith EM, et al：JAMA 309：1359-67, 2013（PMID：23549581）
16) Tsuyuki S, et al：Breast Cancer Res Treat 160：61-7, 2016（PMID：27620884）
17) Reeves BN, et al：Cancer 118：5171-8, 2012（PMID：22415454）
18) Danlos FX, et al：Eur J Cancer 91：21-9, 2018（PMID：29331748）

（吉野真樹）

18 アベマシクリブ（ベージニオ®）

POINT

- 本治療の位置づけは，ホルモン受容体陽性かつ HER2 陰性の手術不能または再発乳がん（内分泌療法と併用する），ホルモン受容体陽性かつ HER2 陰性で再発高リスクの乳がんにおける術後薬物療法である．
- 下痢は，頻度が最も高い副作用（80%以上）である．下痢を認めた場合は，止瀉薬を使用する．下痢による脱水症状が発現しないよう，水分補給を行うよう指導する．止瀉薬使用と水分補給で症状が改善しない場合，休薬・減量を考慮する．
- 間質性肺炎は稀な副作用（1～3%）であるが，死亡例の報告がある．呼吸困難，咳嗽，発熱などの初期症状を確認し，必要に応じて SpO_2 の検査および胸部 X 線検査を実施する．

1 レジメンと副作用対策（→次頁参照）

適応 1：ホルモン受容体陽性かつ HER2 陰性の手術不能または再発乳がん　**総コース**：可能な限り，腫瘍が進行するまで
適応 2：ホルモン受容体陽性かつ HER2 陰性で再発高リスクの乳がんにおける術後薬物療法　**総コース**：24 か月間まで

2 抗がん薬の処方監査

□1 回 150 mg を 1 日 2 回経口投与する．本剤は食事の影響を受けないため，食前投与，食後投与のいずれも可能である．

□併用する内分泌療法を確認する（1 次治療：レトロゾールまたはアナストロゾールと併用，2 次治療以降：フルベストラントと併用）．

□本剤は主に CYP3A により代謝されるため，CYP3A 阻害薬（イトラコナゾール，クラリスロマイシン，ジルチアゼム，ベラパミルなど），CYP3A 誘導薬（リファンピシン，フェニトイン，カルバマゼピンなど）とは併用注意であり，本剤を継続して，可能な限り代替薬を考慮する．また，CYP3A 阻害作用を有するグレープフルーツ，グレープフルーツジュースとは併用注意であり，飲食しないように指導する．

□メトホルミンを併用すると，その副作用が増大する．これは本

18		医薬品名 投与量	投与方法 投与時間	1	2	3	4	5	6	7	8	9	~	29	30	31	32	~	58	59	60
レジメン	Rp1	アベマシクリブ 300 mg	経口 1日2回 (内分泌療法と併用)	↓	↓	↓	↓	↓	↓	↓	↓	↓	↓	↓	↓	↓	↓	↓	↓	↓	↓

副作用対策

下痢

下痢は，頻度が最も高い副作用（80%以上）である．①下痢を認めたら，止瀉薬を使用する．②下痢による脱水症状が発現した場合，水分補給するよう指導する．③止瀉薬使用と水分補給で症状が改善しない場合，休薬・減量を考慮する．

好中球減少

①感染予防対策（手洗い，うがい），②FNの徴候（発熱，悪寒，咽頭痛）がみられた際の抗菌薬や解熱薬の使用方法，③緊急受診の目安について事前に指導

肝機能障害

定期的に肝機能検査を行う．特に，開始2か月以内に肝機能障害が起こりやすい．

間質性肺炎

呼吸困難，咳嗽，発熱などの初期症状を確認する．必要に応じて SpO_2 の検査および胸部X線検査を実施する．

悪心・嘔吐

投与中，悪心，嘔吐がないか確認する．悪心が出現した場合は，メトクロプラミドや5-HT_3 受容体拮抗薬を使用する．

剤が，腎尿細管トランスポーターであるOCT2，MATE1，MATE2-Kを阻害して，Scrを上昇させるため，メトホルミンの腎クリアランスが低下して，メトホルミンの血中濃度が上昇することに起因する[1]．

3 抗がん薬の調剤

□患者自身で内服する場合は，注意深く開封して薬に触れないように内服させる．やむをえず，薬に触れる場合は，ディスポーザブル手袋を着用することが望ましい．

□内服を介助する場合も同様の対応を行う．

4 抗がん薬の投与

投与基準（表18-1）[2-4]

減量・中止基準

減量の基準[5]

通常の投与量	1回150 mgを1日2回
1段階減量	1回100 mgを1日2回
2段階減量	1回50 mgを1日2回

表 18-1　投与基準

好中球数	≧1,500/μL
血小板数	≧10 万/μL
Hb	≧8 g/dL
Scr	≦(女)1.19 mg/dL (≦ULN×1.5)
AST，ALT	AST≦90 U/L (≦ULN×3.0) ALT≦(女)69 U/L (いずれも≦ULN×3.0) 【肝転移が認められる場合】AST≦150 U/L，ALT≦(女)115 U/L (いずれも≦ULN×5.0)[3)]〕
T-Bil	≦2.25 mg/dL (≦ULN×1.5)
全身状態	ECOG PS 0～1

副作用発現時の用量調節基準[5)] (Grade は CTCAE v.4 に準じる)

□間質性肺疾患を発現した場合，投与を中止する.

□静脈血栓塞栓症 (術後薬物療法としての投与時)

程度	処置
Grade 2～4	投与を中止する，または適切な治療を行い状態が安定するまで休薬する．再開する場合には必要に応じて投与量を 1 段階減量する

□下痢

程度	処置
Grade 1	休薬または減量は不要である.
Grade 2 で 24 時間以内に回復しない場合	Grade 1 以下に回復するまでに休薬すること．再開する場合には，減量は不要である.
治療しても症状が継続するまたは減量せずに再開後に再発した Grade 2	Grade 1 以下に回復するまで休薬すること．再開する場合には投与量を 1 段階減量すること.
入院を要するまたは Grade 3 もしくは 4	

□血液毒性

程度	処置
Grade 1 または 2	休薬または減量は不要である.
Grade 3（初回発現）	Grade 2 以下に回復するまで休薬すること. 再開時には必要に応じて投与量を 1 段階減量すること.
Grade 3（2 回目以降の発現）または 4	Grade 2 以下に回復するまで休薬すること. 再開時には投与量を 1 段階減量すること.
G-CSF 製剤を投与した場合	G-CSF 製剤の最終投与後少なくとも 48 時間以上経過し, かつ Grade 2 以下になるまで休薬すること. 再開する場合には, 投与量を 1 段階減量すること.

□上記以外の副作用

程度	処置
Grade 1 または 2	休薬または減量は不要である
治療しても症状が継続するまたは再発の Grade 2 で, 7 日以内にベースラインまたは Grade 1 まで回復しない場合	ベースラインまたは Grade 1 以下に回復するまでに必要に応じて休薬すること. 再開する場合には必要に応じて投与量を 1 段階減量すること.
Grade 3 または 4	ベースラインまたは Grade 1 以下に回復するまでに休薬すること. 再開する場合には投与量を 1 段階減量すること.

腎機能障害 [6)]

□軽度または中等度の腎機能障害（Ccr≧30〜89 mL/分, Cockcroft-Gault 式による推定値）を有する患者では, 用量調整は不要である. 重度の腎機能障害（Ccr＜30 mL/分, Cockcroft-Gault 式による推定値）, 末期腎不全, 透析患者におけるアベマシクリブの薬物動態のデータはない.

肝機能障害 [6)]

□軽度または中等度の肝機能障害（Child-Pugh 分類 A または B）を有する患者では, 用量調整は不要である. 重度の肝障害（Child-Pugh 分類 C）のある患者に投与する場合は, 投与回数を減らす.

<table>
<tr><th>程度</th><th>処置</th></tr>
<tr><td>持続するまたは再発の Grade 2 の AST または ALT 増加</td><td rowspan="2">ベースラインまたは Grade 1 以下に回復するまで休薬する．再開する場合には投与量を 1 段階減量する．</td></tr>
<tr><td>Grade 3 の AST または ALT 増加</td></tr>
<tr><td>Grade 2 以上の AST または ALT 増加，かつ T-Bil＞3.0 mg/dL（ULN×2）*1</td><td rowspan="2">投与を中止する．</td></tr>
<tr><td>Grade 4 の AST または ALT 増加</td></tr>
</table>

*1 明らかな胆汁うっ滞を認めない場合

注意点

□アベマシクリブを投与すると，投与開始 1 か月以内に，見かけ上，Scr が 1.15〜1.40 倍（0.2〜0.3 mg/dL）程度上昇する[2)]．理由は，アベマシクリブが腎尿細管トランスポーターを阻害して，血中から尿中に分泌される Scr の量が低下するためである．すなわち，アベマシクリブは，尿細管分泌を阻害するが糸球体濾過速度を変化させない[1)]．

□したがって，Scr がベースラインの 1.15〜1.40 倍程度に上昇しても，安易な休薬，減量は行わない．ただし，Scr の上昇が，以下の場合は，その原因が腎機能低下に伴うか確認するため，アベマシクリブの影響を受けない BUN，シスタチン C の測定を確認することが望ましい[7)]．

- 投与開始 1 か月後も上昇の傾向を認める場合
- Scr が急激に上昇した場合

□Scr の上昇が，アベマシクリブの腎排泄トランスポーターへの影響による見かけの上昇なのか，腎機能障害をきたしているかを医療スタッフの間で協議して情報共有しておく．その中で，腎排泄型薬剤（NSAIDs，造影剤など）を投与する際の投与の可否，用量について，協議することが望ましい．

5 副作用マネジメント

発現率（表 18-2）[2)]

評価と観察のポイント

投与初期（day 1〜7）

□下痢の頻度は高く（80％），投与開始 1 週間以内に起こることが多い．

□排泄の際に介助が必要な場合は，介助者にも患者に下痢が好発することを伝えておく．

表 18-2　副作用の発現率

副作用		海外（n＝441）*2	
		全体（%）	Grade 3（%）
血液毒性	好中球減少	46.0	23.6
	貧血	29.0	7.2
	白血球数減少	28.3	8.8
	血小板減少	15.6	3.4
非血液毒性	下痢	86.4	13.4
	腹痛	35.4	2.5
	嘔吐	25.9	0.9
	味覚異常	17.9	0
	口内炎	15.2	0.5
	ALT 増加	13.4	4.1
	AST 増加	12.2	2.3
	口内炎	15.2	0.5

*2 日本人 63 例を含む

□開始後 1 週間で下痢の状況を把握して，水分補給ができているか，止瀉薬の使い方を確認する．

□下痢に加えて，悪心，気分不良があり水分摂取が困難な場合は受診をしてもらう．

投与中

□NCCN 制吐ガイドラインにおいて，アベマシクリブは最小度～軽度催吐性リスク（<30%）に分類されているが，悪心・嘔吐がないか確認する．

投与後期（day 30～60）

□骨髄抑制は投与開始 1～2 か月以内に起こりやすいため，開始前，開始後は定期的に骨髄機能検査を実施する．

□好中球低下は，投与開始 2 か月以内に起こりやすいため，受診時は，好中球数を確認する．37.5℃以上の発熱があった場合は，FN の可能性もあるため，医療機関に連絡するよう指導する．

□肝機能低下（AST 増加，ALT 増加）は，投与開始 2 か月以内に起こりやすいため，開始前，開始後は定期的に肝機能検査を実施する．

□間質性肺炎は開始 2 か月以内に発症しやすい．息切れ，咳などの間質性肺炎を疑う症状がないか，診察時に問診する．また診察時，必要に応じて SpO_2 を測定する．さらに定期的な画像評価（胸部X線検査，CT検査）で肺の臨床像に変化がないか確認する．新型コロナウイルスの肺炎との鑑別が必要な場合は抗原検査やPCR検査を実施する．

副作用対策のポイント

□下痢は，整腸薬の内服や，ロペラミドの使用で，おおむねコントロールは可能である．投与開始時に，整腸薬の予防内服や，下痢発現時のロペラミドの頓用処方を行うと，発現時の対応がとりやすい．

□肝機能低下を認めた場合，精査の上，減量・休薬を検討する．休薬した際は，Grade 1以下に回復してから再投与の可否を検討する．

□好中球低下による発熱時に来院が困難な場合は，あらかじめキノロン系経口抗菌薬の頓用での処方を検討する．

□悪心・嘔吐が発現した場合は，標準的な制吐薬（例：メトクロプラミド，5-HT_3 受容体拮抗薬など）で対応可能である[8]．

6 薬学的ケア

CASE

□右乳がんが見つかり，CT画像の結果，肺転移を認めた．病理結果では，ER（＋），PgR（＋），HER2（－）であった．1次治療でアベマシクリブ＋レトロゾール療法が選択された．本レジメンは下痢の頻度が高いことを患者に説明し，治療開始時に，ロペラミド錠（1 mg）1回1錠 頓用（下痢時）が処方された．

□1週間後受診時に，ロペラミド錠を1日1錠を内服も，下痢が1日4回（Grade 2）を認めていた．そこで，ロペラミド錠を1日2回 1回1錠内服するよう指導した．結果，その1週間後に下痢症状は改善した．投与1か月後，Scrが開始前の0.90 mg/dLから，1.26 mg/dLと上昇を認め，医師より，「本レジメンの減量・休薬が必要か」問い合わせがあった．BUNとシスタチンCの測定を依頼し，BUN 12.0 mg/dL，シスタチンCは0.71 mg/dLと正常であり，アベマシクリブにより見かけ上Scrが上昇していることを医師に情報提供し，アベマシクリブは減量なく継続された．開始3か月後，CT画像で，PRの治療効果を得た．

解説

□下痢の中央値は8日目なので，開始1週間後に受診して，下痢の発現状況と，下痢があった場合に水分補給と適切に止瀉薬が使用できているか確認する．

□本症例ではロペラミド（1 mg）1日1錠では効果がなかったため，1日2錠への増量を提案した．また，アベマシクリブは，Scrが見かけ上，ベースラインの1.1～51.40倍程度上昇することが知られており，アベマシクリブによる腎トランスポーターの阻害作用の影響を受けないBUN，シスタチンCの測定を医師に依頼し，正常値であることを確認し，腎機能低下はないことを医師に情報提供した結果，アベマシクリブは減量・中止はせずに継続された．その後，著明な副作用の発現はなく，治療効果を得ることができた症例である．

引用文献

1）Chappell JC, et al：Clin Pharmacol Ther 105：1187-95, 2019（PMID：30449032）
2）Sledge GW Jr, et al：J Clin Oncol 35：2875-84, 2017（PMID：28580882）
3）Goetz MP, et al：J Clin Oncol 35：3638-46, 2017（PMID：28968163）
4）日本臨床検査標準協議会基準範囲共用化委員会（編）：日本における主要な臨床検査項目の共用基準範囲—解説と利用の手引き，2019/01/25 修正版．
5）ベージニオ®錠，添付文書
6）ベージニオ®米国添付文書
7）Dickler MN, et al：Clin Cancer Res 23：5218-24, 2017（PMID：28533223）
8）Thill M, et al：Ther Adv Med Oncol 10：1-12, 2018（PMID：30202447）

（野田哲史）

19 トラスツズマブ デルクステカン（エンハーツ®）

T-DXd

POINT

- HER2 陽性の手術不能再発乳がんで，トラスツズマブ＋タキサン系抗がん薬治療後の 2 次治療以降に有効性が示されている．
- 重篤な副作用の間質性肺疾患は，患者への初期症状の指導や定期的な肺画像の評価を実施し早期発見に努める．
- トラスツズマブ デルクステカンは，5%ブドウ糖溶液に希釈し，点滴バックは遮光して投与する．生理食塩液との混合や点滴ライン内の同時投与は避ける．

1 レジメンと副作用対策（→次頁参照）

適応：HER2 陽性の手術不能再発乳がん

1 コース期間：21 日間　**総コース**：可能な限り継続

2 抗がん薬の処方監査

- □本レジメンの適応（HER2 陽性の手術不能再発乳がん）であることを確認する．
- □トラスツズマブ，タキサン系抗がん薬による化学療法の治療歴があることを確認する．
- □投与中に間質性肺疾患が出現し，死亡につながる危険がある．投与前に胸部 CT 検査や胸部 X 線検査や問診を実施し，間質性肺疾患の合併や既往歴がないことの確認を行う．
- □投与前に心エコー検査により LVEF，心電図検査により QT 間隔の確認を行う．
- □トラスツズマブによる過敏症の既往歴がある患者は禁忌である．
- □投与速度は初回 90 分以上とし，忍容性がよければ 2 回目以降は 30 分まで短縮することができる．

3 抗がん薬の調剤

- □トラスツズマブ デルクステカンは，注射用水 5 mL で溶解して濃度 20 mg/mL にした後，必要量を抜き取って 5%ブドウ糖溶液 100 mL に希釈する．
- □0.2 μm のインラインフィルター（ポリエーテルスルホン製，ポリスルホン製または正電荷ナイロン製）を通して投与する．

19		医薬品名 投与量	投与方法 投与時間	1	2	3	4	5	6	7	8	9	10	11	12	13	14	15	16	～	21
レジメン	Rp1	パロノセトロン 0.75 mg デキサメタゾン 6.6 mg	点滴静注 5 分	↓																	
	Rp2	5%ブドウ糖液 50 mL	点滴静注 5 分	↓																	
	Rp3	トラスツズマブ デルクステカン 5.4 mg/kg 5%ブドウ糖液 100 mL	点滴静注 初回 90 分 2 回目以降 30 分	↓	点滴時間は初回投与の忍容性がよければ 30 分まで短縮できる.																
	Rp4	5%ブドウ糖液 50 mL	点滴静注 5 分	↓																	

副作用対策	1	2	3	4	5	6	7	8	9	10	11	12	13	14	15	16	～	21
infusion reaction	■																	
悪心・嘔吐	■	■	■	■	■	■	■											
好中球数減少							■	■	■	■	■	■	■	■				
脱毛														■	■	■	■	■〜
間質性肺疾患	■	■	■	■	■	■	■	■	■	■	■	■	■	■	■	■	■	■〜
心機能障害	■	■	■	■	■	■	■	■	■	■	■	■	■	■	■	■	■	■〜

infusion reaction：事前に投与時に出現の可能性がある症状（呼吸困難，低血圧，発熱，寒気，悪心，嘔吐，頭痛，咳，めまい，発疹など）を指導する．投与中に症状が発現した場合，重症度に応じて投与速度の調整や投与の中断または中止を判断する．

悪心・嘔吐：NCCN ガイドラインにおいてリスク分類は中等度である．予防制吐療法として，5-HT_3 受容体拮抗薬とデキサメタゾンの併用を基本とする．遷延する遅発性の悪心・嘔吐を生じる可能性があるため，症状に応じて制吐薬の追加を検討する．

好中球数減少：①感染予防対策（手指消毒，うがい，マスク着用），②FN 徴候（発熱，悪寒，咽頭痛など）がみられた場合の抗菌薬や解熱薬の使用方法，③緊急受診の目安について事前に指導する．

脱毛：Grade 3 以上の発現頻度は 0.5%だが，約半数に発現するため事前の説明が重要である．

間質性肺疾患：定期的に胸部 CT 検査や胸部 X 線検査，血液検査（KL-6，SP-D など），酸素飽和度測定を実施する．初期症状（咳嗽，呼吸困難，発熱，倦怠感）と緊急受診の目安について事前に指導する．

心機能障害：投与前に心エコーによる LVEF を確認する．LVEF が 40%未満へ低下した場合やベースラインから 20%以上の低下，LVEF 40～45%でベースラインから 10%以上の低下を認める場合は 3 週間以内に再評価し，それでも回復していない場合は投与を中止する．

□生理食塩液との混合を避け，同じ点滴ラインで同時に投与することも避ける．

□点滴バッグは遮光する．

4 抗がん薬の投与

投与前基準[1)]

LVEF	≧50%（心エコーまたはMUGAスキャンで測定）	AST，ALT	≦150 U/L（≦ULN×5），ALT≦(女)115 U/L（≦ULN×5）
好中球数	≧1,500/μL	Ccr	≧30 mL/分
血小板数	≧10万/μL	PT-INR，APTT	PT-INR≦1.15，APTT≦37秒≦(いずれも≦ULN×1.5)
Hb	≧9.0 g/dL		
T-Bil	≦4.5 mg/dL（≦ULN×3）	QTc間隔	≦(女)470ミリ秒（心電図で測定）

減量・中止基準[2)]

	重症度		処置
間質性肺疾患	—		投与を中止する．
LVEF低下	40%≦LVEF≦45%	ベースラインからの絶対値の低下＜10%	休薬を考慮する．3週間以内に再測定を行い，LVEFを確認する．
		ベースラインからの絶対値の低下≧10%かつ≦20%	休薬し，3週間以内に再測定を行い，LVEFのベースラインからの絶対値の低下＜10%に回復しない場合は，投与を中止する．
	LVEF＜40% または ベースラインからの絶対値の低下＞20%		休薬し，3週間以内に再測定を行い，再度LVEF＜40%またはベースラインからの絶対値の低下＞20%が認められた場合は，投与を中止する．
症候性うっ血性心不全	—		投与を中止する．
QT間隔延長	Grade 3		Grade 1以下に回復するまで休薬し，回復後，1段階減量して投与再開する．
	Grade 4		投与を中止する．
好中球数減少	Grade 3		Grade 2以下に回復するまで休薬し，回復後，1段階減量または同一用量で投与再開する．
	Grade 4		Grade 2以下に回復するまで休薬し，回復後，1段階減量で投与再開する．
FN	—		回復するまで休薬し，回復後，1段階減量して投与再開する．
貧血	Grade 3または4		Grade 2以下に回復するまで休薬し，回復後，1段階減量で投与再開する．

	重症度	処置
血小板数減少	Grade 3	Grade 1 以下に回復するまで休薬する．7 日以内に回復した場合は，同一用量で投与再開する．7 日を過ぎてから回復した場合は，1 段階減量して投与再開する．
	Grade 4	Grade 1 以下に回復するまで休薬し，回復後，1 段階減量で投与再開する．
T-Bil 増加	Grade 2	Grade 1 以下に回復するまで休薬する．7 日以内に回復した場合は，同一用量で投与再開する．7 日を過ぎてから回復した場合は，1 段階減量して投与再開する．
	Grade 3	Grade 1 以下に回復するまで休薬する．7 日以内に回復した場合は，1 段階減量して投与再開する．7 日を過ぎてから回復した場合は，投与を中止する．
	Grade 4	投与を中止する．
下痢または大腸炎	Grade 3	Grade 1 以下に回復するまで休薬する．3 日以内に回復した場合は，同一用量で投与再開する．3 日を過ぎてから回復した場合は，1 段階減量して投与再開する．
	Grade 4	投与を中止する．
上記以外の副作用	Grade 3	Grade 1 以下に回復するまで休薬する．7 日以内に回復した場合は，同一用量で投与再開する．7 日を過ぎてから回復した場合は，1 段階減量して投与再開する．
	Grade 4	投与を中止する．

□減量の目安

減量段階	通常投与量	1 段階減量	2 段階減量	3 段階減量
投与量	5.4 mg/kg	4.4 mg/kg	3.2 mg/kg	投与中止

腎機能障害　肝機能障害

□記載なし．

注意点

□発現頻度は低いが，特に初回投与時には infusion reaction（呼吸困難，低血圧，喘鳴，気管支痙攣，頻脈，紅潮，悪寒，発熱など）に注意する．

□投与中は皮下組織への薬剤浸潤の状況を十分観察する．血管外漏出が認められた場合は，ただちに投与を中止し，炎症性抗がん薬の漏出に対する処置を行う．漏出量が多量もしくは投与部位に紅斑，圧痛，皮膚刺激，疼痛，腫脹などの症状を有す場合は，ステロイド（デキサメタゾン，ベタメタゾン，プレドニゾロン，ヒドロコルチゾンなど）を1%リドカインと混合して局所注射する．または，strongestクラスのステロイド外用薬の塗布（1日2回）の使用などを検討する．

5 副作用マネジメント

発現率[1)]

副作用		国際共同第Ⅱ相試験（n=184）	
		全体（%）	Grade≧3（%）
血液	好中球数減少	34.8	20.7
	貧血	29.9	8.7
	血小板数減少	21.2	4.3
	FN	1.6	1.6
非血液	悪心	77.7	7.6
	倦怠感	49.5	6.0
	脱毛症	48.4	0.5
	嘔吐	45.7	4.3
	便秘	35.9	0.5
	食欲減退	31.0	1.6
	下痢	29.3	2.7
	間質性肺疾患	13.6	0.5
	QT間隔延長	4.9	1.1
	infusion reaction	2.2	0
	LVEF低下	1.6	0.5

評価と観察のポイント

投与開始〜24時間以内

□infusion reactionが発現することがある．投与中および投与後は患者の状態を十分に観察する．

投与初期（day 1〜7）

□悪心・嘔吐，食欲不振の出現状況を確認する．NCCNガイドラインにおいてリスク分類は中等度である[3)]．悪心・嘔吐は，患者ごとの症状の差が大きく，時に1週間を超えて遷延する遅発性の悪心・嘔吐を生じる可能性がある[4].

投与中～後期（day 8～21）

□骨髄抑制（好中球数減少，白血球数減少，貧血，血小板数減少など）が起こっている可能性が高い．定期的（day 8，14 を目安）な採血による経過観察が望ましいが，自宅静養中は FN 徴候（発熱，悪寒，咽頭痛など）に注意する．発熱を認める場合は，間質性肺疾患の除外を目的に呼吸器症状の有無について聴取する．疑いが残る場合は迷わず胸部 CT 検査，胸部 X 線検査などを実施する．

全コース

①間質性肺疾患

□投与開始前に胸部 CT 検査，胸部 X 線検査，血液検査（KL-6，SP-D など）を確認する．

□画像上の特徴として，器質化肺炎類似型，びまん性肺胞傷害パターンが比較的多く報告されている[5].

□「日本人患者」および「過去に 10 レジメン以上の化学療法又は分子標的治療を受けた患者」において，発現リスクが高いことが示唆されている[5]．投与期間中を通じて生じる可能性があるため，継続的に初期症状（咳嗽，呼吸困難，発熱，倦怠感）を確認して早期発見に努める．また，定期的な胸部 CT 検査，胸部 X 線検査や酸素飽和度測定の確認が望ましい．

②心機能障害

□LVEF 低下やうっ血性心不全，QT 間隔延長などの心機能障害が報告されている．投与期間中は息切れ，頻脈，動悸，全身のむくみ，不整脈などの自覚症状を確認する．心エコーや心電図検査を定期的に実施し，電解質異常（K，Ca，Mg など）の有無を確認する．

副作用対策のポイント

投与開始～24 時間

□血圧，脈拍，体温，SpO_2 などのバイタルサインをモニタリングする．infusion reaction は発現率，重篤度ともに比較的低いため，予防薬なしでの投与が可能である．しかし，主に外来診療中心で行われる治療であるため，特に初回投与日の体調変化には十分注意する．患者へあらかじめ発現時の初期症状を説明し，早期対応ができるよう指導する．症状発現時は，下記の基準を参考に症状に応じて投与速度の調整，投与の中断または中止を判断する[2)].

	重症度	処置
infusion reaction	Grade 1	投与速度を 50%減速する．他の症状が出現しない場合は，次回以降は元の速度で投与する．
	Grade 2	Grade 1 以下に回復するまで投与を中断する．再開する場合は投与速度を 50%減速する．次回以降も減速した速度で投与する．
	Grade 3 または 4	投与を中止する．

投与初期（day 1〜7）

□中等度催吐性リスク[3)]として，予防制吐療法は 5-HT_3 受容体拮抗薬とデキサメタゾンを投与する．遅発性悪心・嘔吐の対策として，長時間作用型 5-HT_3 受容体拮抗薬のパロノセトロンを使用する．効果不十分の場合，デキサメタゾン 8 mg の 2〜4 日間の延長やオランザピン 5 mg の追加，アプレピタントの追加などを検討する．

投与中〜後期（day 8〜21）

□骨髄抑制は，重症度に応じて上記減量・中止基準に従い投与量の調整や休薬・中止を検討する．報告されている FN の発症頻度は，1.6%と低いため[1)]，G-CSF の 1 次予防を必須としない．感染予防対策（手指消毒，うがい，マスク着用），症状の基準（37.5℃以上の発熱），FN 徴候（発熱，悪寒，咽頭痛など）出現時の抗菌薬や解熱薬の使用方法，緊急受診の目安について事前に患者へ指導する．

全コース

①間質性肺疾患

□症状出現時は速やかに投与中止する．特にびまん性肺胞傷害パターンは，重症化し予後不良の傾向となる可能性があるため注意する．呼吸器疾患に精通した医師との連携のもと，間質性肺疾患の診断・鑑別診断を進め，並行して重症度に応じたステロイド治療を速やかに実施する[5)]．軽症の場合，プレドニゾロン 0.5 mg/kg/日を検討する．中等症では，速やかにプレドニゾロン 1.0 mg/kg/日の投与を開始し，5 日以内に改善しない場合はステロイドの増量を考慮する．重症の場合は，速やかにステロイドパルス療法（メチルプレドニゾロン 500〜1,000 mg/日 3日間）を開始し，その後プレドニゾロン 1.0 mg/kg/日以上に移行する．

②心機能障害

□LVEF 低下やうっ血性心不全，QT 間隔延長は，重症度に応じて上記減量・中止基準に従い投与量の調整や休薬・中止を検討する．抗不整脈薬や QT 間隔を延長させることが知られている薬剤との併用時は注意する．

6 薬学的ケア

CASE

□60 歳代女性，多発肺転移，右鎖骨上リンパ節転移のある HER2 陽性乳がん患者の 6 次治療としてトラスツズマブ デルクステカン開始．既往歴に間質性肺疾患がないこと，治療前の SpO_2 は 96%，胸部 CT と胸部 X 線検査が実施されていることを確認．

□1 コース目に悪心 Grade 2（day 2〜10）が出現．水分は摂取できており脱水は否定的，血清 Na や補正血清 Ca は正常値範囲内．便秘が治療開始 1 週間程度続いていたため，薬剤師は下剤の追加とともに，デキサメタゾン 8 mg の 2〜4 日間の延長と糖尿病の既往がないことを確認した上でオランザピン 5 mg の追加を提案．2 コース目は悪心 Grade 1（day 2，3）に改善した．

□6 コース目 day 18 頃から数日間，空咳の訴えを聴取．治療ダイアリーより発熱や呼吸苦，倦怠感の症状はないことを確認．医師に咳症状に関する診察を依頼．SpO_2 は 98%，胸部 CT・X 線検査より新規肺炎の出現は否定された．

解説

□悪心・嘔吐は，NCCN ガイドラインにおいて中等度催吐リスクに分類されているため[3]，予防制吐療法は 5-HT_3 受容体拮抗薬とデキサメタゾンの 2 剤併用を行う．また，患者ごとの症状の差は大きいが，時に 1 週間を超えて遷延する遅発性の悪心・嘔吐が報告されている[4]．原因は十分に明らかとなっていないが，トラスツズマブ デルクステカンの血中濃度半減期（5.52 ± 1.23 日）[5] が仮説の 1 つと考えられている．このような場合，長時間作用型 5-HT_3 受容体拮抗薬のパロノセトロンを使用する．効果が不十分な場合，デキサメタゾン 8 mg の 2〜4 日間の延長やオランザピン5 mgの追加，アプレピタントの追加などを検討する．突出性悪心が出現する場合は，作用機序の異なるメトクロプラミド5～10 mgなどのドパミンD_2受容体拮抗薬を頓用で追加する．

□ 間質性肺疾患は，時に致死的となる重篤な副作用の1つである．投与開始前には，間質性肺疾患の既往歴や胸部X線検査，胸部CT検査を確認する．治療中は，継続的な呼吸器症状の問診とSpO_2とともに，6～12週ごと程度の定期的な胸部X線検査，胸部CT検査を実施し早期発見に努める．

引用文献

1) Modi S, et al：N Engl J Med 382：610-21, 2020（PMID：31825192）
2) エンハーツ® 点滴静注用，添付文書．2022年11月改訂（第7版）（第一三共）
3) NCCN Guidelines Version1.2021 Antiemesis
4) エンハーツ適正使用ガイド，乳癌，胃癌．2022年11月改訂（第一三共）
5) エンハーツ市販直後調査結果のご報告（乳癌）（第一三共）

（友松拓哉）

20 ビノレルビン（ナベルビン®）

VNR，VNB

POINT

- ■白血球減少や好中球減少が用量規制因子であるため，骨髄抑制に注意が必要．
- ■血管痛や静脈炎が起こりやすいため投与中の滴下や投与後の血管痛の有無，投与部位の皮膚状態をよく観察する．
- ■コース数増加とともに末梢神経障害が増強することもあるため，患者の症状を確認する．

1 レジメンと副作用対策（→次頁参照）

適応：手術不能または再発乳がん

投与スケジュール：1回25 mg/m^{2}を1週間間隔で2週連続投与し，3週目は休薬

1コース期間：21日間　**総コース**：可能な限り継続

2 抗がん薬の処方監査

□本レジメンの適応があり，かつアントラサイクリン系抗がん薬およびタキサン系抗がん薬による化学療法後の増悪もしくは再発であることを確認する．

□投与禁忌になる患者は以下のとおり．

- 骨髄機能低下の著しい患者．
- 重篤な感染症を合併している患者．
- ビノレルビンの他，ビンカアルカロイド系抗がん薬の成分に対し重篤な過敏症の既往歴のある患者．

□間質性肺炎または肺線維症の既往の有無を確認．既往のある場合，再発するおそれがある．

□点滴静注する場合，投与時間は10分以内になっていることを確認する．

□制吐リスクは最小度リスク抗がん薬であるため，予防的な制吐療法は推奨されない．

□投与直後から200 mL以上の補液で血管内の薬液を十分に洗い流すことが望ましい．

□投与経路は静脈内注射のみ．髄腔内投与は禁忌（髄腔内に投与し，死亡例あり）．

20		医薬品名 投与量	投与方法 投与時間	1	2	3	4	5	6	7	8	9	10	11	12	13	14	15	～	20	21
レジメン	Rp1	生理食塩液 50 mL	点滴注射 10 分	↓							↓										
	Rp2	ビノレルビン 25 mg/m^2 生理食塩液 50 mL	点滴注射 5 分	↓							↓										
	Rp3	生理食塩液 200 mL	点滴注射 15 分	↓							↓										
副作用対策	**静脈炎，血管外漏出**			■							■										
	起壊死性抗がん薬に該当するため，血管外漏出しないよう慎重に投与する．投与直後から 200 mL 以上の補液で血管内の薬液を十分に洗い流す．																				
	悪心・嘔吐			■	■	■	■	■			■	■	■	■	■						
	制吐性リスクは最小度リスクであるため，予防的な制吐療法は推奨されない．悪心発現時はドパミン受容体拮抗薬を使用する．																				
	白血球減少，好中球減少									■	■	■	■	■	■	■	■				
	手洗い・うがいなどの感染対策，FN の徴候（発熱，悪寒，咽頭痛）がみられた際の抗菌薬の使用方法，緊急受診の目安を前もって指導する．																				
	便秘			■	■	■	■	■	■	■	■	■	■	■	■	■	■				
	開始前から排便状況を確認．便秘時には塩類下剤および大腸刺激性下剤などを使用を自己調整しながら使用．イレウスの発現報告もあるため，注意する．																				
	末梢神経障害										■	■	■	■	■	■	■	■	■	■	■
	手や足のしびれ感で始まることが多く，コース数増加とともに増強しやすい．限定的ではあるもののデュロキセチンが効果あった報告もあるが，著効する予防薬や治療薬はなく，減量・休薬も視野に入れる．																				
	間質性肺炎			■	■	■	■	■	■	■	■	■	■	■	■	■	■	■	■	■	■
	発熱，咳嗽，息切れなどの初期症状がみられたら，すぐ連絡するよう指導する．発現時はステロイドのパルス療法等の適切な処置および呼吸管理や感染対策を講じる．																				

□進行・再発乳がんにおけるアントラサイクリン系抗がん薬およびタキサン系抗がん薬の既治療例を対象とした後期第Ⅱ相試験[1)]の患者条件を以下に示す．

対象患者数	対象患者年齢	PS	推定予後	好中球数	T-Bil
50 例	20～75 歳	0～2	3 か月超	≦1,000/μL	≦2.0 mg/dL

3 抗がん薬の調剤

□冷所保管．

□生理食塩液，日局 5%ブドウ糖注射液，日局リンゲル液または乳酸リンゲル液約 50 mL で希釈する．

4 抗がん薬の投与

投与基準

□投与前の白血球数≧2,000/μL.

減量・中止基準

□減量基準は規定されていないため，必要に応じ減量.

腎機能障害

□記載なし.

肝機能障害

□DRUGDEX®（医薬品情報データサービス：2008 Thomson MICROMEDEX INC.）では T-Bil によるビノレルビンの減量方法[2]を以下のように規定している.

T-Bil	減量率
≦2.0 mg/dL	通常用量
2.1～3.0 mg/dL	50%減量
3.0 mg/dL<	75%減量

注意点

□過敏症に注意．頻度はアレルギー様症状が5%未満で投与開始後に発現することが多い．バイタルサインの観察を十分行う他，患者にも発現するおそれがあること，体調の変化がある場合はすぐに伝えるよう指導する.

□血管外漏出時の組織障害性リスクは起壊死性抗がん薬（vesicant drug）に分類されるため，投与中の血管外漏出に注意する．少量でも重篤な水疱形成や潰瘍形成を起こすことがある．点滴の側管を利用し薬液が血管外に漏れないように注意する．患者にも点滴中に違和感や痛み，点滴の落ちが悪い場合はすぐに申し出るように指導する.

5 副作用マネジメント

発現率

□進行・再発乳がんにおけるアントラサイクリン系抗がん薬およびタキサン系抗がん薬の既治療例を対象とした後期第Ⅱ相試験における発現率は以下の通り.

副作用		(n=50)	
		全体（%）	Grade≧3（%）
血液毒性	白血球数減少	92	62
	好中球数減少	94	74
	FN	12	12
	血小板数減少	14	2
	ビリルビン増加	10	2
非血液毒性	疲労	72	4
	悪心	64	2
	食欲不振	62	8
	静脈炎（表在性）	60	—
	注射部位の反応	58	0
	口内炎，咽頭炎	42	0
	嘔吐	40	2
	頭痛	40	0
	下痢	30	0
	神経障害・知覚性	30	0
	発熱	26	2
	脱毛	26	—
	便秘	26	0

評価と観察のポイント

投与中

□血管痛，静脈炎が起こりやすいため，投与中および投与後の状況を確認する．

□血管外漏出がないことを確認する．

投与後早期（day 7 まで）

□悪心・嘔吐回数を確認する．

□排便回数の確認．イレウスの報告もされており，発現例の約 6 割は投与開始から 2 週間以内に発症することが多い．

投与後後期（day 7 以降）

□白血球減少，好中球減少，血小板の検査値を確認．特に day 7〜14 で白血球，好中球数が最低値になり，易感染の状況となる．自覚症状は特になし．

□末梢神経障害発現を確認．手や足のしびれ感で始まることが多く，コース数増加とともに増強しやすい．特にしびれでボタンの留め外しや歩行といった日常生活に支障がないか，疼痛が伴っていないか確認する．

□間質性肺炎が発現するおそれがあるため，空咳，労作時呼吸困難といった初期症状を確認．発現頻度は少ないものの，発現例の約7割は初回投与から2か月以内に発現することが多い．

副作用対策のポイント

投与中

□**血管痛，静脈炎**：血流ホットパッドや温タオルで血管を温め，拡張させる処置（温罨法）[3]を検討する．さらに，点滴静注よりや20 mLでのワンショット急速静注の方が静脈炎が生じにくいことが報告されている[4]．血管痛，静脈炎の治療にはNSAIDsや副腎皮質ステロイド外用薬を使用する．また，次回投与時にデキサメタゾン2～4 mgとの混合やデキサメタゾンを含むメイン輸液の側管からビノレルビンを投与することも静脈炎の予防になる．

例：ロキソプロフェンナトリウム水和物（ロキソニン®）錠　1回60 mg　1日3回まで　疼痛時
クロベタゾールプロピオン酸エステル（デルモベート®）軟膏　1日2回　発赤部

投与後早期（day 7まで）

□**悪心**：最小度リスク抗がん薬の投与であるため，予防的な制吐療法は推奨されない．悪心発現時にドパミンD_2受容体拮抗薬やプロクロルペラジンを頓用で服用．胸やけや消化不良症状の訴えに対しては，H_2ブロッカーまたはプPPIを考慮[5]する．

例：メトクロプラミド（プリンペラン®）錠　1回5～10 mg　1日3回まで　悪心時
ドンペリドン（ナウゼリン®）錠　1回10～20 mg　1日3回まで　悪心時
プロクロルペラジン（ノバミン®）錠　1回5～10 mg　悪心時　1日3回まで
ファモチジン（ガスター®）錠　1回20 mg　1日2回　7日間
ランソプラゾール（タケプロン®）錠　1回15 mg　1日1回　7日間

□**便秘**：悪心や食欲不振の原因にもなるため，塩類下剤および大腸刺激性下剤を使用し，排便状況に応じて適宜調節するよう指導する．

> 例：酸化マグネシウム（マグミット®）錠　1回330～660 mg　1日3回　排便状況で自己調節可
> センノシド（プルゼニド®）錠　1回24 mg　便秘時
> ピコスルファートナトリウム水和物（ラキソベロン®）錠　1回5 mg　便秘時

投与後後期（day 7以降）

□**FN**：day 7～14に発現しやすい時期を迎えるため，患者には発現時期や感染予防，基準となる発熱（腋窩音温37.5℃以上），対処方法（外来の場合，緊急連絡先の確認や支持療法薬が処方されていればその使い方）を伝える．

> 例：シプロフロキサシン（シプロキサン®）錠　1回200 mg　1日3回＋アモキシシリン・クラブラン酸（オーグメンチン®配合錠）250 mg・125 mg　1回1錠　1日3～4回　最低3日間

□**末梢神経障害**：神経・筋疾患の合併あるいは既往歴のある患者への投与は，末梢神経障害（知覚異常，腱反射減弱）が強く現れるおそれがあるため注意．著効する予防薬や治療薬はない．患者が限定的でもあるが，日本人においてデュロキセチン1日20 mgからの開始で効果あった報告[6),7)]もある．

> 例：保険適用外　デュロキセチン（サインバルタ®）カプセル（第1週）1回20 mg　1日1回　連日内服，（第2週以降）1回40 mg　1日1回　連日内服．

□**間質性肺炎**：初期症状がみられたら速やかに主治医に報告し，胸部X線，血液検査を行う．間質性肺炎であればステロイドパルス療法および呼吸管理や感染対策を講じる．

6 薬学的ケア

CASE

□50歳代女性，右乳がん再発，骨転移あり．ER（＋），PgR（＋），HER2 score 1＋．過去の治療歴としてAC療法，ドセタキセル療法の実施あり．開始前の服薬指導で有害事象が残存していないことを確認し，血管痛，骨髄抑制，末梢神経障害について指導．仕事で指先を使うとのことで，末梢神経障害を気にされていた．

□1コース目 day 1 ビノレルビン点滴中に血管痛出現．血管外漏出がないことを確認した上で温罨法を実施し血管痛軽減．点滴終了後も血管痛は残存したため，ロキソプロフェンの頓用を提案，開始．1コース目 day 8 に症状確認すると，ロキソプロフェンを day 1，2 に使用し，コントロール良好．その後，温罨法を実施することで血管痛発現なく投与できた．

□4コース目から末梢神経障害 Grade 1 が発現，5コース目には Grade 2 に悪化したため，デュロキセチン1日1回 20 mg の使用を提案，開始．5コース目 day 8 には Grade 1 に軽減．デュロキセチンを継続しながら，治療，仕事とも継続できた．

解説

□静脈炎の発現率は添付文書から60％と報告されているが，温罨法を行うことで軽減することができる．疼痛もある場合は NSAIDs を考慮する．血管が脆弱な場合は中心静脈からの投与も検討する．

□末梢神経障害の発現は他のビンカアルカロイド系抗がん薬と比較するとその作用は弱いとされており，Grade≧3 は0％であったものの，軽微なものを含めると発現率は30％で，発現することで生活に影響を及ぼす可能性があるため，注意が必要となる．患者背景を汲み取りながら治療継続できるよう努めていく．

引用文献

1）Toi M, et al：Jpn J Clin Oncol 35：310-5, 2005（PMID：15930037）
2）ナベルビン® 注，インタビューフォーム（協和キリン）
3）横田有喜子：癌と化学療法 35：1525-9, 2008
4）浅子恵利：癌と化学療法 35：1163-7, 2008
5）日本癌治療学会（編）：制吐薬適正使用ガイドライン，第2版．pp 24-32, 金原出版，2015
6）日本がんサポーティブケア学会（編）：がん薬物療法に伴う末梢神経障害マネジメントの手引き，2017年版．pp 40-42, 53-54，金原出版，2017
7）Hirayama Y, et al：Int J Clin Oncol 20：866-71, 2015（PMID：25762165）

（田島 英）

21 トラスツズマブ+ラパチニブ

POINT

- 再発・進行HER2陽性乳がん患者に対し，2次治療以降で使用する[1]．ただし，わが国においてラパチニブを使用する場合，カペシタビンまたはアロマターゼ阻害薬との併用のみ承認されている[2]．
- トラスツズマブはinfusion reactionの発現，ラパチニブは下痢，皮疹の発現に注意する．
- ラパチニブ単剤に比べ，トラスツズマブを併用することでPFS中央値が有意に延長する（8.1週→12.0週）[3]．

1 レジメンと副作用対策（→次頁参照）

適応：手術不能または再発HER2陽性乳がん

投与スケジュール：トラスツズマブは毎週もしくは3週間ごとに点滴静注．ラパチニブは連日経口内服

総コース：PDまたは忍容できない毒性発現まで投与

2 抗がん薬の処方監査

- □トラスツズマブ エムタンシン（カドサイラ®），トラスツズマブ デルクステカン（エンハーツ®）も市販されているため，トラスツズマブ（ハーセプチン®）に類似した名称の薬剤に注意する．
- □ラパチニブはカペシタビンとの併用1,250 mg，アロマターゼ阻害薬との併用1,500 mgとは用量が異なる（1,000 mg）ので，注意する．
- □開始前にLVEFがLLNまたは50％を超えていることを確認する．
- □QT間隔を延長する薬剤（イミプラミン，ピモジド，キニジン，プロカインアミド，ジソピラミドなど）との併用により，QT延長を助長する可能性があるため，併用時は必要な観察を行うなど十分に注意する．
- □間質性肺炎のリスクがあるため，治療開始前，投与中は胸部の画像評価を行い，息切れや呼吸困難，咳嗽，発熱の症状に注意する．
- □ラパチニブは食後に内服するとC_{max}，AUCが上昇するため，

21		医薬品名 投与量	投与方法 投与時間	1	2	3	4	5	6	7	8	9	10	～	14	15	16	～	20	21
レジメン（毎週投与）	Rp1	トラスツズマブ 初回 4 mg/kg 2 回目以降 2 mg/kg 生理食塩液 250 mL	点滴注射 初回 90 分 2 回目以降 30 分まで 短縮可能	↓							↓					↓				
	Rp2	ラパチニブ 1,000 mg	経口 1 日 1 回	↓	↓	↓	↓	↓	↓	↓	↓	↓	↓	↓	↓	↓	↓	↓	↓	↓
レジメン（3 週ごと投与）	Rp1	トラスツズマブ 初回 8 mg/kg 2 回目以降 6 mg/kg 生理食塩液 250 mL	点滴注射 初回 90 分 2 回目以降 30 分まで 短縮可能	↓																
	Rp2	ラパチニブ 1,000 mg	経口 1 日 1 回	↓	↓	↓	↓	↓	↓	↓	↓	↓	↓	↓	↓	↓	↓	↓	↓	↓
副作用対策	infusion reaction			■																
	対策：症状発現時は解熱鎮痛薬，抗ヒスタミン薬，副腎皮質ステロイド薬の投与を考慮する．																			
	心機能低下																			
	発現時期は不定．動悸や息切れ，浮腫，呼吸困難の症状がないかを確認，投与中は定期的に心機能評価を行う																			
	下痢			■	■	■	■													
	注意点：治療開始前より便通状態を把握する．症状発現時は脱水予防のため水分補給を指導するとともに，ロペラミドを使用する．																			
	皮膚障害												■	■	■	■	■	■	■	■
	症状：発疹や瘙痒，爪障害 対策：保湿薬による保湿，紫外線対策，症状発現時はステロイド外用薬の塗布，爪囲炎ではステロイド外用薬の塗布に加えテーピングも効果的である．																			
	間質性肺炎																			
	初期症状：発現時期は不定．息切れ，呼吸困難，咳嗽，発熱の症状発現時は連絡するよう伝える．																			

食事の前後 1 時間以内の服用を避ける．

- □ラパチニブは CYP3A4，CYP2C8，P 糖蛋白，BCRP，OATP1B1 の基質，もしくはこれらの阻害作用を持つため，これらの酵素や輸送蛋白に関連する薬剤との相互作用に注意する．
- □ホルモン陽性乳がんの場合は，アロマターゼ阻害薬を併用することがある[1]．

3 抗がん薬の調剤

- □ラパチニブは 1 日 2 回に分けて投与した場合の有効性，安全性に関するデータはないため，分割投与は行わない[4]．
- □内服が困難な患者で，ラパチニブを粉砕したり，簡易懸濁法を用いての投与は被曝の観点から避けることが望ましい．しかし，使用が避けられない場合は被曝のリスクについて患者とその家族へ十分な説明を行うとともに，調剤者のリスクも勘案した上で行う．

4 抗がん薬の投与

投与基準

□ECOG PS 0～2.

□主要臓器機能が十分に保持されている[3, 4]．

<table>
<tr><td rowspan="2">AST，ALT</td><td>【肝転移ありの場合】AST≦150 U/L（ULN×5），
ALT≦（女）115 U/L（≦ULN×5）</td></tr>
<tr><td>【肝転移なしの場合】AST≦90 U/L（ULN×3），
ALT≦（女）69 U/L（≦ULN×3）</td></tr>
<tr><td>T-Bil</td><td>≦2.25 mg/dL（≦ULN×1.5）</td></tr>
<tr><td>LVEF</td><td>≧50%（LLN 以上）</td></tr>
</table>

減量・中止基準

□駆出率低下および間質性肺炎

<table>
<tr><th>有害事象</th><th>発現回数</th><th colspan="3">処置</th></tr>
<tr><td rowspan="5">無症候性の
駆出率低下＊1</td><td rowspan="3">1回目</td><td rowspan="3">投与継続（1～2週後に再検査）</td><td colspan="2">回復：投与継続</td></tr>
<tr><td rowspan="2">持続：休薬（3週以内に再検査）</td><td>回復：20％減量して再開可能</td></tr>
<tr><td>持続：中止</td></tr>
<tr><td>2回目
（減量前）</td><td colspan="3">1回目に準じる</td></tr>
<tr><td>2回目
（減量後）</td><td colspan="3">中止</td></tr>
<tr><td>症候性の駆出率低下
（Grade 3，4）＊2</td><td>—</td><td colspan="3">中止</td></tr>
<tr><td>間質性肺炎
（Grade 3，4）＊2</td><td>—</td><td colspan="3">中止</td></tr>
</table>

＊1 LVEF がベースラインから 20%以上低下かつ LLN を下回った場合
＊2 NCI CTCAE ver3.0 に基づく評価

腎機能障害

□調節不要.

肝機能障害

有害事象		処置
T-Bil	ALT	
>3.0 mg/dL (ULN×2)	>90U/L (>ULN×3)	中止
上記以外	>240 U/L (>ULN×8)	休薬 (2 週間後に再検査) 有効性が得られている場合, 20%減量して再開可能
	>150 (>ULN×5) (無症候性にて 2 週間継続)	
	>90 U/L (>ULN×3) (症候性)	
	>90 U/L (>ULN×3) (無症候性)	継続 (1 週間ごとに再検査) ALT>ULN×3.0 が 4 週間継続した場合は中止
—	≦90 U/L (≦ULN×3)	継続

注意点

□トラスツズマブは infusion reaction に注意する．前投薬の有用性は確立されていない．発症時の対策などは7「トラスツズマブ」の項 (→54 頁).

5 副作用マネジメント

発現率[3)]

有害事象	n=296 (%)	有害事象	n=296 (%)
下痢*3	60	呼吸困難	12
皮疹*4	22	食欲不振	11
悪心	28	咳嗽	5
倦怠感	21	痤瘡様皮疹	5
嘔吐	14	頭痛	10

*3 下痢，軟便，排便回数増加を含む
*4 ざ瘡，皮膚炎，湿疹，紅斑，毛嚢炎，発疹，丘疹，膿疱疹を含む

評価と観察のポイント

□**投与開始前**：治療開始前の排便回数や便の状態について把握する．皮膚障害の予防として，保湿薬や日焼け止めの使用について指導する．

□**投与前期 (1 週間以内)**：高頻度に発現するため，排便回数や便の症状を確認し Grade 評価する．

□**投与後期 (1 週間以降)**：皮疹の発現に注意する．投与中は皮膚障害や爪囲炎がないか症状を確認し Grade 評価する．間質

性肺炎にも注意し，息切れ，呼吸困難，咳嗽，発熱や倦怠感といった初期症状に注意するよう患者に指導するとともに，症状発現時は速やかに受診することを伝える．

□心毒性については，定期的な検査があるか確認する．HERA試験（早期乳がん）では，12週ごと，CLEOPATRA試験（転移性乳がん）では，9週ごとにLVEFが検査されている（トラスツズマブ投与終了後の海外では，投与終了後24か月間は，6か月ごとの心機能評価が推奨されている）[5,6]．また，定期的に動悸，息切れ，頻脈といった心不全症状がないか確認するとともに，患者へ症状発現時は速やかに受診することを伝える．

副作用対策のポイント

□**下痢**：好発時期の中央値は4日目[4]なので，症状発現時は速やかに止瀉薬（ロペラミド）を使用できるよう治療開始時に頓服処方しておく．症状が発現したらロペラミドを1回1 mg 2～4時間おきに下痢が止まるまで内服するよう指導する．脱水予防のための水分摂取と，下痢が改善しない場合は受診することも指導する．

□**皮膚障害**：ラパチニブ単独療法における好発時期の中央値は10日目とされている[4]．主に，頭部・顔部を含む上半身に発現するため，治療開始時に予防として保湿薬（ヘパリン類似物質軟膏や尿素軟膏）を処方しておく．毎日の保湿と，紫外線を避けることを患者に指導する．外用剤は1 finger tip unitを用いて具体的に塗布する量を説明する．症状発現時はmediumクラスのステロイド外用薬を追加する．症状増悪時はステロイドのstrongやvery strongクラスへのランクアップや，皮膚科への受診を検討する．

6 薬学ケア

CASE

□50歳代女性，HER2陽性乳がんの3次治療としてトラスツズマブ＋ラパチニブ療法が開始となった．治療開始前に，普段は毎日1回，ブリストルスケール4の排便があることを確認した．下痢の副作用対策として，症状発現時はロペラミドカプセルを1回1 mg，2時間ごとに下痢が止まるまで使用するよう指導した．翌日からGrade 2の下痢が発現したが，ロペラミドカプセルを1日2回服用することで症状をコントロールできていることを確認した．

□1 週間後に顔面に Grade 1 のざ瘡様皮疹を認めたため，ヒドロコルチゾン酪酸エステル（ロコイド®）クリームの塗布を提案した．2 週間後にざ瘡様皮疹が改善していることを確認した．

解説

□ラパチニブの下痢は，非常に発現頻度の高い副作用である．開始前に排便状況を確認することで正確な Grade 評価につなげることができる．また，治療開始時に止瀉薬の使用法を具体的に説明することは，症状発現時に患者が迅速にセルフメディケーションできることにつながる．

□ラパチニブは EGFR に作用するため皮膚障害を惹起する．ざ瘡様皮疹が発現した場合，Grade 1～2 であればミノマイシン 1 回 100 mg 1 日 1～2 回の内服や，medium や strong クラスの外用ステロイド薬を使用し，Grade 3 以上の場合は外用ステロイド薬のランクアップや皮膚科専門医への受診を検討する．

引用文献

1）National Comprehensive Cancer Network. NCCN Clinical Practice Guidelines in oncology Brest Cancer. Version1.2022.（https://www.nccn.org/professionals/physician_gls/pdf/breast.pdf 2021 年 12 月 15 日アクセス）
2）タイケルブ® 錠，添付文書．2020 年 10 月改訂（第 1 版）
3）Blackwell KL, et al：J Clin Oncol 28：1124-30, 2010.（PMID：20124187）
4）タイケルブ® 錠，適正使用ガイド．2020 年 10 月改訂
5）ハーセプチン® 注射用，適正使用ガイド．2019 年 10 月改訂
6）パージェタ® 点滴静注，適正使用ガイド．2021 年 10 月改訂

（荒川裕貴）

22 TCH（ドセタキセル＋カルボプラチン＋トラスツズマブ）

DTX＋CBDCA＋Tmab

POINT

- ■ドセタキセル（タキソテール®）の用量規定毒性である好中球減少に注意する.
- ■カルボプラチン（パラプラチン®）の過敏反応は，反復投与で発症率が高まることを患者および医療スタッフで共有し，投与時モニタリングを実践する.
- ■トラスツズマブ（ハーセプチン®）初回投与時の infusion reaction に注意する.

1 レジメンと副作用対策（→次頁参照）

適応：HER2 陽性早期乳がんにおける術後化学療法[1)]

トラスツズマブ（ハーセプチン®）＋ドセタキセル（タキソテール®）＋カルボプラチン（パラプラチン®）は 3 週 1 コースとして 6 コース施行する．その後はトラスツズマブのみ 6 mg/kg で 1 年間継続する.

カルボプラチンは，生理食塩液などの無機塩類（NaCl, KCl, $CaCl_2$ など）を含有する輸液に混和する時は，8 時間以内に投与を終了すること〔本レジメンはトラスツズマブとブドウ糖液の混合を避けるために生理食塩液で希釈とした〕.

カルボプラチン（AUC≧4）に対しては高度催吐性リスクの抗がん薬に準じて，アプレピタント（イメンド® カプセル）と 5-HT_3 受容体拮抗薬およびデキサメタゾン（デカドロン® 錠）を併用する[2, 3)].

2 抗がん薬の処方監査

- □ドセタキセルには，アルコールを含む製剤がある．飲酒習慣やアルコール耐性・過敏症をあらかじめ確認しておく.
- □ポリソルベート 80 含有製剤に対し重篤な過敏症の既往歴がないことを確認する.
- □ドセタキセルは，主に CYP3A4 で代謝されるため，薬物相互作用のある薬剤の服薬状況を確認する.
- □カルボプラチンの投与量は，腎機能に応じて算出する.

22		医薬品名 投与量	投与方法 投与時間	1	2	3	4	5	6	7	8	9	10	11	12	13	14	15	～	21
レジメン（TCH）	Rp1	アプレピタント 125 mg	経口1日1回 抗がん薬投与60～90分前	↓																
		アプレピタント 80 mg	経口1日1回 午前中		↓	↓														
	Rp2	グラニセトロン 1 mg デキサメタゾン 9.9 mg	点滴静注 30分	↓																
	Rp3	ドセタキセル 75 mg/m^2 生理食塩液 250 mL	点滴静注 60分	↓																
	Rp4	カルボプラチン AUC 6 生理食塩液 250 mL	点滴静注 60分	↓																
	Rp5	トラスツズマブ 初回 4 mg/kg 2回目以降 2 mg/kg 生理食塩液 250 mL	点滴静注 初回90分（アセトアミノフェン500 mg内服）2回目以降30分まで短縮可能	↓							↓							↓		
	Rp6	デキサメタゾン 8 mg/body	経口1日1回		↓	↓	↓													
	Rp7	7サイクル以降																		
		トラスツズマブ 6 mg/kg 生理食塩液 250 mL	点滴静注 30分	↓																

副作用対策	1	2	3	4	5	6	7	8	9	10	11	12	13	14	15	～	21
過敏症	■																
トラスツズマブのinfusion reactionに対して予防的にアセトアミノフェン500 mgを内服．アルコール不耐性の場合にはアルコールを使用しない調製方法を検討．																	
静脈炎，血管外漏出	■																
ドセタキセルは壊死性抗がん薬に該当するため，穿針部位の評価を行う．																	
好中球減少症							■	■	■	■	■	■	■	■	■		
感染予防対策の指導を行う．FNの徴候がみられた場合の初期対応（抗菌薬や解熱薬の使用方法）を指導する．																	
血小板減少										■	■	■	■	■	■	■	■
出血に注意し皮下出血を認めた場合には医療機関へ連絡するように指導する．																	
浮腫	■	■	■	■	■	■											
体重を測定しモニタリングを行う．症状増悪時にはステロイドの増量を検討する．																	
脱毛							■	■	■	■	■	■	■	■	■	■	■
ほぼ必発のため事前にウィッグの情報を提供．2～3週目に症状が好発する．																	
爪毒性																■	■
予防的に保湿を指導．クーリングによる症状軽減の情報を提供．症状発現後はマニキュアによる爪保護の情報を提供．																	
筋肉痛	■	■	■	■	■	■											
感染症によるものとの鑑別が必要．																	
心機能低下	■	■															
3～6か月ごとに心エコーにてLVEFを確認．動悸や息切れ，浮腫，呼吸困難がないかを確認．																	

BCIRG-006 試験では，Cockcroft-Gault 式を用いて Ccr 推定値を算出し，Calvert 式にてカルボプラチンの投与量を算出している．

□病理検査の結果が HER2 陽性であることを確認する．HER2 陽性とは IHC 法で 3+ あるいは FISH 法で HER2/CEP17 比が 2.0 以上を示す．

□心不全の有無を確認．LVEF55％以上を目安とする．

□胸部への放射線治療の有無を確認する．治療歴がある場合には心不全などの心障害が現れやすい．

□トラスツズマブの投与期間は 1 年を超えない．1 年以上投与しても DFS は延長せず，副作用は増強する[4]．

3 抗がん薬の調剤

□アルコール不耐性である場合，ドセタキセルの調製にはアルコールを含む溶解液を使用しない調製法を考慮する．

□カルボプラチンは生理食塩液などの無機塩類（NaCl, KCl, $CaCl_2$ など）を含有する輸液に混和する時は，8 時間以内に投与を終了すること．

□メチオニンやシスチンを含む輸液中ではカルボプラチンの分解が起こるため，併用を避ける．

□トラスツズマブの調製に注射用水と生理食塩液以外は使用しない．特に，ブドウ糖液と混和すると蛋白凝集が起こるために混合を避ける．

4 抗がん薬の投与

投与基準（表 22-1）

減量・中止基準

□副作用によりドセタキセルおよびカルボプラチンを休薬する際に，トラスツズマブ単剤での投与が許容される．

□2 回目の FN の場合，その後のすべてのサイクルで予防的 G-CSF を検討する．加えてドセタキセルおよびカルボプラチンの減量を行う．

□好中球数が 1,500/μL 未満の際は，1,500/μL 以上になるまで治療を延期する．

□血小板数が 10 万/μL 未満の際は，10 万/μL 以上になるまで治療を延期する．2 週間の延期で回復しないときには，カルボプラチンの投与量を AUC 6 から AUC 5，ドセタキセルの投与量

表 22-1　投与基準

	検査項目	適正使用基準
がん細胞の増殖因子	HER2	IHC 法 3＋もしくは FISH 陽性
PS	Karnofsky	≧80%
心機能	LVEF	≧55%
骨髄抑制	好中球数	≧2,000/μL
	血小板数	≧10 万/μL
	Hb	≧10.0 g/dL

	検査項目	適正使用基準
肝機能	T-Bil	≦1 mg/dL
	AST	AST≦75 U/L (≦ULN×2.5)
	ALT	ALT≦(女)57.5 U/L (≦ULN×2.5)
腎機能	Ccr	≧60 mL/分

を 75 mg/m^2 から 60 mg/m^2 に減量する.

- □Grade 3 以上のヘモグロビン減少の際は，カルボプラチンの投与量を AUC 6 から AUC 5，ドセタキセルの投与量を 75 mg/m^2 から 60 mg/m^2 に減量する.
- □FN を発現した際には，カルボプラチンの投与量を AUC 6 から AUC 5，ドセタキセルの投与量を 75 mg/m^2 から 60 mg/m^2 に減量する.
- □Grade 3 以上の口内炎の際には，ドセタキセルを 75 mg/m^2 から 60 mg/m^2 に減量する．その後も症状が発現する際には 50 mg/m^2 に減量する.
- □Grade 3 以上の下痢の際には，ドセタキセルを 75 mg/m^2 から 60 mg/m^2 に減量する.
- □神経障害が発現し 2 週間の治療延期にて Grade 1 に回復した際には，ドセタキセルを 75 mg/m^2 から 60 mg/m^2 に減量する．Grade 2 が 2 週間以上遷延した際には，カルボプラチンとトラスツズマブで治療する.
- □皮膚反応が発現し 2 週間の治療延期にて Grade 1 に回復した際には，ドセタキセルを 75 mg/m^2 から 60 mg/m^2 に減量する．その後も症状が発現する際には 50 mg/m^2 に減量する.

腎機能障害

□カルボプラチンを下記のように調節する.

検査値	基準	投与量
Ccr	50 mL/分以上	AUC 6
	31 mL/分から 49 mL/分	AUC 5
	30 mL/分以下	2 週間延期し，回復したら AUC 5

肝機能障害

□ドセタキセルを下記のように調節する.

検査値	基準	投与量
AST/ALT	AST>45〜150 U/L，ALT>(女)34.5〜115 U/L	ドセタキセル 60 mg/m^2
	AST>150 U/L，ALT>(女)115 U/L	投与不可

注意点

□過敏症発現時に即時対応するため，患者指導やスタッフ間の情報共有，対処薬の準備をあらかじめ取り決めしておく.

□ドセタキセルは壊死性の抗がん薬に分類され，穿針部位の安定を指導する.

□トラスツズマブの初回投与時は infusion reaction にて発熱や悪寒が発現する．副腎皮質ホルモン（デキサメタゾン 8 mg）や NSAIDs（ジクロフェナク坐薬）の予防投与で infusion reaction の発現頻度や重症化リスクが低いことが報告されているが[5]，完全に予防できないことに留意する．NSAIDs のかわりにアセトアミノフェン 500 mg の予防投与で症状の発現抑制や緩和が得られる.

5 副作用マネジメント

発現率（表 22-2）[1]

評価と観察のポイント

□BCIRG006 試験では FN は 9.6%であり，G-CSF の予防投与は推奨されない[4]．しかし，ドセタキセルの用量規制因子である好中球減少症は 65.9%であり，十分な感染症対策の指導が重要となる．また，前コースで FN や Grade 4 の好中球減少を認めた場合には，2 次予防を考慮する.

□BCIRG006 試験での悪心，嘔吐などの消化器症状は少ないが，

表 22-2　副作用の発現率

全 Grade (%)		Grade 3～4 (%)			
疲労	7.2	悪心	4.8	手足症候群	0
爪の変化	28.7	嘔吐	3.5	白血球減少	48.2
月経不全	26.5	口腔内粘膜炎	1.4	好中球減少	65.9
感覚性末梢神経障害	36.0	下痢	5.4	FN	9.6
運動性末梢神経障害	48.6	関節痛	1.4	貧血	5.8
		筋肉痛	1.8	血小板減少	6.1

Grade 分類は NCI-CTC v2.0 で集計

カルボプラチンの投与量が AUC 6 であることを考慮し，NK_1 受容体拮抗薬を用いた十分な制吐薬の予防投与を検討する．

□ドセタキセルによる過敏症は 1～2 コース目の投与開始から約 5 分程度で発現することが報告されており，早期発見に努める[6]．

□ドセタキセルは壊死性の抗がん薬に分類され，血管外漏出の際にはステロイド外用薬を使用する．

□脱毛，爪毒性などのアピアランスに関わる症状が発現することを必ず説明し，同意を得ておく．

□ドセタキセルによる間質性肺炎は予後不良[7]となるため，発熱や空咳・息切れの症状発現時には連絡をするように指導する．

□プラチナ製剤の過敏症反応は，IgE を介した機序で生じる．繰り返しの投与により IgE 抗体が生じ，ヒスタミンなどの化学伝達物質が放出される[8]．カルボプラチンの過敏症は 10％程度に生じ，腰痛や胸痛，下痢が併発することもある．

□トラスツズマブによる infusion reaction は，初回投与時に多く発現する．主な症状は発熱と悪寒であり軽度から中等度であることが多い[9]．

□トラスツズマブによる心機能低下の発現時期は不明であるが，NYHA 分類Ⅲ度以上の心不全は投与開始後 1 年以内に発現する[10]．

□トラスツズマブの心機能障害は可逆性であるため，早期発見に努める[11]．

副作用対策のポイント

□FN が発現した場合には速やかに抗菌薬などの内服あるいは医

療機関の受診を指導する．投与前にMASCC（Multinational Association for Supportive Care in Cancer）スコア[12]や固形がんであるためCISNE（Clinical Index of Stable Febrile Neutropenia）スコア[13]を用いてリスク分類し，医療スタッフ間で情報共有しておくことも有用である．

□CISNEスコア

ECOG PS 2以上	2点
ストレス性高血糖あり	2点
慢性閉塞性肺疾患（COPD）あり	1点
慢性心血管疾患あり	1点
NCI Grade 2以上の粘膜障害あり	1点
単核球＜200/μL	1点

これらを合算し，以下に分類する．
高リスク群：3点以上，中間リスク群：1～2点，低リスク群：0点

□ドセタキセルのアレルギーは70 mg/m² 以上で高頻度[6]となるため，投与後観察を周知する．

□ドセタキセルによる浮腫の予防目的にデキサメタゾン（デカドロン®錠）の内服が有用との報告[14]がある．本レジメンでは制吐目的でデキサメタゾン（デキサート®注）の処方を組み込んでいるため浮腫にも有用な可能性があるが，体重増加3 kg以上の全身性の浮腫の場合には，リンパ浮腫や静脈血栓塞栓症を否定した上で利尿薬の処方を検討する．

□脱毛は苦痛が強く治療拒否の要因となりうる[15]．治療と並行してアピアランスや精神的なケアを行う．

□爪の変形や剝離は2～3コース目に発現する．保湿薬の予防塗布やクーリングによる爪障害の軽減[16]を情報提供する．

□筋肉痛や関節痛は投与後24～48時間に発現し，3～5日で回復[17]する．症状が強い場合にはNSAIDs（ロキソニン®錠）やアセトアミノフェンで症状緩和を行う．

□ドセタキセルにより流涙や涙道閉塞の発現が報告されている[18]．症状発現早期から人工涙液の処方を提案し，適宜眼科コンサルトを検討する．

□トラスツズマブのinfusion reactionは初回投与時に経験することが多い．発熱や悪寒の症状発現時はスタッフへ申し出るように患者指導しておく．アセトアミノフェンやNSAIDsの予防

投与のエビデンスは乏しいが，日常臨床にて予防投与が有用なことを経験しており，医療チーム内でコンセンサスを構築しておくことが重要である．

□カルボプラチンの投与により，中等度～重度の過敏症を発症した患者に対して，脱感作療法を行い，88.2％の患者で追加補助療法なく投与が成功し，その他の患者も以前の投与時と比較し軽度の症状であったとの報告がある[19]．リスクとベネフィットを患者に十分説明した上での対応となる．

□動悸，息切れ，浮腫，呼吸困難など，心不全徴候の有無を確認する．比較的軽い日常労作でこれらの愁訴が発現するNYHA分類Ⅲ度以上の心不全症状が発現した場合は，トラスツズマブの投与を中止し，心機能の回復をモニタリングする．

6 薬学的ケア

CASE

□30歳代女性，右乳がん術後（ホルモン陰性，HER2陽性，T2N1M0 / Stage ⅡB）．術後補助化学療法の検討がなされた．術後補助療法としてトラスツズマブを使用することで治療成績が向上するが，アントラサイクリンの併用による心毒性や2次がんの発生が懸念された．

□1コース目，トラスツズマブのinfusion reactionを考慮し事前にアセトアミノフェン（カロナール®錠　1回500 mg）の内服を行った．軽度の頭痛が発現したが，追加治療はせずに経時的に症状は軽減した．

□ドセタキセルを投与するために脱毛は必発であるため，がん看護専門看護師よるアピアランスケアの情報を提供した．

□2コース目day 11，「38℃の発熱がある」と電話相談を応需する．あらかじめ処方がなされていたレボフロキサシン（クラビット®錠）の内服およびアセトアミノフェンの内服をするように説明した．

解説

□うっ血性心不全や2次がんの発現が低いレジメンであり，かつ，AC療法後のドセタキセル＋トラスツズマブ投与と同等のDFSおよびOSが示されている[1]．加えてNCCNガイドライン[20]ではpreferred regimensに本レジメンが記載されており，術後療法として適応することになった．

□外見の変化は患者のQOLに非常に大きな影響を与える．アピアランスケアに対して積極的に関わる体制構築が必要である．

□BCIRG006試験でのFNは9.6％であり，G-CSFの予防投与は推奨されない[4)]．しかし，ドセタキセルの用量規制因子である好中球減少症は65.9％であり，あらかじめレボフロキサシン（クラビット®錠　1回500 mg　1日1回　5日分）およびアセトアミノフェン（カロナール®錠　発熱時　500 mg/回）の処方をしていた．次コースからはG-CSFの2次予防を開始した．

引用文献

1）Slamon D, et al：N Engl J Med 365：1273-83, 2011（PMID：21991949）
2）Jordan K, et al：Support Care Cancer 26：21-32, 2018（PMID：28861627）
3）日本癌治療学会（編）：制吐薬適正使用ガイドライン，第2版．金原出版，2015
4）Goldhirsch A, et al：Lancet 382：1021-8, 2013（PMID：23871490）
5）Tokuda Y, et al：Breast Cancer 8：310-5, 2001（PMID：11791123）
6）和田信子，他：癌の臨床 58：137-42, 2012
7）Read WL, et al：Cancer 94：847-53, 2002（PMID：11857321）
8）日本臨床腫瘍薬学会（編）：臨床腫瘍薬学．じほう，2019
9）Slamon DJ, et al：N Engl J Med 344：783-92, 2001（PMID：11248153）
10）Goldhirsch A, et al：Lancet 382：1021-8, 2013（PMID：23871490）
11）de Azambuja E, et al：J Clin Oncol 32：2159-65, 2014（PMID：24912899）
12）Klastersky J, et al：J Clin Oncol 18：3038-51, 2000（PMID：10944139）
13）Carmona-Bayonas A, et al：J Clin Oncol 33：465-71, 2015（PMID：25559804）
14）Piccart MJ, et al：J Clin Oncol 15：3149-55, 1997（PMID：9294478）
15）McGarvey E, et al：Cancer Pract 9：283-9, 2001（PMID：11879330）
16）Scotté F, et al：J Clin Oncol 23：4424-9, 2005（PMID：15994152）
17）Markman M：Support Care Cancer 11：144-7, 2003（PMID：12618923）
18）野口裕介，他：癌と化学療法 43：737-41, 2016
19）Lee CW, et al：Gynecol Oncol 99：393-9, 2005（PMID：16054201）
20）NCCN Guidelines Version 8.2021 Invasive Breast Cancer

（奥田泰考）

23 GT(パクリタキセル＋ゲムシタビン)

PTX＋Gem

POINT

- ■切除不能/再発乳がんに適応され，HER2 陰性症例を中心に用いられる.
- ■アナフィラキシー対策や毒性増強の観点から，必須となる前投薬や投与時間を厳守する.
- ■パクリタキセル(タキソール®)にはアルコールが添加されているため，患者のアルコール耐性や自動車運転による通院の有無について確認しておく.

1 レジメンと副作用対策(→次頁参照)

適応：主に HER2 陰性の切除不能再発乳がん患者
1 コース期間：21 日間　**総コース**：可能な限り継続

2 レジメンの処方監査

- □パクリタキセル(タキソール®)にはアルコールが添加されているため，投与前にアルコール耐性について確認する.
- □パクリタキセルの結晶析出に備え，点滴ルートはインラインフィルター(0.22 μm 以下)付きを用いる．また，点滴用のルートとして DEHP フリーのものを使用.
- □ジスルフィラム(ノックビン® 原末)，シアナミド(シアナマイド® 内用液)，プロカルバジン(塩酸プロカルバジン)はアルコールに対して禁忌となるため併用を避ける.
- □ゲムシタビン(ジェムザール®)は，30 分以上への投与時間の延長で骨髄抑制が増強するため，投与時間を厳守する.
- □パクリタキセルのアナフィラキシー対策として必須とされる前投薬(抗ヒスタミン薬，H_2 ブロッカー，副腎皮質ステロイド)の処方を確認する.
- □臨床的な症状のある間質性肺炎がないことを確認する.
- □各種制吐薬ガイドラインにおいて，パクリタキセル，ゲムシタビンともに軽度催吐性に分類される薬剤である．しかし，併用時には消化器症状が増強するケースもあり，必要に応じて制吐薬を中等度催吐性の内容にするなど強化する．特に，60 歳以下，女性，過去の高度催吐性レジメン経験は Grade 2 以上の

23		医薬品名 投与量	投与方法 投与時間	1	2	3	～	8	9	10	11	12	13	14	15	16	17	18	19	20	21
レジメン（GT）	Rp1 (day 1)	ファモチジン 20 mg/body デキサメタゾン 19.8 mg/body 生理食塩液 50 mL	点滴注射 15 分	↓																	
	Rp1 (day 8)	デキサメタゾン 6.6 mg/body 生理食塩液 50 mL	点滴注射 15 分					↓													
	Rp2	クロルフェニラミン 10 mg/Body 生理食塩液 50 mL	点滴注射 30 分	↓																	
	Rp3	パクリタキセル 175 mg/m² 生理食塩液 500 mL	点滴注射 3 時間	↓																	
	Rp4	ゲムシタビン 1,250 mg/m² 生理食塩液 100 mL	点滴注射 30 分	↓				↓													
	Rp5	生理食塩液 50 mL	点滴注射 5 分	↓				↓													
副作用対策	アナフィラキシー			■																	
	パクリタキセルに含有されるアルコールやクレモホールによりアナフィラキシー症状発現の可能性あり．投与中は定期的に患者の症状を確認する必要がある．																				
	血管痛			■				■													
	ゲムシタビン投与時の血管痛に対しては 5％ブドウ糖液での希釈や温罨法にて対応する．																				
	悪心・嘔吐			■	■			■	■												
	ゲムシタビン，パクリタキセルともに催吐性は低いが，過去の症状経験などにより予期性悪心・嘔吐も出現する可能性があり．症状発現時は制吐薬の追加や抗不安薬の追加にて対応する．																				
	脱毛																	■	■	■	■
	パクリタキセル由来であり，ほぼ必発．2～3 週後がピークであり，事前に情報提供が必要．																				
	骨髄抑制（好中球減少，血小板減少）									■	■	■	■	■	■	■	■	■			
	好中球はゲムシタビン，パクリタキセルにより低下するが，血小板はゲムシタビン由来が大きい．nadir 期は注意．																				
	関節痛			■	■	■															
	パクリタキセル投与後，数日間発現する．NSAIDs やアセトアミノフェンで対応する．																				
	末梢神経障害														■	■	■	■	■	■	■
	パクリタキセルにより発現し，用量依存性に発現する．休薬や減量などで対応する．																				
	間質性肺炎										■	■	■	■	■	■	■	■	■	■	■
	発現時期は不明．発現頻度は低いが，症状として重症化しやすいため，早期発見が重要．																				

悪心・嘔吐の出現リスク[1]とされており，注意して対応する．

□パクリタキセルとワルファリン併用時にはパクリタキセルの高い血漿蛋白結合率（90～95％）から遊離型ワルファリンの増加

によるPT-INR増加が報告[2]されており，注意してモニターを行う.

□ゲムシタビンの代謝酵素であるcytidine deaminase（CDA）の1塩基多型（SNP）の一種であるCDA*3の保有患者では毒性が増強する[3].

3 抗がん薬の調剤

□パクリタキセル調製時は注射針に塗布されているシリコーン油により不溶物を生じる可能性があるため，調製後の不溶性異物を確認する.

□パクリタキセル，ゲムシタビンは生理食塩液，もしくは5%ブドウ糖溶液で希釈，溶解させる.

□凍結乾燥製剤のゲムシタビン（ジェムザール®）は40 mg/mL以上の濃度になるように希釈する．液剤は，40 mg/mLとして秤量する.

4 抗がん薬の投与

投与基準[4]

項目		day 1	day 8
血液学的検査項目	好中球数	≧1,500/μL	≧1,200/μL
	血小板数	≧10万/μL	≧7.5万/μL

減量・中止基準[5]

□下記の項目に1つ以上該当した場合，減量を行う.

- Grade 4の血小板数減少，もしくは血小板数減少由来の出血により血小板輸血を要した場合
- 悪心，嘔吐，食欲不振以外のGrade 3≦非血液毒性
- Grade 3≦好中球減少，かつ38℃以上の発熱

	パクリタキセル（タキソール®）	ゲムシタビン（ジェムザール®）
標準投与量	175 mg/m^2	1,250 mg/m^2
減量（1段階減量）	135 mg/m^2	1,000 mg/m^2

腎機能障害 [4, 6]

□パクリタキセル：記載なし．

□ゲムシタビン：記載なし．

肝機能障害 [4, 6]

薬剤	項目	投与量
パクリタキセル	AST＜300 U/L（ULN×10），ALT＜230 U/L（ULN×10）かつ　T-Bil≦1.875 mg/dL（ULN×1.25）	175 mg/m^2
	AST＜300 U/L（ULN×10），ALT＜230 U/L（ULN×10）かつ　T-Bil 1.89～3.0 mg/dL（ULN×1.26～2.0）	135 mg/m^2
	AST＜300 U/L（ULN×10），ALT＜230 U/L（ULN×10）かつ　T-Bil 3.015～7.5 mg/dL（ULN×2.01～5.0）	90 mg/m^2
	AST≧300 U/L（ULN×10），ALT≧230 U/L（ULN×10）もしくは T-Bil＞7.5 mg/dL（ULN×5.0）	投与中止
ゲムシタビン	記載なし	記載なし

注意点

□パクリタキセル投与中の過敏症発現に注意する．特に初回投与時は十分に注意するとともに，患者にもその可能性を十分に情報提供しておき，投与中の体調変化はすぐに申し出るよう説明する．

□パクリタキセルに含有されるアルコールや前投薬の抗ヒスタミン薬の中枢抑制作用により投与中に入眠してしまう患者も少なくない．入眠中は患者が体調変化を訴えることが難しくなることもあり，注意して経過観察を行い，バイタルサイン（血圧・脈拍）のチェックを行う．

□アルコールや抗ヒスタミン薬の中枢抑制作用により，投与終了後は転倒のリスクが高まるため注意する．

□パクリタキセルは，壊死性抗がん薬であり，投与時間も長いため，血管外漏出に注意．

□ゲムシタビン由来の血管痛に対しては温罨法や希釈液を5％ブドウ糖溶液に変更する[7]．

5 副作用マネジメント

発現率[5, 8]

副作用	海外第III相（n=262）*1		国内第II相（n=56）*2	
	全Grade（%）	Grade≧3（%）	全Grade（%）	Grade≧3（%）
好中球減少	69.5	48.5	96.4	82.1
血小板減少	26.0	6.0	69.6	8.9
貧血	69.1	7.3	75.0	5.4
AST	15.6	2.7	67.9	7.1
ALT	17.9	5.7	78.6	14.3
悪心	50.8	1.1	51.8	0
嘔吐	32.4	1.9	28.6	0
便秘	23.3	1.1	23.2	0
末梢神経障害	67.2	5.3	23.2	0
下痢	25.6	3.8	26.8	3.6

*1 National Cancer Institute-Common Toxicity Criteria version 2.0
*2 CTCAE v3.0

評価と観察のポイント

□**投与初期（day 1〜7）**：悪心や関節痛，排便状況を確認し，必要時は適切な支持療法薬を検討する．特に便秘はパクリタキセル以外にも制吐薬として5-HT_3受容体拮抗薬を使用した際に増強される可能性がある．また，ゲムシタビン由来の皮疹や発熱の有無も評価を行う．

□**投与後期（day 8 以降）**：ゲムシタビン由来の非血液毒性に加えて，好中球減少や血小板減少といった血液毒性が出現するため，FN 発生時の対応方法を確認する．

□出現時期が特定できない間質性肺炎については患者の自覚症状を確認するとともに定期的な画像評価を検討する．

副作用対策のポイント

□便秘は悪心を引き起こす原因ともなるため，酸化マグネシウム（マグミット®）などの塩類下剤やリナクロチド（リンゼス®）などの上皮機能変容薬，およびセンノシド（プルゼニド®）といった刺激性下剤を用いて早期より対応する．

□パクリタキセル投与後数日以内の関節痛，筋肉痛はTAPS（taxane acute pain syndrome；タキサン急性疼痛症候群）とも呼ばれ，末梢神経障害との関連性も報告[9]されている．

□TAPSに関しては有効性のあるエビデンスはなく，経験的にロキソプロフェンナトリウム（ロキソニン®）や芍薬甘草湯（しゃくやくかんぞうとう），ミロガバリン（タリージェ®）などで対応する．

□パクリタキセル由来の末梢神経障害に対してはデュロキセチン（サインバルタ®）による症状改善の報告[10]があり，30〜60 mg/日で用いられる 保険適用外．

□ゲムシタビン由来の皮疹に対しては，症状に応じて抗ヒスタミン薬やステロイド外用薬，経口プレドニゾロン（プレドニン®錠）0.5 mg/kgの報告[11]がある．

□ゲムシタビン投与後数日以内に発熱がみられることがある．day 8施行後にはFNとの鑑別を行う．

□治療期間を通して間質性肺炎の発現に注意し，十分なモニターや早期発見に努める．

6 薬学的ケア

CASE

□50歳代女性．StageⅣ，TNBC（トリプルネガティブ乳がん：triple negative breast cancer）患者．アントラサイクリン含有レジメンを施行後の3次治療としてゲムシタビン（ジェムザール®），パクリタキセル（タキソール®）療法を導入．前治療施行時には悪心・嘔吐が遷延し，消化器症状に苦労した経験あり．そのため，ゲムシタビン，パクリタキセル療法の治療方針決定時より予期性悪心・嘔吐の出現あり．制吐薬ガイドラインを参照し，前日眠前と化学療法施行1〜2時間前にロラゼパム（ワイパックス®）の投与を主治医と検討．パクリタキセルに含有されるアルコールの影響を考慮し，ロラゼパムの最小用量の0.5 mgを内服後に治療を開始する方針となった．

□ロラゼパム0.5 mgを内服し，1時間後に治療を施行．悪心・嘔吐が発現することなく経過したが，治療終了後のふらつき感が強く，転倒に注意しながら帰宅した．

例：ロラゼパム（ワイパックス®）錠　1回0.5 mg　1日2回
　1日分　治療日前日眠前，当日治療1〜2時間前

解説

□ゲムシタビン，パクリタキセル療法自体の催吐性は低いものの，過去の悪心・嘔吐経験により施行レジメンの催吐性にかか

わらず，こうした予期性悪心・嘔吐を引き起こす可能性がある．特に乳腺科領域の患者は女性という性別や術後補助療法で高度催吐性レジメンを経験している患者も多く，適応する抗がん薬レジメンの催吐性によらず消化器症状が発現しやすい患者が多いと考えられる．

□予期性悪心・嘔吐には各種制吐薬ガイドラインによりベンゾジアゼピン系抗不安薬の予防投与が推奨されている（NCCN ガイドライン Ver. 1 2021 ではロラゼパムの推奨）．その推奨用量にはある程度の幅が設定されているが，ベンゾジアゼピン系抗不安薬の中枢抑制作用はパクリタキセルに含まれるアルコールにより中枢抑制作用が増強されるため，適応時には少量から開始する．

引用文献

1） Dranitsaris G, et al：Ann Oncol 28：1260-7, 2017（PMID：28398530）
2） Sonnichsen DS, et al：Clin Pharmacokinet 27：256-69, 1994（PMID：7834963）
3） Ueno H, et al：Br J Cancer 100：870-3, 2009（PMID：19293806）
4） ジェムザール®，米国添付文書
5） Aogi K, et al：Cancer Chemother Pharmacol 67：1007-15, 2011（PMID：20628744）
6） タキソール®，米国添付文書
7） Nagai H, et al：Supportive Care Cancer 21：3271-8, 2013（PMID：23877927）
8） Albain KS, et al：J Clin Oncol 26：3950-7, 2008（PMID：18711184）
9） Fernandes R, et al：Supportive Care Cancer 24：1583-94, 2016（PMID：26386706）
10） Smith EM, et al：JAMA 309：1359-67, 2013（PMID：23549581）
11） Chen YM, et al：J Clin Oncology 14：1743-4, 1996（PMID：8622097）

（橋本直弥）

第2章

肺がん

- □小細胞肺がんにおいて，限局型では[24]エトポシド＋シスプラチンと放射線療法の同時併用，進展型では[24]エトポシド＋シスプラチンおよび[25]イリノテカン＋シスプラチンが推奨されるが，なかでも全身状態が良好な症例では[26]アテゾリズマブ＋エトポシド＋カルボプラチンが推奨される．セカンドライン以降では，[27]アムルビシンなどが選択される．
- □非小細胞肺がんに対する術後補助化学療法では，病期に応じて経口抗がん薬か[28]シスプラチン＋ビノレルビンが用いられる．
- □切除不能局所進行非小細胞肺がんでは，全身状態良好なら化学放射線療法が推奨される．化学放射線療法後に病勢がコントロールされている場合，デュルバルマブによる地固め療法が考慮される．
- □*EGFR* 遺伝子変異や *ALK* 遺伝子転座陽性などのドライバー遺伝子が検出された進行例では，これらの変異に応じた[29]～[33]チロシンキナーゼ阻害薬が推奨される．
- □殺細胞性抗がん薬では，プラチナ製剤と殺細胞性抗がん薬の併用療法が中心で，[36]カルボプラチン（CBDCA）＋nab-パクリタキセル（PTX），非扁平上皮がんでは[34]ペメトレキセド＋CBDCA＋ベバシズマブ（4 コース）に続いて[35]維持療法が用いられる．また，2 次治療として[37]ラムシルマブ＋ドセタキセルの有用性が示されている．
- □PD-L1 陽性細胞の割合，全身状態などに応じて[38]～[42]免疫チェックポイント阻害薬±細胞障害性抗がん薬が推奨される．

（池末裕明）

24 エトポシド＋シスプラチン

ETP＋CDDP

POINT

- シスプラチンによる腎機能障害を予防するためのハイドレーションが必要となるが，近年ではショートハイドレーションが行われることも多い．
- 高度催吐性化学療法（HEC）に分類されるため，十分な制吐療法を行う[1)]．
- シスプラチン，エトポシドはともに調製上の注意が存在する．

1 レジメンと副作用対策（→次頁参照）

適応 1：進展型小細胞肺がんに対する 1 次化学療法
1 コース期間：21 日間　**総コース**：4 コース
適応 2：限局型小細胞肺がんに対する CCRT
1 コース期間：28 日間　**総コース**：4 コース

2 抗がん薬の処方監査

□対象症例が小細胞肺がんであることを確認する．

□Scr などをもとに腎機能を確認する．

□開始前に HBV 検査の有無を確認（HBs 抗原，HBs 抗体，HBc 抗体）．いずれかが陽性の場合，HBV-DNA 定量検査が基準値以上であれば核酸アナログ薬を投与．HBV-DNA 定量検査が基準値以下の症例では定期的なモニタリングの実施を確認する．

□HEC に分類される治療であり[1)]，5-HT_3 受容体拮抗薬およびデキサメタゾン，アプレピタントなどを併用した支持療法を行う．オランザピン使用症例では禁忌である糖尿病の有無についても確認する．

□腎障害予防のためにハイドレーションが必須である．またそれによる心負荷や胸腹水への影響に注意する．

□シスプラチンによる神経障害は，末梢神経障害では 1 回投与量が 50〜75 mg/m^2 以上または累積投与量が 200〜300 mg/m^2 以上，聴覚障害では 1 回投与量が 80 mg/m^2 以上または累積投与量が 300 mg/m^2 以上になると頻度が上昇することに注意する．

24		医薬品名 投与量	投与方法 投与時間	1	2	3	4	5	6	7	～	10	11	12	13	14	15	16	17	～	21
レジメン（ETP＋CDDP）	Rp1	パロノセトロン 0.75 mg/body デキサメタゾン 9.9 mg/body 生理食塩液 50 mL	点滴注射 15 分	↓																	
	Rp2	エトポシド 100 mg/m² 生理食塩液 500 mL	点滴注射 60 分	↓	↓	↓															
	Rp3	KCL 10 mEq 硫酸 Mg 8 mEq 開始液（1 号液）500 mL	点滴注射 60 分	↓																	
	Rp4	20% D-マンニトール 200 mL	点滴注射 30 分	↓																	
	Rp5	シスプラチン 80 mg/m² 生理食塩液 500 mL	点滴注射 120 分	↓																	
	Rp6	KCL 10 mEq 開始液（1 号液）500 mL	点滴注射 60 分	↓																	
	Rp7	アプレピタント 125 mg/body	経口 1 日 1 回	↓																	
	Rp8	アプレピタント 80 mg/body	経口 1 日 1 回		↓	↓															
	Rp9	デキサメタゾン 8 mg/body	経口 1 日 1 回		↓	↓	↓														

※day 1 は 1 L 程度の経口補水を実施.

副作用対策

悪心・嘔吐
高度催吐性レジメンに分類されるためアプレピタントを含む 3 剤併用を標準療法とし，効果不良の場合は予防にオランザピン 5 mg を追加.

過敏症，アレルギー
主薬剤だけでなく添加物（ポリソルベート 80，マクロゴール 400）による過敏症やショックに注意.

腎障害
尿量や電解質の変動に注意し，必要に応じ利尿薬や電解質補充を行う.

好中球減少
①感染予防対策（手洗い，うがい），②FN の徴候（発熱，悪寒，咽頭痛）がみられた際の抗菌薬や解熱薬の使用方法，③緊急受診の目安について事前に指導.

脱毛
事前にウィッグなどの情報を提供しておく．治療終了後は回復.

神経障害
末梢神経障害や聴覚障害として認められ，累積投与量の増加に伴い増悪する．重症の場合には減量・休薬を考慮.

3 抗がん薬の調剤[2, 3]

□シスプラチンは Cl^- 濃度が低い輸液を用いると活性が低下するので通常，生理食塩液で希釈する．またアミノ酸輸液，乳酸ナトリウムを含有する輸液を用いると分解が起こるので混合は避ける．

□シスプラチンを希釈後に保管する場合や投与が長時間にわたる場合は，光による分解や冷蔵による結晶析出に注意し遮光などの対応をとる．

□シスプラチンはアルミニウムと反応して沈殿物を形成し活性が低下するので，アルミニウムを含む医療用器具は使用しない．

□エトポシドは溶解時の濃度により結晶が析出することがあるので，0.4 mg/mL 濃度以下になるよう生理食塩液や5%ブドウ糖液で希釈して投与する．

4 抗がん薬の投与

投与基準[4]

白血球数	≧4,000/μL	AST，ALT	≦100 U/L
血小板数	≧10 万/μL	Scr	≦1.2 mg/dL
Hb	≧9.5 g/dL	Ccr	≧60 mL/分

減量・中止基準[4]

□休薬：以下の場合，エトポシドを休薬

白血球数	≦4,000/μL	Scr	≧1.5 mg/dL
血小板数	≦7.5 万/μL		

□減量・中止[4]

項目		エトポシド	シスプラチン
血液毒性	Grade 4	25%減量	25%減量
肺毒性	≧Grade 2	治療中止	治療中止

腎機能障害

		エトポシド	シスプラチン
腎毒性	Grade 2	—	25%減量
	≧Grade 3	治療中止	治療中止

肝機能障害

		エトポシド	シスプラチン
肝毒性	Grade 2	回復するまで投与延期	回復するまで投与延期
	≧Grade 3	治療中止	治療中止

注意点

□両薬剤とも炎症性抗がん薬に分類される．注射部位やその周囲および血管沿いに痛みや炎症が，血管外漏出時には漏出量によっては潰瘍が生じる可能性がある．

□シスプラチンによるアレルギー反応は発現率が5～20％で，投与開始直後に生じることが多い．発現時期は4～8コースで発現することが多く，放射線との同時併用で発現が増加する[5)]．蕁麻疹や紅斑，瘙痒感，発汗やほてりといった症状の他，血圧低下，気管支痙攣や呼吸困難を引き起こすこともあり，その際は速やかな処置が必要となる．

□エトポシドには添加物としてエタノールが含まれているため，アルコール摂取症状や過敏症に注意する．

□エトポシドによりDEHPが溶出するので，DEHPを含むポリ塩化ビニル製の点滴セット，カテーテルなどの使用は避ける．また，ポリカーボネート製の三方活栓や延長チューブなどを使用した場合，ひび割れが発生し血液および薬液漏れ，空気混入などが起こる場合があるので注意する．

□エトポシドを1.0 mg/mL以上の高濃度で投与する場合には，ポリウレタン製のカテーテルで亀裂を生じたり，セルロース系のフィルターを溶解するとの報告があるのでそれらは使用しない．またアクリルやABS樹脂製のプラスチック器具もひび割れが発生する可能性があるためその使用を避ける．

5 副作用マネジメント

発現率（表24-1）

評価と観察のポイント

□投与時はアレルギー症状（蕁麻疹，紅斑，瘙痒，発汗，ほてり，血圧低下，呼吸困難など）に注意する．尿量を測定している場合はそれも評価する．

表 24-1　副作用の発現率

副作用	国内[4] (n=77)		海外[6] (n=203)	
	全体 (%)	Grade 3/4 (%)	全体 (%)	Grade 3/4 (%)
好中球減少症	98.7	92.2	66.5	59.6
白血球減少症	97.4	51.9	17.2	9.9
貧血	97.4	29.9	22.2	6.4
血小板減少症	59.7	18.2	16.3	4.4
下痢	16.9	0	8.9	0.5
悪心・嘔吐	83.1	6.5	56.7（悪心） 38.9（嘔吐）	5.4（悪心） 4.4（嘔吐）
感染	45.5	3.9	—	—
PaO_2 低下	75.0	5.8	—	—
ALT 上昇	48.1	3.9	—	—
AST 上昇	36.4	2.6	—	—
発熱	41.6	2.6	—	—
ビリルビン上昇	26.0	0	—	—
Scr 上昇	27.2	0	15.3	1.0
末梢神経障害	14.3	0	16.7 （感覚異常）	0.5 （感覚異常）
疲労	—	—	32.5	3.0
脱毛	—	—	48.3	0.5
口内炎	—	—	9.4	0.5
体重減少	—	—	3.9	0
食欲不振	—	—	18.2	1.5

□投与初期（day 1～7）は悪心・嘔吐の程度および回数，食欲の有無や摂取量，便通について評価する．特にショートハイドレーションを行っている場合は経口補水量も重要な評価項目である．浮腫や体重増加を認める場合は尿量や回数を確認する．

□投与後期（day 8 以降）は発熱，悪寒，下痢などの感染徴候を確認する．また悪心の遷延についても評価する．

□2 コース以降は手足のしびれや感覚異常などの末梢神経障害，耳鳴りやめまい，高音域の難聴などの聴神経障害の有無についても確認する．どちらも蓄積毒性であり治療回数を重ねるたびに注意が必要である．

副作用対策のポイント

□**アレルギー**：症状は投与開始直後に発現することが多いので慎重な観察が必要である．シスプラチンのアレルギーは放射線併用時に増加することが知られているのでCCRT症例では特に注意が必要である．症状が重篤な場合にはアドレナリン筋注をはじめアナフィラキシーに準じた対応が必要とされる．事前に自施設での対応手順を確認しておくことも重要である．

□**悪心・嘔吐**：投与初期に多く認められる．高用量シスプラチンはHECに分類されるため原則3剤併用での予防投薬が必須である．効果不十分な場合にはオランザピンなどの追加投薬を検討する．ただし糖尿病既往症例にはオランザピンは使用できない．遅発性の悪心・嘔吐に対してはアプレピタントの投与期間延長の他，（使用していない場合では）パロノセトロンへの変更などを行う．予期性嘔吐の可能性がある場合にはロラゼパムやアルプラゾラムなど抗不安薬の予防投与が有効である．

□**腎障害**：シスプラチンによる腎障害は直接的な近位尿細管障害が原因の1つであるため，薬物濃度低下や接触時間短縮を目的として，投与前から投与後24〜48時間程度のハイドレーションと尿量維持が重要となる．不足と考えられる場合にはハイドレーション追加やフロセミドなど利尿薬の投与を行う．食事・飲水摂取量の評価も重要である．

□**感染**：投与後期の好中球減少期は特に感染を起こしやすいので，手洗い・うがい・マスク使用などの感染予防行動を確認する．その時期を在宅で過ごす場合には感染徴候（発熱，悪寒，下痢，腹痛など）についてあらかじめ説明し，発現した際の自施設の対応方法や連絡窓口についても確認しておく．

6 薬学的ケア

CASE

□80歳代男性．進展型小細胞肺がん．化学療法適応と判断，高齢のためエトポシド＋シスプラチン療法開始となった．既往症・合併症は高血圧．腎機能正常（Ccr 60.5 mL/分）．

□HECとしてパロノセトロン・アプレピタント・デキサメタゾンを予防投与したが，day 2夕よりGrade 2の悪心を認めた．メトクロプラミド錠5 mg/回　頓服で開始となったが改善を認めず，悪心による夜間不眠の訴えもあり．メトクロプラミド中止および，オランザピン錠5 mg/日追加を提案しday 4眠前より開始．悪心・不眠ともに改善した．

□次コース開始時の予防投与としてオランザピン錠5 mg/日　4日分の追加を提案し，投薬開始．その後悪心・嘔吐の発現は認めず化学療法を4コース完遂した．

解説

□悪心・嘔吐に対する救済・予防投与として，オランザピンの有効性はいくつか報告されており[7,8]有力な選択肢の1つとなる．

□一方でオランザピンは糖尿病に禁忌である他，血糖変動や傾眠，めまい，頻脈などの症状を認めることもあるので本人や周囲への説明を十分に行う．特に肥満症例や高齢者では注意が必要である．メトクロプラミドなどのドパミン D_2 受容体拮抗薬とは作用点が重複する．

□悪心・嘔吐は化学療法以外にもオピオイドなどの併用薬，胃炎，消化管閉塞，脳転移，予期性嘔吐を含む心因性のものなどもありそれぞれ対処も異なる．サルベージ療法に反応しない場合は上記を含め別の原因も考慮する必要がある．

引用文献

1）日本癌治療学会（編）：制吐薬適正使用ガイドライン，第2版．金原出版，2015
2）ラステット®注　インタビューフォーム（日本化薬）
3）ランダ®注　インタビューフォーム（日本化薬）
4）Noda K, et al：N Engl J Med 346：85-91, 2002（PMID：11784874）
5）Makrilia N, et al：Met Based Drugs 2010：207084, 2010（PMID：20886011）
6）Zatloukal P, et al：Ann Oncol 21：1810-6, 2010（PMID：20231298）
7）Navari RM, et al：N Engl J Med 375：134-42, 2016（PMID：27410922）
8）Chiu L, et al：Support Care Cancer 24：2381-92, 2016（PMID：26768437）

（小暮友毅）

25 イリノテカン＋シスプラチン

IRI＋CDDP

POINT

- シスプラチンによる腎障害を予防するために水分負荷と利尿が必要．その機序を理解し対応方法を学ぶ．
- イリノテカンの下痢には早発型と遅発型がある．発現機序，時期や対応方法を学ぶとともに，患者に対しても十分な説明を行う．
- グルクロン酸転移酵素（UGT1A1）の遺伝子多型の検査結果から患者の副作用用リスクを把握し，患者個々に合った対応法を考慮する．

1 レジメンと副作用対策[1]（→次頁参照）

適応：進展型小細胞肺がん（PS 0～2，70 歳以下）における1次療法

1コース期間：28 日間　**総コース**：4～6 コース

2 抗がん薬の処方監査

イリノテカン

□禁忌の確認（特に腸管麻痺・閉塞，間質性肺炎・肺線維症，他）．

□中等度催吐性リスク薬剤であるため，単剤使用日である day 8，15 では 5-HT_3 受容体拮抗薬，デキサメタゾンを用いた制吐療法を確実に実施する．

□CYP3A4 で代謝されるため，CYP3A4 阻害薬や誘導薬の併用を確認する．

□併用薬にアタザナビルがないことを確認する．

□下痢対策について確認（特に前コースに発現のあった場合には，予防対策を考慮する）．

□*UGT1A1* の遺伝子多型があるかを確認する．

シスプラチン

□非小細胞肺がんでも同レジメンを使用するが，シスプラチンの投与量は小細胞肺がんの場合とは投与量が異なるので注意する（非小細胞肺がんの投与量：80 mg/m^2）．

□腎障害を予防するため，投与前後でハイドレーションが必要．外来治療を希望する患者や心血管系の合併症や胸水・腹水がある場合はショートハイドレーションを考慮する．

25		医薬品名 投与量	投与方法 投与時間	1	2	3	4	5	～	8	9	10	11	～	15	16	17	18	19	～	28
レジメン（IRI＋CDDP）	Rp1	デキサメタゾン 9.9 mg/body パロノセトロン 0.75 mg/50 mL	点滴注射 15分	↓						↓					↓						
	Rp2	イリノテカン 60 mg/m^2 生理食塩液 250 mL	点滴注射 60分	↓						↓					↓						
	Rp3	ソルマルト® 500 mL	点滴注射 60分	↓																	
	Rp4	20%マンニトール 300 mL	点滴注射 40分	↓																	
	Rp5	シスプラチン 60 mg/m^2 生理食塩液 250 mL	点滴注射 60分	↓																	
	Rp6	ソルマルト® 500 mL	点滴注射 60分	↓																	
	Rp7	アプレピタント 125 mg/body	経口 1日1回	↓																	
	Rp8	アプレピタント 80 mg/body	経口 1日1回		↓	↓															
	Rp9	デキサメタゾン 8 mg/body	経口 1日1回		↓	↓	↓				↓	↓				↓	↓				
副作用対策	悪心・嘔吐			■	■	■	■			■	■	■			■	■	■				
	day 1 はHECレジメンに分類されるためアプレピタントを含む3剤併用を標準療法とし，効果不良の場合，オランザピン5 mg 4日間（day 1～4）を追加．day 8，15はMECに分類されるため2剤併用を標準療法とし，効果不良の場合，アプレピタントもしくはオランザピン5 mg 3日間（day 1～3）を追加．																				
	下痢			■	■	■	■	■	■	■	■	■	■	■	■	■	■	■	■	■	■
	早発性，遅発性の下痢はそれぞれ機序と対策が異なる．便秘がある場合，SN-38の排泄が遅延する可能性があるため治療前に便秘を解消しておく．ロペラミドの大量服用は麻痺性イレウスの発現に注意する．																				
	脱毛																		■	■	■
	多くの場合治療終了後3～6か月で回復する．髪質が治療前と変わることがある．																				
	好中球減少											■	■	■	■	■	■	■	■	■	■
	①感染予防対策（手洗い，うがい），②FNの徴候（発熱，悪寒，咽頭痛）がみられた際の抗菌薬や解熱薬の使用方法，③緊急受診の目安について事前に指導．																				
	腎機能障害			■	■	■	■	■	■	■	■	■	■	■	■	■	■	■	■	■	■
	顔や手足のむくみ，尿が少ない，出ないなどの症状に注意する．大量の飲水が目的でなく，尿を出すことが目的であることをしっかり理解してもらう．																				

アプレピタントは，注射剤であるホスアプレピタントに変えることができる．その際には，生理食塩液250 mLに希釈して，60分で投与する．

□腎障害発現と血中マグネシウム濃度に関連があるという多数の報告もあり，必要に応じてマグネシウムの点滴静注を考慮する．

3 抗がん薬の調剤

イリノテカン[2,3]

□添付文書に電解質維持輸液に混和とあるが，溶解後の安定性が悪い輸液も存在するため生理食塩液，5%ブドウ糖で希釈する．

□希釈後 0.12～2.8 mg/mL になるように調製する．

□物理化学的には 5%ブドウ糖液に混合した際，冷所（2～8℃）・遮光下では 48 時間安定である．生理食塩液では同条件では微粒子が発現する．

□以上より 5%ブドウ糖液で希釈することがベターである．

□安全キャビネットなどの無菌下で調製を行った際は，室温では 12 時間以内，冷所保存では 24 時間以内に投与を終了する．

シスプラチン[4]

□製剤が 0.05%溶液のため調製時に加える薬液が多くなることがあるので，希釈液ボトルの予備容量を考慮する．

□Cl^-濃度が低い輸液を用いる場合には，活性が低下するので必ず生理食塩液と混和する．

□アルミニウムと反応して沈殿物を形成し，活性が低下するので，使用にあたってアルミニウムを含む医療用器具を用いないこと．

□光により分解するので直射日光を避けること．生理食塩液で希釈後，室温，蛍光灯下において 24 時間まで安定性は保たれるが，点滴時間が長時間に及ぶ場合は遮光する．

4 抗がん薬の投与[5]

投与基準〔70 歳以下の進展型（ED；extensive disease）症例〕

□治療コース開始基準

白血球数	≧4,000/μL	AST，ALT	≦100 U/L
血小板数	≧10 万/μL	Scr	≦1.2 mg/dL
Hb	≧9.5 g/dL	Ccr	≧60 mL/分

□コース内（day 8，15）投与基準：白血球数≦2,000/μL，血小板数≦5 万/μL，下痢が発現している場合はイリノテカン投与をスキップする．

減量・中止基準

□白血球数＞3,500/μL，血小板数 10 万/μL＞，下痢が落ち着くまで次コースを開始しない．

□Grade 4 の血液毒性または Grade 2～3 の下痢が発現した場合

はイリノテカンは前回から 10 mg/m^2 減量する.

□Grade 2 以上の肺障害または Grade 4 の下痢が発現した場合,治療を中止する.

腎機能障害

Grade 2	シスプラチンを 25%減量	Grade 3 以上	治療中止

□減量基準[6]

Ccr（mL/分）	46～60	31～45	＜30
イリノテカン	なし		
シスプラチン	通常用量の 75%減量	通常用量の 50%減量	禁忌だが必要な場合は通常用量の 50%減量

肝機能障害

Grade 2	次コース開始を延期	Grade 3 以上	治療中止

□減量基準[7]

T-Bil（mg/dL）	＜2.25（≦ULN×1.5）	2.25≦, ＜4.5（ULN×1.5≦, ＜ULN×3）	≧4.5（≧ULN×3）
イリノテカン[*1]	350 mg/m^2	200 mg/m^2	投与中止
シスプラチン	なし		

[*1] イリノテカンは 350 mg/m^2, 21 日間隔の場合

注意点

□イリノテカンとシスプラチンは炎症性薬剤（irritant drug）に分類される.大量に漏出した際には壊死性薬剤に準じた対応を行う.

5 副作用マネジメント

発現率[5]（n＝75）

		全体（%）	Grade≧3（%）
血液毒性	好中球減少	98.7	65.3
	白血球減少	98.7	26.7
	貧血	90.7	26.7
	血小板減少	25.3	5.3
非血液毒性	下痢	69.3	16
	悪心・嘔吐	85.3	13.3
	AST 上昇	46.7	0
	ALT 上昇	53.3	4.0
	T-Bil 上昇	21.3	0
	Scr 上昇	25.3	0

治療関連死：3 例（肺出血, 敗血症＋下痢, 肺炎）

評価と観察のポイント

#1 コース目

□投与前は治療開始後の下痢の評価を行うために，排便習慣，食生活（水分摂取量，食事内容など），下剤などの服用の有無を把握する．*UGT1A1* 遺伝子多型を確認し，副作用発現リスクを評価する．

□投与初期（day 1〜7）は悪心・嘔吐回数を確認．投与された制吐薬，悪心・嘔吐の発現時期などから，実施された制吐療法を評価する．

□下痢の有無を確認する．下痢発現時には便の性状，排便回数，発現時期を確認し，下痢の Grade や種類（早発型 or 遅発型）を評価する．

□Scr，排尿回数，浮腫の有無などを確認し腎障害の発現を評価する．

□投与後期（day 7 以降）は悪心や食欲不振が遷延するようなら，抗がん薬以外の原因（低 Na 血症，高 Ca 血症，口腔・食道カンジダなど）について評価を実施する．

□Grade 3/4 の好中球減少発現率は 65.3％と高値であり，好中球数の変動や nadir となる時期を確認する．

#2 コース目以降

□シスプラチンの蓄積毒性である聴覚障害，末梢神経障害を評価．「耳鳴りがする」「高い音が聴きづらい」「ペットボトルの蓋が開けにくい」などの訴えを聴取し早期発見に努める．

副作用対策のポイント

腎障害[8)]

□遊離型シスプラチンが近位尿細管障害の細胞壊死を起こす．

□血中遊離型シスプラチンは投与終了後 2 時間で測定限界まで低下すると報告されている[9)]．つまりシスプラチンの投与時間＋2 時間の間に急性腎障害が起こると考えられる．

□腎障害の対処法としてハイドレーションと強制利尿によって尿中の遊離型シスプラチン濃度を低下させるとともに，遊離型シスプラチンと尿細管の接触時間を短縮させる．またマグネシウムがシスプラチンによる腎障害を予防することが報告されている．

□2018 年添付文書の用法・用量に関連する使用上の注意に

ショートハイドレーション法が記載され，臨床現場でも汎用されるようになった．

□ショートハイドレーション法はNCCN Chemotherapy Order Template™ 2012がモディファイされ適用されている．

□大量の水摂取により，水中毒を介した低Na血症を生じる可能性があり，過剰な飲水をしないことを患者に説明する．

□マンニトールやフロセミドは効果については差がない[10)]ので，聴力毒性が懸念される場合にはマンニトール，血管痛が生じる場合にはフロセミドなど，患者の状態に合わせて選択する．

□マグネシウムの投与量に対する一定の見解はない[11, 12)]が，低Mg血症がシスプラチンの腎障害のリスクを高めるという報告がある[13)]ので，投与量よりもシスプラチン投与時のマグネシウムの血清モニタリングが重要と考えられる．

補液に含める内容	補液	合計　1,600～2,500 mL（4時間～4時間30分）
	経口補液	当日シスプラチン投与終了までに1L程度
	補液マグネシウム	合計　8 mEq
	強制利尿薬	20%マンニトール150 mL～200 mL程度，またはフロセミド20 mg静注

下痢[14)]

①早発性下痢（コリン様症状）[6)]

□**機序**：イリノテカンのカルバミル基（-O-CO-N-）はアセチルコリンエステラーゼ阻害作用を有する．そのためコリン様作用〔平滑筋収縮（消化管，膀胱，気管など），腺分泌亢進（唾液腺，涙腺，汗腺，胃液，膵液），瞳孔収縮，徐脈〕により下痢，腹痛，発汗などを発現する．

□**発現時期**：投与直後あるいは投与中．

□**対処法**：ブチルスコポラミン臭化物注20 mg，アトロピン硫酸塩注0.5 mgなどの抗コリン薬投与．1度発現した場合には，以降抗コリン薬の予防投与を考慮する．

②遅発性下痢

□**機序**：イリノテカンは，肝臓のカルボキシエステラーゼにより，活性代謝物（SN-38）に変換され，さらにUDP-グルクロン酸転移酵素（UGT1A1）によりグルクロン酸抱合体のSN-38Gに変換され，胆管から腸管内へ排泄される．腸管内では，一部のSN-38Gが腸内細菌のβ-グルクロニダーゼにより脱抱合を受けてSN-38に変換される．SN-38のラクトン体が腸管上皮により受動的に大量に再吸収され，粘膜傷害を惹起することが基礎実験で示されている．SN-38のラクトン体は中性～アルカリ性下ではカルボキシル体となり腸管上皮からの再吸収が減少する．

□**発現時期**：投与後から8日以内の発現が90%．

□**治療法**

- 経口補水液で脱水予防を行う．
- **ロペラミド高用量療法**（わが国では 保険適用外 ）…4 mgを開始量とし，その後2 mgを2時間ごとに，下痢が12時間止まるまで継続する．1日16 mgを超えないこと[15]，麻痺性イレウスを回避するため48時間以上は投与しない．
- **オクトレオチド酢酸塩**（わが国では 保険適用外 ）…100～150 μg皮下注，または25～50 μg/時静注，脱水が高度な場合は500 μgまで増量する（ロペラミド高用量療法で下痢が回復しないもしくはGrade 3～4の場合）．

□**予防法**

- β-グルクロニダーゼ阻害（イリノテカン投与3日前から服用）

例：半夏瀉心湯エキス顆粒　1回2.5 g　1日3回

- アルカリ化と排便コントロール（イリノテカン開始日から4日間）

例：炭酸水素ナトリウム　1回0.5 g　1日4回→胆嚢内胆汁をアルカリに傾ける
ウルソデオキシコール酸錠　1回100 mg　1日3回→SN-38Gの肝臓から腸管内への排泄を促す
酸化マグネシウム錠　1回0.5～1 g　1日4回→腸管内のアルカリ化と便の排泄促進
ビフィズス菌などの整腸剤はアルカリ化を行っている期間は服用を避けた方がよいと考えられる．

(3) UGT1A1の遺伝子多型[16～18]

□イリノテカンの活性代謝物であるSN-38はUGT1A1による抱合で不活化される．UGT1A1には*UGT1A1**6*，*UGT1A1**28*などの遺伝子多型が存在し，*UGT1A1**6*，*UGT1A1**28*

においては，これら遺伝子多型を持たない人と比較するとSN-38の代謝が遅延する．そのため*UGT1A1*遺伝子多型は全生存期間の改善，骨髄抑制や重度の下痢などイリノテカンの毒性と相関することが報告されている．大腸がん，膵臓がん領域では*UGT1A1*遺伝子型に基づくイリノテカンの投与量調節が報告されているが，肺がん領域において報告はない．以上より肺がん領域において*UGT1A1*遺伝子多型情報は，イリノテカンによる骨髄抑制や下痢の発現予測因子として用いる．

6 薬学的ケア

CASE

□イリノテカン＋シスプラチン療法を開始予定の患者．主治医から「胸水貯留傾向のため，大量の水分負荷を避けたい」との相談があり，ショートハイドレーション法を医師に提案し，投与開始時に血清マグネシウム値の測定を依頼した．

□投与前の遺伝子検査では*UGT1A1**28*のヘテロ複合体であったため，下痢発現のリスクが高い可能性をがあり，発現時のロペラミドの服用方法，脱水予防で経口補水液を飲用することを説明した．

□1コース目day 8開始時の面談の際に，下痢は発現しなかったが，抗がん薬投与後数日間にひどい便秘になったとの訴えがあった．イリノテカンの下痢の副作用の説明を受けたため，普段から服用していた酸化マグネシウム錠の服用を中止していた．便秘と下痢の発現時期，機序，対策を再度説明した．

□1コース目day 15開始時の面談の際に，酸化マグネシウムを服用し便秘の発現がなかったことを確認した．

解説

□ショートハイドレーション法は外来で実施できるという利便性だけでなく，胸水・腹水などで水分の大量負荷を回避したい症例にも安全に適応できる方法である．

□シスプラチンの腎毒性を回避するためには，遊離型シスプラチンが多く尿中に排泄される時間帯に利尿を促すことである．ゆえに患者にはシスプラチン投与が開始された後から抗がん薬投与当日中は尿を我慢しないこと，大量の飲水が目的ではないことを理解してもらう．

□*UGT1A1*遺伝子の変異を確認し，好中球減少，下痢発現リスクを評価し，患者説明で強調する内容を変えていく．しかし，下痢のリスクを強調し過ぎると患者が5-HT_3拮抗薬の便秘対策を行わなくなってしまうことがある．

□便秘・下痢の発現時期，機序，対策を患者に説明し十分理解できているかを確認する．

引用文献

1) 日本肺癌学会ガイドライン検討委員会：肺癌診療ガイドライン2021年度版．日本肺癌学会（https://www.haigan.gr.jp/modules/guideline/index.php?content_id=3　2021年12月20日アクセス）
2) カンプト® 点滴静注，インタビューフォーム．2020年11月改訂（第12版）（ヤクルト）
3) CAMPTOSAR®，米国添付文書
4) ランダ® 注，インタビューフォーム．2021年4月改訂（第19版）（日本化薬）
5) Noda K, et al：N Engl J Med 346：85-91, 2002（PMID：11784874）
6) 日本腎臓学会，他（編）：がん薬物療法時の腎障害時診療ガイドライン2016．ライフサイエンス出版，2016
7) CAMPTO®，英国添付文書
8) ランダ注® をご使用いただくために～ショートハイドレーション法について～（日本化薬）
9) Sasaki Y, et al：Cancer Chemother Pharmacol 23：243-6, 1989（PMID：2647312）
10) Murakami E, et al：BMJ Open 9：e029057, 2019（PMID：31831529）
11) Hase T, et al：Int J Clin Oncol 25：1928-35, 2020（PMID：32740717）
12) Yamamoto Y, et al：Anticancer Res 36：1873-7, 2016（PMID：27069173）
13) 日本癌治療学会，他：がん薬物療法時の腎障害診療ガイドライン2016．日本癌治療学会．http://www.jsco-cpg.jp/guideline/28.html#cq10　2021年12月20日アクセス）
14) トポテシンによる下痢について（第一三共）
15) Loperamide 2 mg tablets，英国添付文書
16) de Man FM, et al：Clin Pharmacokinet 57：1229-54, 2018（PMID：29520731）
17) Karas S, et al：JCO Oncol Pract 18：270-7, 2022（PMID：34860573）
18) Bandyopadhyay A, et al：Oncologist 26：701-13, 2021（PMID：33728696）

（原田知彦）

26 アテゾリズマブ+エトポシド+カルボプラチン

Atezo+VP-16+CBDCA

POINT

■アテゾリズマブ+エトポシド+カルボプラチン療法は day 1 は高度催吐性リスク，day 2，3 は軽度催吐性リスクに分類される．
■高頻度で好中球減少が発現するので，感染症予防および対策を十分説明する．
■Calvert 式［AUC×(GFR+25)］に用いる腎機能検査値とカルボプラチンの投与量算出法を理解する．

1 レジメンと副作用対策[1,2]（→次頁参照）

適応：進展型小細胞肺がん（PS 0～1）における 1 次療法
1 コース期間：21 日間　**総コース**：4 コース
その後，PD となるまでアテゾリズマブの単剤投与を継続

2 抗がん薬の処方監査

□day 1 はカルボプラチン（AUC≧4）を含むため高度催吐性リスク薬剤として NK_1 受容体拮抗薬，$5\text{-}HT_3$ 受容体拮抗薬，デキサメタゾンの投与を，day 2，3 は軽度催吐性リスク薬剤として制吐療法を実施する．

□カルボプラチンの投与量算出に用いる以下の検査値，算出方法を確認[3]．

腎機能値		特徴・注意点	カルボプラチンでのエビデンス
GFR（イヌリンクリアランス検査）		腎機能が安定していない患者では実施を考慮	米国カルボプラチン添付文書記載データ
eGFR（日本腎臓学会の推算式）		個々の患者の eGFR を得るために算出値に "BSA/1.73" を掛ける	理論的には Calvert 式を忠実に再現できるが，証明したエビデンスがない
Ccr(Cockcroft-Gault 式)(140-年齢)×体重/72×Scr	Scr 値に 0.2 を加える	GFR=Ccr（偽の関係が成立）	2010 年以前の米国における治験・臨床試験結果
	Scr 値をそのまま代入	GFR<Ccr GFR+25 の上限を 150 mL/分とする(capping)	・2010 年以降の米国における治験・臨床試験結果 ・日本における治験・臨床試験結果

26 レジメン（Atezo＋VP-16＋CBDCA）

	医薬品名 投与量	投与方法 投与時間	1	2	3	4	5	6	7	8	9	10	11	12	13	～	18	19	20	21
Rp1	アテゾリズマブ 1,200 mg/body 生理食塩液 250 mL	点滴注射 30分 （初回は60分）	↓																	
Rp2	デキサメタゾン 9.9 mg/body パロノセトロン 0.75 mg/50 mL	点滴注射 15分	↓																	
Rp2′	デキサメタゾン 6.6 mg/body 生理食塩液 50 mL	点滴注射 15分		↓	↓															
Rp3	エトポシド 100 mg/m^2 5%ブドウ糖液 250 mL	点滴注射 60分	↓	↓	↓															
Rp4	カルボプラチン AUC 5 生理食塩液 250 mL	点滴注射 60分	↓																	
Rp5	アプレピタント 125 mg/body	経口 1日1回	↓																	
Rp6	アプレピタント 80 mg/body	経口 1日1回		↓	↓															
Rp7	デキサメタゾン 8 mg/body	経口 1日1回				↓														

アプレピタントは，注射剤であるホスアプレピタントに変えることができる．その際には，生理食塩液 250 mL に希釈して，60 分で投与する

副作用対策

infusion reaction（day 1）
初回投与時に発症することが多い．初期症状（発熱，発疹，紅潮，瘙痒感）のモニタリングと早期対応を行う．

悪心・嘔吐（day 1～4）
HEC レジメンに分類されるためアプレピタントを含む 3 剤併用を標準療法とし，効果不良の場合，オランザピン 5 mg 4 日間（day 1～4）を追加．

脱毛（day 19～21）
多くの場合治療終了後 3～6 か月で回復する．髪質が治療前と変わることがある．

好中球減少（day 10～21）
①感染予防対策（手洗い，うがい），②FN の徴候（発熱，悪寒，咽頭痛）がみられた際の抗菌薬や解熱薬の使用方法，③緊急受診の目安について事前に指導．

血小板減少（day 10～21）
出血に注意する．皮下出血が発現したら医療機関に連絡する．

4 コース終了後，増悪を認めなければ Rp1 を継続する．

3 抗がん薬の調剤

アテゾリズマブ[4)]

□調製濃度が 3.2～12.0 mg/mL になるよう生理食塩液で希釈する．

□生理食塩液に混合する場合は 24 時間安定（30℃・室内光に曝露した状態）．

エトポシド[5)]

□結晶が析出することがあるため，調製濃度が0.4 mg/mL以下（100 mgあたり250 mL以上）になるよう生理食塩液，5%ブドウ糖液に溶解する．

□生理食塩液，5%ブドウ糖に混合する場合は24時間安定（温度37℃）．

カルボプラチン[6)]

□生理食塩液などの無機塩類を含有する輸液に混合する場合は8時間まで安定．5%ブドウ糖では48時間まで安定．

□イオウを含むアミノ酸（メチオニンおよびシスチン）輸液中で分解が起こるため，これらのアミノ酸輸液との配合を避ける．

4 抗がん薬の投与[7)]

投与基準

好中球数	≧1,500/μL
リンパ球数	≧500/μL
血小板数	≧10万/μL
Hb	≧9.0 g/dL（この基準を満たすための輸血は行ってもよい）
AST	≦75 U/L（≦ULN×2.5） 【肝転移があるとき】≦150 U/L（≦ULN×5）
ALT	≦（男）105 U/L，（女）57.5 U/L（いずれも≦ULN×2.5） 【肝転移があるとき】≦（男）210 U/L，（女）115 U/L（いずれも≦ULN×5）
ALP（JSCC）	≦805 U/L（≦ULN×2.5） 【肝または骨転移があるとき】≦1,610 U/L（≦ULN×5）
T-Bil	≦1.875 mg/dL（≦ULN×1.25） 【ジルベール症候群患者】≦4.5 mg/dL（≦ULN×3）
Scr	≦（男）1.605 mg/dL，（女）1.185 mg/dL（いずれも≦ULN×1.5）
PT-INRまたはAPTT	PT-INR≦4.5，APTT≦60秒（いずれも≦ULN×1.5） 抗凝固療法を受けている患者は，用量が安定していること

減量・中止基準

□各サイクル開始時点で好中球数が1,500/μL以上かつ血小板数が10万/μL以上に回復するまで，最長63日間休薬する．

副作用	程度	エトポシド	カルボプラチン
血液毒性	好中球数＜500/μL かつ血小板数≧5万/μL	前回用量の25%減量	前回用量の25%減量
	好中球数＜1,000/μL かつ 38.5℃以上の発熱		
血液毒性	血小板数＜2.5万/μL	前回用量の25%減量	前回用量の25%減量
	血小板数＜5万/μL かつ Grade 2 以上の出血	前回用量の50%減量	前回用量の50%減量
下痢	Grade 3，4（止瀉薬使用下）または入院を要する場合	規定なし	前回用量の25%減量
悪心・嘔吐	Grade 3，4（制吐薬使用下）	規定なし	前回用量の25%減量
神経毒性	Grade 2	規定なし	前回用量の25%減量
	Grade 3，4	規定なし	前回用量の50%減量
他の非血液毒性	Grade 3，4	規定なし	前回用量の25%減量

腎機能障害

	Ccr（mL/分）	
	50＞	50〜15
エトポシド	100%	25%減量
カルボプラチン	規定なし	

肝機能障害

	AST，ALT，γGTP	
	Grade 3	Grade 4
エトポシド	規定なし	
カルボプラチン	前回用量の 25%減量	中止

注意点

□炎症性薬剤（irritant drug）に分類される．かゆみ，熱感，疼痛などが刺入部や静脈に沿って起こるが，壊死や潰瘍形成までには至らない．しかし，大量に漏出すると強い炎症や疼痛を起こすことがある．漏出の際にはステロイド外用薬の使用を考慮する．

アテゾリズマブ[4)]

□本剤は高分子の抗体製剤であり，溶解時に激しく震盪すると凝集体が生成し微粒子が生成する可能性があることから，投与時にインラインフィルターを使用すること.

エトポシド[5)]

□1.0 mg/mL 以上の高濃度でのポリウレタン製のカテーテル，セルロース系のフィルターの使用を避ける．希釈しない時は，アクリルまたは ABS 樹脂製のプラスチック器具の使用を避ける.

□ポリカーボネート製の三方活栓や延長チューブなどを避ける（コネクター部分にひび割れが発生し，血液および薬液漏れ，空気混入などの可能性があるため）.

□可塑剤として DEHP を含むポリ塩化ビニル製の点滴セット，カテーテルなどの使用を避けること（DEHP が溶出するため）.

カルボプラチン[6)]

□アルミニウムと反応して沈殿物を形成し，活性が低下するので，アルミニウムを含む医療用器具を用いないこと.

5 副作用マネジメント

発現率[1, 8)]

副作用		海外（n＝198）		国内（n＝20）
		全体（%）	Grade≧3（%）	Grade≧3（%）
血液毒性	好中球減少	35.8	22.7	20.0
	血小板減少	16.2	10.1	0
	貧血	38.8	14.1	15.0
	FN	6.0	6.0	5.0
非血液毒性	脱毛	34.8	0	0
	悪心	31.8	0.5	0
	疲労	21.2	1.5	—
	食欲低下	20.7	1.0	—
	嘔吐	13.6	1.0	0
	便秘	10.1	0.5	—

irAE

副作用	海外（n＝198）	
	全 Grade（%）	Grade≧3（%）
皮疹	18.7	2.7
甲状腺機能低下症	12.6	0
肝炎	7.1	1.5
infusion reaction	5.6	2.0
甲状腺機能亢進症	5.6	0
肺炎	2.0	0.5
大腸炎	1.5	1.0
膵臓炎	0.5	0.5
重度の皮膚反応	1.0	0
横紋筋融解症	1.0	0.5
腎炎	0.5	0.5
ギラン-バレー症候群	0.5	0.5

評価と観察のポイント

#1 コース目

□**投与初期（day 1〜7）**：悪心・嘔吐回数，便通回数を評価．

□アテゾリズマブ初回は infusion reaction（くしゃみ，熱感，蕁麻疹，呼吸困難など）の発現に注意する．

□**投与後期（day 7 以降）**：Grade 3 以上の好中球減少，血小板減少が発現する可能性があるので，うがい，手洗いなどの感染予防の実施や出血に注意する．

#2 コース目

□悪心・嘔吐回数を聴取し，制吐薬の強化が必要か評価する．

□好中球減少，FN の発現状況を評価し，必要ならば G-CSF 予防投与を行う．

□維持療法（5 コース以降）では催吐性リスクが低リスクへ，血液毒性も重篤な血液毒性も軽減するが，irAE の発現は継続して評価．

対策のポイント

□**悪心・嘔吐**[9]：カルボプラチン（AUC≧4）レジメンは高催吐性リスクに分類され，デキサメタゾン＋5-HT_3 拮抗薬±NK_1 受容体拮抗薬±オランザピンを使用した予防が推奨されている．

□高催吐性リスクの予防策

day 1	day 2〜4
・オランザピン錠 5〜10 mg ・アプレピタントカプセル 125 mg（ホスアプレピタント 150 mg）1 日 1 回（抗がん薬の 60〜90 分前に） ・パロノセトロン注 0.75 mg or グラニセトロン注 1 mg ・デキサメタゾン注 9.9 mg	・オランザピン錠 5〜10 mg ・アプレピタント 80 mg 1 日 1 回 day 2，3（day 1 がアプレピタントカプセルならば） ・デキサメタゾン錠 8 mg
・オランザピン錠 5〜10 mg ・パロノセトロン注 0.75 mg ・デキサメタゾン注 9.9 mg	・オランザピン錠 5〜10 mg ・デキサメタゾン錠 8 mg
・アプレピタントカプセル 125 mg（ホスアプレピタント 150 mg）1 日 1 回（抗がん薬の 60〜90 分前に） ・パロノセトロン注 0.75 mg or グラニセトロン注 1 mg ・デキサメタゾン注 9.9 mg	・アプレピタント 80 mg 1 日 1 回 day 2，3（day 1 がアプレピタントカプセルならば） ・デキサメタゾン錠 8 mg

□急性期化学療法誘発悪心・嘔吐（CINV）のリスク因子（女性，50 歳未満，乗り物酔いする，飲酒習慣なし，悪阻の既往あり）や既往歴（糖尿病など），併用薬剤などを考慮して選択する．悪心・嘔吐に対して不安が強い，または前コースで悪心・嘔吐が十分制御できなかった時には心因性の悪心・嘔吐が発症する可能性があるので，治療前夜よりアルプラゾラム 1 回 0.4〜0.8 mg 1 日 2〜3 回服用してもらう．

□5-HT_3 拮抗薬により便秘が発現し，食欲不振の原因にもなりうるので，酸化マグネシウムによる便秘予防を行うよう指導する．

□投与後期（day 7 以降）は，好中球減少の発現率が高いので，FN の徴候を見逃さずに対応できるよう発現時期，感染予防対策，症状の基準（腋窩体温 37.5℃ 以上），発現時の対応方法を患者に指導しておく．

6 薬学的ケア

CASE

□40 歳代女性，進展型小細胞がん StageⅣで，アテゾリズマブ＋エトポシド＋カルボプラチン療法開始予定の患者．制吐薬としてアプレピタント，グラニセトロン，デキサメタゾンが処方されていることを確認した．

□患者面談の際に，悪心・嘔吐などの抗がん薬の副作用に対して不安はないが，乗り物酔いしやすく，飲酒習慣がない，妊娠中の悪阻がひどかったことを聴取した.

□高度催吐性リスクレジメンに対する推奨される制吐薬は処方されているが，CINV のリスク（女性，50 歳未満，乗り物酔いする，飲酒習慣なし，悪阻の既往あり）が高いことから，オランザピン錠 5 mg 夕食後 4 日間を day 1 に追加することを主治医に提案し処方となった.

□翌朝，オランザピンによる鎮静の発現がないことを確認．その後，悪心・嘔吐（予期性も含め）の発現なく 4 コース治療を完遂できた.

解説

□レジメンの催吐性リスク分類のみでなく，CINV のリスク因子も考慮して制吐薬を提案する.

□オランザピンに上乗せ効果が認められるのは遅発期である．作用機序は主に中枢性ドパミン D_2 受容体拮抗作用であり，予期性での効果は低いと考えられる．ベンゾジアゼピン系薬剤と使用方法を混同しないよう注意する．オランザピン 5 mg で鎮静がひどい場合には 2.5 mg への減量を考慮する[9]（わが国では 保険適用外 ）.

引用文献

1) Horn L, et al：N Engl J Med 379：2220-9, 2018（PMID：30280641）
2) 日本肺癌学会ガイドライン検討委員会：肺癌診療ガイドライン 2021 年度版．日本肺癌学会（https://www.haigan.gr.jp/modules/guideline/index.php? content_id＝3　2021 年 12 月 20 日アクセス）
3) 今村知世，他：医療薬学 41：759-67, 2015
4) テセントリク® 点滴静注，インタビューフォーム．2021 年 11 月改訂（第 12 版）（中外製薬）
5) ベプシド® 注，インタビューフォーム．2020 年 4 月改訂（第 8 版）（クリニジェン）
6) パラプラチン® 注射液，インタビューフォーム．2018 年 1 月改訂（第 10 版）（ブリストル・マイヤーズ スクイブ）
7) テセントリク® 点滴静注，適正使用ガイド（中外製薬）
8) Nishio M, et al：Clin Lung Cancer 20：469-76, 2019（PMID：31466854）
9) NCCN Guidelines Antiemesis Version1. 2021

（原田知彦）

27 アムルビシン（カルセド®）

AMR

POINT

■Grade 4の好中球減少やFNの発現率が高いレジメンであり，患者への感染予防と発熱時の対応について指導を徹底する．
■小細胞肺がんの2次治療以降で投与されるケースがほとんどであり，用量が40 mg/m^{2}で推奨されているが，骨髄抑制やFNの危険因子がある場合はさらに減量して開始することや，G-CSFの1次予防的投与を検討する場合がある．
■起壊死性抗がん薬であり，血管外漏出時の対策など安全管理に努める．

1 レジメンと副作用対策（→次頁参照）

適応：進行/再発，2次治療以降の非小細胞肺がん，小細胞肺がん
1コース期間：21～28日間　**総コース**：可能な限り継続
総投与量：規定なし

2 抗がん薬の処方監査

□投与量は未治療の場合は45 mg/m^2，既治療の場合は投与量が40 mg/m^{2}以下であるため患者の化学療法の治療歴を確認する．
□他のアントラサイクリン系抗がん薬など心毒性を有する薬剤の前治療歴がある場合心筋障害のリスクが高まるため治療歴と総投与量を確認する（上限量に達している場合は禁忌である）．また，事前にLVEFの測定を行い確認（60%以上）しておくことが望ましい．本薬においては総投与量の上限に関する規定はない．
□中等度催吐性リスク薬剤に分類される抗がん薬であり，予防的な制吐療法に5-HT$_3$受容体拮抗薬とデキサメタゾンが含まれているかを確認する．
□投与禁忌となる患者：重篤な骨髄抑制，重篤な感染症，間質性肺炎または肺線維症，心機能異常または既往，妊婦・妊娠している可能性のある女性．

27		医薬品名 投与量	投与方法 投与時間	1	2	3	～	6	7	8	9	10	11	12	13	14	15	16	17	～	21
レジメン	Rp1	グラニセトロン 1 mg/body デキサメタゾン 6.6 mg/body 生理食塩液 100 mL	点滴静注 30 分	↓	↓	↓															
	Rp2	アムルビシン 40 mg/m^2 生理食塩液 50 mL	点滴静注 5 分	↓	↓	↓															
	Rp3	生理食塩液 50 mL	点滴静注 15 分	↓	↓	↓															
副作用対策	静脈炎，血管外漏出																				
	治療継続上の問題：アムルビシンは起壊死性抗がん薬に該当する．投与開始後は初期症状の血管痛などないか観察する．漏出時早期（6 時間以内）は，解毒薬としてデクスラゾキサン（サビーン®）の点滴静注が有効．																				
	悪心・嘔吐																				
	治療継続上の問題：MEC レジメンに分類されるため，デキサメタゾン，5-HT$_3$ 受容体拮抗薬を含む 2 剤併用を標準療法とする．																				
	好中球減少																				
	高頻度：①感染予防対策（手洗い，うがい），②FN の徴候（発熱，悪寒，咽頭痛）がみられた際の抗菌薬や解熱薬の使用方法，③緊急受診の目安について事前に指導．																				
	口内炎																				
	治療継続上の問題：飲食時の痛みがないか確認．口腔内の保清，保湿について指導．																				
	脱毛																				
	高頻度：2～3 週後がピーク．事前にウィッグなどの情報を提供しておく．治療終了後は回復．																				
	胃・十二指腸潰瘍																				
	治療継続上の問題：上腹部や背中の疼痛，悪心・嘔吐がないか確認する．症状発現時は PPI もしくは H$_2$ ブロッカーの投与も考慮．																				

アムルビシンは調製後 3 時間以内に投与を完了させること．

2 肺がん

3 抗がん薬の調剤

- □溶解液には生理食塩液または 5% ブドウ糖注射液を用いること．
- □注射用水は溶解時の生理食塩液に対する浸透圧比が約 0.2 であり，投与時に疼痛などの刺激性が懸念されるため，溶解液としては望ましくない．
- □溶解時の pH により力価の低下および濁りを生じることがある．特に pH が 3 を超えると，力価の低下や経時的に濁りを認めることがあるので，他の薬剤との混注を避けること．
- □濁りが認められた場合は使用しないこと．
- □安定性のデータより，日常業務の環境下では調製完了後 3 時間以内に投与終了していることが望ましい．
- □溶解後に安定性が確認されている時間は 5℃ で 24 時間，25℃ で 3 時間，30℃ では 1.5 時間．

4 抗がん薬の投与

投与基準

	初回投与時	次コース以降投与時
白血球数	≧4,000/μL，<12,000/μL	≧3,000/μL
血小板数	≧10万/μL	≧10万/μL
Hb	≧10 g/dL	—

減量・中止基準

□投与後，白血球数1,000/μL未満が4日以上持続した場合，または血小板数の最低値が5万/μL未満の場合，次コースの投与量を前コースより5 mg/m^2/日減量する[1)].

腎機能障害

□減量基準はないが慎重投与.

肝機能障害

□減量基準はないが慎重投与.

注意点

□静脈内投与により血管痛，静脈炎を起こす可能性があるため，投与開始後は注射部位の確認や静脈の腫れ，皮膚の異常（赤くなる）に注意.

□アムルビシンは起壊死性抗がん薬に分類されるため，血管外漏出に注意が必要である．ステロイド+1%リドカインを混合し漏出1時間以内に局注およびstrongestクラスのステロイド外用薬を使用．漏出早期（6時間以内）であればデクスラゾキサン（サビーン® 静注用500 mg）の使用を検討する.

5 副作用マネジメント

発現率（表27-1）[1-3)]

評価と観察のポイント

投与初期（day 1〜7）

□投与開始後，血管痛や静脈炎による血管の腫れ，皮膚の異常がないか観察.

□悪心・嘔吐発現がないか評価し，症状が発現した場合はいつから，どれくらい続いたかを経口摂取状況とともに確認する.

□5-HT_3受容体拮抗薬の連日投与による便秘症状の発現することがあるため，投与後の便の性状や排便回数を確認する.

表 27-1　副作用の発現率

副作用		IF[*1] (n=181)	国内[*2] (n=82)	海外（第III相）[*3] (n=408)
		全体（%）	Grade 3≧（%）	Grade 3≧（%）
血液毒性	白血球減少	93.9	85.4	15.2
	好中球減少	95.0	93.9	41.4
	血小板減少	47.0	20.7	21.1
	貧血（Hb 減少）	81.2	25.6	15.9
	FN	—	26.8	10.0
非血液毒性	悪心・嘔吐	58.6	1.2	—
	脱毛	70.4	—	—
	口内炎	12.7	—	—
	胃・十二指腸潰瘍	頻度不明	—	—
	心機能障害	—	5.1	—

*1 国内臨床試験：非小細胞肺がん第 I－II 相試験（n=28），非小細胞肺がん後期第 II 相試験（n=120），小細胞肺がん第 II 相試験（n=33）の合計データ
*2 小細胞肺がん患者（refractory）を対象とした国内臨床試験（単アーム試験）
*3 小細胞肺がんの 2 次治療としての効果を評価した海外第 III 相試験（ランダム比較試験）

投与後期（day 7 以降）

□好中球減少や血小板減少が発現する時期であり数値の確認を行う．好中球減少の最低値は day 14 であり，1,000/μL 未満の白血球減少（Grade 4）が発現している場合は何日続いているかを評価する（次コースでの減量中止基準）．自覚症状として FN 関連の症状（発熱，悪寒）がないかを確認する．

□口内炎の好発時期であるため，飲食時に痛みなどがないか評価する．発症時は症状による経口摂取がどの程度制限されているか（Grade の評価基準）も確認する．

副作用対策のポイント

投与初期（day 1〜7）

□初回投与にて悪心・嘔吐の遷延を認める場合，ドパミン D_2 受容体拮抗薬の頓用または定期投与で対応．効果が不十分な場合は予測性の悪心・嘔吐や病態的な要因を排除した上で次コースでの予防的制吐療法の強化を検討．具体的には MEC から HEC の予防的制吐療法に変更する．

□悪心・嘔吐が1週間以上遷延を認め，上腹部痛などの症状も訴える場合は胃・十二指腸潰瘍（発現頻度不明）の可能性を考える．粘膜障害の所見を疑う場合，具体的な対処方法は腎機能を考慮した上で，ラベプラゾール 10 mg/日もしくはファモチジン 10 mg/日の投与を検討する．

□5-HT_3 受容体拮抗薬による便秘秘症状が続く場合，排便状況に応じた下剤の処方を提案する．具体的には硬便の場合は浸透圧性下剤，排便回数が少なく腸蠕動が乏しい場合は大腸刺激性下剤を選択する．

投与後期（day 7 以降）

□好中球減少による易感染状態になることが多い．外来で治療をすることが多いレジメンであり治療期間中の感染対策が重要である．最低値の時期について情報提供し，手洗い，うがいなどの感染予防の励行を繰り返し行う．

□FN の発症時の徴候を見逃さないように，患者へ定期的な体温測定を指導し，37.5℃以上の発熱がある場合は医療機関への連絡を促す．発熱時対応の抗菌薬の処方（シプロフロキサシン錠やレボフロキサシン錠）がある場合は適正に対応ができるように指導を行う．

□1 コース目で FN が発症した場合，2 コース目でペグフィルグラスチム 3.6 mg（ジーラスタ® 注）の 2 次予防的投与，または Grade 4 の白血球減少が 4 日以上認める場合は次回でのコースでの減量を考慮する（減量方法は前述）．

□口内炎の発現リスクを伴う時期であり口腔内の保湿と保清について指導する．飲食時の口腔内の疼痛を自覚する場合は知らせるように促す．発症時は歯科受診も考慮する．

6 薬学的ケア

CASE

□70 歳代の再発小細胞肺がんの患者．3 次治療としてアムルビシンによる治療が選択され，外来での治療が開始された．初回面談時に FN の危険因子である 65 歳以上の高齢者であること，化学療法の治療歴（過去 2 レジメン），前レジメンでの FN 発現歴を確認．医師と FN 対策について協議し，1 次予防目的でペグフィルグラスチム 3.6 mg の投与を提案，day 4 に投与する予定となる．患者へ好中球減少の発現時期と手洗い，うがい，口腔内の保清について指導．体温測定と37.5℃以上の発熱時に病院への連絡と処方された発熱時対応の抗菌薬（レボフロキサシン錠500 mg/日）の内服について指導．抗菌薬に関しては2〜3日服用しても改善しない場合は再度病院に連絡するように促した．1コース目の好中球減少はday 14の時点でGrade 2であり軽度の症状であった．また感染予防は継続できており，休薬期間中の発熱や減量・中止はなくPD判定となるまでの全9コースを完遂された．

解説

□治療開始前の患者背景よりFNの対策を医師へ提案したケースである．アムルビシンはわが国のG-CSF適正使用，FN診療各種ガイドラインではFN発現率が10〜20％に該当するレジメンで，危険因子（65歳以上，化学療法・放射線治療歴，骨髄浸潤，好中球減少症，感染症・開放創，最近の手術歴，PS不良，腎・肝機能障害）がある場合は1次予防でのG-CSFの投与を考慮とされている．最近の報告では，実地臨床でのFN発現率は臨床試験より高率であったこと[4]や，2次治療のアムルビシンにおいてG-CSFの1次予防的投与の有効性[5]も示されている．治療開始前に患者のプロフィールをよく確認し，FNの発症リスクとG-CSF製剤の予防的使用の有無について医師とよく協議する．また，患者指導では感染予防や発熱時対応の抗菌薬の処方（MASCCスコア低リスクの場合）を確認し，発熱時に適切に対応できるように十分説明する．

引用文献

1）カルセド® 注射用，インタビューフォーム（日本化薬）
2）Murakami H, et al：Lung Cancer 84：67-72, 2014（PMID：24530204）
3）von Pawel J, et al：J Clin Oncol 32：4012-9, 2014（PMID：25385727）
4）Dotsu Y, et al：J Clin Med 10：4221, 2021（PMID：34575334）
5）Sato Y, et al：Anticancer Res 41：1615-20, 2021（PMID：33788757）

（金剛圭佑）

28 シスプラチン＋ビノレルビン

CDDP＋VNR

POINT

■本治療の対象は主に非小細胞肺がんの術後病理 StageⅡとⅢA 期の術後補助化学療法.
■HEC に該当するため適切な制吐薬の処方の確認・シスプラチンによる腎障害予防のためのハイドレーションの実施の確認，ビノレルビンの血管外漏出に注意.
■Grade 3 以上の好中球減少の発現率が高く，FN の発現に注意し，感染予防対策・発熱時の対応を十分に説明.

1 レジメンと副作用対策（→次頁参照）

適応：非小細胞肺がんの術後病理 StageⅡとⅢA 期の術後補助化学療法およびⅣ期[1)]
1 コース期間：21 日間
総コース：術後療法 4 コース・Ⅳ期 6 コース

2 抗がん薬の処方監査

□化学療法前に HBV 感染の検査（HBs 抗原，HBs 抗体，HBs 抗体）の有無を確認する.
□HBV 抗原陽性例では，エンテカビル（0.5 mg）を空腹時（食後 2 時間以降かつ次の食事の 2 時間以上前）の投与が継続されているか確認する．また，HBs 抗原陰性例でも HBc 抗体および HBs 抗体の確認を行い，いずれか陽性の場合，HBV-DNA 定量を行う．定量値が基準値（2.1 log copies/mL）以上の場合，エンテカビルの投与を行う.
□シスプラチンは高度催吐性リスクの抗がん薬であるため，アプレピタント（またはホスアプレピタント），パロノセトロン，デキサメタゾンの処方があるか確認．オランザピンについては患者ごとに必要性を確認する.
□シスプラチンの腎障害予防にハイドレーションが適切に投与されているか確認を行う.
□ショートハイドレーション[2, 3)]を実施する際は，対象年齢 75 歳未満，Scr 値が施設基準以下，Ccr≧60 mL/分，PS 0～1，胸

28		医薬品名 投与量	投与方法 投与時間	1	2	3	4	5	6	7	8	9	10	11	12	13	14	15	16	～	21
レジメン（CDDP＋VNR）	Rp1	パロノセトロン 0.75 mg/body デキサメタゾン 9.9 mg/body 生理食塩液 100 mL	点滴注射 30 分	↓																	
	Rp2	デキサメタゾン 6.6 mg 生理食塩液 100 mL	点滴注射 15 分		↓	↓					↓										
	Rp3	ビノレルビン 25 mg/m² 生理食塩液 50 mL	点滴注射 全開	↓							↓										
	Rp4	生理食塩液 100 mL	点滴注射 全開								↓										
	Rp5	硫酸マグネシウム補正液 20 mEq 維持液 500 mL	点滴注射 90 分	↓																	
	Rp6	シスプラチン 80 mg/m² 生理食塩液 500 mL	点滴注射 60 分	↓																	
	Rp7	生理食塩液 500 mL	点滴注射 90 分	↓																	
	Rp8	マンニトール 500 mL	点滴注射 60 分	↓																	
	Rp9	乳酸リンゲル液 500 mL	点滴注射 90 分		↓	↓															
	Rp9	生理食塩液 1,000 mL	点滴注射 180 分		↓	↓															
	Rp10	アプレピタント 125 mg	経口	↓																	
		アプレピタント 80 mg	経口		↓	↓															
	Rp11	デキサメタゾン 8 mg	経口				↓	(↓)													
	Rp12	オランザピン 5 mg	経口	↓	↓	↓	↓														

ビノレルビンは壊死性抗がん薬に該当するため，血管外漏出に注意し，なるべく早く滴下し，その後十分に血管内を補液にて洗い流す．

アプレピタントは，注射薬であるホスアプレピタント（1 日目のみ投与）に変えることができる．その際には，生理食塩液 100 mL に希釈して，30 分で投与する．

day 2，3 については，内服デキサメタゾン錠 8 mg，経口補液 1,000～2,000 mL に変更可能．

オランザピンは糖尿病罹患患者には禁忌，ふらつきなどの副作用が懸念される場合は 2.5 mg 少量投与可能．省略も可．

副作用対策	1	2	3	4	5	6	7	8	9	10	11	12	13	14	15	16	～	21
静脈炎，血管外漏出	■							■										
悪心・嘔吐	■	■	■	■	■	■	■											
好中球減少							■	■	■	■	■	■	■	■				
腎障害	■	■	■	■	■	■	■	■	■	■	■	■	■	■	■	■	■	■

静脈炎，血管外漏出

ビノレルビンは起壊死性抗がん薬に該当する．末梢部位からの投与の際はなるべく早く投与を終了する．穿刺部位や腕の痛みを感じた際にはすぐに伝えるように指導を行う．漏出時は，ステロイド局注，冷却せずに温める．皮膚科医の診察を受ける．

悪心・嘔吐

HEC レジメンに分類されるためアプレピタント，オランザピンを含む 4 剤併用を標準療法とし，オランザピンについては，適正を考慮し省略も可である．

好中球減少

感染予防対策（手洗い，うがい，マスク着用など），FN の徴候（発熱，悪寒，咽頭痛など）が見られた際の抗菌薬や解熱薬の使用方法，緊急受診の目安について事前に十分指導しておく．

腎障害

尿量の減少・手足や顔の浮腫・急激な体重増加などの症状に注意する．Scr 上昇や Ccr 低下がないか検査値の確認を行う．

水・腹水貯留がなく1時間あたり500 mL程度の補液に耐えうる心機能（LVEF≧60％）である．適切な制吐療法を実施し，シスプラチン投与日から3日間は1,000 mL/日程度の経口飲水補給が可能であるなどの条件にあてはまっているかを確認する．

□ビノレルビンの相互作用としてアゾール系抗真菌薬，マクロライド系抗菌薬，Ca拮抗薬，ベンゾジアゼピン系薬剤の併用によりCYP3A4代謝が阻害され，筋神経系などの副作用が増強するとの報告がある．

3 抗がん薬の調剤[4, 5]

シスプラチン

□シスプラチンは生理食塩液で希釈し，調製時から投与終了までに6時間以上ある場合は遮光をする．

□Cl^-濃度の低い輸液に配合すると活性が低下するため不可．アミノ酸輸液，乳酸ナトリウムを含有する輸液を用いると分解が起こるので避ける．

ビノレルビン

□約50 mLの生理食塩液，5％ブドウ糖注射液，リンゲル液で希釈．投与開始から修了するまでの時間を10分以内とすることで静脈血管炎の発現頻度が下がる．

4 抗がん薬の投与

投与基準[6]

□投与開始前基準：75歳未満，PS 0〜1かつ下記基準を満たす

白血球数	≧3,000/μL	T-Bil	≦1.5 mg/dL
好中球数	≧1,500/μL	Scr	≦1.5 mg/dL
血小板数	≧10万/μL	Ccr	≧60 mL/分（実測値または Cockcroft-Gault式を用いる）
Hb	≧9.0g/dL		
AST, ALT	≦100 U/L		

□シスプラチン＋ビノレルビンコース開始基準

PS	≦2	Scr	≦1.5 mg/dL
白血球数	≧3,000/μL	便秘，食欲不振，悪心・嘔吐，口腔粘膜炎，疲労，静脈炎	≦Grade 2
血小板数	≧10万/μL		
AST, ALT	≦100 U/L	体重減少，脱毛，低Na血症，血液毒性を除く上記以外の有害事象	≦Grade 1
T-Bil	≦1.5 mg/dL		

□day 8 ビノレルビン投与時

PS	≦2	Scr	≦1.5 mg/dL
白血球数	≧3,000/μL	便秘，食欲不振，悪心・嘔吐，口腔粘膜炎，疲労，静脈炎	≦Grade 2
血小板数	≧7.5 万/μL		
AST, ALT	≦100 U/L	体重減少，脱毛，低 Na 血症，血液毒性を除く上記以外の有害事象	≦Grade 1
T-Bil	≦2.0 mg/dL		

減量・中止基準

□コース中，以下のいずれかの毒性が確認された場合，次コースにおいて下記基準に沿って各薬剤を減量する．同一コース内においてビノレルビンの投与量の変更はしない[6]．

項目	シスプラチン	ビノレルビン
白血球数＜1,000/μL	変更なし	20 mg/m^2
血小板数＜5 万/μL	変更なし	20 mg/m^2
FN	60 mg/m^2	20 mg/m^2
Scr 1.5～2.0 mg/dL	60 mg/m^2	変更なし
神経系障害，筋肉痛，関節痛	60 mg/m^2	20 mg/m^2
Grade 3 の非血液毒性	60 mg/m^2	20 mg/m^2
医師の判断により減量が妥当と判断	60 mg/m^2	20 mg/m^2

腎機能障害

□シスプラチン[4]

Ccr (mL/分)	46～60	31～45	30 以下	血液透析 (HD)・連続携行式腹膜透析 (CAPD)
投与量	25%減量	50%減量	禁忌だが必要な場合は 50%減量	禁忌だが，必要な場合には HD 患者には透析後の通常用量の 50%減量，CAPD 患者にも 50%減量

肝機能障害

□ビノレルビン[5]

T-Bil	2.1～3.0 mg/dL	＞3.0 mg/dL
投与量	50%減量	75%減量

注意点

シスプラチン

□シスプラチンによる過敏症発症の報告は1～20%と比較的高頻度である．前投薬にデキサメタゾンが使用されるためこれが予防的に作用している可能性を考慮する．ほとんどは投与開始数分で発症するが，投与終了してから遅発性に発現する例もあり注意する．複数回投与後に発症することが多い

□アルミニウムと反応して沈殿物を形成し，活性が低下するのでアルミニウムを含む医療用器具を用いない．

ビノレルビン

□血管外漏出時のリスク分類は壊死性抗がん薬に分類される．少量の漏出でも紅斑，発赤，腫脹，水疱性皮膚壊死を生じ，難治性の潰瘍を形成する可能性があるため投与中の投与部位の観察が重要．患者にも漏出時のリスク・投与中は穿刺している腕を動かさないように指導し，点滴部位に異常を感じたらすぐに報告することや明らかな漏出が認められなくても遅発性に血管炎や静脈炎を生じることがあるため，帰宅後の炎症や発赤などの出現がないか観察するように説明する．

5 副作用マネジメント

発現率[6)]

症状		日本人（n=395）	
		全体（%）	Grade≧3（%）
血液	好中球減少	95.5	81.3
	血小板減少	11.9	5.0
	貧血	76.5	9.3
	FN	11.6	11.6
	Cr 上昇	39.5	—
	低K血症	53.0	5.6
非血液	悪心	79.0	7.6
	嘔吐	16.9	1.0
	食欲不振	80.3	10.9
	倦怠感	57.1	4.5
	便秘	75.5	2.0
	下痢	17.4	0.3
	脱毛	30.1	—

評価と観察のポイント

- □投与初期（day 1～7）は，悪心や嘔吐の程度，飲水量，尿量，体重増加，便通を評価する．食事摂取量や食嗜好の変化などを聴き取る．便秘は，飲食の低下のみならず5-HT$_3$受容体拮抗薬の副作用としても高頻度に生じる．
- □ビノレルビンによる血管外漏出のリスクの説明と穿刺部周囲に問題がないか確認を行う．静脈炎は数時間～数日後に出現することがあるので刺入分周囲および血管を観察するように患者にも説明する．
- □ビノレルビンは投与後に重篤なイレウス発症が報告されている．治療開始前の便通状況を確認することは必須である．イレウスの発現機序は自律神経を介しての腸管運動の抑制によるものと考えられており，発現例の約6割が投与開始から2週間以内に発症するとされている．
- □投与後期（day 8以降）は，好中球減少が出現している可能性が高く，好中球数の評価とともに，発熱，悪寒，咽頭痛，下痢，口内炎，排尿時痛などの感染徴候が出現していないか確認をする．
- □シスプラチンによる聴覚障害は1日投与量80 mg/m^{2}以上，総投与量が300 mg/m^{2}以上を超えると4,000～8,000 Hz付近の高音域の難聴や耳なり，めまいの頻度が高くなる．
- □シスプラチンの末梢神経障害発現頻度は300 mg /m^{2}以上の蓄積量で85％と報告されており，早期発見できるように聴き取りを行う．
- □間質性肺炎の頻度は「シスプラチンは0.1％だが，ビノレルビンは1.4％[3, 4]」との報告があり，ビノレルビンは間質性肺炎または肺線維症の既往歴のある患者には慎重投与である．投与開始前の呼吸困難感や咳嗽の有無や程度を確認する．

副作用対策のポイント

- □腎機能低下は，シスプラチンの減量につながるため，ハイドレーションや尿量確保を行い予防対策を実施する．尿量や体重増加がないか確認を行い，必要に応じて利尿薬追加や電解質補正を実施する．特にショートハイドレーションを行う際は，水分の経口摂取が大事であるため，水分摂取の必要性を十分に理解させる必要がある．

□悪心・嘔吐対策は，シスプラチン投与日は高度催吐性リスクとしての対応が必要．オランザピンを併用する際は，糖尿病の既往がないことを確認し，4日間夕食後もしくは寝る前に服用する．

□便秘は食欲不振の原因となることもあり，また硬便は肛門の傷となり感染の原因ともなるので，塩類下剤（酸化マグネシウム）と刺激性下剤（センノシド，ピコスルファートナトリウムなど）を処方しておき，患者に調節させる．

□投与後期（day 7 以降）は，易感染状態にある．FN の徴候を見逃さず素早く対処できるように発現時期，感染予防対策，感染徴候（咽頭痛，排尿痛，下痢など）の出現，発熱発現時（腋窩対応 37.5℃）の対処方法（外来の場合，緊急連絡先）などを事前に患者に指導しておく．外来時は抗菌薬と発熱時の対策薬剤をあらかじめ処方しておく．

□FN への対策は，以下のとおり．

例：レボフロキサシン（クラビット®）錠　1回 500 mg　1日1回＋アモキシシリン・クラブラン酸（オーグメンチン® 配合錠）250 mg　1回1錠　1日4回
アセトアミノフェン錠　1回 500 mg　発熱時（1日たっても解熱しない場合，症状悪化時には連絡するように指導）

□事前に口腔内チェックを行い，口腔ケアの重要性を説明．

□間質性肺炎の病態，細菌性肺炎との違い，初期症状と早期発見の重要性を説明し，診断された場合はステロイドパルスを考慮．

□ビノレルビンによる血管外漏出出現時には，冷却は行わない．症状を悪化させるおそれがある．局所を保温することで薬剤が拡散・希釈されるとして推奨されている．

6 薬学的ケア

CASE

□60 歳代女性，非小細胞性肺がんに対して左上葉切除と縦隔リンパ節郭清を実施．術後病期は StageⅢA であり，術後補助化学療法としてシスプラチン＋ビノレルビンレジメンの治療を開始．

□高度催吐リスクとして，4剤併用で開始したが，day 2 の朝の時点でふらつきを認めたためオランザピンを中止した．悪心が

Grade 2 出現し，メトクロプラミドの頓用で対応を行った．2 コース以降は悪心出現もあったことからオランザピンを 2.5 mg に減量し対応を行い，悪心も Grade 1 に低下した．

□ day 1 ビノレルビン投与時に血管痛の訴えがあり．投与終了後には消失，投与後の発赤，腫脹はなかった．次回からは投与前にホットパックで保温しての対応を提案．その後は訴えはなし．

□ 1 コース目 day 12 のフォロー採血にて白血球数 1,050 /μL，好中球数 436 /μL の Grade 4 であった．治療強度を保つため G-CSF の投与を行った．発熱は認めず経過．2 コースから減量投与となった．

解説

□ がん患者としての年齢は若めの女性であり，制吐薬の予防投与はしっかりと行っておく必要がある．本症例はオランザピン 5 mg で開始したが，内服初日にふらつきのため，内服が困難となった．1 コース目は他の制吐薬にて対応を行ったが，悪心出現もあり，2 コース目以降はオランザピン減量にて対応を行った．

□ 静脈炎対策として末梢投与の場合は，血流・薬剤の吸収を高める目的で温罨法を用いることがある．

□ 白血球減量の頻度は高いため，注意が必要である．術後療法での使用でもあるので治療強度を保つためにも G-CSF の使用や抗菌薬の使用も考慮する必要がある．

引用文献

1）日本肺癌学会（編）：肺癌臨床ガイドライン 2021 （https://www.haigan.gr.jp/guideline/2021/）
2）日本腎臓学会，他（編）：がん薬物療法時の腎障害診療ガイドライン 2016
3）日本肺癌学会，他：シスプラチン投与におけるショートハイドレーション法の手引き，2015
4）ランダ® 注，インタビューフォーム（日本化薬）
5）ナベルビン® 注，インタビューフォーム（協和キリン）
6）Kenmotsu H, et al：J Clin Oncol 38：2187-96, 2020（PMID：32407216）

（藤原季美子）

29 ゲフィチニブ(イレッサ®)

30 エルロチニブ(タルセバ®)

31 アファチニブ(ジオトリフ®)

POINT

■*EGFR* 遺伝子変異陽性であることを確認する.

■服用時間や副作用プロファイルが 3 剤で異なる. 各薬剤の特徴は以下を参照. 特徴を理解した上で用法・用量や副作用対策について十分に説明する.

ゲフィチニブ	PS 3～4 の場合の 1 次治療として選択されうる（奏効率 66%，OS 17.8 か月）[1]. 一般に，3 剤の中で皮膚障害や下痢は軽度であるが，肝機能障害の頻度は最多[2].
エルロチニブ	1 次治療において血管新生阻害薬（ベバシズマブ，ラムシルマブ）との併用で PFS 延長[3, 4]. 有害事象による治療中止が 3 剤中で最も少ない[2]. 3 剤の中で，皮膚障害・下痢・肝機能障害は中程度[2].
アファチニブ	3 剤の中で皮膚障害や下痢が最も多く，肝機能障害は少ない[2].

■間質性肺疾患（ILD）の初期症状を説明し，早期発見に努める.

1 レジメンと副作用対策（→次頁，224 頁参照）

ゲフィチニブ[5]

1 コース期間：なし　**総コース数**：可能な限り継続

1 回 250 mg　1 日 1 回　食後

エルロチニブ[6]

1 コース期間：なし　**総コース数**：可能な限り継続

1 回 150 mg　1 日 1 回　空腹時（食事の 1 時間以上前または食後 2 時間以降）

アファチニブ[7]

1 コース期間：なし　**総コース数**：可能な限り継続

1 回 40 mg　1 日 1 回　空腹時（食事の 1 時間以上前または

29		医薬品名 投与量	投与方法 投与時間	1	2	3	4	5	6	7	8	9	10	11	12	13	14	15	16	～	21
レジメン	Rp1	ゲフィチニブ 250 mg	経口 1日1回 食後	↓	↓	↓	↓	↓	↓	↓	↓	↓	↓	↓	↓	↓	↓	↓	↓	↓	↓
副作用対策	皮膚障害																				
	皮疹，皮膚乾燥，瘙痒感，爪囲炎																				
	下痢																				
	注意点：治療開始前より便通状態を把握																				
	肝機能障害																				
	注意点：肝機能を定期的に検査																				
	間質性肺疾患																				
	注意点：間質性肺疾患は投与4週間以内の発生が多いが，いつでも発現する可能性あり．初期症状（咳嗽，呼吸困難，発熱，倦怠感）をモニタリングし，早期発見に努める．																				

30		医薬品名 投与量	投与方法 投与時間	1	2	3	4	5	6	7	8	9	10	11	12	13	14	15	～	20	21
レジメン	Rp1	エルロチニブ 150 mg	経口 1日1回 空腹時	↓	↓	↓	↓	↓	↓	↓	↓	↓	↓	↓	↓	↓	↓	↓	↓	↓	↓
副作用対策	皮膚障害（皮疹）　8［1～494］[*1]																				
	注意点：症状発現時は，早めにステロイド外用薬で対応．																				
	皮膚障害（皮膚乾燥）15［1～185］[*1]																				
	注意点：症状発現時は，早めにステロイド外用薬で対応．																				
	皮膚障害（瘙痒感）　10.5［1～220］[*1]																				
	注意点：症状発現時は，早めにステロイド外用薬で対応．																				
	爪囲炎　32［2～558］[*1]																				
	注意点：症状発現時は，早めにステロイド外用薬で対応．																				
	下痢　8［1～365］[*1]																				
	注意点：治療開始前より便通状態を把握																				
	肝機能障害　13［1～448］[*1]																				
	注意点：肝機能を定期的に検査																				
	間質性肺疾患																				
	注意点：間質性肺疾患は投与4週間以内の発生が多いが，いつでも発現する可能性あり．初期症状（咳嗽，呼吸困難，発熱，倦怠感）をモニタリングし，早期発見に努める．																				

[*1] 発現時期中央値［範囲］（日）．発現時期中央値などは全例調査などのデータより抜粋

食後3時間以降）

1回40 mg　1日1回　で3週間以上投与し，下痢，皮膚障害，口内炎およびその他のGrade 2以上の副作用が認められない場合は50 mgに増量可

2 肺がん

31		医薬品名 投与量	投与方法 投与時間	1	2	3	4	5	6	7	8	9	10	11	12	13	14	15	16	～	21
レジメン	Rp1	アファチニブ 40 mg	経口 1日1回 空腹時	↓	↓	↓	↓	↓	↓	↓	↓	↓	↓	↓	↓	↓	↓	↓	↓	↓	↓
副作用対策	皮膚障害：皮疹，ざ瘡 9 [1～494]*2											■	■	■	■	■	■	■	■	■	■
	注意点：症状発現時は，早めにステロイド外用薬で対応.																				
	爪囲炎 38 [1～296]*2																■	■	■	■	
	注意点：症状発現時は，早めにステロイド外用薬で対応.																				
	下痢 5 [1～336]*2								■	■	■	■	■	■	■	■	■	■	■	■	■
	注意点：治療開始前より便通状態を把握																				
	肝機能障害 104 [3～336]*2						■	■	■	■	■	■	■	■	■	■	■	■	■	■	■
	注意点：肝機能を定期的に検査																				
	間質性肺疾患 52 [7～655]*2			■	■	■	■	■	■	■	■	■	■	■	■	■	■	■	■	■	■
	注意点：間質性肺疾患は投与4週間以内の発生が多いが，いつでも発現する可能性あり．初期症状（咳嗽，呼吸困難，発熱，倦怠感）をモニタリングし，早期発見に努める.																				

*2 発現時期中央値［範囲］(日)．発現時期中央値などはLUX-Lung3試験の日本人のみのデータより抜粋

2 抗がん薬の処方監査[5-10)]

3剤共通

□投与開始前に胸部CT検査や血液検査（KL-6, SP-D）を確認し，間質性肺疾患の合併や既往歴がないことを確認．また，定期的に胸部画像検査や血液検査が実施されているか確認.

□投与開始前および投与中は定期的に肝機能を確認.

2剤共通（ゲフィチニブとエルロチニブ）

□制酸薬（PPI, H_2ブロッカー）と併用した場合，吸収が低下する可能性があるため，代替薬を検討する．制酸薬の併用が必要な場合は，制酸効果が相対的に減弱しているタイミングでのゲフィチニブやエルロチニブの内服を検討する.

□ワルファリンとの併用例では，定期的にPT-INRを確認.

□CYP3A4に起因する相互作用を確認.

□**CYP3A4を誘導する薬剤・食品**：リファンピシンとの併用でゲフィチニブ（83%低下）およびエルロチニブ（69%低下）のAUCが大きく低下．食品ではセントジョーンズワートに注意.

□**CYP3A4を阻害する薬剤・食品**：イトラコナゾールとの併用でゲフィチニブのAUCが80%増加し，ケトコナゾールとの併用でエルロチニブのAUCが86%増加．食品ではグレープフルーツに注意.

ゲフィチニブ

□ECOG PS 0〜4.

□吸収には胃酸が必要なため，食後服用が推奨される．pH5 以下では安定に溶解し吸収される．pH5 以上が持続した場合，AUC が約 50%減少した報告がある．

□間質性肺疾患のリスク因子として 55 歳以上，PS 2 以上，喫煙歴あり，非小細胞肺がんの初回診断から間質性肺炎発症までの期間が半年以内，心血管系の合併症あり，既存の間質性肺炎あり，正常肺占有率が低いこと（50%以下）が報告されている[11]．

エルロチニブ

□ECOG PS 0〜2.

□食事の影響を避けるため，食事の 1 時間前から食後 2 時間までの間の服用は避ける．

□PPI 併用患者において，エルロチニブをコーラと同時服用することで AUC が 39%増加することが報告されている[12]．

□CYP1A2 に起因する相互作用を確認．

□**CYP1A2 を誘導・阻害する薬剤・嗜好品**：シプロフロキサシン，タバコ（喫煙）．

□間質性肺疾患のリスク因子として間質性肺疾患の合併または既往，喫煙歴あり，肺気腫または COPD の合併または既往，PS 2〜4 が挙げられている．

アファチニブ

□ECOG PS 0〜1.

□食事の影響を避けるため食事の 1 時間前から食後 3 時間までの間の服用は避ける．高脂肪食摂取後は空腹時と比べ AUC が 39%低下した報告がある．

□下記の薬剤・食品と相互作用を確認．

□**P-gp（P-glycoprotein；P 糖蛋白質）を誘導・阻害する薬剤・食品**：イトラコナゾール，リトナビル，ベラパミル，リファンピシン，カルバマゼピン，セントジョーンズワート．

□間質性肺疾患のリスク因子として，年齢 60 歳以上，酸素投与，既存の肺病変（特に間質性肺疾患），肺への放射線照射，肺手術後，抗腫瘍薬の多剤療法，呼吸機能の低下，腎障害の存在が挙げられている．

3 抗がん薬の調剤

□エルロチニブ（25 mg/100 mg/150 mg）とアファチニブ（20 mg/30 mg/40 mg/50 mg）は規格が複数あるため調剤時は注意する．

□抗がん薬の曝露を避けるため粉砕や簡易懸濁法は原則行わない．

4 抗がん薬の投与

投与基準

<table>
<tr><th colspan="2">検査項目</th><th>ゲフィチニブ</th><th>エルロチニブ</th><th>アファチニブ</th></tr>
<tr><td colspan="2">好中球数</td><td>≧2,000/μL</td><td>≧1,500/μL</td><td>≧1,500/μL</td></tr>
<tr><td colspan="2">血小板数</td><td>≧10 万/μL</td><td>≧10 万/μL</td><td>≧10 万/μL</td></tr>
<tr><td colspan="2">Hb</td><td>≧10 g/dL</td><td>≧9 g/dL</td><td>≧10 g/dL</td></tr>
<tr><td colspan="2">T-Bil</td><td>≦2.25 mg/dL
(≦ULN×1.5)</td><td>≦2.25 mg/dL
(≦ULN×1.5)</td><td>≦2.25 mg/dL
(≦ULN×1.5)</td></tr>
<tr><td colspan="2">Scr</td><td>≦(男) 1.6 mg/dL,
(女) 1.18 mg/dL
(≦ULN×1.5)
かつ
Ccr 60 mL/分</td><td>≦(男) 1.6 mg/dL,
(女) 1.18 mg/dL
(≦ULN×1.5)</td><td>≦(男) 1.6 mg/dL,
(女) 1.18 mg/dL
(≦ULN×1.5)
かつ
Ccr 60 mL/分</td></tr>
<tr><td rowspan="2">AST</td><td>明白な肝転移を認めない</td><td>≦75 U/L
(≦ULN×2.5)</td><td rowspan="2">≦75 U/L
(≦ULN×2.5)</td><td rowspan="2">≦75 U/L
(≦ULN×2.5)</td></tr>
<tr><td>肝転移を認める</td><td>≦150 U/L
(≦ULN×5)</td></tr>
<tr><td rowspan="2">ALT</td><td>明白な肝転移を認めない</td><td>≦(男) 105 U/L,
(女) 57.5 U/L
(≦ULN×2.5)</td><td rowspan="2">≦(男) 105 U/L,
(女) 57.5 U/L
(≦ULN×2.5)</td><td rowspan="2">≦(男) 105 U/L,
(女) 57.5 U/L
(≦ULN×2.5)</td></tr>
<tr><td>肝転移を認める</td><td>≦(男) 210 U/L,
(女) 115 U/L
(≦ULN×5)</td></tr>
<tr><td colspan="2">その他</td><td>年齢による減量基準は特になし[13]</td><td>18 歳以上で年齢による減量基準なし[14]</td><td>下痢≦Grade 1
間質性肺疾患の既往がない[15]</td></tr>
</table>

減量・中止基準

ゲフィチニブ

□減量基準は特にない．

エルロチニブ[9)]

初回投与量	150 mg/日	1段階減量	100 mg/日	2段階減量	50 mg/日

副作用の Grade	副作用の種類	用量変更
—	2週間を超える休薬を要する副作用	中止
	間質性肺疾患	
1	上記以外の副作用	同一用量継続
2	上記以外の副作用	Grade 1以下に回復するまで休薬．回復後は同一用量で再開．
3	発疹（認容不能な Grade 2 の発疹についても適応）	Grade 2以下に回復するまで休薬．回復後は1段階減量で再開．
	下痢	Grade 1以下に回復するまで休薬．回復後は1段階減量で再開．
	上記以外の副作用	Grade 1以下に回復するまで休薬．回復後は休薬前と同一用量で投与再開か主治医判断で1段階減量（同一用量で再開後再度 Grade 2以上が発現した場合，Grade 1以下に回復するまで休薬．回復後，1段階減量）．
4	種類は問わない	中止

アファチニブ[10)]

副作用の Grade	休薬および減量基準
Grade 1または2	同一投与量継続
Grade 2〔症状が持続的（48時間を超える下痢または7日間を超える皮膚障害）または認容できない場合〕もしくは Grade 3以上	症状が Grade 1以下に回復するまで休薬．回復後は休薬前の投与量から10 mg減量して再開．1日20 mg投与で忍容性が認められない場合は，投与中止を考慮．いったん減量した後は，増量を行わない．

腎機能障害

□記載なし．

肝機能障害

□ゲフィチニブ，アファチニブ：記載なし．

□エルロチニブ：AST≧90 U/L（≧ULN×3）または T-Bil 1〜7 mg/dL では75 mg/日に減量[16)]．

注意点

□3剤共通：治療開始後に追加される薬剤との相互作用（CYP3A4など）に注意する．

5 副作用マネジメント

発現率

ゲフィチニブ[17)]

国内（n＝87）					
副作用	全 Grade (%)	Grade≧3 (%)	副作用	全 Grade (%)	Grade≧3 (%)
皮疹	85.1	2.3	神経障害	8.0	1.1
皮膚乾燥	54.0	0	肺臓炎	2.3	1.1（死亡 1 例）
下痢	54.0	1.1	AST 上昇	70.1	16.1
疲労	39.0	2.3	ALT 上昇	70.1	27.6
爪囲炎	32.2	1.1	白血球減少	14.9	0
口内炎	21.8	0	好中球減少	8.0	0
悪心	17.2	1.1	貧血	37.9	0
便秘	16.1	0	血小板減少	13.8	0
脱毛	9.2	0			

WJTOG3405 試験より抜粋

エルロチニブ[18)]

国内（n＝103）					
副作用	全 Grade (%)	Grade≧3 (%)	副作用	全 Grade (%)	Grade≧3 (%)
発疹	83	14	悪心	15	1
下痢	80	1	便秘	13	0
皮膚乾燥	77	5	間質性肺疾患	3	0
爪囲炎	66	1	肺臓炎	3	2（死亡 2 例）
瘙痒症	64	3	ALT 上昇	32	8
口内炎	62	1	AST 上昇	25	3
食欲減退	34	2	血中ビリルビン増加	25	0
脱毛	27	0	好中球減少	2	1
ざ瘡様皮膚炎	18	3	貧血	3	0
疲労	17	0			

JO22903 試験より抜粋

アファチニブ[19)]

国内（n＝54）					
副作用	全 Grade (%)	Grade≧3 (%)	副作用	全 Grade (%)	Grade≧3 (%)
下痢	100	22.2	鼻血	22.2	0
発疹・ざ瘡	100	20.4	瘙痒感	20.4	0
爪の異常	92.6	25.9	嘔吐	20.4	0
口内炎	90.7	7.4	脱毛	13.0	0
皮膚乾燥	46.3	0	便秘	5.6	0
目の障害	42.6	1.9	間質性肺疾患	3.7	1.9
食欲減退	40.7	7.4	白血球減少	5.6	1.9
口唇障害	37.0	0	好中球減少	1.9	1.9
倦怠感	25.9	3.7	貧血	1.9	0
悪心	24.1	1.9	血小板減少	0	0
体重減少	24.1	0			

LUX-Lung3 試験より日本人症例を抜粋

評価と観察のポイント

3 剤共通

- □**投与初期（day 1〜14）**：皮膚障害に注意．乾燥やかゆみ，痛み，紅斑がないか注意深く観察する．下痢が起こる可能性があるため，普段の排便状況を聴き取る．悪心・嘔吐がないか評価．
- □**投与後期（day 14 以降）**：肝機能障害がみられることがある．熱，発疹，瘙痒感，黄疸などの症状を伴わずに重篤化する場合もあるため，投与中は定期的にフォローする．爪囲炎が発現することがある．痛みがないかを注意深く観察．乾燥やかゆみについても引き続きフォローする．
- □間質性肺疾患の好発時期はなく，全期間で発現する可能性があるため，初期症状（息切れ，空咳，発熱）の把握に努める．

ゲフィチニブ

- □投与初期は他剤に比べ，肝機能障害が起こりやすい．肝機能をより注意深くモニタリングする．

アファチニブ

- □投与初期から他剤に比べ，下痢が起こりやすい．ロペラミドを適切に使用できているか確認する．口内炎が起こりやすいため，治療前に口腔内の状態を確認．

副作用対策のポイント

3剤共通

□**皮膚障害**：内服開始から皮膚の保清，保護，保湿の重要性を説明．予防的に保湿薬を外用．ざ瘡様皮疹にはステロイド外用薬（体幹部はvery strongクラス，首から上の顔面部はmediumクラス）で対応．症状が強い場合はミノサイクリンやドキシサイクリンを考慮．爪囲炎は出現までにはタイムラグがある．内服開始から対応方法を説明（スクエアカット，スパイラルテーピング法）．症状が強い場合，皮膚科併診の依頼も考慮．

□**下痢**：脱水を避けるため，水分補給の重要性を説明．投与開始前に比べ排便回数が増加したら整腸剤や必要に応じてロペラミドの投与を検討．症状が強い場合，脱水や電解質異常を評価し，輸液を考慮．

□**肝機能障害**：投与基準，減量・中止基準を参考に適切に休薬または減量．必要に応じて肝庇護薬の使用も検討．

□**間質性肺疾患**：初期症状（息切れ，空咳，発熱）を説明．発現時はただちに中止．ステロイド（メチルプレドニゾロン　1日500～1,000 mg/日　3日間など）を投与．

アファチニブ

□**下痢**：ほぼ全例で起こるため，ロペラミドの使用方法を十分に説明．事前に医師とロペラミドの使用方法や限度回数，休薬するタイミングを協議し，患者に説明しておく．

□**口内炎**：治療開始前から口腔ケアの重要性を説明．アズレンスルホン酸ナトリウムなどの含嗽薬を検討．症状に応じて局所麻酔薬（リドカイン）を追加した含嗽薬，消炎鎮痛薬も考慮．

6 薬学的ケア

CASE

□*EGFR*遺伝子変異陽性（L858R）の患者．PS 2，肝・腎機能異常なし．間質性肺疾患の既往なし．既往に一過性脳虚血性発作があり，低用量アスピリンを朝食後にラベプラゾールを就寝前に服用していた．1次治療としてエルロチニブを1回150 mg 1日1回で開始．エルロチニブの内服指示は10時であった．エルロチニブはpHの上昇により溶解度が低下し，吸収が低下する可能性があるため，ラベプラゾールからラニチジン（添付文書に準じ1回300 mg　1日1回就寝前）に変更することを主治医に提案し処方された．患者に「エルロチニブは食事の影響を受けるため服用前2時間と服用後1時間は食事をとらないこと，ラベプラゾールを中止し，ラニチジンを就寝前に服用すること」を説明した．副作用として皮膚障害が出やすいため，保湿薬の処方を提案し，患者に皮膚の保清と塗布方法を指導．

□day 14：顔にかゆみを伴うGrade 2の発疹が出現．デキサメタゾン吉草酸エステル軟膏1日2回塗布を主治医に提案し処方された．患者に，保湿薬とステロイド外用薬を併用することを説明．

□day 18：かゆみは消失し発疹はGrade 1まで改善．保湿薬・ステロイド外用薬の継続を指導し，退院．外来治療へ移行することができた．

解説

□エルロチニブは薬物相互作用を確認する必要がある．併用薬を確認し，必要に応じ服用タイミングや併用薬の変更を提案する．

□エルロチニブは皮膚障害が出現する可能性がある．皮膚症状をモニタリングし，必要であればステロイド外用薬を提案する．増悪する場合は皮膚科併診を依頼．

引用文献

1) Inoue A, et al：J Clin Oncol 27：1394-400, 2009（PMID：19224850）
2) Takeda M, et al：Lung Cancer 88：74-9, 2015（PMID：25704957）
3) Saito H, et al：Lancet Oncol 20：625-35, 2019（PMID：30975627）
4) Nakagawa K, et al：Lancet Oncol 20：1655-69, 2019（PMID：31591063）
5) イレッサ®錠，添付文書
6) タルセバ®錠，添付文書
7) ジオトリフ®錠，添付文書
8) イレッサ®錠，総合製品情報概要
9) タルセバ®錠，適正使用ガイド
10) ジオトリフ®錠，適正使用ガイド
11) Kudoh S, et al：Am J Respir Crit Care Med 177：1348-57, 2008（PMID：18337594）
12) van Leeuwen RW, et al：J Clin Oncol 34：1309-14, 2016（PMID：26858332）
13) Mok TS, et al：N Engl J Med 361：947-57, 2009（PMID：19692680）
14) Shepherd FA, et al：N Engl J Med 353：123-32, 2005（PMID：16014882）
15) LUX-Lung3 試験 除外基準
16) Miller AA, et al：J Clin Oncol 25：3055-60, 2007（PMID：17634483）
17) Mitsudomi T, et al：Lancet Oncol 11：121-8, 2010（PMID：20022809）
18) Goto K, et al：Lung Cancer 82：109-14, 2013（PMID：23910906）
19) Kato T, et al：Cancer Sci 106：1202-11, 2015（PMID：26094656）

（吉野新太郎）

32 オシメルチニブ（タグリッソ®）

POINT

- 1次治療に使用する場合，*EGFR* 変異陽性であることを確認する．FLAURA 試験の結果より第1世代 EGFR-TKI に比べて PFS・OS ともに有意に延長することが報告されている（PFS は 18.9 か月，OS は 38.6 か月）[1, 2]．
- 1次治療 EGFR-TKI 耐性または増悪後の患者に使用する場合，*EGFR T790M* 変異陽性であることを確認する．
- 第1世代 EGFR-TKI に比べて，皮膚障害や肝機能障害は少ない傾向がみられた．血液毒性や QT 間隔延長，間質性肺疾患が起こる可能性があり，定期的な検査が実施されているか確認する．

1 レジメンと副作用対策[3)]

1コース期間：なし　**総コース**：可能な限り継続

1回 80 mg　1日1回

32		医薬品名 投与量	投与方法 投与時間	1	2	3	4	5	6	7	8	9	10	11	12	13	14	15	16	～	21
レジメン	Rp1	オシメルチニブ 80 mg	経口 1日1回	↓	↓	↓	↓	↓	↓	↓	↓	↓	↓	↓	↓	↓	↓	↓	↓	↓	↓
副作用対策	**皮膚障害**																				
	乾燥（23.5%），瘙痒感（14.3%），発疹（13.8%），ざ瘡（13.1%），爪囲炎（23.6%）																				
	QT 間隔延長　86［1～169］[*1]																				
	注意点：28日以内の発現が多いが，晩期合併症でもあるため，定期的に心電図や電解質検査を行う．																				
	血液毒性　22［1～253］[*1]																				
	注意点：定期的に検査																				
	肝機能障害																				
	注意点：肝機能を定期的に検査																				
	間質性肺疾患　［8～498］[*1]																				
	注意点：間質性肺疾患は投与8週間以内の発生が多いが，いつでも発現する可能性あり．初期症状（咳嗽，呼吸困難，発熱，倦怠感）をモニタリングし，早期発見に努める．																				

*1 発現時期中央値［範囲］（日）．発現率，発現時期などは AURA 試験，AURA2 試験，AURA3 試験および FLAURA 試験データより抜粋

2 抗がん薬の処方監査[3-5]

□ECOG PS 0〜1.

□下記の薬剤・食品との相互作用を確認.

- **CYP3A4を誘導する薬剤・食品**…リファンピシンとの併用で本剤のAUCが78%低下. 食品ではセントジョーンズワートに注意.
- **P-gp (P-glycoprotein；P糖蛋白質) の基質となる薬剤**
- **BCRP (breast cancer resistance protein；薬剤排泄トランスポーター) の基質となる薬剤**：本剤との併用でロスバスタチンのAUCが35%増加
- **QT間隔を延長する薬剤**

□投与開始前に胸部CT検査や血液検査 (KL-6, SP-D) を確認し, 間質性肺疾患の合併や既往歴がないことを確認. また定期的に胸部画像検査や血液検査が実施されているか確認.

□投与開始前および投与中は定期的に血液検査, 心電図検査が実施されているか確認.

3 抗がん薬の調剤

□2規格 (40 mg, 80 mg) の錠剤があるため, 間違いに注意.

□抗がん薬曝露を避けるため, 粉砕や簡易懸濁法は原則行わない.

4 抗がん薬の投与

投与基準[5]

好中球数	≧1,500/μL
Hb	≧9.0 g/dL
血小板数	≧10万/μL
AST, ALT	【肝転移がない場合】AST≦75 U/L, ALT≦(男) 105 U/L, (女) 57.5 U/L (いずれも≦ULN×2.5)
T-Bil	【肝転移がない場合】≦2.25 mg/dL (≦ULN×1.5), 【肝転移がある, もしくはジルベール症候群の場合】≦4.5 mg/dL (≦ULN×3)
Scr	≦(男) 1.6 mg/dL, (女) 1.18 mg/dL (≦ULN×1.5)

AURA1/2/3試験およびFLAURA試験における除外基準より引用

2 肺がん

減量・中止基準[5)]

初回投与量	80 mg/日	1 段階減量	40 mg/日	2 段階減量	中止

副作用	Grade 1	Grade 2	Grade 3	Grade 4
間質性肺疾患	中止			
QT 間隔延長	同一用量継続		QTc 値が 500 ミリ秒を超える場合，休薬．481 ミリ秒未満またはベースラインに回復した場合，1 回 40 mg 1 日 1 回に減量して再開．3 週間以内に未回復もしくは重篤な不整脈の症状/徴候を伴う QT 間隔延長がある場合は中止．	
血液毒性 その他	同一用量継続		Grade 2 以下に回復するまで休薬．回復後は休薬前と同一用量で投与再開か必要に応じて 1 回 40 mg 1 日 1 回に減量．3 週間以内に Grade 2 以下に回復しなければ，投与中止．	

腎機能障害 肝機能障害

□記載なし．

注意点

□間質性肺疾患の既往およびニボルマブ前治療歴は間質性肺疾患の発現因子となることが報告されている．

□間質性肺疾患は外国人（全 Grade：3.7％，Grade 3〜5：1.8％）に比べ，日本人（全 Grade：8.9％，Grade 3〜5：4.5％）で高頻度に認められている（AURA1/2/3 試験より）．

□治療開始後に追加される薬剤との相互作用（CYP3A4 など）に注意する．

5 副作用マネジメント

発現率[4)]（表 32-1）

評価と観察のポイント

□**投与初期（day 1〜14）**：下痢が起こる可能性があるため，普段の排便状況の聴き取りを実施．悪心・嘔吐がないかを評価．また，白血球・好中球減少が起こる可能性があるため，血液検査にて推移をモニタリング．

□**投与後期（day 14 以降）**：肝機能障害や皮膚障害がみられることがある．熱，発疹，瘙痒感，黄疸などの症状を伴わずに重篤化する場合もあり，投与中は定期的にフォローする．乾燥やかゆみ，痛み，紅斑がないか注意深く観察．

□間質性肺疾患の好発時期はなく，全期間で発現する可能性があ

表 32-1　副作用の発現率

日本人（n＝106）					
副作用	全 Grade (%)	Grade≧3 (%)	副作用	全 Grade (%)	Grade≧3 (%)
下痢	48.1	0.9	疲労	2.8	0
爪囲炎	48.1	0.9	肺臓炎	5.7	0
口内炎	37.7	0	間質性肺疾患	4.7	0.9
ざ瘡様皮膚炎	35.8	0	心電図 QT 延長	14.2	1.9
皮膚乾燥	33.0	0	ALT 上昇	9.4	3.8
瘙痒感	13.2	0	AST 上昇	10.4	3.8
食欲減退	11.3	0.9	白血球減少	17.9	0
発疹	4.7	0	好中球減少	6.6	1.9
脱毛	4.7	0	貧血	11.3	0
悪心	4.7	0	血小板減少	8.5	0.9
便秘	3.8	0			

AURA3 試験および FLAURA 試験の併合成績より抜粋

るため，初期症状（息切れ，空咳，発熱）の把握に努める．

□QT 間隔延長の好発時期はなく，全期間で発現する可能性があるため，初期症状（動悸，めまい，ふらつき）の把握に努める．

副作用対策のポイント

□**悪心・嘔吐**：最小度催吐性リスクに分類されるため，制吐薬の予防投与は不要だが，症状発現時はドパミン D_2 受容体拮抗薬（メトクロプラミド，ドンペリドン）を投与．

□**下痢**：脱水を避けるため，水分補給の重要性を説明．投与開始前に比べ排便回数が増加したら整腸薬や必要に応じてロペラミドの投与を検討．一方，ICI の投与歴がある患者では，irAE による大腸炎の可能性も念頭に置き，ロペラミドの安易な使用は控える．

□**血液毒性**：減量・中止基準を参考に適切に休薬または減量．

□**間質性肺疾患**：初期症状（息切れ，空咳，発熱）を説明．発現時はただちに中止．ステロイド（メチルプレドニゾロン 500〜1,000 mg/日×3 日間など）を投与．

□**QT 間隔延長**：初期症状（動悸，めまい，ふらつき）を説明．継続的に心電図と電解質のモニタリング．減量・中止基準を参考に適切に休薬または減量．

□**肝機能障害**：減量・中止基準を参考に適切に休薬または減量．必要に応じて肝庇護薬の使用も検討．

□**皮膚障害**：内服開始から皮膚の保清，保護，保湿の重要性を説明．予防的に保湿薬を外用．ざ瘡様皮疹にはステロイド外用薬（体幹部はvery strongクラス，首から上の顔面部はmediumクラス）で対応．症状が強い場合はミノサイクリンやドキシサイクリンを考慮．爪囲炎は出現までにはタイムラグがある．内服開始から対応方法を説明（スクエアカット，スパイラルテーピング法）．症状が強い場合，皮膚科併診の依頼も考慮．

6 薬学的ケア

CASE

□*EGFR*遺伝子変異陽性（Exon19 del）の患者．PS 0，肝・腎機能異常なし，間質性肺疾患の既往や心電図異常はなし．1次治療としてオシメルチニブを1回80 mg　1日1回で開始．ヘパリン類似物質油性クリームの塗布方法を指導．

□day 15：AST・ALT上昇Grade 3出現，休薬を提案し，休薬．

□day 29：AST・ALT上昇Grade 1まで回復，オシメルチニブを40 mgへ減量して再開を提案し，再開．

□day 43：AST・ALTは上昇せず．爪囲炎がGrade 2のため，ベタメタゾン酪酸エステルプロピオン酸エステル軟膏を提案．

□day 57：爪囲炎Grade 1に軽快．ヒドロコルチゾン酪酸エステルクリームへのランクダウンを提案．肝機能は増悪なく経過．

解説

□オシメルチニブは皮膚障害が出現する可能性があるため，皮膚症状をモニタリングし，必要であればステロイド外用薬を提案する．増悪する場合は皮膚科併診を依頼．

□肝機能障害は血液検査を定期的にモニタリングし，必要に応じて休薬または減量を依頼．

引用文献

1） Soria JC, et al：N Engl J Med 378：113-25, 2018（PMID：29151359）
2） Ramalingam SS, et al：N Engl J Med 382：41-50, 2020（PMID：31751012）
3） タグリッソ®錠，添付文書
4） タグリッソ®錠，医薬品インタビューフォーム
5） タグリッソ®錠，適正使用ガイド

（吉野新太郎）

Ⅱ 非小細胞肺がん

33 アレクチニブ（アレセンサ®）

POINT

- ■間質性肺炎，肝機能障害について，定期的な検査や初期症状の把握で適切に休薬や減量を行い，重篤化を回避する．
- ■皮疹が比較的発現しやすいため，症状発現時はステロイド外用薬や抗アレルギー薬で対処する．症状の経過を観察し，増悪する場合は皮膚科にコンサルトする．

1 レジメンと副作用対策

1コース期間：なし　**総コース**：PDまで

1日2回内服

33		医薬名，投与量	投与方法 投与時間	1	2	3	4	5	6	7	8	9	10	11	12	13	14	15	16	～	21
レジメン	Rp1	アレクチニブ 600 mg	経口 1日2回	↓	↓	↓	↓	↓	↓	↓	↓	↓	↓	↓	↓	↓	↓	↓	↓	↓	↓
副作用対策	味覚異常																				
	口腔ケアを中心に含嗽液，食事の工夫などで対応																				
	肝機能障害																				
	投与初期（2か月以内）に現れる傾向がある																				
	皮疹																				
	症状発現時は，早めにステロイド外用薬や抗アレルギー薬で対応する																				
	Scr上昇																				
	42日目～147日目までに増加し，その後，Grade 1～2を推移する傾向がある																				
	便秘																				
	注意点：治療開始前より便通状態を把握する																				
	CK上昇																				
	一過性に上昇する傾向がある																				

2 抗がん薬の処方監査

処方監査のポイント

- □CYP3A4を阻害，または誘導する薬剤を使用していないか確認．
- □代表的な阻害薬や物質：イトラコナゾール，ボリコナゾール，リトナビル，テラプレビル，インジナビル，コビシスタット，クラリスロマイシン，グレープフルーツジュース，エリスロマイシン，ネルフィナビル，サキナビル[1)]．
- □投与前に間質性肺炎がないことを確認．

3 抗がん薬の調剤

□分包や脱カプセル，簡易懸濁を行った際の有効性や安全性，薬物動態に関するデータはない．やむをえず行う場合は，各種ガイドライン（がん薬物療法における職業性曝露ガイドラインなど）に則り，個人防護具（手袋，マスクなど）を使用するなど，適切に対応する．

4 抗がん薬の投与

投与基準〔JO28928試験（国内第Ⅲ相試験）[2)]による〕

□*ALK*融合遺伝子陽性が確認された患者．

□ECOG PS 0～2.

□好中球数≧1,500/μL，T-Bil≦2.25 mg/dL（≦ULN×1.5）.

□血小板数≧10.0×10^4/μL，AST≦90 U/L（≦ULN×3），ALT≦（男）126 U/L，（女）69 U/L（≦ULN×3）.

□ヘモグロビン≧9.0 g/dL，≧SpO_2 92%.

□Scr≦1.5 mg/dL.

減量・中止基準

□以下に示す基準に準拠して休薬する．減量基準は設けられていない．

		Grade 1	Grade 2	Grade 3	Grade 4
副作用	血液毒性	同一用量を継続			Grade 2以下に回復するまで休薬．回復後は，休薬前と同一用量で再開．
	非血液毒性	同一用量を継続		Grade 2以下に回復するまで休薬．回復後は，休薬前と同一用量で再開．	

JO28928試験（国内第Ⅲ相試験）における休薬基準[2)]による

腎機能障害　肝機能障害

□記載なし．

注意点

□間質性肺疾患の初期症状（息切れ，呼吸困難，咳嗽，発熱など）を説明し，早期発見できるようにする．国内第Ⅲ相試験[2)]で間質性肺炎を発現した患者の半数以上が，化学療法歴のある患者であったため，化学療法の施行歴のある患者では特に注意が必要である．

□AST（GOT），ALT（GPT），ビリルビンなどの増加を伴う肝機能障害が現れることがあるので，本剤投与中は定期的に肝機能検査を行い，患者の状態を十分に観察する．
□好中球減少，白血球減少などが早期から現れることがあるので，定期的に血液検査にてモニタリングする．
□治療開始後に追加される薬剤との相互作用（CYP3A 阻害薬・誘導薬，P-gp（P 糖蛋白質）の基質薬など）に注意する．併用する場合もアレクチニブの用量調節は必要としないが，副作用などのモニタリングを丁寧に行う．必要に応じて相互作用のないまたは弱い薬剤への代替を考慮する．
□飲み忘れた場合は，あとから 2 回分を一度に服用しない．

5 副作用マネジメント

発現率

副作用名	発現率（%）	Grade 3 以上（%）	副作用名	発現率（%）	Grade 3 以上（%）
便秘	35	1	口内炎	12	0
上咽頭炎	20	0	T-Bil 上昇	12	0
味覚障害	18	0	悪心	11	0
CK 上昇	17	5	AST 上昇	11	1
上気道感染症	17	0	Scr 上昇	11	0
筋肉痛	16	0	発熱	10	0
皮疹	13	0	倦怠感	10	0

JO28928 試験（国内第 III 相試験）[2] による

評価と観察のポイント

投与初期

□白血球・好中球減少は，比較的早期から発現するため，血液検査にて推移をモニタリングする．

投与後期

□肝機能異常がみられることがある．熱，発疹，瘙痒感，黄疸などの症状を伴わずに重篤化する場合もあるため，投与中は定期的にフォローする．皮疹は比較的高頻度に発現する．かゆみなどの症状や紅斑の広がりなど経過を注意深く観察する．便秘が発現しやすいため，投与前から便通状況のモニタリングを継続する．クレアチニンや CK が上昇する場合があるため，定期的にモニタリングする．

投与全期間

□間質性肺疾患の好発時期はなく，全期間発現する可能性があるため，初期症状（息切れ，空咳，発熱）の把握に努める．消化管穿孔，血栓塞栓症の報告があり，症状の変化に留意する．異常があれば適宜検査を行う．

副作用対策のポイント

投与初期

□**味覚異常**：口腔ケアを中心に含嗽液，食事の工夫などで対処する．重度の食欲不振または体重減少を伴うことはまれである．

□**皮疹**：ステロイド外用薬や抗アレルギー薬で対応する．症状の経過を観察し，Grade 3 で休薬する．増悪する場合は皮膚科にコンサルトする．

□**白血球，好中球減少**：感染予防対策について説明しておく．Grade 4 で休薬する．

投与後期

□**便秘**：酸化マグネシウムを投与する．必要に応じて刺激性の下剤を併用する．

□**肝機能異常**：減量・中止基準（→238 頁）を参考に適切に休薬や減量を行う．必要に応じて肝庇護薬などの使用を検討する．AST，ALT は休薬により 3 週間以内に改善する傾向があるが，T-Bil については，休薬により改善はみられるものの Grade 1〜2 を維持する傾向がある．

全投与期間

□**間質性肺疾患**：間質性肺疾患の初期症状（息切れ，空咳，発熱）を説明しておく．発現時はただちに中止し，ステロイド（メチルプレドニゾロン 1,000 mg を 3 日間など）で対応する．

6 薬学的ケア

CASE

□*ALK* 融合遺伝子陽性の 60 歳代患者．PS 1，肝・腎機能異常なし，1 次治療としてアレクチニブが 1 回 300 mg，1 日 2 回で開始となった．

□服用開始 21 日目ごろから筋肉痛があるとの訴えがあった．day 28 の血液検査で 1,760 U/L と CK 上昇が認められた．心血管疾患や甲状腺機能低下症などの併存疾患やスタチンなどの併用薬はなく，患者に確認したところ激しい運動など筋肉痛の原因になるような行動の心当たりもないことから，アレクチニブによるものと考えられた．

□Grade 3 に相当するため，主治医に確認し，アレクチニブは休薬となった．
□1 か月後，CK の数値は，252 U/L と Grade 1 に低下したため，休薬前と同量でアレクチニブが再開となった．その後，CK 値の再上昇なく，Grade 0〜1 で経過した．

解説

□CK 上昇は，アレクチニブに特徴的な副作用の 1 つであり，自覚症状として筋肉痛を伴うことがある．
□CK 上昇の原因となる他の要因（激しい運動など生活上の変化や併存疾患，併用薬の有無など）がないか確認する．
□CK 増加は投与初期（1 か月以内）に発現する傾向がある．
□非血液毒性の休薬・中止基準にしたがって，Grade 3 以上で休薬を行う．
□同量での投与継続でも軽減していく例もある．

引用文献

1）厚生労働省：医薬品開発と適正な情報提供のための薬物相互作用ガイドライン．2018
2）Hida T, et al：Lancet 390：29-39, 2017（PMID：28501140）
3）アレセンサ® カプセル，添付文書
4）アレセンサ® カプセル，インタビューフォーム
5）アレセンサ® カプセル，適正使用ガイド

（林 稔展）

34 ペメトレキセド＋カルボプラチン＋ベバシズマブ

PEM＋CBDCA＋Bev

POINT

- ■組織型が非扁平上皮非小細胞肺がんであることを確認する．
- ■カルボプラチンの投与量計算方法（Calvert 式）と腎機能の評価方法を把握する．
- ■支持療法としての葉酸およびビタミン B_{12} の適切な用法を把握する．

1 レジメンと副作用対策（→次頁参照）

適応：進行再発の非扁平上皮非小細胞肺がん

1 コース期間：21 日間

総コース：4 コース（4 コース施行後増悪がなければ，ペメトレキセド＋ベバシズマブの維持療法を可能な限り継続）

2 抗がん薬の処方監査

□国内第Ⅲ相試験（COMPASS 試験）の適格基準（抜粋）：化学療法未経験，根治的放射線治療が不可能，StageⅢB/Ⅳ，ECOG PS 0～1，*EGFR* 遺伝子変異なしまたは不明，喀血・制御不能な高血圧なし[1]．

ペメトレキセド[2, 3]

□腎排泄の薬剤であり，腎機能の低下に伴いクリアランスが低下する．重度の腎機能障害患者には投与しないことが望ましい．

□初回投与の 7 日以上前から葉酸の連日投与およびビタミン B_{12} の 9 週ごとの筋肉内投与が開始されていることを確認する．

□イブプロフェンとの併用で AUC の 20％増加が認められている．腎機能低下患者では，投与前後の NSAIDs の併用をその半減期を考慮し可能な限り控える．1.3 g/日までのアスピリンでは影響は認められない．

カルボプラチン

□白金を含む薬剤に対し重篤な過敏症の既往歴のある患者は禁忌[4]．

□投与量は下記の Calvert 式を用いて計算する．

Calvert 式：

カルボプラチンの投与量（mg）＝目標 AUC×（GFR＋25）

34		医薬品名 投与量	投与方法 投与時間	0	1	2	3	4	5	～	9	10	11	12	13	14	15	16	17	18	～	21
レジメン（PEM＋CBDCA＋Bev）	Rp1	パロノセトロン 0.75 mg/50 mL デキサメタゾン 6.6 mg	点滴注射 15 分		↓																	
	Rp2	ペメトレキセド 500 mg/m^2 生理食塩液 100 mL	点滴注射 10 分		↓																	
	Rp3	カルボプラチン AUC 6 生理食塩液 250 mL	点滴注射 60 分		↓																	
	Rp4	ベバシズマブ 15 mg/kg 生理食塩液 100 mL	点滴注射 90 分		↓																	
	Rp5	オランザピン 5 mg	経口 1 日 1 回 眠前		↓	↓	↓															
	Rp6	デキサメタゾン 8 mg	経口 1 日 2 回 朝・昼食後	↓		↓																
副作用対策	好中球減少										■	■	■	■	■	■	■	■	■	■	■	■
	感染症を起こしやすくなるため，手洗いや含嗽などの基本的な感染対策の指導を行い，緊急受診の目安について説明をしておく．																					
	悪心・嘔吐				■	■	■	■														
	MEC レジメンに分類される．遅発期の悪心の制御を考慮し 5-HT$_3$ 受容体拮抗薬はパロノセトロンを選択し，オランザピンを追加する．steroid sparing として day 3 以降のデキサメタゾンを off とする．内服のデキサメタゾンは皮疹対策を兼ねているため，5 コース目以降も継続する．																					
	皮疹						■	■	■	■	■	■	■	■	■	■						
	day 0～2 にデキサメタゾンを投与することで発現リスクは大幅に低減されるが，それでも発現した場合は抗ヒスタミン薬の内服や外用ステロイド薬を使用し症状軽減を図る．																					
	過敏症				■																	
	発疹，顔面紅潮，呼吸困難，血圧低下，頻脈，発汗などの症状に注意する．カルボプラチンは複数回繰り返した時に発症しやすい．投与歴のある症例では特に注意する．																					
	高血圧・蛋白尿				■	■	■	■	■	■	■	■	■	■	■	■	■	■	■	■	■	■
	高血圧に対しては，日々の血圧測定を指導し，高値が続くようなら降圧薬の追加・増量を検討する．蛋白尿に対しては，投与日毎の尿検査で確認し，高値となればベバシズマブを休薬する．																					

Rp1 注：5 コース目以降は低リスクとなるため，パロノセトロンを生理食塩液 50 mL に変更する．

Rp4 注：点滴時間は，2 回目は 60 分，3 回目以降は 30 分まで短縮できる．

Rp5 注：糖尿病の合併がある場合はオランザピンが禁忌となる．アプレピタントを含め，必要な制吐療法を検討する．

5 コース目以降は Rp 1, 2, 4, 6 で維持療法となる．

□上記 GFR には eGFR または Cockcroft-Gault 式から求めた値を使用．

$$eGFR(男性) = 194 \times Scr^{-1.094} \times 年齢^{-0.287}\ (女性は，男性 \times 0.739)$$
$$\rightarrow GFR = eGFR \times 体表面積/1.73$$

Cockcroft-Gault 式：
Ccr(男性)＝(140－年齢)×体重/(72×Scr)（女性は，男性×0.85）
→GFR≒Ccr（Scr には検査結果に＋0.2 をして代入）

□eGFR は日本人集団のデータを基に開発されたため，比較的実測値とよく相関する．単位は mL/分/1.73 m^2 で得られるので，Calvert 式に代入するために「患者の体表面積/1.73」を積算する．

□Cockcroft-Gault 式は欧米人のデータを基に開発されている．Scr の測定法が海外（Jaffe 法）とわが国（酵素法）で異なっており，酵素法の方が約 0.2 低い数値となる．そのため，式には（Scr＋0.2）を代入する．

ベバシズマブ[5)]

□喀血（2.5 mL 以上の鮮血の喀出）の既往のある患者は禁忌．

□蛋白尿が現れることがあるため，定期的に尿検査を行う．

□大きな手術を施行した患者では，28 日以上の間隔を空け，術創が治癒しているか確認する．

□高血圧の患者では，血圧が十分に制御されているか確認する．

□出血リスクを上昇させる可能性があることから抗凝固薬服用の有無・脳転移の有無・出血素因または凝固系異常の有無を確認する．

□血栓塞栓症の既往があるか確認する．

3 抗がん薬の調剤

ペメトレキセド[2)]

□溶解には生理食塩液を用いる．100 mg バイアルは 4.2 mL，500 mg バイアルは 20 mL を用いると，溶解後の濃度が 25 mg/mL となる．必要量を採取し，生理食塩液に希釈し 100 mL とする．

□カルシウムを含有する溶液との混合により濁りまたは沈殿が確認されているため，リンゲル液および乳酸リンゲル液との配合を避ける．

カルボプラチン[6)]

□必要量を 250 mL 以上の生理食塩液またはブドウ糖液に混和する．

□アルミニウムを含む医療器具を用いない（沈殿形成，活性低下）．

□イオウを含むアミノ酸輸液中で分解が起こるため，配合を避ける．

ベバシズマブ[7)]

□必要量を採取し生理食塩液に混和して100 mLとする．

□ブドウ糖液との混合で力価の減弱が生じるおそれがあるため，同じ点滴ラインを用いた同時投与も含め配合を避ける．

4 抗がん薬の投与

投与基準[8)]

□血液毒性

好中球数	≧1,500/μL	血小板数	≧10万/μL

• 治療導入時は「白血球数≧3,000/μL」「Hb≧9.0 g/dL」も加える．

□非血液毒性（表は導入時の基準）

T-Bil	≦2.25 mg/dL（≦1.5×ULN）
AST，ALT，ALP（JSCC）	AST≦75 U/L，ALT≦（男）105 U/L，（女）57.5 U/L，ALP≦805 U/L（いずれも≦2.5×ULN） 【肝転移を伴う場合】AST≦150 U/L，ALT≦（男）210 U/L，（女）115 U/L，ALP≦1,610 U/L（いずれも≦5×ULN）
Scr	≦（男）1.61 mg/dL，（女）1.19 mg/dL（≦1.5×ULN）
推算Ccr	≧45 mL/分
UPCR*	＜1

*尿蛋白/クレアチニン比

□2コース目以降は，Grade 3以上の非血液毒性が認められた場合，ベースライン以下に回復するまで延期．

減量・中止基準

減量基準[8)]

□カルボプラチン，ペメトレキセド

• 血液毒性

前コース最低値		用量調整（%）	
血小板	好中球	ペメトレキセド	カルボプラチン
≧5万/μL	≧500/μL	不要	不要
≧5万/μL	＜500/μL	25%減量	25%減量
＜5万/μLで出血なし	any	25%減量	25%減量
＜5万/μLで≧Grade 2の出血	any	50%減量	50%減量
any	＜1,000/μLで≧38.5℃の発熱	25%減量	25%減量

• 非血液毒性

イベント	用量調整（%）	
	ペメトレキセド	カルボプラチン
下痢≧Grade 3	25%減量	不要
口内炎≧Grade 3	50%減量	不要
悪心・嘔吐≧Grade 3	不要	不要
末梢神経障害≧Grade 3	25%減量	25%減量
AST，ALT 上昇 Grade 3	25%減量	25%減量
他のイベント≧Grade 3	25%減量	25%減量

中止基準[8]

□3 回目の減量が必要になった場合.
□最終投与から 43 日以内に開始基準を満たさない場合.
□Grade 4 の AST，ALT 上昇.
□ベバシズマブの休薬

高血圧	Grade 3	静脈血栓症	≧Grade 3
肺または中枢神経系の出血	Grade 1	うっ血性心不全	Grade 3
その他の出血	Grade 3	蛋白尿	Grade 3
腸閉塞	≧Grade 2		

□ベバシズマブの中止

高血圧	Grade 4	動脈血栓症	全 Grade
肺または中枢神経系の出血	≧Grade 2	うっ血性心不全	Grade 4
		蛋白尿	Grade 4
その他の出血	Grade 4，繰り返す Grade 3	気管食道瘻	全 Grade
		その他の瘻孔	Grade 4
消化管穿孔	全 Grade	治療を要する創傷裂開	全 Grade
可逆性後白質脳症	全 Grade		

腎機能障害

ペメトレキセド	Ccr<45 mL/分には投与しないことが望ましい
カルボプラチン	Calvert 式に基づき投与量を計算する
ベバシズマブ	記載なし

肝機能障害

□3剤とも記載なし.

注意点

ペメトレキセド

□10分かけて点滴静注する.

カルボプラチン

□30分以上かけて点滴静注する.

□血管外漏出時のリスクは炎症性. 刺入部の腫脹・疼痛に注意する.

□点滴中は過敏症の発現に注意する. 好発するのは6〜8コース目のため, 本剤投与歴のある患者では特に注意する.

ベバシズマブ

□infusion reaction軽減のため, 初回は90分かけて点滴静注し, 忍容性が良好であれば2回目は60分, 3回目以降は30分に短縮できる.

□投与前および終了時の血圧を確認し, 経過を把握しておく.

5 副作用マネジメント

発現率（国内第Ⅱ相試験）[9]

副作用		導入療法期間（n＝55）		維持療法期間（n＝45）	
		全体（%）	Grade≧3（%）	全体（%）	Grade≧3（%）
血液毒性	白血球減少	47.3	14.6	20.0	4.4
	好中球減少	56.4	24.5	24.4	6.7
	貧血	52.7	10.9	46.7	6.7
	血小板減少	47.3	14.6	24.4	2.2
非血液毒性	AST, ALT上昇	27.3	1.8	35.6	0
	悪心	56.4	10.9	37.8	2.2
	嘔吐	25.5	1.8	4.4	2.2
	倦怠感	30.9	0	28.9	2.2
	高血圧	12.7	1.8	33.3	15.6
	蛋白尿	32.7	0	44.4	2.2

評価と観察のポイント

□**投与日（day 1）**：腎機能に変動がないか確認する. 尿蛋白の悪化を認めれば定量検査を行う（UPCR≒1日蛋白排泄量）.

□**投与初期（day 1〜7）**：悪心・嘔吐はdayごとのGradeの推移に注意して観察し対策につなげる. 皮疹出現の有無を確認する.

□**投与期間中**：血圧の変動に注意し，患者には家庭血圧の記録を指導する．総合ビタミン剤のパンビタン®のアドヒアランスや葉酸サプリに注意する．

副作用対策のポイント

□**皮疹**：無処置では発現頻度が90％程度[10]と高いが，予防的なステロイド投与により大幅に低減できる．ステロイドの至適用量・投与期間は明らかではないが，海外第III相試験では治療前日と治療翌日にデキサメタゾン8 mg/日を内服することで＜20％の発現率[11]となっている（治療当日は前投薬のデキサメタゾンがある）．皮疹が出現した場合は，抗ヒスタミン薬の内服あるいはステロイド外用薬を検討する．

□**悪心・嘔吐**：カルボプラチン（AUC≧4）はMECの中でもより強化した制吐療法が推奨されていること，第2世代5-HT_3受容体拮抗薬（パロノセトロン）投与下でのステロイドスペアリング[※1]が各ガイドラインで選択肢となっていること，遅発期悪心の制御にはオランザピンが有用であることから，パロノセトロンを投与しday 3以降のデキサメタゾンは省略して，オランザピン5 mg/日（糖尿病患者では禁忌であることに注意）を追加する．制御不十分な場合は，発現状況に応じてNK_1受容体拮抗薬など他の制吐薬の追加を検討する．

※1：ステロイド副作用（血糖上昇，不眠，消化性潰瘍，骨量低下）を減らす目的で2日目以降の内服ステロイド（デキサメタゾン）を省略すること．

□**高血圧**：Grade 2（収縮期140 mmHg以上，拡張期90 mmHg以上への上昇または症状を伴う20 mmHg以上の上昇）で降圧薬の追加・増量を検討する．腎保護作用のあるARBがよく選択される．

□葉酸はホモシステイン濃度を，ビタミンB_{12}はメチルマロン酸濃度を低下させることで副作用を軽減させる．葉酸は，1日1回0.5 mgを連日経口投与するが，適切な葉酸製剤がないため「調剤用パンビタン®末」1 g（葉酸として0.5 mg相当）を用いる．ビタミンB_{12}は，1回1 mgを9週ごとに1回筋肉内投与する[12]．

6 薬学的ケア

CASE

□70歳代女性．左肺腺がんcStageⅣに対しファーストラインとして治療導入となった．day 4に朝から前胸部に皮疹（Grade 2）が出現したことを聴取．瘙痒感もあり，オロパタジン　1回5 mg　1日2回およびベタメタゾン吉草酸エステル軟膏の処方および皮膚科コンサルトを提案．処方され，皮膚科では被疑薬としてペメトレキセドが挙げられ，以降，併診となった．

□10コース目，治療開始直前の血圧が176/101 mmHg（Grade 3）に上昇していた．家庭血圧はコントロールされていたが，ベバシズマブ投与によりさらに上昇する可能性があるため，ニフェジピン10 mgを服用後に投与することを提案．血圧の低下を確認して治療開始となった．

解説

□ペメトレキセドによる皮疹は，day 0～2のデキサメタゾン投与により低減できるが，一部の患者では発現を認める．処方提案で症状の改善を図り，他の皮膚疾患との鑑別のため皮膚科コンサルトをすすめる．

□ベバシズマブ継続により血圧のコントロールは次第に悪化する．家庭血圧の管理が重要だが，投与前後での上昇もあるため，これまでの治療経過も踏まえ降圧薬の追加服用を検討する．

引用文献

1）Seto T, et al：J Clin Oncol 38：793-803, 2020（PMID：31880966）
2）アリムタ®注射用，添付文書
3）アリムタ®注射用，インタビューフォーム
4）パラプラチン®注射液，添付文書
5）アバスチン®点滴静注用，添付文書
6）パラプラチン®注射液，インタビューフォーム
7）アバスチン®点滴静注用，インタビューフォーム
8）Patel JD, et al：J Clin Oncol 31：4349-57, 2013（PMID：24145346）
9）Karayama M, et al：Eur J Cancer 58：30-7, 2016（PMID：26922170）
10）Rusthoven JJ, et al：J Clin Oncol 17：1194, 1999（PMID：10561178）
11）Scagliotti GV, et al：J Clin Oncol 26：3543-51, 2008（PMID：18506025）
12）葉酸とビタミンB_{12}　Q & A～アリムタ®投与に際して～（日本イーライリリー）

（橋本浩季）

35 ペメトレキセド維持療法

PEM

POINT

- ■組織型が非扁平上皮非小細胞肺がんで，ペメトレキセドとプラチナ製剤の併用療法からの維持療法であることを確認する．
- ■ペメトレキセド初回投与の7日以上前から投与中止後22日まで葉酸の連日経口投与，および9週ごとにビタミン B_{12} の筋肉内投与が行われているか確認する．
- ■Ccr＜45 mL/分の患者では十分なデータが得られていないため，腎機能の悪化がみられた場合は減量・中止を検討する．

1 レジメンと副作用対策

適応：進行再発の非扁平上皮非小細胞肺がん

1コース期間：21日間　**総コース**：可能な限り継続

35		医薬品名 投与量	投与方法 投与時間	0	1	2	3	4	～	8	9	10	11	12	13	14	15	16	17	18	～	21
レジメン	Rp1	デキサメタゾン 6.6 mg 生理食塩液 50 mL	点滴注射 15分		↓																	
	Rp2	ペメトレキセド 500 mg/m^2 生理食塩液 100 mL	点滴注射 10分		↓																	
	Rp3	デキサメタゾン 8 mg	経口 1日2回 朝・昼食後	↓		↓																
副作用対策	好中球減少									■	■	■	■	■	■	■	■	■	■	■	■	■
	感染症を起こしやすくなるため，手洗いや含嗽などの基本的な感染対策の指導を行い，緊急受診の目安について説明をしておく．																					
	悪心・嘔吐				■	■	■															
	軽度リスクに該当する．症状の時期・程度に応じて追加の薬剤を検討する．																					
	皮疹						■	■	■	■	■	■	■	■	■	■						
	day 0～2にデキサメタゾンを投与することで発現リスクは大幅に低減される．発現した場合は症状に応じ抗ヒスタミン薬の内服や外用ステロイド薬を使用し軽減を図る．																					

2 抗がん薬の処方監査

- □前治療（ペメトレキセドとプラチナ製剤の併用療法）終了時点の評価がSD以上であることを確認する．
- □腎排泄の薬剤であり，腎機能の低下に伴いクリアランスが低下することが知られている．Ccr＜45 mL/分の患者では十分なデータが得られておらず，重度の腎機能障害患者には投与しないことが望ましい（重度の腎機能障害患者（GFR＝19 mL/分）で本治療に起因すると考えられる死亡例が報告されている）[1)]．

□動物実験で催奇形性が報告されているため，妊婦または妊娠している可能性のある女性は投与禁忌．また，雄性生殖器への影響も報告されているため，生殖可能な年齢の男性に投与する場合はこの影響を考慮する[1)]．

□催吐リスクは低リスクのため，前投薬としてデキサメタゾン 6.6 mg を投与する．

□前治療から引き続き葉酸の連日経口投与，およびビタミン B_{12} の 9 週ごとの筋肉内注射が行われていることを確認する．またこれらの投与は，本治療終了後 22 日目までは継続する[1)]．

□イブプロフェンとの併用で AUC の 20％増加が認められている．腎機能低下患者では，投与前は半減期に応じ 2～5 日，投与後は 2 日間，NSAIDs の併用を可能な限り控える．ただし，アスピリンは 1.3 g/日までなら影響が認められない[2)]．

□HBV 既往感染者として，前治療において HBV-DNA をフォローしていた場合は，1～3 か月ごとのフォローを継続し，再活性化が認められた場合は核酸アナログによる治療を開始する[3)]（フォローの期間は「治療内容を考慮して検討する」とされている）．

□シスプラチン＋ペメトレキセド後の維持療法を検証した海外第Ⅲ相試験（PARAMOUNT 試験）の適格基準から抜粋：18 歳以上，過去の放射線治療は骨髄の 25％未満（骨盤全体へ受けた場合は含まない），ECOG PS 0～1[4)]．

3 抗がん薬の調剤

□溶解には生理食塩液を用いる．100 mg バイアルは 4.2 mL，500 mg バイアルは 20 mL を用いると，溶解後濃度が 25 mg/mL となる．必要量を採取し，生理食塩液に希釈し 100 mL とする．

□溶解後に保存する場合は，冷暗所で保存し，24 時間以内に使用する．

□カルシウムを含有する溶液との混合により濁りまたは沈殿が確認されているため，リンゲル液および乳酸リンゲル液との配合を避ける．また，オンダンセトロンとの配合変化も報告されている．

4 抗がん薬の投与

投与基準[5]

PS	0～1	T-Bil	≦2.25 mg/dL（≦1.5×ULN）
好中球数	≧1,500/μL		
Hb	≧8.0 g/dL	実測 or 推算 Ccr	≧45 mL/分
血小板数	≧10 万/μL	SpO_2	≧93%
AST, ALT	AST≦75 U/L，ALT≦（男）105 U/L，（女）57.5 U/L（いずれも≦2.5×ULN）		

減量・中止基準

減量基準[5]

□最終投与から 29 日以内に開始基準を満たさない場合.

通常投与量	1 段階減量	2 段階減量
500 mg/m^2	400 mg/m^2	300 mg/m^2

中止基準[5]

□3 回目の減量が必要になった場合.

□最終投与から 43 日以内に開始基準を満たさない場合.

腎機能障害[1]

□Ccr＜45 mL/分には十分なデータがなく，慎重投与.

□日本人患者 31 例を含む 443 例の薬物動態解析で，Ccr＝45 mL/分では Ccr＝90 mL/分と比較し，血漿 CL が 32％低下し ACU が 48％増大すると予測されている.

□重度腎機能障害患者では投与しないことが望ましい.

肝機能障害

□記載なし.

□主として尿中へ未変化体として排泄されるが，以下の肝機能障害患者については検討がなされていないため慎重投与[2].

- T-Bil＞2.25 mg/dL（＞ULN×1.5）.
- 【肝転移なし】AST＞90 U/L，ALT＞（男）126 U/L，（女）69 U/L（いずれも＞ULN×3）.
- 【肝転移あり】AST＞150 U/L，ALT＞（男）210 U/L，（女）115 U/L（いずれも＞ULN×5）.

注意点

□10 分かけて点滴静注.

□血管外漏出のリスクは非壊死性に分類されている.

□カルシウムを含有する輸液との配合を避ける（濁りまたは沈殿が確認されている）.

5 副作用マネジメント

発現率（国内第Ⅱ相試験[5]の維持期；n＝60）

副作用		全体(%)	Grade≧3(%)
血液毒性	白血球減少	71.7	11.7
	好中球減少	73.3	35.0
	貧血	86.7	13.3
	血小板減少	66.7	16.7

副作用		全体(%)	Grade≧3(%)
非血液毒性	食欲不振	35.0	—
	悪心	35.0	—
	嘔吐	6.7	—
	倦怠感	55.0	—
	皮疹	10.0	—
	ALT 上昇	50.0	5.0
	AST 上昇	56.7	1.7

評価と観察のポイント

投与初期（day 1〜7）

□悪心，皮疹，倦怠感の発現に注意する.

□悪心は，後の対策立案のためにもその出現時期やGradeの変化について把握する．皮疹対策として内服するデキサメタゾンが悪心予防にも働いていることにも留意する.

□皮疹は，投与数日後から斑状丘疹状皮疹として出現することが多いとされる．瘙痒感を伴うこともある．デキサメタゾンの内服を制吐薬と認識し，悪心がない場合に服薬を控える可能性があるため，アドヒアランスにも注意する.

全期間

□治療が長期になると徐々に腎機能が低下してくる症例がある．腎機能の低下とともにペメトレキセドのクリアランスは低下するため，有害事象の増悪がみられる場合はCcrの推移を確認する.

□間質性肺炎が発現することがあるため，導入時に乾性咳嗽・発熱・呼吸困難の症状の説明を行い，有症時は速やかに相談するよう指導しておく．発現時期の予測は困難であるため，適宜自覚症状の聴き取りを行い，発現が疑われた場合は速やかに医師へ報告し，胸部CT検査など必要な検査を依頼する.

□支持療法の葉酸の内服は，ビタミン剤との情報提供の結果，アドヒアランスが低下する可能性がある．副作用対策として必要であることを説明し，アドヒアランスを含め観察する．

副作用対策のポイント

□制吐薬適正使用ガイドライン上は低リスクに分類されているが，維持療法における悪心の発現率は35％であった[5]．悪心の程度を適切に評価し，day 3以降に対策が必要であればデキサメタゾンの延長を，day 2から必要な場合はオランザピン5 mg/日（糖尿病患者には禁忌であることに注意）あるいはパロノセトロンの使用を考慮する．症状が軽度の場合はメトクロプラミドの頓用で経過観察する．オランザピンおよびパロノセトロンは「強い悪心，嘔吐が生じる抗悪性腫瘍薬の投与の場合に限り使用すること」との注意があることに留意する．

□皮疹の発現頻度は無処置では90％程度[6, 7]と高いが，予防的なステロイド投与により大幅に低減できる．ステロイドの至適用量・投与期間は明らかにされていないが，海外第Ⅲ相試験では治療前日と治療翌日に内服のデキサメタゾン8 mg/日を追加することで＜20％の発現率[8, 9]となっている（治療当日は前投薬のデキサメタゾンがある）．皮疹が出現した場合は，症状に応じて抗ヒスタミン薬の内服あるいはステロイド外用薬で対応する．

□腎機能低下に伴い有害事象の増悪が認められた場合は，必要に応じて減量を提案する．Ccr＜45 mL/分となれば投与中止を基本とするが，それまでの治療経過を踏まえ継続の可否を慎重に検討する．

□葉酸はホモシステイン濃度を，ビタミンB_{12}はメチルマロン酸濃度を低下させることで副作用を軽減させる．葉酸は，1日1回0.5 mgを連日経口投与するが，適切な葉酸製剤がないため「調剤用パンビタン® 末」1 g（葉酸として0.5 mg相当）を用いる．ビタミンB_{12}は，1回1 mgを9週ごとに1回筋肉内投与する[10]．

6 薬学的ケア

CASE

□60歳代男性，右肺腺がんcStageⅣ（肝転移）に対し，ファーストラインとしてシスプラチン＋ペメトレキセドが開始され，5コース目より維持療法へ移行し通院治療となった．6コース目投与中に前コースで悪心のため食事がとりづらい時期があった旨を聴取した．症状はday 3に出現しday 5までGrade 2，day 6には摂食可能となっていた．内服のデキサメタゾンは通院治療のため day 0 はなく，day 2 に 8 mg があるのみであった．

□患者が自動車を運転をする都合上，眠気のある薬剤を拒否したため，デキサメタゾンの内服を day 4 まで延長することを提案．食事摂取可能となった．単剤治療 10 コース目，貧血傾向が強くなり（Grade 2）好中球の回復も悪くなっていた（Grade 1～2）．もともと Ccr＝50 mL/分台と低値であったが，Ccr＝43 mL/分と悪化を認めた．腎機能低下と骨髄抑制以外には介入の必要な有害事象を認めなかったため，ペメトレキセドの 1 段階減量を提案．5 コース後に PD となるまで治療を継続することができた．

解説

□悪心の発現が day 3 のため，デキサメタゾンの延長で改善できる可能性がある．また，オランザピンの追加も検討されうる．ここでは患者の希望も加味し前者を選択．デキサメタゾンは生物学的半減期が長く，ステロイドの使用は極力抑えた方がよいため day 4 までの延長を提案．オランザピンを選択する場合は，注意力の低下から転倒のリスクがあるため，高齢者では特に注意する．

□骨髄抑制の増強は，腎機能障害の進行によるクリアランスの低下がその要因として挙げられる．今回の値は投与を避けることが望ましいものだが，直近の投与では重篤な有害事象を認めず治療効果も得られていることから減量を提案．ただし，リスクとベネフィットについて医師とよく相談する必要がある．

引用文献

1）アリムタ® 注射用，添付文書
2）アリムタ® 注射用，インタビューフォーム
3）B 型肝炎治療ガイドライン第 3.4 版．日本肝臓学会，2021
4）Paz-Ares LG, et al：J Clin Oncol 31：2895-902, 2013（PMID：23835707）
5）Okamoto I, et al：Invest New Drugs 31：1275-82, 2013（PMID：23475281）
6）Rusthoven JJ, et al：J Clin Oncol 17：1194, 1999（PMID：10561178）
7）Nakagawa K, et al：Br J Cancer 95：677-82, 2006（PMID：16940981）
8）Hanna N, et al：J Clin Oncol 22：1589-97, 2004（PMID：15117980）
9）Scagliotti GV, et al：J Clin Oncol 26：3543-51, 2008（PMID：18506025）
10）葉酸とビタミン B_{12}　Q & A～アリムタ® 投与に際して～，日本イーライリリー

（橋本浩季）

36 カルボプラチン＋nab-パクリタキセル

CBDCA＋nab-PTX

POINT

■nab-パクリタキセルは特定生物由来製品であるため，投与時に投与に関する記録と，20 年間の保管義務がある．
■カルボプラチンによる過敏性反応は投与回数の増加に伴い発症率が高まるため，投与中異常がないか患者の状態を確認する．
■nab-パクリタキセルによる末梢神経障害は治療継続とともに発現頻度が高くなるので，継続的に副作用モニタリングを行い，適切なタイミングで減量や休薬を提案する．

1 レジメンと副作用対策（→次頁参照）

適応：進行・再発非小細胞肺がんの化学療法
1 コース期間：21 日間　**総コース**：最大 6 コースまで

2 抗がん薬の処方監査

カルボプラチン

□AUC≧4 では，制吐療法として，NK_1 受容体拮抗薬，5-HT_3 拮抗薬，デキサメタゾンの併用を行う．
□投与量は下記の Calvert 式を用いて計算する．

Calvert 式：
カルボプラチンの投与量 (mg)＝目標 AUC×(GFR＋25)

□上記 GFR には eGFR または Cockcroft-Gault 式から求めた値を使用．

eGFR(男性)＝194×$Scr^{-1.094}$×年齢$^{-0.287}$(女性は，男性×0.739)
→GFR＝eGFR×体表面積/1.73
Cockcroft-Gault 式：
Ccr(男性)＝(140－年齢)×体重/(72×Scr)（女性は，男性×0.85)
→GFR≒Ccr（Scr には検査結果に＋0.2 をして代入)

□eGFR は日本人集団のデータを基に開発されたため，比較的実測値とよく相関する．単位は mL/分/1.73 m^2 で得られるので，Calvert 式に代入するために「患者の体表面積/1.73」を積算す

36		医薬品名 投与量	投与方法 投与時間	1	2	3	4	5	6	7	8	9	10	～	14	15	～	21	～	28
レジメン（CBDCA＋nab-PTX）	Rp1	パロノセトロン 0.75 mg/body デキサメタゾン 4.95 mg/body 生理食塩液 50 mL	点滴注射 30分	↓																
	Rp2	デキサメタゾン 6.6 mg/body 生理食塩液 50 mL	点滴注射 30分								↓					↓				
	Rp3	nab-パクリタキセル 100 mg/m^2 生理食塩液 50 mL	点滴注射 30分	↓							↓					↓				
	Rp4	カルボプラチン AUC 6 生理食塩液 250 mL	点滴注射 60分	↓																
	Rp5	アプレピタント 125 mg	経口 1日1回	↓																
		アプレピタント 80 mg	経口 1日1回		↓	↓														
	Rp6	デキサメタゾン 4 mg/body（省略可）	経口 1日1回		↓	↓	↓													

副作用対策

悪心・嘔吐

対策：AUC≧4 のカルボプラチンを投与する際には，5-HT$_3$ 受容体拮抗薬およびデキサメタゾンに加えて，アプレピタントを使用する．

筋肉痛，関節痛

投与数日以内に全身の筋肉痛，関節痛が出現し，一過性で自然消失する場合が多い．
対策：疼痛が強い場合には，アセトアミノフェン，NSAIDs などの使用も考慮．

末梢神経障害

主な症状として手足のしびれがみられ，投与を継続することに症状が増強する可能性あり．
対策：確立された対症薬はなく，nab-パクリタキセルの減量・中止により対応．

便秘

制吐薬として使用する，5-HT$_3$ 受容体拮抗薬，アプレピタントにより便秘になりやすい．
対策：排便状況を確認し，適切に酸化マグネシウムや大腸刺激性下剤などを使用．

好中球減少

対策：感染予防対策（手洗い，うがい）を指導し，発熱がみられた際の抗菌薬や解熱薬の使用方法や緊急受診の目安について事前に指導．

脱毛

ほぼ必発で 2～3 週後がピーク．
対策：事前にウィッグなどの情報を提供しておく．治療終了後，数か月経過後に回復．

る．

□Cockcroft-Gault 式は欧米人のデータを基に開発されている．Scr の測定法が海外（Jaffe 法）とわが国（酵素法）で異なっており，酵素法の方が約0.2低い数値となる．そのため，式には(Scr＋0.2)を代入する．

□高齢者では，筋肉量が減少することでクレアチニンの生成が減少し，Scrが実際の腎機能を反映しない場合がある．そのため，米国NCIでは，カルボプラチンの過量投与を避けるため，Scrの最低値を0.7 mg/dLとし，GFRの最高値を125 mL/分とするように推奨している．したがって，カルボプラチンの上限値はAUC6の場合は900 mg，AUC5の場合には750 mgとなる[1]．

nab-パクリタキセル

□パクリタキセルおよびアルブミンに対し過敏症の既往がないことを確認．

□nab-パクリタキセルは従来のパクリタキセル製剤の溶媒などを使用していないため，アレルギー予防の前投薬は原則として不要である．

3 抗がん薬の調製[2, 3]

カルボプラチン

□250 mL以上の生理食塩液または5%ブドウ糖液に希釈する．生理食塩液などの無機塩類を含有する輸液に希釈する場合には，分解物の生成がみられることがあるため，希釈から8時間以内に投与を終了する．

□含イオウアミノ酸輸液中で分解が起こるためアミノ酸輸液との配合は避ける．

nab-パクリタキセル

□nab-パクリタキセルは1バイアル(100 mg)あたり20 mLの生理食塩液で溶解する．生理食塩液を注入する際にはバイアルの内壁に沿わせてゆっくり注入を行い，凍結乾燥の薬剤が確実に生理食塩液で濡れるように5分間以上静置する．なお，注射針に塗布されたシリコーン油由来の不溶物が発生する可能性があるため，バイアルに注射針を刺す際は深く刺したり上下動を繰り返すことは避ける．

□バイアル内の薬剤を泡立てないよう穏やかに混和し，均一な白色または黄色の懸濁液になっていることを確認．必要量をバイアルから抜き取り，空の点滴バッグに注入する．懸濁液を希釈した場合，懸濁液中のナノ粒子が崩壊する可能性があるため，懸濁後の本剤を希釈することは避ける．

□懸濁液は速やかに使用するか，遮光し冷所（2～8℃）保存して8時間以内に使用する．

4 抗がん薬の投与

投与基準[4)]

項目	投与基準
好中球数	≧1,500/μL
血小板数	≧10万/μL
Hb	≧9.0 g/dL
AST（GOT），ALT（GPT）	AST≦75 U/L（≦ULN×2.5[*1]） ALT≦（男）105 U/L，（女）57.5 U/L（≦ULN×2.5[*1]）
T-Bil	≦1.5 mg/dL
Scr	≦1.5 mg/dL

*1 肝転移がある場合には5倍まで許容

減量・中止基準[4)]

項目	減量基準	再開基準	減量時期
好中球数	<500/μL[*2] または <1,500/μLのため7日間以上延期した場合	≧1,500/μL	次コース
血小板数	<5万/μL	≧10万/μL	次コース
FN	発現	回復	次コース
末梢神経障害	≧Grade 3	≦Grade 1	次回投与
皮膚障害	≧Grade 2	—	次回投与
粘膜炎または下痢	≧Grade 3	≦Grade 1	次回投与
非血液学的毒性（脱毛は除く）	≧Grade 3	≦Grade 2	次回投与

*2 添付文書には「好中球減少が7日間にわたって500/μL未満になった場合は減量すること」と記載あり

□減量の目安

減量段階	nab-パクリタキセル	カルボプラチン
通常投与量	100 mg/m^2	AUC 6
1段階減量	75 mg/m^2	AUC 4.5
2段階減量	50 mg/m^2	AUC 3

腎機能障害

□カルボプラチン：Calvert式を用いて調節．

□nab-パクリタキセル：記載なし．

肝機能障害

□カルボプラチン：記載なし．

□nab-パクリタキセル：FDA の添付文書[5] では下記の通り．

	AST (U/L)		T-bil (mg/dL)	
中等度	<300 (<10×ULN)	かつ	>2.25 to ≦4.5 (>1.5 to ≦3×ULN)	80 mg/m^2
高度	<300 (<10×ULN)	かつ	>4.5 to ≦7.5 (>3 to ≦5×ULN)	80 mg/m^2
	>300 (>10×ULN)	または	>7.5 (>5×ULN)	推奨しない

注意点

カルボプラチン

□シスプラチンと異なり水分負荷は原則として不要．

□過敏性反応は遅発型であり，投与回数が増えるほど起こりやすい傾向がある．

nab-パクリタキセル

□インラインフィルターを使用せずに投与すること．

□他の薬剤との配合，または同じ静注ラインでの同時注入を避けて投与すること．

□本剤の主成分であるパクリタキセルは起壊死性抗がん薬に該当する．血管外漏出により，注射部位に硬結・皮膚壊死・潰瘍などを起こす可能性があるため，投与中は慎重に観察を行う．

□特定生物由来製品のため，投与に関する記録(製品名，製造番号/製造記号，患者の氏名，使用年月日)を行い，20 年間保存する．

5 副作用マネジメント

発現率

□既治療の進行非小細胞肺がん患者を対象とした国内第Ⅲ相試験(J-AXEL 試験[6])（**表 36-1**）

評価と観察のポイント

#1 コース目

□**投与時**：血管外漏出の症状の確認．過敏症の有無の確認．

□**投与初期（day 1～7）**：悪心・嘔吐回数，便通状態，筋肉痛・関節痛の有無および程度の評価．

□**治療後期（day 7 以降）**：骨髄抑制がみられてくる時期のため，白血球，好中球，ヘモグロビン値，血小板数を評価．

表 36-1 副作用の発現率

副作用	全 Grade (%)	Grade 3, 4 (%)
白血球減少	74.7	25.7
好中球減少	80.8	39.5
貧血	97.6	0.4
血小板減少	23.7	0
FN	2.0	0
疲労	55.9	0
食欲不振	38.8	0
間質性肺炎	9.4	0
末梢性感覚ニューロパチー	55.5	0

#2 コース目以降

□nab-パクリタキセルによる末梢神経障害は蓄積毒性であるので，しびれや麻痺などの末梢神経障害の程度を評価.

副作用対策のポイント

悪心・嘔吐

□カルボプラチンの目標 AUC≧4 では，制吐療法として，NK_1 受容体拮抗薬，5-HT_3 拮抗薬，デキサメタゾンの併用を行う.

例（day 1）：
・ホスアプレピタント注 150 mg　1 日 1 回　点滴静注
・パロノセトロン注 0.75 mg　1 日 1 回　点滴静注
・デキサメタゾン注 4.95 mg　1 日 1 回　点滴静注
（オプションとして，day 2〜4 にデキサメタゾン錠 4 mg 1 日 1 回　朝食後の追加も可能）

末梢神経障害

□手足の先から発現する，手袋・靴下型しびれや痛みなどの感覚障害として認められることが多い．蓄積性があるため，治療継続による増悪を認める．対症療法として，プレガバリン，ミロガバリン，保険適用外ではあるがデュロキセチンなどを使用する場合もある[7]．また，タキサン系薬剤の末梢神経障害に対し，フローズングローブ[8]やサージカルグローブ[9]による予防の有効性が示されたとする報告もある.

6 薬学的ケア

CASE

□70歳代男性，非小細胞肺がんに対して化学放射線療法後のデュルバルマブ投与にて，Grade 2の間質性肺炎がみられ投与中止．その後，PDを認めたためカルボプラチン＋nab-パクリタキセルへ治療変更目的で入院．

□間質性肺炎合併下でのレジメン導入であったため，カルボプラチン＋nab-パクリタキセルによる急性増悪リスクについて文献検索を実施．他のレジメンと比べて安全性の高いレジメンであることを確認した．

□ホスアプレピタント，パロノセトロン，デキサメタゾン投与下にて1コース目を開始したところ，day 4よりGrade 3の悪心出現．

□2コース目投与時にオランザピン5 mg（投与前日よりday 4まで）の提案を実施し処方となった．その後，悪心はGrade 1まで改善．

□間質性肺炎も急性増悪することなく，4コースを継続できた．

解説

□間質性肺炎は通常は慢性に経過するが，時に呼吸不全を呈する急性増悪を引き起こし，起こした場合の死亡率は約50％と極めて高い[10)]．急性増悪の誘発因子として抗がん薬投与が挙げられた．がん治療において間質性肺炎は困難な合併症の1つである．

□92名の間質性肺疾患を合併した非小細胞肺がん患者に対して，カルボプラチン＋nab-パクリタキセルを投与した第Ⅱ相試験[11)]において，90名が間質性肺疾患の増悪なく予定された治療を完遂できたと報告されている．

□オランザピンは抗がん薬の制吐薬として適応が追加されており，既存の3剤併用療法（5-HT_3拮抗薬＋NK_1受容体拮抗薬＋デキサメタゾン）によっても有効性が得られない患者を対象としたメトクロプラミド対照の二重盲検比較試験により有用性が認められている[12)]．半減期が約31時間と長く，日中の眠気が問題となる場合があるため，生理機能が低下している高齢者では2.5 mg/回へ減量しての使用も考慮する．また，糖尿病患者には禁忌である．

引用文献

1) NCI Carboplatin Imformation Letter（https://ctep.cancer.gov/content/docs/carboplatin_information_letter.pdf）
2) パラプラチン® 注射液，インタビューフォーム．2018（ブリストル・マイヤーズ スクイブ）
3) アブラキサン® 点滴静注用，適正使用ガイド，非小細胞肺がん 2020（大鵬薬品工業）
4) 国際共同第Ⅲ相試験：CA031 試験　承認時評価資料
5) ABRAXANE DRUG LABEL INFORMATION（https://dailymed.nlm.nih.gov/dailymed/drugInfo.cfm?setid=24d10449-2936-4cd3-b7db-a7683db721e4）
6) Yoneshima Y, et al：J Thorac Oncol 16：1523-32, 2021（PMID：33915251）
7) Hershman DL, et al：J Clin Oncol 32：1941-67, 2014（PMID：24733808）
8) Hanai A, et al：J Natl Cancer Inst 110：141-8, 2018（PMID：29924336）
9) Tsuyuki S, et al：Breast Cancer Res Treat 160：61-7, 2016（PMID：27620884）
10) 日本呼吸器学会 びまん性肺疾患診断・治療ガイドライン作成委員会（編）：特発性間質性肺炎診断と治療の手引き，改訂第 3 版．南江堂，2016
11) Kenmotsu H, et al：Cancer Sci 110：3738-45, 2019（PMID：31608537）
12) Navari RM, et al：Support Care Cancer 21：1655-63, 2013（PMID：23314603）

（林 克剛）

37 ラムシルマブ＋ドセタキセル

RAM＋DTX

POINT

- ■エタノールを含有するドセタキセル製剤（タキソテール®）の場合は，アルコール耐性や過敏症の有無を確認．また，ラムシルマブの infusion reaction 出現予防に抗ヒスタミン薬の前投薬を行うため，投与後に自動車運転など危険を伴う作業に従事しないよう事前に説明を行う．
- ■ドセタキセルによる末梢神経障害，浮腫，口腔粘膜炎，ラムシルマブによる高血圧，尿蛋白，出血などに留意し，継続的にモニタリングすることが重要．
- ■日本人での好中球減少，FN の発現率は高いため，G-CSF 製剤の 1 次予防を考慮．

1 レジメンと副作用対策（→次頁参照）

適応：進行再発，2 次治療以降で PS 0～1 の非小細胞肺がん
1 コース期間：21 日間　**総コース**：可能な限り継続

2 抗がん薬の処方監査

ラムシルマブ

- □ラムシルマブ投与時に現れる infusion reaction を軽減させるため，ラムシルマブの投与前に抗ヒスタミン薬（ジフェンヒドラミンなど）の前投与を考慮する．
- □通常，成人にはラムシルマブとして 1 回 10 mg/kg（体重）をおよそ 60 分かけて点滴静注し，初回投与の忍容性が良好であれば，2 回目以降の投与時間は 30 分まで短縮可能（投与速度は 25 mg/分を超えないこと）．
- □ラムシルマブの投与にあたっては，蛋白質透過型（ポリエーテルスルホン製やポリスルホン製）のフィルター（0.2 または 0.22 μm）を使用する．
- □ラムシルマブ投与終了後は，規定の投与量を確実に投与するため，使用したラインを生理食塩液でフラッシュする．
- □肺出血のおそれがあるため，事前に喀血のリスク，胸部腫瘍血管へのがん浸潤や胸部放射線照射歴を評価する．

37		医薬品名 投与量	投与方法 投与時間	1	2	3	4	5	6	7	8	9	10	11	12	13	14	15	16	～	21
レジメン（RAM＋DTX）	Rp0	ジフェンヒドラミン 50 mg	経口 1日1回 ラムシルマブ投与30分前	↓																	
	Rp1	デキサメタゾン 6.6 mg/body 生理食塩液 100 mL	点滴注射 30分	↓																	
	Rp2	ラムシルマブ 10 mg/kg 生理食塩液 250 mL	点滴注射 60分	↓																	
	Rp3	ドセタキセル 60 mg/m^2 生理食塩液 250 mL	点滴注射 60分	↓																	

ラムシルマブは，初回は60分かけて点滴静注し，忍容性が良好であれば，2回目以降の投与時間は30分まで短縮可能．

副作用対策

infusion reaction
症状：悪寒，潮紅，低血圧，呼吸困難
予防と対策：抗ヒスタミン薬の前投薬．投与速度の減速．アセトアミノフェンやステロイドの追加．

過敏反応
症状：発熱，皮疹，呼吸困難
予防と対策：ステロイドの前投薬．アルコール不耐性の場合，エタノールを含有しない調製方法を選択．

好中球減少，FN
症状：発熱，悪寒，咽頭痛，倦怠感
予防と対策：抗菌薬や解熱薬の処方，予防的 G-CSF．

悪心・嘔吐
予防と対策：軽度催吐性リスクに分類されるため，ステロイドを前投薬．

神経障害
症状：手足のしびれ．累積投与量の増加とともに増強．
予防と対策：各コースごとに症状の評価と適切な減量・休薬・中止の対応．

脱毛
症状：頭皮のかゆみ，痛み．2～3週後がピーク．
予防と対策：ほぼ必発．事前にウィッグなどの情報を提供．治療終了後は回復．

高血圧
症状：頭痛，悪心
予防と対策：血圧測定と記録の指導．降圧薬の追加，Grade に応じた減量・休薬．

尿蛋白
症状：浮腫，体重増加
予防と対策：尿の定性・定量検査

- □心筋梗塞，脳血管障害，肺塞栓症などが現れるおそれがあるため，血栓塞栓症のリスクを評価する．
- □創傷治癒遅延による合併症のおそれがあるため，投与前28日以内に大手術，投与前7日以内に小手術が行われていないことを確認する．

ドセタキセル

□エタノールを含むドセタキセル製剤では，アルコール耐性や過敏症の有無を聴取する．

□ポリソルベート 80 含有製剤に対し重篤な過敏症の既往がない．

□主として薬物代謝酵素 CYP3A4 で代謝されるので，本酵素の活性に影響を及ぼす薬剤（アゾール系抗真菌薬，エリスロマイシン，クラリスロマイシン，シクロスポリン，ミダゾラム）を併用する場合，ドセタキセルの血中濃度が上昇する可能性があるため可能であれば代替薬への変更を考慮．

□ドセタキセルは毛細血管透過性の亢進に伴う浮腫を起こすことがあり，総投与量が 300～400 mg/m^2 に達すると発現率が高くなるとの報告がある（投与前後のステロイドが予防に有効）．

□海外では，「前投与としてデキサメタゾン（16 mg/日，1 回 8 mg 1 日 2 回）などを，本剤の投与前日から 3 日間，単独経口投与することが望ましい」とされている．

□間質性肺炎または肺線維症の有無の確認．

3 抗がん薬の調剤

ラムシルマブ

□ラムシルマブの調製には生理食塩液のみを使用．ブドウ糖溶液との配合を避けること（有効成分であるラムシルマブの遊離アミンとブドウ糖が反応するため）．

□ラムシルマブの必要量を計算し，必要量を注射筒で抜き取り，点滴静注用容器にて生理食塩液と混和して全量 250 mL とする．

□ラムシルマブおよび調製した注射液を凍結または振盪させない．

□調製後は，速やかに使用．やむをえず保存を必要とする場合，冷蔵保存（2～8℃）では 24 時間以内，室温保存（30℃以下）では 12 時間以内に投与を開始．

□可溶化剤としてポリソルベート 80 が含有されており，ルート選択の際は PVC（ポリ塩化ビニル製）の輸液セット使用を避ける．

ドセタキセル

□エタノールを含有する添付溶解液で溶解希釈後に使用する製剤（タキソテール® など）では，アルコールに過敏な患者に投与する場合は，生理食塩液または 5%ブドウ糖液で溶解する．

□すでにアルコールなどで希釈された製剤（ワンタキソテール®）ではアルコールを抜くことはできないため注意する．液体製剤であってもアルコールを含有していない製剤が現在わが国で発売されている（製剤濃度にも注意）．

4 抗がん薬の投与

投与基準

ラムシルマブ（JVCG 試験における投与基準）

項目	基準
T-Bil	≦1.5 mg/dL（≦ULN）
AST，ALT	AST≦75 U/L，ALT≦（男）105 U/L，（女）57.5 U/L（いずれも≦ULN×2.5）
好中球数	≧1,500/μL
血小板数	≧10 万/μL
ラムシルマブまたはドセタキセルとの関連性がある有害事象（脱毛を除く）	Grade 2 またはベースライン時の重症度まで回復している

ドセタキセル

□用量規制因子である好中球数が 2,000/μL 以上に達していることを確認する．

□ドセタキセルのクリアランスに影響するため，肝障害を確認．T-Bil 高値の場合や ALP 高値を伴うトランスアミナーゼ（AST，ALT）高値の場合は副作用の増強が認められる．

減量・中止基準[4)]

ラムシルマブ

有害事象	投与量
生命を脅かさない可逆性の Grade 3 の事象	1 回目：Grade 1 以下に回復後，同量で再開 2 回目：8 mg/kg に減量 3 回目：6 mg/kg に減量
Grade 4 の発熱または臨床検査値異常の場合	
Grade 4 の事象（発熱，臨床検査値異常を除く）	投与中止

腎機能障害

□減量基準記載なし．

肝機能障害

□減量基準記載なし．

□尿蛋白：尿の定量検査で 2 g/日以上 3 g/日未満の場合は，2 g/日未満になるまで休薬．回復後は以下の表に応じて減量．3 g/日≧またはネフローゼ症候群を発現した場合は投与中止．

2 g/日以上の蛋白尿発現回数	投与量
0 回	10 mg/kg
1 回	8 mg/kg へ減量
2 回以上	6 mg/kg へ減量

ドセタキセル

有害事象	投与量
FN	1 回目：毒性消失まで休薬し，再開の場合，50 mg/m^2 に減量 2 回目：投与中止
1 週間を超える好中球減少(<500/μL)	
その他の非血液毒性（≧Grade 3）	
末梢性ニューロパチー（≧Grade 3）	投与中止．ドセタキセルは再開しない
過敏反応（重度で生命を脅かす場合）	投与中止．ドセタキセルは再開しない

腎機能障害

□減量基準記載なし．

肝機能障害

□①T-Bil 高値または②ALP 高値（≧ULN×2.5）かつ AST/ALT 高値（≧ULN×1.5）の肝機能障害を有する場合は中止．

項目	基準
T-Bil	≧1.5 mg/dL（ULN）
AST，ALT かつ ALP（JSCC）	AST≧45 U/L，ALT≧（男性）63 U/L，（女性）34.5 U/L（いずれも≧ULN×1.5）かつ ALP≧805 U/L（≧ULN×2.5）

注意点

□ラムシルマブは infusion reaction を認めることがあるため，抗ヒスタミン薬の前投薬を行い，悪寒，潮紅，低血圧などの症状が現れていないかモニタリングする．

□ラムシルマブの投与速度は 25 mg/分を超えないようにし，Grade 1, 2 の infusion reaction が発現した場合は，50％の投与速度に減速する．Grade 3, 4 の場合はただちに投与を中止する．

□ドセタキセルは，特に初回および 2 回目に過敏反応を生じることがある．

□ドセタキセルの過敏反応は本剤の投与開始から数分以内に起こることがあるので，本剤投与開始後 1 時間は頻回に血圧，脈拍数などのバイタルサインをモニタリングする．

□ドセタキセルは起壊死性抗がん薬に分類される．投与中は漏出の有無を確認し，漏出時には，投与中止し，薬液を吸引抜去し，必要に応じてステロイドの局所皮下注射および冷罨法，ステロイド外用薬の塗布を行う．

5 副作用マネジメント

発現率[1-3)]

副作用	JVCG 試験（日本人）*1 n=76（60 mg/m²）		REVEL 試験（東アジア人）*1 n=32（75 mg/m²）		REVEL 試験（東アジア人）*1 n=11（60 mg/m²）	
	全 Grade（%）	Grade 3 以上（%）	全 Grade（%）	Grade 3 以上（%）	全 Grade（%）	Grade 3 以上（%）
白血球数減少	89.5	69.7	—	—	—	—
好中球数減少	94.7	89.5	84.4	81.3	54.4	54.5
血小板数減少	25.0	3.9	9.4	6.3	18.2	9.1
貧血	39.5	2.6	31.3	9.4	27.3	0
FN	34.2	34.2	43.8	43.8	0	0
食欲不振	64.5	10.5	65.6	0	27.3	0
悪心	35.5	0	28.1	0	—	—
下痢	28.9	2.6	37.5	3.1	—	—
口腔粘膜炎	50.0	5.3	50.0	3.1	54.5	0
脱毛	67.1	NA	34.4	NA	45.5	NA
浮腫（末梢）	31.6	1.3	—	—	—	—
疲労	31.6	1.3	46.9	3.1	36.4	0
尿蛋白	26.3	3.9	3.1	0	18.2	0
高血圧	7.9	5.3	—	—	27.3	9.1
infusion reaction	3.9	0	3.1	0	—	—

*1 JVCG 試験は国内第 II 相試験でドセタキセルの投与量はすべて 60 mg/m². REVEL 試験は国際第 III 相試験でドセタキセルの投与量は 75 mg/m². REVEL 試験は独立データモニタリング委員会の勧告により実施計画書の改訂以降に東アジア（韓国および台湾）で試験に登録された被験者のドセタキセルの投与量は 60 mg/m² となった．

評価と観察のポイント

副作用評価のポイント

#1 コース目

□**投与前期（day 1〜7）**：悪心・嘔吐回数，infusion reaction，過敏反応，血管炎を評価．

□**投与後期（day 7 以降）**：Grade 3，4 の好中球減少の発現率が約90％程度と高く，好中球数ならびに感染の徴候を評価.

#2 コース目以降

□神経毒性や浮腫，爪障害（剝離，変形，変色）はドセタキセルの累積投与量の増加（400 mg/m^2が目安）に伴い，発現率が上昇する傾向を認めるので，各コース施行前に副作用発現状況を評価．浮腫は総投与量350～400 mg/m^2に達すると発現頻度が上昇.

□尿蛋白やネフローゼ症候群発現の可能性があるため，尿検査と併せて浮腫や体重増加といった症状も評価.

□高血圧が発現しやすいため，自宅でも定期的に血圧の測定・記録を行うよう指導.

副作用対策のポイント

投与前期（day 1～7）

□infusion reaction・過敏反応の重篤化を防ぐために，発現時の初期症状を指導.

□ラムシルマブのinfusion reactionの予防として抗ヒスタミン薬の予防投与を考慮し，Grade 1，2のinfusion reactionが続く場合は，抗ヒスタミン薬に加えて，解熱鎮痛薬（アセトアミノフェン）やステロイド（デキサメタゾン）の前投薬を考慮．ドセタキセルの過敏反応の予防としてステロイド（デキサメタゾン注6.6 mg）の前投与が有用．ステロイドはドセタキセルによって認める浮腫や悪心・嘔吐などの副作用軽減においても期待できる.

投与後期（day 7以降）

□FNの発現率が高く，外来で施行されることが多いため，G-CSF製剤（ペグフィルグラスチム）の1次予防的投与を考慮する．好中球減少の時期や発熱時の対応などは情報提供のみならず，医療スタッフ間で共有する.

□好中球の減少時期はnadirまでの期間が約9日，回復までに約8日程度要する．発熱時に患者自身で対応可能な，シプロフロキサシンなどのニューキノロン系抗菌薬や解熱薬の処方提案.

6 薬学的ケア

CASE

□50歳代肺腺がん患者．入院でドセタキセル＋ラムシルマブ1コース目導入後外来へ移行．2コース目より尿蛋白1＋（Grade

1）となる．一過性の下肢の浮腫も出現．今後尿蛋白2+となった際のラムシルマブの休薬・減量について主治医と協議．定量検査の実施の必要性があることを主治医に情報提供したところ，24時間蓄尿を用いた検査は現実的に困難なことから，UPC比の測定を提案．5コース目予定日の尿定性検査で尿蛋白2+（Grade 2）となったため，UPC比の測定を依頼．UPC比は0.59であり，1日尿蛋白量は0.59 g/日程度と推定できることから，ラムシルマブの投与を継続する判断となった．その後，尿蛋白は1+で推移し，13コースまで継続したところでPDとなり，治療変更となった．

解説

□ラムシルマブは蛋白尿，ネフローゼ症候群が現れることがあるので，定期的な尿定性検査を実施し，異常が認められた場合は，ラムシルマブの休薬・減量を検討しなければならない．尿定性検査で2+以上となった場合，定量検査で1日尿蛋白量2 g未満に低下するまで休薬し，回復後は減量して再開することとなっている．しかし，24時間蓄尿を必要とする本検査は外来診療での実施は困難であることから随時尿によるUPC比の利用が考慮される．UPC比は，随時尿検体で尿蛋白定量（mg/dL）を尿中クレアチニン濃度（mg/dL）で除することで計算でき，1日尿蛋白量とよく相関する[5]．0.3～0.5であれば，すなわち1日尿蛋白量0.3～0.5 g/日程度と推定できる．

引用文献

1）Garon EB, et al：Lancet 384：665-73, 2014（PMID：24933332）
2）Yoh K, et al：Lung cancer 99：186-93, 2016（PMID：27565938）
3）Park K, et al：Cancer Res Treat 48：1177-86, 2016（PMID：26910471）
4）サイラムザ® 点滴静注液，適正使用ガイド
5）Ginsberg JM, et al：New Engl J Med 309：1543-6, 1983（PMID：6656849）

（蔵田靖子）

38 ニボルマブ（オプジーボ®）

NIVO

POINT

- irAEは，ニボルマブ中止後も含め，いずれの期間においても注意が必要．
- irAEの治療は早期対応が重要であり，自覚症状について患者や家族に十分な理解を得ると同時に，通常の検査に加え，甲状腺機能・副腎機能・下垂体機能・血糖・CK・アミラーゼも定期的にモニタリング．
- irAEに適切に対応するために，診療科横断的な対応を即時にできる体制が重要．

1 レジメンと副作用対策（→次頁参照）

ニボルマブ（単剤）の適応症を以下に示す（2021/12/1時点）．
併用療法と適応が異なるため注意．

<table>
<tr><th rowspan="2">適応症</th><th rowspan="2">術後補助</th><th colspan="3">切除不能な進行・再発症例</th></tr>
<tr><th>1次治療</th><th>2次治療</th><th>3次治療以降</th></tr>
<tr><td>悪性黒色腫</td><td>最長12か月間</td><td colspan="3">○</td></tr>
<tr><td>食道がん</td><td>最長12か月間</td><td>—</td><td colspan="2">○</td></tr>
<tr><td>非小細胞肺がん</td><td>—</td><td>—</td><td colspan="2">○</td></tr>
<tr><td>悪性胸膜中皮腫</td><td>—</td><td>—</td><td colspan="2">○</td></tr>
<tr><td>腎細胞がん</td><td>—</td><td>—</td><td colspan="2">○</td></tr>
<tr><td>古典的ホジキンリンパ腫</td><td>—</td><td>—</td><td colspan="2">○</td></tr>
<tr><td>頭頸部がん</td><td>—</td><td>—</td><td colspan="2">○</td></tr>
<tr><td>MSI-Highを有する結腸・直腸がん</td><td>—</td><td>—</td><td colspan="2">○</td></tr>
<tr><td>胃がん</td><td>—</td><td colspan="2">—</td><td>○</td></tr>
</table>

1コース期間：14日間あるいは28日間
総コース数：可能な限り継続

非小細胞肺がんの中でも，ドライバー遺伝子（*EGFR*, *ALK*, *ROS1*, *BRAF*, *MET*, *RET*）変異陽性患者においては，本レジメンをすすめるだけの根拠が明確ではなく，原則としてそ

38		医薬品名 投与量	投与方法 投与時間	1	2	3	4	5	6	7	8	～	14
レジメン	Rp1	ニボルマブ 240 mg/m² 生理食塩液 100 mL	点滴注射 30 分以上	↓									

		医薬品名 投与量	投与方法 投与時間	1	2	3	4	5	6	7	8	9	10	11	12	13	14	15	16	～	27	28
レジメン	Rp1	ニボルマブ 480 mg/m² 生理食塩液 100 mL	点滴注射 30 分以上	↓																		

副作用対策		
infusion reaction		1日目
初回投与時に認めることが多い，2回目以降に発症することもある．初期症状（発熱，発疹，紅潮，瘙痒感）のモニタリングと早期対応．		
間質性肺疾患	85 [8～596][*1]	治療期間中はいずれの時期でも発現しうる．（以下同）
初期症状（咳，息切れ，呼吸困難，発熱，疲労感），定期的な胸部画像，SpO_2，血清マーカー（KL-6, SP-D）のモニタリングと早期対応．		
重症筋無力症，筋炎	35 [21～477][*1]	同上
初期症状（筋肉痛，筋力低下，眼瞼下垂，呼吸困難，嚥下障害，胸痛），定期的なCK，心電図のモニタリングと早期対応．		
下痢，腸炎	46 [1～637][*1]	同上
便通状況や便性状のモニタリングと早期対応，整腸薬やロペラミドなどの止瀉薬の使用は慎重に．		
1 型糖尿病	107 [64～197][*1]	同上
初期症状（口渇，多飲，多尿，消化器症状，体重減少，著しい倦怠感），定期的な血糖と尿糖のモニタリングと早期対応．		
肝機能障害	57 [1～568][*1]	同上
定期的な肝機能（AST, ALT, γ-GTP, ALP，ビリルビン）のモニタリングと早期対応．		
甲状腺機能障害	71 [5～429][*1]	同上
定期的な TSH, FT_4 のモニタリング．甲状腺ホルモンを補充する場合は副腎機能を確認した後に．		
副腎機能障害	165 [22～279][*1]	同上
定期的な電解質，好酸球，ACTH，コルチゾールのモニタリング．症状（著しい倦怠感，著しい食欲不振）発現時には早期対応．		
下垂体機能障害	77 [5～429][*1]	同上
定期的な ACTH，コルチゾール，TSH, FT_4 のモニタリング．		
神経障害（ギラン-バレー症候群含む）	33 [1～618][*1]	同上
末梢神経障害，四肢の筋力低下，眼球運動障害，視力障害，顔面神経麻痺のモニタリング．		
腎障害（間質性腎炎など）	78 [5～554][*1]	同上
初期症状（尿量減少，浮腫，体重増加），定期的な腎機能（Cr，尿蛋白）のモニタリングと早期対応．		
脳炎	219 [219][*1]	同上
疑わしい自覚症状（錯乱，記憶喪失，失神，精神状態変化，発熱，嘔吐，疼痛）のモニタリングと早期対応．		
皮膚障害	43 [10～360][*1]	同上
皮膚や粘膜の症状（紅斑，水疱，皮疹，粘膜びらん）のモニタリングと早期対応．		
静脈血栓塞栓症	109 [29～344][*1]	同上
疑わしい自覚症状（浮腫，熱感，局所疼痛，爪の変色，呼吸苦）のモニタリングと早期対応．		
膵炎	119 [33～242][*1]	同上
疑わしい自覚症状（腹部痛，背部痛，悪心，嘔吐），定期的なアミラーゼのモニタリングと早期対応．		

*1 発現時期中央値［範囲］（日）

れぞれに対するキナーゼ阻害薬を優先.

非小細胞肺がんの中でも，PD-L1 発現率が 1%未満の非扁平上皮がん患者においては，原則，本レジメン以外の抗がん薬（例：ドセタキセル）の投与を優先する.

古典的ホジキンリンパ腫に投与する場合，自家造血幹細胞移植およびブレンツキシマブ ベドチンに抵抗性または不耐容の成人患者，2 レジメン以上の治療歴を有し，かつ同種造血幹細胞移植による治療歴のない小児患者.

2 抗がん薬の処方監査

□生・弱生・不活化ワクチンの併用は，過度の免疫応答によるワクチンの副反応が亢進・遷延する可能性があり，注意. 接種に関しては，慎重に判断し，接種後 30 分間は慎重に観察・帰宅後もすぐに医師と連絡がとれる体制とする[1].

□irAE 発現に備え，治療開始前に推奨される代表的な検査を以下に示す.

- **血液学的検査**…赤血球数，MCV，MCH，Hb，ヘマトクリット，白血球数，白血球分画（好中球，リンパ球，好酸球，好塩基球，単球），血小板数，D ダイマー
- **生化学検査**…アルブミン，ALP，AST，ALT，T-Bil，D-Bil，γ-GTP，総蛋白，Cr，血糖値，HbA1c，LD，血中尿素窒素（BUN），尿酸，アミラーゼ，CK，P，Ca，Na，K，Cl
- **尿検査**…比重，蛋白，糖，ケトン体，潜血，沈渣（白血球，赤血球）
- SpO_2
- **免疫学的検査**…リウマトイド因子（RF），CRP，抗核抗体（ANA），SP-D，KL-6，抗 TPO 抗体，抗 Tg 抗体，抗 GAD 抗体
- **ホルモン検査**…TSH，FT_3，FT_4，コルチゾール，ACTH
- **ウイルス検査**…HIV-1 抗体，HIV-2 抗体，HTLV-1 抗体，HBs 抗原，HBs 抗体，HBc 抗体，HCV 抗体
- 胸部 X 線，心電図

□催吐性リスクは最小度リスクに該当するため，予防的な制吐療法は推奨されない.

3 抗がん薬の調剤

□生理食塩液または5%ブドウ糖に希釈.

□総液量は体重30 kg以上の患者には150 mL以下，体重30kg未満の患者には100 mL以下とし，最終濃度は0.35 mg/mL以上（小児のホジキンリンパ腫にて使用する場合は3 mg/kgで投与）とする.

□激しく振ると凝集体が生成することがあるため，振盪せずに静かに混和.

□動物実験にて，催奇形性の報告はなかったが，胚・胎児または出生児の死亡率の増加がみられたことより，他の抗がん薬と同様の曝露対策を行うことが望ましい[2].

□細菌汚染に注意が必要だが，室温かつ室内光下における希釈後24時間以内の安定性は確認されている.

4 抗がん薬の投与

投与基準

□自己免疫疾患，間質性肺疾患の合併または既往歴のある患者，臓器移植歴（造血幹細胞移植を含む）がある患者，結核の感染または既往歴のある患者，PS 3～4の患者には，本レジメンは推奨されないが，他の選択肢がない場合に限り，慎重に投与.

□間質性肺疾患のリスク因子（既存の肺病変，肺手術後，呼吸機能の低下，酸素投与，肺への放射線照射）を有する患者は投与前の肺の状況について精査の上，投与可否を検討.

減量・中止基準

□副作用の発現頻度や重篤度に用量依存性は認められなかったため，減量は行わない．中止基準は以下に示す[1,3].

副作用	中止基準	副作用	中止基準
肺関連有害事象	Grade 1以上	甲状腺機能障害	症候性の甲状腺機能低下症・甲状腺中毒症が発現した場合
神経関連有害事象	Grade 2以上		
心臓関連有害事象	Grade 2以上		
腎関連有害事象	Grade 2以上	下垂体障害・副腎障害	症候性の下垂体障害・副腎障害が発現した場合，副腎クリーゼの疑いがある場合
胃腸関連有害事象	Grade 2以上		
皮膚関連有害事象	Grade 3以上		
肝関連有害事象	Grade 2以上		

〔文献1，3を一部改変〕

注意点

□投与の際は，インラインフィルター（0.2 または 0.22 μm）を使用.

□2 回目以降も infusion reaction に注意.

□血管外漏出については，皮膚や皮下組織に障害を与える可能性は低いが，投与部位に発赤や腫脹が認められた場合は，必要に応じて抗炎症作用のある外用薬で処置.

5 副作用マネジメント

発現率

副作用 (n=3,416) *2	全 Grade (%)	Grade 3 以上 (%)
間質性肺炎	3.2	0.8
重症筋無力症，心筋炎，筋炎，横紋筋融解症	0.1	0.1
大腸炎，小腸炎，重度の下痢	13.9	1.2
1 型糖尿病	0.2	0.2
重篤な血液障害	0.03	0.03
劇症肝炎，肝不全，肝機能障害，肝炎，硬化性胆管炎	6.8	1.7

副作用 (n=3,416) *2	全 Grade (%)	Grade 3 以上 (%)
甲状腺機能障害	11.2	0.2
下垂体機能障害	2.5	0.3
副腎障害	0.6	0.2
神経障害	10.0	0.6
腎障害	2.2	0.3
脳炎	0.03	0.03
重度の皮膚障害	0.2	0.1
静脈血栓閉塞症	0.2	0.1
infusion reaction	3.1	0.1
膵炎	0.3	0.1

*2 上記は悪性黒色腫（ONO-4538-02，ONO-4538-08，CA209037，CA209066，ONO-4538-21/CA209238 試験），非小細胞肺がん（ONO-4538-05，ONO-4538-06，CA209017，CA209057 試験），腎細胞がん（ONO-4538-03/CA209025 試験），古典的ホジキンリンパ腫（ONO-4538-15，CA209205，NCCH1606 試験），頭頸部がん（ONO-4538-11/CA209141 試験），胃がん（ONO-4538-12 試験），悪性胸膜中皮腫（ONO-4538-41 試験），MSI-High を有する結腸・直腸がん（CA209142 試験），食道がん（ONO-4538-24/CA209473，ONO-4538-43/CA209577 試験）の併合データ[1)]

評価と観察のポイント

投与中

□infusion reaction

□くしゃみ，悪心・嘔吐，熱感・疼痛，蕁麻疹，瘙痒感，顔面蒼白，発汗，冷汗，呼吸困難，顔面浮腫，咳嗽，喘鳴，脈拍微弱，不整脈，痙攣，四肢蒼白，チアノーゼ出現）の有無を確認.

全コース・全時期

□過度の免疫反応に起因すると考えられるさまざまな病態

(irAE) が現れることがある．観察を十分に行い，異常が認められた場合には適切な鑑別診断を行う．

□通常の血液検査以外にも，irAE のモニタリングのための定期的な検査を行い，検査値や患者の自覚症状に応じた適時検査を行う．

□頻度の高い自覚症状として，全身倦怠感や発熱などが報告されているが，重篤な irAE に関連する一症状である可能性があり，評価には細心の注意を払う．自覚症状の評価のポイントを以下に示す[1, 3, 4]．

患者の訴え	疑われる副作用	ポイント
• 咳が増えた • 呼吸苦が強くなった • 発熱（38℃以上）	• 間質性肺炎 • 心筋炎	• 投与開始前後を比較する． • 労作時の呼吸苦増悪は要注意． • 起坐呼吸は心疾患に特徴的． • 定期的に血清マーカー（KL-6，SP-D），胸部画像を確認し，呼吸器感染症（ニューモシスチス肺炎）や肺水腫との鑑別を行う． • 定期的に CK を確認し，心筋炎が疑わしい場合，心エコーやトロポニン検査を行う．
• 疲れやすい • だるくて動けない • 食欲が落ちた • 抑うつ • 意識障害	• 1 型糖尿病 • 甲状腺機能低下症 • 下垂体機能低下症 • 下垂体炎 • 副腎不全 • 肝炎・肝機能障害 • 筋炎	• 疲労，倦怠感以外の情報も重要． • 検査情報（血糖，内分泌，電解質，好酸球，コレステロール，肝機能，CK など）やバイタル（血圧，脈拍など）から総合的に評価． • 肝障害が疑わしい場合，HBV・HCV 関連の検査，抗核抗体・抗ミトコンドリア抗体の検査，腹部 CT，腹部エコー検査などを行い，感染症，薬剤性，原疾患の悪化，アルコールなどによるものを除外し，必要に応じて肝生検も考慮．
• Grade 2 以上の下痢が続いている • 血便	• 大腸炎 • 腸管穿孔	• 併存疾患や併用薬，普段の傾向にも配慮． • 止痢薬の漫然とした使用は避け，細菌培養検査，CT，内視鏡検査を実施し，感染性，虚血性腸炎，炎症性腸疾患との鑑別を行う．
• 腹痛	• 大腸炎 • 腸管穿孔 • 膵炎	• 検査情報（アミラーゼ，リパーゼ）や原疾患の状況（がん性疼痛）から総合的に評価．
• 手足に力が入らない • 瞼が重い • ものが二重に見える	• 筋炎 • 重症筋無力症	• 顔面筋麻痺，嚥下困難，構音障害，呼吸困難といった頭部，呼吸器官の所見が多い．

患者の訴え	疑われる副作用	ポイント
• 視野が狭い • 視力が落ちた • かすみ目 • 飛蚊症状	• ぶどう膜炎 • 筋炎	• 併存疾患にも配慮.
• 蕁麻疹 • 瘙痒感	• 皮膚障害	• 重篤な皮膚障害との鑑別のため，発熱や倦怠感，粘膜炎の有無を確認.
• 動悸がする • 脈が速い • 汗が出る • 手が震える • 便の回数が多い	• 甲状腺機能亢進症	• 定期的に（月 1 回程度）甲状腺ホルモン検査値の動態を確認. • 併存疾患や併用薬，普段の傾向にも配慮. • 破壊性甲状腺炎により，初期は甲状腺機能亢進症，後に甲状腺機能低下症が続発する可能性が高いため，注意.
• のどが渇く • 尿が多い	• 1 型糖尿病	• 血糖値が空腹時 126 mg/dL 以上，あるいは随時血糖 200 mg/dL 以上を認めた場合は注意，血糖値が 300 mg/dL 以上の場合はインスリン治療開始を検討の上，血清 C ペプチド，尿ケトン体を検査. • 劇症 1 型糖尿病では，上気道炎症状や消化器症状の併発が特徴的. • 劇症 1 型糖尿病発症時の HbA1c はあまり上昇しておらず，糖尿病関連自己抗体も原則として陰性. • 病勢進行に伴う高 Ca 血症での利尿，脱水，口渇の可能性もある.
• 意識障害	• 副腎クリーゼ • ケトアシドーシス • 脳炎	• 検査情報（血糖，尿ケトン体，内分泌，電解質異常など）から総合的に評価. • 脳転移による意識障害にも配慮. • 副腎クリーゼの他，疾患要因（SIDH）での低 Na 血症の可能性もあり. • PD に伴う高 Ca 血症での意識障害，傾眠傾向の可能性もあり.
• 浮腫	• 血栓塞栓症 • 腎障害 • 甲状腺機能低下症	• 他の自覚症状（熱感，局所疼痛，皮膚や亢進・指趾の変色，発汗，胸痛，呼吸苦，尿量）や検査情報（Cr，D ダイマーなど）を確認し，総合的に評価. • 腎障害が疑わしい場合は，必要に応じて腎生検を行う.

〔文献 1，3，4 を一部改変〕

□複数の irAE が同時発症する可能性もあり，多角的に評価する.

□がんに起因する全身症状に類似している症状もあり，各症状や検査値の動態を総合的に評価する.

□irAE の好発時期は明確ではなく，常に注意する．

□投与中止後にも irAE の発現報告があり，中止後も注意する．明確な観察期間の規定はないが，最終投与後 247 日目での irAE 発現の報告もある．

副作用対策のポイント

□irAE への早期対応のためには，irAE の自覚症状を患者に十分理解してもらうための患者や家族への指導が非常に重要．

□主な irAE の対処法を以下に記載するが，可能な限り，専門医による早期介入が望ましい[1,3,4]．

<table>
<tr><th>副作用</th><th colspan="3">対処法</th></tr>
<tr><td rowspan="2">infusion reaction</td><td>軽症：ただちに投与速度を 50%に減速し，改善しない場合は中止．症状が改善しない場合，抗ヒスタミン薬，副腎皮質ホルモン薬の投与を検討．</td><td>中等症：ただちに投与を中止し，症状に応じて，抗ヒスタミン薬，副腎皮質ホルモン薬の投与を検討．</td><td rowspan="2">重症：ただちに投与を中止し，酸素吸入，アドレナリン，気管支拡張薬，副腎皮質ホルモン薬，昇圧薬の投与を検討する．再投与はしない．</td></tr>
<tr><td colspan="2">次回投与時は，必要に応じてアセトアミノフェン，ジフェンヒドラミン，副腎皮質ホルモン薬の予防投与を検討する．</td></tr>
<tr><td>副腎障害，下垂体炎</td><td colspan="3">• ホルモン補充療法によって全身状態が安定するまでは休薬．
• 確定診断の前にヒドロコルチゾン投与を先行している場合，前日夕分のヒドロコルチゾンを休止して翌朝に ACTH，コルチゾールを測定を行ってフォローすることがすすめられる．
• 副腎クリーゼ発症時の初期治療：ヒドロコルチゾン 100～200 mg を速やかに静注投与後，以降は 6 時間ごとに 25～100 mg を投与するか，または 100～200 mg/日の持続投与を行う．同時に輸液（Na とブドウ糖の補充）も 1 L/時間で開始し，3～4 L/日を目安に継続．
• 維持治療：ヒドロコルチゾンを生理的補充量である 10～20 mg/日（2～3 分割で朝を多めに：標準療法は朝 10 mg 夕 5 mg）投与．シックデイ時には定期補充の 2～3 倍量の補充が必要．</td></tr>
<tr><td>甲状腺機能亢進症</td><td colspan="3">対症療法（例：頻脈が生じている場合，β 遮断薬の使用を検討）</td></tr>
<tr><td>甲状腺機能低下症</td><td colspan="3">FT_4<0.9 ng/dL もしくは TSH>10 μU/mL を示す場合や 2 回連続して異常値の場合，レボチロキシンナトリウム 25 μg/日（高齢者や心疾患を有する患者は 12.5 μg/日）からの開始を検討するが，補充前には必ず副腎機能を検査する（副腎機能障害を合併している場合，甲状腺ホルモンの補充のみ行うことで，副腎不全を悪化させることがあるため，副腎皮質ホルモンの補充を先行）．</td></tr>
<tr><td>1 型糖尿病</td><td colspan="3">• インスリン治療を検討．
• 糖尿病ケトアシドーシスの場合，輸液，電解質補充，速効型インスリン持続静注の適切な処置を行う．</td></tr>
</table>

副作用	対処法		
	Grade 1	Grade 2	Grade 3 以上
間質性肺疾患	• 投与中止. • 回復したら投与再開を検討.	• 投与中止. • プレドニゾロン 1～2 mg/kg/日[*3] を開始. • 症状がベースライン時の状態近くまで改善した場合：1か月以上かけて漸減[*4]. • 48～72 時間を超えて改善しない場合：Grade 3 以上に準じる.	• 投与中止. • 静注メチルプレドニゾロン 2～4 mg/kg/日あるいは 500～1,000 mg/日を3日間投与後，プレドニゾロン 1 mg/kg/日を継続. • 症状がベースライン時の状態まで改善した場合：6週間以上かけて漸減[*4]. • 48 時間を超えて改善しない場合：免疫抑制薬（インフリキシマブ，シクロホスファミド，静注免疫グロブリン，ミコフェノール酸モフェチル）の併用を検討[*5].
	Grade 1	Grade 2～3	Grade 4 以上
腎機能障害	投与継続.	• 投与中止. • 静注プレドニゾロン 0.5～1 mg/kg/日[*3] を開始. • 症状が Grade 1 以下に改善した場合：1か月以上かけて漸減[*4]，投与再開を検討. • 7日間を超えても改善しない場合：Grade 4 以上に準じる.	• 投与中止. • 静注プレドニゾロン 1～2 mg/kg/日[*3] を開始. • 症状が Grade 1 以下に改善したら1か月以上かけて漸減[*4].
	Grade 1	Grade 2	Grade 3 以上
肝機能障害	投与継続.	• 投与中止. • ベースライン時の状態まで改善した場合：投与再開を検討. • 5～7日を超えて改善しない場合：経口メチルプレドニゾロン 0.5～1 mg/kg/日[*3] を開始し，ベースラインまたは Grade 1 以下まで回復したら1か月以上かけて漸減[*4]，メチルプレドニゾロン 10 mg/日以下まで減量できれば，投与再開を検討.	• 投与中止. • 静注プレドニゾロン 1～2 mg/kg/日[*3] を開始. • 症状が Grade 2 以下に改善した場合：1か月以上かけて漸減[*4]. • 3～5日を超えて改善しない場合：免疫抑制剤（ミコフェノール酸モフェチル 1回1g 1日2回投与）の併用も考慮[*5]（インフリキシマブは肝毒性があるため，使用しない）. それでも3～5日以内に反応が認められない場合は，他の免疫抑制薬の使用も検討[*5].

副作用	対処法		
	Grade 1	Grade 2	Grade 3 以上
下痢，大腸炎	投与継続しながら，対症療法．	• 投与中止． • 対症療法を継続，原因を精査． • 症状が Grade 1 以下に改善した場合：投与再開を検討． • 3 日を超えて改善しない場合：経口プレドニゾロン 0.5～1 mg/kg/日*3 を開始し，Grade 1 以下に改善したら 1 か月以上かけて漸減*4，投与再開を検討．	• 静注プレドニゾロン 1～2 mg/kg/日*3 を開始． • 症状が Grade 1 以下に改善した場合：1 か月以上かけて漸減*4． • 3 日を超えて改善しない場合：免疫抑制薬（インフリキシマブ 5 mg/kg）の併用も考慮*5, 6． • インフリキシマブ無効例に他の免疫抑制薬（シクロスポリン）が奏効した例もある[5)]．

*3 またはその等価量の副腎皮質ステロイド
*4 日和見感染症に対する抗菌薬の予防投与を考慮
*5 これらの詳細な投与方法は確立されておらず，保険未収載であることに注意，TDM が推奨されている薬剤は TDM も検討[5)]
*6 穿孔あるいは敗血症の症例には使用すべきではない

□他施設へ緊急受診する可能性もあり，適切な対応のために，お薬手帳や携帯カードを用いた情報共有体制や施設間連携体制の構築が望ましい．

6 薬学的ケア

CASE

□60 歳代女性，PS 0，肺腺がん 3 次治療でニボルマブ投与．前治療より倦怠感 Grade 1 は持続していたが，悪化なし．10 コース目治療前面談時，8 コース目頃より，時折低血糖症状が発現していること確認．

□糖尿病の既往歴はなく，定期内服薬もなし．食事摂取量も症状発現前より変化なし．

□治療当日の血糖が 68 mg/dL と低値であったが，電解質や好酸球は正常であり，他の症状はなかったため，10 コース目は予定通り投与．

□11 コース目投与日は，早朝・空腹状態で来院を要請し，精査．症状悪化はなかったため投与は継続．

□血中インスリン・C ペプチド・ACTH・コルチゾールは低値，インスリン抗体は陰性．内分泌内科受診し，ACTH 負荷試験・コルチゾール負荷試験が実施され，ACTH 単独欠損症と診断．

□ヒドロコルチゾン錠 15 mg/日定期内服・シックデイ時の追加内服分 15 mg/回の処方開始.
□12 コース目面談時, 低血糖は改善していること聴取. 以降も低血糖症状はなく, 治療継続.

解説

□副腎機能低下の所見は, 倦怠感, 食欲不振, 貧血, 好酸球増多, 低血圧, 低血糖, 発熱, 低 Na 血症, 高 K 血症があるが, これらの症状はがん患者に一般的な症状との判別が難しいことがあり, 症状と検査値から総合的に評価する.
□コルチゾール値の評価の際には日内変動に注意(早朝空腹時に測定)し, 必要に応じて内分泌負荷試験を実施.
□副腎不全を疑った場合, 検査結果が揃う前でもステロイド治療を開始することで重篤化を防げる可能性がある.
□シックデイ時には普段よりも副腎皮質ホルモンの必要量が増える(定期補充の 2～3 倍)ため, シックデイ時のヒドロコルチゾンの用量について, あらかじめ専門医からの指示を受け, 対応について患者へ十分な説明を行う必要がある.
□副腎皮質機能低下症が完成すると不可逆になることが多く, 長期にわたる補充療法が必要になることが多い.
□全身状態が安定していれば, ニボルマブを投与継続してもよい.

引用文献

1) オプジーボ® 点滴静注, 適正使用ガイド(小野薬品工業/ブリストル・マイヤーズ スクイブ)
2) 日本がん看護学会・日本臨床腫瘍学会・日本臨床腫瘍薬学会：がん薬物療法における職業性曝露対策ガイドライン 2019 年版. 金原出版, 2019
3) irAE アトラス(小野薬品工業/ブリストル・マイヤーズ スクイブ)
4) 日本臨床腫瘍学会：がん免疫療法ガイドライン, 第 2 版. 金原出版. 2019
5) 徳永拓也, 他：JJLC 59：395-400, 2019

(森岡友美)

39 ペムブロリズマブ（キイトルーダ®）

POINT

■ペムブロリズマブを単独投与する場合は，PD-L1 検査で TPS が1%以上発現している患者.
■投与方法は「1 回 200 mg を 3 週間間隔」または「1 回 400 mg を 6 週間間隔」が選択できる.
■irAE の重症化リスクや出現時期は不明であり，投与終了後も注意し，irAE が出現した場合，早期発見につながる指導と対応できる体制を整えることが必要.

1 レジメンと副作用対策（→次頁参照）

適応：PD-L1 陽性の切除不能な進行・再発の非小細胞肺がん
1 コース期間：21 日間または 42 日間　**総コース**：PD まで

2 抗がん薬の処方監査

□TPS の発現状況について確認が必要である.
□本剤の添加物を含め，成分に対して過敏症の既往歴の有無について確認.
□TPS はペムブロリズマブのコンパニオン診断薬（販売名：PD-L1 IHC 22C3 pharmDx「ダコ」）による測定が求められる.
□投与開始前の状態を把握するため，また治療開始後の irAE のスクリーニング，モニタリングを行う際に推奨される検査内容を以下に示す.

血液学的検査，生化学的検査	
甲状腺機能	抗 TPO 抗体，抗 Tg 抗体，TSH，FT_3，FT_4
副腎機能	コルチゾール，ACTH，DHEA-S
間質性肺炎	SpO_2，胸部 X 線，KL-6，SP-D
1 型糖尿病	随時血糖，HbA1c（NGSP），尿糖，尿中ケトン体，抗 GAD 抗体
その他	抗核抗体，RF，抗アセチルコリン受容体抗体，心電図，心筋トロポニン，CK，PT，APTT，D ダイマー

39		医薬品名 投与量	投与方法 投与時間	1	2	3	4	5	6	7	8	9	10	11	12	13	14	15	16	～	21
レジメン	Rp1	生理食塩液 50 mL	点滴注射 (ルート確保用)	↓																	
	Rp2	ペムブロリズマブ 200 mg/body 生理食塩液 50 mL	点滴注射 30 分	↓																	
	Rp3	生理食塩液 50 mL	点滴注射 (フラッシュ用)	↓																	

		医薬品名 投与量	投与方法 投与時間	1	2	3	4	5	6	7	8	9	10	11	12	13	14	15	16	～	42
レジメン	Rp1	生理食塩液 50 mL	点滴注射 (ルート確保用)	↓																	
	Rp2	ペムブロリズマブ 400 mg/body 生理食塩液 50 mL	点滴注射 30 分	↓																	
	Rp3	生理食塩液 50 mL	点滴注射 (フラッシュ用)	↓																	

免疫関連有害事象と副作用対策		
infusion reaction	26 [1～593]*1	多くが初回投与で出現するが，2 回目以降での出現も報告されているため投与後から 24 時間以内で注意が必要.
間質性肺疾患	92 [5～816]*1	初期症状として咳嗽，呼吸困難感，発熱があり，症状出現時は早期に対応することが必要.
大腸炎，小腸炎，重度の下痢	168 [5～739]*1	下痢，腹痛，便中の血液や粘液，発熱を伴う腹部症状が出現した際は消化器専門医との連携が必要.
重度の皮膚障害	137 [127～274]*1	発赤，白斑や水疱を伴う広範囲の皮膚症状，粘膜症状までさまざまな症状があり，適宜皮膚科専門医との連携が必要.
神経障害	64 [2～264]*1	ギラン-バレー症候群，末梢神経障害といった神経障害の出現に注意が必要.
劇症肝炎，肝不全，肝機能障害，肝炎，硬化性胆管炎	60.5 [3～719]*1	採血にて肝機能検査を定期的に行い，推移に注視し早期対応が必要.
内分泌障害		
・甲状腺機能障害	64 [8～596]*1	
・下垂体機能障害	207 [106～348]*1	
・副腎機能障害	151 [23～323]*1	倦怠感や食欲不振が主訴となることがあるが，症状のない場合も多く各種検査値の定期的なモニタリングが必要.
1 型糖尿病	105 [31～160]*1	口渇，多飲，多尿，体重減少以外にもケトアシドーシスにて意識障害なども出現することがあり注意が必要.
腎機能障害	127 [10～483]*1	糸球体腎炎，尿細管間質性腎炎，腎不全や透析導入まで進行することがあり腎臓専門医との連携が必要.
膵炎	73 [8～149]*1	腹痛，背部痛，黄疸の自覚症状や検査値にてアミラーゼ上昇が認められた際は消化器専門医への確認が必要.
筋炎，横紋筋融解症	148.5 [4～360]*1	初期症状として筋肉痛，眼瞼下垂，筋力低下などがあり，検査値でも CK の変動に注意.
心筋症	557 [557～557]*1	息切れ，呼吸困難感，心電図異常，CK 上昇などに注意し，投与前の心電図や心筋トロポニンとの比較が重要.
結核	205 [95～271]*1	咳嗽，喀痰，血痰，発熱の感染症状に注意し，疑われた際は呼吸器，放射線診断，感染症の各専門医との連携が必要.

*1 初回発現時期中央値［範囲］（日）

□化学療法前にHBV感染の検査については必須ではないが，irAE出現時に副腎皮質ホルモン薬での対応が必要である場合が多いことから，「免疫抑制・化学療法により発症するB型肝炎対策ガイドライン」に準じた対応が必要とされる.

□投与時には，インラインフィルター（0.2～5 μm）を使用し，30分間かけて点滴静注する.

□投与間隔については，1回200 mgで3週間間隔または1回400 mgで6週間間隔のいずれかを選択することができ，患者状態にあわせて治療途中でも投与間隔を変更することができる[1].

3 抗がん薬の調剤

□必要量を抜き取り，生理食塩液あるいは5%ブドウ糖注射液を用い，最終濃度が1～10 mg/mLとなるよう調製を行う.

□希釈後，すぐに使用せず保管する場合には，希釈から投与終了までの時間を，25℃以下で6時間以内または2～8℃で96時間以内に使用する.

4 抗がん薬の投与

投与基準[2, 3]

□投与が禁忌とされる，成分に対して過敏症の既往歴のある患者.

□禁忌ではないが投与が推奨されていない患者として，以下の患者が挙げられており，使用時には慎重に投与が必要とされる.

- 間質性肺疾患の合併または既往のある患者.
- 胸部画像検査で間質影を認める患者および活動性の放射線肺臓炎や感染性肺炎などの肺に炎症性変化がみられる患者.
- 自己免疫疾患の合併または慢性的もしくは再発性の自己免疫疾患の既往歴のある患者
- 臓器移植歴（造血幹細胞移植歴を含む）のある患者.
- 結核の感染または既往を有する患者.
- ECOG PS 3～4の患者.

減量・中止基準[2]

□副作用出現による本剤の減量基準は設定されておらず，CTCAEに基づき各副作用において Grade 1以下へ回復を認めた場合のみ減量せず，投与が再開できる.

腎機能障害

Grade 2 の場合（ULN×1.5～3）	Scr（男）1.605～3.21 mg/dL，（女）1.185～2.37 mg/dL	・Grade 1 以下に回復するまで休薬 ・12 週間を超える休薬後も Grade 1 以下まで回復しない場合には投与中止
Grade 3 以上の場合（≧ULN×3）	Scr≧（男）3.21 mg/dL，（女）2.37 mg/dL	投与中止

肝機能障害

Grade 2 の場合	T-Bil 2.25～4.5 mg/dL（ULN×1.5～3） または AST 90～150 U/L（ULN×3～5） もしくは ALT（男）126～210 U/L，（女）69～115 U/L （いずれも ULN×3～5）	T-Bil<2.25 mg/dL（<ULN×1.5）または AST<90 U/L もしくは ALT<(男性）126，（女性）69 U/L（いずれも ULN×3）に回復するまで休薬 12 週間を超える休薬後も Grade 1 以下まで回復しない場合には投与中止
Grade 3 の場合	T-Bil≧4.5 mg/dL（≧ULN×3） または AST≧150 U/L もしくは ALT≧（男）210 U/L，（女）115 U/L （いずれも≧ULN×5）	投与中止
肝転移を有する場合	治療開始時の AST または ALT Grade 2 かつ ベースラインから 50%以上の増加が 1 週間以上持続	投与中止

□その他の副作用出現時の減量・中止基準（表 39-1）

□その他，上記以外の副作用の処置としての副腎皮質ホルモン薬をプレドニゾロン換算で 10 mg/日相当量以下まで 12 週間以内に減量できない場合，12 週間を超える休薬後も Grade 1 以下まで回復しない場合は投与を中止する．

注意点

□投与中，infusion reaction に注意が必要である

□多くが初回投与の開始 30 分以内に生じるが，2 回目以降に初めて発症することもある．

□infusion reaction の頻度としては約 2%と報告されており，症状としては悪心・嘔吐，瘙痒感，蕁麻疹，呼吸困難，意識障害，くしゃみ，熱感・疼痛，顔面蒼白，発汗，冷汗，顔面浮

表 39-1　その他の副作用出現時の減量・中止基準

副作用	程度	処置
間質性肺疾患	Grade 2 の場合	Grade 1 以下に回復するまで休薬. 12 週間を超える休薬後も Grade 1 以下まで回復しない場合には投与中止
	≧Grade 3 または再発性の Grade 2 の場合	投与中止
大腸炎，下痢	Grade 2 または 3 の場合	Grade 1 以下に回復するまで休薬. 12 週間を超える休薬後も Grade 1 以下まで回復しない場合には投与中止
	Grade 4 または再発性の Grade 3 の場合	投与中止
下垂体炎	≧Grade 2	Grade 1 以下に回復するまで休薬. 12 週間を超える休薬後も Grade 1 以下まで回復しない場合には投与中止を検討
症候性の内分泌障害（甲状腺機能低下症を除く）	出現時	
甲状腺機能障害	≧Grade 3	
高血糖	≧Grade 3	
1 型糖尿病	出現時	
infusion reaction	Grade 2	ただちに投与中止 1 時間以内に回復する場合には，投与速度を 50%減速して再開
	≧Grade 3 または再発性の Grade 2 の場合	ただちに投与中止（再投与不可）
上記以外の副作用	Grade 4 または再発性の Grade 3 の場合	投与中止
心筋炎，脳炎，ギラン-バレー症候群	≧Grade 3	投与中止

腫，咳嗽，喘鳴，脈拍微弱，不整脈，痙攣，四肢蒼白，チアノーゼ出現があり投与中に体調の変化を感じた際には申し出るよう指導する.

□CTCAE の Grade 2 に相当する infusion reaction 出現時，症状が投与中断後 1 時間以内に回復しなかった場合には，そのサイクルでの投与は行わず，症状が回復するまで休薬する．次サイクル投与時は，投与前 1.5 時間（±30 分）にジフェンヒドラミン 50 mg 経口投与（または同等の抗ヒスタミン薬）およびアセトアミノフェン 500〜1,000 mg 経口投与（または同等の解熱薬）を前投薬として用いることも検討する．

□血管外漏出リスクは非炎症性に分類される．血管外漏出が起こっても，炎症や壊死を起こしにくいとされ，多くの場合は経過観察を行い，必要に応じて処置を行う．

5 副作用マネジメント

発現率[4-6]〔国際共同臨床試験（KEYNOTE-024，042，010 試験）〕（表 39-2）

評価と観察のポイント

□全身性にさまざまな irAE が報告されており，出現時期についても不明であることから患者が早期にこれらの症状を発見できるように初期症状や注意点についての服薬指導が重要となる．

□irAE の出現時期については，多くが投与開始から数週間〜数か月のうちに出現することがわかっているが，投与終了後，数週間〜数か月経過してから出現することがあるため，投与終了後にも十分な注意が必要である[4-6]．

□irAE をモニタリングする上で，投与前の採血評価が重要であり，「抗がん薬の処方監査」記載（→283 頁）の検査値について各検査項目の保険適用などを鑑みてスクリーニングを行う．

□投与中止，終了後も 1 年程度同様に継続してスクリーニングを行うことが重要である[7]．

□irAE のうち皮膚障害や甲状腺機能障害，また irAE が早期出現した患者では，irAE を出現していない患者と比較して PFS および OS 延長効果が報告されている[8-10]．

副作用対策のポイント[2, 3]

□可能な限り，各 irAE の症状に対応した専門医への紹介，介入が望ましい．

□irAE のリスク因子については統一した見解は出ておらず，複数重複して出現する可能性も考慮しておく必要がある[11]．

□Grade 2 以上の irAE が出現した場合，投与休薬または中止し副腎皮質ホルモン薬の投与などの対処を行う．

□Grade 2 の場合は，プレドニゾロン 1〜2 mg/kg/日の経口投与，Grade 3 の場合には，プレドニゾロン 1〜2 mg/kg/日や静注メチルプレドニゾロン 500〜1,000 mg を 3 日間連日投与する

表 39-2　副作用の発現率

例数（%）

副作用	全身化学療法歴なし（n=790）		全身化学療法歴あり（n=682）	
	全 Grade	Grade 3 以上	全 Grade	Grade 3 以上
肺臓炎	55 (7.0)	24 (3.0)	28 (4.1)	14 (2.1)
間質性肺炎	7 (0.9)	2 (0.3)	3 (0.4)	—
器質化肺炎	2 (0.3)	1 (0.1)	—	—
大腸炎	8 (1.0)	6 (0.8)	6 (0.9)	4 (0.6)
重度の下痢	11 (1.4)	11 (1.4)	3 (0.4)	3 (0.4)
イレウス	2 (0.3)	1 (0.1)	1 (0.1)	1 (0.1)
大腸閉塞	—	—	2 (0.3)	2 (0.3)
腸の軸捻転	1 (0.1)	1 (0.1)	—	—
多形紅斑	1 (0.1)	1 (0.1)	2 (0.3)	—
肝機能障害	171 (21.6)	54 (6.8)	95 (13.9)	23 (3.4)
自己免疫性肝炎	4 (0.5)	3 (0.4)	3 (0.4)	1 (0.1)
肝炎	2 (0.3)	1 (0.1)	—	—
薬物性肝障害	1 (0.1)	1 (0.1)	—	—
急性肝炎	1 (0.1)	1 (0.1)	—	—
免疫性肝炎	1 (0.1)	1 (0.1)	—	—
肝不全	—	—	1 (0.1)	1 (0.1)
急性肝不全	1 (0.1)	1 (0.1)	—	—
甲状腺機能低下症	91 (11.5)	1 (0.1)	56 (8.2)	—
甲状腺機能亢進症	51 (6.5)	1 (0.1)	32 (4.7)	1 (0.1)
下垂体炎	3 (0.4)	3 (0.4)	—	—
下垂体機能低下症	1 (0.1)	1 (0.1)	2 (0.3)	2 (0.3)
副腎機能不全	4 (0.5)	2 (0.3)	5 (0.7)	1 (0.1)
糖尿病性ケトアシドーシス	1 (0.1)	1 (0.1)	1 (0.1)	1 (0.1)
1 型糖尿病	—	—	3 (0.4)	2 (0.3)
急性腎障害	7 (0.9)	3 (0.4)	7 (1.0)	5 (0.7)
腎不全	6 (0.8)	—	5 (0.7)	1 (0.1)
尿細管間質性腎炎	1 (0.1)	1 (0.1)	1 (0.1)	1 (0.1)
膵炎	2 (0.3)	1 (0.1)	2 (0.3)	1 (0.1)
急性膵炎	—	—	1 (0.1)	1 (0.1)
心筋炎	1 (0.1)	1 (0.1)	—	—
アナフィラキシー反応	2 (0.3)	1 (0.1)	2 (0.3)	1 (0.1)

なお各臨床試験で Grade 3 以上の副作用報告のある副作用のみを記載.

パルス療法の静注投与が推奨され，その後は症状に合わせて漸減を行う．

□副腎皮質ホルモン薬使用開始後は漸減に時間を要するため，副腎皮質ホルモン薬の副作用対策としてのST合剤，消化性潰瘍予防薬，骨粗鬆症予防薬，既往に応じて抗菌薬や抗結核薬といった薬剤の併用を検討する．

□副腎皮質ホルモン薬不応時には，保険適用外であるが抗TNFα抗体であるインフリキシマブや免疫抑制薬（アザチオプリン，ミコフェノール酸モフェチル，タクロリムス，シクロスポリン）の使用が考慮される場合がある．

□間質性肺疾患：呼吸困難，発熱，咳嗽などの症状が出現した場合は早急に鑑別が必要．Grade 2以上では副腎皮質ホルモン薬の早期開始が必要であり，症状が重症化，遷延する場合には保険適用外ではあるが，前述した免疫抑制薬の使用も検討する．

□間質性肺炎の出現リスクとして75歳以上，肺がん以外での異常陰影の指摘，2次治療以降であることが報告されている[12]．

□大腸炎，小腸炎，下痢：下痢時の止瀉薬（ロペラミド）は無効の上，治療介入を遅らせる原因となるため使用は避ける．症状が重篤化，遷延する場合には消化管穿孔やイレウスにつながることがある．また，症状が重症化，遷延する場合には消化管穿孔や敗血症がないことを確認し保険適用外ではあるが前述した免疫抑制薬の使用も検討する．

□副腎皮質ホルモン薬で対処しないirAEとして劇症1型糖尿病を含む1型糖尿病，甲状腺機能異常症があり，治療薬剤で症状コントロールが可能な場合は併用を行いながら投与を継続することが可能である．

□劇症1型糖尿病を含む1型糖尿病：糖尿病ケトアシドーシスが疑われる場合には早期に介入が必要であり，重症化予防としての副腎皮質ホルモン薬の使用は高血糖の可能性があり推奨されておらず，インスリン治療を検討する．

□甲状腺，下垂体，副腎機能障害：自覚症状を伴わない場合もあり，各検査値（TSH，FT_3，FT_4，コルチゾール，ACTH，電解質）のモニタリングを行う．一般的に甲状腺機能異常症には甲状腺ホルモン薬を開始するが，副腎機能障害の併発がないことの確認が必要である．副腎機能障害併発時には，副腎機能不全の悪化を防ぐため副腎皮質ホルモン薬の投与を行う必要がある．その後，その他の因子を除外した上で鉱質コルチコイド作用を有する副腎皮質ホルモン薬を開始する．

□下垂体，副腎機能障害の場合は低 Na 血症や高 K 血症といった電解質異常もみられる場合が多い．

□肝機能障害：肝機能検査が重要であり，症状が重症化，遷延する場合には 保険適用外 ではあるが，免疫抑制薬のミコフェノール酸モフェチル使用も検討する．インフリキシマブは，肝毒性を有していることから副腎皮質ホルモン薬不応時の肝機能障害出現時での使用は避ける．

6 薬学的ケア

CASE

□70 歳代男性，右下葉肺がん〔cStage ⅣB，EGFR・ALK・ROS-1 (-)，TPS 90％，PS 1〕1 次治療として入院でペムブロリズマブ投与開始．投与前の採血では甲状腺機能，副甲状腺機能，血清グルコース，HbA1c，KL-6 368 U/mL といずれも基準値内であったが，既往に COPD を確認．

□day 9 の服薬指導時，咳嗽の出現と軽度呼吸苦について聴取した．看護師へ SpO_2 の確認を依頼し room air で 90～93％と酸素化の低下を認めた．既往に COPD 合併があることからも間質性肺炎の可能性について考え，医師へ報告し胸部 X 線検査と KL-6 の確認について提案．

□結果，酸素吸入の開始，胸部 X 線検査と KL-6 を含めた採血がオーダーとなり右下葉の陰影拡大傾向と KL-6 600 U/mL への上昇を認めた．造影 CT が追加となり右下葉主流周囲を中心とした網状影およびすりガラス陰影が出現していたことからペムブロリズマブによる Grade 3 の間質性肺炎と診断され副腎皮質ホルモン薬が開始された．Grade 3 の間質性肺炎であり，ペムブロリズマブの再投与は行わないことを医師と確認した．

解説

□ICI 使用時，間質性肺炎の出現リスクは他がん種より肺がん治療で高いことが報告されている[13]．出現時期についての報告はさまざまであることから，治療開始前と比較し，咳嗽や呼吸苦などの出現・増悪時には早期に申し出るよう患者に指導しておくことが重要である．

□前述した通り間質性肺炎の出現リスクとして75歳以上，肺がん以外での異常陰影の指摘，2次治療以降であることが報告されている[12]．よって，本症例でも年齢，COPDの既往といったリスク因子について評価が重要である．

□間質性肺炎において副腎皮質ホルモン剤の漸減ペースが早いと再燃することがあり，病状に応じてゆっくりと漸減することが必要である[14]．

□irAEの診断として必要となる検査項目について把握しておくことで，間質性肺炎に限らず，irAEが疑われた際には，医師や看護師と連携し早期発見，治療の開始につながるよう体制を整えることが必要である．

引用文献

1）Lala M, et al：Eur J Cancer 131：68-75, 2020（PMID：32305010）
2）キイトルーダ® 適正使用ガイド．2021年11月改訂
3）厚生労働省：最適使用推進ガイドライン　ペムブロリズマブ　非小細胞肺癌（平成30年12月改訂）
4）Reck M, et al：J Clin Oncol 37：537-46, 2019（PMID：30620668）
5）Mok TSK, et al：Lancet 393：1819-30, 2019（PMID：30955977）
6）Herbst RS, et al：J Clin Oncol 38：1580-90, 2020（PMID：32078391）
7）Osa A, et al：JCI Insight 3：e59125, 2018（PMID：30282824）
8）Cortellini A, et al：Clin Lung Cancer 21：498-508, 2020（PMID：32680806）
9）Berner F, et al：JAMA Oncol 5：1043-7, 2019（PMID：31021392）
10）Basak EA, et al：Thyroid 30：966-73, 2020（PMID：32151195）
11）Ricciuti B, et al：J Cancer Res Clin Oncol 145：479-85, 2019（PMID：30506406）
12）Kenmotsu H, et al：J Clin Oncol 35（15 suppl）：9078, 2017
13）Khoja L, et al：Ann Oncol 28：2377-85, 2017（PMID：28945858）
14）Nishino M, et al：Cancer Immunol Res 4：289-93, 2016（PMID：26865455）

（水上皓喜）

40 アテゾリズマブ（テセントリク®）

POINT

- 対象患者は，切除不能な進行・再発の非小細胞肺がん，進展型小細胞肺がん，切除不能な肝細胞がん，および PD-L1 陽性のホルモン受容体陰性かつ HER2 陰性の手術不能または再発乳がんにおける単剤療法ないしは併用療法時のメンテナンス.
- 過度の免疫反応に起因すると考えられる副作用（irAE）が現れ，重篤または死亡に至る可能性がある.
- Grade≧3 の副作用には，発現率 5%未満であるも，肝機能障害・肝炎，皮膚障害，および間質性肺炎などが報告されている.

1 レジメンと副作用対策[1]（→次頁参照）

適応：切除不能な進行・再発の非小細胞肺がん

1 コース期間：21 日間　**総コース**：臨床的有益性が認められなくなるまで

2 抗がん薬の処方監査

□本レジメンの適応（切除不能な進行・再発の非小細胞肺がん）であることを確認．通常，成人にはアテゾリズマブ（遺伝子組換え）として 1 回 1,200 mg/body を点滴静注する[2, 3].

□腫瘍細胞および腫瘍浸潤免疫細胞における PD-L1（Programmed Death-Ligand 1）の発現を確認（化学療法未治療の PD-L1 陰性の扁平上皮がん患者におけるアテゾリズマブの有効性および安全性は確立していない）[4].

□間質性肺疾患による死亡例も報告されているため，初期症状（呼吸困難，咳嗽，発熱など）の確認を十分に観察する．また，異常が認められた場合にはアテゾリズマブの投与を中止し，副腎皮質ホルモン薬の投与などの適切な処置を行う.

□過敏症の既往歴のある患者には投与しない.

□アテゾリズマブは，PD-L1 を標的としたヒト化免疫グロブリン G1（IgG1）モノクローナル抗体であり，PD-1 と PD-L1 ならびに B7-1 と PD-L1 の結合を阻害することにより，T 細胞の再活性化を促進するため，過度の免疫反応に起因すると考え

40		医薬品名 投与量	投与方法 投与時間	1	2	3	4	5	6	7	8	9	10	11	12	13	14	15	16	～	21
レジメン	Rp1	生理食塩液 50 mL	点滴注射 5 分	↓																	
	Rp2	アテゾリズマブ 1,200 mg/body 生理食塩液 250 mL	点滴注射 30 分 (初回 60 分)	↓																	
	Rp3	生理食塩液 50 mL	点滴注射 5 分	↓																	

副作用対策		
	irAE（注意すべき副作用）	
	間質性肺疾患，肝機能障害・肝炎，大腸炎，重度の下痢，膵炎，1 型糖尿病，甲状腺機能障害，副腎機能障害，下垂体機能障害，脳炎，髄膜炎，神経障害，重症筋無力症，重度の皮膚障害，腎機能障害，筋炎・横紋筋融解症，心筋炎，血球貪食症候群，infusion reaction	
	副作用発現時期	
	irAE は治療開始後 2 か月以内に発現することが多いが，好発現時期は明らかになっておらず，治療期間中はもちろん治療終了後も半年程度はモニタリングが必要[*1]	
	irAE の推奨される管理に関するガイダンス（共通管理ポイント）（American Society of Clinical Oncology Clinical Practice Guideline[1)]より抜粋[*2]）	
	①	治療開始前に患者や家族に対して，irAE とその自覚症状を十分に説明する．
	②	治療中に新たな症状を認めた場合は irAE を疑う．
	③	Grade 1 の irAE については慎重にモニタリングのうえ，治療を継続することができる（一部，神経毒性・血液毒性・心毒性・呼吸器毒性を除く）．
	④	Grade 2 の irAE については治療を休止し，症状が Grade 1 に改善したら投与の再開を考慮する．また，副腎皮質ステロイド（プレドニゾロン 0.5～1 mg/kg/日または同力価のステロイド）の治療を検討する．
	⑤	Grade 3 の irAE では治療を休止し，副腎皮質ステロイド（プレドニゾロン 1～2 mg/kg/日またはメチルプレドニゾロン静注 1～2 mg/kg/日）を開始する．症状が改善したら，副腎皮質ステロイドは少なくとも 4～6 週かけて漸減する．ステロイド投与後 48～72 時間で症状の改善が認められない場合は，インフリキシマブなどの免疫抑制剤の使用を考慮する．
	⑥	症状や検査値が Grade 1 以下に回復後に投与の再開を検討する．早期に irAE を発症した患者についての治療再開には特に注意が必要である．
	⑦	Grade 4 の irAE はホルモン補充によってコントロール可能な内分泌障害の irAE を除いて，免疫チェックポイント阻害薬の投与は中止する．

[*1] そのため本項では好発時期をグラデーションでは表記しない．

[*2] ASCO ガイドラインの作成は 2000 年から 2017 年に発行されたケースシリーズに焦点があてられており，システマティックレビューなどに用いられた多くの資料はアテゾリズマブよりも先行して適応承認を受けている免疫チェックポイント阻害薬のデータにより評価されている．

られる副作用に注意する[5)]．

□投与開始前の検査（特に注意を要する）として，肝機能検査（AST，ALT，ALP，γ-GTP，ビリルビンなど）および内分泌機能検査（TSH，遊離 T_3，遊離 T_4，ACTH，血中コルチゾールなど）を確認[6, 7)]．

3 抗がん薬の調製

- □アテゾリズマブ注射液は，注射筒で抜き取り，日局生理食塩液に添加し，最終濃度を3.2～12.0 mg/mLとした上で点滴静注する．
- □用時調製（静かに転倒混和）し，速やかに投与する．ただし，静脈内大量投与，急速静注はしないこと．また，他剤との混注をしない．
- □0.2または0.22 μmのインラインフィルターを使用する．

4 抗がん薬の投与

投与基準

- □通常，成人にはアテゾリズマブ（遺伝子組換え）として1回1,200 mgを60分かけて3週間間隔で点滴静注する．なお，初回投与の忍容性が良好であれば，2回目以降の投与時間は30分間まで短縮できる．
- □アテゾリズマブは，生物由来のヒト化モノクローナル抗体製剤であり，殺細胞性抗がん薬の副作用発現率と比較すると少ない傾向にある．また，抗がん薬の用量規制毒性に関連する最大耐用量の設定は該当しないため，治療強度（dose intensity）の維持は体内からの消失半減期に応じた反復投与に依存する．よって，治療の適応が妥当と判断された場合，臨床的有益性が認められなくなるまで減量なく投与を行い，有害事象の発現時には副作用Grade評価に準じて適切に休薬（中止）する．

減量・中止基準[4, 6]

- □アテゾリズマブによる過度の免疫反応に起因すると考えられる副作用の発現は減量することなく休薬すること．
- □表中のGradeはNCI-CTCAE v5.0に準じる．
- □間質性肺疾患など（呼吸器障害）

Grade 2の場合	Grade 1以下に回復するまで，アテゾリズマブ療法を休薬する． 12週間を超える休薬後もGrade 1以下まで回復しない場合は，アテゾリズマブ療法を中止する．
Grade 3以上または再発性の場合	アテゾリズマブ療法を中止する．

□大腸炎，下痢

Grade 2 または 3 の場合	Grade 1 以下に回復するまで，アテゾリズマブ療法を休薬する． 12 週間を超える休薬後も Grade 1 以下まで回復しない場合は，アテゾリズマブ療法を中止する．
Grade 4 の場合	アテゾリズマブ療法を中止する．

□膵炎

Grade 3 以上のアミラーゼまたはリパーゼ高値	Grade 1 以下に回復するまで，アテゾリズマブ療法を休薬する．
Grade 2 または 3 の膵炎	12 週間を超える休薬後も Grade 1 以下まで回復しない場合は，アテゾリズマブ療法を中止する．
Grade 4 または再発性の膵炎	アテゾリズマブ療法を中止する．

□内分泌障害

Grade 3 以上の高血糖	血糖値が安定するまで，アテゾリズマブ療法を休薬する．
症候性の甲状腺機能低下症	左記の状態が回復するまで，アテゾリズマブ療法を休薬する．
症候性の甲状腺機能亢進症，または甲状腺刺激ホルモン値 0.1 mU/L 未満の無症候性機能亢進症	
Grade 2 以上の副腎機能不全	Grade 1 以下に回復するまで，アテゾリズマブ療法を休薬する． 12 週間を超える休薬後も Grade 1 以下まで回復しない場合は，アテゾリズマブ療法を中止する．
Grade 2 または 3 の下垂体炎，下垂体機能低下症	Grade 1 以下に回復するまで，アテゾリズマブ療法を休薬する． 12 週間を超える休薬後も Grade 1 以下まで回復しない場合は，アテゾリズマブ療法を中止する．
Grade 4 または再発性の下垂体炎，下垂体機能低下症	アテゾリズマブ療法を中止する．

□皮膚障害

Grade 3 の場合	Grade 1 以下に回復するまで，アテゾリズマブ療法を休薬する． 12 週間を超える休薬後も Grade 1 以下まで回復しない場合は，アテゾリズマブ療法を中止する．
Grade 4 の場合	アテゾリズマブ療法を中止する．

□筋炎

Grade 2 または 3 の場合	Grade 1 以下に回復するまで，アテゾリズマブ療法を休薬する． 12 週間を超える休薬後も Grade 1 以下まで回復しない場合は，アテゾリズマブ療法を中止する．
Grade 3 の再発または Grade 4	アテゾリズマブ療法を中止する．

□心筋炎

Grade 2 の場合	Grade 1 以下に回復するまで，アテゾリズマブ療法を休薬する． 12 週間を超える休薬後も Grade 1 以下まで回復しない場合は，アテゾリズマブ療法を中止する．
Grade 3 以上の場合	アテゾリズマブ療法を中止する．

□infusion reaction

Grade 1 の場合	投与速度を 50%に減速するなお，軽快した後 30 分間経過観察し，再発しない場合には投与速度を元に戻すことができる．
Grade 2 の場合	投与を中断し，軽快後に投与速度を 50%に減速し再開する．
Grade 3 以上の場合	アテゾリズマブ療法を直ちに中止する．

腎機能障害

□腎炎

Grade 2 の場合	Grade 1 以下に回復するまで，アテゾリズマブ療法を休薬する． 12 週間を超える休薬後も Grade 1 以下まで回復しない場合は，アテゾリズマブ療法を中止する．
Grade 3 以上の場合	アテゾリズマブ療法を中止する．

肝機能障害（切除不能な肝細胞がんを除く）

Grade 2（AST もしくは ALT，または総ビリルビン）が 5 日を超えて継続	Grade 1 以下に回復するまで，アテゾリズマブ療法を休薬する． 12 週間を超える休薬後も Grade 1 以下まで回復しない場合は，アテゾリズマブ療法を中止する．
Grade 3 以上（AST もしくは ALT，または総ビリルビン）の場合	アテゾリズマブ療法を中止する．

注意点

□アテゾリズマブは，特定の背景を有する患者〔自己免疫疾患ないしは間質性肺疾患では免疫関連の副作用が発現または増悪するおそれがある．妊婦・授乳婦では治療上の有益性が危険性を上回ると判断される場合にのみ投与する．高齢者〔一般に生理機能が低下している〕〕への投与において副作用の発現に注意する．

5 副作用マネジメント

発現率[2, 3)]

□アテゾリズマブ単剤療法について臨床的有用性が検証された国際共同第Ⅲ相臨床試験の副作用プロファイルを提示する．

国際共同第Ⅲ相臨床試験	IMpower110 試験*3 化学療法未治療例 n=277（国内 n=27）		OAK 試験*4 化学療法歴あり n=425（国内 n=36）	
副作用/発現例数(%)	全 Grade	Grade 3 以上	全 Grade	Grade 3 以上
間質性肺疾患	11 (3.8)	2 (0.7)	14 (2.3)	5 (0.8)
肝機能障害，肝炎	46 (16.1)	12 (4.2)	67 (11)	18 (3.0)
大腸炎	3 (1.0)	2 (0.7)	2 (0.3)	0
下痢	32 (11.2)	0	94 (15.4)	4 (0.7)
膵炎	0	0	1 (0.2)	1 (0.2)
1 型糖尿病	1 (0.3)	1 (0.3)	1 (0.2)	0
甲状腺機能障害	36 (12.6)	0	34 (5.6)	0
副腎機能障害	0.2 (0.7)	0	3 (0.5)	0
下垂体機能障害	0.2 (0.7)	0	1 (0.2)	0
脳炎，髄膜炎	0	0	5 (0.8)	3 (0.5)
神経障害	9 (3.1)	0	39 (6.4)	5 (0.8)
重症筋無力症	0	0	0	0
皮膚障害	69 (24.1)	4 (1.4)	159 (26.1)	12 (2.0)
腎機能障害	7 (2.4)	0	12 (2.0)	4 (0.7)
筋炎	1 (0.3)	0	1 (0.2)	0
横紋筋融解症	0	0	1 (0.2)	1 (0.2)
心筋炎	1 (0.3)	1 (0.3)	0	0
血球貪食症候群	1 (0.3)	1 (0.3)	0	0
infusion reaction	7 (2.4)	0.2 (0.7)	12 (2.0)	2 (0.3)

*3 化学療法歴のない，PD-L1 陽性の切除不能な進行・再発の非小細胞肺がん患者を対象に，テセントリク® の有効性および安全性をプラチナ製剤（シスプラチンまたはカルボプラチン）とペメトレキセドまたはゲムシタビンの併用療法（化学療法群）と比較〔572 例（国内 51 例）〕

*4 プラチナ製剤を含む化学療法歴のある切除不能な進行・再発の非小細胞肺がん患者を対象に，テセントリク® の有効性および安全性をドセタキセルと比較〔1,225 例（国内 101 例）〕

評価と観察ポイント

□アテゾリズマブのT細胞活性化作用により，過度の免疫反応に起因すると考えられるさまざまな疾患や病態が現れることがある．

□投与終了後に重篤な副作用が現れることがあるので，患者の状態を十分に観察する必要がある．

□間質性肺疾患の初期症状（呼吸困難，咳嗽，発熱など）の確認および胸部X線検査の実施など，患者の状態を十分に観察する（必要に応じて，胸部CT，血清マーカーなどの検査を実施）

□肝機能障害の確認として，投与開始前および投与期間中は定期的に肝機能検査を行う．

□1型糖尿病の症状である口渇，悪心，嘔吐などの発現や血糖値の上昇に十分注意する．

□甲状腺機能障害，副腎機能障害および下垂体機能障害が現れることがあるので，本剤の投与開始前および投与期間中は定期的に内分泌機能検査（TSH，遊離T_3，遊離T_4，ACTH，血中コルチゾールなどの測定）などを行う．

副作用対策のポイント[6,8]

□副作用（irAE）の初回発現日中央値は，数週間から数か月後に発症することがあり，患者への十分な説明を要する．

□過度の免疫反応による副作用が疑われた場合には，副腎皮質ホルモン薬の投与などを考慮すること．

□頻度の低いirAEのモニタリングについて，重症筋無力症では筋力低下，眼瞼下垂，呼吸困難，嚥下障害などの観察を，腎機能障害では定期的な腎機能検査を，筋炎，横紋筋融解症では筋力低下，筋肉痛，CK上昇，血中および尿中ミオグロビン上昇などの観察を，心筋炎では胸痛，CK上昇，心電図異常などの観察を行う．

6 薬学的ケア

CASE

□60歳代男性．非小細胞肺がんの1次治療でプラチナ製剤を含む化学療法を実施するも殺細胞性抗がん薬の副作用が強く継続が不可能となり，2次治療にアテゾリズマブ単剤療法が選択された．本症例は，前治療より，保険調剤薬局と医療機関の副作用に関する情報連携（トレーシングレポートにて）が良好であった．なお，治療変更に際し，薬剤師よりICIの使用により「今までの抗がん薬治療とは異なる副作用が発現すること」を指導し，十分に理解されていた．患者はアテゾリズマブ単独療法3コース実施後より軽度の腹痛が出現するも自制内であった．4コース目投与前，自宅にて粘液便が持続し，「かかりつけ薬局」へ相談し，その日のうちに受診され，精査・加療目的にて入院となった．

□腹痛を伴うGrade 2の下痢症状が数日継続していることから，大腸炎を疑い，絶食（補液管理）とプレドニゾロン1 mg/kg/日を開始．大腸内視鏡検査にてS状結腸および直腸に限局性粘膜浮腫を認めるも，CT検査所見ではS状結腸および直腸に目立った肥厚は認めなかった．入院期間中に実施予定であった4コース目は休薬となり，1週間以内に腹痛は改善，食事に関しても通常食へ段階的に戻す過程で下痢を呈することなく軽快し，退院に至った．

解説

□副腎皮質ホルモン薬の投与を開始した場合は，アテゾリズマブの投与を再開する前に，1か月以上かけて経口プレドニゾロン10 mg/日または相当量以下まで漸減する．

□ICIによる免疫関連胃腸障害発現時に，副腎皮質ホルモン薬の投与により改善がみられない場合，抗TNF-α抗体製剤インフリキシマブの追加投与を検討する．

□ロペラミドのような止痢薬で対処をすると，適切な治療開始が遅れ重症化することがあり，止痢薬の投与には注意する．

□大腸炎・重度の下痢症状の治療について12週間以内に事象がGrade 1以下に改善したら，アテゾリズマブの投与を再開する．改善しなければ，治療は中止する．

引用文献

1）Brahmer JR, et al：J Clin Oncol 36：1714-68, 2018（PMID：29442540）
2）Herbst RS, et al：N Engl J Med 383：1328-39, 2020（PMID：32997907）（IMpower110 study）
3）Rittmeyer A, et al：Lancet 389：255-65, 2017（PMID：27979383）（OAK study）
4）テセントリク®点滴静注，添付文書．2021年11月改訂（第3版）（中外製薬）
5）テセントリク®点滴静注，インタビューフォーム．2021年11月改訂（第

12 版）（中外製薬）
6）テセントリク® 点滴静注，適正使用ガイド．2020 年 12 月改訂（中外製薬）
7）日本内分泌学会：免疫チェックポイント阻害剤による内分泌障害の診療ガイドライン．日本内分泌学会誌 94（suppl），2018
8）日本臨床腫瘍学会：がん免疫療法ガイドライン，第 2 版．pp 1-162，金原出版，2019

（清水久範）

41 アテゾリズマブ＋ベバシズマブ＋nab-パクリタキセル＋カルボプラチン

Atezo＋Bev＋nab-PTX＋CBDCA

POINT

■本レジメンの適応は，切除不能な進行・再発の非扁平上皮非小細胞肺がん，PD-L1 陽性，PS 0〜1，75 歳未満に対する 1 次治療.
■制吐療法は，HEC に準じたアプレピタントを含む 3 剤併用が標準.
■irAE，骨髄抑制，神経障害，高血圧，蛋白尿の副作用マネジメントが必要.

1 レジメンと副作用対策（→次頁参照）

適応：PD-L1 陽性の切除不能な進行・再発の非扁平上皮非小細胞肺がんの 1 次治療
1 コース期間：21 日間　**総コース**：4〜6 コース

2 抗がん薬の処方監査

□非扁平上皮がん，PS 0〜1 を確認．プラチナ製剤併用療法におけるベバシズマブ（アバスチン®）の投与は 75 歳以上では毒性が増強するため回避.
□PD-L1 が 1％以上の陽性を確認．ドライバー遺伝子変異/転座の陰性を確認.
□喀血が発現するおそれがあるため，その既往歴（2.5 mL 以上の鮮血の喀出）を確認.
□治療開始前に HBV 感染の検査有無を確認（HBs 抗原，HBs 抗体，HBc 抗体）.
□カルボプラチン（パラプラチン®）AUC≧4 に対しては，制吐療法は HEC に準じた設定になっているか確認.
□nab-パクリタキセル（アブラキサン®）は人血清アルブミン懸濁型製剤であり，血液製剤に準じた管理が必要．アルコール不耐症に投与可および過敏症予防に対する前投薬は不要.
□アテゾリズマブ（テセントリク®）はインラインフィルター（0.2 または 0.22 μm）を使用するが，nab-パクリタキセルはフィルターに吸着するため使用不可を確認.
□ベバシズマブの投与時間は忍容性が良好であれば 90 分→60 分

41		医薬品名 投与量	投与方法 投与時間	1	2	3	4	5	~	8	9	10	11	12	~	15	16	17	~	20	21
レジメン(Atezo+Bev+nab-PTX+CBDCA)	Rp1	アテゾリズマブ 1,200 mg/body 生理食塩液 250 mL	点滴注射 60分	↓																	
	Rp2	ベバシズマブ 15 mg/kg 生理食塩液 100 mL	点滴注射 90分	↓																	
	Rp3	パロノセトロン 0.75 mg/body デキサメタゾン 9.9 mg/body 生理食塩液 50 mL	点滴注射 15分	↓																	
	Rp4	デキサメタゾン 6.6 mg/body 生理食塩液 50 mL	点滴注射 15分							↓						↓					
	Rp5	nab-パクリタキセル 100 mg/m² 生理食塩液 50 mL	点滴注射 30分	↓						↓						↓					
	Rp6	カルボプラチン AUC 6 5%ブドウ糖液 250 mL	点滴注射 60分	↓																	
	Rp7	アプレピタント	経口	↓	↓	↓															
	Rp8	デキサメタゾン 8 mg/body	経口		↓	↓	↓														

Rp1:アテゾリズマブの点滴時間は忍容性が良好であれば2回目は30分まで短縮可.

Rp2:ベバシズマブの点滴時間は忍容性が良好であれば2回目60分, 3回目30分まで短縮可.

Rp7:アプレピタントは, 注射薬であるホスアプレピタントに変更することができる. その際には, 生理食塩液250 mLに希釈して, 60分で投与.

副作用対策

infusion reaction

発現時, 投与の中断で改善がみられなければ, ポララミン®注5 mg+ハイドロコートン注200 mg(重症例では500 mg)の点滴投与, 血圧が低下すればアドレナリン注0.1% 0.3～0.5 mg筋注が推奨.

関節痛, 筋肉痛

痛みは一過性であり, 必要ならNSAIDsでコントロール.

悪心・嘔吐

制吐療法は, HECに準じたアプレピタントを含む3剤併用を標準療法とする. 効果不良の場合, オランザピン1日5 mgを4～6日間投与.

骨髄抑制

①感染予防対策(手洗い, うがい)を指導, ②FNの徴候(発熱, 悪寒, 咽頭痛)がみられたら, 低リスクではレボフロキサシン1日500 mgを5日間投与, ③血小板減少およびベバシズマブの影響により出血がみられた場合は申し出るよう指導.

脱毛

ほぼ必発, 事前にウィッグの情報を提供, 治療終了後は回復.

神経障害

神経障害は主にnab-パクリタキセルの適切な減量と休薬が重症化を回避. しかし, irAEが要因ならアテゾリズマブはGrade 2で休薬, プレドニゾロン0.5～1.0 mg/kg/日を投与, Grade 3以上で中止.

高血圧

血圧140/90 mmHg以上が認められたら, 降圧薬を投与. 蛋白尿を予防できる可能性から, ARBやACE阻害薬が推奨. Ca拮抗薬はCYP3A4阻害作用が少ない薬剤を選択.

蛋白尿

ベバシズマブは尿蛋白2+以上であっても, 尿蛋白/クレアチニン(UPC)比<3.5, または≦2 g/24 hなら継続投与可.

irAE

irAEは大腸炎・下痢, 皮膚障害, 甲状腺機能障害の発現率が高い. 大腸炎・下痢はGrade 2でプレドニゾロン1.0 mg/kg/日, Grade 3以上ではメチルプレドニゾロン2 mg/kg/日投与. ロペラミドはirAE症状をマスクする可能性があり, 重症化に注意. 皮膚障害はGrade 1ならステロイド外用薬・抗ヒスタミン薬, Grade 2以上でプレドニゾロン0.5～1.0 mg/kg/日開始. いずれのirAEもGrade 3までの場合, アテゾリズマブは休薬. 甲状腺機能障害ではTSHが10 μU/mLを超えれば, レボチロキシン1日25～50 μgを投与.

→30分まで短縮可．アテゾリズマブでは60分→30分まで短縮可．

□パクリタキセル/シスプラチン併用療法ではシスプラチンを先行投与すると骨髄抑制が増強するおそれがあるため，「nab-パクリタキセル→カルボプラチン」の順に投与．

□nab-パクリタキセルはCYP2C8およびCYP3A4で代謝されるため，CYP3A4阻害薬・誘導薬との併用に注意．カルボプラチンは腎・聴覚障害が増強することがあるため，アミノグリコシド系抗菌薬およびバンコマイシンとの併用に注意．

3 抗がん薬の調剤

□アテゾリズマブは生理食塩液に添加し，最終濃度を3.2～12.0 mg/mLとする．

□ベバシズマブはブドウ糖溶液では力価が減弱するおそれがあるため混合を避ける．

□nab-パクリタキセルは1バイアルあたり生理食塩液20 mLで溶解し，泡立ちに注意する．

□カルボプラチンはイオウを含むアミノ酸輸液中では分解するため配合を避ける．

4 抗がん薬の投与

適正使用基準[1, 2]

PS	0～1
好中球数	≧1,500/μL
リンパ球数	≧500/μL
血小板数	≧10万/μL
Hb	≧9.0 g/dL
PT-INR	≦1.5（≦ULN×1.5）抗凝固療法なし（抗凝固療法を受けている患者は用量が安定していること）
AST	≦75 U/L（≦ULN×2.5）
ALT	≦（男性）105 U/L，（女性）57 U/L（≦ULN×2.5）
ALP（JSCC）	≦805 U/L（≦ULN×2.5）
T-Bil	≦1.8 mg/dL（≦ULN×1.25）
Scr	≦（男性）1.60 mg/dL，（女性）1.18 mg/dL（≦ULN×1.5）

コース内投与基準（day 8, 15）[3]

好中球数	≧1,000/μL
血小板数	≧5 万/μL
末梢神経障害	≦Grade 2，または前コースで≧Grade 3 が発現した場合：Grade 1 に回復後（≦Grade 2 でも投与スキップを考慮）

次コース開始基準[3]

好中球数	≧1,500/μL
血小板数	≧10 万/μL
Hb	≧9.0 g/dL
AST	≦75 U/L（≦ULN×2.5）
ALT	≦（男）105 U/L，（女）57 U/L（≦ULN×2.5）
T-Bil	≦2.2 mg/dL（≦ULN×1.5）
Scr	≦（男）1.60 mg/dL，（女）1.18 mg/dL（≦ULN×1.5）
末梢神経障害	≦Grade 2（≦Grade 2 でも投与延期を考慮）

減量・中止基準

腎機能障害

	検査値異常の程度	用量調節
アテゾリズマブ[4]	記載なし	
ベバシズマブ[5]	記載なし	
nab-パクリタキセル[6]	Ccr≧30 mL/分は調節不要 Ccr＜30 mL/分はデータなし	
カルボプラチン[7]	Ccr 41～59 mL/分	360→250 mg/m^2
	Ccr 16～40 mL/分	360→200 mg/m^2
	Ccr≦15 mL/分	中止

肝機能障害

□アテゾリズマブ[4]（表 41-1）

□ベバシズマブ[5]：記載なし．

□nab-パクリタキセル[6]

検査値異常の程度	用量調節
AST＜300 U/L（ULN×10）， T-Bil≦7.5 mg/dL（ULN×5）	100→80 mg/m^2
AST＞300 U/L（ULN×10）， T-Bil＞7.5 mg/dL（ULN×5）	中止

□カルボプラチン[7]：記載なし．

表 41-1 肝機能障害に関する減量・中止基準

検査値異常の程度	用量調節
90 U/L (ULN×3)＜AST≦150 U/L (ULN×5), もしくは (男) 126 U/L, (女) 69 U/L (ULN×3)＜ALT≦(男) 210 U/L, (女) 115 U/L (ULN×5), または 2.2 mg/dL (ULN×1.5)＜T-Bil≦4.5 mg/dL (ULN×3) が5日を超えて継続する場合	≦Grade 1 に回復するまで休薬. 12 週間を超える休薬後も≦Grade 1 まで回復しない場合は中止
AST＞150 U/L (ULN×5), もしくはALT＞(男) 210 U/L, (女) 115 U/L (ULN×5), またはT-Bil＞4.5 mg/dL (ULN×3) に増加した場合	中止
【ベースラインの AST が≦30 U/L (ULN) または ALT が≦(男) 42 U/L, (女) 23 U/L (ULN) の患者】 90 U/L (ULN×3)＜AST≦300 U/L (ULN×10), または (男) 126 U/L, (女) 69 U/L (ULN×3)＜ALT≦(男) 420 U/L, (女) 230 U/L (ULN×10) に増加した場合 【ベースラインの AST が 30 U/L (ULN)＜AST≦90 U/L (ULN×3), または ALT が (男) 42 U/L, (女) 23 U/L (ULN)＜ALT≦(男) 126 U/L, (女) 69 U/L (ULN×3) の患者】 150 U/L (ULN×5)＜AST≦300 U/L (ULN×10), または (男) 210 U/L, (女) 115 U/L (ULN×5)＜ALT≦(男) 420 U/L, (女) 230 U/L (ULN×10) に増加した場合 【ベースラインの AST が 90 U/L (ULN×3)＜AST≦150 U/L (ULN×5), または ALT が (男) 126 U/L, (女) 69 U/L (ULN×3)＜ALT≦(男) 210 U/L, (女) 115 U/L (ULN×5) の患者】 240 U/L (ULN×8)＜AST≦300 U/L (ULN×10), または (男) 336 U/L, (女) 184 U/L (ULN×8)＜ALT≦(男) 420 U/L, (女) 230 U/L (ULN×10) に増加した場合	≦Grade 1 に回復するまで休薬. 12 週間を超える休薬後も≦Grade 1 まで回復しない場合は中止
AST＞300 U/L (ULN×10), もしくはALT＞(男) 420 U/L, (女) 230 U/L (ULN×10), またはT-Bil＞4.5 mg/dL (ULN×3) に増加した場合	中止

注意点

□投与中, infusion reaction が 7.1%の頻度で認められている[4]. 発現時, 投与の中断で改善がみられなければ, ポララミン® 注 5 mg＋ハイドロコートン注 200 mg (重症例では 500 mg) の点滴投与, 血圧が低下すればアドレナリン注 0.1% 0.3~0.5 mg 筋注が推奨される. 一方, 投与回数を重ねるにつれ, カルボプラチンによる遅発性過敏症に留意.

□nab-パクリタキセルは起壊死性抗がん薬およびカルボプラチ

ンは炎症性抗がん薬に分類されるため，投与中の血管外漏出に注意．漏出した場合には，ソル・コーテフ®注 200 mg＋キシロカイン®注 1% 1 mL を生理食塩液で 5 mL になるように調製し，局所皮下注射．また，デルモベート®軟膏 1 日 2 回投与が推奨される．

5 副作用マネジメント

発現率[1,2,4]

副作用	アテゾリズマブ＋nab-パクリタキセル＋カルボプラチン (n＝473)*1		アテゾリズマブ＋ベバシズマブ＋パクリタキセル＋カルボプラチン (n＝393)*2		
	全体 (%)	Grade≧3 (%)	全体 (%)	Grade≧3 (%)	国内 (n＝36) Grade≧3 (%)
間質性肺疾患	6.6	0.4	3.3	1.5	2.8
肝機能障害	9.7	3.2	13.7	5.1	2.8
大腸炎，下痢	43.6	6.4	34.9	6.4	2.8
膵炎	0.4	0	1.3	0.5	0
1 型糖尿病	0.2	0	0	0	0
甲状腺機能障害	17.3	0.8	16.8	0.5	0
副腎機能障害	1.5	0	0.8	0.3	0
皮膚障害	36.4	0.8	41.7	2.8	5.6
神経障害	26.6	2.5	43.8	3.3	0
infusion reaction	3.4	0.6	7.1	1.5	5.6
FN	—	—	10.2	9.7	16.7
好中球減少	46.0	32.0	18.3	13.7	—
貧血	52.0	29.0	23.9	6.1	—
血小板減少	26.0	9.0	13.3	4.1	—
悪心	44.0	3.0	34.1	3.8	—
嘔吐	21.0	2.0	14.2	1.5	—
関節痛	5.3	—	16.8	0.8	—
筋肉痛	5.9	—	13.5	0.5	—
高血圧	0.8	—	19.1	6.4	—
蛋白尿	0.8	—	12.9	2.5	—
鼻血	2.3	—	13.7	1.0	—

*1 IMpower 130 試験，*2 IMpower 150 試験

評価と観察のポイント

投与初期（day 1〜7）

□食事の摂取量，内容，飲水量を聴取し，悪心・嘔吐の程度を評価．関節痛や筋肉痛の発現状況やその程度を評価．

投与後期（day 7 以降）

□好中球や血小板の減少が予想されることから，発熱，悪寒，出血傾向などの自覚症状を把握．脱毛は高頻度で出現．

投与中（全期間）

□手足のしびれ，刺痛，焼けるような痛みの発現を評価．irAE の管理では投与中，治療終了後においても発疹，下痢，息苦しい，脱力，しびれ，口渇など全身状態に及ぶ自覚症状をモニタリングし，早期発見に努める．高血圧に対しては，朝（起床 1 時間以内，排尿後，朝の服薬前）と就寝前に血圧を測定し記録するよう指導．血栓塞栓症の評価として麻痺，呂律が回らない，胸痛，足のむくみや痛み，突然の息切れをチェック．

副作用対策のポイント

□irAE は大腸炎・下痢，皮膚障害，甲状腺機能障害の発現率が高い．大腸炎・下痢は Grade 2 でプレドニゾロン 1.0 mg/kg/日，Grade 3 以上ではメチルプレドニゾロン 2 mg/kg/日を投与．ロペラミドは irAE 症状をマスクする可能性があり，重症化に注意．皮膚障害は Grade 1 ならステロイド外用薬・抗ヒスタミン薬，Grade 2 以上でプレドニゾロン 0.5〜1.0 mg/kg/日開始．いずれの irAE も Grade 3 までの場合，アテゾリズマブは休薬．甲状腺機能障害では TSH が 10 μU/mL を超えれば，レボチロキシン 1 日 25〜50 μg を投与．

□初回に悪心・嘔吐が十分にコントロールできていなければ，糖尿病の既往がないことを確認してオランザピン 1 日 5 mg を 4〜6 日間投与．

□神経障害は主に nab-パクリタキセルの適切な減量と休薬が重症化を回避．しかし，irAE が要因ならアテゾリズマブは Grade 2 で休薬，プレドニゾロン 0.5〜1.0 mg/kg/日投与，Grade 3 以上で中止．

□FN の発現頻度は 10.2%，国内症例では 19.4%[4]．感染予防対策（手洗い，うがい）を指導．発熱，悪寒，咽頭痛などの FN の徴候がみられたら，低リスクではレボフロキサシン 1 日 500

mg を 5 日間投与.

□血小板減少およびベバシズマブの影響により出血がみられることがある. 鼻血など 10～15 分経っても止まらない場合は連絡するよう指導. 経過中, D ダイマーが急上昇する場合, 血栓塞栓症を疑う.

□高血圧は 140/90 mmHg 以上が認められたら降圧薬を投与. 蛋白尿を予防できる可能性から, ARB や ACE 阻害薬が推奨. Ca 拮抗薬は CYP3A4 阻害作用の少ない薬剤を選択.

□蛋白尿は尿定性検査だけでなく, 尿蛋白/クレアチニン (UPC) 比や 24 時間蓄尿の定量的評価でベバシズマブの投与可否を決定.

6 薬学的ケア

CASE

□60 歳代女性. リンパ節転移陽性の非小細胞肺腺がん (PD-L1 TPS≧50%, ドライバー遺伝子/転座陰性). 本レジメンにより治療開始. 1 コース day 15, 患者より両手がしびれ, 痛みがあり, 箸が持ちづらいことを聴取 (Grade 3). TSH 低値, 甲状腺中毒症発現. nab-パクリタキセルの休薬とデュロキセチン 1 日 20 mg を提案し開始. 2 コース day 1, しびれ Grade 1, 痛み消失, 1 段階減量にて開始. 2 コース day 15, TSH 25.2 μU/mL と甲状腺機能低下. レボチロキシン 1 日 25～50 μg を提案し開始. 一方, 血圧 152/90 mmHg と上昇 (治療前 135/85 mmHg). 患者はカンデサルタン服用中のため, シルニジピン 1 日 5 mg を提案し開始. 3 コース day 1, 血圧は 138/86 mmHg と改善するが, 尿蛋白 2+. 医師はベバシズマブの休薬を指示したが, UPC 比は 3.0 のため継続可を医師に提案し投与となった.

解説

□nab-パクリタキセルの末梢神経障害は適切な減量と休薬により Grade 2 以下までの改善を目指す. デュロキセチン (適応外使用) は末梢神経障害に伴う痛みを軽減する可能性が報告されている.

□irAE の甲状腺機能障害は中毒症が先行して, その後機能低下が後続して発症する場合が多い. TSH が 10 μU/mL を超えればレボチロキシンを投与し, アテゾリズマブの投与は継続する.

□ジルチアゼムやニフェジピンは CYP3A4 阻害作用を有し, ニフェジピンにはVEGFの分泌を促進する作用も有することから nab-パクリタキセルの毒性増強やベバシズマブの効果減弱の可能性が考えられ，それらの使用は回避する．シルニジピンはCYP3A4阻害作用が少なく，尿蛋白抑制効果を有している．

□尿蛋白が2+以上であっても，UPC比<3.5または≦2 g/24 hならベバシズマブの投与を継続してもよい．

引用文献

1）West H, et al：Lancet Oncol 20：924-37, 2019（PMID：31122901）
2）Socinski MA, et al：N Engl J Med 378：2288-301, 2018（PMID：29863955）
3）アブラキサン® 点滴静注用，適正使用ガイド，非小細胞肺癌
4）テセントリク® 点滴静注，適正使用ガイド
5）AVASTIN®，海外添付文書
6）ABRAXANE®，海外添付文書
7）CARBOplatin，海外添付文書

（北澤文章）

42 シスプラチン＋ペメトレキセド＋ペムブロリズマブ

CDDP＋PEM＋pembrolizumab

POINT

- ■切除不能な進行・再発の非扁平上皮非小細胞肺がん患者が対象.
- ■HEC に該当するため，3 剤併用の予防的制吐療法が標準.
- ■ペメトレキセドの副作用軽減を目的とした葉酸製剤のアドヒアランスと，ビタミン B_{12} の投与確認，および irAE，骨髄抑制，腎機能障害の副作用管理が重要.

1 レジメンと副作用対策（→次頁参照）

適応：未治療の切除不能な進行・再発非扁平上皮非小細胞肺がんで，以下の条件を満たす場合に 1 次治療の選択肢の 1 つ.

- ・PD-L1 の発現状況は不問
- ・ドライバー遺伝子変異/転座が陰性または不明
- ・PS 0〜1
- ・75 歳未満

投与スケジュール：1 コース期間：21 日間×計 4 コース．その後，ペメトレキセド＋ペムブロリズマブ（キイトルーダ®）を 21 日ごと可能な限り継続．ただし，ペムブロリズマブは 1 回 200 mg なら 3 週間隔，1 回 400 mg なら 6 週間隔投与できるが，治験時は最長 2 年間まで[1].

2 抗がん薬の処方監査[2]

- □HBV 感染の有無（HBs 抗原，HBc 抗体，HBs 抗体，いずれかが陽性の場合，定期的に HBV-DNA 定量を行う）を確認.
- □腎機能（Scr，Ccr）を確認.
- □甲状腺機能（総 T_3 または FT_3；総または遊離トリヨードサイロニン，FT_4；遊離サイロキシン，TSH）を確認.
- □肺臓炎，間質性肺疾患の早期診断補助の検査：SpO_2，CRP，KL-6 および SP-D を確認.
- □ペメトレキセド開始前から葉酸とビタミン B_{12} が適切に投与できているか確認.
- □HEC に該当するため NK_1 受容体拮抗薬を含む 3 剤併用の制吐

レジメン（CDDP＋PEM＋ペムブロリズマブ）

42		医薬品名 投与量	投与方法 投与時間	1	2	3	4	5	6	7	8	9	10	11	12	13	14	15	16	～	21
	Rp1	ペムブロリズマブ 200 mg/body 生理食塩液 100 mL	点滴注射 30分	↓																	
	Rp2	パロノセトロン 0.75 mg/body デキサメタゾン 9.9 mg/body 生理食塩液 50 mL	点滴注射 30分	↓																	
	Rp3	ペメトレキセド 500 mg/m² 生理食塩液 100 mL	点滴注射 10分	↓																	
	Rp4	硫酸Mg補正液 20 mEq ソルデム® 3A 500 mL	点滴注射 60分	↓																	
	Rp5	20％マンニトール 300 mL	点滴注射 30分	↓																	
	Rp6	シスプラチン 75 mg/m² 生理食塩液 500 mL	点滴注射 60分	↓																	
	Rp7	生理食塩液 500 mL	点滴注射 60分	↓																	
	Rp8	ソルデム® 3A 500 mL	点滴注射 60分	↓																	
	Rp9	アプレピタント	経口	↓	↓	↓															
	Rp10	デキサメタゾン 8 mg/body	経口		↓	↓	↓														
	Rp11	パンビタン® 末 1 g	経口	ペメトレキセド初回投与7日以上前から葉酸は毎日0.5 mg/日を連日投与．ペメトレキセド最終投与日から22日目まで可能な限り投与する．																	
	Rp12	シアノコバラミン 1,000 μg	筋肉内注射	ペメトレキセド初回投与の少なくとも7日前にビタミンB_{12}は1 mg/回を筋注．その後，投与中止後22日目まで9週ごと（3コースごと）に1回投与する．																	

ペムブロリズマブは，6週間間隔として，1回400 mg/bodyを30分で投与することもできる．

アプレピタントは，注射薬であるホスアプレピタントに変えることができる．その際には，生理食塩液250 mLに希釈して，60分で投与する．

悪心・嘔吐

HECレジメンに分類されるためアプレピタントを含む3剤併用を標準療法とし，効果不良の場合，オランザピン5 mgを4～6日間追加．

皮疹

ペメトレキセドによる皮疹に対して，投与前日から3日間ステロイド（デキサメタゾンなど）を投与することが有用との報告がある．一方で，ペムブロリズマブによるirAEとしての皮疹との鑑別にも注意．

好中球減少，FN

①感染予防対策（手洗い，うがい），②FNの徴候（発熱，悪寒，咽頭痛）がみられた際の抗菌薬や解熱薬の使用方法，③緊急受診の目安について事前に指導．

肺臓炎，間質性肺疾患

化学療法に起因するものとペムブロリズマブによるirAE，または感染症との鑑別が重要．好発時期はなく，いつ発現してもおかしくない．息切れ，息苦しさ，倦怠感，咳嗽，発熱などの症状を慎重に観察し，疑いがある場合は，胸部X線やCT検査，血中酸素飽和度測定，血液検査などを行い，迅速に対処する必要がある．

大腸炎，小腸炎，下痢，腹痛

骨髄抑制に起因する下痢，もしくはirAEとしての下痢や感染性の下痢などの可能性を考慮する必要がある．発症時期や症状を十分に問診し，場合によっては専門医と連携して速やかに対応する必要がある．特に，腹痛，粘液便や血便を認める場合やGrade 2以上の下痢の場合は，irAEを疑った対応が必要となる．

腎機能障害

シスプラチン投与時は，腎障害予防のための水分摂取を心掛け，尿量確保と体重測定の実施と必要に応じて利尿薬を投与する．特にGrade 2以上のScrの上昇の場合，irAEを疑った対応が必要となる．

療法を実施.

□腎障害予防のため，シスプラチン投与当日には適切な輸液，マグネシウム，利尿薬を投与し，シスプラチン投与終了までに1L程度の経口補液を実施[3].

□ペムブロリズマブを先に投与し，その後「ペメトレキセド→シスプラチン」の順に投与.

□NSAIDsとの併用によりペメトレキセドの血中濃度が上昇しやすいため副作用発現状況を慎重に観察. もしくはアセトアミノフェンへの切り替えを検討[4].

□ペメトレキセドとシスプラチンは腎排泄型薬剤であるため，腎毒性を有する薬剤と併用時は注意.

3 抗がん薬の調剤

ペムブロリズマブ

□希釈前バイアルは2〜8℃で保管. 常温に戻して保管する場合は遮光して25℃以下で24時間以内に使用.

□最終濃度が1〜10 mg/mLになるように生理食塩液もしくは5%ブドウ糖液に希釈.

□希釈後一時保管する場合，25℃以下で6時間以内または2〜8℃で96時間以内に投与終了させる. ただし，投与前に点滴バッグを常温に戻すこと.

ペメトレキセド

□溶解，希釈は生理食塩液のみを使用.

□Ca含有製剤との混合により濁りや沈殿を認めるため避ける.

シスプラチン

□生理食塩液またはブドウ糖-生理食塩液に希釈.

□Cl^-濃度が低い輸液と混合すると活性が低下するため避ける.

□アミノ酸輸液，乳酸ナトリウムを含有する輸液との混合は分解が起こるため避ける.

□調製から投与終了まで6時間以上要する場合は遮光管理.

□冷蔵保管にて結晶が析出することがある.

その他

□特にペメトレキセドとシスプラチンは，Hazardous Drugsとされているため閉鎖式薬物移送システム（CSTD）を用いて調製することが望ましい[5].

4 抗がん薬の投与

投与基準[6)]

検査項目	初回投与前	2 コース目以降投与開始時
好中球絶対数	≧1,500/μL	
血小板数	≧10 万/μL	
Hb	≧9.0 g/dL	≧8.0 g/dL
Ccr（Cockcroft-Gault 法）	≧50 mL/分	
T-Bil	≦2.25 mg/dL（≦ULN×1.5）または＞2.25 mg/dL（＞ULN×1.5）の場合，D-Bil≦1.0 mg/dL（≦ULN）	
AST，ALT	AST≦75 U/L（≦ULN×2.5） ALT≦(男) 105 U/L，(女) 57.5 U/L（いずれも≦ULN×2.5） 【肝転移を有する場合】ALT≦(男) 210 U/L，(女) 115 U/L（いずれも≦ULN×5）	
PT	【抗凝固療法を受けていない場合】PT≦20.25 秒（≦ULN×1.5），【抗凝固療法を受けている場合】治療域範囲内.	
APTT	【抗凝固療法を受けていない場合】APTT≦54 秒（≦ULN×1.5），【抗凝固療法を受けている場合】治療域範囲内.	

□irAE に備えた臨床検査項目についての詳細は39「ペムブロリズマブ」の項（→283 頁）.

減量・中止基準[2)]

□用量調整：以下はあくまで指針であり，医師の判断に優先するものではない．いずれかの薬剤で毒性による減量をした場合，原則として再増量しない.

	初回投与量	1 段階減量	2 段階減量	3 段階減量
ペムブロリズマブ	200 mg（400 mg）	減量不可	減量不可	減量不可
ペメトレキセド	500 mg/m^2	375 mg/m^2	250 mg/m^2	投与中止
シスプラチン	75 mg/m^2	56 mg/m^2	38 mg/m^2	投与中止

腎機能障害

□ペムブロリズマブ：基準なし.

□ペメトレキセド：Ccr が 45 mL/分未満では投与できない.

□シスプラチン

Ccr（mL/分）	30 未満	31～45	46～60
投与量	禁忌	50%減量	25%減量

Ccr が 50 mL/分未満に低下した場合，カルボプラチンに切り替えることを検討する.

肝機能障害

□ペムブロリズマブ，ペメトレキセド，シスプラチン：基準なし．

注意点

ペムブロリズマブ

□非壊死性抗がん薬に分類される．

□投与量にかかわらず1回30分かけて，インラインフィルター（0.2〜5 μm）を使用して点滴静注する．

□同一の点滴ラインから他の薬剤を同時投与しない．

□投与中や投与直後に重度または生命を脅かすinfusion reactionを発現することがある．詳細は39「ペムブロリズマブ」の項（→286頁）．

ペメトレキセド[7)]

□非壊死性抗がん薬に分類される．

□10分かけて点滴静注する．

シスプラチン[7)]

□炎症性抗がん薬に分類される．

□投与開始後に1〜20％の頻度で過敏症が発生する報告がある．制吐薬としてステロイドを前投与している場合，発症を抑えられる可能性がある．投与終了後もしくは複数回投与後に発症する場合もあるので注意する．

□アルミニウムと反応して沈殿物を形成しシスプラチンの活性が低下するため，アルミニウムを含む医療用器具は用いない．

5 副作用マネジメント

主な副作用発現状況[1, 8)]（表42-1）

評価と観察のポイント

投与初期（およそ day 1〜7）

□食事や水分摂取状況の聴取，悪心・嘔吐，便通回数，皮疹の程度，腎機能，電解質を確認．

投与後期（およそ day 8 以降）

□好中球や血小板が低下しやすいため骨髄機能を評価し，感染症の徴候（発熱，悪寒，下痢），出血の有無を確認．

#2 コース目以降

□シスプラチンの累積投与量に依存して高音域の聴覚障害（難聴，耳鳴り），末梢神経障害（手足のしびれや疼痛，運動機能低下）のリスクが増加する．

表 42-1　副作用の発現状況

副作用（n=410）	全 Grade 発現例（%）	Grade 3～4 発現例（%）
全副作用発現（全体）	372（91.9）	193（47.7）
悪心	187（46.2）	12（3.0）
貧血	154（38.0）	55（13.6）
疲労	134（33.1）	20（4.9）
好中球減少症	101（24.9）	59（14.6）
発疹	87（21.5）	8（2.0）
食欲減退	84（20.7）	4（1.0）
下痢	78（19.3）	15（3.7）
嘔吐	74（18.3）	7（1.7）
血小板減少症	69（17.0）	31（7.7）
便秘	67（16.5）	—
発疹	51（12.6）	5（1.2）
ALT 上昇	38（9.4）	2（0.5）
Scr 増加	32（7.9）	1（0.2）
AST 上昇	28（6.9）	—
FN	25（6.2）	24（5.9）
発熱	24（5.9）	1（0.2）
irAE（全体）	107（26.4）	44（10.9）
甲状腺機能低下症	22（5.4）	2（0.5）
甲状腺機能亢進症	20（4.9）	—
肺臓炎	20（4.9）	12（3.0）
大腸炎	12（3.0）	6（1.5）
infusion reaction	11（2.7）	1（0.2）
重篤な皮膚障害	9（2.2）	9（2.2）
腎炎	8（2.0）	6（1.5）
肝炎	5（1.2）	4（1.0）
1 型糖尿病	2（0.5）	2（0.5）

□ペメトレキセド維持療法期では，軽度催吐性リスクに低下するが皮疹のリスクは変わらないため，継続的に皮膚の観察と評価を行う．

全期間

□間質性肺疾患の徴候として呼吸困難，倦怠感，息切れ，咳嗽などの呼吸器症状が通常時以上に増悪することがある．患者にはリスクと早期対処の重要性をあらかじめ指導しておく．

□ペムブロリズマブ投与後は，過度の免疫反応に起因すると考えられるさまざまな病態（irAE）が，投与期間中または投与期間終了後も時期を問わず発現することがある．また化学療法併用期間中は，化学療法の副作用と類似する症状を呈することもあるため，鑑別困難な場合はirAEと化学療法のマネジメントを並行して行うことがある．

□ペムブロリズマブに対する評価と観察のポイントの詳細は39「ペムブロリズマブ」の項→288頁．

副作用対策のポイント

骨髄抑制

□日頃からうがい・手洗いの励行とマスク着用によって感染予防の徹底を図るとともに，発熱や悪寒といったFNの徴候を認めた場合はすぐに病院に連絡，もしくはあらかじめ指示された方法（経口抗菌薬の内服など）に従って対処するよう指導する．

悪心・嘔吐

□標準的な制吐療法を行った上で，糖尿病の既往がなければ必要に応じてオランザピン1日5 mg夕食後を4～6日間追加する．予期性悪心・嘔吐に対して，抗不安薬（アルプラゾラムやロラゼパム）を投与する際，オランザピンと併用すると眠気を増強させる可能性があるため併用は避ける．

吃逆

□シスプラチンやデキサメタゾンの影響で投与直後から数日間持続する場合がある．特に男性に多いとされているが機序不明．クロルプロマジンや柿蒂湯（していとう）が用いられることがある．

腎障害

□シスプラチンは投与終了約2時間で血中遊離型のほとんどが排泄されるため，シスプラチン投与当日の水分負荷と強制利尿によって尿細管での接触時間を極力短縮させることが重要である．目的を理解し患者へ適度な飲水と利尿の必要性を指導する．

低Mg血症

□シスプラチンによる腎障害を助長させたり，低Ca血症や低K血症を併発することがあるため，シスプラチン投与日は経静脈的にマグネシウムを補充する．

間質性肺疾患

□irAE以外に原疾患の増悪や感染症の有無，放射線既往の有無などの要因を考慮し胸部画像所見，臨床検査値にて鑑別診断を行う．特に感染症治療と並行してステロイド治療を行うこともあるが，いずれにしても速やかに対処する．

皮疹[4)]

□米国の添付文書では，ペメトレキセドによる皮疹予防策として，投与前日，当日，翌日の3日間，デキサメタゾン4mgを1日2回ずつ経口投与する．国内の添付文書には記載はなく制吐目的のデキサメタゾンで代用可能．

その他[9, 10)]

□治験での結果から，ペメトレキセド投与後に血中ホモシステインとメチルマロン酸濃度が高い患者で重篤な副作用の発現率が高いことが報告されている．それぞれの血中濃度を低下させるため，下記の通り葉酸とビタミンB_{12}を投与し副作用の重症化予防に努めなければならない．

□**葉酸**：ホモシステイン濃度を低下させることで，好中球減少や血小板減少を軽減できる．ペメトレキセド初回投与の7日以上前から最終投与日の22日目まで，葉酸として1日1回0.5mgを連日経口投与する．国内臨床試験では「調剤用パンビタン®末として1日1g」を用いた．

□**ビタミンB_{12}**：メチルマロン酸濃度を低下させることで，下痢や粘膜炎を軽減できる．ペメトレキセド初回投与の7日前に，ビタミンB_{12}として1回1mgを筋肉内投与する．その後，ペメトレキセド投与期間中と投与中止後22日目まで9週毎（3コースごと）に投与する．国内臨床試験では「フレスミン®S注射液1,000μg」を用いた．ただし，ビタミンB_{12}は経口投与できない．

□ペムブロリズマブに対するirAE対策のポイントの詳細は39「ペムブロリズマブ」の項（→288頁）．最新の適正使用ガイドや最適使用推進ガイドラインも参照すること．

6 薬学的ケア

CASE

□50歳代男性．非小細胞肺がんStageⅣ（腺がん，ドライバー遺伝子変異/転座陰性，PD-L1 TPS＝40％）．1次治療としてシスプラチン＋ペメトレキセド＋ペムブロリズマブ開始．

□1コース目day 10，前胸部と背部に瘙痒を伴う皮疹の訴えを聴取（Grade 2）．day 1 から 3 日間は標準的な予防的制吐療法を実施していたが，その他，定期内服薬や過敏症の既往がないことを確認．症状発現時期からペメトレキセドによる皮疹は否定的であり，ペムブロリズマブによる irAE の疑いが強いと診断された．very strong クラスのステロイド外用薬と経口の抗アレルギー薬を提案し処方された．2 コース目開始前日には皮疹の消失を確認し，以降再燃なく治療を継続できた．

解説

- □ペメトレキセドによる皮疹は，投与早期に発現しやすく，ステロイドの予防投与によって発現率を低下できるとされている．
- □制吐薬としてのステロイド投与終了の約 1 週間後に発現していることから，投与発現時期とその症状からペメトレキセドによる皮疹よりもペムブロリズマブによる皮疹の可能性が高いと判断した．

引用文献

1）Gadgeel S, et al：J Clin Oncol 38：1505-17, 2020（PMID：32150489）
2）キイトルーダ®＋化学療法併用治療適正使用のポイント
3）日本腎臓学会，他：がん薬物療法時の腎障害診療ガイドライン 2016．ライフサイエンス出版
4）ALIMTA® 米国添付文書
5）日本臨床腫瘍学会，他：がん薬物療法における職業性曝露対策ガイドライン 2019 年版．金原出版
6）Gandhi L, et al：N Engl J Med 378：2078-92, 2018（PMID：29658856）
7）Pérez Fidalgo JA, et al：Ann Oncol 23（Supple 7）：vii 167-73, 2012（PMID：22997449）
8）キイトルーダ® 最適使用推進ガイドライン
9）Niyikiza C, et al：Mol Cancer Ther 1：545-52, 2002（PMID：12479273）
10）アリムタ® 適正使用ガイド

（衛藤智章）

第3章

大腸がん

□大腸がん治療は，手術，放射線治療，化学療法が行われる．化学療法は，R0 切除（肉眼はおろか顕微鏡で確認しても腫瘍が取り切れた状態）症例に対して術後再発抑制を目的とした補助化学療法と，切除不能進行・再発大腸がんを対象とした全身化学療法がある．

□2019 年版大腸癌治療ガイドラインで推奨されている術後補助化学療法は FOLFOX，CapeOX，5-FU＋LV，UFT＋LV，カペシタビン，S-1 である．対象は StageⅢで，術後 8 週までに開始することが望ましく，投与期間の基本は 6 か月である．

□StageⅢ結腸がんを対象とした術後補助化学療法において，投与期間が 6 つの RCT の統合解析で検討され，46 CapeOX は，再発低リスク例において 3 か月投与群が，6 か月投与群と効果が同程度と示された．末梢神経障害は 3 か月投与群で少なかったため，低リスク例においては CapeOX 3 か月の投与も検討される．

□進行再発大腸がんは，化学療法を行わない場合の生存期間中央値は 8 か月と報告されている．化学療法による生存期間が延長する．推奨される治療は，オキサリプラチン（L-OHP）またはイリノテカン（IRI）にフッ化ピリミジンとレボホリナートを併用した殺細胞性抗がん薬の組み合わせに，分子標的薬を上乗せする治療〔FOLFOX or FOLFIRI± ベバシズマブ（Bev），47 CapeOX±Bev，SOX±Bev，43 FOLFOX or FOLFIRI± セツキシマブ（Cmab）〕または分子標的薬単剤パニツムマブ（Pmab）があり，強力な治療として L-OHP と IRI を併用する 51 FOLFOXIRI±Bev 療法がある．FOLFOXIRI＋Bev 療法は，

$BRAF^{V600E}$ 遺伝子変異を有する患者の 1 次治療として推奨されている．なお分子標的薬は，遺伝子変異，原発巣占居部位によって使い分けが行われる．

□セカンドラインは，L-OHP を含むレジメンに不応・不耐時に FOLFIRI に分子標的薬である Bev，or 44 ラムシルマブ，or 45 アフリベルセプトなどを併用した治療の有効性が報告されている．$BRAF^{V600E}$ 遺伝子変異を有する患者の 2 次治療は，49 セツキシマブ＋エンコラフェニブ±ビニメチニブ併用療法が検討される．

□48 レゴラフェニブ，トリフルリジンが発売されたことで，サードライン以降の治療選択肢が増えた．しかし，すべての患者が治療対象となるわけではなく，治療が適応となるか否かを見極めて選択する．

□MSI-High を有する切除不能進行再発大腸がんに対して 1 次治療としてペムブロリズマブ，2 次治療以降として 50 ニボルマブ，ニボルマブ＋イピリムマブ併用療法などが承認されている．

（青山 剛）

43 FOLFOX±Cmab±Pmab（フルオロウラシル＋レボホリナート＋オキサリプラチン±セツキシマブ±パニツムマブ）

POINT

- MSI-High 陰性，RAS/BRAF 野生型，左側ではセツキシマブとパニツムマブの併用療法がファーストラインで推奨されている．
- 急性の末梢神経障害は寒冷刺激の回避，蓄積性の末梢神経障害は Grade 2 以上で適切な休薬・減量が必要である．
- セツキシマブおよびパニツムマブは痤瘡様皮疹・爪囲炎などの皮膚障害の発現頻度が高く，その予防と対処が重要である．

1 レジメンと副作用対策（→次頁参照）

適応：*RAS* 遺伝子野生型の治癒切除不能な進行・再発の結腸・直腸がん

1 コース期間：14 日間　**総コース**：PD まで

2 抗がん薬の処方監査

フルオロウラシル

□テガフール・ギメラシル・オテラシルカリウム配合剤（S-1）投与中の患者および投与中止後 7 日以内は禁忌．

□ワルファリン，フェニトインの作用を増強する可能性があるため併用時は注意が必要である．

□フルオロウラシル系薬剤の投与にて重篤な副作用（口内炎，下痢，血液障害，神経障害など）の発現歴がないか確認する．フルオロウラシルの異化代謝酵素であるジヒドロピリミジンデヒドロゲナーゼ（DPD）欠損患者では重篤な副作用が投与初期に発現するとの報告がある．

オキサリプラチン

□他の白金を含む薬剤に対して過敏症のある患者は禁忌．

□機能障害を伴う重度の感覚異常・知覚不全のある患者は禁忌．

セツキシマブ，パニツムマブ

□*RAS*（*KRAS* および *NRAS*）遺伝子変異が陰性であること．

□間質性肺疾患を増悪させるおそれがあるため，間質性肺炎，肺線維症の合併や既往がないことを確認する．

□低 Mg 血症や低 K 血症，低 Ca 血症を起こすことがあるため開始前に必ず血清 Mg 値，血清 K 値，血清 Ca 値を確認する．

43			医薬品名 投与量	投与方法 投与時間	1	2	3	4	5	6	7	8	9	10	11	12	13	14
レジメン（FOLFOX±Cmab±Pmab）	Cmab	Rp1	パロノセトロン 0.75 mg/body デキサメタゾン 6.6 mg/body d-クロルフェニラミン 5 mg/body 生理食塩液 100 mL	点滴注射 15 分	↓							↓						
		Rp2	（初回）セツキシマブ 400 mg/m^2 生理食塩液 500 mL	点滴注射 120 分	↓													
			（2 回目以降）セツキシマブ 250 mg/m^2 生理食塩液 250 mL	点滴注射 60 分	↓							↓						
	Pmab	Rp1	パロノセトロン 0.75 mg/body デキサメタゾン 6.6 mg/body 生理食塩液 100 mL	点滴注射 15 分	↓													
		Rp2	パニツムマブ 6 mg/kg 生理食塩液 100 mL	点滴注射 60 分	↓													
	共通	Rp3	（観察期間）生理食塩液 100 mL	点滴注射 60 分														
		Rp4	オキサリプラチン 85 mg/m^2 5% ブドウ糖液 250 mL	点滴注射 120 分	↓													
		Rp5	レボホリナート 200 mg/m^2 5% ブドウ糖液 250 mL	点滴注射 120 分	↓													
		Rp6	フルオロウラシル 400 mg/m^2 生理食塩液 50 mL	点滴注射 全開	↓													
		Rp7	フルオロウラシル 2,400 mg/m^2 生理食塩液 適量	持続点滴注射 46 時間	↓													
		Rp8	デキサメタゾン 8 mg	経口 1 日 1 回 朝食後		↓	↓											

《アプレピタントを使用する場合》
day 1：アプレピタント 125 mg
　デキサメタゾン（静注）3.3 mg
day 2, 3：アプレピタント 80 mg
　デキサメタゾン（経口）4 mg

《ホスアプレピタントを使用する場合》
day 1：ホスアプレピタント 150 mg
　（生理食塩液 250 mL に混注
　点滴静注 30 分）
　デキサメタゾン（静注）3.3 mg
day 2, 3：デキサメタゾン（経口）4 mg
注）デキサメタゾンは減量が必要

副作用対策

副作用	1	2	3	4	5	6	7	8	9	10	11	12	13	14
過敏症（infusion reaction, アナフィラキシー様症状など）	■													
好中球減少							■	■	■	■	■	■	■	
悪心・嘔吐	■	■	■	■	■	■	■	■						
末梢神経障害	■	■	■	■	■	■	■	■	■	■	■	■	■	■
手足症候群	■	■	■	■	■	■	■	■	■	■	■	■	■	■
皮膚障害	■	■	■	■	■	■	■	■	■	■	■	■	■	■
低 Mg 血症（電解質異常）	■	■	■	■	■	■	■	■	■	■	■	■	■	■

過敏症（infusion reaction, アナフィラキシー様症状など）
症状は，軽度な悪寒，発熱，浮動性めまいから，重度の呼吸困難感，気管支痙攣，蕁麻疹，低血圧，意識消失またアナフィラキシー様症状まで発現する．セツキシマブおよびパニツムマブの infusion reaction は初回投与中または投与終了後 1 時間以内に発現することが多い．オキサリプラチンのアレルギーはオキサリプラチンの累積投与量中央値が 613 mg/m^2 とコース数が進むと発現してくるため注意する．

好中球減少
感染予防対策（手洗い，うがいなど），FN の徴候（発熱，悪寒，咽頭痛など）がみられた際の抗菌薬や解熱薬の使用方法，緊急受診の目安について事前に十分指導する．

悪心・嘔吐
MEC レジメンに分類されるため 5-HT$_3$ 受容体拮抗薬とデキサメタゾンの 2 剤併用療法を基本とするが，遅発性の悪心・嘔吐に難渋する場合にアプレピタントの追加を検討する．

末梢神経障害
急性：冷感刺激を避けること．特にオキサリプラチン投与後，5 日間程度が発現しやすいため注意する．持続性：Grade 2～3 の症状発現に応じて適切な休薬・減量を検討する．

手足症候群
あらかじめ保湿での予防を十分に行う．症状悪化する場合は，ステロイド外用薬の使用を検討．Grade 2 以上で早期からの休薬・減量を検討する．

皮膚障害
皮膚障害は投与初期から発現し，発現時期の中央値でざ瘡様皮疹 15 日，瘙痒症 21 日，皮膚乾燥 29 日，爪囲炎 43 日と報告されている（パニツムマブ）．予防（スキンケアやミノサイクリン予防内服）や早期対応（ステロイド外用薬）が重要である．

低 Mg 血症（電解質異常）
投与数か月後から発現する（パニツムマブでは低 Mg 血症の発現時期は中央値 63 日）．定期的な血清 Mg・Ca・K 値の測定を行う（投与前の確認も必ず行う）．

□セツキシマブは，心疾患を増悪させるおそれがあるため，冠動脈疾患，うっ血性心不全および不整脈などの既往歴に注意する．

□セツキシマブは，赤肉（牛肉など）に対するアレルギー歴やマダニ咬傷歴がないこと（アナフィラキシーの発現因子の1つとしてgalactose-α-1,3-galactoseに対するIgE抗体の検出が報告されている）．

□セツキシマブはinfusion reaction予防のために，前投薬として抗ヒスタミン薬を投与する．さらに，前投薬に副腎皮質ホルモン薬を投与することでinfusion reactionが軽減されることがある．

□セツキシマブは10 mg/分以下の投与速度で静脈内注射する．初回投与は2時間（投与量400 mg/m^2），2回目以降は1時間（投与量250 mg/m^2）かけて投与する．

□パニツムマブは1時間以上かけて投与する（1回投与量が1,000 mgを超える場合は90分以上かける）．

3 抗がん薬の調剤

オキサリプラチン

□錯化合物であるため，他の抗悪性腫瘍薬とは混合調製しない．

□塩化物含有溶液により分解するため，生理食塩液などの塩化物を含む輸液との配合を避ける．

セツキシマブ

□希釈液は生理食塩液である．他剤との混合は避けること．

□振盪しない．

□開封後は速やかに使用する．

パニツムマブ

□希釈液は生理食塩液である．他剤との混合は避けること．

□激しく攪拌・振盪しない．

□半透明～白色の微粒子をわずかに認めることがあるが，インラインフィルターにより除去される．バイアルに変色がみられた場合は使用しない．

□希釈後は6時間以内に使用．冷蔵保存（2～8℃）する場合は24時間以内に投与開始する．

□投与時はインラインフィルター（0.2または0.22 μm）を用いる．

4 抗がん薬の投与

投与前基準

□FOLFOX±Cmab±Pmab 治療での明確な記載はない．一部の臨床試験では肝機能・腎機能・骨髄機能が十分に保たれていることが条件とされていた[1)]．その他の臨床試験では以下のような投与前基準が用いられることもある．

血液毒性	PS	0〜2
	好中球数	>1,500/μL
	血小板数	>10 万/μL
非血液毒性	T-Bil	≦2.3 mg/dL（≦ULN×1.5）
	AST	≦75 U/L（≦ULN×2.5）， 【肝転移あり】≦150 U/L（≦ULN×5）
	ALT	≦（男）105 U/L，（女）57.5 U/L（いずれも≦ULN×2.5）， 【肝転移ありの場合】≦（男）210 U/L，（女）115 U/L（いずれも≦ULN×5）
	Scr	≦（男）1.61 mg/dL，（女）1.19 mg/dL（いずれも≦ULN×1.5）

また，大腸癌治療ガイドライン[2)]では適応の原則として，全身状態や，主要臓器機能，重篤な併存疾患の有無により「薬物療法の適応がある（fit）」または「薬物療法の適応に問題がある（vulnerable）」と判断されることとされている．

減量・中止基準

FOLFOX[3)]

□2 コース目以降では，投与予定日に以下を満たさない場合は，回復するまで投与を延期する．

好中球数	≧1,500/μL	血小板数	≧7.5 万/μL

□減量基準として以下に従って減量を検討する.

	程度	オキサリプラチン	5-FU	Pmab/Cmab
好中球減少	Grade 4	65 mg/m^2	20%減量	減量不要
FN	発現あれば減量			
血小板減少	≧Grade3			
消化器系の有害事象（予防的治療の施行にもかかわらず発現）	≧Grade3			

FOLFOX4 法での減量基準を参考にされたものである.

□末梢神経障害発現時には以下を参考に減量・中止を検討する.

	持続期間		
	1～7 日間	8 日間以上	当該コース中に消失せず
Grade 1	—	—	—
Grade 2	—	—	65 mg/m^2
Grade 3	—	65 mg/m^2	投与中止
Grade 4	投与中止	投与中止	投与中止

参考資料は CTCAE v3.0 で評価されていることに留意.

セツキシマブ，パニツムマブ[4, 5]

□皮膚障害発現時（Grade 3 以上）のセツキシマブ用量調節の目安

発現回数	発現時の対応	延期後の状態	用量調節
初回	延期*1	Grade 2 以下に回復	250 mg/m^2
		回復せず	投与中止
2 回目	延期*1	Grade 2 以下に回復	200 mg/m^2
		回復せず	投与中止
3 回目	延期*1	Grade 2 以下に回復	150 mg/m^2
		回復せず	投与中止
4 回目	中止	—	—

参考資料は CTCAE v2.0 で評価されていることに留意.

*1 米国のセツキシマブ添付文書では，「1～2 週間の投与延期」と記載されている.

□皮膚障害発現時（Grade 3 以上）のパニツムマブ用量調節の目安

発現時の投与量	発現時の対応	投与延期後の状態	用量調節
6 mg/kg	延期	6 週間以内に Grade 2 以下に回復	6 mg/kg または 4.8 mg/kg
4.8 mg/kg	延期	6 週間以内に Grade 2 以下に回復	3.6 mg/kg
3.6 mg/kg	中止		

6 週間以内に Grade 2 以下に回復しなかった場合は，Pmab の投与を中止．

□infusion reaction

- **Grade 3 以上**…ただちに投与中止．再投与しない．必要に応じてアドレナリン，副腎皮質ホルモン，抗ヒスタミン薬，気管支拡張薬，輸液，昇圧薬の投与や酸素吸入を行う．
- **Grade 2**…一時中断し，症状改善後は投与速度の減速※1．必要に応じてアドレナリン，副腎皮質ホルモン，抗ヒスタミン薬，気管支拡張薬，輸液，昇圧薬の投与や酸素吸入を行う．Pmab は次回以降予防投与強化※2 が必須．
- **Grade 1**…投与速度の減速※1．Pmab は次回以降予防投与強化を考慮．

※1：米国添付文書では投与速度を 50％減速する．

※2：予防投与強化：副腎皮質ホルモン，抗ヒスタミン薬．

infusion reaction に対する薬物治療例

・0.1％アドレナリン 0.01 mg/kg（最大：成人 0.5 mg，小児 0.3 mg）を筋肉内注射．

・抗ヒスタミン薬：クロルフェニラミン注　5 mg 静注，ジフェンヒドラミン錠　1 回 50 mg，また H_2 ブロッカーと併用することでより効果的な可能性がある．

・気管支拡張薬：サルブタモール　1 回 200 μg 吸入

・副腎皮質ホルモン：メチルプレドニゾロン注　1〜2 mg/kg　6 時間ごと

・昇圧薬：ドパミン，ドブタミン，ノルアドレナリン，バソプレシン

□電解質異常：各種電解質異常は補正によってコントロールでき

ない場合や Grade 2 以上の症状発現時に減量や中断を検討する．低 Mg 血症時の対応[5] について示す．

Grade	血清 Mg 濃度	心電図測定	心電図異常	対応
1	1.2≦，<1.8 mg/dL	不要	—	—
2	0.9≦，<1.2 mg/dL	必要	なし	—
			あり	中止または中断
3	0.7≦，<0.9 mg/dL	必要	なし	減量・休薬を検討
			あり	中止または中断

腎機能障害

フルオロウラシル	記載なし	Cmab/Pmab	記載なし
オキサリプラチン	Ccr30 mL/分未満 *2；65 mg/m^2 に減量する		

*2 米国添付文書

肝機能障害

フルオロウラシル	記載なし	Cmab/Pmab	記載なし
オキサリプラチン	記載なし		

注意点

オキサリプラチン

□塩基性溶液により分解するため，塩基性溶液との混和あるいは同じ点滴ラインを用いた同時投与は行わない．

□アルミニウムとの接触により分解することが報告されているため，本剤の調製時あるいは投与時にアルミニウムが用いられている機器（注射針など）は使用しない．

□オキサリプラチンの血管外漏出時は温めることも冷やすことも推奨されていないので注意（irritant drug）．

セツキシマブ，パニツムマブ

□infusion reaction に備えて，緊急時に十分な対応のできる準備を行う．

- infusion reaction（アナフィラキシー時）の管理に関する院内プロトコールを作成する．
- 適切な処置が行えるように医薬品・医療機器の準備を常に行っておく．

□投与中または終了後少なくとも 1 時間は観察期間を設ける．

5 副作用マネジメント

発現率

□Grade 3/4 副作用発現率[6, 7]

n (%)

	Cmab+FOLFOX4[6] (n=82)	FOLFOX4[6] (n=97)	Pmab+FOLFOX4[7] (n=322)	FOLFOX4[7] (n=327)
好中球減少症	29 (35)	31 (32)	137 (43)	136 (42)
発疹	9 (11)	0	—	—
下痢	7 (9)	5 (5)	59 (18)	29 (9)
白血球減少症	6 (7)	5 (5)	—	—
疲労	1 (1)	3 (3)	31 (10)	10 (3)
末梢性感覚ニューロパチー	3 (4)	8 (8)	—	—
貧血	3 (4)	2 (2)	—	—
血小板減少症	3 (4)	0	—	—
過敏症	1 (1)	1 (1)	—	—
錯感覚	1 (1)	5 (5)	—	—
手足症候群	3 (4)	1 (1)	—	—
ニューロパチー	1 (1)	3 (3)	—	—
皮膚反応	15 (18)	0	—	—
infusion reaction	1 (1)	2 (2)	2 (<1)	—
神経毒性関連イベント	6 (7)	14 (14)	—	—
心臓イベント	3 (4)	0	—	—
粘膜炎	2 (2)	2 (2)	28 (9)	2 (<1)
皮膚障害	—	—	120 (37)	7 (2)
神経毒性	—	—	53 (16)	51 (16)
低K血症	—	—	32 (10)	15 (5)
低Mg血症	—	—	22 (7)	1 (<1)
爪囲炎	—	—	11 (3)	0 (0)
肺塞栓症	—	—	9 (3)	5 (2)
FN	—	—	8 (2)	7 (2)

副作用評価のポイント

#1コース目

□投与中：過敏症，末梢神経障害，悪心・嘔吐を評価する．末梢神経障害は急性の症状として投与直後から数日間，回数を重ねるごとに発現期間が長くなる．

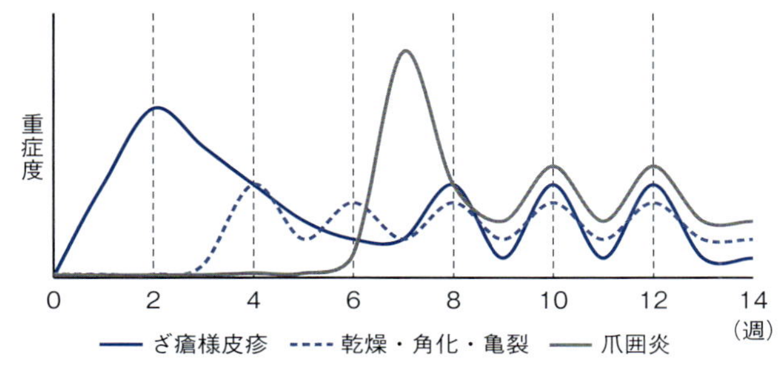

図 43-1 EGFR 阻害薬による典型的な皮膚障害発現時期と重症度

□投与後：悪心・嘔吐，食欲不振，下痢，血小板減少，好中球減少に注意．悪心・嘔吐は遅発期に遷延していないか評価する．皮膚障害についても投与早期から出現し，特に，ざ瘡様皮疹は発現までの日数中央値が 15 日と早いため予防と早期治療が重要である．

□DPD 欠損の患者がごくまれに存在し，フルオロウラシル系薬剤の投与で，投与初期に重篤な副作用が発現するとの報告があるため注意する．

#2 コース目以降

□皮膚障害は爪囲炎や皮膚乾燥だけでなく手足症候群の発現にも注意が必要である．予防を行った上で早期からの対症処療法が重要であるため受診ごとに全身の皮膚症状および手足のチェックと聴き取りを行う．EGFR 阻害薬による典型的な皮膚障害発現時期と重症度を**図 43-1** に示す．

□持続性の末梢神経障害は蓄積毒性であり，手足の症状発現を確認することが重要である．Grade 2, 3 の評価は，Grade 2 で機能障害があるか，Grade 3 で機能障害が日常生活への支障につながっていないかを評価する．

□オキサリプラチンのアレルギー発現は累積投与量中央値が 613 mg/m^2 とコース数が進むと発現してくるため注意が必要である．アレルギー発現は投与中に多く，初期症状のくしゃみや発赤，かゆみに注意すること．

□低 Mg 血症は多くの場合で無症状であるため継続的な検査値の把握が重要である．また，低 Ca 血症や低 K 血症を併発することがあるので，血清 Mg 値だけでなく血清 Ca 値，血清 K 値を併せて継続的に確認する．

副作用対策のポイント

□infusion reaction は「減量・中止基準」（→328 頁）．

□末梢神経障害

- オキサリプラチンの休薬・減量が基本である※3．有効な薬物治療は未確立ではあるが，Grade 2 以上の末梢神経障害が認められた場合は薬物療法も考慮する．予防投与として推奨される薬物療法は存在しない．

  ※3：OPTIMOX1 試験[8]：計画的にオキサリプラチンを休薬することで感覚性神経障害が減少したと報告されている．しかし，これは計画的な休薬を行った場合の試験結果であること，わが国で行われている投与量との違いがあることに留意する．

- プレガバリン…神経障害性疼痛に保険適用が認められている薬剤であるが，化学療法による末梢神経障害性疼痛への有効性は明らかでない．通常プレガバリン 1 回 75 mg 1 日 2 回から開始するが，腎機能低下患者への投与量の調節や副作用として眠気やふらつき，浮腫に留意する．また，同効薬のミロガバリンも 2019 年より発売され選択肢の 1 つとなった．
- デュロキセチン…タキサン系とプラチナ製剤による末梢神経障害性疼痛への有効性が示されている．また，この臨床試験で使用された用量は初回 30 mg/日で開始し 1 週間後に 60 mg/日へ増量されている．わが国で使用する場合は 保険適用外 であることも考慮し，他の適応症と同様に初回 20 mg/日から開始し，1 週間以上の間隔をあけて 20 mg ずつ増量することが望ましいと考える．
- ガバペンチン，牛車腎気丸（ごしゃじんきがん）においては症状緩和への有効性が認められていない．

□**悪心・嘔吐**：遅発期の悪心・嘔吐が問題となる場合はアプレピタント追加も考慮する．大腸がん症例では 5-HT_3 受容体拮抗薬とデキサメタゾンの併用療法にアプレピタントの上乗せ効果が確認されている[9]．

□**下痢**：消化器がんにおいては病態や術後の変化などさまざまな要因にて下痢を誘発することに留意して，Grade 1, 2 の場合はロペラミドでの対応も検討する．感染性の下痢との鑑別は必須である．ロペラミドは，米国臨床腫瘍学会のガイドラインで初回1回4 mg，以降1回2 mgずつ4時間ごとに下痢が軽快するまで使用するが，わが国では初回1回4 mgが 保険適用外 用量である．そこで1回1～2 mgを4時間ごとあるいは下痢をするごとに服用することが多い．

□**皮膚障害**：ざ瘡様皮疹に対する予防の有用性が報告されている[10, 11]．各種皮膚障害の発現時は適切なステロイド外用薬で対処する．効果不良な場合はステロイドのランクアップや皮膚科紹介を検討する．また，重症例にはステロイドの短期内服が必要となる場合がある．

□**ざ瘡様皮疹**

予防：スキンケア＋テトラサイクリン系もしくはマクロライド系抗菌薬
　　ヘパリン類似物質軟膏　1日数回（角化がある場合は尿素系軟膏を考慮）
　　ミノサイクリン塩酸塩　1日100 mg
治療：（頭部）ベタメタゾン吉草酸エステルローション　1日2回
　　（顔面・頸部）ヒドロコルチゾン酪酸エステル軟膏　1日2回
　　（体幹・四肢）ベタメタゾン吉草酸エステル軟膏　1日2回

□**爪囲炎**

予防：スキンケア
治療：ベタメタゾン酪酸エステルプロピオン酸エステル軟膏　1日2回
　　ミノサイクリン塩酸塩　1日100～200 mg
　　洗浄やテーピングも併せて指導する

□**手足症候群**：予防投与として保湿薬を塗布し，刺激を避けるなどのスキンケアを指導する．それでも症状悪化する場合は，very strongクラス以上のステロイド軟膏の使用も検討する．

予防：ヘパリン類似物質軟膏　1日数回（角化がある場合は尿素系軟膏を考慮）
治療：ベタメタゾン酪酸エステルプロピオン酸エステル軟膏　1日2回

□**低Mg血症**：減量・中止については「減量・中止基準」（→329頁）を参考にし，Mgの補正についてはGrade 2以上で血清Mg値が1.2 mg/dLを超えるように補正する．腎機能正常な患者ではMgの静注投与を行ってもほとんどが排泄されてしまうため補正に難渋することが多く，1〜2回/週の補正でも改善しない場合がある．また，患者負担を考えると経口Mg投与での補正を考慮したいが，酸化マグネシウムおよび硫酸マグネシウム製剤においての明確なエビデンスはなく，基本的に腸管吸収も少なく吸収されても尿中排泄されてしまうため効果的ではない．Grade 1であっても血清Mgの値に注意しながら静注補正することが必要な場合もある．一方で，予防として継続的な経口マグネシウム投与は低Mg血症の発現低下に寄与する可能性も報告されており，下痢や併用薬に十分注意しながら使用することは低Mg血症の予防として効果的な可能性がある[12-14]．

治療：硫酸マグネシウム補正液1 mEq/mL　1回20〜40 mEq　60〜120分かけて静注　必ず希釈して使用

6　薬学的ケア

CASE

□下行結腸がんStageⅣでFOLFOX＋Pmab導入となった患者．ざ瘡様皮疹予防にミノサイクリン塩酸塩100 mg/日を内服していた．

□day 8よりざ瘡様皮疹Grade 1が顔や体幹に出現しステロイド外用薬を使用していたが，3コース目開始時に顔のざ瘡様皮疹Grade 2への悪化を認めた．そこでヒドロコルチゾン酪酸エステル軟膏（1日2回塗布）からベタメタゾン吉草酸エステル軟膏（1日2回塗布）へのランクアップを提案し採択され症状も軽快した．

□6コース目に血清Mg値1.0 mg/dLと低下，臨床症状は特になかった．主治医に心電図測定を依頼し，問題ないことを確認した．同時にMgの補正として硫酸マグネシウム補正液1回20 mEqを生理食塩液100 mLに希釈し60分かけて静注を提案した．次回投与時には血清Mg値1.3 mg/dLへ改善しており，以後は化学療法に併せて2週間に1回のMg補正で対応可能であった．

解説

□本症例はアドヒアランス良好な患者であったため指示通りにセルフケアから対症療法まで管理できていた．しかしながら，アドヒアランスが悪く皮膚障害のコントロールに難渋することも多い．アドヒアランス低下要因として高齢や独居，就労状況などの私生活についても配慮する必要がある．早期発見のため，必ず直接手足などをチェックし，早期から適切な対応が行えるように支援する．アドヒアランスの悪い患者へは，家族の協力や繰り返しの指導を行うことも大切である．

□低Mg血症は多くの場合が無症状であるが，重篤な症状につながることもあるので必ず確認し，必要に応じて補正を行うことが重要である．また，低Ca血症を合併している場合は同時に補正しなければ低Ca血症の悪化につながることがある．電解質異常は血清Mg値だけでは絶対に評価しない．

引用文献

1) Bokemeyer C, et al：J Clin Oncol 27：663-71, 2009（PMID：19114683）
2) 大腸癌研究会（編）：大腸癌治療ガイドライン 医師用2022年版．金原出版，2022
3) エルプラット®点滴静注液，適正使用ガイド．2021年4月作成
4) アービタックス®注射液，適正使用ガイド，結腸・直腸癌，第11版．2021年6月作成
5) ベクティビックス®，適正使用ガイド，第6版．2017年3月作成
6) Bokemeyer C, et al：Ann Oncol 22：1535-46, 2011（PMID：21228335）
7) Douillard JY, et al：Ann Oncol 25：1346-55, 2014（PMID：24718886）
8) Tournigand C, et al：J Clin Oncol 24：394-400, 2006（PMID16421419）
9) Nishimura J, et al：Eur J Cancer 51：1274-82, 2015（PMID：25922233）
10) Scope A, et al：J Clin Oncol 25：5390-6, 2007（PMID：18048820）
11) Kobayashi Y, et al：Future Oncol 11：617-27, 2015（PMID：25686117）
12) Nakazawa Y, et al：Gan To Kagaku Ryoho 45：1435-40, 2018（PMID：30382040）
13) Sato J, et al：Cancer Chemother Pharmacol 83：673-9, 2019（PMID：30661095）
14) Thangarasa T, et al：Curr Oncol 26：e162-6, 2019（PMID：31043822）

（妹尾啓司）

44 FOLFIRI±RAM（フルオロウラシル＋レボホリナート＋イリノテカン±ラムシルマブ）

POINT

■FOLFIRI±RAM はオキサリプラチンを含むレジメンに不応・不耐となった場合の 2 次治療として選択される．
■導入前に UGT1A1 の遺伝子多型を確認し，*UGT1A1*6/*6*，*UGT1A1*28/*28* または *UGT1A1*6/*28* の場合はイリノテカンの減量を考慮する．
■ラムシルマブによる高血圧・蛋白尿の副作用が発現する場合があり，投与開始後に定期的な確認が必要である．24 時間蓄尿が実施困難な場合には尿中の蛋白/クレアチニン比を測定する．

1 レジメンと副作用対策（→次頁参照）

適応：治癒切除不能な進行・再発の結腸・直腸がん
1 コース期間：14 日間

2 抗がん薬の処方監査

□FOLFIRI は治癒切除不能な進行・再発の結腸・直腸がんに対する適応を有しているが，ラムシルマブ併用については 1 次治療における有効性・安全性が確立しておらず，オキサリプラチンを含む化学療法後の 2 次治療以降は適応対象となる[1]．

□ラムシルマブは創傷治癒障害の報告があり，創傷治癒遅延に関わるような手術が投与前後 28 日間で実施または予定されていないかを確認する．

□ラムシルマブの投与開始前に血圧や尿蛋白のベースラインの把握に必要な検査がされているか確認する．

□イリノテカンは骨髄機能抑制，感染症，下痢（水様便），腸管麻痺，腸閉塞，間質性肺炎，肺線維症，多量の腹水・胸水，黄疸のある患者は禁忌であり，現在の患者状態を確認する．

□FOLFIRI は中等度催吐リスクに準じた制吐対策がなされているか確認し，基本的に 5-HT$_3$ 受容体拮抗薬とデキサメタゾン（静注：3.3～4.95 mg，経口：4～6 mg）およびアプレピタント 125 mg 経口投与もしくはホスアプレピタント 150 mg 静脈内投与を併用する．

□イリノテカンはプロドラッグであり，生体内で発現するカルボ

44		医薬品名 投与量	投与方法 投与時間	1	2	3	4	5	6	7	8	9	10	～	13	14	15	16	17	～	21
レジメン（FOLFIRI±RAM）	Rp1	グラニセトロン 0.75 mg/body デキサメタゾン 9.9 mg/body 生理食塩液 50～250 mL	点滴注射 15～60分	↓												↓					
	Rp2	ラムシルマブ 8 mg/kg 生理食塩液 250 mL	点滴注射 60分	↓												↓					
	Rp3	レボホリナート 200 mg/m^2 5%ブドウ糖液 250 mL	点滴注射 120分	↓												↓					
	Rp4	イリノテカン 180 mg/m^2 5%ブドウ糖液 250 mL	点滴注射 90分	↓												↓					
	Rp5	フルオロウラシル 400 mg/m^2 5%ブドウ糖液 50 mL	急速静注	↓												↓					
	Rp6	フルオロウラシル 2,400 mg/m^2 生理食塩液 1,000 mL	持続静注 46時間	↓	↓	↓										↓	↓	↓			

（Rp2）およそ60分かけて点滴静注する．初回投与の忍容性が良好であれば，2回目以降の投与時間は30分間まで短縮できる．

（Rp4）イリノテカンはレボホリナートと同時に投与すること．

副作用対策	1	2	3	4	5	6	7	8	9	10	～	13	14	15	16	17	～	21
infusion reaction	■												■					
悪心・嘔吐	■	■	■	■									■	■	■	■		
下痢	■	■	■	■	■	■	■	■	■	■								
高血圧	■	■	■	■	■	■	■	■	■	■								
蛋白尿	■	■	■	■	■	■	■	■	■	■								
好中球減少							■	■	■	■	≀	■	■					
創傷治癒障害			■	■	■	■	■	■	■	■	≀	■	■	■	■	■	≀	■

infusion reaction

前投薬として抗ヒスタミン薬（ジフェンヒドラミンなど）の前投与を検討すること．Grade 1/2 の infusion reaction が現れた場合には，次回投与から必ず抗ヒスタミン薬を前投与し，その後も Grade 1/2 の infusion reaction が現れる場合には，抗ヒスタミン薬に加え，解熱鎮痛薬（アセトアミノフェンなど）および副腎皮質ホルモン薬（デキサメタゾンなど）を前投与すること．

悪心・嘔吐

中等度催吐性リスクに分類されるため，中等度催吐リスクレジメンのアルゴリズムに準じて予防策を実施する．

下痢

投与中あるいは投与直後に起こる早発性の下痢には抗コリン薬を，投与後24時間以内に起こる遅発性の下痢にはロペラミドを投与する．

高血圧

投与期間中は定期的に血圧を測定する．高血圧が認められた際には降圧薬の投与や，ラムシルマブの休薬を行う．

蛋白尿

投与期間中は定期的に蛋白尿を測定する．蛋白尿が認められた際には必要に応じてラムシルマブの休薬を行う．

好中球減少

易感染性となるため感染対策（うがい，手洗い）を行うように指導する．

創傷治癒障害

創傷治癒に影響を及ぼす可能性があり，創傷治癒障害による合併症が現れることがある．手術を予定している場合は，手術の前にラムシルマブの投与を中断する．

キシエステラーゼによって加水分解され，強い抗がん作用を有する活性代謝物（SN-38）を生じる．SN-38は，肝臓で発現するUDPグルクロン酸転移酵素（UGT1A1）でグルクロン酸抱合を受け，抗がん作用のない非活性代謝物（SN-38G）となり体外へ排出される．UGT阻害作用のあるアタザナビル硫酸塩との併用により，イリノテカンの代謝が遅延することが考えられるため併用禁忌である．

□イリノテカンはCYP3A4によって一部が無毒化される．CYP3A4阻害薬・誘導薬はこれらの代謝経路に影響し，SN-38の曝露量を変化させるため併用には注意が必要である．

□SN-38の主な代謝経路であるUGTの遺伝子多型（*UGT1A1*6*，*UGT1A1*28*）について，通常（wild type）患者と比較すると，複合ヘテロ接合体（*UGT1A1*6/*28*）患者，ホモ接合体（*UGT1A1*6/*6*，*UGT1A1*28/*28*）患者ではSN-38の代謝が遅延することで，重篤な副作用（特に好中球減少）発現の可能性が高くなるため，遺伝子多型に応じて開始用量の減量や慎重な観察を考慮する[2]．

□本レジメンの臨床試験におけるイリノテカン用量は180 mg/m^2[3]（ただし，わが国での保険適用は150 mg/m^2である）．

□ラムシルマブは，初回投与時は60分かけて点滴静注する．初回投与の忍容性が良好であれば，2回目以降の投与時間は30分間まで短縮できる[4]．

□ギメラシルがフルオロウラシルの異化代謝を阻害し，血中フルオロウラシル濃度が著しく上昇するため，ギメラシル配合薬投与中および投与中止後少なくとも7日以内はFOLFIRI療法を施行しない．

3 抗がん薬の調剤

□イリノテカンは生理食塩液または5％ブドウ糖に混合する．酢酸リンゲル液，アミノ酸輸液，ハルトマン液との配合で，経時的に残存率が低下することから，混和を避けることが望ましい．

□ラムシルマブは生理食塩液のみと混和して全量250 mLとして用いる．ブドウ糖溶液との配合を避けること．やむをえず保存を必要とする場合，冷蔵保存（2～8℃）では24時間以内，室温保存（30℃以下）では12時間以内に投与を開始する．

□ラムシルマブ投与時は蛋白質透過型のフィルター（0.2または

0.22 μm）を使用し，他の薬剤と同じラインを使用しないこと．なお，投与終了後は，使用したラインを日局生理食塩液にてフラッシュすること．

4 抗がん薬の投与

投与基準

□血液検査：好中球数，貧血，血小板数が Grade 2 未満であること．

□患者状態：ECOG PS 0 または 1，血栓塞栓症がない，消化管穿孔のおそれのある病変がない，出血性素因がない，未治療の術創・手術の予定がない，コントロール不良な高血圧症がない，重度の肝硬変（Child-Pugh 分類 B または C）がないことを確認する．

減量・中止基準

□発現した副作用に応じて，以下を参考に適正に減量や支持療法の対策を行う．

薬剤	用量段階			
	初回投与量	1 段階減量	2 段階減量	3 段階減量
イリノテカン	180 mg/m^2	150 mg/m^2	120 mg/m^2	100 mg/m^2
レボホリナート	200 mg/m^2	—	—	—
フルオロウラシル急速静注	400 mg/m^2	200 mg/m^2	0 mg/m^2	0 mg/m^2
フルオロウラシル持続点滴	2,400 mg/m^2, 46～48 時間かけて	2,000 mg/m^2, 46～48 時間かけて	1,600 mg/m^2, 46～48 時間かけて	1,200 mg/m^2, 46～48 時間かけて

腎機能障害

□**イリノテカン**：腎機能障害を有する患者は重篤な副作用の発現や急性腎不全のおそれがあることから，腎機能検査を頻回に行うなど，患者状態を十分に観察しながら慎重に投与する．透析患者への導入は推奨されないが，50 mg/m^2 に減量し透析後または非透析日に投与可能とする報告もある[5]．

□**フルオロウラシル**：腎機能障害を有する患者は重篤な副作用の発現や急性腎不全のおそれがあることから，腎機能検査を頻回に行うなど，患者状態を十分に観察しながら慎重に投与する．透析患者においては透析後に標準用量で投与可能とする報告もある[5]．

肝機能障害

□ **イリノテカン**：T-Bil＞2.0 mg/dL[6] または ALT および AST が下記の場合では忍容性が十分に確認されておらず，慎重に投与する．

AST	肝転移なし	＞90 U/L（＞ULN×3）
	肝転移あり	＞150 U/L（＞ULN×5）
ALT	肝転移なし	＞（男）126 U/L，（女）69 U/L（いずれも＞ULN×3）
	肝転移あり	＞（男）210 U/L，（女）115 U/L（いずれも＞ULN×5）

□ **フルオロウラシル**：T-Bil＞5.0 mg/dL の場合は中止または減量を検討する．

血液毒性

□ 好中球数 1,500/μL 未満，血小板 10 万/μL 未満の場合は治療を中止し，回復するまで休薬する．再開の際には以下の血液毒性に対する減量・中止基準を参考に用量を減量（Grade 区分については CTCAE v5.0 を記載）．

①好中球数減少

Grade 2	＜1,500，≧1,000/μL	次コース予定日までに • 1,500/μL 以上に回復：次コースにおいて減量なしで再開する． • 基準を満たさない場合：次コースにおいて 1 段階減量する．
Grade 3	＜1,000，≧500/μL	次コース予定日までに • 1,500/μL 以上に回復：次コースにおいて 1 段階減量して再開する． • 基準を満たさない場合：Grade 1 以下に回復するまで最長 2 コースの間薬剤の投与を中断する．投与を再開する場合は，1 段階減量する．
Grade 4	＜500/μL	次コース予定日までに • 1,500/μL 以上に回復：次コースにおいて 2 段階減量して再開する． • 基準を満たさない場合：Grade 1 以下に回復するまで最長 2 コースの間薬剤の投与を中断する．投与を再開する場合は，2 段階減量する．

②FN

□ 好中球絶対数（ANC）＜1,000/μL で，かつ 1 回でも 38.3℃ を超える，または 1 時間を超えて持続する 38.0℃ 以上の発熱．

Grade 3 Grade 4	次コース予定日までに発熱が回復し， • 1,500/μL 以上に回復：次コースにおいて両薬剤の投与を 2 段階減量して継続 • 基準を満たさない場合：Grade 1 以下に回復するまで最長 2 コースの間，薬剤の投与を中断する．投与を再開する場合は，2 段階減量する

③血小板数減少

Grade 2	<7.5 万，≧5 万/μL	次コース予定日までに • 10 万/μL 以上に回復：次コースにおいて減量なしで再開する • 基準を満たさない場合：次コースにおいて 1 段階減量する
Grade 3	<5 万，≧2.5 万/μL	次コース予定日までに • 10 万/μL 以上に回復：次コースにおいて 1 段階減量して再開する • 基準を満たさない場合：Grade 1 以下に回復するまで最長 2 コースの間薬剤の投与を中断する．投与を再開する場合は，1 段階減量する
Grade 4	<2.5 万/μL	次コース予定日までに • 10 万/μL 以上に回復：次コースにおいて 2 段階減量して再開する • 基準を満たさない場合：Grade 1 以下に回復するまで最長 2 コースの間薬剤の投与を中断する．投与を再開する場合は，2 段階減量する

非血液毒性

□国際共同第Ⅲ相臨床試験[3)] で CTCAE v4.0 だった副作用基準は本表では同 v5.0 を参考に記載．詳しくは自施設 ULN を参照．

□ラムシルマブの減量推奨値

薬剤	用量段階			
	初回投与量	1 段階減量	2 段階減量	3 段階減量
ラムシルマブ	8 mg/kg	6 mg/kg	5 mg/kg	投与中止

①高血圧

Grade 2	収縮期血圧 140～159 mmHg または拡張期血圧 90～99 mmHg	降圧薬による治療を行い，血圧が Grade 1 以下に回復するまで休薬する． 降圧薬による治療を行ってもコントロールできない場合には，ラムシルマブの投与を中止する．
Grade 3	収縮期血圧 ≧160 mmHg または拡張期血圧 ≧100 mmHg	
Grade 4	生命を脅かす，緊急処置を要する	投与を中止する

②蛋白尿

<table>
<tr><td rowspan="6">定性検査</td><td>1+</td><td colspan="4">ラムシルマブを投与する</td></tr>
<tr><td rowspan="4">2+</td><td rowspan="5">定量検査</td><td>尿蛋白<2.0 g/24 時間</td><td colspan="2">ラムシルマブを投与する</td></tr>
<tr><td rowspan="3">尿蛋白≧2.0,
<3.5 g/24 時間</td><td colspan="2">1 日尿蛋白量 2 g 未満に低下するまで休薬，再開する場合には以下のようにラムシルマブを減量する．</td></tr>
<tr><td>初回</td><td>6 mg/kg に減量する</td></tr>
<tr><td>2 回目以降</td><td>5 mg/kg に減量する</td></tr>
<tr><td>3+</td><td>尿蛋白≧3.5 g/24 時間</td><td colspan="2">ラムシルマブの投与を中止する．</td></tr>
</table>

□24 時間蓄尿を用いた全尿検査が望ましいが，実施困難な場合には尿中の蛋白/クレアチニン比を測定する．

□国際共同第Ⅲ相臨床試験[3]における蛋白尿の基準は CTCAE とは異なる．

③ネフローゼ症候群

Grade 3，4	ラムシルマブの投与を中止する．

④infusion reaction

Grade	
Grade 1	投与速度を 50%減速する 2 度目の発現時には，デキサメタゾン 8～10 mg 静脈内投与（またはそれと同等の治療）を行う．
Grade 2	投与を中断する． ジフェンヒドラミン塩酸塩 50 mg を静脈内投与（またはそれと同等の治療），発熱に対してはアセトアミノフェン 650 mg を経口投与し，酸素吸入を行う． infusion reaction が消失または Grade 1 に軽減したら，前の速度の 50%で注入を再開する．注入時間は 2 時間を超えてはならない． 2 度目の発現時には，デキサメタゾン 8～10 mg 静脈内投与（またはそれと同等の治療）を行う．
Grade 3	投与を中止する． ジフェンヒドラミン塩酸塩 50 mg 静脈内投与（またはそれと同等の治療），デキサメタゾン 8～10 mg 静脈内投与（またはそれと同等の治療），（気管支痙攣に対して）気管支拡張薬，および必要に応じてその他の治療を行う．
Grade 4	投与を中止する． 医学的必要性に応じて，ジフェンヒドラミン塩酸塩 50 mg 静脈内投与（またはそれと同等の治療），デキサメタゾン 8～10 mg 静脈内投与（またはそれと同等の治療）および必要に応じてその他の治療を行う．必要に応じてアドレナリンまたは気管支拡張薬を投与する．

注意点

□ラムシルマブ投与中はinfusion reaction（アナフィラキシー，悪寒，潮紅，低血圧，呼吸困難，気管支痙攣など）に注意する．

□レボホリナートはイリノテカンと同時投与すること．

□イリノテカンによるコリン症状（流涙，発汗，鼻汁）が発現しないか観察する．

□イリノテカンとフルオロウラシルは炎症性抗がん薬である．漏出した際は，注射部位やその周囲，血管に沿って痛みや炎症（多量に漏れ出た場合は潰瘍）が生じる可能性がある．漏出した際には，薬液や血液を吸引・除去してからルートを抜去し，漏出範囲をマーキングする．大量に漏出した場合や激しい炎症・疼痛を伴う場合には，処置としてステロイド薬（＋麻酔薬）やステロイド軟膏の塗布を考慮してもよいが，有効性におけるデータは限られている[7]．壊死や潰瘍形成をきたした場合は，外科的デブリードマンを検討する．

5 副作用マネジメント

発現率[3]

□国際共同第Ⅲ相無作為化比較試験（n＝529）

副作用	全 Grade (%)	Grade 3 以上 (%)	副作用	全 Grade (%)	Grade 3 以上 (%)
好中球減少症	35.5	21.7	嘔吐	29.1	2.8
貧血	15.9	1.5	疲労	46.7	7.9
血小板減少症	14.6	1.3	食欲減退	37.4	2.5
下痢	59.7	10.8	蛋白尿	16.8	2.8
悪心	49.5	2.5	脱毛	29.3	0
口内炎	30.8	3.8	高血圧	25.7	10.8

評価と観察のポイント

投与開始前

□FORFIRI±RAMの副作用およびスケジュールについて文書を用いて説明を行う．化学療法開始前後の患者状態の変化をモニタリングするために，初回であればベースライン，治療歴があれば前回のコースでの副作用の発現状況について確認をする．

①評価項目

□**全身状態**：PS 2以上であれば延期を考慮．

□**体温**：37.5℃以上の発熱を認める場合は延期を考慮する．

□**悪心・嘔吐**：中等度催吐リスクレジメンの対策に準じて予防対策を実施する．

□**好中球数**：投与開始前の検査値を確認する．Grade 2 以上の有害事象を認める場合は休薬または減量を検討する．発熱，悪寒戦慄などの FN を疑う症状を認める場合には化学療法を中止し，抗菌薬投与を考慮する．

□**血小板数**：投与開始前の検査値を確認する．Grade 2 以上の有害事象を認める場合は休薬または減量を検討する．出血イベント（下血，鼻出血，皮下出血など）の有無を確認し，必要に応じて細胞外液補充や輸血を検討する．

□**排便状況**：ベースラインの排便回数またはストマからの排便量を聴取．化学療法により下痢・便秘が発現する可能性があることを説明し，排便状態に合わせて止瀉薬および下剤を使用することを説明する．

□**肝機能**：T-Bil，ALT，AST の検査値を確認する．著明な黄疸，持続的な倦怠感，腹水などの肝機能障害による自覚症状の有無について聴取する．投与基準と照合し，必要に応じて減量または投与延期を検討する．

□**腎機能**：Scr，BUN，尿蛋白の検査値を確認する．頻尿，乏尿，浮腫，体重増加などの腎機能障害による自覚症状の有無について聴取する．投与基準と照合し，必要に応じて減量または投与延期を検討する．

投与中

□「注意点」（→前頁）．

投与終了後（day 2〜14）

□**排便状況**：イリノテカンの活性代謝物 SN-38 による腸管粘膜直接障害により，投与後 24 時間以降に遅延型下痢が発現するため，事前に聴取したベースラインの便回数からの変化を観察し，Grade 2 以上の下痢の有無を確認する．Grade 2 以上の下痢を認める場合にはロペラミドの使用を考慮する．

□**好中球数**：投与後の検査値を確認．Grade 2 以上の有害事象を認める場合は次のコースにおいて休薬または減量を検討する．

□**血小板数**：投与後の検査値を確認．Grade 2 以上の有害事象を認める場合は次のコースにおいて休薬または減量を検討する．

□**口腔粘膜炎**：口腔粘膜の状態を確認し，口内炎を認めた場合はアズレンスルホン酸含有のうがい薬で口腔ケアを実施する．強い疼痛を伴う場合は，治療の延期やリドカインを用いた症状緩和を行う．

全期間

□**血圧**：ラムシルマブの投与により高血圧が悪化するおそれがあるため，投与期間中は定期的な血圧測定を行うように指導する．Grade 2 以上の高血圧を認める場合は，随伴症状の有無を確認し降圧薬追加を検討する．降圧薬開始後は服薬アドヒアランスについて聴取を行う．

□**蛋白尿**：ラムシルマブの投与によりネフローゼ症候群，蛋白尿が現れることがあるので，投与期間中は定期的な尿蛋白の測定が必要である．なお，蛋白尿の評価には 24 時間蓄尿が困難な場合は UPCR が推奨される．尿蛋白 1 日 3.5 g 以上（定性 4＋）；血液中のアルブミンの濃度が 3.0 g/dL 以下．上記の場合にネフローゼ症候群と診断されるため，血中アルブミン量や浮腫に有無を確認する．

副作用対策のポイント

悪心・嘔吐

□FOLFIRI ± RAM は中等度催吐リスクに分類される[8]ため，基本的に 5-HT_3 受容体拮抗薬とデキサメタゾン（静注：3.3〜4.95 mg，経口：4〜6 mg）およびアプレピタント 125 mg 経口投与もしくはホスアプレピタント 150 mg 静脈内投与の併用が推奨される[9]．

□day 1

例：パロノセトロン（アロキシ®）注　1 回 0.75 mg　1 日 1 回　点滴静注
デキサメタゾン（デキサート®）注　1 回 4.95 mg　1 日 1 回　点滴静注
アプレピタント（イメンド®）カプセル　1 回 125 mg　1 日 1 回

□day 2，3

例：デキサメタゾン（デカドロン）錠　1回4mg　1日1回
アプレピタント（イメンド®）カプセル　1回80mg　1日1回

下痢

①早発型：コリン作動性

□イリノテカン投与中～投与24時間以内に生じる下痢で，イリノテカンの化学構造に起因するアセチルコリンエステラーゼ阻害作用により，過剰となったアセチルコリンがムスカリン受容体を刺激することにより発現する[10]．予防として抗コリン薬の投与を検討する．

例1：ブチルスコポラミン臭化物（ブスコパン®）錠　1回10mg　1日1回
例2：アトロピン硫酸塩注　1回0.5mg　1日1回　点滴静注

□ただし，既往として閉塞隅角緑内障，前立腺肥大による排尿障害，麻痺性イレウスがないことを確認しなければならない．

②遅発型：腸管粘膜障害

□イリノテカン後24時間以降に生じる下痢で，イリノテカンの活性代謝物であるSN-38によって腸管粘膜が傷害され発現する．軽度であれば水分摂取で経過を観察するが，Grade 2以上であればロペラミドの使用が推奨される[11]．ロペラミドでも無効な下痢の場合はオクトレオチドを用いることもあるが，わが国では下痢に対しては 保険適用外 ．予防として経口アルカリ化（経口アルカリ化剤の内服）[12]や半夏瀉心湯（はんげしゃしんとう）が有効[13]とする報告があるが，コンセンサスは得られていない．

□腸管粘膜の萎縮，脱落による防御機能の低下や好中球減少時期と重なることで，腸管感染を伴うことがある．

例：ロペラミド（ロペミン®）カプセル　1回4mg　1日1回
ロペラミド（ロペミン®）カプセル　1回2mg　12時間以上下痢が止まるまで2時間おきに（最大16mg/日）
※わが国での保険適用は1日最大2mgまで

□ロペラミドで改善しない場合はオクトレオチドの投与を検討．

例：オクトレオチド（サンドスタチン®）注　1回100〜150 μg　1日3回　皮下注（最大500 μg/回まで漸増）
※わが国では保険適用外

infusion reaction

□ラムシルマブの投与速度と即時型infusion reaction発現割合の関連性を検討した結果，解析された投与速度の範囲内で，全体集団および日本人集団で即時型infusion reaction発現割合とラムシルマブの投与速度に関連がないことが示されている[14]．初回投与の忍容性が良好であれば，2回目以降の投与時間は30分間まで短縮できる．

□Grade 1/2のinfusion reactionが現れた場合には，次回投与から必ず抗ヒスタミン薬を前投与し，その後もGrade 1/2のinfusion reactionが現れる場合には，抗ヒスタミン薬に加え，解熱鎮痛薬（アセトアミノフェンなど）および副腎皮質ホルモン薬（デキサメタゾンなど）を前投与すること．Grade 3/4のinfusion reactionが現れた場合には，ラムシルマブの投与をただちに中止し，再投与しない．Grade 1/2のinfusion reactionが現れた場合には，投与速度を50%減速し，その後のすべての投与においても減速した投与速度で投与する．

高血圧

□ラムシルマブのVEGFR-2活性化により一酸化窒素（NO）およびプロスタグランジンI_2産生のシグナルが伝達され，細動脈および細静脈において血管拡張が起こることから，VEGFの阻害により血管収縮が起こり，血圧が上昇すると考えられている[15]．

□国際共同第Ⅲ相臨床試験における，投与開始から高血圧発現までの期間の中央値（範囲）29.0日（1〜662）であったため，定期的な血圧測定が求められている．

□国際共同第Ⅲ相臨床試験で使用した降圧薬はレニンアンジオテンシン系薬，Ca拮抗薬，利尿薬などであり，最新の高血圧診療ガイドライン（日本高血圧学会）を参考にして薬剤を選択する．

6 薬学的ケア

CASE

□40歳代女性．大腸がん 多発肝転移，傍大動脈リンパ節転移(StageⅣ)．1次治療としてmFOLFOX6＋ベバシズマブ施行後，12コースでPDとなったため，2次治療としてFOLFIRI＋ラムシルマブ導入となった．

□前治療の副作用を確認し，Grade 2の好中球数減少(3コース目)，Grade 1の末梢感覚ニューロパチーを聴取．悪心・嘔吐の既往はなく，血圧は収縮期血圧110〜130 mmHgで推移していた．

□初回ラムシルマブ投与時に，38.5℃の発熱を認めたため投与中断し，クロルフェニラミンマレイン酸塩注10 mgおよびヒドロコルチゾンコハク酸エステル注100 mgを投与．症状が軽快したため，投与再開し，以降はアセトアミノフェン錠内服とクロルフェニラミンマレイン酸塩注を前投薬した．

□FOLFIRI＋ラムシルマブ1コース目施行後day 3〜5でGrade 2の嘔吐を認めたため，2コース目からアプレピタントを併用開始．2コース目以降の悪心は自制内となった．

解説

□ラムシルマブ投与前の抗ヒスタミン薬は必須ではないが，infusion reactionを認めた場合は前投薬することを検討してもよい．

□投与前の血圧を測定し，投与後も定期的に測定を行う．また，自宅でも血圧測定と記録を行うように指導する．

□遅発性の悪心対策として，アプレピタントを併用することが望ましい．

□蛋白尿は24時間特定が好ましいが，外来診療で実施困難な場合はUPCRを用いてもよい．当院では，各コースでの測定を必須としている．

引用文献

1) Hashiguchi Y, et al：Int J Clin Oncol 25：1-42, 2020 (PMID：31203527)
2) Satoh T, et al：Cancer Sci 102：1868-73, 2011 (PMID：21740478)
3) Tabernero J, et al：Lancet Oncol 16：499-508, 2015 (PMID：25877855)
4) Gao L, et al：Cancer Chemother Pharmacol 87：635-45, 2021 (PMID：33532866)

5) Janus N, et al：Ann Oncol 21：1395-1403, 2010（PMID：20118214）
6) CAMPTOSAR®（Irinotecan）米国添付文書
7) Pérez Fidalgo JA, et al：Ann Oncol 23（Suppl 7）：vii167-73, 2012（PMID：22997449）
8) 日本癌治療学会（編）：制吐薬適正使用ガイドライン，第2版．金原出版，2015
9) Aridome K, et al：Mol Clin Oncol 4：393-98, 2016（PMID：26998290）
10) Hecht JR：Oncology（Williston Park）12：72-8, 1998（PMID：9726096）
11) Benson AB 3rd, et al：J Clin Oncol 15：2918-26, 2004（PMID：15254061）
12) Takeda Y, et al：Int J Cancer 92：269-75, 2001（PMID：11291056）
13) Mori K, et al：Cancer Chemother Pharmacol 51：403-6, 2003（PMID：12687289）
14) Mitani S, et al：Gan To Kagaku Ryoho 48：1381-7, 2021（PMID：34795131）
15) Chen HX, et al：Nat Rev Clin Oncol 6：465-77, 2009（PMID：19581909）

（伊勢崎竜也）

45 FOLFIRI±AFL（フルオロウラシル＋レボホリナート＋イリノテカン±アフリベルセプト）

FOLFIRI＋AFL

POINT

- FOLFIRI＋アフリベルセプトは治癒切除不能な進行・再発の結腸・直腸がんに対して，オキサリプラチンを含む化学療法後の2次治療以降に適応となる．
- イリノテカンの代謝に関わる酵素UGT1A1には遺伝子多型が存在し，遺伝子多型検査の結果から，重篤な副作用リスクを把握することができる．
- アフリベルセプトにより，高血圧や蛋白尿が発現することがあるため，定期的なモニタリングが必要である．また，出血や消化管穿孔，静脈血栓症が発現することもあり，患者教育が重要である．

1 レジメンと副作用対策（→次頁参照）

適応：治癒切除不能な進行・再発の結腸・直腸がん
1コース期間：14日間
総コース：PDまたは耐容不能な毒性の発現まで可能な限り継続

2 抗がん薬の処方監査

フルオロウラシル

- □テガフール・ギメラシル・オテラシルカリウム配合剤（S-1）投与中および投与中止後7日以内ではないことを確認する．
- □ワルファリンカリウムとの併用でワルファリンカリウムの作用を増強させることがあるため，併用する際は，凝固能の変動に注意する．
- □フェニトインとの併用でフェニトインの血中濃度を上昇させることがあるため，併用する際はフェニトイン血中濃度をモニタリングし，フェニトイン中毒（構音障害，運動失調，意識障害）に注意する．

イリノテカン

- □腸管麻痺，腸閉塞，間質性肺炎または肺線維症，多量の腹水，胸水，黄疸がないことを確認する．上記の状態であれば，禁忌．
- □アタザナビル（レイアタッツ® カプセル）はUDP-グルクロニルトランスフェラーゼ（UGT）阻害作用があり，イリノテカンの代謝を阻害するため併用禁忌である．

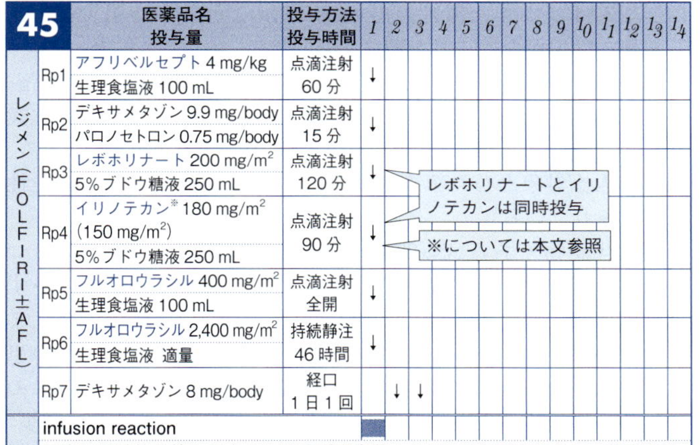

45		医薬品名 投与量	投与方法 投与時間	1	2	3	4	5	6	7	8	9	10	11	12	13	14
レジメン（FOLFIRI±AFL）	Rp1	アフリベルセプト 4 mg/kg 生理食塩液 100 mL	点滴注射 60 分	↓													
	Rp2	デキサメタゾン 9.9 mg/body パロノセトロン 0.75 mg/body	点滴注射 15 分	↓													
	Rp3	レボホリナート 200 mg/m² 5%ブドウ糖液 250 mL	点滴注射 120 分	↓													
	Rp4	イリノテカン※ 180 mg/m² (150 mg/m²) 5%ブドウ糖液 250 mL	点滴注射 90 分	↓													
	Rp5	フルオロウラシル 400 mg/m² 生理食塩液 100 mL	点滴注射 全開	↓													
	Rp6	フルオロウラシル 2,400 mg/m² 生理食塩液 適量	持続静注 46 時間	↓													
	Rp7	デキサメタゾン 8 mg/body	経口 1 日 1 回		↓	↓											

レボホリナートとイリノテカンは同時投与
※については本文参照

副作用対策

infusion reaction

通常は予防的な抗ヒスタミン薬や副腎皮質ホルモン薬は不要である．軽度では，悪寒，発熱，浮動性めまいが出現する．重度になると呼吸困難，蕁麻疹，低血圧，意識消失，アナフィラキシー症状を呈する．症状出現時はただちに投与を中断し，重症度に応じて，抗ヒスタミン薬や副腎皮質ホルモン薬の投与を行う．

悪心・嘔吐

制吐薬適正使用ガイドライン（日本癌治療学会編）では中等度催吐リスクに分類されるため，中等度催吐性リスクレジメンのアルゴリズムに準じた予防策を実施．また，イリノテカンは中等度催吐リスクの中でも悪心・嘔吐リスクが高いため，オプションとして NK_1 受容体拮抗薬を追加すること．

早発型下痢

イリノテカン投与中から投与終了後数時間以内に出現する．コリン作動性の下痢であり，流涙や発汗，鼻汁，疝痛などのコリン症状を伴うことが多い．抗コリン薬（アトロピン，ブチルスコポラミン）の投与を考慮する．

遅発型下痢

イリノテカンの活性代謝物 SN-38 による腸管粘膜直接障害により，投与後 24 時間以降に発現するロペラミドによる対症療法が基本となる．ただし，好中球減少期に腸管感染を伴うこともあり注意を要する．

高血圧

海外第Ⅲ相臨床試験の結果では 2 コース目での発現が最も多く，次いで 1 コース目，3 コース目であり，比較的早期に発現する．投与期間中は定期的に血圧測定を実施することを説明・指導し，高血圧が認められた際は降圧薬を開始し，血圧をコントロールする．また，高血圧クリーゼが発現することもあり，注意を要する．

蛋白尿

海外第Ⅲ相臨床試験の結果では 2 コース目での発現が最も多く，次いで 1 コース目であるが，全期間を通して発現が認められる．投与期間中は定期的に尿蛋白を測定する．尿蛋白出現時はアフリベルセプトの休薬・減量基準に基づき対応する．

好中球減少

国内第Ⅱ相試験の結果では Grade 3 以上は 62.9%に認められ，FN は 8.1%に発現している．感染対策（手洗い，うがい），FN 初期症状（発熱，悪寒，咽頭痛）出現時の対応を指導する．

□CYP3A4により一部無毒化されるため，CYP3A4阻害薬・誘導薬の併用がないことを確認する．

□FOLFIRI療法のイリノテカンの投与量は，海外では180 mg/m^2が標準投与量だが，わが国では150 mg/m^2を使用する施設も多く，保険適用が認められているのも150 mg/m^2である．日本人を対象とした第Ⅰ相試験において180 mg/m^2の安全性が示されている[1)]．

□活性代謝物であるSN-38の主な代謝酵素であるUGTの2つの遺伝子多型（*UGT1A1*6*，*UGT1A1*28*）について，いずれかをホモ接合体（*UGT1A1*6/*6*，*UGT1A1*28/*28*）またはいずれもヘテロ接合体（*UGT1A1*6/*28*）として持つ患者では，UGT1A1のグルクロン酸抱合能が低下し，SN-38の代謝が遅延することにより，重篤な副作用（特に好中球減少）発現の可能性が高くなることが報告されている[2)]．

□制吐薬適正使用ガイドライン（日本癌治療学会編）では中等度催吐リスクに分類されるため，アルゴリズムに準じた予防策を確認する．

アフリベルセプト[3-5)]

□1次治療やイリノテカン既治療症例での有効性・安全性が確立していないため，オキサリプラチンを含む化学療法後の2次治療以降であることを確認する．

□創傷治癒遅延による合併症が現れることがあるため，投与前後28日間に手術（大手術では42日間）予定がないことを確認する．大手術とは，全身麻酔が必要な手術で，頭蓋，胸腔または腹腔内の手術が該当する．

□アフリベルセプトの成分に対し重篤な過敏症の既往歴のある患者，妊婦または妊娠している可能性のある女性は禁忌である．

□前投薬は必須ではないが，infusion reactionの既往がある場合は，必要に応じて抗ヒスタミン薬や副腎皮質ホルモン薬を考慮する．

例：d-クロルフェニラミン注（5 mg）　1回5 mg
　　デキサメタゾン注（6.6 mg）　1回6.6 mg
　　いずれもアフリベルセプト投与30分前に点滴静注

3 抗がん薬の調剤

フルオロウラシル

□希釈液の指定なし．生理食塩液，5%ブドウ糖液，電解質維持液，高カロリー輸液用キット製剤などに希釈することが可能．

イリノテカン

□生理食塩液，5%ブドウ糖液または電解質維持液に希釈して投与する．

□アルカリ性薬剤との混合により活性が下がる場合があるので注意．

□アミノ基を含む薬剤との混合により活性が下がる場合があるので注意．

アフリベルセプト

□生理食塩液または5%ブドウ糖液に希釈し，0.6～8 mg/mLの濃度になるように調製する．

□希釈後は速やかに使用し，希釈後すぐに投与開始しない場合は25℃では8時間以内，2～8℃では24時間以内に使用する．

4 抗がん薬の投与

投与基準[3)]

□PS 0～2.

□前治療による副作用がGrade 1以下に改善している．

□明確な投与基準は定められていないが，一般的な基準は以下の通りである．

白血球数	≧3,000/μL, ≦12,000/μL	Scr	≦1.5 mg/dL
血小板数	≧10万/μL	PT-INR	<1.5
Hb	≧9.0 g/dL	蛋白尿	+2以下
T-Bil	≦1.5 mg/dL	血圧	コントロールされている
AST/ALT	≦100 U/L（【肝転移がある場合】AST，ALTはそれぞれ≦200 U/L）		

減量・中止基準[4)]

	フルオロウラシル（急速静注）	フルオロウラシル（持続静注）	イリノテカン	アフリベルセプト
初回投与量	400 mg/m²	2,400 mg/m²	180（150）mg/m²	4 mg/kg
1段階減量	320 mg/m²	2,000 mg/m²	150（120）mg/m²	2 mg/kg
2段階減量	240 mg/m²	1,500 mg/m²	120（100）mg/m²	—

□血液毒性では，好中球数1,500/μL未満，血小板数7.5万/μL未満の場合は治療を中止し，回復するまで休薬する．再開する際は以下の表を参考に，用量を減量する．また，非血液毒性に関しても，以下の表を参考に減量する．

アフリベルセプトの用量調節

①高血圧

程度	処置
Grade 2	投与を継続し，降圧薬による治療を行う
Grade 3	・150/100 mmHg（高血圧を合併する場合は収縮期血圧180 mmHg）以下に回復するまで休薬し，降圧薬による治療を行う ・2週間以内に回復した場合 →1回目：減量せず投与する →2回目：2 mg/kgに減量する ・2週間を超え4週間以内に回復した場合，2 mg/kgに減量する ・4週間以内に回復しない場合および2 mg/kgに減量しても再発した場合，投与を中止する
Grade 4または高血圧に伴う臓器障害が認められた場合	投与を中止する

②蛋白尿

<table>
<tr><th rowspan="2">程度</th><th colspan="4">処置</th></tr>
<tr><th>今回の投与</th><th>今回投与後の尿蛋白量（最高値）</th><th>次回の投与（投与直近値で判断）</th><th>次々回の投与（投与直近値で判断）</th></tr>
<tr><td rowspan="7">1<UPCR≦2で，血尿が認められない場合</td><td rowspan="7">投与を継続</td><td rowspan="3"><3.5 g/日</td><td colspan="2">≦2 g/日：投与を継続</td></tr>
<tr><td rowspan="2">>2 g/日：休薬</td><td>≦2 g/日：2 mg/kgに減量</td></tr>
<tr><td>>2 g/日：投与を中止</td></tr>
<tr><td rowspan="4">≧3.5 g/日</td><td colspan="2">≦2 g/日：2 mg/kgに減量</td></tr>
<tr><td rowspan="2">>2 g/日かつ≦3.5 g/日：休薬</td><td>≦2 g/日：2 mg/kgに減量</td></tr>
<tr><td>>2 g/日：投与を中止</td></tr>
<tr><td colspan="2">>3.5 g/日：投与を中止</td></tr>
</table>

<table>
<tr><th rowspan="2">程度</th><th colspan="4">処置</th></tr>
<tr><th>今回の投与</th><th>今回投与後の尿蛋白量（最高値）</th><th>次回の投与（投与直近値で判断）</th><th>次々回の投与（投与直近値で判断）</th></tr>
<tr><td rowspan="4">1<UPCR≦2 で，血尿が認められる場合
UPCR>2 の場合</td><td rowspan="4">休薬</td><td rowspan="4">—</td><td colspan="2">≦2 g/日：投与を継続</td></tr>
<tr><td rowspan="2">>2 g/日 かつ≦3.5 g/日：休薬</td><td>≦2 g/日：2 mg/kg に減量</td></tr>
<tr><td>>2 g/日：投与を中止</td></tr>
<tr><td colspan="2">>3.5 g/日：投与を中止</td></tr>
<tr><td>2 mg/kg に減量しても再発した場合</td><td colspan="4">投与を中止</td></tr>
<tr><td>ネフローゼ症候群，血栓性微小血管症</td><td colspan="4">投与を中止</td></tr>
</table>

③infusion reaction

□軽度および中等度：ただちに投与を中断し，回復した場合，投与を再開する．

□重度：ただちに投与を中止する．

FOLFIRI の用量調節

□好中球減少症

Grade 2	Grade 3	Grade 4
減量なし	Grade 3 または 7 日間以内の Grade 4：減量なし 7 日を超える Grade 4：以下の FN の推奨に従う	

□FN

Grade 2	Grade 3	Grade 4
1 回目：イリノテカンの用量を 1 レベル減量 2 回目：5-FU ボーラスの用量を 1 レベル減量 3 回目：イリノテカンの用量を 2 レベル減量 4 回目：FOLFIRI を中止		

□血小板減少症

Grade 2	Grade 3	Grade 4
減量なし	1 回目：5-FU ボーラスおよび点滴静注の用量をそれぞれ 1 レベル減量 2 回目：イリノテカンの用量を 1 レベル減量 3 回目：FOLFIRI を中止	

□下痢

Grade 2	Grade 3	Grade 4
減量なし	1 回目：イリノテカンの用量を 1 レベル減量 2 回目：5-FU ボーラスおよび点滴静注の用量をそれぞれ 1 レベル減量 3 回目：イリノテカンの用量を 2 レベル減量 4 回目：FOLFIRI を中止	

□口内炎

Grade 2	Grade 3	Grade 4
減量なし	5-FU ボーラスおよび点滴静注の用量をそれぞれ 1 レベル減量	5-FU ボーラスおよび点滴静注の用量をそれぞれ 2 レベル減量

□手足症候群

Grade 2	Grade 3	Grade 4
減量なし	5-FU ボーラスおよび点滴静注の用量をそれぞれ 1 レベル減量	5-FU ボーラスおよび点滴静注の用量をそれぞれ 2 レベル減量

□T-Bil 増加

Grade 2	Grade 3	Grade 4
Grade 1 以下〔T-Bil≦2.25 mg/dL (≦ULN×1.5)〕に回復するまで次投与延期 1 回目：減量なし 2 回目：イリノテカンの用量を 1 レベル減量 3 回目：イリノテカンの用量を 2 レベル減量 4 回目：イリノテカンを中止 2 週間投与延期しても Grade 2〔T-Bil >2.25〜4.5 mg/dL (ULN×1.5〜3)〕であった場合： 1 回目：イリノテカンを 2 レベル減量 2 回目：イリノテカンを中止	Grade 2 以下〔T-Bil≦4.5 mg/dL (≦ULN×3)〕に回復するまで次投与延期 2 週間投与延期しても Grade 3〔T-Bil >4.5〜15 mg/dL (>ULN×3〜10)〕であった場合：イリノテカンを中止	中止

□トランスアミナーゼ (ALT または AST) 増加

Grade 2	Grade 3	Grade 4
減量なし	Grade 2 以下に回復するまで次投与延期 2 週間投与延期しても Grade 3 であった場合：イリノテカンを中止	中止

□アルカリホスファターゼ (ALP) 増加

Grade 2	Grade 3	Grade 4
減量なし	Grade 2 以下に回復するまで次投与延期 2 週間投与延期しても Grade 3 であった場合：イリノテカンを中止	中止

□過敏症

Grade 2	Grade 3	Grade 4
イリノテカンと関連のある場合：イリノテカンを中止		

腎機能障害 [2, 6-8]

□**フルオロウラシル**：減量の必要はないが，腎障害時の影響は評価されていない．そのため，腎機能障害を有する患者は腎障害の悪化および副作用が強く発現するおそれがあり，慎重に投与．

□**イリノテカン**：減量の必要はないが，腎障害時の影響は評価されていない．そのため，腎機能障害を有する患者は腎障害の悪化および副作用が強く発現するおそれがあり，慎重に投与．また，透析患者に対しては推奨されない．

□**アフリベルセプト**：調節不要．

肝機能障害 [2, 6-8]

□**フルオロウラシル**：T-Bil＞5.0 mg/dL 以上の場合は減量または投与中止を検討．

□**イリノテカン**：T-Bil＞2.0 mg/dL，またはトランスアミナーゼが正常値の 3 倍以上（肝転移を有する場合は 5 倍）では忍容性が十分に評価されておらず，慎重に投与．

□**アフリベルセプト**：調節不要だが，重度の肝障害患者（T-Bil＞3.0 mg/dL）に対するデータはない．

注意点

イリノテカン

□炎症性抗がん薬に分類され，注射部位やその周囲，血管に沿って痛みや炎症が生じる可能性があり，多量の薬剤が血管外に漏出した場合は潰瘍を起こす可能性がある．刺入部の違和感や腫脹，疼痛，灼熱感，点滴速度の減少に注意．

□投与中に下痢，腹痛，流涙や発汗，鼻汁，疝痛などのコリン症状が出ていないか観察．

アフリベルセプト

□0.2 μm のポリエーテルスルホン製フィルターを用いて投与する．ポリフッ化ビニリデン（PVDF）製またはナイロン製のフィルターは含量が低下するため使用しない．

5 副作用マネジメント

発現率[3)]

□国際共同第Ⅲ相試験（EFC10262 試験/VELOUR 試験：転移性結腸・直腸癌患者に対する 2 次治療）における主な副作用の発現率

副作用の種類	FOLFIRI（n＝605）		FOLFIRI＋アフリベルセプト（n＝611）	
	全 Grade（%）	Grade 3 以上（%）	全 Grade（%）	Grade 3 以上（%）
好中球減少	56.3	29.5	67.8	36.7
貧血	91.1	4.3	82.3	3.8
悪心	54.0	3.0	53.4	1.8
嘔吐	33.4	3.5	32.9	2.8
下痢	56.5	7.8	69.2	19.3
高血圧	10.7	3.5	41.4	19.3
蛋白尿	40.7	1.2	62.2	7.8
出血	19.0	1.7	37.8	3.0

評価と観察のポイント

投与前

□開始前の家庭血圧，排便状況，前治療の副作用を確認する．

投与中～投与後

①悪心・嘔吐

□発現時期，頓用制吐薬追加の有無，食事量の変化を評価する．また，抗がん薬に直接起因しない原因（サブイレウスやイレウス，電解質異常）の除外も必要である．

②下痢

□発現時期，下痢の回数や便の性状，脱水の有無を評価する．早発型はコリン作動性の下痢であり他のコリン症状を伴うことが多いため，下痢と併せて評価する．脱水による電解質異常に注意．

③infusion reaction

□投与中～投与後 24 時間以内に蕁麻疹，瘙痒感，腫脹（顔面や唇，舌，喉），呼吸困難，心悸亢進，低血圧，意識消失がないかを評価．

④高血圧

□定期的な血圧測定が必要であることを指導し，家庭血圧の測定記録および随伴症状の有無を評価する．

⑤蛋白尿

□明確な発現時期は不明であるが，定期的な尿蛋白の測定が必要である．なお，尿蛋白の評価は尿中蛋白/クレアチン比（UPCR）が推奨される．適正使用ガイドには「UPCR が 1 を超える場合，次回は 1 日尿蛋白量に基づき判断する」と記載があるが，外来治療が主流である本治療においては現実的ではなく，UPCR で代用することが多い．

⑥出血

□軽度な出血（鼻出血，歯肉出血）の頻度が高い．出血が持続する（10～15 分）場合は連絡するよう指導．また，重度な出血（吐血や下血）が出現した場合はすぐ連絡するよう指導．

⑦消化管穿孔

□頻度は低いが，重篤な転帰をたどることが多いため，突然の強い腹痛，悪心・嘔吐が出現した場合はすぐに連絡するよう指導．

⑧血栓塞栓症

□意識消失，麻痺，呂律が回らない，息切れ，腰痛，足の激しい痛み，下肢浮腫や疼痛が出現した場合はすぐに連絡するよう指導．

副作用対策のポイント

悪心・嘔吐

①好発時期，リスク患者，特徴

□投与から 24 時間以内に発現する急性悪心・嘔吐は抗がん薬投与から数分もしくは数時間以内に発症し，5～6 時間後に最も症状が強くなる．

□投与後 24 時間以後に発現する遅発性悪心・嘔吐は 2～3 日後まで持続する．

□リスク因子は，①女性，②若年者，③飲酒習慣なし，④妊娠時悪阻の経験，⑤過去の抗がん薬治療における制吐不良の経験，である．

□電解質異常や基質的変化による悪心，嘔吐との鑑別も重要である．

②予防

□中等度催吐性リスクレジメンに準じた予防策を実施．

□day 1

例：パロノセトロン注　1 回 0.75 mg　1 日 1 回　点滴静注
　　デキサメタゾン注　1 回 9.9 mg　1 日 1 回　点滴静注

□day 2，3

例：デキサメタゾン錠　1回4 mg　1日2回　2日分

□イリノテカンは中等度催吐リスクの中でも悪心・嘔吐リスクが高いため，オプションとしてNK_1受容体拮抗薬を追加することも考慮.

□day 1

例：パロノセトロン注　1回0.75 mg　1日1回　点滴静注
　　デキサメタゾン注　1回4.95 mg　1日1回　点滴静注
　　ホスアプレピタント注　1回150 mg　1日1回　点滴静注

③治療

□悪心・嘔吐は発現を予防することが原則であり，発現後の治療効果は限定的である.

□制吐不良の場合は，原則，作用機序の異なるその他の制吐薬を追加投与する.

例：メトクロプラミド錠　1回10 mg　1日3回　症状改善まで

早発型下痢

①好発時期，リスク患者，特徴

□投与中から24時間以内に発現する.

□流涙や発汗，鼻汁，疝痛などのコリン症状を伴う.

②予防

□初回からの予防は不要であり，早発性下痢ならびにコリン症状の既往があれば予防を考慮する.

例：ブチルスコポラミン注　1回20 mg　イリノテカン投与前に静注

③治療

□使用の前には緑内障や前立腺肥大がないことを確認する.

例：ブチルスコポラミン注　1回20 mg　イリノテカン投与前に静注

遅発型下痢

①好発時期，リスク患者，特徴

□イリノテカンの活性代謝物 SN-38 による腸管粘膜直接障害により，投与後 24 時間以降に発現する．

□SN-38 は腸肝循環するため，症状は遷延する．

□好中球減少時期と重なることで，腸管感染を伴うことがある．

□リスク因子としては *UGT1A1*6*，*UGT1A1*28* のいずれかのホモ接合体またはいずれもヘテロ接合体として持つ患者では，SN-38 の代謝が遅延するため高リスクである．

②予防

□イリノテカンの遅発型下痢予防に腸管内のアルカリ化[9]や半夏瀉心湯(はんげしゃしんとう)[10]のエビデンスはあるが，コンセンサスは得られていない．

□イリノテカン投与後の便秘は，SN-38 の排泄を遅延させ，遅発性下痢の増悪につながるため，投与前より排便コントロールをする．

> 例：炭酸水素ナトリウム　1 回 0.5 g　1 日 4 回　CPT-11 開始日より 4 日間
> 酸化マグネシウム　1 回 0.5 g　1 日 4 回　CPT-11 開始日より 4 日間
> ウルソデオキシコール酸錠　1 回 100 mg　1 日 3 回　CPT-11 開始日より 4 日間
> and/or
> 半夏瀉心湯　1 回 2.5 g　1 日 3 回　CPT-11 開始 3 日以上前から最低 21 日間継続

③治療

□治療はロペラミドを用いるが，発熱や嘔吐を伴う下痢は，感染性胃腸炎の可能性があり注意が必要である．

> 例：ロペラミドカプセル　1 回 2 mg　下痢が止まるまで 4 時間ごと

□ロペラミドで改善しない場合はオクトレオチド 100～150 μg 3 回/日（高度な下痢の場合は 500 μg/回まで増量可）を考慮する 保険適用外．

□好中球減少を伴う場合は抗菌薬の投与を考慮する．

infusion reaction

①好発時期，リスク患者，特徴

□発現好発期の報告およびリスク因子の報告はない．

②予防

□予防投与は必須とされていない．

③治療

重症の場合

□投与をただちに中止する（再投与不可）．

□抗ヒスタミン薬を静脈内投与する．

□コルチコステロイドを静脈内投与する．

□必要に応じてアドレナリンを投与する．

例：d-クロルフェニラミン注　1回5 mg　静注
　　ヒドロコルチゾン注　1回100 mg　静注
　　アドレナリン注　0.01 mg/kg　皮下投与

軽症～中等症の場合

□投与をただちに中止する（症状回復後，再投与可）．

□抗ヒスタミン薬を静脈内投与する．

□コルチコステロイドを静脈内投与する．

高血圧

①好発時期，リスク患者，特徴

□海外第Ⅲ相臨床試験の結果では2コース目での発現が最も多い．

②予防

□予防策はないが，早期発見のために，投与期間の継続的な家庭血圧の測定を指導する．

□180/110 mmHg以上の場合にはすぐに連絡するよう指導．また，それ以下であっても，血圧高値で随伴症状（悪心，頭痛，めまい）がある場合にもすぐに連絡するよう指導．

③治療

□Grade 2以上の高血圧の場合，降圧薬の投与を開始する．降圧薬の選択は高血圧治療ガイドライン2019に準拠して降圧薬の積極的適応や禁忌，慎重投与となる病態を考慮し，決定する．

例：アジルサルタン錠　1回20 mg　1日1回

and/or
アムロジピン錠　1回5mg　1日1回

蛋白尿

①好発時期，リスク患者，特徴

□海外第Ⅲ相臨床試験の結果では2コース目での発現が最も多い．

②予防

□予防策はないが，早期発見のため，治療開始前のベースライン値の測定，投与中の定期的な尿蛋白の測定が必要である．

③治療

□アフリベルセプトの休薬および減量．

6 薬学的ケア

CASE

□70歳代男性．大腸がん肝転移に対してFOLFOX＋ベバシズマブ療法を導入するも，6コースでPD．2次治療としてFOLFIRI＋アフリベルセプト療法開始となった．

□開始前に前治療の副作用を確認するも，末梢神経障害Grade 1のみで，高血圧や蛋白尿の副作用なし．

□4コース目，血圧156/92 mmHgと高値であり，蛋白尿Grade 1も併発していたことから，主治医よりアジルサルタン20 mgが処方された．

□5コース目，血圧は正常範囲内となったが，血清K値5.3 mEq/Lと高値であったため，主治医に対し，アジルサルタンをアムロジピン2.5 mgに変更するよう処方提案．

□変更となり，以後，血清K値正常化，血圧コントロール良好で治療継続可能であった．

解説

□投与開始前に前治療による副作用を確認する．特に，前治療のベバシズマブの有無はアフリベルセプトによる副作用に対して影響は少ないが，ベースラインの家庭血圧や尿蛋白有無の確認は重要である．

□Grade 2以上の高血圧が出現した際は降圧療法の適応となり，日本高血圧学会作成の高血圧治療ガイドライン2019に準じて降圧薬の選択を行う．蛋白尿を合併することが多いため，ARBやACE阻害薬が頻用されるが，本症例のように，高K

血症を呈している患者においてはARBやACE阻害薬は慎重な投与が必要である．それぞれ主要な降圧薬の積極的適応や禁忌，慎重投与となる病態を考慮して，処方提案する必要がある．

引用文献

1）Sasaki Y, et al：Anticancer Res 34：2029-34, 2014（PMID：24692743）
2）Satoh T, et al：Cancer Sci 102：1868-73, 2011（PMID：21740478）
3）Van Cutsem E, et al：J Clin Oncol 30：3499-506, 2012（PMID：22949147）
4）ザルトラップ® 適正使用ガイド．2020年1月作成（サノフィ）
5）ザルトラップ® 点滴静注，添付文書．2020年1月改訂
6）ZALTRAP®（ziv-aflibercept），米国添付文書
7）CAMPTOSAR®（irinotecan hydrochloride），米国添付文書
8）5-FU注250 mg/5-FU注1000 mg，インタビューフォーム　2021年11月改訂
9）Takeda Y, et al：Int J Cancer 92：269-75, 2001（PMID：11291056）
10）Mori K, et al：Cancer Chemother Pharmacol 51：403-6（PMID：12687289）

（髙橋克之）

46 CapeOX（術後）（カペシタビン＋オキサリプラチン）

Cape＋L-OHP

POINT

- ■本治療の対象患者は，結腸・直腸がんの術後補助化学療法である．
- ■末梢神経障害が発現した場合，Grade に応じて適切にオキサリプラチンを休薬・減量・中止するなど適切な処置を行う．
- ■手足症候群が発現した場合，Grade に応じて適切にカペシタビンを休薬・減量・中止するなど適切な処置を行う．

1 レジメンと副作用対策（→次頁参照）

適応：結腸・直腸がんの術後補助化学療法

1 コース期間：21 日間

総コース：8 コース（24 週）まで

IDEA collaboration[1]では，StageⅢ結腸がんに対するオキサリプラチンベースの術後補助化学療法の投与期間として，6 か月間に対する 3 か月間投与の非劣性を前向きに比較検討した第Ⅲ相無作為比較試験を統合解析した．その全体解析において，主要評価項目の DFS は 6 か月群に対する 3 か月群の非劣性は認められなかった一方，サブグループ解析の結果，低リスク例（T1〜3 かつ N1）における CapeOX 療法の 6 か月投与群に対する 3 か月群の非劣性が認められた．当該患者に対する CapeOX 療法 4 コース（12 週）も選択肢の 1 つとなる．

2 抗がん薬の処方監査

- □本レジメンの適応（結腸・直腸がんの術後補助化学療法）であることを確認する．
- □直腸がんの術後は排便回数の変化や残便感など排便状況の変化が起こることがあるため，原発部位や切除部位をあらかじめ確認する．

カペシタビン

- □テガフール・ギメラシル・オテラシルカリウム配合剤（S-1）投与中の患者および投与中止後 7 日以内の患者は禁忌．
- □重篤な腎障害のある患者は禁忌．中等度以下の腎障害のある患

46		医薬品名 投与量	投与方法 投与時間	1	2	3	4	5	6	7	8	9	10	11	12	13	14	15	16	～	21
レジメン（CapeOX）	Rp1	パロノセトロン 0.75 mg/body デキサメタゾン 6.6 mg/body 生理食塩液 100 mL	点滴注射 15 分	↓																	
	Rp2	オキサリプラチン 130 mg/m² 5%ブドウ糖液 250 mL	点滴注射 120 分	↓																	
	Rp3	生理食塩液 50 mL	フラッシュ	↓																	
	Rp4	デキサメタゾン 8 mg	経口 1 日 2 回 朝昼食後		↓	↓															
		カペシタビン 2,000 mg/m²	経口 1 日 2 回 朝夕食後	↓ 夕	↓	↓	↓	↓	↓	↓	↓	↓	↓	↓	↓	↓	↓	↓ 朝			
副作用対策	過敏症			■																	
	症状：蕁麻疹，息苦しさ，顔面紅潮，瘙痒感，血圧低下，徐脈，発汗など．投与中は頻回にバイタルを測定し，早期発見に努める．オキサリプラチンのアレルギーは数回投与後に発現することもあり，過敏症状について事前に十分に指導．																				
	白血球，好中球減少									■	■	■	■	■	■	■	■	■	■	■	■
	感染予防（手洗い，うがいなど）を励行するよう指導．FN 時はガイドライン[2]に沿った抗菌薬や G-CSF 製剤を投与する．緊急受診の目安について事前に十分指導しておく．																				
	末梢神経障害			■	■	■	■	■	■	■	■	■	■	■	■	■	■	■	■	■	■
	急性症状：オキサリプラチンの点滴投与直後から 2 日以内に起こり，主に手，足，口の周り，喉に現れる一過性の知覚症状．数日間持続し，ほとんどの場合 14 日以内に回復．冷感刺激を避けるよう指導する． 慢性症状：遅発性，蓄積性で用量依存的に発現する手足の機能障害．Grade に応じて休薬や減量などの適切な対処が必要．																				
	悪心・嘔吐			■	■	■	■	■	■	■											
	制吐薬適正使用ガイドライン[3]では中等度催吐性リスクに該当し，5-HT_3 拮抗薬とデキサメタゾンで制吐療法を実施する．遅発性悪心・嘔吐が発現する場合はアプレピタントの追加を検討．																				
	血管痛			■																	
	オキサリプラチン投与時の血管痛に対して，温罨法や溶媒の希釈，デキサメタゾン混注による pH の調整の対応で軽減する可能性がある．																				
	手足症候群			■	■	■	■	■	■	■	■	■	■	■	■	■	■	■	■	■	■
	好発部位は手，足，爪の四肢末端部[3]．保湿薬による予防を指導し，手足症候群発現時はステロイド外用薬で対応する．Grade 2 以上の手足症候群が発現した場合，休薬・減量基準に沿ってカペシタビンの休薬・減量を検討する．																				

アプレピタントを使用する場合，
day 1：アプレピタント 125 mg
　　　デキサメタゾン注 3.3 mg
day 2, 3：アプレピタント 80 mg
　　　デキサメタゾン錠 4 mg

者は，腎機能に合わせた減量を行う．

□ワルファリンカリウム，フェニトインとの併用により，ワルファリンカリウム，フェニトインの作用が増強する可能性があるため併用時は注意が必要.

オキサリプラチン

□機能障害を伴う重度の感覚異常または知覚不全のある患者は禁忌.

□オキサリプラチンおよび他の白金を含む薬剤に対し過敏症の既往歴のある患者は禁忌.

3 抗がん薬の調剤

カペシタビン

□投与目的や併用薬の有無により用量や投与スケジュールが異なるため，投与目的や併用薬を確認の上，調剤を行う．CapeOX（術後）の場合，C 法（2,000 mg/m^2/日）.

オキサリプラチン

□錯化合物であるので，他の抗悪性腫瘍薬とは混合調製しない.

□塩化物含有溶液により分解するため，生理食塩液などの塩化物を含む輸液との配合を避ける.

4 抗がん薬の投与

投与基準[4)]

PS		0～1
血液一般検査	好中球数	＞1,500/μL
	血小板数	＞10 万/μL
肝機能	T-Bil	≦2.25 mg/dL（≦ULN×1.5）
	AST	≦45 U/L（≦ULN×2.5） 【肝転移がある場合】≦150 U/L（≦ULN×5）
	ALT	≦（男）105 U/L，（女）57.5 U/L（≦ULN×2.5） 【肝転移がある場合】≦（男）210 U/L，（女）115 U/L（≦ULN×5）
腎機能	Scr	≦（男）1.605 mg/dL，（女）1.185 mg/dL（≦ULN×1.5）

ULN（施設基準上限）：日本検査医学協会の共通基準範囲より，ULN は AST（男女共通）30 U/L，ALT（男性）42 U/L，（女性）23 U/L，T-Bil（男女共通）1.5 mg/dL および Scr（男性）1.07 mg/dL，（女性）0.79 mg/dL として計算．詳しくは自施設の施設上限基準を参照.

□2 コース目以降の投与開始基準：投与予定日に確認し，以下の条件が満たされない場合は回復するまで休薬する.

項目	基準値	項目	基準値
好中球数	1,500/μL 以上	血小板数	7.5 万/μL 以上

減量・中止基準[4)]

血液毒性発現時の休薬・減量・再開基準

□Grade 3 以上の血液毒性が発現した場合には休薬する（添付文書の記載：Grade 2 以上の副作用が発現した場合，Grade 0～1 に軽快するまで休薬する）．Grade 1 以下に軽快後，以下の投与基準に従って投与を再開する．

Grade	発現回数	カペシタビン	オキサリプラチン
3	1	減量段階 1	100 mg/m^2
	2	減量段階 2	85 mg/m^2
4	1	投与中止もしくは減量段階 2	投与中止もしくは 85 mg/m^2 [*1]

*1 治療継続が患者の利益に最善であると判断された場合

非血液毒性発現時の休薬・減量・再開基準

□各コースの投与開始前に副作用の Grade を確認し，いずれかの事象が Grade 2 以上であれば休薬する．Grade 1 以下に軽快後，以下の投与基準に従って投与を再開する．

Grade	発現回数	カペシタビン	オキサリプラチン
2	1	変更なし	変更なし
	2	減量段階 1	変更なし
	3	減量段階 2	変更なし
3	1	減量段階 1	100 mg/m^2
	2	減量段階 2	85 mg/m^2
4	1	投与中止もしくは減量段階 2	投与中止もしくは 85 mg/m^2 [*1]

腎機能障害

カペシタビン	Ccr 30～50 mL/分：75%用量（1,500 mg/m^2/日）[1)] Ccr $<$ 30 mL/分：投与禁忌[*2]
オキサリプラチン	Ccr $<$ 30 mL/分：米国の添付文書では 1 段階減量（85 mg/m^2 における報告）となっているが，欧州の添付文書では禁忌[5)]

*2 EU の SmPC（製品情報概要：Summary of Product Characteristics）

肝機能障害

カペシタビン	記載なし[*3]
オキサリプラチン	記載なし

*3 中等度の肝機能障害の患者においては，カペシタビンの薬物動態に影響が認められなかったとの報告[6)]がある（重度の肝機能障害の患者は有効性および安全性は確認されていない）．

注意点

カペシタビン

□添付文書上は，「食後30分以内に服用」と記載されているが，「絶食時に比べ食後投与時の C_{max} は減少したがAUCではほとんど差が認められなかった」という報告がある[7)]．

オキサリプラチン

□塩基性溶液により分解するため，塩基性溶液との混和あるいは同じ点滴ラインを用いた同時投与は行わない．

□アルミニウムとの接触により分解することが報告されているため，調製時あるいは投与時にアルミニウムが用いられている機器（注射針など）は使用しない．

□投与後数分以内の発疹，瘙痒，気管支痙攣，呼吸困難，血圧低下などを伴うアナフィラキシーなどが報告されているので，患者の状態を十分に観察する．

□アナフィラキシー発現までの投与量の中央値は613 mg/m^2（範囲：66〜4,227 mg/m^2）であり，特に累積投与量401〜900 mg/m^2 で発現する場合が多く認められている[5)]．

□炎症性抗がん薬（irritant drug）に分類[8)]されており，薬液が血管外に漏出すると炎症・硬結を起こすことがあるため，血管外漏出に注意が必要．寒冷刺激で末梢神経障害が誘発されるため，血管外漏出時は冷却しない[5, 8)]．血管外漏出の対応に関する明確なエビデンスは確立していないが，温罨法の実施やステロイド外用薬の塗布で対応することがある[8)]．

5 副作用マネジメント

発現率[9)]（n＝938）

副作用	全体（%）	Grade≧3（%）	副作用	全体（%）	Grade≧3（%）
好中球減少	27	9	悪心	66	5
FN	—	＜1	下痢	60	19
血小板減少	18	5	疲労	35	—
貧血	6	＜1	手足症候群	29	5
過敏症	2	＜1	食欲不振	25	2
神経毒性	78	11	口内炎	21	＜1

評価と観察のポイント

投与中～投与直後

□**過敏症**：発現頻度は高くはないものの，重篤な経過をたどる可能性があるため十分に注意する．過敏症状（気管支痙攣，呼吸困難，血圧低下など）が認められた場合には，投与をただちに中止し適切な処置を行う[5]．

□**血管痛**：オキサリプラチン投与中に血管痛が発現することがある．発現時は後述の「副作用対策のポイント」に沿って適切に対処する．

投与後

□**骨髄抑制**：用量依存的に重篤になる傾向がある．頻回に血液検査を行い，異常が認められた場合は休薬，減量などの処置が必要である（「減量・中止基準」→368 頁）．

□**末梢神経障害**：オキサリプラチンにより最も多く認められる副作用であり，用量制限毒性[5]．以下の通り急性の末梢神経症状，持続性の末梢神経症状の 2 つのタイプがある[5]．FOLFOX 療法において重篤となった末梢神経症状の最悪時までの投与量中央値は 763 mg/m^2 で，特に 601 mg/m^2 以上になると最悪時に至る症例が多く報告されている[5]．

□急性の末梢神経症状

- 低温または冷たいもの（飲食物，あるいは氷などの物体を含む）への曝露により誘発または悪化する．一般にオキサリプラチン投与直後から 1～2 日以内に生じる一過性の症状で，通常，日常生活には支障をきたさないことが多く，ほとんどが 14 日以内に回復するとされている．多くは低温に曝露することにより誘発または悪化し，次回投与時に再発する．
- 臨床症状…しびれ，刺すような痛み，疼痛，感覚不全，感覚異常などで，症状が生じる範囲は四肢遠位，大腿，臀部，上肢，眼，顎，喉，口，歯肉，口唇，舌などの四肢および末梢領域全体に及び，顎の疼痛を伴う攣縮や，構音障害，眼球の痛みというかたちで生じることもある．

□持続性の末梢神経症状

- 一般に 14 日以上持続し，遅発性・蓄積性で用量依存性に発現する．総投与量や急性の末梢神経症状の発症とは無関係に発現する場合もある．末梢神経症状の悪化や回復遅延が認められると感覚性の機能障害が現れることがある．
- 臨床症状…手，足などがしびれて文字を書きにくい，ボタンをかけにくい，飲み込みにくい，歩きにくいなどの感覚性の機能障害が現れ，日常生活に支障をきたす場合がある．

□**悪心・嘔吐**：発症様式，寛解・増悪因子，性質・量，程度や随伴症状，時間経過や日内変動を確認・評価する．

□**手足症候群**：好発部位は手，足，爪の四肢末端部．軽度のものでは紅斑，色素沈着に終わるが，高度のものでは疼痛を伴って発赤・腫脹し，水疱，びらんを形成することもある．手掌・足底は角化，落屑が著明になり亀裂を生じ，知覚過敏，歩行困難，物がつかめないなどの機能障害を伴った症状や指紋消失がみられることもある[3]．

副作用対策のポイント

過敏症

□事前に過敏症の初期症状などを説明し，患者が訴えられるように指導する．

□初期対応および院内救急体制(院内プロトコール化，適切な処置のため医薬品・医療機器の準備）を構築しておく[10]．発現時はただちに投与を中止し，バイタルサインと動脈血酸素分圧濃度測定，皮膚症状の確認，重症度のトリアージを可能な限り実施するが，救援のため医療スタッフを集め，1人で対応しない[10, 11]．

□症状に応じて，以下の処置および薬物療法を行う[10, 11]．

- 酸素吸入（マスク 6～8/分）
- 抗ヒスタミン薬（例：クロルフェニラミン注　5 mg 静注，ジフェンヒドラミン錠　1回 25～50 mg)．H_2 ブロッカーを併用することでより効果的な可能性がある．
- 副腎皮質ステロイド薬〔例：ヒドロコルチゾン注　100～200 mg（小児：5 mg/kg）またはメチルプレドニゾロン注　40 mg（小児：1 mg/kg）を 6～8 時間間隔〕
- 急速輸液（最初の 5 分間は生理食塩液 5～10 mL/kg で点滴静注)後，リンゲル液に変更し収縮期血圧 90 mmHg を保つ．
- 気管支拡張薬（例：サルブタモール　1回 200 μg 吸入）
- アドレナリン注（1回 0.3～0.5 mg 筋注)．β 遮断薬内服時，アドレナリンの代わりにグルカゴン注　1～5 mg

(20〜30 μg/kg　5分以上かけて静注). 以後, 5〜15 μg/分で持続点滴.
- ドパミン製剤 (2〜20 μg/kg/分)

血管痛

□オキサリプラチンの血管痛の予防対策として, オキサリプラチンを5%ブドウ糖液500 mLへ希釈し濃度を薄める方法, 投与部位を加温する温罨法, オキサリプラチン希釈液の加温投与, オキサリプラチンの溶媒である5%ブドウ糖液へデキサメタゾン3.3 mgを混注することでpHを上げる方法などが報告されている[12-17].

骨髄抑制

□白血球/好中球のnadir期は易感染状態となるため, うがい, 手洗いなど感染予防対策に関する患者指導が必要である. FN時はガイドライン[1]に沿い, 重症化するリスクが高い患者に対してβ-ラクタム薬の単剤治療を行う.

例：セフェピム注　1回2 g　12時間ごと　静注
　　メロペネム注　1回1 g　8時間ごと　静注
　　タゾバクタム・ピペラシリン注　1回4.5 g　6時間ごと　静注

□重症化するリスクが低い患者に対してシプロフロキサシンとアモキシシリン・クラブラン酸の2剤併用療法を行う. なお, NCCNのガイドライン[18]では以下を推奨している.

例：シプロフロキサシン錠　500〜750 mgを12時間ごと, アモキシシリン・クラブラン酸配合錠　アモキシシリンとして875 mgを12時間ごと

□一方, 日本の保険診療で認められている用量は以下であり, 海外で実証された量よりも少ない[1].

例：シプロフロキサシン錠　200 mgを1日3回, アモキシシリン/クラブラン酸　250 mg/125 mgを1日3〜4回経口投与

末梢神経障害

□寒冷刺激により誘発または悪化するため，これらの症状の特徴についてあらかじめ患者に情報提供を十分行うとともに，冷たい飲み物や氷の使用を避け，低温時には皮膚を露出しないよう指導する．咽頭喉頭の絞扼感（咽頭喉頭感覚異常，喉が締めつけられるような感覚）は特に自覚的に重症感を伴うため，患者に対する事前の情報提供を十分に行う．

□有用性を明らかに示した対症薬はなく，減量・中止基準に沿って適切にオキサリプラチンの休薬・減量を行うことが重要である．

□末梢神経障害の予防のための薬物療法は推奨されない[10]．

□デュロキセチンは抗がん薬による末梢神経障害に伴う疼痛に対して有効であることが報告[19]されており，有効性のエビデンスは中等度[20]であるが，抗がん薬による神経障害性疼痛に適応がないことに注意する必要がある．

□現在のところ抗がん薬による末梢神経障害に伴う疼痛に対して有効性が認められている薬物はデュロキセチン以外にない[20]が，プレガバリンは神経障害性疼痛に対して適応があり，ケースコントロール研究では有効性が報告されている[10, 21]．

悪心・嘔吐

□制吐薬適正使用ガイドライン[2]では中等度催吐性リスクに分類され，予防的制吐療法として5-HT$_3$拮抗薬＋デキサメタゾンの併用療法を行う．

□オキサリプラチンベースの抗がん薬を用いる大腸がん症例において，アプレピタント併用の有効性が示されており[22]，患者側の催吐リスクや前コースの悪心・嘔吐の発現状況によりアプレピタントの併用を検討する．

□day 1

例1：パロノセトロン注　0.75 mg＋デキサメタゾン注　6.6 mg
例2：パロノセトロン注　0.75 mg＋デキサメタゾン注　3.3 mg＋アプレピタントカプセル　125 mg

□day 2，3

例1：デキサメタゾン錠　6.6 mg
例2：デキサメタゾン錠　3.3 mg＋アプレピタントカプセル

80 mg

手足症候群

□保湿クリーム（ヘパリン類似物質製剤，尿素製剤）やステロイド外用薬（strong クラス以上）の対処法が一般的だが，現在のところ確立された予防法・治療法はない[3]．

□手足の保湿や刺激除去を励行し，手足症候群の発現時は自己判断で無理に内服を続けないようあらかじめ指導する．

□減量・中止基準に沿って適切にカペシタビンの休薬・減量を行う．Grade 3 に至った症例においては，症状の消失・軽快までにより長時間を必要とすることから，注意深い経過観察と症状悪化の前に休薬などの適切な処置が必要[3]．

□術後補助化学療法の CapeOX 療法におけるカペシタビンの適切な減量は，PFS や DFS に影響を及ぼさないことが示されている[3]．

6 薬学的ケア

CASE

□40 歳代女性．結腸がん pStage ⅢB にて術後補助化学療法として CapeOX が開始となる．若年女性，飲酒習慣がないこと，悪阻経験があることから悪心リスクが高いと考えられ，また，薬剤師面談で悪心・嘔吐に対する強い不安を確認したことから制吐療法の強化として初回コースからアプレピタントの追加を提案し採択．制吐療法の強化により化学療法施行中は悪心・嘔吐の発現なく経過した．

□オキサリプラチン初回投与時，NRS 8 の血管痛が発現．2 コース目は温罨法施行の上，投与するも再び血管痛が発現したため，3 コース目以降はオキサリプラチンの溶媒（5％糖液）250 mL を 500 mL に変更し，かつ pH 調整のためデキサメタゾン 3.3 mg の混注を提案し採択．以降は血管痛の発現なく経過した．

□初回コース施行後に Grade 2 の口内炎が発現したため，医師から 2 コース目以降はクライオセラピー実施の指示があったが，寒冷刺激を避ける必要があることを医師に情報提供し指示は撤回．患者面談時に口腔ケアが不十分であることを確認し，口腔ケアの方法と必要性を再指導．口腔ケアの励行により以降は口内炎の発現なく経過した．

□手足の保湿と刺激除去を適切に励行していたが，5コース目施行後に2回目のGrade 2の手足症候群が発現し休薬．Grade 1に改善後，術後補助化学療法ということもあり，医師からはカペシタビン同量で6サイクル目再開の指示が出たが，減量基準に沿って1段階減量することを提案し採択．カペシタビン減量後，手足症候群の発現なく8コースを完遂した．

解説

□制吐薬の選択は予定する抗がん薬の催吐性リスク，過去の制吐療法の効果，患者関連因子を考慮して決定することが必要[2)]である．

□悪心・嘔吐に関連する患者関連因子として年齢，性別，飲酒習慣，がんの病態，併存疾患[2)]のほか，喫煙習慣，全身状態，悪阻の経験，自宅での市販の制吐薬使用，予測性の悪心・嘔吐経験，以前の治療で悪心・嘔吐の経験，2回目以降の化学療法，睡眠の時間・質，夜型であるか否か，が報告されている[10)]．

□CapeOX療法は中等度催吐性リスクに分類され，通常5-HT_3拮抗薬＋デキサメタゾンの併用療法を行うが，SENRI試験[23)]により大腸がんCapeOXにおけるアプレピタント併用の有効性が確認されており，催吐リスクが高い患者に対して併用を検討する．SENRI試験のリスク因子解析によると，アプレピタントの制吐効果は女性でより高かったことが示されている[2, 23)]．

□オキサリプラチンの血管痛の予防対策として，溶媒を500 mLに増量し濃度を希釈する方法，温罨法，オキサリプラチン希釈液の加温投与，溶媒の5%ブドウ糖液へデキサメタゾン3.3 mgを混注することでpHを上げる方法などが報告されている[12-17)]．

□オキサリプラチンは46℃で4時間安定であるという報告[24)]や，オキサリプラチン溶媒にデキサメタゾン3.3 mgを混合した3時間後のオキサリプラチン残存率は99%以上[23)]というデータがあり，加温やデキサメタゾン3.3 mgの混注はオキサリプラチンの安定性に影響は及ぼさないと考えられる．

□結腸がんの術後補助CapeOX療法における全Gradeの口内炎発現率は20.0%であり[9)]，抗がん薬の中でもフッ化ピリミジン系薬は口内炎の頻度が高い．

□口内炎予防としてクライオセラピーが推奨または提言されているものとしては，5-FUの急速静注，造血幹細胞移植の前処置として大量メルファラン投与を受ける患者であり[25)]，また，オキサリプラチンによる急性末梢神経障害の多くは低温に曝露することにより誘発または悪化する[5)]ため寒冷刺激を避ける必要があり，クライオセラピーは実施すべきではない．

□口内炎は予防が最も重要であり，口腔内を清潔に保つことは口内炎の2次感染の予防や重症化を避けることに有用である．MASCC/ISOOガイドラインでも全年齢層のあらゆるがん治療を受ける患者に対し，口腔粘膜障害の予防のため口腔ケアを行うことが提言されている[25)]．

□CapeOX療法におけるカペシタビンの減量は，進行・再発の結腸・直腸癌の1次治療，2次治療，StageⅢ結腸がんに対する術後補助化学療法のいずれにおいてもPFSやDFSに影響を及ぼさないことが示されており[3)]，手足症候群を含め副作用発現時は「休薬・減量・再開基準」に沿って対応することが重要．

引用文献

1）Grothey A, et al：N Engl J Med 378：1177-88, 2018（PMID：29590544）
2）日本臨床腫瘍学会：発熱性好中球減少症（FN）診療ガイドライン，改訂第2版．南江堂，2017．
3）日本癌治療学会（編）：制吐薬適正使用ガイドライン，第2版．金原出版，2015
4）ゼローダ® 適正使用ガイド　結腸・直腸癌（中外製薬）
5）エルプラット® 適正使用ガイド（ヤクルト本社）
6）Twelves C, et al：Clin Cancer Res 5：1696-702, 1999（PMID：10430071）
7）Reigner B, et al：Clin Cancer Res 4：941-8, 1998（PMID：9563888）
8）日本がん看護学会（編）：外来がん化学療法看護ガイドライン．金原出版，2014
9）Schmoll HJ, et al：J Clin Oncol 33：3733-40, 2015（PMID：26324362）
10）吉村知哲，他（監修）：がん薬物療法副作用管理マニュアル，第2版．医学書院，2021
11）重篤副作用疾患別対応マニュアル　アナフィラキシー．厚生労働省（http://www.info.pmda.go.jp/juutoku/file/jfm0803003.pdf）
12）Nakauchi K, et al：Gan To Kagaku Ryoho, 42：1397-400, 2015（PMID：26602398）
13）Miyajima R, et al：Gan To Kagaku Ryoho, 40：537-40, 2013（PMID：23848028）
14）Yatate M, et al：Gan To Kagaku Ryoho, 39：589-91, 2012（PMID：22504683）
15）原口久義，他：日病薬誌，48：1471-5, 2012
16）Shiotsuka Y, et al：Gan To Kagaku Ryoho, 39：1583-6, 2012（PMID：23064078）

17）Hibi S, et al：Gan To Kagaku Ryoho, 38：1447-52, 2011（PMID：21918339）
18）NCCN clinical practice guidelines in oncology：Prevention and treatment of cancer-related infections（Version 2.2016）
19）Smith EM, et al：JAMA 309：1359-67, 2013（PMID：23549581）
20）日本ペインクリニック学会（編）：神経障害性疼痛薬物療法ガイドライン，改訂第2版．真興交易医書出版部，2016
21）Saif MW, et al：Anticancer Res 30：2927-33, 2010（PMID：20683034）
22）Nishimura J, et al：Eur J Cancer 51：1274-82, 2015（PMID：25922233）
23）エルプラット® 点滴静注液，配合変化試験成績，2010年6月作成（ヤクルト本社）
24）Elias D, et al：Ann Oncol 13：267-72, 2002（PMID：11886004）
25）Lalla RV, et al：Cancer 120：1453-61, 2014（PMID：24615748）

（徳留 章）

47 CapeOX±Bev（カペシタビン＋オキサリプラチン±ベバシズマブ）

POINT

■オキサリプラチンによる過敏症は，回数を重ねるほど出現しやすくなるため注意．
■オキサリプラチンによる末梢神経障害とカペシタビンによる手足症候群は，症状を適切に評価し，Grade 2 以上の場合は休薬・減量を検討する．
■ベバシズマブによる高血圧，蛋白尿は発現時期に一定の傾向がみられないため，定期的なモニタリングが必要．血圧は家庭血圧の測定を患者に指導する．

1 レジメンと副作用対策（→次頁参照）

適応：治癒切除不能な進行・再発の結腸・直腸がん
1 コース期間：21 日間　**総コース**：可能な限り継続

2 抗がん薬の処方監査

カペシタビン

□重篤な腎障害（Ccr＜30 mL/分）では禁忌．
□テガフール・ギメラシル・オテラシルカリウム配合剤（S-1）投与中および投与中止後 7 日以内は禁忌．
□ワルファリンカリウム，フェニトインの作用増強の可能性があるため注意．
□トリフルリジン・チピラシル塩酸塩配合剤との併用は避ける．

オキサリプラチン

□機能障害を伴う重度の感覚異常または知覚不全のある患者は禁忌．
□他の白金を含む薬剤に対し過敏症の既往歴のある患者は禁忌．

ベバシズマブ

□術後補助化学療法では，有効性および安全性は確認されていないため使用不可．
□喀血（2.5 mL 以上の鮮血の喀出）の既往のある患者は禁忌．
□事前に，血栓や穿孔，心不全のリスクを評価．脳転移患者は慎重投与．
□創傷治癒遅延による合併症のおそれがあるため，投与前 28 日以内に大手術が行われていないか確認．CV ポート造設術後

レジメン（CapeOX±Bev）

47	医薬品名 投与量	投与方法 投与時間	1	2	3	4	5	6	7	8	9	10	11	12	13	14	15	16	～	21
Rp1	パロノセトロン 0.75 mg/body デキサメタゾン 6.6 mg/body	点滴注射 15 分	↓																	
Rp2	ベバシズマブ 7.5 mg/kg 生理食塩液 100 mL	点滴注射 初回 90 分 2 回目 60 分 3 回目～ 30 分	↓																	
Rp3	生理食塩液 40 mL	フラッシュ用	↓																	
Rp4	オキサリプラチン 130 mg/m^2 5%ブドウ糖液 250 mL	点滴注射 120 分	↓																	
Rp5	デキサメタゾン 8 mg	経口 1 日 1 回 朝食後		↓	↓	↓														
Rp6	カペシタビン 2,000 mg/m^2	経口 1 日 2 回 朝夕食後	↓夕	↓	↓	↓	↓	↓	↓	↓	↓	↓	↓	↓	↓	↓	↓朝			

アプレピタントを併用する場合は，デキサメタゾンを減量する．
day 1：アプレピタント 125 mg
デキサメタゾン 3.3 mg（静注）
day 2 以降：アプレピタント 80 mg（day 3 まで）
デキサメタゾン 4 mg（経口・day 4 まで）
※注射薬であるホスアプレピタントメグルミンを併用する場合は，生理食塩液 250 mL に希釈し，60 分で投与する．その際も同様にデキサメタゾンを減量する．

ベバシズマブの力価減弱を防ぐため，生理食塩液でフラッシュを行い，ブドウ糖液との混合を避ける．

副作用対策

血管痛

末梢静脈から投与した場合のオキサリプラチンによる血管痛に対しては，太い血管の選択や輸液の希釈，ホットパックを用いた温罨法で対応する．効果が乏しい場合はデキサメタゾン注の混注を検討する．

過敏症

オキサリプラチンの過敏症は投与回数を重ねると発現しやすい．累積投与量中央値が 613 mg/m^2 で発現しやすくなるため注意．

悪心・嘔吐

中等度催吐リスクのため，5-HT$_3$ 拮抗薬とデキサメタゾンの併用療法を基本とするが，コントロール不良の場合はアプレピタントの追加を検討する．その場合はデキサメタゾンを減量する．

末梢神経障害

急性と遅発性がある．急性の症状はオキサリプラチン投与後 1 週間程度は発現しやすく，遅発性の症状は蓄積性のため投与継続により症状は持続し，重篤化するため，症状に応じて休薬・減量を検討する．

下痢

治療開始前の便性状を確認し，水様便の持続や回数の増加がみられた場合，支持療法でコントロールできない場合はカペシタビンの休薬を検討する．

手足症候群

あらかじめセルフケアを指導し，保湿・保清・刺激の回避にて予防に努める．症状悪化時は，保湿薬に加えてステロイド外用薬の使用を検討する．疼痛を伴う Grade 2 以上でカペシタビンの休薬・減量を検討する．

高血圧

定期的な家庭血圧の測定を指導する．血圧上昇時には降圧薬を使用し，血圧コントロール不良な Grade 3 以上の場合は，コントロール可能になるまでベバシズマブを休薬する．

蛋白尿

定期的な尿検査を行う．必要に応じて，尿定性に加えて 24 時間蓄尿による定量検査を行い評価する．

は，1週間程度経過し創部に異常がなければ投与可能．待機的な手術の前は，最低28日間は投与を控える．

3 抗がん薬の調剤

カペシタビン

□食事による薬物動態への影響は少ないが，朝食後・夕食後の1日2回服用が基本．適応により用量が異なるため注意．

オキサリプラチン

□5%ブドウ糖液で希釈．分解を防ぐため，生理食塩液や塩基性溶液との配合，同じ点滴ラインを用いた同時投与は行わない．調製時や投与時にアルミニウムを用いた機器（注射針）は使用しない．

ベバシズマブ

□生理食塩液で希釈．力価減弱を防ぐため，ブドウ糖液との混合や，同じ点滴ラインを用いた同時投与は避ける．抗体の凝集を防ぐため，調製時は激しく振らない．

4 抗がん薬の投与

投与基準[1, 2]

PS			0〜2（国内臨床試験は0〜1）
血液毒性	好中球数		＞1,500/μL
	血小板数		＞10万/μL
非血液毒性	T-Bil		≦2.25 mg/dL（≦ULN×1.5）
	AST	肝転移なし	≦75 U/L（≦ULN×2.5）
		肝転移あり	≦150 U/L（≦ULN×5）
	ALT	肝転移なし	≦（男）105 U/L，（女）57.5 U/L （いずれも≦ULN×2.5）
		肝転移あり	≦（男）210 U/L，（女）115 U/L （いずれも≦ULN×5）
	Scr		≦（男）1.61 mg/dL，（女）1.19 mg/dL （いずれも≦ULN×1.5）
	血圧		血圧コントロール可能な患者
	蛋白尿		蛋白尿1＋または0.15〜1.0 g/24時間以下

減量・中止基準[1, 2]

腎機能障害

カペシタビン（EU の製品情報概要）	Ccr 30～50 mL/分	25%減量（1 段階減量）
	Ccr<30 mL/分	禁忌
オキサリプラチン（米国添付文書）	Ccr<30 mL/分	85 mg/m^2→65 mg/m^2 に減量
ベバシズマブ	記載なし	

肝機能障害

□カペシタビン：慎重投与.

□オキサリプラチン，ベバシズマブ：記載なし.

□2 コース目以降の投与開始基準．以下の条件が満たされていない場合は，回復するまで休薬.

好中球数	≧1,500/μL	血小板数	≧7.5 万/μL

血液毒性

□Grade 3 以上(添付文書では Grade 2 以上)の場合は休薬．Grade 1 以下に軽快後，下記表の投与基準に従って投与再開.

	発現回数	カペシタビン	オキサリプラチン	ベバシズマブ
Grade 3	1 回目	1 段階減量	100 mg/m^2 に減量	変更なし
	2 回目	2 段階減量	85 mg/m^2 に減量	変更なし
Grade 4	1 回目	投与中止もしくは 2 段階減量*1	投与中止もしくは 85 mg/m^2 に減量*1	投与中止もしくは変更なし

*1 治療継続が患者の利益に最善であると判断された場合

非血液毒性

□Grade 2 以上の場合は休薬．Grade 1 に軽快後，下記表の投与基準に従って投与再開.

	発現回数	カペシタビン	オキサリプラチン	ベバシズマブ
Grade 2	1 回目	変更なし	変更なし	変更なし
	2 回目	1 段階減量	変更なし	変更なし
	3 回目	2 段階減量	変更なし	変更なし
Grade 3	1 回目	1 段階減量	100 mg/m^2 に減量	変更なし
	2 回目	2 段階減量	85 mg/m^2 に減量	変更なし
Grade 4	1 回目	投与中止もしくは 2 段階減量*1	投与中止もしくは 85 mg/m^2 に減量*1	投与中止もしくは変更なし

□**末梢神経障害**：Grade 2 以上の場合は Grade 1 以下に軽快するまでオキサリプラチンを休薬．その場合，カペシタビンとベバシズマブの併用，またはカペシタビン単独での治療継続が可能．

□**高血圧**：Grade 2 以下の場合は投与継続可能．2 種類以上の降圧薬投与でも血圧コントロール不能な Grade 3 以上の場合は血圧コントロール可能になるまでベバシズマブを休薬．

□**蛋白尿**：中止基準

Grade 1	蛋白尿 1＋または 0.15～1.0 g/24 時間	投与継続可能（モニタリングを継続）
Grade 2	蛋白尿 2+～3+ または 1.0～3.5 g/24 時間	Grade 1 に回復するまで休薬（JO19380 試験では，Grade 2，3 であっても 24 時間蓄尿による定量検査で蛋白量 2 g/24 時間以下であれば投与可能とした）
Grade 3	蛋白尿 4+ または >3.5 g/24 時間	
Grade 4	ネフローゼ症候群	投与中止

24 時間蓄尿が実施困難な場合は，UPC（尿蛋白/クレアチニン）比で代替可能．

□**その他**：消化管穿孔，瘻孔，動脈血栓塞栓症，重度の出血が現れた場合はベバシズマブを中止し，再投与は行わない．

注意点

カペシタビン

□添付文書上は，「食後 30 分以内に服用」と記載されているが，絶食時に比べ食後投与時の C_{max} は減少したが，AUC ではほとんど差が認められなかったという報告がある[3]．

オキサリプラチン

□投与中から投与後に過敏症を生じる可能性があるため，バイタルサインを観察し，発赤，発疹，瘙痒感，呼吸苦に注意．投与開始後 30 分以内が多い．過敏症は投与回数を重ねると発現しやすく，発現までの累積投与量中央値は 613 mg/m^2 である[4]．

□炎症性抗がん薬に分類されるが，血管外漏出時には，末梢神経障害の誘発や増悪の可能性があるため漏出部位の冷却は避ける．

ベバシズマブ

□infusion reaction を軽減させるため，投与速度を初回は 90 分とし，忍容性が良好であれば，2 回目は 60 分，3 回目以降は 30 分に短縮可能．

5 副作用マネジメント

発現率

□副作用の発現率（NO16966 試験*2）[2)]

副作用	全体（%）	Grade 3以上（%）	副作用	全体（%）	Grade 3以上（%）
好中球/顆粒球減少	19.8	7.1	高血圧	17.6	4.5
FN	1.1	1.1	蛋白尿	4.0	0.3
下痢	63.5	21.8	消化管穿孔	0.8	0.8
悪心・嘔吐	71.4	10.8	動脈血栓塞栓症	2.5	2.0
口内炎	28.9	2.0	静脈血栓塞栓症	9.6	6.2
手足症候群	39.9	11.9	創傷治癒合併症	0.8	0.3
神経毒性	83.9	18.1	瘻孔または腹腔内膿瘍	1.1	0.6
出血	23.2	1.7	全有害事象	99.4	75.4

*2 NO16966 試験：海外における未治療の進行・再発の結腸・直腸がん患者2,035 例を対象とした第Ⅲ相臨床試験

評価と観察のポイント

□オキサリプラチンの用量制限毒性である末梢神経障害は，急性神経障害と慢性神経障害に分けられ，予防と対策が重要．

投与中〜投与後

□過敏症・infusion reaction，血管痛，悪心・嘔吐，急性神経障害を評価．

□**血管痛**：局所の疼痛を伴わない過敏症反応（フレア反応）がみられることもあり鑑別に注意．

□**急性神経障害**：オキサリプラチン投与直後〜2 日以内に現れる．寒冷刺激によって誘発される一過性の副作用だが，発生頻度が高く，手足や口唇周辺の知覚異常が特徴．まれに呼吸困難や嚥下障害を伴う咽頭喉頭の絞扼感が現れることがある．通常は経時的に回復するが，治療回数が増えると回復までに時間がかかる．

投与後

□骨髄抑制，悪心・嘔吐，下痢，口内炎，慢性神経障害，手足症候群，高血圧，蛋白尿，出血，血栓塞栓症，消化管穿孔を評価．

□**悪心・嘔吐**：遅発性の症状出現の有無を評価．便秘による悪心・嘔吐がないかも評価し，必要に応じて緩下剤の追加も考慮．

□**下痢**：水様便，排便回数の増加に注意．感染性の下痢との鑑別

を行い，評価.

□**口内炎**：発赤や疼痛の有無，症状の程度を評価. 口腔内カンジダ症の有無も確認.

□**慢性神経障害**：オキサリプラチン累積投与量の増加に伴い現れる蓄積性の神経障害である. 手足のしびれにより，文字が書きにくい，ボタンをとめにくい，歩きにくいなどの日常生活に支障をきたす機能障害が現れた場合はGrade 3として評価. Grade 3以上の発現割合は，オキサリプラチン累積投与量が850 mg/m^2の場合6.6%，累積投与量が1,020 mg/m^2の場合11.4%である[5].

□**手足症候群**：手掌や足底など圧力や摩擦の生じるところ，角質が厚くなっているところに発現しやすい. 疼痛を伴う，日常生活に支障をきたす症状の場合はGrade 2以上となる.

□**高血圧**：Grade 2以上（収縮期血圧140 mmHg/拡張期血圧90 mmHg以上）が治療対象. 血圧は家庭血圧にて評価. 毎日の測定を患者に指導する.

□**蛋白尿**：尿定性または24時間蓄尿にて評価. 24時間蓄尿はUPC（尿蛋白/クレアチニン）比で代替可能.

□**出血**：軽度の粘膜出血（鼻出血や歯肉出血）は頻度が高いが，消化管出血（吐血，下血）や肺出血（血痰，喀血）を含む重度の出血には注意.

□高血圧，蛋白尿，出血，血栓塞栓症，消化管穿孔の副作用は発現時期に一定の傾向がみられないため，定期的なモニタリングが必要.

副作用対策のポイント

過敏症

□オキサリプラチンによる過敏症は，コース数が進むと発現しやすくなるため注意（発現までの累積投与量中央値は613 mg/m^2）. 過敏症が現れた場合は投与を中止する. バイタルサインを確認しつつ酸素投与および輸液負荷を行い，H_1ブロッカー（ジフェンヒドラミン20 mg）やH_2ブロッカー（ファモチジン20 mg），ステロイド（ヒドロコルチゾン100 mg）の点滴投与を行う. Grade 2以上ではアドレナリン（0.3～0.5 mg）筋注の投与も考慮. β遮断薬を服用中の患者にはアドレナリンの効果が発現しにくい可能性があるため注意（→グルカゴンで対応）.

悪心・嘔吐

□5-HT$_3$受容体拮抗薬とデキサメタゾンの併用療法による予防を行い，コントロール不良の場合はアプレピタントの追加も考慮．アプレピタントとの併用によりデキサメタゾンのAUCが上昇するため，併用する場合は以下のようにデキサメタゾンを減量する[6]．

□day 1

> 例：アプレピタント（イメンド®）カプセル　125 mg（経口）
> 　　デキサメタゾン（デカドロン）錠　3.3 mg（静注）

□day 2以降

> 例：アプレピタント（イメンド®）カプセル　80 mg（経口・day 3まで）
> 　　デキサメタゾン（デカドロン）錠　4 mg（経口・day 4まで）

末梢神経障害

□**急性神経障害**：投与後1週間程度は寒冷刺激を避けるよう指導．季節・気候の変動にも注意．咽頭喉頭の絞扼感では，呼吸機能の異常はないが自覚的に重症感を伴うため，あらかじめ患者に指導しておく．

□**慢性神経障害**：確立した治療法はない．stop and go strategyに則り症状増悪時に休薬し，症状が軽減したら投与を再開することで神経障害を軽減しつつ治療効果を維持できると考えられる（OPTIMOX1試験）[7]．しかし薬剤中止後も症状が2～3か月で一過性に増悪する場合がある（coasting）ため注意．末梢神経障害に伴う疼痛に対しデュロキセチンが有効な場合があり[8, 9]，症状と副作用を考慮し使用を検討 保険適用外．プレガバリンは，神経障害性疼痛に保険適応のある薬剤だが，化学療法による末梢神経障害性疼痛への有効性は不明．いずれの薬剤でもめまいや傾眠の副作用頻度が高く，併用薬との相互作用も考慮して使用を検討．

> 例：デュロキセチン（サインバルタ®）カプセル　1回20 mg
> 　　1日1回

※20 mg/日より開始し，1週間以上の間隔をあけて20 mg/日ずつ増量する．60 mg/日まで増量可 保険適用外

プレガバリン（リリカ®）OD錠　1回75 mg　1日2回

※150 mg/日より開始し，1週間以上かけて300 mg/日まで増量する．600 mg/日まで増量可．ただし，腎機能低下患者には減量が必要．

血管痛，血管外漏出

□予防として，太い血管の選択や，ホットパックを用いた温罨法，側管から輸液を追加して薬剤を希釈する．その他デキサメタゾン1.65～3.3 mgをオキサリプラチン希釈液内に混注しpHを上げる方法[10]も考慮．

□血管外漏出時は，冷罨法は避け温罨法を用いる．明確な治療法は確立されていないが，大量漏出時は，血液および薬剤を3～5 mL吸引した後，漏出部位周辺へのステロイドの局所皮下注やステロイド外用薬の塗布を考慮．必要に応じて皮膚科へコンサルトする．

下痢

□減量・中止基準を参考にしつつ，大腸がん患者ではその病態によって下痢がみられる場合が多いことを念頭に対処する．治療開始前の便性状を確認し，水様便の持続や回数の増加がみられた場合，ロペラミドを含めた支持療法を行う．わが国のロペラミドの承認用量は1～2 mg/日であり，頓用使用にて改善が認められない場合は，保険適用外とはなるが，欧州ガイドラインに沿って，ロペラミドを初回4 mg，以降下痢が改善するまで4時間ごとに2 mgを投与することを検討[11]．支持療法でコントロールできない場合はカペシタビンの休薬・減量を検討．脱水を防ぐため患者には水分摂取を指導．

口内炎

□含嗽および口腔ケアが予防の原則であり，保清と保湿も重要．症状に応じて，アズレンスルホン酸ナトリウム含嗽薬や半夏瀉心湯（はんげしゃしんとう），デキサメタゾン軟膏（口腔内感染症が否定できる場合）やエピシル®も検討．

手足症候群

□予防として手足の保清，保湿，刺激を避けるセルフケアを指

導．治療開始前の患者の手足の状態を確認し，必要に応じて治療開始前より保湿によるケアを開始．フッ化ピリミジン系薬剤では，比較的遅発性に症状が発現するが，休薬後も回復が緩やかなのが特徴．症状悪化時はstrongクラス以上のステロイド外用薬を使用．痛みを伴うGrade 2以上の場合はカペシタビンの休薬・減量を検討．

高血圧

□機序は明確ではないが，VEGFがレニン-アンジオテンシン系を介して血圧に関わっていると考えられるため，ACE阻害薬やARBが推奨される．高血圧治療ガイドライン2019[12]に準拠し，Ca拮抗薬や利尿薬も考慮．利尿薬は，下痢や体液量減少による脱水のリスクが増加するため注意．機序の異なる2剤以上の降圧薬を併用しても，血圧コントロール不能なGrade 3以上の高血圧の場合は，血圧コントロール可能になるまでベバシズマブを休薬．

蛋白尿

□Grade 1以下はベバシズマブ投与継続可能．ただし，Grade 2以上でも，24時間蓄尿にて蛋白量2 g/24時間以下であれば投与継続可能（「減量・中止基準」→382頁）．

6 薬学的ケア

CASE

□60歳代女性．直腸がん，リンパ節転移，肝転移あり，CapeOX＋Bevにて治療開始．

□1コース目よりパロノセトロンとデキサメタゾンによる対策を行っていたがGrade 2の悪心・嘔吐が出現，特に遅発期の症状が強かった．2コース目よりアプレピタントの併用を提案（デキサメタゾンの減量を確認）．しかし改善乏しく，糖尿病の既往がないことを確認した上でオランザピン5 mg夕食後（4日間）追加を提案．以降，眠気の副作用は忍容可能な範囲で，悪心・嘔吐をGrade 1以下にコントロールできた．

□手足の乾燥，皮膚の硬化が強い患者のため，治療開始時より尿素クリームにて頻回に保湿していたが，3コース目投与後，手指先に亀裂を生じ，疼痛を伴うGrade 2の手足症候群が出現．ジフルプレドナート軟膏を提案した．使用後症状は改善したが，5コース目投与後再度Grade 2の症状が出現したため，カペシタビンの1段階減量を提案．以降症状は軽減し，再燃もなかった．

解説

- □アプレピタントの併用によりデキサメタゾンの血中濃度が上昇するため，併用時はデキサメタゾンの減量を確認する．オランザピン5 mgの併用に関しては，国内第Ⅲ相試験（J-FORCE試験）[13]の結果から，シスプラチンを含む治療に対し遅発期における悪心・嘔吐の改善効果が認められている．本試験では，オランザピンの服用時間を眠前ではなく夕食後にすることで，オランザピンによる日中の眠気やふらつきの副作用を軽減した．ただし，オランザピンは糖尿病の患者，糖尿病の既往歴のある患者には禁忌であることに留意．
- □患者の手足の状態を確認し，皮膚の硬化や角化が強い場合は，ヘパリン類似物質だけでなく尿素クリームも検討する．症状に応じてstrong以上のステロイド外用薬を使用する．薬剤数が増えると患者の混乱を招く可能性もあるため，塗布方法も指導・確認する．

引用文献

1）ゼローダ® 錠，適正使用ガイド，結腸・直腸癌．2020年12月改訂
2）アバスチン® 点滴静注用，適正使用ガイド，結腸・直腸癌．2020年10月改訂
3）Reigner B, et al：Clin Cancer Res 4：941-8, 1998（PMID：9563888）
4）エルプラット®，副作用対策ガイド．2021年3月改訂
5）エルプラット®，特定使用成績調査（結腸癌における術後補助化学療法）の最終集計報告．（ヤクルト本社）
6）日本癌治療学会（編）：制吐薬適正使用ガイドライン，第2版．金原出版，2015
7）Tournigand C, et al：J Clin Oncol 24：394-400, 2006（PMID：16421419）
8）Smith EM, et al：JAMA 309：1359-67, 2013（PMID：23549581）
9）Hirayama Y, et al：Int J Clin Oncol 20：866-71, 2015（PMID：25762165）
10）Matsuyama K, et al：Gan to Kagaku Ryoho 38：411-4, 2011（PMID：21403443）
11）Benson AB, et al：J Clin Oncol 22：2918-26, 2004（PMID：15254061）
12）日本高血圧学会高血圧治療ガイドライン作成委員会（編）：高血圧治療ガイドライン2019．ライフサイエンス出版，2019
13）Hashimoto H, et al：Lancet Oncol 21：242-9, 2020（PMID：31838011）

（中西由衣）

48 レゴラフェニブ（スチバーガ®）

POINT

■手足症候群の発現頻度が高く，発現時期が早い．
■高血圧は発現頻度が高く，特に投与開始から1か月以内で多く認められる．
■肝機能障害は死亡例の報告があり，投与開始2か月間は週1回の確認が推奨される．

1 レジメンと副作用対策（→次頁参照）

適応：治癒切除不能な進行・再発結腸・直腸がんの3次治療以降，がん化学療法後に増悪した消化管間質腫瘍〔イマチニブ（グリベック®）およびスニチニブ（スーテント®）による治療後〕，がん化学療法後に増悪した切除不能な肝細胞がん〔ソラフェニブ（ネクサバール®）による治療後〕

投与スケジュール：21日間投与，7日間休薬

1コース期間：28日間　**総コース**：可能な限り継続

2 抗がん薬の処方監査

□前治療歴の確認．

□食後投与であるかの確認：空腹時投与では，食後投与と比較して未変化体の C_{max} および AUC が低下するため，空腹時投与を避ける．

□検査値の確認：血圧，肝機能検査（AST，ALT，T-Bil），尿蛋白，甲状腺機能検査（TSH，T_3，T_4），血液凝固検査．

□投与禁忌に該当しないかの確認．

- 本剤の成分に過敏症の既往歴がある．
- 妊婦または妊娠している可能性のある女性（動物実験で催奇形性の報告）．

□手術予定がないかの確認：創傷治癒を遅らせる可能性があるため，手術が予定されている場合は，少なくとも2週間の休薬期間が推奨される[1)]．

□薬物相互作用の確認：本剤は主にCYP3A4により代謝されるため，CYP3A4誘導薬（リファンピシンなど）やCYP3A4阻

48		医薬品名 投与量	投与方法 投与時間	1	2	3	4	5	6	7	8	~	13	14	15	~	21	22	23	~	28
レジメン	Rp1	レゴラフェニブ 160 mg/body	経口 1日1回 朝食後	↓	↓	↓	↓	↓	↓	↓	↓	↓	↓	↓	↓	↓	↓				

副作用対策

手足症候群

限局性の発赤・紅斑・角化から水疱へ進行．症状増悪のスピードが速いため，疼痛を認めたら服用を中止し，病院へ連絡するよう指導．

高血圧

症状増悪のスピードが速いため，家庭血圧の測定および記録を行うよう指導

肝機能障害

死亡例が報告されており，最初の2コースまでは週1回の血液検査（AST，ALT，ビリルビン）が推奨される．肝機能障害の症状（食欲不振，悪心・嘔吐，全身倦怠感，腹痛，下痢，発熱，尿濃染，眼球結膜黄染など）がみられた場合は病院へ連絡するよう指導．

下痢

特に好発時期はなく，治療期間を問わず発現がみられる．随伴症状（発熱，腹痛，嘔吐，口渇など）がみられる場合は病院へ連絡するよう指導．

皮疹

好発部位は顔，額，頭皮，前胸部，背部であり，ステロイド外用薬と抗ヒスタミン薬の内服を行う．多くの場合，症状は一過性であるが，TEN や皮膚粘膜眼症候群（SJS），多形紅斑が疑われる場合には，速やかに投与を中止し，皮膚科専門医へコンサルトする．

甲状腺機能低下症

CORRECT 試験では 3.0%[2] であったが，実臨床では 31.4%[3] との報告がある．TSH，FT_3，FT_4 を月1回測定し，TSH＞10 μU/mL，症候性の場合，レボチロキシンによる補充療法を開始する．

害薬（ケトコナゾールなど）との併用には注意する．

3 抗がん薬の調剤

□動物実験において，ヒトの臨床用量を下回る用量で胚・胎児毒性および催奇形性が認められており，曝露の観点から粉砕および簡易懸濁は推奨されない．また，一包化も避けるべきである．

4 抗がん薬の投与

投与基準

ECOG PS	0，1	トランスアミナーゼ	AST，ALT ≦100 U/L （【肝転移患者】≦200 U/L）
好中球数	≧1,500/μL		
血小板数	≧10 万/μL		
Hb	≧9 g/dL	T-Bil	≦2.0 mg/dL

減量・中止基準

□Grade 3 以上の副作用発現時（手足症候群，高血圧，肝機能検査値異常を除く）は，Grade 2 以下に回復するまで休薬し，40

mg (1 錠) 減量し，再開する．

□手足症候群の場合は，Grade 2 が発現した時点で Grade 1 以下になるまで休薬，あるいは減量での治療継続を考慮．

□手足症候群

Grade 1	回数問わず	同一用量で継続し，対症療法をただちに行う．
Grade 2	1 回目	投与量を 40 mg 減量し，対症療法をただちに行う． 改善がみられない場合は，7 日間休薬し，Grade 0～1 に軽快した場合，投与再開．
	7 日以内に改善がみられない場合または 2 回目もしくは 3 回目	Grade 0～1 に軽快するまで休薬し，投与再開時は休薬前の投与量から 40 mg 減量．
	4 回目	投与中止
Grade 3	1 回目または 2 回目	対症療法をただちに行い，Grade 0～1 に軽快するまで少なくとも 7 日間休薬． 投与再開時は休薬前の投与量から 40 mg 減量．
	3 回目	投与中止

□高血圧

Grade 2 (無症候性)	投与を継続し，降圧薬投与を行う．降圧薬による治療を行ってもコントロールできない場合，投与量を 40 mg 減量．
Grade 2 (症候性)	症状が消失するまで休薬し，降圧薬による治療を行う． 血圧コントロールが可能な場合，投与再開． 降圧薬による治療を行っても血圧コントロールが不可能な場合，投与量を 40 mg 減量．
Grade 3	症状が消失するまで休薬し，降圧薬の増量または別の降圧薬を追加する． 血圧コントロールが可能な場合，投与量を 40 mg 減量して投与再開． 投与量を減量し再開したにもかかわらず，降圧薬による治療を行っても血圧コントロールが不可能な場合，投与量をさらに 40 mg 減量．
Grade 4	投与中止

腎機能障害

□基準なし．

肝機能障害

AST≦150 U/L または ALT≦(男) 210 U/L, (女) 115 U/L (いずれも≦ULN×5)	回数問わず	投与継続. AST<90 U/L または ALT<(男) 126 U/L, (女) 69 U/L (いずれも<ULN×3) または投与前値に回復するまで肝機能検査を頻回に行う.
150 U/L<AST≦600 U/L または (男) 210 U/L, (女) 115 U/L <ALT≦(男) 840 U/L, (女) 460 U/L (いずれも ULN×5<AST, ALT≦ULN×20)	1 回目	AST または ALT<ULN×3 または投与前値に回復するまで休薬. 回復後, 投与量を 40 mg (1 錠) 減量して再開. 少なくとも 4 週間は肝機能検査を頻回に行う.
	2 回目	投与中止. AST≦30 U/L または ALT≦(男) 42 U/L, (女) 23 U/L (いずれも≦ULN) または投与前値に回復するまで, 肝機能検査を頻回に行う.
AST>600 U/L または ALT>(男) 840 U/L, (女) 460 U/L (いずれも>ULN×20)	回数問わず	投与中止. AST≦30 U/L または ALT≦(男) 42 U/L, (女) 23 U/L (いずれも≦ULN) または投与前値に回復するまで, 肝機能検査を頻回に行う.
AST>90 U/L または ALT>(男) 126 U/L, (女) 69 U/L (いずれも>ULN×3) かつ ビリルビン値>3.0 mg/dL (>ULN×2)	回数問わず	投与中止 AST≦30 U/L または ALT≦(男) 42 U/L, (女) 23 U/L (いずれも≦ULN) または投与前値に回復するまで, 肝機能検査を頻回に行う. ジルベール症候群の患者では AST または ALT が上昇した場合, ビリルビン値の基準によらず, AST または ALT の基準に従う.

レゴラフェニブは UGT1A1 によるグルクロン酸抱合を阻害するため, ジルベール症候群の患者では間接型ビリルビンが上昇する可能性がある.

□初回投与時の基準：重度の肝機能障害 (Child-Pugh 分類 C：T-Bil≧2.0 mg/dL, Alb≦3.5 g/dL, プロトロンビン活性≦70% なら点数化) がある場合, 投与は推奨されない.

注意点

□発熱を認めることがあるため, 体温を毎日測定する.

5 副作用マネジメント

発現率[4)]

副作用		日本人（n=65）		外国人（n=435）	
		全体(%)	Grade≧3(%)	全体(%)	Grade≧3(%)
血液毒性	ビリルビン増加	15.4	4.1	8.0	2.1
	AST 増加	18.5	6.2	1.6	0.5
	ALT 増加	12.3	4.6	0.9	0.5
	血小板減少	38.5	6.2	8.7	2.3
非血液毒性	手足症候群	80.0	27.7	41.6	14.9
	高血圧	60.0	10.8	23.0	6.7
	下痢	21.5	1.5	35.6	8.0
	皮疹，落屑	35.4	3.1	24.6	6.2
	発声障害	32.3	0	29.0	0.2
	口腔粘膜炎	20.0	1.5	28.3	3.2
	疲労	43.1	7.7	48.0	9.7

評価と観察のポイント

投与初期（day 1〜14）

□**手足症候群**：限局性の紅斑・角化から水疱へ進行し，急速に増悪する[1)]．手足症候群 Grade 3 の発現について，足は手よりも発現頻度が高く（足：33%，手：8%），発現時期が早いとの報告がある[5)]．物理的刺激や熱刺激を避けることが重要となるため，趣味や仕事内容を確認し，皮膚刺激につながる可能性を評価しておく．前治療による手足症候群の有無を確認しておく．

投与中期〜後期（day 7〜28）

□**高血圧**：高血圧は発現頻度が高く〔大腸がん 60.0%（Grade 3≦：10.8%）[4)]，肝細胞がん 40.0%（Grade 3≦：13.3%）[6)]〕，特に投与開始から 1 か月以内で多く認められる[1)]．部分集団解析の結果では，高血圧合併患者は非合併患者と比較して，Grade 3 の高血圧の発現率が高かった（13.3% vs. 3.5%）[7)]．家庭血圧の測定（1 日 2 回朝と就寝前）を患者へ指導する[8)]．

投与全期間

□**肝機能障害**：肝機能障害による死亡例が報告されており，投与前および投与中は定期的に AST，ALT，ビリルビン値のモニタリングを実施する．重篤な肝機能障害は多くが投与開始 2 か月以内に発現していることから，投与開始2か月間は週1回の測定が推奨される[7]．

副作用対策のポイント

手足症候群

□高頻度に認められ，発現・重症化を避けるためには投与前から適切な予防を行うことが重要であり，以下の表を参考に患者指導を実施する[9]．

物理的刺激を避ける	柔らかく厚めで少し余裕のある靴下を履く 足にあった柔らかい靴を履く 圧のかかりにくい靴の中敷（ジェルや低反発のもの）を使用する 長時間の立ち仕事や歩行，ジョギングを避け，こまめに休む 家庭で使う用具（包丁，スクリュードライバー，ガーデニング用具など）を使う時，握りしめる時間を短くするか，圧をかけなくてよいもの（ピーラーなど）を使用する 炊事，水仕事の際にはゴム手袋などを用いて，洗剤類にじかに触れないようにする
熱刺激を避ける	熱い風呂やシャワーを控え，手や足を湯に長時間さらさないようにする
皮膚の保護	保湿薬を塗布する（外用法の指導を含む）
2次感染予防	清潔を心がける

□休薬の目安は，患者から「言葉にしづらい違和感（足は特に注意）」や「手足が赤い・腫れている」「ピリピリ，チクチク，むずがゆい」を聴取した場合であり，疼痛を伴う場合（Grade 2相当）は速やかに休薬する．

□事前にステロイド外用薬（strongest クラス）を処方し，手足に紅斑，過角化，浮腫などを認めた時点（Grade 1）で塗布を開始するよう指導する．

高血圧

□高血圧は投与開始2か月以内に約90％が発現しており[2]，服用期間中は持続する．

□140/90 mmHg 以上（Grade 2）で降圧薬を開始する．以下に対応例を示す．

- Ca 拮抗薬，ACE 阻害薬または ARB を用いて降圧療法を開始する．ベラパミル（ワソラン®）やジルチアゼム（ヘルベッサー®）は CYP3A4 阻害作用が強いため避ける．

- 1剤目を増量する（最大量まで漸増可）．
- 1剤目で選択しなかった降圧薬を追加する（最大量まで漸増可）．ただし，ACE阻害薬とARBは併用しない．
- 利尿薬，β遮断薬などの別の作用機序の薬剤追加を検討する．

6 薬学的ケア

CASE

□60歳代女性，切除不能な大腸がん患者．3次治療としてレゴラフェニブ160 mgが選択された．投与開始時より尿素含有軟膏を外用開始していたが，1コース目day 14に患者より「足が赤い・腫れている」との訴えがあった．疼痛著明であり，歩行に支障をきたしていたためGrade 3の手足症候群と判断し，医師に休薬を提案し，7日間の休薬となった．また，strongestクラスのステロイド外用薬（クロベタゾールプロピオン酸エステル軟膏）を提案し処方された．

□1コース目day 21に手足症候群はGrade 2に回復するも，軽度の疼痛が持続していたためさらに7日間の休薬となった．1コース目day 28に足底の角質肥厚が持続していたものの疼痛はなくなっており，Grade 1に改善した．患者および医師と協議し，QOL維持のため，レゴラフェニブ80 mgまで減量し投与再開となった．2コース目以降は腫瘍増大（PD）まで治療継続が可能であった．

解説

□国際共同第Ⅲ相臨床試験（CORRECT）では，手足症候群が日本人集団で80.0％（Grade≧3：27.7％）と最も発現頻度の高い副作用であった．CORRECT試験期間中に，レゴラフェニブ160 mgを継続できた患者割合は57％であり，大多数（76％）で用量変更が必要であった．また，20％の患者が減量を要し，70％の患者が休薬を要したと報告されている[10)]．

□手足症候群では「痛みが出たら休薬」を患者へ指導する．事前にstrongestクラスのステロイド外用薬を処方し，痛みのない腫脹や紅斑（Grade 1）で塗布を開始するよう説明しておく．

□前治療の副作用がどの程度残っているかを確認しておくことは重要であり，大腸がんでは，オキサリプラチン（エルプラット®）による神経障害やフッ化ピリミジンまたは抗EGFR抗体による皮膚障害により手足症候群の発見が遅れる可能性がある．

□患者によっては初回投与量の工夫を考慮し，レゴラフェニブの初回投与量を 80 mg から 1 週ごとに 120 mg，160 mg へと増量することも選択肢である[11]．

引用文献

1）スチバーガ® 錠，適正使用ガイド，大腸癌・消化管間質腫瘍編．第 8 版．（バイエル薬品）
2）Grothey A, et al：Lancet 381：303-12, 2013（PMID：23177514）
3）Sugita K, et al：Anticancer Res 35：4059-62, 2015（PMID：26124355）
4）Yoshino T, et al：Invest New Drugs 33：740-50, 2015（PMID：25213161）
5）Nonomiya Y, et al：Oncol Res 27：551-6, 2019（PMID：29914591）
6）Bruix J, et al：Lancet 389：56-66, 2017（PMID：27932229）
7）レゴラフェニブ，承認審査報告書（平成 25 年 3 月 15 日）
8）日本高血圧学会高血圧治療ガイドライン作成委員会（編）：高血圧治療ガイドライン 2019．ライフサイエンス出版，2019
9）厚生労働省（2010 年作成，2019 年改定）：重篤副作用疾患別対応マニュアル　手足症候群．
10）Goel G：Cancer Manag Res 10：425-37, 2018（PMID：29563833）
11）Bekaii-Saab TS, et al：Lancet Oncol 20：1070-82, 2019（PMID：31262657）

（内山将伸）

49 セツキシマブ＋エンコラフェニブ±ビニメチニブ

CET＋Enco±Bini

POINT

- ■対象症例はがん化学療法後に増悪した *BRAF* V600E 遺伝子変異を有する治癒切除不能な進行・再発の結腸・直腸がんである．1 次治療における有効性，安全性は確立していない．
- ■ECOG PS が 1，転移臓器 3 個以上，血清 CRP 高値（>1 mg/dL），原発巣切除歴なし，のいずれかに該当する症例は 3 剤併用療法を選択することが望ましい．
- ■治療導入前に眼科検査，心電図，心エコー検査を行い評価する．

1 レジメンと副作用対策 （→次頁参照）

適応：がん化学療法後に増悪した *BRAF* V600E 遺伝子変異を有する治癒切除不能な進行・再発の結腸・直腸がん

1 コース期間：4 週間　**総コース数**：可能な限り継続

2 抗がん薬の処方監査

- □*BRAF* V600E 変異陽性の治癒切除不能な進行・再発の結腸・直腸がんであることを確認する．
- □2 次治療以降の導入であるかを確認する．
- □経口薬の投与が可能か確認する．

セツキシマブ

- □infusion reaction 予防のため，セツキシマブを使用する際は抗ヒスタミン薬の前投与を行う．
- □赤肉（牛肉など）に対するアレルギー歴やマダニ咬傷歴があるか確認する．
- □投与開始前より血清電解質（Mg，K，Ca）を測定し，継続的にモニタリングする．
- □皮膚障害に対する支持療法薬（保湿薬や副腎皮質ステロイド外用薬など）が処方されているか確認する．
- □既往歴に間質性肺疾患や冠動脈疾患，うっ血性心不全および不整脈などの心疾患がある場合，増悪する可能性があり慎重投与．

エンコラフェニブ，ビニメチニブ

- □ビニメチニブは単一規格であるが，エンコラフェニブは 50 mg と 75 mg の規格があり，適応により用量が異なる．本治療で

49 レジメン（CET＋Enco＋Bini）

	医薬品名 投与量	投与方法 投与時間	1	2	3	4	5	6	7	8	9	～	14	15	16	～	21	22	～	28
Rp1	（初回） デキサメタゾン 6.6 mg/body d-クロルフェニラミンマレイン酸塩 5 mg 生理食塩液 50 mL	点滴静注 5 分	↓																	
	（2 回目以降） d-クロルフェニラミンマレイン酸塩 5 mg 生理食塩液 50 mL									↓				↓				↓		
Rp2	（初回） セツキシマブ 400 mg/m² 生理食塩液 250 mL	点滴静注 120 分	↓																	
	（2 回目以降） セツキシマブ 250 mg/m² 生理食塩液 250 mL	点滴静注 60 分								↓				↓				↓		
Rp3	生理食塩液 50 mL	点滴静注 5 分 初回のみ 1 時間	↓							↓				↓				↓		
Rp4	エンコラフェニブ 300 mg/body	経口 1 日 1 回 朝食後	↓	↓	↓	↓	↓	↓	↓	↓	↓	↓	↓	↓	↓	↓	↓	↓	↓	↓
Rp5	ビニメチニブ 90 mg/body	経口 1 日 2 回 朝・夕食後	↓	↓	↓	↓	↓	↓	↓	↓	↓	↓	↓	↓	↓	↓	↓	↓	↓	↓

副作用対策

infusion reaction

前投薬として抗ヒスタミン薬の投与を行う．副腎皮質ホルモン薬も infusion reaction が軽減されるとの報告がある．軽度～中等度では主に悪寒，発熱，浮動性めまいなどの症状を示す．重度の場合は呼吸困難，気管支痙攣，蕁麻疹，低血圧，意識消失またはショックを症状としたアナフィラキシー様症状が起こる．患者へ事前に十分な説明を行う．投与中および投与終了後少なくとも 1 時間は，バイタルサインをモニターするなど，患者の状態を十分に観察する．

悪心・嘔吐

NCCN ガイドラインにおいてリスク分類は中等度催吐リスクに分類される．症状に応じてドパミン受容体拮抗薬で対応する．
ビニメチニブを加えることにより発現頻度が増加するため，治療強度が保てない場合はビニメチニブの減量，中止を検討する．

下痢

止痢薬を使用し対応する．ビニメチニブを加えることにより発現頻度が増加するため，治療強度が保てない場合はビニメチニブの減量，中止を検討する．

皮膚毒性

好発時期はざ瘡様皮疹がセツキシマブ開始後 1 週間後から，皮膚乾燥が 3～5 週以降，爪囲炎は 4～8 週程度から発現することが多い．
予防として保湿薬塗布，ミノサイクリン内服を行う．症状発現時にはステロイド外用薬を塗布する．

眼障害

投与初期から起こる可能性があるため，患者事前に症状（眼痛，霧視，視力障害）について説明する．多くは可逆性で改善する．しかし網膜静脈閉塞は不可逆性であり Grade 1 で投与中止となっている．眼障害があった場合は網膜静脈閉塞を否定するために眼科での精査を推奨する．

心機能障害

投与前に心エコーによる LVEF を確認する．LVEF が投与前より 10%以上減少，または正常下限を下回る場合は回復するまで休薬する．

は減量方法を考慮し 75 mg 製剤を用いる．

□エンコラフェニブは 1 日 1 回投与，食事条件の規定なし．

□ビニメチニブは 1 日 2 回投与，食事条件の規定なし．

3 抗がん薬の調剤

セツキシマブ

□生理食塩液で希釈，あるいは希釈せずに投与する．

□本剤は，振盪しない．

4 抗がん薬の投与

投与基準[1)]

<table>
<tr><td>ECOG PS</td><td>0，1</td><td rowspan="2">AST</td><td rowspan="2">≦75 U/L（≦ULN×2.5）
【肝転移ありの場合】
≦150 U/L（≦ULN×5）</td></tr>
<tr><td>好中球数</td><td>≧1,500/μL</td></tr>
<tr><td>血小板数</td><td>≧10 万/μL</td><td rowspan="3">ALT</td><td rowspan="3">≦（男）105 U/L,
（女）58 U/L
（いずれも≦ULN×2.5）
【肝転移ありの場合】
≦（男）210 U/L,
（女）115 U/L
（いずれも≦ULN×5）</td></tr>
<tr><td>Hb</td><td>≧9.0 g/dL</td></tr>
<tr><td>Scr</td><td>≦1.60 mg/dL
（≦ULN×1.5）</td></tr>
<tr><td>Ccr</td><td>≧50 mL/分</td><td>LVEF</td><td>≧50%</td></tr>
<tr><td>K，Mg</td><td>K<4.8，Mg<2.6（ULN 内）</td><td rowspan="2">QT 間隔（QTcF）</td><td rowspan="2">≦480 ミリ秒</td></tr>
<tr><td>T-Bil</td><td><2.0 mg/dL</td></tr>
</table>

減量・中止基準[2-4)]

薬剤名	初回投与量	1 段階減量	2 段階減量
セツキシマブ	250 mg/m^2	200 mg/m^2	150 mg/m^2
エンコラフェニブ	300 mg/body	225 mg/body	150 mg/body
ビニメチニブ	90 mg/body	60 mg/body	30 mg/body

□エンコラフェニブ，ビニメチニブ共通減量・中止基準[3, 4)]

副作用	程度	対応
網膜疾患 ぶどう膜炎	Grade 2	Grade 1 以下まで休薬．再開時同量または 1 段階減量
	Grade 3	Grade 2 以下まで休薬．再開時 1 段階減量． Grade 3 が継続する場合，投与中止
	Grade 4	投与中止
網膜静脈閉塞	Grade 1 以上	投与中止

副作用	程度	対応
血清CK上昇	Grade 3（筋症状または Scr 上昇を伴う場合）および Grade 4	Grade 1 以下まで休薬．21 日以内で回復し再開する場合，1 段階減量して投与．21 日以内で回復しない場合，投与中止
心電図 QT延長	QTc値＞500 ミリ秒かつ投与前からの変化がQTc値≦60 ミリ秒	QTc値が500 ミリ秒を下回るまで休薬．再開する場合，1 段階減量して再開すること．ただし，再発した場合，投与中止
	QTc値＞500 ミリ秒かつ投与前からの変化がQTc値＞60 ミリ秒	投与中止
皮膚炎	Grade 2	Grade 1 以下まで休薬．再開時同量
	Grade 3	Grade 1 以下まで休薬．再開時同量．再発時休薬し回復後に1 段階減量
	Grade 4	投与中止
上記以外	Grade 2	Grade 2 が継続する場合，休薬または減量を考慮
	Grade 3	Grade 1 以下まで休薬を考慮．21 日以内に回復し再開する場合，1 段階減量を考慮
	Grade 4	投与中止

□ビニメチニブのみに該当

副作用	程度	対応
駆出率減少	LVEF が投与前より10%以上減少，または正常下限を下回る場合	回復するまで休薬．21 日以内で回復し再開する場合，1 段階減量して投与．21 日以内で回復しない場合，投与中止
	Grade 3～4	投与中止

□エンコラフェニブのみに該当

副作用	程度	対応
手足症候群	Grade 2	14 日を超えて継続する場合，Grade 1 以下に回復するまで休薬．再開時同量．再発時に再開する際は1 段階減量を考慮
	Grade 3	Grade 1 以下まで休薬．再開時1 段階減量．再発を繰り返す際，1 段階減量または投与中止も考慮

腎機能障害

□記載なし．

□減量基準はないが，国際共同第Ⅲ相試験[5]においてCr上昇は3剤併用群（n＝222）で全Grade 166名（75％），Grade 3～4は6

名（3 %），2 剤併用群（n＝216）で全 Grade 109 名（50 %），Grade 3～4 は 5 名（2%）と比較的高頻度に発現しており，注意が必要である[5)].

肝機能障害

□記載なし．

□主な代謝経路は両剤とも肝代謝であり，エンコラフェニブは CYP3A4 が関与，ビニメチニブは UGT1A1 によるグルクロン酸抱合が関与している．特に T-Bil 上昇を伴う肝障害には注意する．

□肝機能障害時の対応フロー[1)]

<table>
<tr><th>AST/ALT 上昇</th><th colspan="5">対応</th></tr>
<tr><td>Grade 1</td><td colspan="5">投与継続</td></tr>
<tr><td rowspan="4">Grade 2</td><td rowspan="4">T-Bil</td><td rowspan="2">ULN<</td><td rowspan="2">エンコラフェニブ継続，ビニメチニブ休薬</td><td>14 日以内に回復</td><td>エンコラフェニブ継続，ビニメチニブ同量再開</td></tr>
<tr><td>14 日を超えて持続</td><td>エンコラフェニブ休薬，回復後同量再開，ビニメチニブ休薬，回復後 1 段階減量再開</td></tr>
<tr><td rowspan="2">ULN≧</td><td rowspan="2">エンコラフェニブ休薬，ビニメチニブ休薬</td><td>7 日以内に回復</td><td>両剤 1 段階減量再開</td></tr>
<tr><td>7 日を超えて持続</td><td>投与中止</td></tr>
<tr><td rowspan="3">Grade 3</td><td rowspan="3">T-Bil</td><td rowspan="2">ULN<</td><td rowspan="2">エンコラフェニブ休薬，ビニメチニブ休薬</td><td>14 日以内に回復</td><td>エンコラフェニブ同量再開，ビニメチニブ 1 段階減量再開</td></tr>
<tr><td>14 日を超えて持続</td><td>両剤 1 段階減量再開</td></tr>
<tr><td>ULN≧</td><td colspan="3">投与中止</td></tr>
<tr><td>Grade 4</td><td colspan="5">投与中止</td></tr>
</table>

注意点

□infusion reaction

- **Grade 1～2**…投与速度を減速する．減速した後に再度 infusion reaction が発現した場合には，ただちに投与を中止し，再投与しない．
- **Grade 3 以上**…投与中止．

□軽度～中等度では主に悪寒，発熱，浮動性めまいなどの症状を示す．重度の場合は呼吸困難，気管支痙攣，蕁麻疹，低血圧，意識消失またはショックを症状としたアナフィラキシー様症状が起こる．投与中および投与終了後少なくとも1時間は，バイタルサインをモニターするなど，患者の状態を十分に観察する．

5 副作用マネジメント

□抗EGFR抗体薬（セツキシマブ），BRAF阻害薬（エンコラフェニブ），MEK阻害薬（ビニメチニブ）の分子標的薬3剤併用は有害事象が多岐にわたるため，各専門医との連携が重要である．

発現率

□国際共同第Ⅲ相試験（BEACON CRC試験）[5]

副作用	3剤併用群（n＝222）		2剤併用群（n＝216）		3剤＞2剤有害事象
	全体（%）	Grade≧3	全体（%）	Grade≧3	
Scr上昇	75	5	50	2	○
下痢	62	10	33	2	○
貧血	56	11	32	4	○
ざ瘡様皮膚炎	49	2	29	＜1	○
悪心	45	5	34	＜1	○
嘔吐	38	4	21	1	○
CK上昇	23	3	3	0	○
ALT上昇	23	2	17	0	○
AST上昇	23	2	14	1	○
手足症候群	13	0	4	＜1	○
霧視	11	0	4	0	○
関節痛	10	0	19	1	
メラノサイト性母斑	＜1	0	14	0	

評価と観察のポイント

□多くの副作用は1〜3か月以内と早期に発現し，可逆性である．

□セツキシマブ＋エンコラフェニブ＋ビニメチニブ療法（以下3剤併用療法）とセツキシマブ＋エンコラフェニブ療法（以下2剤併用療法）では副作用の種類，発現頻度が異なる．

□ビニメチニブを追加することで明らかに頻度が増加する有害事象は下痢や悪心・嘔吐などの消化器毒性が主である．

□infusion reaction：投与中〜投与後24時間以内に悪寒，発熱，

浮動性めまい，蕁麻疹，瘙痒感，呼吸困難感がないか評価する．

- □**悪心・嘔吐**：発現時期，制吐薬の使用状況，食事摂取量，体重減少の有無，エンコラフェニブ，ビニメチニブのアドヒアランスを評価する．
- □**下痢**：発現時期，止痢薬の使用状況，水分摂取量，脱水の有無，電解質異常がないか評価する．
- □**眼障害**：発現時期，症状の詳細（視力の低下や視覚障害，眼痛の有無）を評価する．
- □**心機能障害**：投与期間中は動悸や息切れ，浮腫などの心不全徴候を確認する．
- □**肝機能障害**：治療実施前にAST，ALT，T-Bilを確認し評価を行う．エンコラフェニブ，ビニメチニブ両剤とも肝代謝型薬剤であることを留意する．
- □**皮膚悪性腫瘍**：面談時に色素性母斑（ほくろ）の増加や他皮膚症状に変化がないかを患者本人へ確認する．マスクで顔が隠れている場合や評価者が異なる場合は変化に気付きにくいため，患者へも十分に説明し，理解を得る必要がある．
- □**皮膚障害**：抗EGFR抗体薬による皮膚障害はざ瘡様皮疹，皮膚乾燥，爪囲炎の発現率が高い．皮膚障害は皮疹，乾燥，瘙痒，疼痛の有無を確認する．ざ瘡様皮疹，皮膚乾燥は体表面積に対して10％未満，10～30％，30％より広いかによって重症度が異なる．

副作用対策のポイント

消化器毒性（悪心・嘔吐，下痢）

- □3剤併用群は2剤併用群と比較して消化器毒性の頻度が10％以上増加する．各種支持療法を使用し改善がない場合は，休薬を考慮する．減量する場合はビニメチニブの減量を優先し，エンコラフェニブの治療強度を確保する．
- □悪心に対して

> 例：メトクロプラミド錠　1回5mg　1日3回

- □下痢に対して

> 例：ロペラミドカプセル　1回1mg　4時間ごとに追加

眼障害

□治療導入前に眼科検査を行い，網膜静脈閉塞症の所見やコントロール不良の緑内障，高眼圧症がないかを確認することが望ましい．

□以降は異常が認められた場合に検査を実施する．

□参考：国際共同第Ⅲ相試験では2コース目の1日目，以降は8週ごとおよび治療期終了時に実施．30日間の観察期間においては臨床的に異常が認められた場合のみ検査を実施．

心機能障害

□治療導入前に心エコー，心電図検査を実施し，異常が認められた場合は精査する．

□参考：国際共同第Ⅲ相試験で心エコーを2コース目および5コース目の1日目に実施し，その後12週ごとに実施．心電図は各コース開始前に検査を実施．

肝機能障害

□Grade 2以上の場合はT-Bil上昇の有無により対応が異なるためフローチャートを確認する．

皮膚悪性腫瘍

□2剤併用療法で頻度が高くなっており，注意が必要である．

□異常が認められた場合は専門医での精査を推奨する．

皮膚障害（ざ瘡様皮疹）

□**予防**：保湿を中心としたスキンケアを徹底する．テトラサイクリン系（ミノサイクリン，ドキシサイクリン）の内服抗菌薬の予防投与を行う．ミノサイクリンは，抗菌作用以外に抗炎症作用を示し，治療開始日からミノサイクリンの内服（100～200 mg/日）を開始する．100 mg/日から開始し，症状増悪時は200 mg/日へ増量を考慮する[6, 7]．投与期間はEGFR阻害薬投与開始から2～3か月を目安とし，症状に応じて減量，中止を考慮する．ミノサイクリンによる眩暈や肝障害などの副作用に留意する．

□**治療**：副腎皮質ステロイド外用薬が有効である．瘙痒を伴う場合は抗ヒスタミン薬を併用する．

例：ミノサイクリン錠　1回100 mg　1日1回
　　ヒドロコルチゾン酪酸エステル軟膏　1日2回　顔
　　ジフルプレドナート軟膏　1日2回　体幹

6 薬学的ケア

CASE

□40歳代男性．直腸がん肺転移 *BRAF* V600E 変異陽性．2次治療として3剤併用療法を導入．患者背景より血清 CRP 1.93（>1 mg/dL），原発巣切除歴なしの2項目が該当し，3剤併用療法の適応があることを確認．

□治療前，眼科にて異常がないことを確認．治療2日目より視野障害（霧視，ドーナツ状の視野障害）が発現，経過観察となった．治療15日目に症状悪化はないが持続していることから，眼科で精査することを提案した．眼科では視力低下なし，眼圧正常，網膜静脈閉塞は否定された．眼障害の Grade 1 と判断され，治療継続となった．

□2コース目より悪心 Grade 1，嘔吐 Grade 1 が発現．「メトクロプラミド錠　1回5 mg　1日3回，グラニセトロン 2 mg」を悪心時に服用することを提案した．1週間後悪心の Grade 2，嘔吐の Grade 1 と改善なし．医師と協議の上，ビニメチニブのみ休薬となった．休薬後1週間で悪心の Grade 1，嘔吐なく症状は改善．エンコラフェニブ 300 mg/body のみで治療継続となった．

解説

□国際共同第Ⅲ相試験の探索的解析において3剤併用療法は2剤併用療法と比較して，死亡リスクの低下効果に差を認めなかった．しかしサブグループ解析では，ECOG PS が1，転移臓器3個以上，血清 CRP 高値（>1 mg/dL），原発巣切除歴なし，の患者集団では3剤併用療法の方が死亡リスクは低い傾向にあった．これを受けて大腸癌研究会からこれらに該当する患者では3剤併用療法を選択することが望ましいというコメントが出された．また厚生労働省からの通達でもビニメチニブ併用患者には該当項目を含めて症状詳記が必要となっている[8]．

□眼障害は網膜静脈閉塞症においては，Grade 1 で投与中止となることから，異常が認められた場合は専門医へのコンサルトが必要と判断した．

□エンコラフェニブ，ビニメチニブは NCCN ガイドラインで中等度催吐リスクに分類される[9]．また国際共同第Ⅲ相試験において3剤併用療法群が消化器毒性に関して発現頻度，重症度も高い．ビニメチニブ追加が消化器毒性遷延に寄与する可能性が示唆される．本治療は休薬期間がないことを考慮し，制吐薬で改善がなければ休薬，減量が必要と判断した．医師と協議の上，エンコラフェニブの治療強度を保つためにビニメチニブを休薬する方針となった．

引用文献

1）ビラフトビ® カプセル，メクトビ® 錠，　適正使用ガイド．2020 年 11 月作成
2）アービタックス® 注射液 100 mg，添付文書．2021 年 3 月改訂（第 2 版）
3）ビラフトビ® カプセル 50 mg，75 mg，添付文書．2021 年 5 月改訂（第 2 版）
4）メクトビ® 錠 15 mg，添付文書．2020 年 11 月改訂（第 1 版）
5）Kopetz S, et al：N Engl J Med 381：1632–43, 2019（PMID：31566309）
6）Lacouture ME, et al：J Clin Oncol 28：1351–7, 2010（PMID：20142600）
7）Kobayashi Y, et al：Future Oncol 11：617–27, 2015（PMID：25686117）
8）保医発 1127 第 3 号　令和 2 年 11 月 27 日発行
9）NCCN Guidelines Version 1.2021 Antiemesis

（中村匡志）

50 ニボルマブ＋イピリムマブ MSI

NIVO＋IPI

POINT

- MSI-High を有する治癒切除不能な進行・再発の結腸・直腸がんであり，フッ化ピリミジン系抗悪性腫瘍薬，オキサリプラチンまたはイリノテカン塩酸塩水和物を含む 1 レジメン以上の治療歴があることを確認[1)]（2021 年 12 月時点）．
- irAE はいずれの時期においても注意が必要であり，早期発見のため咳症状，息切れ，胸痛，浮腫，排便回数など体調の変化を捉えることが重要であることを，患者や家族に説明し理解を得る．

1 レジメンと副作用対策（→次頁参照）

適応：進行再発，2 次治療以降の MSI-High を有する結腸・直腸がん

1～4 コース目

1 コース期間：21 日間

5 コース目以降

ニボルマブ 240 mg の場合　　1 コース期間：14 日間

ニボルマブ 480 mg の場合　　1 コース期間：28 日間

総コース：可能な限り継続

2 抗がん薬の処方監査

□irAE を含む副作用症状の鑑別のため，治療開始前に確認すべき検査項目を以下に示す．

・血液検査	・CRP	・HCV 抗体	・血中コルチゾール
・生化学的検査	・随時血糖	・TSH	
・KL-6	・HbA1c	・FT_3	・PT
・SP-D	・尿糖	・FT_4	・APTT
・胸部 X 線	・尿ケトン体	・抗 Tg 抗体	・抗核抗体
・呼吸機能検査（VC・FEV）	・HBs 抗原	・抗 TPO 抗体	・リウマトイド因子
	・HBs 抗体	・尿中 β_2-MG	・抗 GAD 抗体
・CK	・HBc 抗体	・尿中 NAG 活性	・心電図

□4 コース目まではニボルマブとイピリムマブを併用し 3 週ごとの投与．5 コース目以降はニボルマブ単剤での治療となり，ニ

50		医薬品名 投与量	投与方法 投与時間	1	2	3	4	5	6	7	8	9	～	14	15	16	17	18	19	20	21
レジメン（1～4コース目）	Rp1	生理食塩液 50 mL	点滴注射 5 分	↓																	
	Rp2	ニボルマブ 240 mg/body 生理食塩液 100 mL	点滴注射 30 分	↓																	
	Rp3	生理食塩液 100 mL	点滴注射 30 分	↓																	
	Rp4	イピリムマブ 1 mg/kg 生理食塩液 50 mL	点滴注射 30 分	↓																	
	Rp5	生理食塩液 50 mL	点滴注射 5 分	↓																	

		医薬品名 投与量	投与方法 投与時間	1	2	3	4	5	6	7	8	9	～	14	15	16	17	18	19	～	28
レジメン（5コース目以降）	Rp1	生理食塩液 50 mL	点滴注射 5 分	↓											↓						
	Rp2	ニボルマブ 240 mg/body 生理食塩液 100 mL	点滴注射 30 分	↓											↓						
		または																			
		ニボルマブ 480 mg/body 生理食塩液 100 mL		↓																	
	Rp3	生理食塩液 50 mL	点滴注射 5 分	↓											↓						

副作用	発現時期中央値［下限値～上限値］ (n＝1,885)
infusion reaction	16［1～687］
初回投与時に出現することが多いが，2 回目以降に出現することもあるため投与中は体調の変化やバイタルサインを確認．投与後に出現することもあるため外来投与時は自宅での体調変化に注意．	
下痢，大腸炎	43［1～751］
感染症との鑑別を行う．ロペラミドなどの止瀉薬が有効ではないことがあるため漫然と使用しない．必要時はステロイド投与を考慮．	
肝機能障害	50［1～1,062］
感染症など，irAE 以外の肝障害との鑑別を行う．自覚症状が乏しいため検査値を定期的にモニタリング．	
甲状腺機能障害	54［1～855］
TSH，FT_3，FT_4 のモニタリングを定期的に行い，副腎障害・下垂体障害を疑う場合は ACTH・コルチゾールの検査を実施． 甲状腺ホルモンを補充する場合は副腎不全の有無を確認．	
皮膚障害	57［1～356］
発疹・紅斑・白斑などさまざまな形態の症状を呈するため，定期的に注意深くモニタリング．	
間質性肺疾患	74［3～727］
咳・息切れ・呼吸困難などの自覚症状を注意深くモニタリング．早期発見・早期対応を行うことが重要．	
腎機能障害	79［1～665］
浮腫，体重増加，尿量減少などの自覚症状を注意深く確認し，腎機能を定期的にモニタリング．	

発現時期は悪性黒色腫，腎細胞癌，MSI-High を有する結腸・直腸がん，非小細胞肺がん，悪性胸膜中皮腫における臨床試験の併合データを示す[2]．

ボルマブの投与量が240 mgの際は2週ごと，480 mgの際は4週ごとと，投与量により投与間隔が異なるため注意が必要.

□中止基準を参考にし，点滴当日の採血結果（主に肝機能・腎機能）を基に抗がん薬の実施可否を判断する.

□海外第Ⅱ相試験（CA209142試験）におけるニボルマブの投与量は3 mg/kgだが，本レジメン使用時は添付文書の記載通り，1〜4コース目はニボルマブ240 mgを3週ごと，5コース目以降は240 mgを2週ごと，または480 mgを4週ごとで投与すること[3].

□HBs抗原陽性例では，肝臓専門医へのコンサルトが必要．また，HBs抗原陰性例でもHBc抗体およびHBs抗体の確認を行い，いずれか陽性の場合，HBV-DNA定量を行う．定量値が基準値（1.3 logU/mL）以上の場合，エンテカビル，テノホビル ジソプロキシルフマル酸塩，テノホビル アラフェナミドフマル酸塩のいずれかの投与を行う[4].

□治療前の評価において下記に該当する患者については，本剤の投与は推奨されないが，他の治療選択肢がない場合に限り，慎重に検討した上で使用すること[5].

- 間質性肺疾患の合併または既往のある患者.
- 胸部画像検査で間質影を認める患者および活動性の放射線肺臓炎や感染性肺炎などの肺に炎症性変化がみられる患者.
- 自己免疫疾患の合併，または慢性的なもしくは再発性の自己免疫疾患の既往歴のある患者.
- 臓器移植歴（造血幹細胞移植歴を含む）のある患者.
- 結核の感染または既往を有する患者.
- ECOG PS 3, 4の患者.

3 抗がん薬の調剤[2, 6]

□ニボルマブの総液量は体重30 kg以上で150 mL以下，体重30 kg未満で100 mL以下とする.

□イピリムマブは，そのまま，もしくは1〜4 mg/mLの濃度に希釈する.

ニボルマブ・イピリムマブ共通

□生理食塩液または5%ブドウ糖注射液に希釈する.

□他剤との混注は行わない.

□調製時は輸液内に静かに注入し，激しい振盪や撹拌は行わない.

4 抗がん薬の投与

投与基準[7)]

□臨床試験の患者登録基準を以下に示す.

白血球数	≧2,000/μL	ALT	≦(男)126 U/L, (女)69 U/L (いずれも≦ULN×3)
好中球数	≧1,500/μL		
血小板数	≧10万/μL	Scr*1	≦(男)1.65 mg/dL, (女)1.2 mg/dL (いずれも≦ULN×1.5)
Hb	≧9.0 g/dL		
AST	≦90 U/L(≦ULN×3)	Ccr*1	≧40 mL/分

*1 Scr と Ccr はどちらかの条件を満たせばよい.

減量・中止基準[6)]

□投与後の副作用症状出現時は以下に示したGrade(NIC-CTCAE v4.0 参照) に準じた休薬・中止を行う. ニボルマブ・イピリムマブともに減量は行わない.

□初回投与における臓器機能低下時においても, ニボルマブ・イピリムマブともに減量は行わない. 以下の表は副作用出現時の対応であるため, 初回投与時の実施可否については, 上記「投与基準」を参考に主治医と相談し決定する.

□肺臓炎 (間質性肺炎)

Grade 1	Grade 2	Grade 3	Grade 4
画像的変化のみ	軽度	軽度～中等度の新たな症状	重度の新たな症状
中止			

□心筋炎

Grade 1	Grade 2	Grade 3	Grade 4
—	軽度～中等度の活動や労作で症状がある	安静時またはわずかな活動や労作でも症状があり重症	生命を脅かす
—	中止		

□下痢または大腸炎

Grade 1	Grade 2	Grade 3	Grade 4
ベースラインと比べて<4 回/日の排便回数増加	ベースラインと比べて 4~6 回/日の排便回数増加	ベースラインと比べて≧7 回/日の排便回数増加	生命を脅かす
継続	中止		

□神経障害

Grade 1	Grade 2	Grade 3	Grade 4
無症候性または軽度の症状がある	身のまわり以外の日常生活動作の制限	身のまわりの日常生活動作の制限	
継続	中止		

□発疹

Grade 1	Grade 2	Grade 3	Grade 4
体表面積の≦30%		体表面積の＞30%	
継続		中止	

□下垂体障害・副腎障害

無症候性	症候性	副腎クリーゼ疑い
継続	中止	

□甲状腺機能障害

無症候性	症候性	副腎クリーゼ疑い
継続	中止	—

腎機能障害

Grade 1	Grade 2	Grade 3	Grade 4
Scr＞(男)1.1 mg/dL，(女)0.8 mg/dL (いずれも＞ULN) かつベースライン値×1～1.5	Scr≦(男)6.6 mg/dL，(女)4.8 mg/dL (いずれも≦ULN×6) かつ＞ベースライン値×1.5		Scr＞(男)6.6 mg/dL，(女)4.8 mg/dL (いずれも＞ULN×6)
継続	中止		

肝機能障害

Grade 1	Grade 2	Grade 3	Grade 4
30 U/L≦AST≦90 U/L (ULN≦AST≦ULN×3) または (男)42 U/L，(女)23 U/L≦ALT≦(男)126 U/L，(女)69 U/L (いずれも ULN≦ALT≦ULN×3)，1.5 mg/dL≦T-Bil≦2.25 mg/dL (ULN≦T-Bil≦ULN×1.5) またはその両方	90 U/L＜AST≦150 U/L (ULN×3＜AST≦ULN×5) または (男)126 U/L，(女)69 U/L＜ALT≦(男)210 U/L，(女)115 U/L (いずれもULN×3＜ALT≦ULN×5)，2.25 mg/dL＜T-Bil≦4.5 mg/dL (ULN×1.5＜T-Bil≦ULN×3) またはその両方	AST＞150 U/L (＞ULN×5) または ALT＞(男)210 U/L，(女)115 U/L (＞いずれも ULN×5)，T-Bil＞4.5 mg/dL (＞ULN×3) またはその両方	
継続	中止		

注意点

□infusion reactionの出現に注意する．

□血管外漏出時は非壊死性抗がん薬に準じて対応する．対応例として，腫脹・熱感・疼痛の状況に応じて患部を冷却したり，患部にマーキングをして数日間経過観察し，悪化時は皮膚科へコンサルトするなど，施設ごとのマニュアルを作成することが大切である．

□ニボルマブ投与時にインラインフィルター（0.2または0.22 μm）付きルートの使用が必要であり，イピリムマブ投与においてもインラインフィルター付きルートが使用可能であるため，レジメンを通してインラインフィルター付きルートを使用する．

□投与速度は投与コース数を問わず，ニボルマブでは200 mL/時間，イピリムマブでは100 mL/時間とする．

5 副作用マネジメント

発現率[1]（n＝119）

副作用症状	全体	Grade≧3	副作用症状	全体	Grade≧3
下痢	21.8	1.7	甲状腺機能低下症	13.4	0.8
倦怠感	17.6	1.7	悪心	12.6	0.8
瘙痒感	16.8	1.7	ALT上昇	11.8	6.7
発熱	15.1	0	皮膚障害	10.9	1.7
AST上昇	14.3	7.6	甲状腺機能亢進症	10.9	0

評価と観察のポイント

□本剤の投与により，過度の免疫反応に起因すると考えられるさまざまな疾患や病態が現れることがある．異常が認められた場合には，発現した事象に応じた専門的な知識と経験を持つ医師と連携して適切な鑑別診断を行い，過度の免疫反応による副作用が疑われる場合には，本剤の休薬または中止，および副腎皮質ホルモン薬の投与などを考慮すること．なお，副腎皮質ホルモン薬の投与により副作用の改善が認められない場合には，副腎皮質ホルモン薬以外の免疫抑制薬の追加も考慮する．

□投与終了後，数週間から数か月経過してから副作用が発現することがあるため，本剤の投与終了後にも副作用の発現に十分に注意する．

投与中〜投与後

①infusion reaction

□**主な自覚症状**：呼吸困難，意識障害，眼瞼・口唇・舌の腫脹，発熱，悪寒，嘔吐，咳嗽，めまい，動悸，瘙痒症，発疹など．

□投与中は体調の変化やバイタルサインを確認する．点滴終了後や2回目以降の点滴中に症状が出現することもあるため常に注意が必要．

投与後

①間質性肺疾患

□**主な自覚症状**：息切れ，呼吸困難，乾性咳嗽，疲労，発熱，胸痛，喘鳴，血痰．

□肺音異常（捻髪音）の確認，胸部X線検査を実施し，KL-6およびSP-Dなど血清マーカーやSpO_2のモニタリングなど十分注意する．

□異常を認めた場合は呼吸器感染症や肺水腫，がん性リンパ管症，既存病変悪化の可能性を考慮して鑑別診断を行う．

②1型糖尿病

□**主な自覚症状**

- 劇症1型糖尿病…口渇，多飲，多尿，体重減少．
- 糖尿病性ケトアシドーシス…倦怠感，悪心・嘔吐，腹痛．

□HbA1cの上昇を認めないため血糖値でのモニタリングを行い，随時血糖≧200 mg/dLなど発症を疑う場合は速やかに専門医へコンサルトし，血清Cペプチドや尿ケトン体の測定，脱水補正・インスリン投与・電解質補正などを検討する．抗GAD抗体などの膵島関連自己抗体は原則陰性となる．約70％の症例で前駆症状として発熱や咽頭痛などの上気道炎，上腹部痛や悪心・嘔吐などの消化器症状を認める．

③心筋炎

□**主な自覚症状**：動悸，息切れ，胸部圧迫感，脈拍異常，倦怠感，頸静脈怒張，下肢浮腫．

□自覚症状から鑑別しづらいため，治療開始前と比較して軽度の活動や労作でも症状の出現がないか聴取する．

□心電図に特定の所見はないが，ST-T変化，Q波出現，心ブロック，QRS波幅が徐々に拡大する場合は悪化の徴候である．心筋炎が疑われる場合は数時間単位で心電図検査を繰り返すことも検討する．血液検査では心筋トロポニンが比較的感度が高い．

④下痢，大腸炎

□**主な自覚症状**：下痢，軟便，血便，黒色便，粘液便，腹痛，発熱．

□Grade 2 以上の症状がある場合は，便培養や CD トキシン・ウイルス（CMV など）などの検査を実施し，感染症の可能性がないか確認する．採血検査では HIV，A 型・B 型肝炎，クォンティフェロン®TB 検査を行う．ロペラミドなどの止瀉薬は漫然と使用しない．

⑤肝機能障害

□**主な自覚症状**：全身倦怠感，黄疸，悪心，嘔吐，食欲不振，皮膚瘙痒感．

□AST，ALT，ALP，γ-GTP，T-Bil のモニタリングを行う．

□感染症（HBV・HCV など），自己免疫性肝炎，原発性胆汁性肝硬変，他の薬剤性肝障害，疾患の進行，胆道閉塞，アルコール性肝障害などが原因の症状ではないことを鑑別するために，血液検査，腹部エコー，腹部 CT，MRCP，ERCP などの実施を検討する．

⑥腎機能障害

□**主な自覚症状**：浮腫，体重増加，尿量減少．

□Scr，BUN，電解質（Na，K，Cl）および尿蛋白量のモニタリングを行う．

□腎機能障害が疑われる場合，尿細管障害マーカーとして尿中 NAG，β_2-MG を測定，腹部エコーや腹部 CT で腎腫大を確認，必要に応じて腎生検を行うなどし，「腎前性」「腎性」「腎後性」の鑑別を行い対処する．

⑦甲状腺機能障害

□**主な自覚症状**

- **甲状腺機能低下症**…倦怠感，浮腫，冷え性，動作緩慢．
- **甲状腺機能亢進症**…発汗，体重減少，眼球突出，甲状腺腫大，動悸，手指の振戦，不眠．

□TSH，FT_3，FT_4 を月 1 回程度測定しモニタリングを行う．副腎機能不全を併発する場合があるため，倦怠感が出現した際は ACTH，コルチゾールの測定を検討．

副作用対策のポイント

infusion reaction

□ヒドロコルチゾンコハク酸エステルナトリウム 100〜200 mg，重症例では 0.1％アドレナリン 0.01 mg/kg（最大量：0.5 mg）を投与．次回投与時に前投薬としてアセトアミノフェンやジフェンヒドラミンなどの投与も考慮．

間質性肺疾患

①Grade 2

□1.0 mg/kg/日の静注メチルプレドニゾロンを投与．

□**症状がベースライン時の状態近くまで改善した場合**：少なくとも 1 か月以上かけてステロイドを 5〜10 mg/週のペースで漸減し，プレドニゾロン換算 10 mg/日以下まで減量できた場合は本レジメンの投与再開を検討する[8]．

□**症状が 2 週間を超えて改善しないまたは悪化した場合**：Grade 3〜4 の対処法で治療．

②Grade 3，4

□2〜4 mg/kg/日の静注メチルプレドニゾロン投与または静注プレドニゾロン 500〜1,000 mg/日を 3 日間投与．プレドニゾロン換算で 1 mg/kg/日の治療を継続する．

□**症状が改善した場合**：少なくとも 6 週間以上かけステロイドを 5〜10 mg/週のペースで漸減し，プレドニゾロン換算 10 mg/日以下まで減量できた場合は本レジメンの投与再開を検討する[8]．

□**症状が 48 時間を超えて改善しないまたは悪化した場合**：追加の免疫抑制薬の使用を検討する[9]．

心筋炎

①Grade 2

□急激なバイタル異常，心電図変化を伴う場合，1.0〜2.0 mg/kg/日の静注メチルプレドニゾロン投与．

②Grade 3，4

□1.0〜2.0 mg/kg/日の静注メチルプレドニゾロン投与または 1,000 mg/日の静脈内急速投与．

□**症状が改善した場合**：少なくとも 1 か月以上かけてステロイドを漸減し，トロポニンおよび BNP のモニタリングを行う．上昇を認めたら循環器内科医師へのコンサルトを考慮する．

□**症状が改善しない場合**：追加の免疫抑制薬の使用を検討．

下痢・大腸炎

①Grade 2

□**症状が Grade 1 に改善した場合**：本剤の投与再開を検討.

□**症状が 5〜7 日を超えて持続，または再発した場合**：0.5〜1.0 mg/kg/日の経口プレドニゾロン投与．症状が改善した場合は少なくとも 1 か月以上かけてステロイドを漸減.

②Grade 3，4

□1.0〜2.0 mg/kg/日の静注プレドニゾロン投与.

□**症状が Grade 1 に改善した場合**：少なくとも 1 か月以上かけてステロイドを漸減.

□**症状が 3〜5 日を超えて持続，または改善後に再発した場合**：保険適用外 であるがインフリキシマブ 5 mg/kg の投与を検討．初回投与後も症状が持続する場合は添付文書の用法に従い繰り返し投与可能[8].

肝機能障害

①Grade 2

□**上昇が 5〜7 日を超えて持続するまたは悪化した場合**：0.5〜1.0 mg/kg/日の経口プレドニゾロンを投与．Grade 1 に回復した場合は少なくとも 1 か月以上かけてステロイドを漸減.

②Grade 3，4

□1.0〜2.0 mg/kg/日の静注プレドニゾロン投与.

□**肝機能が Grade 2 に改善した場合**：少なくとも 1 か月以上かけてステロイドを漸減.

□**肝機能が 3〜5 日を超えて改善しない，改善後再度悪化した場合**：保険適用外 であるが，ミコフェノール酸モフェチル　1 回 1 g　1 日 2 回の投与を検討.

神経障害

①Grade 2

□0.5〜1.0 mg/kg/日の静注プレドニゾロンを投与．ベースライン時の状態に改善した場合，本剤の投与再開を検討.

②Grade 3，4

□1.0〜2.0 mg/kg/日の静注プレドニゾロン投与.

□**症状が Grade 2 に改善した場合**：少なくとも 1 か月以上かけてステロイドを漸減.

□**症状が持続または悪化した場合**：追加の免疫抑制薬の使用を検

討する．

発疹

①Grade 2

□抗ヒスタミンまたはステロイドの軟膏を塗布．

□**症状が 1〜2 週間を超えて持続または再発した場合**：0.5〜1.0 mg/kg/日の経口プレドニゾロンを投与．改善した場合は少なくとも 1 か月以上かけてステロイドを漸減．

②Grade 3，4

□1.0〜2.0 mg/kg/日の静注プレドニゾロン投与．

□**症状が Grade 1 に改善した場合**：少なくとも 1 か月以上かけてステロイドを漸減．

腎機能障害

①Grade 2〜3

□0.5〜1.0 mg/kg/日の静注プレドニゾロンを投与．Grade 1 に改善した場合は少なくとも 1 か月以上かけてステロイドを漸減．

②Grade 4

□1.0〜2.0 mg/kg/日の静注プレドニゾロン投与．

□**Grade 1 に改善した場合**：少なくとも 1 か月以上かけてステロイドを漸減．

甲状腺機能障害

①症状がない

□ACTH・コルチゾールの検査を検討．

□内分泌内科専門医と協議．

□ホルモン補充療法について検討．

②症状がある

□ACTH，コルチゾールの検査を検討．

□内分泌内科専門医と協議．

□甲状腺エコーの実施を検討．

□**甲状腺機能低下症の場合**：ホルモン補充療法について検討．

- 甲状腺機能の低下だけでなく，ACTH・コルチゾールの値に異常があり副腎不全を併発している場合，甲状腺ホルモンの補充のみを行うと副腎不全を悪化させる可能性があるため注意．

□**甲状腺中毒症の場合**：一過性に甲状腺ホルモン値が上昇し，その後低下する場合があるため症状が軽微な場合は経過観察．

□動悸・振戦症状に対しては β 遮断薬（プロプラノロール 30

mg/日を1日3回に分割経口投与）の使用を検討.

□甲状腺クリーゼの場合，ヒドロコルチゾン300 mg/日またはデキサメタゾン8 mgの投与が推奨されているが，過少投与となる可能性があるため，個々の患者の状態に合わせて投与量を決定すること.

下垂体・副腎障害

①症状がある

□経口プレドニゾロンの投与を検討.

□下垂体MRIで異常を認め，下垂体の腫大による症状が著しい場合は1.0 mg/kg/日のプレドニゾロンを投与.

□ACTHが高値の場合は原発性の副腎障害を考慮し副腎CTを行う.

②副腎クリーゼの疑い

□心機能監視下に，500～1,000 mL/時間の速度で生理食塩液を点滴静注.

□ヒドロコルチゾン100 mgを静注後，5%ブドウ糖液中にヒドロコルチゾン100～200 mgを混注した溶液を24時間で点滴静注.

□内分泌専門医と連携し，副腎皮質ホルモンによる治療を継続.

□副腎クリーゼを脱した場合は症候性の対応に準じる.

6 薬学的ケア

CASE

□50歳代男性．当該患者は外来導入時から薬剤師外来にて対応した症例．2サイクル目実施時の採血にてTSH 0.017，FT_3 13.1，FT_4 6.18と甲状腺中毒症の所見を認めたため，内分泌内科へのコンサルトを依頼し，追加検査にてTgAb 728，TPOAb 117と高値でありTRAbは正常値であった．その後4サイクル目開始時にはTSH 76.9，FT_3 0.52，FT_4 0.57と甲状腺機能低下を認めたため，橋本病と診断されレボチロキシン12.5 μgが開始，その後50 μgへ増量され改善傾向となった.

□7サイクル目day 15にAST/ALT 408/322の上昇を認めたが無治療にて1週間でGrade 1へ改善を認めた．その後day 29にAST/ALT 696/150，FIB4 32.55，Dダイマー363.5，LD 6,092，CRP 11.88，高度の水様便とGrade 4のirAEを認めたため，irAEサポートチームへのコンサルトを行い，メチルプレドニゾロン1 mg/kgで治療開始．day 37には検査値および臨床症状ともに Grade 1 以下へ改善を認めた.

解説

□ TSH 低値・FT_3 高値, FT_4 高値の甲状腺中毒症の所見を認めた場合は, バセドウ病, 破壊性甲状腺炎の鑑別のため TgAb, TPOAb, TRAb の検査を実施する. 今回は TgAb, TPOAb が高値であったが, その後甲状腺機能低下を認めたため, 総合的に判断し自己免疫疾患である橋本病と診断された. irAE による甲状腺機能異常では, 一過性の甲状腺機能亢進を経て甲状腺機能低下を呈することがあるため, 注意が必要である.

□ AST/ALT および FIB4 が異常高値を示していることから, 肝臓の線維化を伴った肝機能障害, D ダイマーが異常高値のため DIC, 高度の水様便があるため大腸炎が疑われた. 本症例のように免疫チェックポイント阻害薬では多臓器にわたる irAE が出現することも少なくないため, 院内で irAE サポートチームを構成し, 定期的に対応方法を確認するなど事前の準備を行うことが irAE を重篤化させないためには重要である.

引用文献

1) Overman MJ, et al : J Clin Oncol 36 : 773-9, 2018 (PMID : 29355075)
2) オプジーボ® 点滴静注, 添付文書. 2021 年 11 月改訂 (第 10 版)
3) B 型肝炎治療ガイドライン (第 3.4 版)
4) 厚生労働省 : 最適使用推進ガイドライン　ニボルマブ MSI-High を有する結腸・直腸癌 (令和 2 年 11 月改訂) (https://www.pmda.go.jp/files/000237833.pdf)
5) オプジーボ®・ヤーボイ®, 適正使用ガイド. 2021 年 11 月作成
6) ヤーボイ® 点滴静注液, 添付文書. 2021 年 11 月改訂 (第 6 版)
7) オプジーボ® 点滴静注液, 医薬品インタビューフォーム. 2021 年 11 月改訂 (第 31 版)
8) がん免疫療法ガイドライン (第 2 版)
9) Brahmer JR, et al : J Clin Oncol 36 : 1714-68, 2018 (PMID : 29442540)

(安藤洋介)

51 FOLFOXIRI±Bev（イリノテカン+オキサリプラチン+フルオロウラシル±ベバシズマブ）

POINT

- ■FOLFOXIRIに対するベバシズマブの上乗せはPFSおよびOSの有意な延長が認められ[1]，使用禁忌がない限りベバシズマブの併用が推奨される．
- ■イリノテカンは*UGT1A1**6*および**28*の遺伝子多型により好中球減少症の副作用が強く現れる場合があり注意が必要．
- ■FOLFOXIRI＋Bevは高い奏効率から，手術移行が期待できる[2]．術前42日間はベバシズマブを休薬することが望ましい．

1 レジメンと副作用対策[3]（→次頁参照）

適応：治癒切除不能な進行・再発の結腸・直腸がんに対する化学療法（1次治療）．特に，若年やPS良好のBRAF変異型やBRAF野生型であっても原発巣占居部位が右側（盲腸・上行結腸・横行結腸）の場合に使用が考慮される．

1コース期間：14日間

総コース：8コースが推奨され，原則12コースまで実施可能．以降は副作用管理の観点から5-FU/LV±Bevによる維持療法を行う．本治療が奏効した場合，残転移病変に対する外科的根治切除が推奨される．

2 抗がん薬の処方監査

□オキサリプラチンは機能障害を伴う重度の感覚異常または知覚不全のある患者，妊婦または妊娠している可能性のある女性は禁忌．イリノテカンは骨髄機能抑制，感染症，下痢（水様便），腸管麻痺，腸閉塞，間質性肺炎，肺線維症，多量の腹水・胸水，黄疸のある患者は禁忌．ベバシズマブは喀血（2.5 mL以上の鮮血の喀出）の既往のある患者は禁忌であり，治療開始前にこれらの患者状態を確認する．

□高度催吐リスクに準じた予防的制吐療法（NK_1受容体拮抗薬，5-HT_3受容体拮抗薬およびデキサメタゾンの3剤併用）がされているか確認する．

□UGTの遺伝子多型が，複合ヘテロ接合体（*UGT1A1*6/*28*），ホモ接合体（*UGT1A1*6/*6*，*UGT1A1*28/*28*）患者では，

51		医薬品名 投与量	投与方法 投与時間	1	2	3	4	5	6	7	8	9	10	～	14	15	16	17	18	～	28
レジメン（FOLFOXIRI±Bev）	Rp1	パロノセトロン注 0.75 mg デキサメタゾン 9.9 mg/body	点滴静注 15分	↓												↓					
	Rp2	ベバシズマブ 5 mg/kg 生理食塩液 100 mL	点滴静注 90分	↓												↓					
	Rp3	イリノテカン 165 mg/m²[*1] 5%ブドウ糖液 250 mL	点滴静注 60分	↓												↓					
	Rp4	オキサリプラチン 85 mg/m² 5%ブドウ糖液 250 mL	点滴静注 120分	↓												↓					
	Rp5	レボホリナート 200 mg/m² 5%ブドウ糖液 250 mL	点滴静注 120分	↓												↓					
	Rp6	フルオロウラシル 3,200 mg/m²[*1] 生理食塩液 1,000 mL	点滴静注 48時間	→	→	→										→	→	→			
	Rp7	アプレピタント 投与量は→右記	経口 1日1回	↓	↓	↓										↓	↓	↓			
	Rp8	デキサメタゾン 8 mg/body	経口 1日1回		↓	↓											↓	↓			

Rp2：ベバシズマブ初回投与時は90分かけて投与するが，忍容性が良好であれば，2回目は60分，3回目以降は30分まで短縮可能．

Rp3：オキサリプラチンとレボホリナートは同時に投与する．

Rp7：day 1に125 mg，day 2，3に80 mg，注射薬のホスアプレピタントに変更する際はday 1に150 mgを点滴静注（30分）する．

副作用対策	1	2	3	4	5	6	7	8	9	10	～	14	15	16	17	18	～	28
infusion reaction	■												■					
悪心・嘔吐		■	■	■	■	■								■	■	■	■	■
下痢	■	■	■	■	■	■	■	■	■	■			■	■	■	■	■	■
高血圧，蛋白尿		■	■	■	■	■	■	■	■	■	■	■	■	■	■	■	■	■
口内炎							■	■	■	■	■	■	■	■	■	■	■	■
末梢神経障害	■	■	■										■	■	■			
好中球減少										■	■	■	■					

infusion reaction：通常予防投与は行わないが，出現時には抗ヒスタミン薬やステロイドを投与する．軽度・中等度であれば症状回復後治療を再開する．

悪心・嘔吐：高度催吐リスクに準じた制吐対策を行う．消化器症状には H_2 ブロッカーを使用する．

下痢：投与中あるいは直後に起こる早発性の下痢には抗コリン薬を，投与後24時間以降に起こる遅発性の下痢にはロペラミドを投与する．

高血圧，蛋白尿：投与期間中は定期的に血圧および尿蛋白を測定する．高血圧や尿蛋白が認められた際には降圧薬の投与やベバシズマブの休薬を行う．

口内炎：治療開始前の歯科治療やうがいによる口腔内の保清を指導し予防に努める．発現後は鎮痛や粘膜保護作用のある含嗽薬を使用する．

末梢神経障害：急性症状と慢性症状に分かれる．症状が誘発または悪化するため寒冷刺激を避けるようにし，蓄積毒性であるため症状に応じて減量・休薬を行う．

好中球減少：易感染性となるため感染対策（手洗い，うがい）を行うように指導する．

[*1] 国内での大腸がんにおける承認用量は，イリノテカン：150 mg/m²，5-FU：最大3,000 mg/m²であり，Phase II 試験において modified FOLFOXIRI（CPT-11：150 mg/m²，L-OHP：85 mg/m²，5-FU：2,400 mg/m²）＋Bev（5 mg/kg）も選択肢の1つとして報告されている．

イリノテカンの活性代謝物であるSN-38の代謝遅延により重篤な副作用（特に好中球減少）発現の可能性が高くなるため，遺伝子多型に応じて開始用量の減量を考慮するとともに，患者状態に十分注意を払う．

□イリノテカンの一部はCYP3A4を介して直接不活性物質に代謝されるため，CYP3A4阻害薬・誘導薬は併用注意である．特にUGT阻害作用のあるアタザナビル硫酸塩は併用禁忌である．

□創傷治癒遅延に関わるような手術が投与前後28日間（大手術で42日間）において実施または予定されていないか確認する．

3 抗がん薬の調剤

□イリノテカンは生理食塩液または5%ブドウ糖液に混合する．pHが高い輸液と混合するとイリノテカンの経時的な含量低下が起こるため，混合は避ける．

□オキサリプラチンは塩化物含有溶液により分解するため，5%ブドウ糖液に混合する．

□ベバシズマブはブドウ糖液と混合した場合に力価の低下を生じるおそれがあるため，生理食塩液に混合する．

4 抗がん薬の投与

投与基準

□血液検査：白血球数≧3,000/μL，好中球数≧1,500/μL，Hb≧9.0 g/dL，血小板数≧10万/μL．

□T-Bil≦2.25 mg/dL（≦ULN×1.5），AST≦75 U/L（≦ULN×2.5），ALT≦（男）105 U/L，（女）57.5 U/L（いずれも≦ULN×2.5）【肝転移がある場合】AST≦150 U/L，ALT≦（男）210 U/L，（女）115 U/L（≦ULN×5）．

□患者状態：尿蛋白2+以下（尿蛋白定性3+の場合は，尿中蛋白/クレアチニン比が2未満）．その他，排便状況（便秘・下痢），口腔粘膜状態，血圧がGrade 2未満であることを確認し，Grade 2に対しては適切な支持療法を実施する．

減量・中止基準

□以下のとおり．なお，中止基準に該当した場合は，回復後1段階減量および適正な支持療法の上，投与を再開する．なお，レボホリナートとベバシズマブは原則減量しない．

□イリノテカン，オキサリプラチンおよびフルオロウラシルの減

量・中止基準

副作用	Grade	イリノテカン	オキサリプラチン	フルオロウラシル
好中球減少症	4	1 段階減量		
FN	3			
	4	中止		
血小板減少症	≧3	1 段階減量		
下痢	3	1 段階減量	減量なし	1 段階減量
	4	中止		
口内炎	3	1 段階減量	減量なし	1 段階減量
	4	中止		
オキサリプラチンに起因するアレルギー反応	≧2	減量なし	中止[*2]	減量なし

Grade の区分については CTCAE v5.0 を参照

[*2] Grade 2 の場合は，投与時間の延長や前投薬として抗ヒスタミン薬追加，ステロイド薬の増量を行うことで，オキサリプラチンを減量なしで投与可能．

□各薬剤の用量レベル

薬剤名	初回投与量	1 段階減量用量	2 段階減量用量
イリノテカン	165 (mg/m^2)	125 (mg/m^2)	80 (mg/m^2)
オキサリプラチン	85 (mg/m^2)	65 (mg/m^2)	50 (mg/m^2)
フルオロウラシル	3,200 (mg/m^2)	2,400 (mg/m^2)	1,600 (mg/m^2)
ベバシズマブ	5 (mg/m^2)	—	—

□ベバシズマブの中止基準

高血圧	Grade 4（Grade 3 では内科的治療薬でコントロール不可の場合）	出血	Grade 3 以上（Grade 2 は Grade 0 になるまで休薬，再度 Grade 2 で中止）
蛋白尿	Grade 4（Grade 3 は Grade 2 以下になるまで休薬）	過敏症	Grade 3 以上
		静脈血栓症	Grade 3 以上
消化管穿孔	全 Grade	動脈血栓症	全 Grade
可逆性後白質脳症症候群	全 Grade	うっ血性心不全・心筋虚血	Grade 3 以上

腎機能障害

□イリノテカン，フルオロウラシルともに減量の必要はないが，重度腎機能障害患者では慎重に投与する．オキサリプラチンは

Ccr＜30 mL/分で65 mg/m^2への減量を検討する[4)]．ベバシズマブは減量不要．

肝機能障害

□イリノテカンはT-Bil＞2.0 mg/dL，またはAST＞90 U/L，ALT＞（男）126 U/L，（女）69 U/L（いずれも＞ULN×3）〔【肝転移がある場合】AST＞150 U/L，ALT＞（男）210 U/L，（女）115 U/L（＞ULN×5）〕の場合について，忍容性は十分に評価されておらず，慎重に投与する[5)]．オキサリプラチン，フルオロウラシルおよびベバシズマブは記載なし．

注意点

□投与中はinfusion reaction，過敏症（発熱，悪寒など），急性の神経障害（しびれ，冷感部位の知覚異常）に注意する．

□イリノテカンによるコリン症状（流涙，発汗，鼻汁）について，問診を中心に観察する．

□イリノテカン，オキサリプラチンおよびフルオロウラシルは炎症性抗がん薬である．漏出した際には，少量であれば患部の冷却（オキサリプラチンに関しては，しびれを感じた場合は冷却しない）のみで経過観察．広範囲や疼痛が強い場合はステロイド外用薬の塗布を考慮する．

5 副作用マネジメント

発現率[6)]

□海外第Ⅲ相臨床試験における副作用発現率（n＝252）

副作用	Grade 3 以上（%）	副作用	Grade 3 以上（%）
好中球減少症	50.0	口内炎	8.8
FN	8.8	悪心	2.8
高血圧	5.2	嘔吐	4.4
下痢	18.8	末梢神経障害	5.2

□国内第Ⅱ相試験[7)]（n＝69）においてもGrade 3以上の好中球減少が72.5％，FNが21.7％，高血圧が34.8％で認められ，血液毒性のマネジメントが特に重要であり，好中球減少時にはG-CSFを使用する．

評価と観察のポイント

投与開始前

□患者のPSが良好であることを確認する．今後の副作用評価のために開始前の排便状況（便状と1日の排便回数），口腔粘膜状態（清潔さ，口内炎の有無），血圧（降圧薬の有無，血圧は自宅でも朝と就寝時，その他自覚症状を認めた時など適宜測定し記録するように患者指導を行う），手足のしびれを確認する．「抗がん薬の処方監査」（→420頁）や肝機能・腎機能による用量の確認も行う．

投与中

□「注意点」（→前頁）

投与終了後（day 1〜14）

□遅発期の下痢（水様便の有無や治療前からの排便回数の変化），悪心・嘔吐（食事量の変化），口腔粘膜障害（口内炎の有無，飲食への影響の有無），血液毒性を評価する．

全期間

□オキサリプラチンによる慢性の末梢神経障害は左右対称に手や足先から生じることが多く，重症度の評価のために日常生活への影響を確認する．

□収縮期血圧140〜159 mmHgまたは拡張期血圧90〜99 mmHg以上の場合は，随伴症状を確認する．

□蛋白尿に関連した浮腫の有無や体重の変化を確認するとともに，血清アルブミンの確認や定期的な尿蛋白検査を実施する．尿蛋白定性2+では慎重に投与可能であるが，3+の場合は休薬を検討する．

副作用対策のポイント

投与開始前

□便秘の場合，イリノテカン（SN-38）の排泄が遅延するおそれがあるため，下剤の使用を考慮する．下剤服用患者については，化学療法によって下痢が発現する可能性を説明し，排便状況に合わせて下剤を中止するように指導する．

□口腔内を確認し，粘膜障害を認めた場合は，アズレンスルホン酸含有のうがい薬での口腔ケアを実施する．強い疼痛を伴う際には治療の延期やリドカインを用いた症状緩和を行う．

投与中

□ベバシズマブ投与中にinfusion reactionを認めた場合は，抗ヒスタミン薬（クロルフェニラミン注10 mg）やステロイド（ヒドロコルチゾン注100〜200 mg）を投与する．瘙痒感や潮紅，頭痛はGrade 2以下であれば症状回復後に投与を再開するが，重症（気管支痙攣，呼吸困難，血管浮腫やアナフィラキシー）であれば，再投与は行わない．

□イリノテカンの早発の下痢（コリン症状）に対しては抗コリン薬（アトロピン注0.5 mgまたはブチルスコポラミン注20 mg）を点滴静注し，次コースからイリノテカン投与前に予防投与として点滴静注を考慮する．

□オキサリプラチンによる急性の神経障害は寒冷刺激により誘発または悪化するため，冷たい飲食物を避け，気温が低い時には皮膚を露出しないよう指導する．

投与終了後（day 1〜14）

□悪心・嘔吐が出現した場合は，予防的制吐療法で使用した制吐薬と異なる作用機序の制吐薬を使用する．症状が強い場合は，予防的制吐療法にオランザピンや H_2 ブロッカーの追加を検討する．

□好中球減少は高頻度で起こりうることから，手洗い・うがいの施行をはじめとした感染予防に努めるよう指導する．

□遅発期の下痢については，軽度であれば水分摂取で経過を観察するが，Grade 2以上であればロペラミドを使用する．また，半夏瀉心湯（はんげしゃしんとう）がイリノテカンによる下痢に有効である[8-9]．

全期間

□オキサリプラチンによる慢性の末梢神経障害は用量依存的に出現し，累積投与量が850 mg/m^2の場合の累積発現率はGrade 1以上が60.1％，Grade 2以上が35.3％，Grade 3以上が2.3％であり[10]，Grade 2が継続する場合やGrade 3以上の症状が出現した場合は休薬する．

□Grade 2（収縮期血圧140〜159 mmHgまたは拡張期血圧90〜99 mmHg）以上の高血圧は随伴症状の有無も考慮して降圧薬を開始する．

6 薬学的ケア

CASE

□大腸がん多発肝転移に対して，FOLFOXIRI＋Bevを予定．治療前に*UGT1A1*6/*28*が明らかとなったが，コンバージョン手術[※1]を期待し，用量強度を保ったまま治療を開始することとなった．FN予防にレボフロキサシンをday 5から内服開始．day 8 の採血において好中球減少 Grade 4 を認めたため，G-CSF を 3 日間投与した．発熱はなく day 11 には血球回復を確認したが，次コースはすべて 1 段階減量を行い治療開始した．治療は奏効し，根治切除手術が実施できた．

※1：薬物療法から外科的切除へといった治療方法の変更に伴う手術

解説

□FOLFIRI ± Bev と比較し FOLFOXIRI ± Bev は高い奏効率が報告されており，コンバージョン手術による根治切除への移行も期待できる一方で，重篤な副作用の頻度も高いため，支持療法は適切に実施する必要がある．特に好中球減少時には G-CSF の使用が推奨される．

引用文献

1) Cremolini C, et al：Ann Oncol 27：843-9, 2016（PMID：26861604）
2) Tomasello G, et al：JAMA Oncol 3：e170278, 2017（PMID：28542671）
3) Satake H, et al：Oncotarget 9：18811-20, 2018（PMID：29721163）
4) Eloxatin®，米国添付文書
5) CAMPTOSAR®，米国添付文書
6) Loupakis F, et al：N Engl J Med 371：1609-18, 2014（PMID：25337750）
7) Oki E, et al：Clin Colorectal Cancer 17：147-55, 2018（PMID：29530335）
8) Barbounis V, et al：Support Care Cancer 9：258-60, 2001（PMID：11430421）
9) Mori K, et al：Cancer Chemother Pharmacol 51：403-6, 2003（PMID：12687289）
10) エルプラット®，インタビューフォーム

（前田章光）

第4章

胃がん

- □術後補助化学療法としてD2以上のリンパ節郭清を受けた患者を対象としてStageⅡ，ⅢではS-1を1年間内服またはXELOX療法を8サイクル投与する方法で有効性が報告されている．StageⅢの患者ではS-1単剤治療より54DOC＋S-1療法の有効性が報告されている．術後補助化学療法は術後6週までに開始することが推奨されている．
- □進行がんの化学療法は，HER2陽性胃がんでは，1次治療での52トラスツズマブ＋シスプラチン＋カペシタビンで生存期間の延長が報告され，標準治療に位置づけられている．
- □HER2陰性例では，2つの国内第Ⅲ相試験の結果よりS-1＋シスプラチン療法が標準治療に位置づけられている．オキサリプラチンも2015年3月に胃がんの効能が追加され，2つの試験結果より1次治療に53SOX療法も選択されている．
- □さらに，CheckMate 649試験（後述），ATTRACTION-4試験の結果，38ニボルマブ（→272頁）と化学療法併用の有効性が報告され，2021年11月より使用できるようになった．「ニボルマブは，1次治療と3次治療どちらで使用すべきか」「CPS[※1]によってニボルマブ併用を検討したほうがいいか」など課題があるが今後1次治療での臨床使用が予想される．

  ※1：combined positive score．腫瘍組織におけるPD-L1を発現した腫瘍細胞および免疫細胞（マクロファージおよびリンパ球）の数を総腫瘍細胞数で除し，100を乗じた数値．

- □2次治療では54ドセタキセル，パクリタキセル，nab-パクリタキセル，イリノテカン，ラムシルマブ，55ラムシルマブ/パクリタキセルが使用されている．

□3次治療以降では，HER2陰性では，ニボルマブや，56トリフルリジン，HER2陽性ではトラスツズマブ デルクステカン療法の有効性が報告されている．

□CheckMate 649試験[1)]：日本を含む全世界で実施された第Ⅲ相試験であり，HER2陽性を除く治癒切除不能な進行・再発胃がん，胃食道接合部がん，食道腺がんに対する1次治療において，CapOX療法もしくはFOLFOX療法をコントロールとして，イピリムマブ＋ニボルマブまたは化学療法＋ニボルマブ併用の優越性が検討された．計1581例が化学療法もしくは化学療法＋ニボルマブ併用群に割り付けられ，主要評価項目はCPSが5以上におけるPFSとOSであった．

- CPS≧5におけるOSは，化学療法＋ボルマブ群〔OS中央値14.4か月（95％ CI：13.1〜16.2）〕は有意に化学療法群〔OS中央値11.1か月（95％ CI：10.0〜12.1）〕を上回った〔HR＝0.71（98.4％ CI：0.59〜0.86），p＜0.0001〕．
- CPS≧5におけるPFSについて，PFS中央値は化学療法＋ニボルマブ群において7.7か月（95％ CI：7.0〜9.2），化学療法群において6.0か月（95％ CI：5.6〜6.9）であり，統計学的に有意な改善が認められた〔HR＝0.68（98％ CI：0.56〜0.81），p＜0.0001〕．

引用文献

1）Janjigian YY, et al：Lancet 398（10294）：27-40, 2021（PMID：34102137）

（青山 剛）

52 トラスツズマブ＋シスプラチン＋カペシタビン

XP＋Her

POINT

- ■HER2 過剰発現の切除不能な進行・再発の胃がんに対する 1 次療法の 1 つである．
- ■シスプラチンは腎機能障害を予防するために十分な水分負荷と利尿を行う．in-out のバランスや電解質異常に注意する．また，高度催吐毒性に属するため，適切な制吐療法を確実に施行することを確認する．
- ■カペシタビンによる手足症候群は予防とセルフマネジメントが重要であり，Grade 2 以上で早期からの休薬・減量が大切である．指導の際は直接手足を確認すること．また，消化器症状などの副作用管理とともにアドヒアランスを維持することが重要．

1 レジメンと副作用対策（→次頁参照）

適応：HER2 過剰発現の切除不能な進行・再発の胃がん（術後補助化学療法において，有効性および安全性は確認されていない）

1 コース期間：21 日間　**総コース**：PD まで

2 抗がん薬の処方監査

□投与前の確認事項：免疫抑制・化学療法により発症する B 型肝炎対策ガイドラインに準じて対応を行う[1]．

トラスツズマブ[2]

□HER2 陽性〔免疫組織化学的方法（IHC 法）3＋，IHC 法 2＋の場合は，蛍光 *in situ* ハイブリダイゼーション法（FISH 法）で陽性（HER2/CEP17 比≧2.0）〕であることを確認する．

□投与開始前には心エコーにて心機能(LVEF 50％以上)を確認．

□初回投与時は 8 mg/kg，90 分以上で投与することを確認する．2 回目以降は 6 mg/kg で投与時間は 30 分まで短縮可能となる．投与予定日より 1 週間を超えて投与する場合は，改めて 8 mg/kg で投与を確認する．

□infusion reaction 予防のため，解熱鎮痛薬などの前投薬を施行することもあるが，有用性のエビデンスは乏しい．

52

レジメン（XP＋Her）

	医薬品名 投与量	投与方法 投与時間	1	2	3	4	5	6	7	8	9	10	11	12	13	14	15	16	～	21
Rp1	硫酸マグネシウム 20 mEq KCL 20 mEq 生理食塩液 1,000 mL	点滴注射 120 分	↓																	
Rp1	トラスツズマブ 初回 8 mg/kg 2 回目以降 6 mg/kg 生理食塩液 250 mL	点滴注射 初回 90 分 2 回目以降 30 分可能	↓																	
Rp2	ホスアプレピタント 150 mg 生理食塩液 250 mL	点滴注射 30 分	↓	初回 90 分．2 回目 60 分，3 回目以降 30 分へ短縮可能．																
Rp1	パロノセトロン 0.75 mg/body デキサメタゾン 9.9 mg/body 生理食塩液 100 mL	点滴注射 15 分	↓																	
Rp2	D-マンニトール 20% 300 mL	点滴注射 30 分	↓																	
Rp3	シスプラチン 80 mg/m^2 生理食塩水 500 mL	点滴注射 120 分	↓																	
Rp4	維持液 1000 mL	点滴注射 120 分	↓	↓	↓															
Rp2	デキサメタゾン 6.6 mg 維持液 500 mL	点滴注射 90 分		↓	↓															
Rp6	カペシタビン 2,000 mg/m^2	経口 1 日 2 回 朝・夕食後	↓ 夕	↓	↓	↓	↓	↓	↓	↓	↓	↓	↓	↓	↓	↓	↓ 朝			

副作用対策

	1	2	3	4	5	6	7	8	9	10	11	12	13	14	15	16	～	21
infusion reaction	■																	
好中球減少							■	■	■	■	■	■	■	■				
悪心・嘔吐	■	■	■	■	■	■	■	■										
下痢	■	■	■	■	■	■	■	■	■	■	■	■	■	■	■	■	～	■
手足症候群	■	■	■	■	■	■	■	■	■	■	■	■	■	■	■	■	～	■
腎機能障害	■	■	■	■	■	■	■	■	■	■	■	■	■	■	■	■	～	■
心臓機能低下	■	■	■	■	■	■	■	■	■	■	■	■	■	■	■	■	～	■

infusion reaction

初回投与時の投与中から 24 時間以内に発現することが多い．症状は悪寒，発熱，呼吸困難などである．
対策：解熱鎮痛薬などの予防投薬を考慮する．ただし，予防投与のエビデンスは乏しい．

好中球減少

感染予防対策（手洗い，うがいなど），FN の徴候（発熱，悪寒，咽頭痛など）がみられた際の抗菌薬や解熱薬の使用方法，緊急受診の目安について事前に十分指導すること．

悪心・嘔吐

シスプラチンは高度催吐毒性に分類されるため，NK_1 受容体拮抗薬，第 2 世代 5-HT_3 拮抗薬，デキサメタゾンで予防する．効果不十分の場合はオランザピンの追加を考慮する．

下痢

治療開始前から便の回数，性状を確認する．水様便，回数過多など生活に影響する下痢の場合はカペシタビンの休薬を考慮し，ロペラミドの服用を検討する（感染などの可能性がない場合）．

手足症候群

あらかじめ保湿での予防を十分に行う．症状悪化する場合は，ステロイド軟膏の使用を検討．Grade 2 以上で早期からの休薬・減量を検討すること．

腎機能障害

尿量の減少，浮腫などを確認．Scr の上昇に注意．

心臓機能低下

動悸，息切れ，浮腫などを確認．定期的に心機能（LVEF など）を確認すること．

シスプラチン

□腎機能障害時の投与には注意（「減量・中止基準」→435 頁）.

□腎機能障害を起こすことがあるので，投与前後のハイドレーション，利尿薬の投与を確認．経口摂取が可能な患者で 1,000 mL/日以上の飲水が可能な場合は，輸液量を減らして投与を行うショートハイドレーションでの投与も可能である[3]．ただし，胃がん患者は原発巣や腹膜播種をはじめとした通過障害などにより，十分な飲水ができない場合もあるため適応患者は慎重に検討する必要がある[4, 5].

□他の白金を含む薬剤に対して過敏症のある患者は禁忌.

□高度催吐毒性に分類されるため，NK_1 受容体拮抗薬（アプレピタント，ホスアプレピタント），パロノセトロン，デキサメタゾンの制吐薬での予防を確認[5].

カペシタビン[6]

□腎機能障害時の投与には注意（「減量・中止基準」→435 頁）.

□テガフール・ギメラシル・オテラシルカリウム配合剤投与中の患者および投与中止後 7 日以内は禁忌.

□トリフルリジン・チピラシル配合剤との併用を避けること.

□ワルファリン，フェニトインの作用を増強する可能性があるため併用時は注意が必要である.

3 抗がん薬の調剤

トラスツズマブ

□ブドウ糖溶液を混合した場合，蛋白凝集が起こるため，ブドウ糖溶液との混合，同時投与は避ける.

□調製時には，日局注射用水，日局生理食塩液以外は使用せず，他剤との混合を避ける.

シスプラチン

□Cl^- 濃度が低い輸液との混合は活性が低下するため，必ず生理食塩液と混和する.

□アルミニウムとの接触により活性が低下するため，本剤の調製時あるいは投与時にアルミニウムが用いられている機器（注射針など）は使用しないこと.

□錯化合物であるので，他の抗悪性腫瘍薬とは混合調製しないこと.

□光により分解するので直射日光を避け，点滴時間が長時間に及ぶ場合には遮光して投与する.

カペシタビン

□食事による薬物動態への影響は少ないとされているが，朝食後・夕食後 30 分以内の服用が基本である．

4 抗がん薬の投与

投与基準（ToGA 試験における基準[7)]）

- 18 歳以上
- HER2 過剰発現（IHC 法 3+ または FISH 法陽性）
- PS 0～2
- LVEF 50% 以上

□以下の検査値を満たすこと．

血液毒性	好中球数	≧1,500/μL
	血小板数	≧10 万/μL
非血液毒性	T-Bil	≦2.3 mg/dL（≦ULN×1.5）
	AST	≦75 U/L（≦ULN×2.5） 【肝転移あり】≦150 U/L（≦ULN×5）
	ALT	≦（男）105 U/L，（女）57.5 U/L（≦ULN×2.5） 【肝転移あり】 ≦（男）210 U/L，（女）115 U/L（≦ULN×5）
	ALP(IFCC)	≦282.5 U/L（≦ULN×2.5）【肝転移あり】≦565 U/L（≦ULN×5），【骨転移あり】≦1,130 U/L（≦ULN×10）
	アルブミン	≧2.5 g/dL
	Ccr	≧60 mL/分

減量・中止基準（適正使用ガイド[2)]）

血液毒性発生時の休薬・減量・再開基準

□Grade 3 以上の血液毒性が発現した場合には休薬する．Grade 1 以下に軽快後，以下の投与基準に従って投与再開する．また，一度減量した後は再増量を行わない．

項目	カペシタビン	シスプラチン
Grade 4 の好中球減少 Grade 3 の FN	減量段階 1	60 mg/m^2
Grade 4 の血小板減少	減量段階 2	40 mg/m^2
Grade 4 の FN	投与中止もしくは 減量段階 2*1	投与中止もしくは 40 mg/m^2*1

*1 治療継続が患者の利益に最善であると判断された場合

□なお，好中球数・血小板数が以下の条件を満たす場合，休薬せずに以下の投与基準に従って投与できる．

項目	カペシタビン	シスプラチン
好中球数　1,000～1,500/μL 血小板数　≧10万/μL	減量段階1	60 mg/m^2

非血液毒性発生時の休薬・減量・再開基準

□各コースの投与開始前に副作用のGradeを確認し，いずれの事象がGrade 2以上であれば休薬する．Grade 1以下に軽快後，以下の投与基準に従って投与再開する．

Grade	発現回数	カペシタビン	オキサリプラチン
Grade 2	1	変更なし	変更なし
	2	減量段階1	変更なし
	3	減量段階2	変更なし
Grade 3	1	減量段階1	100 mg/m^2
	2	減量段階2	85 mg/m^2
Grade 4	1	投与中止もしくは減量段階2*1	投与中止もしくは60 mg/m^2*1

□Grade 2の神経障害が認められた場合はシスプラチンの投与を中止する．

腎機能障害 [8)]

シスプラチン	Ccr 46～60 mL/分	25%減量
	Ccr 30～45 mL/分	50%減量
	Ccr<30 mL/分	禁忌だが必要な場合は50%減量
カペシタビン	Ccr 30～50 mL/分	25%減量
	Ccr<30 mL/分	禁忌
トラスツズマブ	規定なし	

肝機能障害

□規定なし．

□心機能検査の基準：心エコー測定にてLVEFが45%未満に低下した場合は，トラスツズマブを中止し再評価を行う．その結果，LVEFが39%以下，もしくはベースラインから10%以上低下した場合はトラスツズマブの投与を中止する．

注意点

□シスプラチンは炎症性薬剤に分類される．血管外漏出により壊死や潰瘍形成までに至ることは少ないが大量に漏出すると強い炎症や疼痛を起こすことがある．漏出の際はステロイド外用薬の使用を考慮する．

□トラスツズマブの投与速度は，infusion reaction を軽減させるため，初回は 90 分かけて点滴静注．忍容性が確認できれば，2 回目以降は 30 分間と短縮可能である．

5 副作用マネジメント

発現率（ToGA 試験[7] 結果）

副作用		第Ⅲ相ランダム化比較試験（ToGA 試験）（n＝294）		ToGA 試験　国内集団（n＝51）	
		全 Grade (%)	Grade 3 以上 (%)	全 Grade (%)	Grade 3 以上 (%)
血液毒性	好中球減少	53	27	59	35
	血小板減少	16	5	22	2
	貧血	28	12	29	25
	FN	5	5	10	10
非血液毒性	悪心	67	7	86	14
	嘔吐	50	6	65	2
	下痢	6	2	45	8
	口内炎	24	1	57	—
	疲労	35	4	61	8
	手足症候群	26	1	41	—
	腎機能障害	16	1	63	4

評価と観察のポイント

#1 コース目

□**投与中**：infusion reaction，悪心・嘔吐，体重，尿量，制吐薬による副作用（便秘，吃逆，不眠，血糖値上昇）を評価する．

□**投与後**：悪心・嘔吐，食欲不振，下痢，口内炎，腎機能障害，血小板減少，好中球減少に注意．悪心・嘔吐は遅発期に遷延していないか評価する．

#2 コース目以降

□手足症候群は早期からの介入が重要であるため受診日ごとに手足のチェックと聴き取りを行うこと．

□腎機能について評価する．

□聴力障害，神経障害について確認する．シスプラチン 1 回投与量 80 mg/m^2 や総投与量 300 mg/m^2 以上では，高音域の聴力障害などの聴神経障害も用量依存的に出現しやすい．投与中止後で症状が悪化（コースティング）することがある[9]．

□トラスツズマブの infusion reaction は主に初回投与の投与中，または投与開始後 24 時間以内に起こる．2 回目以降の infusion reaction 出現頻度は低いが，出現した症例もあるので注意する．

□シスプラチンによるアレルギーはコース数が進むと発現してくるため注意が必要．アレルギー発現は投与中が多く，常にアレルギー発現を念頭に置き，観察すること．

副作用対策のポイント

□**infusion reaction**：トラスツズマブにより悪寒，発熱などが出現した場合は，ただちに投与をいったん中止する．症状により，解熱鎮痛薬（アセトアミノフェンなど）や抗ヒスタミン薬（クロルフェニラミンなど）を投与し，症状が消失した場合は点滴速度を遅くして再投与可能である．アナフィラキシーなど重篤な症状が出現した場合は，酸素吸入，アドレナリン，副腎皮質ホルモン（ヒドロコルチゾンなど）の投与を行い，トラスツズマブを中止する．

□**悪心・嘔吐**：シスプラチンは高度催吐毒性の抗がん薬に分類され，NK_1 受容体拮抗薬（アプレピタント，またはホスアプレピタント），第 2 世代 5-HT_3 拮抗薬（パロノセトロン），デキサメタゾンの 3 剤併用制吐療法を用いる．

□**下痢**：消化器がんにおいては病態や術後の変化などさまざまな要因にて下痢を誘発することに留意して，Grade 1，2 の場合はロペラミドでの対応も検討する．必ず感染性の下痢との鑑別は必須である．ロペラミドは，ASCO のガイドラインで初回 1 回 4 mg，以降 1 回 2 mg ずつ 4 時間ごとに下痢が治まるまで使用するが，わが国では初回 1 回 4 mg が 保険適用外 の用量である．そこで 1 回 1〜2 mg を 4 時間ごとあるいは下痢をするごとに服用することが多い．コントロールできない場合はカペシタビンの休薬・減量を考慮する．ただし，近年は制吐療法として NK_1 受容体拮抗薬，第 2 世代 5-HT_3 拮抗薬を予防的に投与しているため，治療後数日までは便秘になることもある．

□**手足症候群**：予防投与として保湿薬を塗布し，刺激を避けるなどのスキンケアを指導すること．それでも症状悪化する場合は，ステロイド軟膏（ベタメタゾンなど）の使用も検討する．痛みがあればカペシタビンの休薬・減量を考慮．

□**末梢神経障害・聴力障害**：シスプラチンの休薬・減量が基本で

ある．有効な薬物治療は未確立ではあるが，Grade 2 以上の末梢神経障害が認められた場合は薬物療法も考慮する．予防投与として推奨される薬物療法は存在しない．

- **プレガバリン，ミロガバリン**…神経障害性疼痛の適応が認められている薬剤であるが，化学療法による末梢神経障害性疼痛への有効性は明らかでない．腎機能低下患者への投与量の調節や副作用として眠気やふらつきには留意が必要である．通常プレガバリン 1 回 75 mg 1 日 2 回から開始するが，腎機能低下患者への投与量の調節や副作用として眠気やふらつき，浮腫に留意する．また，同効薬のミロガバリンも 2019 年より発売され選択肢の 1 つとなった．
- **デュロキセチン**…適応としては 保険適用外 ではあるが，タキサン系とプラチナ製剤による末梢神経障害性疼痛への有効性が示されている[10]．また，この臨床試験で使用された用量は初回 30 mg/日で開始し 1 週間後に 60 mg/日へ増量されている．わが国で使用する場合は 保険適用外 であることも考慮し，他の適応症と同様に初回 20 mg/日から開始し，1 週間以上の間隔をあけて 20 mg ずつ増量することが望ましいと考える．

6 薬学的ケア

CASE

□HER2 陽性の進行胃がん，StageⅣの患者に 1 次治療として本レジメンを導入．day 4 に，食事量の低下を伴う悪心（Grade 2）が出現したため，メトクロプラミド注にて対応し，day 6 には Grade 1 に改善した．2 コース目開始時に，1 コース目の悪心はシスプラチンの遅発性悪心と考え，day 1 からオランザピン 5 mg/日（6 日間）で予防し，悪心については Grade 1 の症状のみで経過した．

□4 コース目開始時に足の裏を確認したところ発赤のみの症状を確認した．Grade 1 と判断し，カペシタビンを含めこれまでと同量にて治療を開始したため，再度保湿薬（ヘパリン類似物質）の頻回使用を再度指導した．day 10 に同部位の症状が疼痛・腫脹を伴う症状（Grade 2）となったため，カペシタビンはいったん休薬した．5 コース目開始時には症状が軽快したため，カペシタビンの用量は 1 段階減量で治療を再開した．

解説

□オランザピンは高度催吐毒性抗がん薬に対する制吐作用が報告されNCCNなどのガイドラインにも記載されている．用量については，日本人を対象とした臨床研究では5 mgで有効性が認められている[11]．患者は末梢神経障害と手足症候群を混同する場合があるため，必ず手足のチェックは行った上で評価を行うこと．保湿薬の選択として角化部がある場合は尿素系保湿薬の選択も重要であり症状に併せて対応も検討すること．また，尿素系保湿薬は亀裂や傷があると痛みを伴うことがあるので必ず確認すること．

引用文献

1）日本肝臓学会：B型肝炎治療ガイドライン第3.4版 2021年5月改訂
2）ハーセプチン® 注射用，適正使用ガイド，胃癌．2019年11月改訂
3）日本肺癌学会，他：シスプラチン投与におけるショートハイドレーション法の手引き（https://www.haigan.gr.jp/uploads/files/photos/1022.pdf）
4）Okazaki S, et al：Gastric Cancer 16：41-7, 2013（PMID：22311679）
5）日本癌治療学会（編）：制吐薬適正使用ガイドライン，第2版（一部改訂版 ver 2.2）．日本癌治療学会，2018
6）ゼローダ® 錠，適正使用ガイド，胃癌．2020年12月改訂
7）Bang YJ, et al：Lancet 376：687-97, 2010（PMID：20728210）
8）日本腎臓学会，他：がん薬物療法時の腎障害診療ガイドライン 2016年6月発行
9）Grunberg SM, et al：Cancer Chemother Pharmacol 25：62-4, 1989（PMID：2556219）
10）日本がんサポーティブケア学会（編）：がん薬物療法に伴う末梢神経障害マネジメントの手引き 2017年度版．金原出版，2017
11）Hashimoto H, et al：Lancet Oncol 21：242-9, 2020（PMID：31838011）

（阪田安彦）

53 SOX（S-1＋オキサリプラチン）

POINT

- ■切除不能進行・再発胃がんの1次治療として推奨されるレジメンの1つであり，HER2陽性例ではトラスツズマブとの併用で用いられる[1]．また術後補助化学療法においても効果が報告されている[2]レジメンである．
- ■オキサリプラチンの承認用量は130 mg/m^2であるが，切除進行・再発胃がんでは国内臨床試験[3]で用いられた100 mg/m^2が臨床情報も多く一般的に用いられる．
- ■腎機能に応じた用量調節が必要である．

1 レジメンと副作用対策（→次頁参照）

1コース期間：21日間
総コース：可能な限り継続（進行再発・切除不能転移）

2 抗がん薬の処方監査

□投与量

	オキサリプラチン	S-1 *1		
		体表面積 1.25 m^2 未満	体表面積 1.25 m^2 以上, 1.5 m^2 未満	体表面積 1.5 m^2 以上
初回投与量	100 mg/m^2	80 mg/日	100 mg/日	120 mg/日
1段階減量	75 mg/m^2	50 mg/日 *2	80 mg/日	100 mg/日
2段階減量	50 mg/m^2	40 mg/日 *2	50 mg/日 *2	80 mg/日

*1 次頁レジメンの吹き出しを参照
*2 S-1の添付文書の用法・用量の 保険適用外

□臓器機能の確認が重要である．特に腎機能障害時にはS-1はギメラシルの排泄遅延に伴う血中5-FU濃度の上昇により副作用増強の可能性があるため減量を行う．

□S-1は他のフッ化ピリミジン系抗悪性腫瘍薬およびフッ化ピリミジン系抗真菌薬と併用禁忌[4]であり，少なくとも7日間の休薬期間を経ていることを確認．

□S-1はフェニトインおよびワルファリンカリウムと併用注意[4]であり，作用増強の可能性がある．これらの薬剤を使用時には

53		医薬品名 投与量	投与方法 投与時間	1	2	3	4	5	6	7	8	9	10	11	12	13	14	15	16	～	21
レジメン（SOX）	Rp1	パロノセトロン 0.75 mg/body デキサメタゾン 9.9 mg/body 生理食塩液 100 mL	点滴注射 15分	↓																	
	Rp2	オキサリプラチン 100 mg/m² 5%ブドウ糖液 500 mL	点滴注射 120分	↓																	
	Rp3	生理食塩液 50 mL	点滴注射 15分	↓																	
	Rp4	S-1 80 mg/m²	経口 1日2回 朝夕食後	↓夕	↓	↓	↓	↓	↓	↓	↓	↓	↓	↓	↓	↓	↓	↓朝			
	Rp5	デキサメタゾン 8 mg/body	経口 1日1回		↓	↓															

1日の投与スケジュールとしては朝食後と夕食後で半量ずつとする.

副作用対策	1	2	3	4	5	6	7	8	9	10	11	12	13	14	15	16	～	21
過敏症	■																	
静脈炎，血管痛	■																	
悪心・嘔吐	■	■	■	■	■													
末梢神経障害（早発性）	■	■	■	■	■	■	■	■	■	■	■	■	■	■				
末梢神経障害（遅発性）																		
下痢								■	■	■	■	■	■	■	■	■	■	■
流涙																		

過敏症

オキサリプラチン投与開始30分以内が好発時期であり，初回投与時に発現することもあるが，数回投与後の発現が多い．出現時は投与を中止し，必要に応じてアドレナリン，抗ヒスタミン薬，ステロイド薬を投与する．

静脈炎，血管痛

オキサリプラチンの投与により発現することがある．太い血管の選択，温罨法を実施．前投薬のデキサメタゾンの一部をオキサリプラチン点滴内へ混注することで軽減する場合がある．

悪心・嘔吐

MECレジメンであるがオキサリプラチンを含み，また胃がん患者では消化器症状が出現しやすいため，患者因子も考慮の上，初回よりアプレピタントを含む3剤併用も検討する．

末梢神経障害（早発性）

オキサリプラチンの投与直後から1～2日以内に出現する，手足のしびれ，喉の違和感．症状は一過性で14日以内に回復するとされるが，投与の繰り返しにより遷延することも多い．冷感刺激により誘発および悪化が認められる．冷たいものの飲食および外気を避けるよう指導を行っておく．

末梢神経障害（遅発性）

オキサリプラチン投与の繰り返しにより発現する遅発性および持続性の末梢神経障害．痛みや日常生活への影響を確認し，オキサリプラチンの減量，休薬，中止を検討する．

下痢

投与前に普段の排便状態を確認しておく．脱水とならないよう水分摂取を心掛けるよう説明．Grade 2以上の下痢，水様便の継続があればロペラミドで対応．

流涙

涙が出る，視力低下といった自覚症状がみられる．投与開始から3か月以内の発現が多い．保存剤を含まない人工涙液によりS-1のウォッシュアウトを行う．軽度ではS-1の中止より軽快するが，重度では眼科的処置が必要となる．

それぞれ血中濃度，PT-INR の頻回なモニタリングにより投与量の調節を行う．

□MEC レジメンであり，制吐療法は 5-HT_3 受容体拮抗薬とデキサメタゾンが推奨されるが，オキサリプラチンを含むためアプレピタントの併用もオプション[5] として検討．

3 抗がん薬の調剤[6]

□オキサリプラチンは 15℃以下で保存した場合，結晶を析出することがある．析出した場合は振盪するなどして，溶解させた後に使用する．

□オキサリプラチンは 5%ブドウ糖液に注入し，250〜500 mL とする．塩化物含有溶液により分解されるため，生理食塩液などの塩化物を含む輸液との配合を避ける．

□S-1 の剤型には OD 錠，カプセル剤，顆粒剤があり，患者にあわせて選択する．

4 抗がん薬の投与

投与基準[3]

<table>
<tr><th>白血球数</th><td>≦12,000/μL</td><th rowspan="4">ALT</th><td rowspan="4">≦(男) 105 U/L，(女) 57.5 U/L (≦ULN×2.5)
【肝転移がある場合】≦(男) 210 U/L，(女) 115 U/L (≦ULN×5)</td></tr>
<tr><th>好中球数</th><td>≧1,500/μL</td></tr>
<tr><th>血小板数</th><td>≧10 万/μL</td></tr>
<tr><th>Hb</th><td>≧8.0 g/dL</td></tr>
<tr><th>T-Bil</th><td>≦2.25 mg/dL (≦ULN×1.5)</td><th>ALP (JSCC)</th><td>≦805 U/L (≦ULN×2.5)
【肝転移がある場合】≦1,610 U/L (≦ULN×5)</td></tr>
<tr><th rowspan="2">AST</th><td rowspan="2">≦75 U/L (≦ULN×2.5)
【肝転移がある場合】
≦150 U/L (≦ULN×5)</td><th>Scr</th><td>≦(男) 1.07 mg/dL，(女) 0.79 mg/dL (≦ULN)</td></tr>
<tr><th>Ccr</th><td>≧50 mL/分</td></tr>
</table>

- 20 歳以上
- PS 0〜2
- 経口投与が可能

減量・中止基準[3]（表 53-1）

□末梢神経障害については，day 1 に Grade 2 を認めた場合オキサリプラチンの投与量を 1 段階減量，Grade 3 ではオキサリプラチンはスキップして S-1 のみ投与，Grade 4 ではオキサリプラチンは中止とする．

□用量レベル：「抗がん薬の処方監査」（→440 頁）．

表 53-1 減量・中止基準

項目	基準	投与量調節	
		オキサリプラチン	S-1
好中球数	<500/μL (Grade 4)	1 段階減量	1 段階減量
FN	好中球数<1,000/μL かつ発熱（腋窩温）38℃以上	1 段階減量	1 段階減量
血小板数	<2.5 万/μL (Grade 4)	1 段階減量	1 段階減量
	≧7.5 万/μL (Grade 1）を day 29 までに満たさない	1 段階減量	オキサリプラチンの投与量が 50 mg/m² の場合は 1 段階減量
下痢，口内炎，手足症候群	≧Grade 3	1 段階減量	1 段階減量
オキサリプラチンによると思われるアレルギー反応/過敏症	≧Grade 3	中止	減量なし

腎機能障害

□S-1 は Ccr（mL/分）が 60 以上 80 未満では初回基準量（必要に応じて 1 段階減量），30 以上 60 未満では原則として 1 段階以上減量（30 以上 40 未満では 2 段階減量が望ましい）．30 未満では投与不可[7]．

□オキサリプラチンは米国の添付文書では A 法の 85 mg/m² での投与の場合，Ccr 30 未満では 65 mg/m² に減量[8]．

肝機能障害

□記載なし．

注意点

□オキサリプラチンは投与数分以内のショック，アナフィラキシーが報告されており，患者の状態を十分に観察する．特に累積投与量 401 mg/m²〜900 mg/m² で発現する場合が多く認められており[9]，コース数，累積投与量を把握しておく．

□薬液が血管外に漏れると，注射部位に硬結・壊死を起こすことがあるため慎重に投与する．

□オキサリプラチンの投与中に血管痛・静脈炎を発症することがあるため，できる限り太い血管を選択，温罨法の実施といった対応を行う.

□S-1は食後服用のことを確認, 指導する. 空腹時投与ではオテラシルカリウムのバイオアベイラビリティが変化し, フルオロウラシルのリン酸化が抑制され抗腫瘍効果の減弱が予想される[4].

5 副作用マネジメント

発現率

副作用	全体 (%)	Grade 3以上 (%)	副作用	全体 (%)	Grade 3以上 (%)
白血球減少	60.7	4.1	低Na血症	21.9	4.4
好中球減少	68.9	19.5	下痢	48.2	5.6
貧血	55.3	15.1	悪心	61.5	3.8
血小板減少症	78.4	10.1	嘔吐	34.9	0.6
FN	0.9	0.9	口内炎	32.2	1.5
T-Bil増加	38.8	2.7	食欲不振	74.6	15.4
AST上昇	60.7	3	倦怠感	57.7	6.5
ALT上昇	40.2	3	末梢神経障害	85.5	4.7

評価と観察のポイント

□過敏症, 悪心・嘔吐, 便秘・下痢, 末梢神経障害の発現に注意する.

投与中～投与後

□過敏症や血管痛, 急性末梢神経障害の出現に注意.

投与初期 (day 1～7)

□オキサリプラチンによる急性の末梢神経障害は寒冷刺激により誘発されやすく, 手足のしびれだけでなく咽頭や喉頭の感覚異常も現れる.

□この時期に発現する悪心・嘔吐はオキサリプラチンの遅発性悪心・嘔吐によるものも多く, 遷延させないよう制吐療法を強化する.

□オキサリプラチン, 5-HT_3受容体拮抗薬による便秘がみられることがある. 必要に応じて下剤を使用しその後のS-1による下痢発現の可能性も踏まえた説明を行っておく.

投与後期 (day 7以降)

□下痢への対応として, 治療開始前にベースラインの排便状態を把握しておく. 普段の排便状況 (回数, 便の性状) を確認.

□オキサリプラチンによる持続性の末梢神経障害は, 蓄積投与量の増加に伴い発生，増強しやすくなる．しびれのみならず日常生活への影響（ボタンをかけにくい，箸を持ちにくい，文字を書きにくい，歩きにくい）をわかりやすい表現で説明し，確認を行う．

副作用対策のポイント

過敏反応

□オキサリプラチンの投与回数の増加に伴い発現しやすくなる．原則として再投与は行わないが，症状および治療方針によっては前投薬の使用，点滴時間の延長などの対策を講じて行うこともある．

□具体的には，原因薬剤の投与を中止し，症状および重症度に応じて薬物療法，呼吸管理を行う．

- 生理食塩液（ルート内の原因薬剤を吸引後，新規の輸液セットに交換し投与開始）
- アドレナリン：アドレナリン注 0.1％シリンジ　0.3〜0.5 mg 筋注
- 抗ヒスタミン薬：*d*-クロルフェニラミンマレイン酸塩（ポララミン®）注　5 mg
- ステロイド薬：ヒドロコルチゾン注　100〜300 mg
- β_2 刺激薬：サルブタモール（ベネトリン®）吸入液，サルブタモール（サルタノール®）インヘラー

□発症時にただちに対応できるようあらかじめ化学療法施行時の過敏症対策を院内で取り決めておく．

血管痛・静脈炎

□具体的には，太い血管への穿刺，温罨法の実施，希釈液の増量（250 mL→500 mL），前投薬のデキサメタゾンのうち 1.65〜3.3 mg を希釈液へ混注，CV ポートの増設を検討．

悪心・嘔吐

□MEC レジメンであり，基本的には 5-HT_3 受容体拮抗薬とデキサメタゾンを予防投与する．胃がん，特に術後化学療法では消化器症状が出現しやすく，患者のリスク因子も考慮の上，必要に応じてアプレピタントを併用する．

□出現時には抗がん薬以外の要因も評価し，発現時期，Grade を踏まえ制吐療法を強化する．

①初回よりアプレピタントを併用する場合の例

day 1

- パロノセトロン（アロキシ®）塩酸塩注射液 0.75 mg＋デキサメタゾン（デキサート®）注　4.95 mg　1日1回抗がん薬投与前　点滴静注
- アプレピタント（イメンド®）カプセル　1回 120 mg　1日1回抗がん薬投与1時間前に

day 2，3

- アプレピタント（イメンド®）カプセル　1回 80 mg　1日1回　朝食後（午前中）
- デキサメタゾン（デカドロン®）錠　1回 4 mg　1日1回朝食後

②発現時の対応例

- メトクロプラミド（プリンペラン®）錠　1回 5 mg　悪心時

③遅発性悪心・嘔吐対策の強化例

- オランザピン（ジプレキサ®）錠　1回 5 mg　1日1回 day 1～4（糖尿病には禁忌）

末梢神経障害

□急性の末梢神経障害対策として，冷感刺激を避けるよう指導しておく．具体的には，冷たいものを触らない，冷たいものの飲食を避ける，低気温時には手袋やマフラーを使用して皮膚を露出させない．

□持続性・蓄積性の末梢神経障害に対しては有効性が確立した方法はなく，予防投与として推奨される薬剤はない．治療としてデュロキセチンの有効性が報告されているが，弱い推奨[10, 11]にとどまっている．適応としては 保険適用外 となるため医師への情報提供および患者への十分な説明が必要である．使用時には国内の臨床試験[12]，添付文書上での用量を踏まえ，20 mg/日で開始し，1週間以上開けて 20 mg ずつ増量することが望ましい．

□現段階ではエビデンスは不十分ではあるが，実臨床ではプレガバリン，ミロガバリンが投与されることも多い．

例：デュロキセチン（サインバルタ®）カプセル　1回 20 mg　1日1回（1週間以上あけて 40 mg に増量　保険適用外）

プレガバリン（リリカ®）カプセル・OD錠　1回75 mg
　1日2回（用量・用法は腎機能に応じて変更，症状に
　応じて増減．最高用量は1日600 mg）
ミロガバリン（タリージェ®）錠　1回5 mg　1日2回
　（用量・用法は腎機能に応じて変更，症状に応じて増
　減．最高用量は1日30 mg）

下痢

□発現時には脱水にならないよう水分摂取について説明しておく．あらかじめ止瀉薬を処方しておき，Grade 2以上時の服用を指導．

例：ロペラミド（ロペミン®）カプセル・錠　1回1～2 mg
　下痢時

流涙

□S-1により発現することがあり，患者のQOL低下につながりやすい．

□具体的には，あらかじめ防腐剤を含まない人工涙液（一般用医薬品．一例としてソフトサンティア®）によるウォッシュアウトを併用．ヒアルロン酸の点眼はその粘稠度の高さから，5-FUを含有する涙液の停滞を起こし，角膜上皮障害を増悪させるため[13]推奨されていない．涙道狭窄・閉塞に対し涙管チューブ挿入術，涙管再建術（眼科紹介）．

6 薬学的ケア

CASE

□60歳代女性．胃がんStage Ⅳ．患者背景および臓器機能を確認し，Ccr 57 mL/分，患者側の催吐因子は女性，飲酒習慣なし，妊娠悪阻経験あり，精神的不安ありと高リスクと判断し，S-1は基準量より1段階減量，初回からのアプレピタントの併用を提案した．

□day 2にGrade 3の悪心，Grade 2の嘔吐が生じたためオランザピン5 mg/日を提案し軽減が得られた．以降はオランザピン5 mg/日4日間を併用することでGrade 1の悪心までであった．

□day 2より排便がなく酸化マグネシウム錠，ピコスルファート

ナトリウム液を提案，翌日より排便が得られた．day 6 より軟便となり服用は中止したが day 8 に Grade 2 の下痢が出現．ロペラミドカプセル 1 回 1 mg 下痢時服用を提案，改善が得られた．以降も初期の下剤，後期の止瀉薬の服用，調節を指導し便通に困ることなく 4 コースまで治療継続された．

解説

□予防的制吐療法は薬剤の催吐リスクに注目しがちであるが，患者因子も考慮して実施する必要がある．年齢，性別，飲酒習慣，喫煙歴，がんの病態，精神的要因などがあり[5] リスクに応じて強化をはかる．

□便通異常については併用する抗がん薬の種類および投与タイミング，5-HT_3 受容体拮抗薬の使用により同コース内でも便秘，下痢が生じることがある．今回の症例では初期にはパロノセトロンによる便秘，後期には S-1 による下痢が発現したものと判断．それぞれの抗がん薬の便通異常の種類，発現頻度，発現時期を理解し，5-HT_3 受容体拮抗薬の影響も考慮して便通に応じた下剤，止瀉薬の服薬，調節について指導を行っておく．

引用文献

1) 日本胃癌学会（編）：胃癌治療ガイドライン，第 6 版．金原出版，2021
2) Park SH, et al：Ann Oncol 32：368-74, 2021（PMID：33278599）
3) Yamada Y, et al：Ann Oncol 26：141-8, 2015（PMID：25316259）
4) ティーエスワン®，添付文書．2020 年 1 月（大鵬薬品工業）
5) 日本癌治療学会（編）：制吐薬適正使用ガイドライン，第 2 版（一部改訂版 ver. 2.2）．日本癌治療学会，2018
6) エルプラット® 点滴静注液，添付文書．2020 年 9 月（ヤクルト本社）
7) ティーエスワン®，適正使用ガイド（大鵬薬品工業）
8) オキサリプラチン米国添付文書
9) エルプラット，適正使用ガイド（ヤクルト本社）
10) 日本がんサポーティブケア学会（編）：がん薬物療法に伴う末梢神経障害マネジメントの手引き　2017 年版．金原出版，2017
11) Loprinzi CL, et al：J Clin Oncol 38：3325-48, 2020（PMID：32663120）
12) Hirayama Y, et al：Int J Clin Oncol 20：866-71, 2015（PMID：25762165）
13) 柏木広哉：あたらしい眼科 30：915-21, 2013

（星加 寿子）

54 DS（ドセタキセル＋S-1）

POINT

- 対象患者は，StageⅢの治癒切除胃がんに対する術後補助化学療法．
- 手術後6週以内にS-1単独投与1コース実施後DS療法を開始する．
- S-1単独投与に比べて，Grade 3以上の骨髄抑制の発現が多く報告されており注意が必要．

1 レジメンと副作用対策（→次頁参照）

適応：Stage Ⅲの治癒切除胃がんに対する術後補助化学療法
コース期間：21日間　**総コース**：2〜7コースの計6コース
ドセタキセルは2コースより投与を開始し7コースまで継続（ドセタキセルは21日間ごと6回の投与）．
S-1は1〜7コースまで14日間投与7日間休薬，8コース以降は28日間投与14日休薬（8コース以降の28日間投与スケジュールにおいて，day 15以降の有害事象を理由に投与継続困難と判断された場合のみ，14日間投与7日間休薬スケジュールへの変更が許容）．
治療終了は，手術後1年後まで（手術後1年間経過した後は新たなコースに入らない）．

2 抗がん薬の処方監査

- □本レジメンの適応（StageⅢの治癒切除胃がん）であることを確認する．通常，治療は手術後6週間以内に1コースのS-1単独療法を開始する．
- □ドセタキセルには，アルコールを含む製剤がある．飲酒習慣などアルコール耐性・過敏症を確認．
- □LECに該当し，制吐療法としてはデキサメタゾンのみを使用．悪心・嘔吐のコントロールが困難な症例に対しては，5-HT_3受容体拮抗薬やD_2受容体拮抗薬の投与も考慮する．
- □他のフッ化ピリミジン系の抗がん薬・抗真菌薬〔フルシトシン（アンコチル®）〕の併用は，血中5-FU濃度が上昇するため併用禁忌[1)]．

54		医薬品名 投与量	投与方法 投与時間	1	2	3	4	~	7	8	9	10	11	12	13	14	15	~	19	20	21
レジメン（DS）	Rp1	デキサメタゾン 6.6 mg/body 生理食塩液 100 mL	点滴静注 15 分	↓																	
	Rp2	ドセタキセル 40 mg/m² 生理食塩液 250 mL	点滴静注 60 分	↓																	
	Rp3	S-1 *1 80〜120 mg	経口 1 日 2 回 朝夕食後	↓ 夕	↓	↓	↓	↓	↓	↓	↓	↓	↓	↓	↓	↓	↓ 朝				

*1 S-1 投与量

体表面積	初回基準量 （テガフール相当量）
1.25 m² 未満	80 mg/日
1.25 m² 以上，1.5 m² 未満	100 mg/日
1.5 m² 以上	120 mg/日

副作用対策

過敏症

ドセタキセルの添加物ポリソルベート 80 による過敏症やショックに注意．溶剤として無水エタノールを含有する製剤もあるため，施設の採用品について確認．アルコール不耐性の場合，専用溶解液を使用しない調製方法を選択．

静脈炎，血管外漏出

ドセタキセルは起壊死性抗がん薬に該当．漏出の徴候を患者指導するとともに，医療者による穿刺部位周辺の確認を行い早期発見に努める．

好中球減少

感染予防対策（手洗い，うがい）や FN の徴候（発熱，悪寒，咽頭痛）について事前に患者指導．

悪心・嘔吐，食欲不振

催吐リスクは軽度だが治療には体重維持が重要であるため，早期からの支持療法・栄養介入を検討．

下痢

Grade 2 以上の場合，感染の可能性を否定した上でロペラミドの処方を検討．

口腔粘膜炎

治療開始までに歯科を受診し，口腔内の感染病巣を除去する．治療中は口腔内の清潔・保湿を維持する．発症時，症状により含嗽，軟膏塗布および鎮痛薬を用いて症状緩和を行う．

皮疹

皮疹が広範囲の場合には S-1 を休薬し受診指示．症状によりステロイド外用薬，抗ヒスタミン薬の使用を検討．

筋肉痛，関節痛

マッサージ，温浴による血行促進で症状緩和．必要時，鎮痛薬の使用も考慮．

脱毛

ほぼ必発で 2〜3 週後がピーク．事前にウィッグなどの情報を提供しておく．治療終了後は回復．

爪毒性，爪周炎

爪周囲の皮膚の荒れに始まり，爪変色，爪変形，割れやすくなる，など．数か月後〜剝離しやすくなるので，爪周囲の外用薬塗布や爪保護を指導．

浮腫

ドセタキセルの累積投与量に依存して発現する．定期的な体重測定や四肢・顔の変化を観察．浮腫が自他覚的にも疑われる場合，ステロイドの投与を考慮．

流涙

防腐剤を含まず涙液保持性のない点眼薬にてウォッシュアウトを実施．涙道閉塞には涙管チューブ挿入術を検討．

□S-1とフェニトイン（アレビアチン®，ヒダントール®）やワルファリン（ワーファリン®）と併用する場合，相互作用によりフェニトイン中毒や出血傾向となる可能性がある[3]ため，慎重な経過観察が必要.

□初回基準量は体表面積に基づいて80～120 mg/日．Ccrが50 mL/分以上60 mL/分未満の場合は，1段階減量して開始．Ccrが50 mL/分未満は臨床試験において対象外であったことに留意する.

□HBV抗原陽性例では，エンテカビル0.5 mgを空腹時（食後2時間以降かつ次の食事の2時間以上前）の投与が継続されているか確認．また，HBs抗原陰性例でもHBc抗体およびHBs抗体の確認を行い，いずれか陽性の場合，HBV-DNA定量を行う．定量値が基準値（1.3 logU/mL）以上の場合，エンテカビルを投与.

□ECOG PS 0～1の80歳以下を対象として臨床試験が実施されたことを考慮する.

3 抗がん薬の調剤

□ドセタキセルは，専用溶解液で溶解する製剤とプレミックス製剤があり，それらは薬剤濃度や添加物が異なるので注意(タキソテール®の場合，80 mg製剤および20 mg製剤の添付溶解液には，それぞれ0.9 gおよび0.2 gの無水エタノールを含む．ワンタキソテール®の場合，含有量はそれぞれ1.6 gおよび0.4 g).

□S-1は口腔内崩壊剤・カプセル剤・顆粒剤の剤型があり，患者にあわせた剤型選択を考慮.

4 抗がん薬の投与

投与基準

□国内第Ⅲ相試験　JACCRO GC-07（START-2）試験[2, 3]

治療開始時

項目	基準	項目	基準
白血球数	≧4,000/μL, ≦12,000/μL	消化器症状（下痢，口腔粘膜炎，悪心・嘔吐，食欲不振）	≦Grade 1
好中球数	≧1,500/μL		
血小板数	≧10万/μL		

項目	基準	項目	基準
Hb	≧9.0 g/dL	非血液毒性	主治医が投与不適と判断する Grade 2 以上の非血液毒性がない
T-Bil	≦1.5 mg/dL		
AST，ALT	≦100 U/L		
Scr	≦1.2 mg/dL		

各コース開始時（2 コース目以降）

項目	基準	項目	基準
好中球数	≧1,000/μL	消化器症状（下痢，口腔粘膜炎，悪心・嘔吐，食欲不振）	≦Grade 1
血小板数	≧7.5 万/μL		
T-Bil	≦1.5 mg/dL	非血液毒性	主治医が投与不適と判断する Grade 2 以上の非血液毒性がない
Scr	≦1.2 mg/dL		

減量・中止基準

腎機能障害

抗がん薬	検査値	基準	減量
S-1	Ccr	60 mL/分以上 80 mL/分未満	必要に応じて 1 段階減量
		40 mL/分以上 60 mL/分未満	原則，1 段階以上の減量
		30 mL/分以上 40 mL/分未満	2 段階減量が望ましい
		30 mL/分未満	投与不可
ドセタキセル	調節不要		

肝機能障害

抗がん薬	検査値	基準	減量
S-1	T-Bil	＞1.5 mg/dL，＜3 mg/dL	記載なし
		≧3 mg/dL	投与不可
	AST，ALT	AST＞75 U/L（＞ULN×2.5），＜150 U/L ALT＞（男）105 U/L，（女）57.5 U/L（いずれも＞ULN×2.5），＜150 U/L	記載なし
		≧150 U/L	投与不可
ドセタキセル	T-Bil	＞3.3 mg/dL（＞ULN×1.5）	投与不可
	AST，ALT，ALP（JSCC）	AST＞45 U/L，ALT＞（男）63 U/L，（女）34.5 U/L（いずれも＞ULN×1.5）かつ ALP＞805 U/L（＞ULN×2.5）	投与不可

国内第Ⅲ相試験　JACCRO GC-07（START-2）試験[2, 3]

□S-1 のコース内休止・再開基準

項目	休止基準	再開基準
好中球数	＜1,000/μL	≧1,500/μL
血小板数	＜7.5 万/μL	≧7.5 万/μL
Scr	＞1.2 mg/dL	≦1.2 mg/dL
消化器症状（下痢，口腔粘膜炎，悪心・嘔吐，食欲不振）	≧Grade 2	≦Grade 1
非血液毒性	≧Grade 2 の非血液毒性にて主治医が休薬を必要と判断した場合	休止判断理由となった非血液毒性がすべて≦Grade 1 に回復

□ドセタキセル，S-1 投与休止後再開時の減量基準および減量用量レベル

項目	休止時の状態	再開時の減量の有無
好中球数	≧500/μL，＜1,000/μL	減量しない
	＜500/μL	1 段階減量
FN	≧Grade 3	1 段階減量
血小板数	≧5.0 万/μL，＜7.5 万/μL	減量しない
	＜5.0 万/μL	1 段階減量
Scr	＞1.2 mg/dL	1 段階減量
消化器症状（下痢，口腔粘膜炎，悪心・嘔吐，食欲不振）	Grade 2	減量しない
	≧Grade 3	1 段階減量
非血液毒性	≧Grade 3	1 段階減量

□S-1 の減量用量レベル

初回投与量	1 段階減量	2 段階減量
80 mg/日	60 mg/日	50 mg/日
100 mg/日	80 mg/日	60 mg/日
120 mg/日	100 mg/日	80 mg/日

□ドセタキセルの減量用量レベル

初回投与量	1 段階減量	2 段階減量
40 mg/m^2	35 mg/m^2	30 mg/m^2

注意点

□投与中の過敏反応は，主に添加物であるポリソルベート80が原因．初回と2回目の投与開始から数分以内に多く発現するため観察を強化する．

□ドセタキセルは起壊死性抗がん薬のため，漏出した場合，注射部位に硬結・壊死を起こす．定期的に観察し，漏出の早期発見に努める．

□有害事象の評価と休薬のタイミングを自己で評価できるよう事前の服薬指導が重要．飲み忘れた場合は次の服薬タイミングから服薬を再開し，一度に2回分を服薬しないよう指導．

□空腹時ではオテラシルカリウムのバイオアベイラビリティが変化し，フルオロウラシルのリン酸化が抑制され抗腫瘍効果が減弱することが予測されるため，食後服用を指導．

□口腔内崩壊錠であっても口腔粘膜から吸収されないため，唾液または水で服用するように説明．

5 副作用マネジメント

発現率[2, 3]

有害事象(%)	DS療法群（n＝341）					S-1単独群（n＝348）				
	G1	G2	G3	G4	G3/4	G1	G2	G3	G4	G3/4
白血球減少	14.7	19.4	19.6	2.9	22.6	21.3	22.1	1.7	0.3	2.0
好中球数減少	7.0	13.5	21.1	17.0	38.1	10.9	19.5	15.2	0.9	16.1
血小板数減少	17.3	0.9	0.9	0.3	1.2	16.4	4.6	0.3	0	0.3
貧血	20.2	19.4	4.4	0	4.4	19.3	22.7	2.3	0	2.3
T-Bil増加	12.3	8.2	0.6	0	0.6	20.7	10.1	1.4	0	1.4
食欲不振	32.0	17.3	14.1	0	14.1	27.0	13.5	12.4	0	12.4
悪心	25.8	9.1	4.1	0	4.1	19.8	10.3	1.4	0	1.4
下痢	35.8	10.6	3.5	0	3.5	27.3	10.6	8.9	0	8.9
口腔粘膜炎	27.3	8.5	4.4	0	4.4	17.5	4.0	2.0	0	2.0
脱毛	34.3	23.5	—	—	—	3.4	0	—	—	—
FN	—	—	4.4	0.3	4.7	—	—	0.3	0	0.3

G：Grade

評価の観察とポイント

□**投与初期（1〜7日目頃）**：悪心・嘔吐に伴う食欲不振に注意する．投与早期にGrade 2以上の口腔粘膜炎，下痢が発現した場合には骨髄抑制を併発している可能性を考慮.

□**投与後期（8 日目以降）**：好中球数が最低値に達する時期であり，FN に対して最も注意が必要．特に，1 コース目や腎機能低下症例については頻回の臨床検査にて評価.

副作用対策のポイント

□FN の症状がみられた場合には速やかに医療機関を受診するよう事前指導．投与前より好中球減少のリスク因子（高齢，栄養不良，開放創，口腔粘膜炎，血管留置器具，糖尿病，心血管系合併症）を確認.

□軽度催吐性レジメンであり，基本的にはデキサメタゾンの予防投与を行う．胃がんの術後では消化器症状が出現しやすく，悪心・嘔吐の出現時には抗がん薬以外の要因や患者のリスク因子も考慮の上，必要に応じてプロクロルペラジンまたはメトクロプラミドなどの使用を検討する.

①予防的支持療法例

day 1

- デキサメタゾン（デキサート®）注　6.6 mg　1 日 1 回　抗がん薬投与前　点滴静注

②発現時の対応例

- プロクロルペラジン（ノバミン®）錠　1 回 5 mg　悪心時
- メトクロプラミド（プリンペラン®）錠　1 回 5 mg　悪心時

□筋肉痛・関節痛はドセタキセル投与後 24〜48 時間で発現し，3〜5 日で回復．症状に対しては，マッサージ，温浴なども有効であるが，痛みが強い場合はアセトアミノフェンなどの鎮痛薬や NSAIDs などの投与を考慮.

□ドセタキセルの累積投与量に依存して浮腫が発現する．定期的な体重測定や四肢・顔の変化を観察．浮腫が自他覚的にも疑われる場合，ステロイドの投与を検討する．1 回量投与量が 100 mg/m^2 の欧米においては，デキサメタゾン 16 mg/日をドセタキセルの前日から 3 日間経口投与し浮腫が軽減する報告[4]がある．ステロイドを併用する際は，耐糖能障害や糖尿病のある患者では血糖値変動の観察が必要.

□胃がんの術後は，消化吸収不良による栄養不良や下痢を起こしやすいため，食事摂取状況や排便状況など詳細な聴き取りが必要.

□15％以上の術後体重減少が治療完遂率を低下させるという報告[5)]もあるため，患者の経口摂取量と体重変化を確認し，必要と判断した場合は栄養介入を検討．

6 薬学的ケア

CASE

□60歳代男性．StageⅢAの診断で術後補助化学療法としてDS療法が選択された．

□1コース（S-1単独療法）においてGrade 2の下痢を認め，休薬と判断しロペラミド1回2 mgを処方．ロペラミド服用により回復し，2コース以降（DS療法）においても同症状発現時は処方されたロペラミドの服用を指導．

□3コース（DS療法）開始前，眼瞼皮膚の色素沈着および流涙の訴えあり．涙液に含まれる薬物成分を洗い流す目的で防腐剤の入っていない人工涙液ソフトサンティア®の点眼を推奨．継続使用により症状は軽減した．

□6コース（DS療法）day 12，38.0℃以上の発熱で受診．好中球数180/μLを認めたためレボフロキサシン500 mg 1日1回を処方．3日間服用し回復を確認．次コースより1段階減量で再開となった．

解説

□Grade 1以上の下痢で止痢薬の使用が検討される．下痢による水分・電解質の消失により，致死的な脱水，腎機能障害，電解質異常を起こすことがあるため，Grade 2の下痢に対してはロペラミド1回2 mgの服用が推奨される．

□S-1による流涙は，角膜障害による涙液分泌亢進や涙道障害による涙液の排泄障害が原因とされている[6)]．S-1内服中に流涙や眼痛，違和感，視力低下，霧視などの症状を認めた場合は，S-1による副作用の可能性があり，早めに眼科受診をすすめる．

□START-2試験において，DS療法群におけるFNの発現が高頻度（DS療法群：4.7％，S-1単独療法群：0.3％）[2)]であり十分な注意が必要．

引用文献

1）ティーエスワン®，適正使用ガイド（大鵬薬品工業）

2) Yoshida K, et al：J Clin Oncol 37：1296-1304, 2019（PMID：30925125）
3) JACCRO GC-07（START-2）試験実施概要（http://www.jaccro.com/clinical/trial-list/gc07/　2021年12月20日アクセス）
4) ワンタキソテール® 点滴静注，添付文書（サノフィ）
5) Aoyama T, et al：Ann Surg Oncol 20：2000-6, 2013（PMID：23242818）
6) Okuda Y, et al：Gan to Kagaku Ryoho 45：265-8, 2018（PMID：29483417）

（藤井千賀）

55 RAM＋PTX or nab-PTX（ラムシルマブ＋パクリタキセル or nab-パクリタキセル）

POINT

■ラムシルマブ＋nab-パクリタキセルにおいては，日本人を対象とした第Ⅱ相臨床試験より，切除不能進行・再発胃がんの化学療法の2次治療に条件付きで推奨される[1]．

■1次治療にオキサリプラチンを併用したレジメンが多く，本レジメン開始時から末梢神経障害について定期的な患者への問診が重要である．

■ラムシルマブによる高血圧，出血，尿蛋白，血栓塞栓症に注意し，継続的なモニタリングが重要．血圧は自宅における血圧を確認する．

1 レジメンと副作用管理 （→次頁，460頁参照）

適応：切除不能進行・再発胃がんの2次化学療法

1コース期間：28日間　**総コース**：PDとなるまで

2 抗がん薬の処方監査

□切除不能進行・再発胃がんの化学療法の2次治療であることを確認する．

□infusion reactionを軽減させるため，ラムシルマブ投与前に抗ヒスタミン薬（ジフェンヒドラミンなど）の処方指示について確認する（初回は必須である）．

□血栓症，出血の可能性があるため，事前に血栓などのリスクを医師が確認しているか，抗血栓薬や抗凝固薬を内服中であるかを確認する．

□創傷治癒遅延による合併症が現れる可能性があるため，投与前28日以内に大きな外科手術や，投与前7日以内に静脈ポート留置が行われていないかを確認する．

□ラムシルマブの投与速度は，初回60分，2回目以降は忍容性が良好であれば30分で投与できることを確認する．

□パクリタキセル，アルブミンに対し過敏症の既往歴がないことを確認する．

□RAM＋PTX療法の場合は，パクリタキセルまたは，ポリオキシエチレンヒマシ油含有製剤に対する過敏反応の予防のため，

55		医薬品名 投与量	投与方法 投与時間	1	2	～	7	8	9	10	11	12	13	14	15	16	～	20	21	～	28
レジメン（RAM＋PTX）	Rp1	ファモチジン 20 mg/body デキサメタゾン 6.6 mg/body 生理食塩液 100 mL	点滴注射 30 分	↓				↓							↓						
	Rp2	ジフェンヒドラミン 50 mg	経口 Rp1 開始時	○				○							○						
	Rp3	ラムシルマブ 8 mg/kg 生理食塩液 250 mL	点滴注射 60 分 （2 回目以降 30 分でも可）	↓											↓						
	Rp4	パクリタキセル 80 mg/m^2 生理食塩液 250 mL	点滴注射 60 分	↓				↓							↓						
	Rp5	生理食塩液 50 mL	フラッシュ用	↓				↓							↓						
副作用		infusion reaction		■																	
		症状：初回投与時に悪寒，潮紅，低血圧，呼吸困難，気管支痙攣などの症状. 対策：ラムシルマブ投与前に抗ヒスタミン薬（ジフェンヒドラミンなど）の前投与.																			
副作用対策		過敏症		■				■							■						
		症状：発疹，潮紅，低血圧，徐脈，発汗の症状. 対策：パクリタキセル投与前にステロイド薬，抗ヒスタミン薬（ジフェンヒドラミン，ファモチジンなど）を投与.																			
		好中球減少症						■	■	■	■	■	■	■	■	■	■	■			
		特に day 8，15 に注意し，投与基準不適合時は投与延期を検討する．感染予防対策（手洗い，うがい），FN の徴候（発熱，悪寒，咽頭痛）がみられた際の抗菌薬や解熱薬の使用方法，緊急受診の目安について事前に指導.																			
		末梢神経障害					■	■	■	■	■	■	■	■	■	■	■	■	■	■	■
		症状：90％程度の発現率であり，ほぼ必発である. 対策：パクリタキセルの減量や休薬，またはプレガバリンやミロガバリン，デュロキセチンなどを投与.																			
		脱毛																	■	■	■
		症状：90％程度の発現率であり，ほぼ必発である. 対策：帽子やウィッグなどで対応する.																			
		尿蛋白		■	■	■	■	■	■	■	■	■	■	■	■	■	■	■	■	■	■
		定期的な確認と評価を行い，基準に沿って休薬や減量を行う.																			
		高血圧		■	■	■	■	■	■	■	■	■	■	■	■	■	■	■	■	■	■
		自宅での血圧管理を指導する.																			

ラムシルマブおよびパクリタキセルの過敏症予防として服用.

必ずステロイド薬と抗ヒスタミン薬の前投薬を行う.

□パクリタキセルを使用する場合は，添加物として無水エタノールを含有するため，投与前にアルコール過敏症について確認する.

55	医薬品名 投与量	投与方法 投与時間	1	2	～	7	8	9	10	11	12	13	14	15	16	～	20	21	～	28
レジメン（RAM＋nab-PTX） Rp1	ジフェンヒドラミン 50 mg	経口 Rp2 開始時	○											○						
Rp2	生理食塩液 50 mL	ルート確保																		
Rp3	ラムシルマブ 8 mg/kg 生理食塩液 250 mL	点滴注射 60 分（2 回目以降 30 分でも可）	↓											↓						
Rp4	nab-パクリタキセル 100 mg/m² 生理食塩液 50 mL	点滴注射 30 分	↓				↓							↓						
Rp5	生理食塩液 50 mL	フラッシュ用	↓				↓							↓						

ジフェンヒドラミン注射液または類似のクロルフェニラミンマレイン酸塩注射液でも代用可能.

副作用対策	1	2	～	7	8	9	10	11	12	13	14	15	16	～	20	21	～	28
infusion reaction	■																	
好中球減少症					■	■	■	■	■	■	■	■	■	■	■			
末梢神経障害				■	■	■	■	■	■	■	■	■	■	■	■	■	■	■
脱毛																■	■	■
尿蛋白	■	■	■	■	■	■	■	■	■	■	■	■	■	■	■	■	■	■
高血圧	■	■	■	■	■	■	■	■	■	■	■	■	■	■	■	■	■	■

infusion reaction
症状：初回投与時に悪寒，潮紅，低血圧，呼吸困難，気管支痙攣などの症状.
対策：ラムシルマブ投与前に抗ヒスタミン薬（ジフェンヒドラミンなど）の前投与.

好中球減少症
特に day 8, 15 に注意し，投与基準不適合時は投与延期を検討する．感染予防対策（手洗い，うがい），FN の徴候（発熱，悪寒，咽頭痛）がみられた際の抗菌薬や解熱薬の使用方法，緊急受診の目安について事前に指導.

末梢神経障害
症状：90％程度の発現率であり，ほぼ必発である.
対策：nab-パクリタキセルの減量や休薬，またはプレガバリンやミロガバリン，デュロキセチンなどを投与.

脱毛
症状：90％程度の発現率であり，ほぼ必発である.
対策：帽子やウィッグなどで対応する.

尿蛋白
定期的な確認と評価を行い，基準に沿って休薬や減量を行う.

高血圧
自宅での血圧管理を指導する.

3 抗がん薬の調製

ラムシルマブ

□調製には生理食塩液のみを使用する．ブドウ糖溶液との配合を避ける.

□調製後は，速やかに使用する．冷蔵保存（2～8℃）では 24 時間以内，室温保存（30℃以下）では 12 時間以内に投与を開始する.

パクリタキセル

□注射針に塗布されているシリコーン油により不溶物を生じることがあるため，調製後の薬液中に不溶物がないか目視で確認する.

nab-パクリタキセル

□1 バイアル（100 mg）につき 20 mL の生理食塩液で懸濁する.

バイアル内の内容物が確実に生理食塩液で濡れるよう5分間以上バイアルを静置する．

□内容物は泡立たないように2分以上混和し，均一な白色ないし黄色の懸濁液となっているか確認する．

□懸濁液は必要量をバイアルから抜き取り，空の点滴バッグに泡立たないように注入する．

□特定生物由来製品のため，投与に関する記録（製品名，製造番号，患者氏名，住所，使用日）を作成し20年間保管する．

4 抗がん薬の投与[2, 3]

投与基準

ECOG PS		0～1
骨髄機能	白血球数	≦12,000/μL
	好中球数	(day 1)≧1,500/μL，(day 8，15)≧1,000/μL
	血小板数	(day 1)≧10万/μL，(day 8，15)≧7.5万/μL
	Hb	≧8 g/dL
肝機能	AST ALT	≦90 U/L（≦ULN×3）*1 ≦(男) 126 U/L，(女) 69 U/L（≦ULN×3）*1
	T-Bil	≦2.25 mg/dL（≦ULN×1.5）
腎機能	尿蛋白	≦1＋*2
	Scr	≦(男) 1.8 mg/dL，(女) 1.5 mg/dL（いずれも≦ULN×1.5）
血液凝固機能（開始時）	PT-INR	≦1.725（≦ULN×1.5）
	APTT	≦55.5秒（≦ULN×1.5）

*1 原疾患に起因または肝転移を有する場合は，各ULNの5倍まで許容する．

*2 ≧2＋の場合は定量検査で1g未満であれば適格とする．尿蛋白/クレアチニン比を用いて推定する．

減量・中止基準

ラムシルマブの減量基準

□尿蛋白

1日尿蛋白量2～3 g	初回および2回目	1週延期し，1日尿蛋白2 g未満に回復した時点で，1段階減量して投与．
	3回目以降	ラムシルマブの投与を中止．
2週以内に1日尿蛋白量が2 g未満に回復しない場合，もしくは1日尿蛋白量が3 g以上認めた場合		ラムシルマブの投与を中止．

□高血圧

<Grade 3	(無症状) ラムシルマブは継続し，降圧薬療法を開始． (有症状) ラムシルマブは休薬し，降圧薬療法を開始．症状が消失したら 1 段階減量して開始．
Grade 3	(無症状) ラムシルマブは継続し，降圧薬療法を開始．その後も 2 週を超えて継続する場合は，ラムシルマブの投与を休薬．血圧コントロールできたら，必要に応じて 1 段階減量し再開．
	(有症状) ラムシルマブは休薬し，降圧薬療法を開始．症状が消失したら 1 段階減量して開始．

□infusion reaction

Grade 1	投与速度を 50%に減速し，ラムシルマブの投与を継続．
Grade 2	投与を中断し，infusion reaction が消失または Garde 1 に軽快した時点で，前の投与速度の 50%の投与速度で投与を再開．
Grade 3/4	ただちに中止し，以降ラムシルマブの投与は中止する．

nab-パクリタキセルの減量基準

好中球数	<500/μL	**末梢神経障害**	≧Grade 3
FN	発現	**皮膚障害**	≧Grade 2
血小板数	<2.5 万/μL	**粘膜炎または下痢**	≧Grade 3
AST，ALT	主治医が同一用量で継続困難と判断	**非血液毒性（脱毛以外）**	≧Grade 3

腎機能障害　肝機能障害

□いずれの薬剤も記載なし．

注意点

□ラムシルマブの投与時にはインラインフィルター（0.2 または 0.22 μm）を使用し，nab-パクリタキセルの投与時はインラインフィルターを使用しないため，点滴ラインの交換忘れに注意する．

□パクリタキセルを用いる場合は，インラインフィルター（0.22 μm 以下）が必要である．

□ラムシルマブの投与時間は 2 回目以降の投与時間を 30 分に短縮可能であるため，初回投与時の忍容性（infusion reaction など）について確認する．

□ラムシルマブによる infusion reaction が Grade 1/2 の場合は，以降も抗ヒスタミン薬の前投与を継続する．

□infusion reaction や過敏症を起こしやすい薬剤の組み合わせのため，悪寒，呼吸困難，蕁麻疹，バイタルサインを注意して観察する．

□nab-パクリタキセルはパクリタキセルに比べて，過敏症は少ないため H_2 ブロッカーの投与は必須としていない．

□nab-パクリタキセル，パクリタキセルは，起壊死性薬剤(vesicant drug)に該当し，漏出すると，皮膚壊死や潰瘍形成，疼痛を伴うことがあるため，投与中は注意深く観察する．また，漏出が疑われた場合には，漏出部の冷却を行い，必要に応じてステロイド外用薬や皮膚科受診の有無について医師と相談する．

5 副作用マネジメント

□RAM＋nab-PTX の副作用について記載．

副作用発現率[4)]

	全 Grade	Grade 3 または 4		全 Grade	Grade 3 または 4
好中球数減少	39 (90.7%)	33 (76.7%)	鼻出血	20 (46.5%)	0 (0%)
白血球数減少	16 (37.2%)	12 (27.9%)	高血圧	18 (41.9%)	2 (4.7%)
貧血	7 (16.3%)	5 (11.6%)	浮腫*3	8 (18.6%)	0 (0%)
FN	2 (4.7%)	2 (4.7%)	筋肉痛	5 (11.6%)	0 (0%)
脱毛	40 (93.0%)	0 (0%)	尿蛋白	4 (9.3%)	2 (4.7%)
末梢性感覚性ニューロパチー	25 (58.1%)	0 (0%)	深部静脈血栓症	2 (4.7%)	1 (2.3%)

*3 末梢性浮腫も含む．

評価と観察のポイント

投与中～投与直後

□**infusion reaction**：アナフィラキシー，悪寒，潮紅，低血圧，呼吸困難，気管支痙攣などの症状に注意して観察する．Grade 1/2 の場合には，投与速度を 50%減速し，その後のすべての投与においても減速した投与速度で投与する．

投与後

□**骨髄抑制**：投与量，投与スケジュールの調整が可能となるまで毎週の血液毒性の確認が必要である．nab-パクリタキセルによる Grade 3 以上の好中球減少症は 76.7%と高頻度であるが，FN は 4.7%である．day 8 投与スキップの割合は 30.2%，day 15 投与スキップの割合は 69.8%である．初回治療の day 8 で投与を延期する患者や 1 段階減量後も骨髄抑制が遷延し投与延期となる患者では，次コース開始以降で減量せず day 8 を延期した投与スケジュールも選択肢の1つである．

□**末梢神経障害**：Grade 3以上の報告はされていないのが特徴であるが，Grade 2以下では58.1％報告されており，末梢神経障害のコントロールは必要である[2]．また，1次治療にオキサリプラチンを併用したレジメンが多くなってきており，当レジメン開始時からの患者への問診と評価が重要である．Grade 2以上の場合は，減量または休薬も選択肢の1つである．

□**高血圧**：定期的にモニタリングを行う．自宅での血圧管理を指導する．

□**尿蛋白**：定期的に確認，評価し，早期発見と休薬確認を行う．

□**出血**：ラムシルマブ投与中は，鼻血などの出血がでることがあるが，ほとんどの場合が軽度で，安静にすれば止血されることを指導する．また，稀ではあるが腹痛，吐血，下血のある場合は，消化管からの出血の可能性もあるため，主治医への連絡と受診を強くすすめる．

□**その他**：浮腫や体重増加はネフローゼ症候群の可能性もあるため，注意して観察する．深部静脈血栓症の患者側のリスク因子に高齢，肥満，静脈血栓塞栓症の既往があり，リスクの高い患者は注意する．

副作用対策のポイント

infusion reaction

□軽減させるため，ラムシルマブの投与前に抗ヒスタミン薬（ジフェンヒドラミンなど）の前投与を行う．また，2回目以降にも出現する場合は，デキサメタゾンやアセトアミノフェンも併用すること．

骨髄抑制

□Grade 3以上の好中球数減少が76.7％と発現率が高いため，減量や休薬を検討しながら治療を進めていく．また，G-CSFについては，G-CSF適正使用 ガイドライン2013年版[5]などを参照し投与すること．

末梢神経障害

□Grade 2以上で臨床試験を参考にプレガバリン，デュロキセチン塩酸塩[6]，ミロガバリン，牛車腎気丸（ごしゃじんきがん），メコバラミン，芍薬甘草湯（しゃくやくかんぞうとう），アミトリプチリン，ガバペンチンの投与を考慮する．

□デュロキセチン塩酸塩は，痛みを伴うCIPNの患者に効果を示した薬剤である[7]．30 mg/日より開始し忍容性が良好であれば，1 週後に 60 mg/日まで増量することが可能である[8]．しかし，わが国で使用する場合は 保険適用外 であることも考慮し，他の適応症と同様に初回 20 mg/日から開始し，1 週間以上の間隔をあけて 20 mg ずつ増量することが望ましいと考える．

□プレガバリンは，神経障害性疼痛に保険適応が認められている薬剤であるが，化学療法による末梢神経障害性疼痛への有効性は明らかでない．腎機能低下患者への投与量の調節や副作用として眠気やふらつき，浮腫に留意する．また，ミロガバリンについても 2019 年より発売され選択肢の 1 つとなったが，神経障害性疼痛への有効性は明らかになっていない．

□牛車腎気丸，メコバラミン，芍薬甘草湯，アミトリプチリン，ガバペンチンについては症状緩和への有効性を示せていない．

高血圧

□血圧が高い場合は ARB を中心とした積極的な降圧を行い，Grade 1 以下となるようコントロールする．ARB でコントロール不要な場合には，Ca 拮抗薬の追加を行う[9]．

尿蛋白

□尿定性における尿蛋白検出時に UPC 比を併せて測定すると有用である．Grade 2 以上で休薬や減量を考慮する．

血栓塞栓

□強く疑う場合には CT やエコーによる画像検査や D ダイマーなどの凝固系検査を施行することも考慮する[10]．

6 薬学的ケア

CASE

□ポートを造設した患者にもラムシルマブが継続して処方されていたため，医師にラムシルマブの投与を休薬するよう提案．2 週後にポート部位の炎症や創傷治癒を確認した上で，ラムシルマブを再開できた．

□6 サイクル目に尿蛋白 2+ となり主治医はラムシルマブを休薬しようとしたが，UPC 比の測定を提案し，UPC 比<2 でありラムシルマブは投与継続となった．

□1 サイクル目の day 15 の好中球数が 500/μL 以下で Grade 4 好中球減少にて延期となった．発熱などはなかったが，高齢であり解熱薬アセトアミノフェンを処方提案した．発熱時に服用し，継続するようなら受診するように指導した．また，2サイクル目の投与量はnab-パクリタキセルの投与量について1段階減量を提案した．減量後はGrade 2以上の好中球数減少なく継続できた．

解説

□nab-パクリタキセル単剤療法（D法）に比べて，ラムシルマブ＋nab-パクリタキセル併用療法でGrade 3以上の好中球数減少の発現率が高い傾向があるため，患者の状態を十分に観察し，必要に応じて減量，延期，G-CSF製剤投与などの適切な処置を考慮する．

□減量に至った有害事象の発現割合は好中球数減58.1%，末梢性感覚ニューロパチー7.0%，FN 4.7%，貧血，血小板減少症，下痢，倦怠感，末梢性浮腫，食欲減退，筋肉痛，蛋白尿，鼻出血，斑状丘疹状皮疹，深部静脈血栓症がそれぞれ2.3%だった．

□ラムシルマブにおける高血圧は，ガイドラインに沿って治療を行う．

□大きな手術の術創が治癒していない患者へのラムシルマブ投与は，創傷治癒障害による合併症のおそれがあるため注意が必要．また，手術後にラムシルマブを投与する際には，創傷が治癒していることを確認し，投与する．

引用文献

1）日本胃癌学会（編）：胃癌治療ガイドライン 医師用 2021年7月改訂，第6版．金原出版，2021
2）アブラキサン®，適正使用ガイド（大鵬薬品工業）
3）サイラムザ®点滴静注液，適正使用ガイド（日本イーライリリー）
4）Bando H, et al：Eur J Cancer 91：86-91, 2018（PMID：29353164）
5）G-CSF適正使用ガイドライン2013年版
6）Shitara K, et al：Lancet Gastroenterol Hepatol 2：277-87, 2017（PMID：28404157）
7）Loprinzi CL, et al：J Clin Oncol 38：3325-48, 2020（PMID：32663120）
8）Smith EM, et al：JAMA 309：1359-67, 2013（PMID：23549581）
9）日本高血圧学会高血圧治療ガイドライン作成委員会（編）：高血圧治療ガイドライン2019．ライフサイエンス出版，2019
10）向井幹夫：心臓49：816-21，2017

（井上裕貴）

56 トリフルリジン・チピラシル（ロンサーフ®）

FTD/TPI

POINT

- ■対象患者は，がん化学療法後に増悪した治癒切除不能な進行・再発の胃がんと治癒切除不能な進行・再発の結腸・直腸がん．
- ■骨髄抑制の発現頻度が高いため，頻回に血液検査を実施し，好中球数 500/μL 未満，血小板数 5 万/μL 未満で 10 mg/日ずつ減量する．
- ■投与スケジュールが複雑であるため，処方監査や患者指導の際には注意する．

1 レジメンと副作用対策

適応：がん化学療法後に増悪した治癒切除不能な進行・再発の胃がん，治癒切除不能な進行・再発の結腸・直腸がん

投与スケジュール：5 日間連続経口投与後 2 日間休薬を 2 回繰り返したのち 14 日間休薬

1 コース期間：28 日間　**総コース**：可能な限り継続

56		医薬品名 投与量	投与方法 投与時間	1	2	3	4	5	6	7	8	9	10	11	12	13	14	～	28
レジメン	Rp1	トリフルリジン・チピラシル 70 mg/m²	経口 1 日 2 回 朝夕食後	↓	↓	↓	↓	↓			↓	↓	↓	↓	↓				
副作用対策	骨髄抑制															■	■	■	■
	好中球減少の発現頻度が高い（腎機能障害患者で高リスク）．異常時には，休薬や減量，G-CSF 製剤や抗菌薬の使用を検討する．下痢が併発する場合は特に注意．																		
	下痢					■	■	■	■	■	■	■	■	■	■	■	■	■	■
	初回発現は 1～3 週目で多い．脱水・電解質異常を考慮し，止瀉薬，補液の投与を行う．Grade 3 以上で休薬（Grade 1 以下で再開可）．																		
	悪心・嘔吐				■	■	■	■	■	■	■	■	■	■	■	■			
	初回発現は 1 週目で多い．ドンペリドン，クロルプロマジン，$5\text{-}HT_3$ 受容体拮抗薬の制吐薬を併用する．Grade 3 以上で休薬（Grade 1 以下で再開可）．嘔吐時には脱水症状に注意．																		

2 抗がん薬の処方監査

□1 次治療および 2 次治療，術後補助療法でない．

□胃がんでは，フッ化ピリミジン系抗悪性腫瘍薬，白金系抗悪性腫瘍薬ならびにタキサン系抗悪性腫瘍薬および/またはイリノテカンを用いた化学療法ならびにヒト上皮細胞増殖因子受容体

2 (HER2)/neu 陽性 (HER2＋) が判明している場合は抗 HER2 療法を含む 2 レジメン以上の治療歴を有すること.

□結腸・直腸がんでは，フッ化ピリミジン系抗悪性腫瘍薬，イリノテカン，オキサリプラチンおよび抗 VEGF モノクローナル抗体，ならびに *KRAS* 遺伝子が野生型の場合は少なくとも 1 種類以上の抗 EGFR モノクローナル抗体を含む 2 レジメン以上の前治療歴を有すること.

□用量は体表面積に基づき，初回基準量は 35〜75 mg/回 (トリフルリジンとして約 35 mg/m^2/回)，最低投与量 (維持) は 15 mg/回まで.

□50 mg/日の場合は，朝食後に 20 mg，夕食後に 30 mg で投与.

□用法は 1 日 2 回，朝・夕食後に，5 日間連続経口投与後 2 日間休薬を 2 回繰り返したのち 14 日間休薬 (休薬期間が 2 日間と 16 日間の 2 種類あるため注意).

□食後投与 (空腹時に投与した場合，トリフルリジンの C_{max} の上昇が認められる).

□フッ化ピリミジン系抗悪性腫瘍薬 (またはこれら薬剤との併用療法)，抗真菌薬フルシトシン，葉酸代謝拮抗薬は併用注意 (重篤な骨髄抑制などの副作用発現のおそれあり).

3 抗がん薬の調剤

□規格が 15 mg 錠と 20 mg 錠の 2 種類あり，両規格を組み合わせて調剤する.

□錠数を誤って服用するおそれがあるため，製薬会社提供のブリスターカードを活用し，錠剤を 5 日分ずつセットして (服用日・曜日の記入可)，患者に交付することが望ましい.

4 抗がん薬の投与

投与開始・再開基準[1, 2)]

□各コース開始時，「投与開始基準」を満たさない場合は投与しない.

□休薬した場合は，「投与再開基準」まで回復したのち再開する.

□投与開始基準・投与再開基準

Hb	≧8.0 g/dL
好中球数	≧1,500/μL
血小板数	≧7.5 万/μL
T-Bil	≦1.5 mg/dL
AST, ALT	AST≦75 U/L（≦ULN×2.5）【肝転移症例】AST≦150 U/L（≦ULN×5） ALT≦（男）105 U/L,（女）57.5 U/L（いずれも≦ULN×2.5）【肝転移症例】ALT≦（男）210 U/L,（女）115 U/L（いずれも≦ULN×5）

Scr	≦1.5 mg/dL
末梢神経障害	≦Grade 2
非血液毒性	≦Grade 1（脱毛, 味覚異常, 色素沈着, 原疾患に伴う症状は除く）

Grade は CTCAE v5.0 に基づく

休薬・減量基準

□投与期間中に,「休薬基準」に該当する有害事象が発現した場合は休薬する.

□休薬基準[1, 2]

Hb	＜7.0 g/dL
好中球数	＜1,000/μL
血小板数	＜5 万/μL
T-Bil	＞2.0 mg/dL
AST, ALT	AST＞75 U/L（＞ULN×2.5）【肝転移症例】AST＞150 U/L（＞ULN×5） ALT＞（男）105 U/L,（女）57.5 U/L（＞ULN×2.5）【肝転移症例】ALT＞（男）210 U/L,（女）115 U/L（いずれも＞ULN×5）

Scr	≦1.5 mg/dL
末梢神経障害	≧Grade 3
非血液毒性	≧Grade 3

Grade は CTCAE v5.0 に基づく

□前コース（休薬期間を含む）中に,「減量基準」に該当する有害事象が発現した場合には, 投与再開時において, コース単位で 10 mg/日ずつ減量する. 最低投与量は 30 mg/日まで.

□減量基準[1, 2]

好中球数	＜500/μL	血小板数	＜5 万/μL

4 胃がん

腎機能障害

□記載なし．ただし，チピラシルが腎排泄型であり，腎機能低下ではトリフルリジンの薬物動態に影響を与える（トリフルリジンの血中濃度が上昇する）可能性あり．よって，腎機能障害のある患者は骨髄抑制などの副作用が強く現れるおそれがあるため慎重投与．特に，重度腎機能障害患者（Ccr 15～29 mL/分）では投与開始基準を参考に投与可否を検討し，初回基準量の減量（トリフルリジンとして 20 mg/m^2/回）を考慮する．

肝機能障害

□記載なし．

注意点

□投与期間内に休薬基準に該当して休薬し投与再開基準が満たせなかった場合は，少なくとも 14 日間は連続休薬し，投与開始基準を満たした上で次コースを開始する．

5 副作用マネジメント

発現率

胃がん[3)]

□国際共同第Ⅲ相比較試験（TAGS 試験）における副作用発現率は 80.9％（271/335 例）であった．

□有害事象による試験中止は 12.8％（全身健康状態低下 1.2％，血小板減少症 0.9％），減量は 10.7％（好中球減少症 3.6％，貧血 2.1％），休薬および次コースの投与延期は 58.2％（好中球減少症 25.7％，好中球数減少 11.6％，貧血 8.7％）であった．

副作用		海外（n＝335，日本人 46 例含む）	
		全体（%）	Grade≧3（%）
血液毒性	好中球数減少	51.3	34.0
	Hb 減少	31.3	11.3
	白血球減少	21.8	9.5
	血小板減少	15.2	2.9
非血液毒性	悪心	25.4	2.1
	疲労	21.5	3.0
	食欲減退	18.2	3.0
	下痢	16.1	2.7
	嘔吐	10.7	0.6

結腸・直腸がん[4)]

□国際共同第Ⅲ相比較試験（RECOURSE 試験）における副作用発現率は 85.7%（457/533 例）であった.

□有害事象による試験中止は 10.3%（全身健康状態低下 2.3%，疲労 1.1%，呼吸困難 0.6%），減量は 13.5%（好中球減少症 3.2%，貧血 2.1%，好中球数減少 1.9%，FN 1.9%，疲労 1.5%，下痢 1.3%），休薬および次コースの投与延期は 54.2%（好中球数減少 20.5%，好中球減少症 19.9%，貧血 5.4%）であった.

副作用		海外（n=533，日本人 178 例含む）	
		全体（%）	Grade≧3（%）
血液毒性	好中球数減少	53.8	35.6
	Hb 減少	32.1	12.5
	白血球減少	31.0	11.8
	血小板減少	19.9	4.1
非血液毒性	悪心	39.6	0.9
	疲労	28.1	2.1
	食欲減退	26.5	1.7
	下痢	23.6	2.3
	嘔吐	20.1	0.6

評価と観察のポイント

服用期間（day 1〜14）

□非血液毒性（悪心・嘔吐，下痢，食欲減退，疲労）に注意する．胃がんは腹膜転移が多いことに加え，本剤が 3 次治療以降の後方ラインでの使用となるため，悪心・嘔吐，下痢，食欲減退といった消化器症状が，抗がん薬の副作用か，PD に伴う症状かの判断に難しい場合もある．治療開始前の症状や，過去治療における副作用歴を把握しておく.

□治療期間中は全身状態も併せて観察し，腸閉塞，低栄養，悪液質を考慮しつつ，適切な評価につなげる．また，併用薬剤の開始時期にも注意し，本剤の安易な減量にならないよう努める（例：オピオイド，抗うつ薬による消化器症状).

□本剤は，中等度催吐性リスクに該当する[5)]．患者関連因子（年齢，性別，飲酒習慣など）を事前に評価しておくのもよい[5)].

□コース開始前の体重が 1 コース開始前と比べて 10% 以上減少

した場合は，投与量の見直しを考慮する．

□副作用の発現時期と回復までの期間[3]．

- 胃がん[3]

	初回発現までの時期（中央値）	2週間以内の発現率	Grade 3以上の発現までの時期（中央値）	初発日から回復までの期間（中央値）
悪心	8.0日	60.0%	11.0日	11.0日
嘔吐	9.5日	61.1%	1.0日	3.5日
下痢	15.0日	38.9%	27.0日	11.0日
食欲減退	14.0日	44.3%	49.5日	18.0日
疲労	14.5日	42.0%	17.0日	14.0日

- 結腸・直腸がん[4]

	初回発現までの時期（中央値）	2週間以内の発現率	Grade 3以上の発現までの時期（中央値）	初発日から回復までの期間（中央値）
悪心	7.0日	68.9%	46.0日	14.0日
嘔吐	13.5日	50.0%	45.0日	2.0日
下痢	18.5日	42.1%	61.0日	5.0日
食欲減退	15.0日	44.0%	45.0日	15.0日
疲労	15.0日	44.9%	60.0日	17.0日

休薬期間（day 15〜28）

□血液毒性（骨髄抑制）に注意する．特に，白血球減少や好中球減少は最低値までの期間中央値が3〜4週であり，重症の骨髄抑制が起こる可能性が最も高い．1コース目は22日前後に臨床検査（白血球数，好中球数，血小板数，Hb，AST，ALT，T-Bil，Scrなど）を実施し，臨床症状，バイタルサイン/身体所見，骨髄機能，肝・腎機能を確認し，骨髄抑制に起因する感染症に注意する．また，減量基準に該当していないか確認する．特に，腎機能障害のある患者，FNの治療歴やFNによる入院歴がある患者は注意する．

副作用対策のポイント

服用期間（day 1〜14）

□悪心・嘔吐，下痢，食欲減退，疲労が起こりやすい．悪心・嘔吐，下痢に対し，過去治療において発症リスクが高いと判断される場合は，初回処方時に支持療法も併せて処方しておく．悪心・嘔吐には制吐薬（ドパミン D_2 受容体拮抗薬：ドンペリドン，メトクロプラミド，フェノチアジン系抗精神病薬：プロクロルペラジン，5-HT_3 受容体拮抗薬）で，下痢には整腸薬，止瀉薬（ロペラミド），補液で，食欲減退や疲労は休薬で対応する．

□いずれの症状も，Grade 3 以上で休薬するが，Grade 2 の場合でも，症状の悪化に注意し，必要に応じて適切な処置（補液投与および休薬）をする．

□支持療法を行っても持続する Garde 2 の下痢は休薬を考慮する．

□悪心への処方例

第 1 選択薬
- ドンペリドン（ナウゼリン®）錠　1 回 10 mg　悪心発現時頓用
- メトクロプラミド（プリンペラン®）錠　1 回 5～10 mg　悪心発現時頓用

※いずれも持続する場合は 1 日 3 回食前の定期内服を考慮

第 2 選択薬
- グラニセトロン（カイトリル®）錠　1 回 2 mg　1 日 1 回まで悪心発現時頓用

□下痢への処方例

ロペラミド（ロペミン®）カプセル　1 回 1～2 mg　下痢発現時頓用

休薬期間（day 15～28）

□骨髄抑制が起こりやすい．異常が認められた場合には，必要に応じて G-CSF 製剤や抗菌薬を使用する．感染予防策（手洗い，うがい，マスクの着用）について指導しておく．

レボフロキサシン（クラビット®）錠　1 回 500 mg　発熱時頓用　1 日 1 回まで
※38℃以上の発熱で服用し，来院するよう指示

6 薬学的ケア

CASE

□70 歳代女性．体表面積 1.29 m^2，Ccr 43.9 mL/分．3 次治療としてトリフルリジン・チピラシルが選択．過去治療では術後補

助療法（S-1）含め，好中球減少による投与延期や減量，FN による入院歴あり．

□初回投与量について医師と協議した結果，年齢および腎機能を考慮し，2 段階減量の 70 mg/日での開始とした．

□1 コース day 8，15 は問題なかったが，day 22 で好中球数減少 Grade 4（480/μL），下痢の訴え（Grade 1）あり．感染性下痢が疑われたが発熱なかったため，整腸薬のみの投与とした．

□2 コース開始前には下痢は軽快したものの（その後も整腸薬は継続），好中球数減少 Grade 2（1,250/μL）であり，投与開始基準を満たしていなかったため，1 週間延期したところ 2,200/μL まで回復，減量基準に従い 60 mg/日に減量して投与再開した．

□2 コース day 15 は Grade 3（980/μL），3 コース開始前は Grade 2（1,350/μL）であり，再度延期となった（この間，下痢，発熱なし）．回復後，減量せずに再開．その後はスケジュール通り PD まで継続できた．

解説

□腎機能障害患者では骨髄抑制が強く現れるおそれがあるため，初回投与量の減量を考慮する．患者は過去の副作用歴からもリスクが高かったため，2 段階減量での開始とした．

□1 コース目は day 22 前後に臨床検査の実施が規定されている．

□骨髄抑制に起因する感染症では，下痢の併発に注意する．

□好中球数が 500/μL 未満では次コースより 1 段階（10 mg）減量する（投与開始，再開基準は好中球数≧1,500/μL である）．

引用文献

1）ロンサーフ® 配合錠，添付文書（大鵬薬品工業）
2）ロンサーフ® 配合錠，適正使用ガイド（大鵬薬品工業）
3）Shitara K, et al：Lancet Oncol 19：1437-48, 2018（PMID：30355453）
4）Mayer RJ, et al：N Engl J Med 372：1909-19, 2015（PMID：25970050）
5）日本癌治療学会（編）：制吐薬適正使用ガイドライン，第 2 版（一部改訂版 ver. 2.2）．日本癌治療学会，2018

（郷 真貴子）

第 5 章

肝胆膵がん

□肝細胞がんに対する治療は肝切除，局所療法，焼灼療法，塞栓療法，化学療法がある．治療選択は，肝障害度，腫瘍数，腫瘍径による．本章では化学療法，特に分子標的治療薬を記載する．現在使用可能な分子標的治療薬は，OS を延長させることで全身治療を目的としている．1 剤目としてソラフェニブが使用可能となり，ソラフェニブの 2 次治療として57レンバチニブが使用可能となっている．免疫チェックポイント阻害薬を含んだ初の治療である58アテゾリズマブ＋ベバシズマブ療法が導入され新たな治療戦略が期待されている．

□胆道がんに対する治療は治療アルゴリズムによる．切除可能な場合には，胆道ドレナージ，門脈塞栓術なども併用し，手術する．術後補助療法として有用な化学療法のエビデンスは確立していない．切除不能胆道がんの化学療法としてゲムシタビン単独も行われていたが，現在は，59GC（ゲムシタビン＋シスプラチン）併用療法が有意に生存期間を延長し，重篤な毒性も少なく外来治療も可能であることから，標準治療となっている．本領域に注目された分子標的治療薬として FGFR 阻害薬である60ペミガチニブが新たな選択肢として治療戦略に加わった．具体的には，がん化学療法後に増悪した *FGFR2* 融合遺伝子陽性の治癒切除不能な胆道がんに対する位置付けであり，現在は，*FGFR2* 融合遺伝子陽性の場合において GC 療法後の 2 次治療として使用可能である．

□切除不能膵がんの 7～8 割は遠隔転移していることが知られている．現在，遠隔転移を有する膵がんに対して推奨される主な 1 次化学療法は61FOLFIRINOX 療法，62nab-パクリタキセル＋

ゲムシタビン療法である．FOLFIRINOX 療法は高い効果の反面，FN，下痢，末梢神経障害などの副作用が強いとされる．一方，nab-パクリタキセル＋ゲムシタビン療法は副作用の点から忍容性は FOLFIRINOX 療法に勝ると考えられ，遠隔転移を有する膵がん患者に対する有力な治療法として位置づけられている．

□さらに，*BRCA* 遺伝子変異陽性の治癒切除不能な膵がんにおける白金系抗悪性腫瘍薬を含む 1 次化学療法後の維持療法として PARP 阻害薬である 67 オラパリブ（→559 頁）が適応可能になった．また，2 次治療を行うことについてはたシステマティックレビューで，2 次治療が行われた割合が高いほど生存期間は良好であることが示されている．そんな中，63 イリノテカンリポソーム製剤がゲムシタビン関連レジメン後の治療選択肢として加わったことで新たな有用な治療戦略の組み立てが可能になった．

（高田慎也）

57 レンバチニブ（レンビマ®）

POINT

- 投与前の甲状腺機能，尿蛋白，アンモニア，血小板数，血清 Ca 値を測定することでスクリーニングおよび鑑別に有用.
- 高血圧が出現した場合，速やかに降圧薬を追加，他の副作用で減量時は過度な降圧に注意.
- 手足症候群の予防に保湿薬（ヘパリン類似物質製剤）や角質軟化作用を有する外用薬（尿素製剤），症状が出現した場合は重症度によってステロイド外用薬を追加.

1 レジメンと副作用対策（→次頁参照）

1コース期間：なし　**総コース**：PD まで

2 抗がん薬の処方監査

□本剤の成分に過敏症がある場合，妊婦または妊娠している可能性のある婦人は禁忌.

□60 kg 以上で 12 mg，60 kg 未満では 8 mg を 1 日 1 回内服．体重で最大耐用量が異なる点に注意し，年齢，肝予備能に応じて適宜投与量を調整.

□肝細胞がんを対象とした国際共同第Ⅰ/Ⅱ相試験の第Ⅰ相パートにおいて，中等度（Child-Pugh スコア 7～8）の肝機能障害を有する肝細胞がん患者に対する最大耐用量は 1 日 1 回 8 mg であることが確認されている．また，本剤の臨床試験において，中等度（Child-Pugh スコア 9）および重度の肝機能障害を有する肝細胞がん患者での使用経験はなく，有効性および安全性は確立していない[1].

□血圧の管理状況を確認.

□尿蛋白定性を 2 週に 1 回を目安に測定し，2+ 以上で速やかに尿蛋白定量を実施.

□治療開始前にアンモニア値を測定し，高値の場合は肝性脳症のリスク因子となるため，定期的にアンモニア値を測定.

□排便状況にも注意し，下痢に対しても止瀉薬を漫然と使用しない.

□出血リスクや創傷治癒遅延に注意．血栓塞栓症の既往や門脈本

57		医薬品名 投与量	投与方法 投与時間	1	2	3	4	5	6	7	8	9	10	11	12	13	14	15	16	~	21
レジメン	Rp1	レンバチニブ 12 mg もしくは 8 mg	経口 1日1回	↓	↓	↓	↓	↓	↓	↓	↓	↓	↓	↓	↓	↓	↓	↓	↓	↓	↓

副作用対策

高血圧

血圧上昇が速やかなケースでは降圧作用発現が速やかな Ca 拮抗薬を考慮.

尿蛋白

定期的に尿蛋白検査を行い，尿蛋白定量＞3.5 g/日で休薬し，初回のみ同量再開可能.

手足症候群

ヘパリン類似物質製剤，角質軟化作用を有する保湿薬（尿素製剤）を予防的に用い，症状出現時にはステロイド外用薬を塗布.

食欲不振

メトクロプラミドやドンペリドンなどの D_2 受容体拮抗薬を頓用．栄養状態にも注意.

下痢

整腸薬より開始し，ロペラミドを使用しながら継続．忍容性がなく Grade 2 以上であれば休薬.

甲状腺機能低下症

定期的に検査し，TSH＞10 μU/mL を目安に FT_4 および FT_3 の数値，自覚症状を考慮してホルモン補充療法を低用量より開始.

肝性脳症

投与前に血中アンモニア値を測定し，支持療法を実施．意識状態や羽ばたき振戦の有無を確認.

疲労，倦怠感

適切な休薬が治療を長く継続する上で大切なポイントであることを事前に説明.

血小板減少

投与前に血小板 7.5 万/μL 以上であることを確認し，Grade 3 以上で休薬，初回のみ同量再開可能.

幹への侵襲．脳転移，治療が必要な食道・胃静脈瘤がある場合，投与を控える．手術や歯科処置を含む観血的処置の前後には十分な休薬期間を設ける（消失半減期が 35.4 時間のため，一般には 5 倍にあたる 1 週間が目安になる．侵襲が軽度の場合でも 2 日間は休薬）．レンバチニブ再開時は出血傾向や創傷治癒遅延がないか確認（大手術から 3 週間以内は投与を控える）[2]．

- □投与前の TSH，FT_4，FT_3，血清 Ca 濃度を測定し，定期的にモニタリングする.
- □手足症候群予防処方を確認する.
- □P 糖蛋白質阻害薬であるケトコナゾールとの併用によりレンバチニブの C_{max} と AUC がそれぞれ 19% および 15% 上昇．また，リファンピシン反復併用投与時では，リファンピシン単回併用投与時と比べ，レンバチニブの C_{max} は 24% 低下し，AUC

は37%低下[1)]．薬物間相互作用は強くないが，P糖蛋白質阻害薬，CYP3A4誘導薬および阻害薬との併用には注意．

3 抗がん薬の調剤

□食事の影響はないので毎日ほぼ同じ時間に服用できるように考慮[2)]．

4 抗がん薬の投与

投与基準

□REFLECT試験の対象外となる目安（一部改変）[1)]

項目	内容
腫瘍進展	肝占拠率50%以上の肝細胞がん，胆管への明らかな浸潤，大門脈分岐部（Vp4）における門脈浸潤
転移	脳転移，硬膜下転移
ECOG PS	2以上
肝予備能	Child-Pugh分類BおよびC
肝機能	血清Alb＜2.8 g/dL，T-Bil＞3.0 mg/dL，AST＞150 U/L（＞ULN×5），ALT＞（男）210 U/L，（女）115 U/L（＞ULN×5），ALP（IFCC）＞565 U/L（＞ULN×5）
腎機能	Cockcroft-Gault式による推定Ccr≦40 mL/分
膵機能	アミラーゼ≦198 U/L（≦ULN×1.5），リパーゼ≦285 U/L（≦ULN×1.5）
尿蛋白	尿蛋白定性2＋以上の場合，尿中尿蛋白1.0 g/24時間以上
骨髄抑制	絶対好中球数＜1,500/μL，Hb＜8.5 g/dL，血小板数＜7.5万/μL
心血管系疾患	過去6か月以内のNYHA分類のクラスIIを超えるうっ血性心不全，不安定狭心症，心筋梗塞または発作，治療を要する不整脈の合併，QTc＞480ミリ秒
血圧	収縮期血圧＞150 mmHg，拡張期血圧＞90 mmHg

減量・中止基準

□減量段階基準

開始用量	1段階減量	2段階減量	3段階減量
12 mgを1日1回	8 mgを1日1回	4 mgを1日1回	4 mgを隔日投与
8 mgを1日1回	4 mgを1日1回	4 mgを隔日投与	投与中止

□レンバチニブの抗腫瘍効果はC_{min}よりもC_{max}とAUCにより強く依存することが報告されているため，用量を下げすぎずに休薬をうまく図りながら管理する（例：5日服用2日休薬：weekends-off-strategy）ことも重要[3,4)]．

□減量・休薬・中止基準[1)]

有害事象	Grade	対応
高血圧	収縮期血圧 140 mmHg 以上または拡張期血圧 90 mmHg 以上の時	本剤の投与を継続し，降圧薬の投与を行う．
	降圧治療にもかかわらず，収縮期血圧 160 mmHg 以上または拡張期血圧 100 mmHg 以上の時	収縮期血圧 150 mmHg 以下および拡張期血圧 95 mmHg 以下になるまで本剤を休薬し，降圧薬による治療を行う．本剤の投与を再開する場合，1 段階減量．
	Grade 4 の副作用が発現した場合	投与中止
尿蛋白および血液毒性	Grade 3 の副作用が発現した場合（臨床的に意義がない臨床検査値異常の場合を除く）	本剤の投与開始前の状態または Grade 2 以下に回復するまで休薬する．本剤の投与を再開する場合，初回の副作用発現時は減量せず，2 回目以降の副作用発現時は 1 段階減量する．Grade 4 の副作用が発現した場合，本剤の投与開始前の状態または Grade 2 以下に回復後，本剤の投与を再開する場合は 1 段階減量する．
	Grade 4 の副作用が発現した場合	本剤の投与開始前の状態または Grade 2 以下に回復するまで休薬する．本剤の投与を再開する場合，1 段階減量する．
その他副作用	忍容性がない Grade 2 の副作用が発現した場合	本剤の投与開始前の状態もしくは Grade 1 以下に回復するまで休薬する，または本剤の投与量を 1 段階減量して投与を継続する（悪心・嘔吐・下痢・甲状腺機能低下に対しては休薬または減量の前に適切な処置を行い，コントロールできない場合に本剤を休薬または減量すること）．本剤の投与を再開する場合，1 段階減量する．
	Grade 3 の副作用が発現した場合（臨床的に意義がない臨床検査値異常の場合を除く）	本剤の投与開始前の状態または Grade 1 以下に回復するまで休薬する（悪心・嘔吐・下痢・甲状腺機能低下に対しては休薬の前に適切な処置を行い，コントロールできない場合に本剤を休薬すること）．本剤の投与を再開する場合，1 段階減量する．
	Grade 4 の副作用が発現した場合（生命を脅かさない臨床検査値異常の場合は，Grade 3 の副作用と同じ処置とする）	本剤の投与を中止する

腎機能障害

□肝細胞がんにおける推奨用量なし.

□甲状腺がんおよび腎細胞がんにおいて Cockcroft-Gault 式による推定 Ccr<30 mL/分では血中濃度が上昇するとの報告がある[5].

肝機能障害[1]

□中等度(Child-Pugh スコア 7〜8)：最大耐用量は 1 日 1 回 8 mg.

□中等度（Child-Pugh スコア 9）および重度：使用は控える.

注意点

□家庭血圧の測定習慣および正しい測定方法を確認.

□投与期間中も肝予備能の低下がないか注意.

5 副作用マネジメント

発現率

□REFLECT 試験[2]

有害事象	全体集団（n=476）		日本人集団（n=81）	
	発現率（%）	Grade 3/4（%）	発現率（%）	Grade 3/4（%）
高血圧	39.7	22.1	49.4	32.1
下痢	30.0	4.2	37.0	3.7
手足症候群	26.5	2.9	51.9	7.4
食欲不振	25.6	3.4	48.1	7.4
尿蛋白	23.9	5.7	45.7	8.6
疲労	23.3	2.1	14.8	0
甲状腺機能低下	15.1	0	40.7	0
血小板減少	13.9	4.4	28.4	7.4
肝性脳症	3.8	1.7	7.4	2.5

評価と観察のポイント

□比較的速やかに発現することが多いが，治療中は常に注意が必要．高血圧症や手足症候群などは投与後 1 か月に好発時期を迎える．一方，下痢や食欲不振などの副作用には好発時期はなく，治療期間を問わず発現がみられる.

□REFLECT 試験のレンバチニブ投与群において，減量に至った有害事象は全体集団で 38.7%，日本人集団で 61.7%，初回の減量に至った時期の中央値はそれぞれ 10.0 週，9.9 週．特に日本人集団では，開始 4 週以内での初回の減量は 22%，休薬は

16%であり，重症度に応じて速やかに減量，休薬を考慮[2]．

□**投与初期（day 1～7）**：高血圧，手足症候群，消化器症状（食欲不振，悪心，下痢）が速やかに発現する可能性があるため注意．

□**投与中期（day 8～15）**：特に腎機能低下症例や高血圧出現例では尿蛋白に注意．

□**投与後期（day 16 以降）**：尿蛋白，甲状腺機能を定期的に測定．また，血小板減少にも注意．頻度は低いが，肝性脳症，出血性イベント，血栓塞栓症，消化管穿孔，瘻孔形成などの重篤な有害事象の発現に注意．

□副作用は多様で再発を繰り返すため，入院中だけでなく外来移行後も継続したサポートができるよう体制を整備することで，患者理解が深まり初期症状を拾い上げにつながる[6]．

□主な副作用の初回発現日[2]

有害事象	初回発現日（最小値～最大値）	
	全体集団（n＝476）	日本人集団（n＝81）
高血圧	26.0（1～551）	15.0（2～450）
下痢	76.0（1～592）	46.0（2～476）
手足症候群	35.0（1～420）	26.5（3～32）
食欲不振	51.0（1～841）	62.0（3～658）
尿蛋白	43.0（8～615）	29.0（8～450）
疲労	20.0（1～535）	17.5（3～119）
甲状腺機能低下	57.0（14～477）	53.0（14～254）
血小板減少	30.5（3～644）	23.0（3～113）
肝性脳症	16.5（6～365）	15.5（7～94）

副作用対策のポイント

高血圧

□血圧測定を毎日確実に実施し，記録するように患者教育を行う．

□REFLECT 試験の日本人集団における主な降圧薬の使用状況は，Ca 拮抗薬 61.7%，ARB 42.0%，利尿薬 42.0%．

□他の副作用でレンバチニブ減量時は過度な降圧にならないように注意．

尿蛋白

□蓄尿による尿蛋白が 3.5 g/日以上，もしくは 1 日の尿蛋白排泄量と相関することが報告されている[7]尿蛋白/尿中クレアチニン比を用いる．随時尿で，尿蛋白/尿中クレアチニン比が3.5 g/g・Cr以上の場合は休薬・減量．

□REFLECT試験では尿蛋白の他にも腎障害関連の副作用が発現しているため[2]，下腿浮腫，腹水，Scr上昇などがみられないか注意．

□高血圧症を合併している場合はL型以外のNあるいはT型Ca拮抗作用や交感神経抑制作用があるシルニジピンなどのCa拮抗薬を投与することで，一部の臨床試験でACE阻害薬と同等の尿蛋白減少作用が示されている[8]．

手足症候群

□予防：特に投与初期から出現することがあるため，除圧（手足の保護），保湿薬塗布（使用感によるアドヒアランスへの影響を考慮し，ヘパリン類似物質製剤を使用．角質化がみられる場合は角質軟化作用を有する尿素製剤，サリチル酸ワセリン軟膏10％を使用），荷重部位の発赤や過角化，疼痛などの初期症状の観察について患者教育を行う．保湿薬の使用量，使用回数について医療者側と患者側で乖離がみられることがあるため，繰り返し指導を行う．

□対策：疼痛，皮膚剝離，水疱などの皮膚変化が出現した際は，ジフルプレドナート軟膏などのvery strongクラス以上のステロイド外用薬を使用．忍容性がない場合，レンバチニブを休薬．

疲労・倦怠感

□疲労は多くの場合，休薬後1週間以内に回復するため，適切な休薬が治療を長く継続する上で大切なポイントであることを事前に説明．

□支持療法として補中益気湯（ほちゅうえっきとう）やステロイド，カルニチン補充（カルニチン欠乏を伴う時）を患者の状況に応じて検討．

□レンバチニブのC_{max}到達時間は約2時間であり，患者の生活習慣次第であるが，服用時間を夜間に変更することも検討可能．

肝性脳症

□肝性脳症症状が認められた場合には，レンバチニブの投与を中止し，肝不全用特殊組成アミノ酸輸液投与．回復までの期間は中央値で7日（3～10日）であり，症状改善後は，減量して投与を再開可能．

□再発予防のため，アンモニア値をモニタリングし，合成二糖類であるラクツロースあるいはラクチトールや，難吸収性抗菌薬のリファキシミン，分岐鎖アミノ酸（BCAA）顆粒製剤の投与を検討．

血小板減少

□血小板数減少は多くの場合，休薬後1週間から2週間で軽快[2]．

□初回発現時は同量で再開可能であるが，急激に進行した症例もあるため注意が必要[2]．C_{max}と血小板減少に関連があることも報告されており，高用量で開始する場合は注意が必要[9]．

6 薬学的ケア

CASE

□70歳代男性，体重68.9 kg，治療開始前よりレボチロキシン1回100 μg 1日1回を服用しており，開始前の甲状腺機能はTSH 2.78 μU/mL，FT_4 1.46 ng/dLであったが，day 30にTSH 31.9 μU/mL，FT_4 1.09 ng/dLを認め，嗄声・倦怠感の自覚症状もあったことから，レボチロキシン1回150 μg 1日1回に増量した．その後，day 77にTSH 6.21 μU/mL，FT_4 1.47 ng/dLまで改善し，自覚症状も消失．また，家庭血圧で収縮期血圧160台，拡張期血圧110台が確認され，day 30よりアムロジピンを1回5 mg 1日1回で開始．day 44の受診時に家庭血圧が正常化していることを確認．さらに，day 44にGrade 1相当の下痢出現，整腸剤とロペラミド1回1〜2 mgを開始．day 49に忍容性がないため，レンバチニブを休薬し，day 52より1日8 mgで再開し，再燃なく経過．

解説

□REFLECT試験においてGrade 3以上の甲状腺機能低下は報告なく緊急を要しないが，一般的な甲状腺機能低下と同様にTSH＞10 μU/mLを目安にFT_4およびFT_3の数値，自覚症状を考慮してホルモン補充療法を検討．甲状腺機能の評価は患者背景に応じて2〜4週に1回程度の頻度で行う．

□高血圧は比較的に早期にみられ，他の血管新生阻害作用を有する薬剤の高血圧対策として腎保護作用を有するARBが繁用されるが，降圧作用発現までに1週間以上かかることもあるため，降圧効果の高いCa拮抗薬も第1選択薬として考慮．

□下痢はGrade 1程度であれば整腸薬より開始し，止瀉薬の漫然とした使用は控える．止瀉薬を定期で服用する場合は排便状況，アンモニア値にも注意．支持療法を実施後も忍容性がないGrade 2の症状がみられるようであれば，休薬して1段階減量して再開．脱水をきたさないように水分摂取の必要性も説明．

引用文献

1) レンビマ® カプセル，インタビューフォーム，第11版．2021年3月改訂
2) レンビマ® カプセル，適正にご使用いただくためにガイドブック，肝細胞癌編．2019年5月
3) Hong DS, et al：Clin Cancer Res 21：4801-10, 2015（PMID：26169970）
4) Iwamoto H：Cancers（Basel）12：1010, 2020（PMID：32325921）
5) LENVIMA®（lenvatinib）capsules, 米国添付文書
6) 小野寛之：医療薬学 46：303-13, 2020
7) Evans TRJ, et al：Br J Cancer 121：218-21, 2019（PMID：31249394）
8) Abe M, et al：Expert Opin Investig Drugs 19：1027-37, 2010（PMID：20649501）
9) Endo M：World J Oncol 12：165-72, 2021（PMID：34804279）

（小野寛之）

58 アテゾリズマブ＋ベバシズマブ

Atezo＋Bev

POINT

- irAEは多臓器にわたる障害を引き起こしうるが，発現時期を予測することは多くの場合困難であり，医療者間の臨時受診基準の共有と患者教育が重要．
- 高血圧が出現した場合，速やかに降圧薬を追加．
- 蛋白尿については投与予定日ごとに尿検査を行い，モニタリングを行う．

1 レジメンと副作用対策（→次頁参照）

適応：切除不能な肝細胞がん

1コース期間：21日間　**総コース**：PDまで

2 抗がん薬の処方監査

共通

□国際共同第Ⅲ相臨床試験（IMbrave150試験）の投与対象は，ECOG PS 0～1かつ，軽度肝機能障害〔Child-Pugh分類A（スコア5～6）〕の患者．中等度以上の肝機能障害を有する患者に対する投与は行われておらず，推奨されない[1)]．Child-Pugh分類B以上では局所治療も含めた他の治療方法を検討[1-3)]．

アテゾリズマブ

□自己免疫疾患など併存疾患のためにこの治療が適さない場合はソラフェニブまたはレンバチニブによる治療を推奨[2)]．

□間質性肺疾患がある，またはその既往歴がある場合は慎重投与．

□甲状腺機能障害（TSH，FT_3，FT_4），副腎機能障害（ACTH，血中コルチゾール）および下垂体機能障害が現れることがあるため，投与開始前に内分泌機能検査を実施．以後，甲状腺機能は定期的にモニタリング（IMbrave150試験では4コースごと）．

ベバシズマブ

□喀血（2.5 mL以上の鮮血の喀血）の既往歴がある患者では投与禁忌に該当．

□肝硬変合併患者では食道・胃静脈瘤の有無とその治療の必要性を確認するため，上部消化管内視鏡検査を行うことを推奨．治

58		医薬品名 投与量	投与方法 投与時間	1	2	3	4	5	6	7	8	9	10	11	12	13	14	15	16	～	21
レジメン	Rp1	アテゾリズマブ 1,200 mg/body 生理食塩液 250 mL	点滴注射 30 分	↓	初回 60 分かけて点滴静注．忍容性が良好であれば，2 回目以降の投与時間は 30 分まで短縮可．																
	Rp2	ベバシズマブ 15 mg/kg 生理食塩液 100 mL	点滴注射 30 分	↓	初回 90 分かけて点滴静注．忍容性が良好であれば，2 回目の投与時間は 60 分，3 回目以降は 30 分まで短縮可．																

副作用対策

副作用	対策
irAE	皮疹は比較的早期に現れる傾向があり，甲状腺機能異常症は破壊性甲状腺炎から甲状腺機能低下症に至るケースが多い．治療開始後はいずれの時期でも出現しうる点に注意．早期発見，早期対応できるよう患者教育を繰り返し行うことが重要．劇症 1 型糖尿病，心筋炎は特に致死率が高く，各施設でモニタリング方法や初療時の対応を取り決めておくことが望ましい．
infusion reaction	IMbrave150 試験では Grade 3 以上の infusion reaction は 2.4％であり，初期症状（発熱，発赤，血圧変動，瘙痒感，咽頭違和感など）のモニタリングと早期対応が重要．Grade 2 では 50％減速再開可能．
血栓塞栓症	出現時期に一定の傾向はない．肝細胞がんの全身薬物療法中は血管新生阻害薬投与が続くため，下腿浮腫や呼吸苦など動静脈血栓塞栓症の徴候に注意．必要に応じて d ダイマーの測定なども考慮．
出血	肝硬変合併例では上部消化管内視鏡検査を行い，食道・胃静脈瘤の有無を検索．
高血圧	開始 4 週以内の発現が最も多く，初回発現中央値は 45.0 日．コントロール不良例ではベバシズマブ休薬を要するため，家庭血圧を毎日記録するよう服薬指導し，適宜降圧薬を追加．
蛋白尿	開始 4 週以内の発現が最も多く，初回発現中央値は 84.0 日．尿蛋白定性 3＋の場合，蛋白尿 2 g/24 時間（尿蛋白/尿中クレアチニン比で 2）以上でベバシズマブ休薬．
消化管穿孔	血管新生阻害薬使用中の最も致死的な有害事象の 1 つであり，急激かつ強烈な腹痛出現時など，緊急時の対応について irAE とともに患者教育が重要．

療が必要な食道・胃静脈瘤がある場合，出血リスクが高いため投与を控える．

□脳転移がある患者では慎重投与．

□出血リスク低減のため，手術や歯科処置を含む観血的処置の前後にはベバシズマブは十分な休薬期間を設ける．再開時は出血傾向や創傷治癒遅延がないか確認（大手術から 4 週以内，可能であれば 6～8 週以内は投与を控える）[4]．

□適切に血圧がコントロールされているか確認．高血圧 Grade 3 以上でベバシズマブ休薬．

□尿蛋白定性を3週に1度を目安に測定し，2+以上で速やかに尿蛋白定量を行う．蓄尿による尿蛋白が2 g/24時間以上，もしくは尿蛋白/尿中クレアチニン比が2以上ではベバシズマブを休薬．

3 抗がん薬の調剤

アテゾリズマブ[5)]

□希釈液は生理食塩液100 mLもしくは250 mLであることを確認（最終濃度3.2～12.0 mg/mL）．

□0.2または0.22 μmのインラインフィルターを使用すること．

□他剤との配合変化データは存在しないため，ルート内配合も避けること．

ベバシズマブ[6)]

□希釈液は生理食塩液100 mLであることを確認．

□調製する際は，抗体が凝集するおそれがあるため泡立つような激しい振動は加えないこと．

□ブドウ糖溶液との混合で力価低下のおそれがあるため，同一ルートで同時点滴を行わないこと．

4 抗がん薬の投与

投与基準

□重篤なirAEである心筋炎の発現に備え，心電図異常やベースラインのLVEF，壁運動の低下がないか評価しておく．また，リウマチ因子や各種自己抗体の抗体価が高値であるとirAEの発現率が上昇することが報告されており，適宜測定を考慮する[7)]．

□IMbrave150試験における投与前基準（抜粋）[8)]

好中球数	≧1,500/μL
リンパ球数	≧500/μL
血小板数	≧7.5万/μL
ヘモグロビン	≧9.0 g/dL
蛋白尿定性	定性2+以上では24時間蓄尿を行い，蛋白量<1 g
Child-Pugh分類	A（スコア=5～6）となる肝障害であること

減量・中止基準

□両剤ともに減量は行わない．有害事象発現時は休薬または中止．

□アテゾリズマブ（表58-1は一部の項目を抜粋）[5, 8)]：項目により対応方法が大きく異なるため注意．

表 58-1　アテゾリズマブ休薬・中止基準

有害事象名	程度	処置
肝機能障害*1	【ベースラインの AST が≦30 U/L(ULN)，または ALT が≦(男) 42 U/L，(女) 23 U/L の場合】 90 U/L (ULN×3) <AST≦300 U/L (ULN×10)，または (男) 126 U/L，(女) 69 U/L (ULN×3) <ALT≦(男) 420 U/L，(女) 230 U/L (ULN×10) 【ベースラインの AST が 30 U/L (ULN) <AST≦90 U/L (ULN×3)，または ALT が (男) 42 U/L，(女) 23 U/L (ULN) <ALT≦(男) 126 U/L，(女) 69 U/L (ULN×3) の場合】 150 U/L (ULN×5) <AST≦300 U/L (ULN×10)，または (男) 210 U/L，(女) 115 U/L (ULN×5) <ALT≦(男) 420 U/L，(女) 230 U/L (ULN×10) 【ベースラインの AST が 90 U/L (ULN×3) <AST≦150 U/L(ULN×5)，または ALT が(男) 126 U/L，(女) 69 U/L (ULN×3) <ALT≦(男) 210 U/L，(女) 115 U/L (ULN×5) の場合】 240 U/L (ULN×8) <AST≦300 U/L (ULN×10)，または (男) 336 U/L，(女) 184 U/L (ULN×8) <ALT≦(男) 420 U/L，(女) 230 U/L (ULN×10)	Grade 1 以下に回復するまで休薬
	AST>300 U/L (ULN×10)，もしくは ALT>(男)420 U/L，(女)230 U/L(ULN×10)，または T-Bil>4.5 mg/dL(ULN×3)に増加した場合	中止
皮膚障害	Grade 3	Grade 1 以下に回復するまで休薬
	Grade 4	中止
重症筋無力症	全 Grade	中止
脳炎・髄膜炎	全 Grade	中止

*1 以下の 肝機能障害 の項も参照

腎機能障害

アテゾリズマブ	eGFR30～89 mL/分/1.73 m^2 では臨床的に影響を及ぼすような薬物動態の変化はない[9]
ベバシズマブ	記載なし

肝機能障害

アテゾリズマブ	軽度～中等度の肝機能障害では臨床的に影響を及ぼすような薬物動態の変化はないが，投与対象は Child-Pugh 分類 A であることに注意[9]
ベバシズマブ	記載なし

注意点

□局所療法（経皮的エタノール注入療法，ラジオ波焼灼療法，マイクロ波凝固療法，肝動脈塞栓療法/肝動脈化学塞栓療法，放射線療法など）の適応となる患者に対する本治療の有効性および安全性は確立していない．

5 副作用

発現率

□IMbrave150試験におけるアテゾリズマブ+ベバシズマブ群における有害事象発現率[8)]

因果関係	全体集団（n＝329）		国内症例（n＝35）	
	問わない	否定できない	問わない	否定できない
全有害事象	98.2%	83.9%	100%	88.6%
Grade 3以上の全有害事象	61.1%	37.4%	60.0%	48.6%
死亡に至った有害事象	4.6%	1.8%	5.7%	5.7%
重篤な有害事象	38.0%	17.0%	34.3%	14.3%

評価と観察のポイント

□IMbrave150試験のアテゾリズマブ+ベバシズマブ群において，国内症例35例のうち31例（88.6%）に副作用（因果関係が否定できない）が発現した．内訳は多い順に，高血圧42.9%，発声障害28.6%，胃腸障害22.9%，皮膚および皮下組織障害20.0%，甲状腺機能異常11.4%であり，高血圧の出現は4週以内が最多であるため，服用開始初期に注意が必要．

□投与中：infusion reactionの初期症状として，発熱，発赤，血圧変動，瘙痒感，咽頭違和感などの発現に注意．

□投与後：irAEはじめ，高血圧，尿蛋白の出現に注意．モニタリングを十分行い，必要に応じて鑑別診断を行う．

副作用対策のポイント

infusion reaction

□**予防**：通常，前投薬は必要としない．

□**対策**：投与を中断し，症状の程度に応じた対応を行う．広くは静注ステロイド，静注抗ヒスタミン薬（*d*-クロルフェニラミンマレイン酸塩など）が用いられる．呼吸器・循環器症状出現時にはアドレナリン0.01 mg/kg（最大0.5 mg）を大腿部に筋注[10)]．Grade 2以下では投与速度を50%に減じ，再開可能．次回投与時，抗ヒスタミン薬，アセトアミノフェンなどの解熱鎮痛薬の前投薬を考慮．

高血圧

□**対策**：血圧測定を毎日確実に実施し，記録するよう患者教育を行う．Grade 2 以上で降圧薬を追加．血管新生阻害作用を有する薬剤の高血圧対策として腎保護作用を有する ARB，ACE 阻害薬が繁用されているが，降圧作用発現までに 1 週間以上かかることもある．特に開始前から高血圧を合併している例では，Ca 拮抗薬による高血圧治療を先行するなど，状況に応じて降圧作用発現が速やかな降圧薬を考慮[11]．Grade 3 ではベバシズマブを休薬[6]．

irAE

□**対策**：発現頻度の高い皮膚症状の観察，内分泌異常に伴う倦怠感，下痢など自覚症状の出現時に適切に医療者に報告できるよう多職種で患者教育を行う．また，内分泌や心機能のモニタリングを定期的に行う．

6 薬学的ケア

CASE

□60 歳代男性，ECOG PS 0．既往症に潰瘍性大腸炎があるものの，アテゾリズマブ＋ベバシズマブ開始時，かかりつけ医では無投薬経過観察で寛解状態を維持していた．開始時のスクリーニングにより，リウマチ因子，抗核抗体は高値であった．2 コース目 day 18 に下痢 Grade 2 が出現し，day 20 にかかりつけ医を受診．各種検査の結果，ICI による潰瘍性大腸炎の増悪（フレア）と判断され，当院へ入院要請．メチルプレドニゾロン 1 mg/kg[12] を開始したところ，day 23 には下痢の Grade 1 となり速やかな改善が得られた．

□腸炎改善後，治療再開．4 コース目予定日の血液検査で CK が著明に上昇しており，数日前から食欲不振，倦怠感，動悸があったことが判明．胸部 CT 検査にて心嚢液貯留を認め，循環器内科へ対診．CK-MB，トロポニン-I は異常高値，12 誘導心電図で ST 上昇を認め，臨床経過から心筋炎と診断．同日入院の上，ステロイドパルス療法が予定された．

□irAE の特殊性として，心筋炎と重症筋無力症は合併することが多く[12]，薬剤師より抗 ACh 受容体抗体の測定と初期増悪に備えICUでの集中管理を提案（のちに抗ACh受容体抗体陰性判明）．ステロイドパルス後，症状は軽快し，2週間後一般病棟へ転出した．

解説

□既往・併存症に自己免疫疾患を持つ者は，ICIの投与により自己免疫疾患の増悪や新規発症が多いことが報告されている[13]．そのため，かかりつけ医への事前の情報提供と，フレア時にどちらの医療機関を受診するのかを協議しておくことが望ましい．また，中等度以上の下痢発現時には，*Clostridioides difficile* 腸炎はじめ感染性腸炎，他の炎症性腸疾患の除外も可能な限り行う[14]．

□心筋炎は予後不良なirAEの1つであり，迅速な対応と鑑別診断が求められる．心障害のマーカーとしてトロポニンの有用性が報告されている[12]．重症筋無力症ではステロイド投与による初期増悪（呼吸不全）が知られており[13]，ICUでの全身管理を検討する．

引用文献

1） Finn RS, et al：N Engl J Med 382：1894-905, 2020（PMID：32402160）
2） 日本肝臓学会（編）：肝癌診療ガイドライン，第5版．金原出版，2021
3） NCCN Guidelines Hepatobiliary Cancers（Version5.2021）
4） UpToDate（2021年12月21日アクセス「Bevacizumab：Drug information」）
5） テセントリク® 点滴静注，添付文書
6） アバスチン® 点滴静注用，添付文書
7） Toi Y, et al：JAMA Oncol 5：376-83, 2019（PMID：30589930）
8） テセントリク® 点滴静注，適正使用ガイド，切除不能な肝細胞癌．2020年12月改訂
9） TECENTRIQ®（atezolizumab）injection, prescribing information（Revised：10/2021）
10） 日本アレルギー学会（編）：アナフィラキシーガイドライン．メディカルレビュー社，2014
11） Izzedine H, et al：Ann Oncol 20：807-15, 2009（PMID：19150949）
12） 日本臨床腫瘍学会（編）：がん免疫療法ガイドライン，第2版．金原出版，2019
13） 日本神経学会：成人期発症MGの治療総論
14） Abdel-Wahab N, et al：Ann Intern Med 168：121-30, 2018（PMID：29297009）

（平手大輔）

59 GC（ゲムシタビン＋シスプラチン）

GEM＋CDDP

POINT

■本治療は切除不能な進行再発胆道がんにおける標準治療として位置づけられている．
■シスプラチンの投与量が 25 mg/m^2 と比較的低用量であるため，入院を要する長時間の補液を必要とせず，外来での施行が可能である．
■シスプラチンは高度催吐性リスクの薬剤だが，本治療においては低用量であり，臨床試験でも Grade 3 以上の悪心・嘔吐の出現頻度は低いため，中等度催吐性リスクに準じた制吐療法を行う[1]．

1 レジメンと副作用対策（→次頁参照）

適応：切除不能進行・再発胆道がん
1 コース期間：21 日間
総コース：PD もしくは許容不能な毒性が発現するまで
海外の臨床試験[2]では 24 週，国内の臨床試験[3]では 48 週が治療期間の上限と設定されており，24～48 週以上の長期投与における有効性や安全性は明らかでない．

2 抗がん薬の処方監査

□対象症例が進行再発胆道がんであることを確認．
□中等度催吐性リスクに分類される治療であり，デキサメタゾンおよび 5-HT$_3$ 受容体拮抗薬併用による制吐療法を行う．

ゲムシタビン

□胸部への放射線療法を施行している患者では禁忌である．
□画像上明らかで臨床症状のある間質性肺炎または肺線維症のある患者は禁忌である．間質性肺炎を疑う臨床症状を認めた場合は，胸部 CT 検査による早期発見を心がける．
□30 分かけて点滴静注する．60 分以上かけて点滴静注した場合，骨髄抑制などの副作用が増強するとの報告あり[4]．

シスプラチン

□定期的に Ccr を確認し，腎機能障害がみられた際は後述の減量基準に従い減量を考慮する．

59		医薬品名 投与量	投与方法 投与時間	1	2	3	4	5	6	7	8	9	10	11	12	13	14	15	16	～	21
レジメン（GEM＋CDDP）	Rp1	生理食塩液 500 mL 硫酸 Mg 8 mEq	点滴静注 60 分	↓							↓										
	Rp2	パロノセトロン 0.75 mg/body デキサメタゾン 6.6 mg/body	点滴静注 15 分	↓							↓										
	Rp3	シスプラチン 25 mg/m^2 生理食塩液 500 mL	点滴静注 60 分	↓							↓										
	Rp4	ゲムシタビン 1,000 mg/m^2 生理食塩液 100 mL	点滴静注 30 分	↓							↓										
	Rp5	生理食塩液 50 mL	点滴静注 全開	↓							↓										
副作用対策	悪心・嘔吐	MEC レジメンに分類されるため，本剤投与前に 5-HT$_3$ 受容体拮抗薬＋デキサメタゾンの予防投与を行う．必要に応じてアプレピタントを併用する．																			
	好中球減少・感染症	感染予防対策（手洗い，うがい），緊急受診の目安について事前に十分指導する．FN による発熱だけでなく，胆管炎による発熱の可能性にも注意する．																			
	腎機能低下	シスプラチンによる腎機能障害を予防するため，患者には水分摂取を指導．Scr 値や体重をモニタリングし，尿量減少や体重増加があれば適宜利尿薬を投与．悪心・嘔吐にて飲水困難となった場合は輸液の追加を考慮する．																			
	聴力障害	総投与量が 300 mg/m^2 を超えると出現しやすくなる．治療開始前の状態把握とともに，高音域の聴力低下，耳鳴りの出現を確認する．																			
	間質性肺炎	乾性咳嗽，息切れ，呼吸困難，発熱など呼吸器症状が認められた場合は申し出るよう指導する．																			

□シスプラチンの投与前に Mg を予防投与することにより腎障害の軽減が期待できる[5]．

□シスプラチンは総投与量が 300 mg/m^2 を超えると，末梢神経障害や聴覚障害などの蓄積毒性が出現しやすくなる．投与量の上限が 24 週に設定されていた海外の臨床試験[2]にて十分な生存期間の延長が示されていることから，24 週（8 サイクル）を 1 つの区切りとして，本治療の継続について再考．蓄積毒性を認める場合はゲムシタビン単剤への切替を検討する．

3 抗がん薬の調剤[6, 7]

ゲムシタビン

□溶解後の溶液を冷蔵庫に保存すると結晶が析出することがあるので，室温（15～30℃）で保存し，24 時間以内に使用．

シスプラチン

□ Cl^-濃度の低い輸液と配合すると活性が低下するので，必ず生理食塩液と混和する．

□アミノ酸輸液，乳酸Naを含有する輸液を用いると分解が起こるので避ける．

□冷蔵庫保存した場合，結晶が析出することがあるため注意．

4 抗がん薬の投与

投与基準[3)]

PS	0～1
好中球数	≧1,500/μL
Hb	≧10.0 g/dL
血小板数	≧10万/μL
AST	≦90 U/L（≦ULN×3）
ALT	≦（男）126 U/L，（女）69 U/L（いずれも≦ULN×3）
T-Bil	≦3.0 mg/dL（≦ULN×2） 【閉塞性黄疸または肝転移がある場合】≦4.5 mg/dL（≦ULN×3）
Ccr	≧45 mL/分

減量・中止基準

□国内臨床試験における血液毒性に基づいた減量基準は以下の通りであり，参考にする[8)]．

□シスプラチンは25 mg/m^2と低用量で設定されており，血液毒性に基づいた減量は原則行わない．

項目	減量基準	ゲムシタビン	シスプラチン
好中球数	＜500/μL（Grade 4）	20%減量	変更なし
血小板数	＜2.5万/μL（Grade 4）または血小板輸血の実施		

腎機能障害

□シスプラチン[9)]

Ccr（mL/分）	46～60	31～45	＜30
投与量	25%減量	50%減量	禁忌であるが必要な場合は50%減量

□ゲムシタビン[6)]：減量基準はないが慎重投与．

肝機能障害

□シスプラチン[7)]：減量基準はないが慎重投与．

□ゲムシタビン[10)]：確立された減量基準はないが，ビリルビン値の高い患者（T-Bil＞1.6）においては肝毒性のリスクが高いため，20%減量することを検討.

注意点

□ゲムシタビンの投与時間が30分であることを確認する.

□シスプラチンはアルミニウムと反応し，沈殿物を形成して活性が低下するため，アルミニウムを含む医療用器具を使用しない.

□ゲムシタビンとシスプラチンはともに炎症性薬剤に分類される．かゆみ，熱感，疼痛などが刺入部から静脈に沿って起こることがある．また，壊死や潰瘍形成にまでは至らないが大量に漏出すると強い炎症や疼痛を起こすことがある．漏出の際にはステロイド外用薬の使用を考慮.

5 副作用マネジメント

発現率

	国内（n=41）[3]		海外（n=198）[2]
	全体 Grade（%）	Grade 3 以上（%）	Grade 3 以上（%）
白血球減少	87.8	29.3	15.7
貧血	85.4	36.6	7.6
好中球減少	82.9	56.1	25.3
血小板減少	80.5	39.0	8.6
食欲不振	80.5	0	3.0
悪心	68.3	0	4.0
嘔吐	48.8	0	5.1
倦怠感	58.5	0	18.7
AST 上昇	53.7	17.1	—
ALT 上昇	51.2	24.4	9.6
γ-GTP 上昇	46.3	29.3	—
発熱	43.9	0	—

評価と観察のポイント

#1 コース目

①投与初期（day 1〜7）

□血管痛や静脈炎など血管障害を評価.

□悪心・嘔吐の発現状況を評価する．食事摂取量や食嗜好の変化などを聴き取る.

□5-HT_3受容体拮抗薬の副作用として便秘が生じるおそれがあるため，便通を評価する.

□ゲムシタビン投与開始2～3日後に一過性の発熱がみられることがある．発熱が持続する場合，感染症や間質性肺炎を鑑別する．

②投与後期（day 8 以降）

□血液毒性を評価．好中球数，血小板数，Hb を確認し，必要に応じて減量を検討する．

□発熱がみられた場合，FN によるものか，胆道感染や間質性肺炎によるものか，鑑別する．随伴症状についても聴取する．

□腎機能障害を把握するため，Scr の変動に注意する．

#2 コース目以降

□前コースの副作用に応じて対応．

□シスプラチンによる末梢神経障害や聴覚障害を評価．しびれや高音域の聴覚低下の有無について聴取する．

副作用対策のポイント

□ゲムシタビンによる血管痛に対しては，注射部位の保温，できるだけ太い血管を選び穿刺することが有効である．また，ゲムシタビンの溶解液を生理食塩液から5%ブドウ糖液に変更することで血管痛を軽減できるとの報告もある[11]．

□初回投与時に悪心・嘔吐の制御が十分できていない場合は制吐療法を強化する．具体的にはアプレピタントの追加を検討する．

□便秘が出現した場合，塩類下剤（酸化マグネシウム）や刺激性下剤（センノシド，ピコスルファートナトリウム）などの追加を検討する．

□発熱については，ゲムシタビン投与からの期間，悪寒戦慄の有無，随伴症状などから，胆管炎や間質性肺炎などの有害事象と総合的に鑑別する．あらかじめレボフロキサシンなどのニューキノロン系抗菌薬や解熱薬を処方提案し，発熱時に服用するよう指導する．

□胆道がんは胆管炎を併発するリスクが高いため，外来治療においては抗菌薬の事前処方のみならず，緊急時対応の患者教育が重要である．悪寒戦慄を伴う発熱，腹痛，皮膚や眼瞼結膜の黄染，褐色尿などあれば病院へ連絡するよう指導する．

6 薬学的ケア

CASE

□70歳代男性．胆道がん，肺転移を認め GEM＋CDDP 療法開始となる．

□1コース目 day 1，ゲムシタビン投与中に血管痛の訴えあり．刺入部周囲の腫脹や発赤を認めないことから血管外漏出ではないことを確認の上，看護師に温罨法を提案．注射部位を温めることで血管痛は改善した．次の投与以降は投与開始前から注射部位を加温することで血管痛を予防できた．

□2コース目 day 4，39.1℃の発熱を認めた．ゲムシタビンによる発熱の可能性も考えられたが，悪寒と腹痛も認めたため，胆管炎の可能性を考え主治医へ採血と腹部エコー検査の実施を提案．ALT 151 U/L，AST 130 U/L，T-Bil 1.9 mg/dL と上昇しており，右胆管ステント閉塞による急性胆管炎と診断された．胆道ドレナージと抗菌薬加療にて胆管炎が改善されたことを確認の上，治療再開となった．

解説

□ゲムシタビンは生理食塩水溶解時 pH3.0 と強酸性であり血管痛のリスクは高いが，温罨法により改善を認めることがある．刺入部やその周囲の状態を確認し，血管外漏出の可能性を除外する．

□胆道がんでは高頻度で閉塞性黄疸や胆管炎を合併する．特に胆管ステントを留置している患者においては，ステント閉塞に伴う急性胆管炎が起こりうる可能性を念頭に置く必要がある．胆管炎を発症した場合，生命を脅かす感染症に進展するおそれもあるため，ドレナージや抗菌薬投与など，適切な対応を検討する．

□海外臨床試験[2]における FN の頻度は 10.1％，胆管炎の頻度は 4.0％であった．また，国内臨床試験においては減黄処置との関連性についても検討されており，胆道がん特有の閉塞性黄疸や胆管炎に対しても，適切なドレナージを行うことで治療効果が期待できることが示されている[12, 13]．

引用文献

1）日本癌治療学会（編）：制吐薬適正使用ガイドライン，第2版．金原出版，2015
2）Valle J, et al：N Engl J Med 362：1273-81, 2010（PMID：20375404）
3）Okusaka T, et al：Br J Cancer 103：469-74, 2010（PMID：20628385）
4）Pollera CF, et al：Invest New Drugs 15：115-21, 1997（PMID：9220290）
5）日本腎臓学会，他（編）：がん薬物療法時の腎障害診療ガイドライン 2016．ライフサイエンス出版，2016

6) ジェムザール® 注射用，インタビューフォーム
7) ランダ® 注，インタビューフォーム
8) 日本臨床腫瘍研究グループ：肝胆膵グループ JCOG1113 実施計画書　進行胆道癌を対象としたゲムシタビン＋シスプラチン併用療法（GC 療法）とゲムシタビン＋S-1 併用療法（GS 療法）の第 III 相比較試験
9) Kintzel PE, et al：Cancer Treat Rev 21：33-64, 1995（PMID：7859226）
10) Venook AP, et al：J Clin Oncol 18：2780-7, 2000（PMID：10894879）
11) Nagai H, et al：Support Care Cancer 21：3271-8, 2013（PMID：23877927）
12) Fukutomi A, et al：HPB 14：221-7, 2012（PMID：22404259）
13) 水野伸匡，他：胆と膵 31：615-8, 2010

（亀岡春菜）

60 ペミガチニブ（ペマジール®）

POINT

- *FGFR2* 融合遺伝子陽性の治癒切除不能な胆道がんである．
- 網膜剝離などの眼障害が発現する報告があるため，定期的に眼科検査を行うなど十分に観察を行う必要がある．
- ペミガチニブは CYP3A4 で代謝されるため，薬物相互作用に注意が必要である．

1 レジメンと副作用対策

適応：がん化学療法後に増悪した *FGFR2* 融合遺伝子陽性の治癒切除不能な胆道がん

投与スケジュール：14 日投与，7 日間休薬

1 コース期間：21 日間　**総コース**：可能な限り継続

60		医薬品名 投与量	投与方法 投与時間	1	2	3	4	5	6	7	8	~	12	13	14	15	16	~	21	22	…
レジメン	Rp1	ペミガチニブ 13.5 mg/body	経口 1 日 1 回 朝食後	↓	↓	↓	↓	↓	↓	↓	↓	↓	↓	↓	↓					↓	↓

副作用対策

副作用	対策
網膜剝離	定期的に眼科検査を行い，眼の異常が認められた場合，速やかに病院に連絡するよう患者指導を行う．
高リン血症	定期的に血清リン濃度を測定し，血清リン濃度 5.5 mg/dL 超～7 mg/dL 以下の場合，リン制限食を開始する．血清リン濃度 7 mg/dL 超～10 mg/dL 以下の場合，リン制限食に加え，高リン血症治療薬を開始する．
急性腎障害	乏尿・無尿，浮腫，倦怠感などの症状が認められた場合，速やかに病院に連絡するよう患者指導を行う．
眼障害（網膜剝離以外）	ドライアイや睫毛乱生など眼の異常が認められた場合，速やかに病院に受診するよう患者指導を行う．
手足症候群（HFS）	比較的早期に発現する場合があるため，予防対策が重要である．
下痢	下痢が発現した場合，止瀉薬（例：ロペラミド　1 回 2 mg　下痢時　1 日 3 回まで）を使用する．
味覚異常	口腔ケアを行い，常に口腔内を清潔に保つ．

2 抗がん薬の処方監査

□ペミガチニブは食前・食後を問わず投与できる[1]．

□薬物相互作用（ペミガチニブはCYP3A4で代謝される）[2, 3]

薬剤名など	機序
強いまたは中程度のCYP3A4誘導薬（リファンピシン，フェニトイン，カルバマゼピンなど）	これらの薬剤と併用するとCYP3A4を誘導するため，ペミガチニブの血中濃度が低下する可能性がある．
強いまたは中程度のCYP3A4阻害薬（クラリスロマイシン，イトラコナゾール，ベラパミルなど）	これらの薬剤と併用するとCYP3A4を阻害することでペミガチニブの血中濃度が上昇する可能性がある．

□化学療法前にHBVの検査の有無を確認する．HBV抗原陽性例のみならず，陰性例でも再活性化が生じる．

□HBV抗原陽性例では，エンテカビル0.5 mgを空腹時（食後2時間以降かつ次の食事の2時間以上前）の投与が継続されているか確認する．また，HBV抗原陰性例でもHBc抗体およびHBs抗体を確認し，いずれか陽性の場合，HBV-DNA定量を行う．定量値が基準値（1.3 log copies/mL）以上の場合，エンテカビルを投与する．

□HBV既往感染が未確認のまま，化学療法やこれに伴う免疫抑制がある場合，抗体価が低下している場合もあり，HBV-DNA定量が重要である．

3 抗がん薬の調剤

□薬の投与スケジュール，薬剤相互作用および検査値に問題がないか確認を行う．

4 抗がん薬の投与[4]

投与基準

□投与前に観察すべき検査：添付文書上，規定される検査項目はない．しかし，抗がん薬における一般的な検査の他，リン酸塩と眼科領域を含んだ以下は必要である（**表60-1**）[5]．

□リン酸塩の値：FGFR阻害薬特異的な有害事象として高リン血症の報告がある．

□眼科領域の検査：網膜剝離などの報告がある（臨床試験で1.9％の報告）．

表 60-1　投与前に観察すべき検査

検査項目	当院基準値	検査項目	当院基準値
アルブミン (ALB)	3.8～5.2 g/dL	グルコース (GLU)	70～109 mg/dL
ALP (IFCC)	38～113 U/L	乳酸脱水素酵素 (LD)	124～222 U/L
ALT	(男) 10～42 U/L, (女) 5～40 U/L	リン酸塩 (P)	2.4～4.3 mg/dL
AST	10～40 U/L	カリウム (K)	3.6～5.0 mmol/L
重炭酸塩	21.0～28.0 mmol/L	ナトリウム(Na)	136～147 mmol/L
BUN	8.0～22.0 mg/dL	T-Bil	0.3～1.2 mg/dL
カルシウム(Ca)	8.5～10.2 mg/dL	総蛋白質 (TP)	6.7～8.3 g/dL
クロール (Cl)	98～109 mmol/L	尿酸	(男) 3.7～7.0 mg/dL, (女) 2.5～7.0 mg/dL
クレアチニン (U-CRE-D, 蓄尿)	(男) 0.61～1.04 mg/dL, (女) 0.47～0.79 mg/dL	ビタミン D*1	30～100 ng/mL, (75～250 nmol/L)

*1 日本 BML より引用
ペマジール® 臨床試験での有害事象重篤度基準は，NCI-CTCAE v4.03[3] に準じる．

減量・中止基準[4]

減量レベル	通常投与量	1 段階減量	2 段階減量	3 段階減量
投与量	13.5 mg	9 mg	4.5 mg	投与中止

□投与中に観察すべき検査[4]：投与前に観察すべき検査と同じ項目を確認する（表 60-2）．特にリン酸塩は必ず漏れないようにする．

網膜剥離

□1.9%[4, 6]，中央値 172.0（54～290）日[4, 6]．

□定期的に眼科検査を行うなど観察を十分に行う．眼の異常が認められた場合は，速やかに病院に連絡するよう患者指導を行う．

□飛蚊症，視野欠損，光視症や視力低下が認められた場合は，眼科検査を実施し，投与を中止するなど適切な処置を行う．

眼障害（網膜剥離以外[4, 6]）

□ドライアイ：21.2%[4, 6]，中央値 45.0（1～310）日[4, 6]．

□睫毛乱生[4, 6]：8.2%，中央値 55.5（13～500）日[4, 6]．

□異常が認められた場合は，眼科検査を実施し，投与を中止するなど適切な処置を行う．

表 60-2　投与中に観察すべき検査

副作用	程度		処置
網膜剥離	—		眼の異常が認められた場合は，速やかに病院に連絡するよう患者指導を行う．眼障害が認められた場合は，休薬して眼科検査を実施し，症状が改善すれば 1 段階減量して投与を再開するが，改善しない場合は投与を中止するなど適切な処置を行う．
高リン血症	血清リン濃度	5.5 mg/dL 超〜7 mg/dL 以下	リン制限食を開始する．
		7 mg/dL 超〜10 mg/dL 以下	リン制限食に加え，高リン血症治療薬を開始する．治療薬開始後 2 週間を超えても継続する場合，P<7 mg/dL まで休薬し，同一用量で再開する．再発の場合は，P<7 mg/dL まで休薬後，1 段階減量して再開する．
高リン血症	血清リン濃度	10 mg/dL 超	リン制限食に加え，高リン血症治療薬を開始する．P>10 mg/dL が高リン血症治療薬の開始後 1 週間以上継続する場合は P<7 mg/dL まで休薬後，1 段階減量して再開する．
上記以外の副作用	Grade 3		Grade 1 以下またはベースラインに回復するまで休薬し，回復後に 1 段階減量して投与を再開する．休薬後 2 週間を超えても継続する場合，投与を中止する．
	Grade 4		投与を中止する．

Grade は NCI-CTCAE v4.03[3] に準じる．

□眼の異常が認められた場合は，速やかに病院に受診するよう患者指導を行う．

高リン血症

□55.4%[4,6]，中央値 8.0（3〜422）日[4,6]．

□定期的に血清リン濃度を測定し，血清リン濃度の変動に注意する．

□血清リン濃度

- 5.5 mg/dL 超〜7 mg/dL 以下…リン制限食を開始する．
- 7 mg/dL 超〜10 mg/dL 以下…リン制限食に加え，高リン血症治療薬を開始する．高リン血症治療薬の開始後 2 週間を超えても継続する場合は，P<7 mg/dL まで休薬し，同一用量で再開する．再発の場合は，P<7 mg/dL まで休薬後，1 段階減量して再開する．
- P>10 mg/dL が高リン血症治療薬の開始後 1 週間以上継続する場合は P<7 mg/dL まで休薬後，1 段階減量して再開する．

急性腎障害

□2.7％[4,6]，中央値 15.0（3〜176）日[4,6]．

□乏尿・無尿，浮腫，倦怠感および血液検査において Scr，BUN が上昇した場合，早急に病院に連絡するよう患者に伝える[7]．

- Scr ベースライン≦3 倍増または≦4.0 mg/dL.
- GFR≧30 mL/分.

□開始時 GFR＜30 mL/分で減量を考慮する．Scr 増加ベースライン≦2 倍または GFR≧60 mL/分まで休薬し，1 段階減量で再開する．休薬後 2 週間を超えても継続する場合は投与を中止する．

手足症候群（HFS）

□15.1％[4,6]，中央値 99.5（15〜310）日[4,6]．

□手や足で物理的刺激が繰り返し生じる部位に好発する．手や足の感覚異常や皮膚の変化，爪の変形が現れる．症状が悪化すると疼痛や発赤・腫脹，潰瘍，びらんが生じ歩行困難となる場合もある．そのため，投与初期から手足の予防的保湿と物理的刺激を避けることが重要である[8]．

肝機能障害

- AST≦200 U/L
- ALT≦200 U/L
- T-Bil≦3.6 mg/dL

□AST/ALT≦120 U/L および T-Bil≦1.8 mg/dL まで休薬し，1 段階減量で再開する．休薬後 2 週間を超えても継続する場合は投与を中止する．

爪障害

□60.3％[4,6]．

□爪の変色，爪甲脱落，爪甲剝離や爪囲炎などの爪の障害が現れる．爪を噛んだり短く切ったりしないようにする．また，爪を清潔に保ち，保湿を行い，きつい靴下や靴を避ける．Grade 3 の爪障害が認められた場合は，Grade 1 以下またはベースラインに回復するまで休薬する．

5 副作用マネジメント

発現率[4, 6, 9]

	海外（n=146）[4, 6]		国内（n=23）[9]	
	全体（%）	Grade 3 以上（%）	全体（%）	Grade 3 以上（%）
網膜剝離	1.4	0.7	0	0
高リン血症	55.4	0	78.3	0
手足症候群（HFS）	15.1	4.1	8.7	0
爪障害	60.3	2.7	30.4	0
ドライアイ	21.2	0.7	8.7	0
急性腎障害	2.7	0.7	0	0
下痢	36.3	2.7	17.4	—
疲労	30.8	1.4	8.7	—
口内炎	32.2	5.5	13.0	—
口腔乾燥	28.7	0	4.3	—
味覚異常	37.7	0	30.4	—
脱毛症	45.9	0	30.4	—
悪心	24.7	1.4	30.4	—
肝機能障害	—	—	4.3	—

評価と観察のポイント

□投与初期（day 1〜7）では網膜剝離や高リン血症，急性腎障害，肝機能障害の自覚症状は起こりにくいため，血液検査で評価を行う．

□手足症候群は早期に発現する場合があるため，投与初期から手足の保湿と物理的刺激を避けながら患部を観察し評価を行う．

副作用対策のポイント

□眼障害が発現した場合，速やかに病院に受診する．

□血清リン濃度

- 5.5 mg/dL 超〜7 mg/dL 以下…リン制限食を開始する．リン制限食は，蛋白質制限やリンを多く含む食品（アーモンド，ピーナッツなど），内臓類（レバーなど），練り製品，加工食品，清涼飲料水を避けるなど食事療法によってリンの低下を試みる．
- 7 mg/dL 超〜10 mg/dL 以下…リン制限食に加え，高リン血症治療薬を開始する．高リン血症の治療例は，炭酸ランタン水和物顆粒剤 1 日 750 mg 1 日 3 回に分割して食直後に経口投与する[10]．

6 薬学的ケア

CASE

□60 歳代男性．肝細胞がんと胆管細胞がんの混合型肝がん患者（MSI non-high, *FGFR2* rearrangement）で 4 次治療としてペミガチニブが開始となる．治療開始時，血清リン濃度は 2.7 mg/dL で正常であった．しかし，2 週間後に受診の際，血清リン濃度は 6.8 mg/dL まで上昇した．そのため，リン制限食が開始となる．そこで，栄養士に食事指導の介入を依頼した．このとき，高リン血症による自覚症状はみられていない．

□1 週間後の受診時は，血清リン濃度は 7.1 mg/dL と微増した．そのため，高リン血症に対して炭酸ランタン水和物顆粒剤（炭酸ランタン顆粒分包）1 日 750 mg 1 日 3 回食直後に経口投与[7)]が開始となる．また，あわせて栄養療法も継続となる．この時も，高リン血症による自覚症状はみられていない．

□2 週間後の受診時は，血清リン濃度は 2.6 mg/dL と改善したため，ペミガチニブは中止・休薬・減量することなく通常量で継続投与することができた．あわせて食事療法と薬物療法も終了となる．

解説

□ペミガチニブによる高リン血症は 55.4%[4,6)] と高頻度に発現するため，定期的にモニタリングをする必要がある．ペミガチニブによる高リン血症の対処法として食事療法があるが，栄養士の指示通りに食事療法を行わないと血清リン濃度を下げることは難しい．また，高リン血症は自覚症状がない場合が多くみられる[11-14)]．そのため，定期的に血清リン濃度を測定し，血清リン濃度の変動に注意する必要がある．

□血清リン濃度 7 mg/dL 超～10 mg/dL 以下の場合，リン制限食に加え，高リン血症治療薬を開始する．高リン血症の治療例は，炭酸ランタン顆粒分包 1 日 750 mg 1 日 3 回に分割して食直後に経口投与する[10)]．

引用文献

1）ペマジール® 錠，インタビューフォーム，Ⅷ．1．（4）1）食事の影響（外国人データ）
2）インサイト・バイオサイエンシズ・ジャパン社内資料：CYP3A4 を介した薬物相互作用試験（2021 年 3 月 23 日承認，CTD2.7.2.2.3.1）

3) インサイト・バイオサイエンシズ・ジャパン社内資料：モデルの適用（2021年3月23日承認，CTD2.7.2.2.4.2）
4) ペマジール® 錠，適正使用ガイド
5) 静岡県立静岡がんセンター臨床検査部
6) Abou-Alfa GK, et al：Lancet Oncol 21：671-84, 2020（PMID：32203698）
7) 厚生労働省．重篤副作用疾患別対応マニュアル急性腎障害（急性尿細管壊死）．平成19年6月改訂
8) Ishikawa H, et al：J Appl Pharm 9：1000248：2017
9) 国内第Ⅰ相試験（INCB 54828-102試験）
10) 炭酸ランタン顆粒分包250 mg「ニプロ」添付文書
11) Moe SM：Prim Care 35：215-37, 2008（PMID：18486714）
12) Moe SM, et al：J Am Soc Nephrol 19：213-6, 2008（PMID：18094365）
13) Peppers MP, et al：Crit Care Clin 7：201-14, 1991（PMID：2007215）
14) Yu GC, et al：West J Med 147：569-76, 1987（PMID：3321712）

（石川 寛）

61 FOLFIRINOX(オキサリプラチン+レボホリナート+イリノテカン+フルオロウラシル)

L-OHP+l-LV+CPT-11+5-FU

POINT

■本療法の対象は治癒切除不能な膵臓がん患者であるが，骨髄抑制などの重篤な副作用のため，適正な患者選択が肝要である[1]．日本膵臓学会膵癌診療ガイドラインにおいて，FOLFIRINOX 療法はFN と末梢神経感覚性ニューロパチーのリスクが高いという「害」の多さから，PS の良好な患者への投与が推奨される，と記載されている[2]．フルオロウラシル急速投与をなくし，イリノテカンの投与量を 150 mg/m² に減量した modified FOLFIRINOX レジメンも考慮できる．

■副作用発現時は減量基準に沿って投与量を調節する．発現する副作用によって各薬剤の減量方法が異なるため注意する．

■イリノテカンによる重篤な下痢・骨髄抑制の懸念があるため，治療開始前に患者に十分に説明した上で，同意を得て *UGT1A1* 遺伝子多型を確認することが望ましい．

1 レジメンと副作用対策(→次頁参照)

適応：治癒切除不能な膵臓がん

1 コース期間：14 日間

総コース：PD または投与継続困難となるまで

2 抗がん薬の処方監査

□高度催吐性リスクレジメンとして制吐療法が計画されていることを確認する[3]．制吐薬としてオランザピンを用いる場合は糖尿病や耐糖能異常がないことを確認する．

□FOLFIRINOX の海外第Ⅲ相試験(ACCORD11 試験)[4] ならびに国内第Ⅱ相試験[5]では，対象患者の年齢 18 歳～75 歳，ECOG PS 0～1 の患者であった．

オキサリプラチン

□禁忌：本剤または他の白金を含む製剤に対する過敏症の既往，機能障害を伴う重度の感覚異常または知覚不全のある患者．

イリノテカン

□禁忌：骨髄抑制，感染症の合併，下痢，腸管麻痺，腸閉塞，間質性肺炎または肺線維症，多量の腹水・胸水，黄疸のある患者．

61		医薬品名 投与量	投与方法 投与時間	1	2	3	4	5	6	7	8	9	10	11	12	13	14
レジメン（FOLFIRINOX）	Rp1	アプレピタント 125 mg	経口	↓				アプレピタントが使用できない場合，day 1 ホスアプレピタント 150 mg＋生理食塩液 100 mL 点滴静注									
		アプレピタント 80 mg	経口		↓	↓											
		デキサメタゾン 8 mg/body	経口		↓	↓	↓										
	Rp2	パロノセトロン 0.75 mg/body デキサメタゾン 9.9 mg/body 生理食塩液 50～100 mL	点滴注射 15～30 分	↓													
	Rp3	オキサリプラチン 85 mg/m² 5%ブドウ糖液 250 mL	点滴注射 120 分	↓													
	Rp4	レボホリナート 200 mg/m² 5%ブドウ糖液 250 mL	点滴注射 120 分	↓													
	Rp5	イリノテカン 180 mg/m² 5%ブドウ糖液 500 mL	点滴注射 90 分	↓	レボホリナート開始 30 分後側管より同時点滴投与												
	Rp6	フルオロウラシル 400 mg/m² 生理食塩液 50 mL	点滴注射 5 分	↓													
	Rp7	フルオロウラシル 2,400 mg/m² 生理食塩液	点滴注射 46 時間	↓	持続静脈注射用ポンプなどで 46 時間かけて投与：適宜希釈												
副作用対策		**過敏症**		■													
		オキサリプラチンによる過敏症は投与 5 回目以降に頻度が上がるため注意する．															
		コリン作動性症状（下痢，鼻汁，発汗）		■													
		イリノテカンによるコリン作動性症状に対しては，抗コリン薬の投与が有効な場合がある．															
		骨髄抑制									■	■	■	■	■	■	■
		好中球減少症，FN，血小板減少症に注意．適宜採血を行い，副作用発現時は減量基準に沿って減量・休薬を考慮する．															
		悪心・嘔吐		■	■	■	■	■									
		HEC レジメンに分類されるためアプレピタントまたはオランザピンを含む 3 剤併用を標準療法とする．ただし，糖尿病・耐糖能異常がある場合，オランザピンの使用は避ける．															
		遅発性下痢，腸炎			■	■	■	■	■	■							
		コリン作動性の早発性下痢は多くの場合一過性だが，腸管粘膜障害が主体の遅発性下痢では持続する場合がある．高度な下痢の場合，ただちに投与中止し補液，止瀉薬使用などの対応を行う．ただし麻痺性イレウスや感染性腸炎の場合，止瀉薬投与は慎重に行う．															
		末梢神経障害		■	■	■	■	■	■	■							
		急性神経障害は寒冷刺激によって誘発．持続性末梢神経障害は遅発性・蓄積性で用量依存的に発現する．必要に応じてオキサリプラチンの減量・休薬を考慮する．															

□イリノテカンは活性代謝物 SN-38 の薬物代謝に関連するゲノム変異の有無によって好中球減少などの副作用の重篤度が異なることが報告されている．本療法の実施にあたっては，投与開始前に遺伝子多型を調べておくことが望ましい．

- **参考**…UGTの2つの遺伝子多型(*UGT1A1*28*, *UGT1A1*6*)について，いずれかをホモ接合体またはいずれもヘテロ接合体で持つ患者においては，*UGT1A1*のグルクロン酸抱合能が低下しSN-38の代謝が遅延する．しかし，これらのハイリスクグループにおける適切な用量調節方法は明らかではない．このゲノム変異は生殖細胞系列の変異であるため，その測定に関する患者への同意取得ならびに診療録への記載は医療における遺伝子検査・診断に関するガイドラインを参照し各施設内で規定する．

□胆道ドレナージ，胆管ステント留置により改善した閉塞性黄疸の既往がある患者に投与する場合は，頻回に検査を実施するなど患者の状態を十分に観察する[1]．

□薬物相互作用：*UGT1A1*阻害薬の影響を受けるため確認を行う．アタザナビルは併用禁忌．活性代謝物SN-38は一部CYP3A4で不活化される．CYP3A4の阻害によりSN-38の血中濃度は上昇するため注意する．

□イリノテカン塩酸塩水和物リポソーム製剤とは有効性，安全性，薬物動態が異なるため，イリノテカン塩酸塩水和物リポソーム製剤を代替として使用しない．

フルオロウラシル

□禁忌：本剤に対する重篤な過敏症既往，テガフール・ギメラシル・オテラシルカリウム配合剤(S-1)の投与中および投与中止後7日以内の患者．

□薬物相互作用：フェニトインとの併用でフェニトインの血中濃度上昇，ワルファリンとの併用でワルファリンの作用増強が報告されているため注意する．

3 抗がん薬の調剤

□オキサリプラチンは塩化物含有溶液により分解するため，生理食塩液などの塩化物を含む輸液との配合を避ける．

□オキサリプラチンは塩基性溶液により分解するため，塩基性溶液との混和あるいは同じ点滴ラインを用いた同時投与は行わない．

□白金化合物はアルミニウムとの接触により分解することが報告されているため，調製・投与時にアルミニウムが用いられている注射針などは使用しない．

4 抗がん薬の投与

投与基準

□初回投与時[4, 5]

ECOG PS	0〜1	T-Bil	≦2.25 mg/dL（≦ULN×1.5）かつ黄疸を認めない
好中球数	≧2,000/μL		
血小板数	≧10 万/μL		

□2 回目以降[5]

好中球数	≧1,500/μL	T-Bil	≦2.25 mg/dL（≦ULN×1.5）かつ黄疸を認めない
血小板数	≧7.5 万/μL		

減量・中止基準（表 61-1）

□FOLFIRINOX 療法施行に伴う減量時の投与量*1

投与レベル	オキサリプラチン	イリノテカン*2	フルオロウラシル	
			急速静注	持続静注
level 0（初回投与量）	85 mg/m^2	180 mg/m^2	400 mg/m^2	2,400 mg/m^2
level 1	65 mg/m^2	150 mg/m^2	中止	1,800 mg/m^2
level 2	50 mg/m^2	120 mg/m^2	—	1,200 mg/m^2
level 3	中止	中止		中止

*1 レボホリナートは減量しない．ただし，フルオロウラシルの急速静注と持続静注のいずれも中止になった場合はレボホリナートも中止する．
*2 前コースの投与後に T-Bil>3.0 mg/dL を認めた場合は，減量基準に従いイリノテカンを 90 mg/m^2 に減量．

□FOLFIRINOX 療法の modified regimen の有効性・安全性を検討した試験が国内外で実施されており，国内では第 II 相試験[6]の報告がある（表 61-2）．具体的には，イリノテカン 180 mg/m^2 を 150 mg/m^2 に減量し，フルオロウラシル急速静注を省略したものである．

□modified FOLFIRINOX 療法でも国内第 II 相試験と比較して同等の OS，PFS が得られ，かつ重篤な副作用は少ないことが報告されており，選択肢の 1 つとなりうる（表 61-2）．

表 61-1　減量・中止基準

<table>
<tr><th rowspan="2">副作用</th><th rowspan="2">程度</th><th rowspan="2">オキサリプラチン</th><th rowspan="2">イリノテカン</th><th colspan="2">フルオロウラシル</th></tr>
<tr><th>急速静注</th><th>持続静注</th></tr>
<tr><td>好中球減少</td><td>以下のいずれかの条件を満たす場合
1) 1,500/μL 未満のため投与を延期
2) 500/μL 未満が 7 日以上持続
3) 感染症または下痢を併発し，かつ 1,000/μL 未満
4) FN</td><td colspan="2" rowspan="2">・イリノテカンを優先的に減量.
・イリノテカンの投与レベルがオキサリプラチンの投与レベルより低い場合は，イリノテカンと同じ投与レベルになるまでオキサリプラチンを減量する.
・投与レベルが level 3 に達した場合，当該薬剤は投与中止.</td><td rowspan="2">中止</td><td rowspan="2">—</td></tr>
<tr><td rowspan="2">下痢</td><td>発熱（38℃以上）を伴う</td></tr>
<tr><td>Grade 3 以上</td><td>—</td><td>患者の状態に応じて減量考慮.</td><td>—</td><td>減量</td></tr>
<tr><td>血小板減少</td><td>以下のいずれかの条件を満たす場合
1) 7.5 万/μL 未満のため投与を延期
2) 5 万/μL 未満</td><td colspan="2">・オキサリプラチンを優先的に減量.
・オキサリプラチンの投与レベルがイリノテカンの投与レベルより低い場合は，オキサリプラチンと同じ投与レベルになるまでイリノテカンを減量する.
・投与レベルが level 3 に達した場合，当該薬剤は投与中止.</td><td>中止</td><td>—</td></tr>
<tr><td rowspan="2">T-Bil 上昇</td><td>2.0 mg/dL 超，3.0 mg/dL 以下</td><td rowspan="2">—</td><td>減量（120 mg/m^2）</td><td colspan="2" rowspan="2">—</td></tr>
<tr><td>3.0 mg/dL 超</td><td>減量（90 mg/m^2）</td></tr>
<tr><td>粘膜炎</td><td rowspan="2">Grade 3 以上</td><td colspan="3" rowspan="2">—</td><td rowspan="2">減量</td></tr>
<tr><td>手足症候群</td></tr>
<tr><td rowspan="3">末梢神経障害</td><td>投与当日の程度が Grade 2</td><td>減量（65 mg/m^2）</td><td rowspan="3">—</td><td colspan="2" rowspan="3">—</td></tr>
<tr><td>投与当日の程度が Grade 3</td><td>休薬（回復後，65 mg/m^2 に減量）</td></tr>
<tr><td>Grade 4</td><td>中止</td></tr>
</table>

複数の副作用が発現した場合は，薬剤ごとに減量が最大となる基準を適応する.

表 61-2 試験の結果

	症例数（人）	OS（月）	PFS（月）	奏効率（%）
海外第III相試験（ACCORD 試験）[4]	342	11.1	6.4	31.6
国内第II相試験[5]	36	10.7	5.6	38.9
modified FOLFIRINOX 国内第II相試験[6]	69	11.2	5.5	37.7

□さらに最近報告された modified FOLFIRINOX 療法のメタ解析でも，modified FOLFIRINOX 療法は FOLFIRINOX 療法と比較して OS や PFS，奏効率に関して同等であることが報告されている[7]．

肝機能障害　腎機能障害

□腎機能，肝機能低下時の FOLFIRINOX 療法の施行に関する減量基準は明らかではない．T-Bil 上昇に関しては「減量・中止基準」（→前頁）．

□国内第II相試験では，選択基準として腎機能・肝機能に関して以下を満たす患者と規定されていた．

- T-Bil…≦2.25 mg/dL（≦ULN×1.5）．
- AST，ALT…AST≦75 U/L，ALT≦（男）105 U/L，（女）57.5 U/L．
- Scr…≦1.2 mg/dL．

□その他の減量・中止基準として，海外第III相試験[4]では以下のように規定されていた．

- 狭心症または心筋梗塞のある患者はフルオロウラシルは中止．

注意点

□投与中，過敏症に注意する．特に，オキサリプラチンによる過敏症は投与回数を重ねると発現率が高くなり，5コース目以降で起こりやすい[1]とされている．

□レボホリナート開始 30 分後にイリノテカンを側管から同時滴下する．投与過誤のないよう，投与方法について看護師と情報共有しておく．

□フルオロウラシルは持続注入用ポンプで投与する場合など高濃度では静脈炎を起こすことがあるため，中心静脈から点滴することが望ましい．末梢静脈から施行する場合，フルオロウラシル（持続投与）は輸液などで適宜希釈して投与する．イリノテカン，オキサリプラチン，フルオロウラシルはいずれも炎症性薬剤に分類されるが，漏出時はオキサリプラチンによる末梢神経障害の誘発を避けるため冷却を避ける．

5 副作用マネジメント

発現率[4, 5]

	海外第Ⅲ相試験[4)] (n=171)	国内第Ⅱ相試験[5)] (n=36)	
	Grade 3 以上（%）	全 Grade（%）	Grade 3 以上（%）
好中球数減少	45.7	94.4	77.8
FN	5.4	22.2	22.2
血小板数減少	9.1	88.9	11.1
貧血	7.8	86.1	11.1
疲労	23.6	41.7	0
悪心	—	88.9	8.3
嘔吐	14.5	12	0
食欲不振	—	86.1	11.1
下痢	12.7	86.1	8.3
感覚性神経障害	9	75	5.6
ALT 上昇	7.3	55.6	5.6
血栓症	6.6	—	—

評価と観察のポイント

悪心・嘔吐

□高度催吐性リスクレジメンであり，ガイドラインに沿った制吐薬予防投与を行った上で，day 1～5 頃の悪心・嘔吐について CTCAE v5.0 で評価する．

コリン作動性症状

□イリノテカンの投与中～投与後に，一過性の発汗，鼻汁，下痢，腹痛などのコリン作動性症状を生じることがある．多くの場合点滴当日中に軽快するが，症状の程度や持続期間を聴取する．

下痢，腸炎

□発現時期や程度（排便回数，便性状），腹痛や発熱の有無について確認する．

末梢神経障害

□発現の時期や症状誘発の契機（寒冷刺激時など），持続性の有無と日常生活への影響について評価する．急性神経障害の中でも，咽喉咽頭絞扼感の発現頻度は低いが患者にとって重症感が強いため，事前に情報提供を行う．特に持続性の神経障害では日常生活への影響に注意し，細かい作業がしにくい，字がうまく書けない，歩きにくいなどの症状がある場合はオキサリプラチンの減量・休薬を考慮する．

□末梢神経障害の評価はCTCAE v5.0では困難な場合もあり，必要に応じてNRSやVAS，以下のDEB-NTC（神経症状-感覚性毒性基準）による評価[8]を使用[8]．

Grade 1	末梢神経障害の発現，ただし7日未満で消失．
Grade 2	7日以上持続する末梢神経症状．ただし，機能障害はない．
Grade 3	機能障害の発現．

骨髄抑制

□治療開始前に投与基準を満たしていることを確認．投与後は適宜採血を行い，好中球数，血小板数の変動やnadirとなる時期を確認，CTCAE v5.0で評価する．

過敏症

□オキサリプラチンの投与中あるいは投与後に発疹，瘙痒感，消化器症状の他，気管支痙攣，呼吸困難，血圧低下などのアナフィラキシー様症状を起こす場合があるため，バイタルサインのモニタリングを行い，患者には好発時期（5コース目以降）についてあらかじめ説明し症状発現時にすぐ知らせてもらうよう説明する．

口腔粘膜炎・手足症候群

□CTCAE v5.0で評価する．

間質性肺障害

□頻度は低いが重篤化する場合があるため，発熱，咳嗽，呼吸困難などの臨床症状を観察し，異常があればCT，X線などの胸部画像検査，KL-6，SP-Dなどの臨床検査，SpO_2測定を行う．

副作用対策のポイント

悪心・嘔吐

□制吐薬予防投与を行っても悪心・嘔吐がある場合，制吐療法の強化を行う．具体的には，ドパミン受容体拮抗薬やオランザピンの追加（耐糖能異常がない場合）を考慮する．胸焼け症状が強い場合，PPIなど制酸薬の投与を検討する．

コリン作動性症状

□症状が強く患者の苦痛が強い場合，前投薬として副交感神経遮断薬（アトロピン硫酸塩注，ブチルスコポラミン注射液）の投与を考慮．ただし，閉塞隅角緑内障，前立腺肥大症による排尿障害，麻痺性イレウスなど投与が適さないケースに注意する．

下痢，腸炎

□イリノテカンによる下痢に関しては早発型と遅発型がみられることがある．早発型はイリノテカン投与中あるいは投与直後に発現するもので，コリン作動性と考えられている．多くは一過性であり，副交感神経遮断薬の投与により緩和することがある．

□一方，遅発型はイリノテカン投与後 24 時間以降に発現し，主にイリノテカンの活性代謝物（SN-38）による腸管粘膜傷害に基づくものと考えられ，持続することがある．

□軟便程度の軽度な下痢の場合，経過観察またはロペラミド塩酸塩や副交感神経遮断薬の投与で 1 週間以内に軽快する場合が多い．

□高度な下痢が持続すると，脱水，電解質異常を伴い循環不全（ショック）を併発するおそれがあるため，ただちに投与を中止し補液を行う．高度な下痢に続いて麻痺性イレウスを起こす場合もあり，その際はロペラミド塩酸塩の投与は慎重に行う．

□高度な下痢に重篤な白血球・好中球減少を伴った場合は，腸管粘膜傷害に伴う感染性腸炎を防止するため，G-CSF や抗菌薬投与について検討，偽膜性大腸炎の発現にも注意する．

末梢神経障害

□オキサリプラチンによる急性神経障害は寒冷刺激によって誘発されるため，投与後数日間は寒冷刺激を避けるよう患者に指導する．持続性の神経障害の場合，基準に沿ってオキサリプラチンの減量・休薬を考慮する．

骨髄抑制

□好中球数減少，血小板数減少で投与開始時の基準を満たさない場合，減量基準に沿って減量を行う．必要に応じて G-CSF や抗菌薬の投与を考慮する．

過敏症

□「注意点」（→513 頁）．症状発現時は速やかに投与を中止し，症状に応じて細胞外液の投与，抗ヒスタミン薬や副腎皮質ステロイドの投与，血圧低下がある場合はアドレナリン投与（β遮断薬投与患者ではグルカゴン投与）を行う．

□急激かつ重篤なアナフィラキシー様症状として発現する場合もあるため，あらかじめ施設内で過敏症発現時の対応を決めておくことが望ましい．過敏症発現後はオキサリプラチンの再投与は避ける．

口腔粘膜炎・手足症候群

□オキサリプラチンによる神経障害を避けるため，投与中の口腔内や四肢の冷却は避ける．Grade 3 以上の口腔粘膜炎・手足症候群が発現した場合，フルオロウラシルを 25％減量する．それでも症状が改善しない場合はフルオロウラシルを中止する．

6 薬学的ケア

CASE

□50 歳代男性，膵臓がん多発肝転移．*UGT1A1* 遺伝子多型なし．既往歴なし，定期服用薬なし．1 次治療で FOLFIRINOX 療法開始．FOLFIRINOX 投与後の下痢 Grade 1，悪心 Grade 2，倦怠感 Grade 2，口腔粘膜炎 Grade 1．

□アプレピタント，パロノセトロン，デキサメタゾンによる標準的制吐療法を施行するも遅発性悪心 Grade 2 が残存し，ドンペリドンでは効果不十分であった．耐糖能異常なしと確認の上，オランザピン錠 5 mg を day 1〜5 の 5 日間追加投与を医師に提案し処方となった．以後悪心発現なく治療継続可能となった．

□外来化学療法室で治療中の発汗，鼻汁，唾液過多の症状を確認．イリノテカン投与後に発現し，翌日には症状消退したことから，イリノテカンによるコリン作動性症状と考え，既往歴を確認の上，ブチルスコポラミン注 20 mg をイリノテカン投与前に前投与することを医師に提案．以後症状は軽減され患者の苦痛も低減し治療継続できた．

□神経障害 Grade 2 のため 12 コースよりオキサリプラチン抜きで施行し，神経障害・病勢の悪化なく投与を継続した．

解説

□治療開始にあたり，治療開始基準を満たしていることを確認する．本症例では肝転移があり，治療開始時より Grade 2 の AST，ALT 上昇があったが，T-Bil は上昇していないことを治療期間中も継続して確認した．

□膵臓がんでは糖尿病を合併している場合も多いため，オランザピンを使用する際には確認が必要である．また，膵酵素不足による消化不良，腫瘍による消化管通過障害，電解質異常，高血糖，併用薬，便秘，心因性などさまざまな要因が悪心に関連する可能性があり，制吐療法を検討する際にはこれらも考慮する．

□イリノテカン投与時のコリン作動性症状はその多くが一過性であり見逃されやすいが，患者の苦痛を伴うことが多くQOL低下につながることもある．症状が強い場合には前立腺肥大や閉塞隅角緑内障などの禁忌に該当しないことを確認し副交感神経遮断薬の前投与を行うことを検討する．

□Grade 2以上の神経障害発現時はオキサリプラチンを減量・休薬する．この症例は基準に沿って適宜減量を行うことで，治療遅延なく就労と化学療法の継続が可能であった．

引用文献

1）日本膵臓学会（監修）：FOLFIRINOX療法（治癒切除不能な膵癌）適正使用情報．2018年6月
2）日本膵臓学会（編）：膵癌診療ガイドライン，2019年版．金原出版
3）日本癌治療学会（編）：制吐薬適正使用ガイドライン，2015年版．金原出版
4）Conroy T, et al：N Engl J Med 364：1817-25, 2011（PMID：21561347）
5）Okusaka T, et al：Cancer Sci 105：1321-6, 2014（PMID：25117729）
6）Ozaka M, et al：Cancer Chemother Pharmacol 81：1017-23, 2018（PMID：29633005）
7）Chen J, et al：BMC Cancer 21：853, 2021（PMID：34301232）
8）Inoue N, et al：Int J Clin Oncol 17：341-7, 2012（PMID：21833683）

（玉木慎也）

62 nab-パクリタキセル＋ゲムシタビン

nab-PTX＋GEM

POINT

- ■添加物としてヒト血清アルブミンを含有しているため，特定生物由来製品の投与に関する同意書が必要．また使用記録は20年間保存する義務がある．
- ■中等度催吐性リスクに分類される治療であり，リスクに準じたCINVに対する支持療法を行う．
- ■末梢神経障害が治療継続に関わる重要な副作用の1つであり，症状を見極めて早期の減量や休薬を考慮する．

1 レジメンと副作用対策（→次頁参照）

1コース期間：28日間

2 抗がん薬の処方監査

□本レジメンの適応である治癒切除不能膵がんであることを確認．

□特定生物由来製品の投与に関する同意が取得されていることを確認．

□パクリタキセル，アルブミン過敏症の既往がないことを確認．

□間質性肺炎または肺線維症のある患者に対しては禁忌．

□nab-パクリタキセル，ゲムシタビンともに他の薬剤などとの配合または同じ静脈ラインでの同時投与は行わない．

□nab-パクリタキセル＋ゲムシタビンの催吐リスクは中等度に分類される[1)]．5-HT_3受容体拮抗薬およびデキサメタゾン併用によるCINV予防が行われているかを確認する．デキサメタゾン投与は，day 1，8，15は9.9 mg点滴での処方があり，day 2，3，9，10，16，17は内服投与として8 mg/日の処方があるか確認する．膵臓機能低下や併存疾患として糖尿病があり，デキサメタゾンの投与不可症例では，NK_1受容体拮抗薬の使用を考慮する．

□化学療法開始前にHBVの感染状況の検査の有無を確認．HBV抗原陽性例のみだけでなく，陰性例でも再活性化が生じる可能性がある．

□HBV抗原陽性例では核酸アナログの投与が継続されているか

62		医薬品名 投与量	投与方法 投与時間	1	2	3	4	5	～	8	9	10	11	12	13	14	15	16	17	18	19	～	28
レジメン（nab-PTX＋GEM）	Rp1	パロノセトロン 0.75 mg/body デキサメタゾン 9.9 mg/body 生理食塩液 50～250 mL	点滴注射 15 分	↓						↓							↓						
	Rp2	nab-パクリタキセル 125 mg/m² （生理食塩液で溶解）	点滴注射 30 分	↓						↓							↓						
	Rp3	生理食塩液 50 mL	点滴注射 15 分	↓						↓							↓						
	Rp4	ゲムシタビン 1,000 mg/m² 生理食塩液 100 mL	点滴注射 30 分	↓						↓							↓						
	Rp5	生理食塩液 50 mL	点滴注射 全開	↓						↓							↓						
	Rp6	デキサメタゾン 8 mg/body	経口 1 日 1 回		↓	↓					↓	↓						↓	↓				

副作用対策

悪心・嘔吐

中等度催吐性リスク．nab-パクリタキセル，ゲムシタビン投与前に予防的制吐療法として 5-HT$_3$ 受容体拮抗薬＋デキサメタゾンを投与する．デキサメタゾン併用不可症例や CINV コントロール不良例に対しては，必要に応じてアプレピタントの併用を検討する．

筋肉痛，関節痛

多くの場合 Grade 1～2 の軽症であり，経過観察にて数日で回復．症状が強い場合は必要に応じて NSAIDs などの抗炎症薬の使用を検討する．

好中球減少，感染症

①感染予防対策（手洗い，うがい），②FN の徴候（発熱，悪寒，咽頭痛）がみられた際の抗菌薬や解熱薬の使用方法，③緊急受診の目安について事前に指導

末梢神経障害

用量調節基準による減量・休薬に注意し，軽度であっても早期からの減量・休薬を考慮する．対症療法として必要に応じてプレガバリンやデュロキセチンの使用を検討．使用開始後は効果を確認しながら継続使用を判断していく．

脱毛

2 人に 1 人くらいの頻度で認められる．頭皮が最も多い．頭皮の清潔保持．

発疹

体幹部を中心に出現．保湿，保清．症状によってはヒスタミン H$_1$ 受容体拮抗薬などの使用を検討．

確認する．また，HBs 抗原陰性例でも HBs および HBc 抗体を確認し，いずれか陽性の場合，HBV-DNA 定量を行う．定量値が基準値（20 IU/mL，1.3 log copies/mL）以上の場合，核酸アナログの投与を開始する．

□HBV 既往感染が未確認のまま，化学療法やこれに伴う免疫抑

制状態にある場合，抗体価が低下している場合もあり，HBV-DNA 定量が必要.

3 抗がん薬の調剤

□nab-パクリタキセルは特定生物由来製品であるため，投与に関する記録(製品名，製造番号または製造記号，使用年月日，投与患者氏名および住所など) を作成し，少なくとも 20 年間保存する.

□nab-パクリタキセルは 100 mg 1 バイアルあたり 20 mL の生理食塩液を注入して懸濁液を調製する．生理食塩液注入は，泡立てないよう生理食塩液を内容物に直接かけずに，注射針を固定して，バイアル内壁に沿わせてゆっくりと注入する．内容物が確実に濡れるよう 5 分間以上バイアルを静置した後，均一な白色ないし黄色の懸濁液が得られるまで，円弧を描くように回したり，緩やかに上下転倒を繰り返したりし，泡立てないように混和する.

□nab-パクリタキセル懸濁液は希釈せず，溶解に使用した生理食塩液のバッグから残液をすべて廃棄し，nab-パクリタキセル必要量を注入する.

□nab-パクリタキセル懸濁液は調製後速やかに使用するか，または箱に戻して冷蔵庫 (2〜8℃) に遮光保存して 8 時間以内に使用する.

□nab-パクリタキセルは注射針に塗布されたシリコーン油由来の不溶物が発生することがあるため，調製後に懸濁液中に不溶物がないか目視で確認する.

□ゲムシタビンは凍結乾燥製剤では 200 mg バイアルは 5 mL 以上，1 g バイアルは 25 mL 以上の生理食塩液に溶解する．溶解後は速やかに投与するか，保存する場合には溶液を冷蔵庫に保存すると結晶が析出することがあるため，室温 (15〜30℃) で保存し，24 時間以内に使用する.

4 抗がん薬の投与

投与基準[2)]

項目	day 1	day 8，15
好中球数	≧1,500/μL	＞1,000/μL[*1]
血小板数	≧10 万/μL	≧5 万/μL
AST，ALT	AST≦75 U/L，ALT≦（男）105 U/L，（女）57.5 U/L（≦ULN×2.5） 【肝転移がある場合】AST≦150 U/L，ALT≦（男）210 U/L，（女）115 U/L（≦ULN×5.0）	記載なし
FN	認めない	
口腔粘膜炎	≦Grade 2 または 前コースで≧Grade 3 が発現した場合：≦Grade 1 に回復後	
下痢		
末梢神経障害		

*1 添付文書では，day 8，15 において好中球数 500/μL 以上で投与可能となっているが，適正使用ガイドでは減量を考慮するよう記載されている[2)].

減量・中止基準[2)]

項目	減量基準	次回投与
好中球数	＜500/μL が 7 日以上継続	1 段階減量
血小板数	＜5 万/μL	
FN	発現（≧Grade 3）	
皮疹	Grade 2，3	
口腔粘膜炎，下痢	≧Grade 3	
末梢神経障害	≧Grade 3（Grade 2 以下でも減量・休薬を考慮）	nab-パクリタキセルのみ 1 段階減量

上記基準に該当して減量した場合は投与量を戻さない．

コース内投与量調整基準[2)]

①day 8 の場合

	投与前検査値	投与量調整
①	好中球数＞1,000/μL かつ血小板数≧7.5 万/μL	投与量変更なし
②	好中球数＞1,000/μL[*2] かつ血小板数≧5 万/μL，＜7.5 万/μL	1 段階減量
③	好中球数≧500/μL，≦1,000/μL かつ血小板数≧5 万/μL	投与スキップ
④	好中球数＜500/μL または血小板数＜5 万/μL	

②day 15 の場合

投与前検査値	day 8 の結果	投与量調整
好中球数＞1,000/μL かつ血小板数≧7.5 万/μL	①投与量変更なし	投与量変更なし
	②1 段階減量	調整前投与量に戻して投与可
	③投与スキップ	投与量変更なし
	④投与スキップ	1 段階減量
好中球数＞1,000/μL*2 かつ血小板数≧5 万/μL，＜7.5 万/μL	①投与量変更なし	投与量変更なし
	②1 段階減量	day 8 の投与量を維持して投与
	③④投与スキップ	1 段階減量
好中球数＜1,000/μL*2 または血小板数＜5 万/μL	①～④の場合	投与スキップ

*2 添付文書では，day 8，15 において好中球数 500/μL 以上で投与可能となっているが，適正使用ガイドでは減量を考慮するよう記載されている[2]．投与量を調整した場合でも，次コース開始時に減量基準に該当せず投与基準を満たす場合は，投与量を調整前投与量に戻すことが可能．

減量目安[2]

減量段階	nab-パクリタキセル	ゲムシタビン
通常投与量	125 mg/m^2	1,000 mg/m^2
1 段階減量	100 mg/m^2	800 mg/m^2
2 段階減量	75 mg/m^2	600 mg/m^2

注意点

□投与時はインラインフィルターを使用しない．

□nab-パクリタキセルは従来のパクリタキセル製剤とは溶媒が異なり，アレルギーの原因と考えられているポリオキシエチレンヒマシ油は含まれていないことから，アレルギーに対する前投薬は不要．

□nab-パクリタキセル，ゲムシタビンともに 30 分で投与する．

□nab-パクリタキセルは起壊死性抗がん薬に，ゲムシタビンは炎症性抗がん薬にそれぞれ分類されるため，投与中の血管外漏出に注意．特に nab-パクリタキセル血管外漏出時はステロイド〔デキサメタゾン，ベタメタゾン，プレドニゾロン，ヒドロコルチゾンなどを 1％リドカインと混合して 1 時間以内に局注．また，strongest クラスのステロイド外用薬の塗布（1 日 2 回）〕の使用が望まれる．ゲムシタビンの血管外漏出時は，漏出量が少量であれば注射部位の変更などを行うとともに経過観察し，大量であれば起壊死性抗がん薬漏出時に準じた対応を行う．

5 副作用マネジメント

発現率[2-4)]

副作用		海外（n=421）		国内（n=34）	
		全体（%）	Grade≧3（%）	全体（%）	Grade≧3（%）
血液毒性	好中球減少	193（45.8）	152（36.1）	29（85.3）	24（70.6）
	血小板減少	149（35.4）	59（14.0）	30（88.2）	5（14.7）
	貧血	194（46.1）	53（12.6）	22（64.7）	5（14.7）
	FN	14（3.3）	13（3.1）	2（5.9）	2（5.9）
非血液毒性	末梢性感覚ニューロパチー	206（48.9）	66（15.7）	29（85.3）	4（11.8）
	悪心	207（49.2）	17（4.0）	16（47.1）	1（2.9）
	嘔吐	133（31.6）	19（4.5）	6（17.6）	—
	下痢	156（37.1）	24（5.7）	12（35.3）	2（5.9）
	食欲減退	115（27.3）	13（3.1）	19（55.9）	1（2.9）
非血液毒性	便秘	50（11.9）	3（0.7）	6（17.6）	—
	疲労	226（53.7）	70（16.6）	10（29.4）	—
	脱毛症	211（50.1）	6（1.4）	31（91.2）	—
	発疹	93（22.1）	7（1.7）	16（47.1）	2（5.9）

評価と観察のポイント

□投与開始前に手足のしびれの有無について確認する．治療開始前より手足のしびれがある場合は，症状のある手足の範囲や症状の強さ（ボタンの付け外しができるか，箸を使えるか，歩きにくさはないかなど日常生活を中心に聴取）を評価する．

□投与中は血管痛，静脈炎などの血管障害を評価する．

□投与初期（day 1〜7）は悪心・嘔吐の程度，便通状況を評価し，day 8 以降での介入の比較基準とする．前者は，食事摂取量や食嗜好の変化などを聴取する．後者は，飲食の低下のみならず 5-HT$_3$ 受容体拮抗薬の副作用としても高頻度に生じる．また，筋肉痛・関節痛，疲労は一過性で生じることが多いが，その出現状況（出現時期，症状の程度，症状の持続期間など）についても確認する．ゲムシタビンの初回投与の際には，一過性の非感染性の発熱が認められる場合がある．その一方で，投与から数日経過してからの発熱で呼吸困難や咳，強い倦怠感を伴うような場合は注意が必要である．

□投与後期（day 7 以降）は，day 8，15 と抗がん薬投与が続くため，悪心の遷延状況を確認する．また，この時期は Grade 3 以上の好中球減少が投与患者の 30%以上に認められる．FN の頻度は 3%程度ではあるが，FN を起こす可能性を考慮して day 8，15 血液検査の結果を確認する．また，発熱，悪寒などの自覚症状の出現状況について把握し，次コースでの抗菌薬などの服用の必要性について検討する．

□末梢性感覚ニューロパチーは本治療を行う 50%程度の患者で認められる．治療を継続するにつれて，症状が出現し，症状の範囲や強さが増悪してくることが考えられるため，定期的に症状のある手足の範囲や日常生活への影響の程度（ボタンの付け外しができるか，箸を使えるか，歩きにくさはないかなど）を評価する．

□1 コース投与終了後以降から黄斑浮腫の症状として視力低下，霧視，ものが歪んで見えるなどの訴えが 3%程度の患者さんで認められる．眼の異常を早期に発見するため，患者さん自身に「アムスラーチャート」などの格子状の表を使用して見え方の歪みを確認ことが有用である．アムスラーチャートによるチェックにて見え方に異常が認められた場合や違和感があるような場合はすぐに連絡してもらうよう指導する．黄斑浮腫が確認された場合は，休薬，中止などを検討する．

副作用対策のポイント

□膵臓機能低下や糖尿病により，CINV 対策としてデキサメタゾンが使用できない場合，使用している 5-HT_3 受容体拮抗薬がパロノセトロン以外であれば，その投与期間の延長を検討する．また，それと同時にアプレピタントやホスアプレピタントの併用も考慮する．

□末梢性感覚ニューロパチーの出現時期は個人差が大きいが，手足の先や足先から症状が出現するしびれや痛みなどの感覚障害として認められる場合が多い（グローブ・ストッキング型）．筋萎縮や筋力低下による弛緩性麻痺を呈する場合もある．治療継続による増悪を認める．またはその可能性が高いと考えられる場合は，これに対して現在は有効な予防方法はないため，症状の出現状況や重症度を定期的に確認し，早期より nab-パクリタキセルの減量や休薬を検討する．また，効果が限定的な可能性はあるが，末梢神経障害に伴うピリピリ感や疼痛を緩和する効果を期待してデュロキセチンやプレガバリンを試す場合もある[5-7]．ただし，デュロキセチンに関しては適応としては 保険適用外 の使用であることに注意する．

□day 7 以降は，易感染状態にある．そのため，FN の徴候を見逃さず素早く対応できるように，発現時期，感染予防対策，症状の基準（37.5℃ 以上の発熱），発現時の対処方法（外来の場合，緊急連絡先など）を事前に患者に指導しておく．

6 薬学的ケア

CASE

□60 歳代女性．膵臓がん，肝転移を認め，化学療法適応と判断され，nab-パクリタキセル＋ゲムシタビン療法開始となる．

□1 コース目 day 1 においてゲムシタビン投与開始後 10 分で刺入部周囲の疼痛を訴え，血管に沿う疼痛があることを確認．刺入部を加温することで徐々に改善を認めた．次の投与以降，ゲムシタビンの希釈液を生理食塩液から 5％ブドウ糖液へ変更したところ，血管痛の訴えは認められず，治療継続が可能となった．

□1 コース目 day 15 投与前の面談において，脱毛に関しての質問があった．眉毛や睫毛を含めて脱毛に関する情報提供を行った．また，ウィッグについても知りたいとの希望があったため，アピアランスセンターへコンサルトを行い，さらに専門的な視点からの情報提供を依頼した．

解説

□ゲムシタビンによる血管痛は温罨法により改善を認める場合がある．また，ゲムシタビン誘発性血管痛対策の 1 つとして，ゲムシタビン希釈液を整理食塩液から 5％ブドウ糖液へ変更することで改善することが報告されている[8]．

□nab-パクリタキセル投与により，50～90％の頻度で脱毛が認められる．進行膵がんでは効果がある限り治療を継続するため，「抗がん剤治療が終了して，数か月もすれば生えてくる」というのは必ずしも有効なアドバイスとはならないことに注意が必要である．そのため，アピアランスケアの一環として，患者には早期より脱毛に関する情報提供を行う．ただし，全員にウィッグなどが必要となるわけではないため，必要かどうかも含めて少しずつ情報収集をしてもらい，他職種と協働しながら患者のケアを行っていくことも大切である．

引用文献

1） 日本癌治療学会（編）：制吐薬適正使用ガイドライン，第2版（一部改訂版 ver. 2.2）．日本癌治療学会，2018
2） アブラキサン® 点滴静注用，適正使用ガイド，膵癌．2019年改訂
3） Von Hoff DD, et al：N Engl J Med 369：1691-703, 2013（PMID：24131140）
4） Ueno H, et al：Cancer Chemother Pharmacol 77：595-603, 2016（PMID：26842789）
5） Smith EM, et al：JAMA 309：1359-67, 2013（PMID：23549581）
6） Shinde SS, et al：Support Care Cancer 24：547-53, 2016（PMID：26155765）
7） Loprinzi CL, et al：J Clin Oncol 38：3325-48, 2020（PMID：32663120）
8） Nagai H, et al：Support Care Cancer 21：3271-8, 2013（PMID：23877927）

（中島寿久）

63 イリノテカンリポソーム製剤（オニバイド®）

Nal-IRI＋5-FU/LV

POINT

- 対象患者はがん化学療法後に増悪した治癒切除不能な膵がん.
- 悪心，下痢，好中球減少に注意が必要.
- FOLFIRI（フルオロウラシル＋レボホリナート＋イリノテカン）と比較して脱毛やコリン作動性症状は少ない.

1 レジメンと副作用対策（→次頁参照）

適応：がん化学療法後に増悪した治癒切除不能な膵がん
1コース期間：14日　**総コース**：PDまで継続

2 抗がん薬の処方監査[1, 2]

□多量の腹水・胸水のある患者，および間質性肺疾患または肺線維症の患者は禁忌である.

□アタザナビル投与患者は禁忌である.

□*UGT1A1*6*もしくは*UGT1A1*28*のホモ接合体を有する患者，または*UGT1A1*6*および*UGT1A1*28*のヘテロ接合体を有する患者では，イリノテカンとして1回50 mg/m^2で開始し，副作用に応じて増量を検討する.

□$5\text{-}HT_3$受容体拮抗薬としてパロノセトロンを用いる場合には2〜3日目のデキサメタゾン8 mg/日の省略を考慮する.

3 抗がん薬の調製・管理[1)]

□無菌的に必要量を採取し，500 mLの生理食塩液または5%ブドウ糖液に溶解する.

□調製後は遮光した上で，室温保存では6時間以内に，2〜8℃（凍結禁止）で保存する場合には24時間以内に投与する.

□インラインフィルターの使用は禁止.

□オニバイド®とレボホリナートの配合変化は問題ないが，臨床試験では同時投与時の結果を評価していないため，さらなる検証が必要である.

63		医薬品名 投与量	投与方法 投与時間	1	2	3	4	5	6	7	8	～	12	13	14	15	16	17	18	～	21
レジメン（NaI-IRI＋5-FU／LV）	Rp1	パロノセトロン 0.75 mg/body デキサメタゾン 9.9 mg/body 生理食塩液 50～100 mL	点滴注射 15～30分	↓												↓					
	Rp2	リポソーム型イリノテカン 70 mg/m² 5%ブドウ糖液 500 mL	点滴注射 90分	↓												↓					
	Rp3	レボホリナート 200 mg/m² 5%ブドウ糖液 250 mL	点滴注射 120分	↓												↓					
	Rp4	フルオロウラシル 2400 mg/m² 生理食塩液	点滴注射 46時間	↓	↓	↓										↓	↓	↓			
	Rp5	デキサメタゾン 8 mg/body	経口		↓	↓											↓	↓			

副作用対策

静脈炎，血管外漏出

基本的にはCVポートから投与するが，末梢静脈からの投与時には注意を要する．

コリン作動性症状

下痢，腹痛，発汗，鼻汁，流涎，悪心，構音障害などがNaI-IRI開始30～90分後に出現する可能性がある．抗コリン薬の予防投与や症状出現時の投与が有効．投与後医療者側からの適宜声掛けが重要．

悪心・嘔吐，食欲不振

MECレジメンに分類されるため$5\text{-}HT_3$受容体拮抗薬とデキサメタゾンの併用を標準療法とし，効果不良の場合，（ホス）アプレピタントを追加．

便秘

制吐薬による便秘が治療前半に出現する．下痢に注意を払いつつも便秘のマネジメントに留意する．

下痢

治療後半に出現する．ロペラミドを適切に使用する．

口内炎

治療後半に出現する．アズレン含嗽による予防，ステロイド外用薬による治療を行う．

好中球減少

①感染予防対策（手洗い，うがい），②発熱時（胆管炎やFNなど）の抗菌薬や解熱薬の使用方法，③緊急受診の目安について事前に指導．

手足症候群

治療を重ねるごとに悪化する傾向がある．保湿による予防とステロイド外用薬による治療を適切に実施する．

味覚障害

治療を重ねるごとに悪化する傾向がある．亜鉛の補充が有効な場合もある．

脱毛

頻度は10%前後であり，前治療による脱毛からの回復が認められるケースも多い．

4 抗がん薬の投与[1]

投与基準*1

好中球数	1,500/μL 以上
FN	好中球数 1,500/μL 以上かつ感染症から回復していること
血小板数	10 万/μL 以上
下痢	Grade 1 またはベースライン
その他の副作用*2	Grade 1 またはベースライン

*1 Grade は CTCAE v5.0 に準じる.
*2 無力症および Grade 3 の食欲減退を除く.

減量・中止基準

投与再開時の減量基準[1]

副作用	前回投与時の副作用の程度*1	減量方法*3
好中球減少	Grade 3 以上または FN	本剤およびフルオロウラシルを 1 段階減量する
白血球減少	Grade 3 以上	
血小板減少		
下痢		
悪心・嘔吐	Grade 3 以上*4	本剤を 1 段階減量する
その他*5	Grade 3 以上	本剤およびフルオロウラシルを 1 段階減量する

*3 レボホリナートは減量しない.
*4 適切な制吐療法にもかかわらず発現した場合.
*5 無力症および食欲減退を除く.

減量時の投与量[1]

	オニバイド® の投与量(イリノテカンとして)		フルオロウラシル
開始用量	70 mg/m^2	50 mg/m^2	2,400 mg/m^2
1 段階減量	50 mg/m^2	43 mg/m^2	1,800 mg/m^2
2 段階減量	43 mg/m^2	35 mg/m^2	1,350 mg/m^2
3 段階減量	中止	中止	中止

肝機能障害[1]

□肝障害の悪化，および副作用が強く発現するおそれがあり，血清 T-Bil が 1.5 mg/dL (ULN) を超える患者，AST 値および ALT 値が 3.75 mg/dL (ULN×2.5) を超える〔肝転移がある場合は 7.5 mg/dL(ULN×5)を超える〕患者は臨床試験では除外されている.

腎機能障害[1]

□腎障害の悪化，および副作用が強く発現するおそれがあり，

郵　便　は　が　き

料金受取人払郵便

本郷局承認

5735

差出有効期限
2025年2月
15日まで
(切手を貼らずに
ご投函ください)

113-8739

(受取人)
東京都文京区
本郷郵便局私書箱第5号
医学書院

『がん化学療法レジメン管理
マニュアル 第4版』　編集室 行
(MB-1)

◆ご記入いただいた個人情報は，アンケート賞品の発送に使用いたします。
なお，詳しくは弊社ホームページ（https://www.igaku-shoin.co.jp）の
個人情報保護方針をご参照ください。

ご芳名　フリガナ

年齢：　　歳

ご住所　1. 自宅　2. 勤務先（必ず選択ください）
〒□□□-□□□□
都道府県

医師，薬剤師（病院，薬局），看護師，学生，他（　　　）

勤務先（専門科）

大学・学部名（学年）

05028

『がん化学療法レジメン管理マニュアル 第4版』アンケート

このたびは本書をご購入いただきありがとうございました。今後の企画のために，読者の皆様の率直なご意見・ご要望をお寄せいただければ幸いです。可能な範囲で，次版の紙面に反映してまいります。

●本書をどのようにしてお知りになりましたか：
1. 書店でたまたま　　4. 書評（媒体名：　　）
2. 同僚・友人の口コミ　　5. その他（　　）
3. 広告（媒体名：　　）

●比較検討した類書はありますか（1. ある，2. ない）：
→「1. ある」の場合，具体的な書籍名をご記入ください。
（　　）

●ご購入の決め手は何でしたか（複数解答可）：
1. 知りたい事項が書いてある　　4. ハンディなサイズ
2. 記述がわかりやすい　　5. その他（　　）
3. 価格が手頃

●お使いいただいた感想はいかがですか：
1. とても満足　2. 満足　3. ふつう　4. 不満　5. とても不満

●ご意見，ご要望（本書のよい点，改善すべき点，改訂頻度，その他）

#アンケート回答者の中から抽選で，図書カードを進呈いたします。抽選結果の発表は，商品の発送をもってかえさせていただきます。

Ccrが30 mL/分未満の患者は臨床試験では除外されている．

5 副作用マネジメント[3,4]

発現率

副作用	国内第II相試験[3]		海外第III相試験[4]	
	全Grade (%)	Grade 3，4 (%)	全Grade (%)	Grade 3，4 (%)
白血球減少	60.9	19.6	14.5	7.7
好中球減少	63.0	37.0	13.7	10.3
貧血	19.6	4.3	18.8	9.4
血小板減少	6.5	0	7.7	0
下痢	56.5	17.4	47.0	12.8
悪心	78.3	2.2	47.0	7.7
嘔吐	23.9	0	44.4	11.1
食欲減退	60.9	0	27.4	4.3
疲労	23.9	2.2	30.8	13.7
口内炎	17.4	0	12.0	2.6
味覚異常	21.7	0	3.4	0
脱毛症	6.5	0	12.0	0.9
コリン作動性症候群	0	0	0	0

副作用の出現頻度はインタビューフォーム[4]に基づく．

評価と観察のポイント

day 1〜7

□デキサメタゾン投与日には不眠および血糖上昇に留意する．治療開始から3〜7日間は5-HT_3受容体拮抗薬による便秘が問題となりうるため，出現時には酸化マグネシウムの予防投与などを考慮する．day 2〜5より悪心，倦怠感が出現する．長期化することは少ないが，日常生活に支障がない程度か観察する．突出性悪心に対してはメトクロプラミドやプロクロルペラジン，トラベルミン®などを症状に応じて投与する．

day 8〜14

□下痢や口内炎の出現に留意し，出現時にはロペラミドやステロイド外用薬の処方を考慮する．好中球減少期になるため，感染予防行動の徹底を促す．

数コース施行後

□手足症候群が出現するようになるため，治療のたびに手足の皮膚を観察する．当症状の予防には保湿が重要であり，症状出現時にはstrongクラス以上のステロイド外用薬の使用を考慮する．また，手指消毒や空気乾燥により悪化するため，治療実施時の季節にも留意する．味覚障害および随伴する食欲不振も徐々に出現する．フッ化ピリミジン系薬剤は亜鉛の吸収を阻害するため[5)]，症状出現時には亜鉛不足による味覚障害も念頭に置き，血中亜鉛濃度の測定を考慮する．亜鉛低下時には酢酸亜鉛水和物（ノベルジン®）などの投与を検討する．

副作用対策のポイント

- □悪心の出現率は約80％と高いが，Grade 3，4は数％である．
- □下痢に目が行きがちだが，パロノセトロンやオピオイドによる便秘も問題となりうるため，下痢に関する過度な説明は控え，排便コントロール全体に留意する必要がある．
- □口内炎や手足症候群も一定の割合で出現するため，治療開始時からのアズレン含嗽を含めた口腔ケア，保湿による皮膚ケアの指導も必要である．
- □インフューザーポンプ自己抜針時のフルオロウラシルによるCVポート周囲の皮膚傷害および抗がん薬曝露の防止目的に北海道大学病院では抜針前に生理食塩液を用いたフラッシュの実施を推奨している．
- □前治療で行われることが多いゲムシタビン＋nab-パクリタキセルによるCIPNに苦しむ患者は多い．本治療によるCIPNの悪化はないこと，一方でCIPNは同程度の軽快・悪化を繰り返しながら徐々に軽快するケースが多いことを説明し，本治療の副作用と併せてケアしてくことが重要である．

6 薬学的ケア

CASE

- □60歳代男性，膵頭部がん肝転移．事前のUGT1A1の遺伝子検査で*UGT1A1＊28*のホモ接合体を有したため，50 mg/m^{2}より開始．前治療のゲムシタビン＋nab-パクリタキセルと比較して悪心，倦怠感，下痢，口内炎，好中球減少が強く出現する可能性を説明，支持療法薬を含めた指導を行った．
- □1コース目でGrade 2の悪心を認めたため，2コース目よりホスアプレピタントを追加，その後はメトクロプラミド5 mgを適宜使用しGrade 1で経過した．

□2コース目8日目より下痢が4日間出現したが，ロペラミド1 mgの早期使用によりGrade 1で経過した．それ以外では便秘がGrade 1であり，酸化マグネシウム1回0.33 g 1日3回でコントロールされた．

□6コース目開始時に心窩部痛の悪化を自覚．ロキソプロフェン1回60 mg 1日3回の効果が乏しかったためヒドロモルフォン徐放錠1回2 mg 1日1回を提案し開始，NRSは5/10から2/10へ緩和された．

解説

□わが国ではイリノテカンの減量を要するUGT1A1の遺伝子変異を有する患者は約10%と報告されている[6]．

□中等度催吐性リスクに準じた制吐薬予防投与を実施したにもかかわらずGrade 2の悪心が出現したため，予防制吐薬の強化が必要である．（ホス）アプレピタントあるいはオランザピン5 mgの追加が妥当である．膵がん患者では糖尿病を合併する患者も多く，また高所作業あるいは危険を伴う機械の操作，運転を要する患者もいるため，オランザピンの導入前には入念な確認が必要である．突出性悪心には D_2 受容体拮抗薬やトラベルミン®などを使用する．

□下痢に対してはロペラミド1～2 mgの早期の使用や予防投与を患者の状況に応じて検討する．膵酵素の分泌低下が原因の場合もあるため，脂肪便を伴う下痢の場合は，パンクレリパーゼの処方も考慮する．

□抗がん薬治療と並行した疼痛マネジメントも重要である．アドヒアランス維持のため，オピオイドの導入時には十分な説明が必要である．

引用文献

1）オニバイド®点滴静注，添付文書
2）日本癌治療学会（編）：制吐薬適正使用ガイドライン，第2版（一部改訂版 ver. 2.2）．日本癌治療学会，2018
3）オニバイド®点滴静注，インタビューフォーム
4）Wang-Gillam A, et al：Lancet 387：545-57, 2016（PMID：26615328）
5）Fukasawa T, et al：Yakugaku Zasshi 125：377-87, 2005（PMID：15802884）
6）Minami H, et al：Pharmacogenet Genomics 17：497-504, 2007（PMID：17558305）

（齋藤佳敬）

第6章

婦人科がん

□女性生殖器に発生する婦人科がんは，卵巣に発生する卵巣がんや胚細胞腫瘍，子宮体部に発生する子宮体がん，子宮頸部に発生する子宮頸がんに大別される．それぞれの好発年齢やリスク因子，化学療法感受性は大きく異なる．

【卵巣がん】

□卵巣がんは初期の段階では自覚症状に乏しく，腹満などの自覚症状が出現してくる頃にはすでにStageⅢ～Ⅳの進行期であることが多い．周術期，進行再発期の標準化学療法はパクリタキセル＋カルボプラチン（TC）療法であり，StageⅢ以上の進行期症例では64TC＋ベバシズマブ（Bev）療法の適応が検討される．わが国ではパクリタキセルを毎週投与として投与間隔を短縮した65dose-dense TC療法を使用してもよい．近年，初回治療により完全寛解が得られた後の維持療法の有用性が報告されており，Bev単剤，67オラパリブ，68ニラパリブ，オラパリブ＋Bevなどが維持療法として使用可能である．

□再発卵巣がんでは，初回治療終了後から再発までの期間（TFI）によって治療戦略が異なる．プラチナ製剤による治療終了時から再発までの期間（TFIp＝PFI）が6か月以上の場合はプラチナ感受性再発としてプラチナ製剤を含む多剤併用療法に加え，ベバシズマブの併用・維持療法が推奨される．プラチナ製剤を含む化学療法で完全あるいは部分奏効を得られた場合，67オラパリブや68ニラパリブによる維持療法が考慮される．TFIpが6か月未満の場合はプラチナ抵抗性再発として，66ドキソルビシン塩酸塩リポソーム製剤が選択肢の1つとなる．イリノテカン，エトポシド，ゲムシタビン，トポテカン，パクリタキセルなどもわが国では使用可能であり，それぞれへのベバシズマブの併用も考慮される．

【子宮頸がん】

□子宮頸がんの Stage ⅠB2〜ⅣA 期の標準治療は同時化学放射線療法（69 RT＋シスプラチン）である．

【子宮体がん】

□再発中〜高リスク群に対し，術後化学療法として 70 ドキソルビシン＋シスプラチン（AP）療法が推奨される．タキサン製剤とプラチナ製剤の併用療法も提案できる．

【胚細胞腫瘍】

□術後化学療法として 71 エトポシド＋シスプラチン＋ブレオマイシン（BEP）療法が標準とされている．予後改善のためには治療強度を保つことが必須であり，投与量および治療スケジュールの厳守が求められる．

（土屋雅美）

64 TC＋Bev（パクリタキセル＋カルボプラチン＋ベバシズマブ）

65 dose-dense TC（パクリタキセル＋カルボプラチン）

POINT

- ■パクリタキセルによる過敏反応を予防するため，規定された前投薬を必ず投与する．
- ■パクリタキセルは無水エタノールを含有するため，あらかじめ患者のアルコール過敏症の有無を確認する．前投薬としてジフェンヒドラミンの服用も必要であり，投与後に自動車の運転など危険を伴う機械の操作には従事しないよう説明する．
- ■カルボプラチンによる過敏反応は，反復投与で発症リスクが高くなるため，好発時期や初期症状について患者にあらかじめ説明する．
- ■TC 療法に Bev を加えることで PFS を延長したとの報告はあるが，OS の延長は報告されていない．Bev 併用によって創傷治癒遅延，高血圧，蛋白尿，出血，血栓症，消化管穿孔などのリスクが上昇するため，患者ごとに適応を慎重に判断する．

1 レジメンと副作用対策（→次頁，539 頁参照）

TC＋Bev[1, 2]

適応：卵巣がん初回治療（Stage Ⅲ期，Ⅳ期），プラチナ感受性再発

1 コース期間：21 日間

総コース：TC＋ベバシズマブ療法 6 コース，以降はベバシズマブ単剤で合計 22 コースまで行う．

□GOG0218 試験[1]では，術後 28 日経過しても安全性を考慮しベバシズマブ併用は 2 コース目からとされたが，ICON-7 試験[2]では，術後 28 日以上経過すれば初回から Bev 併用可としている．

□相同組み替え欠損（HRD；homologous recombination deficiency）の患者や *BRCA1/2* 変異陽性の患者では，ベバシズマブ（合計 15 か月間）＋オラパリブ（2 年間）の維持療法が選択肢になる[3]が，書面の関係上，本項では詳細について触れない．オラパリブについては 67（→559 頁）．

64		医薬品名 投与量	投与方法 投与時間	1	2	3	4	5	6	7	8	9	10	11	12	13	14	15	16	～	21
レジメン（TC＋Bev）	Rp1	アプレピタント	経口	↓	↓	↓															
	Rp2	ジフェンヒドラミン 50 mg	経口 1日1回	↓																	
	Rp3	パロノセトロン 0.75 mg/body デキサメタゾン 16.5 mg/body ファモチジン 20 mg/body 生理食塩液 50～250 mL	点滴注射 15～30分	↓																	
	Rp4	パクリタキセル 175 mg/m^2 5％ブドウ糖液 500 mL	点滴注射 180分	↓																	
	Rp5	カルボプラチン AUC＝6 5％ブドウ糖液 250 mL	点滴注射 60分	↓																	
	Rp6	ベバシズマブ 15 mg/kg 生理食塩液 100 mL	点滴注射 30分	↓																	
	Rp7	デキサメタゾン 8 mg/body	経口 1日1回		↓	↓	↓														

アプレピタントは，注射剤であるホスアプレピタントに変えることができる．その際には，生理食塩液100～250 mLに希釈して，60分で投与する．

副作用対策	1	2	3	4	5	6	7	8	9	10	11	12	13	14	15	16	～	21
過敏症状	■																	
静脈炎，血管外漏出	■																	
好中球減少										■	■	■	■	■	■	■	■	■
悪心・嘔吐	■	■	■	■	■													
便秘	■	■	■	■	■	■	■											
筋肉・関節痛			■	■	■													
末梢神経障害	■	■	■	■	■	■	■											
脱毛														■	■	■	■	■
高血圧	■	■	■	■	■	■	■	■	■	■	■	■	■	■	■	■	■	■

過敏症状
パクリタキセルでは投与初期（特に1回目，2回目）に起こりやすく，カルボプラチンでは投与を繰り返してから発現しやすい（過敏症発現時の投与コース数中央値：8回）．蕁麻疹，皮膚の紅潮・紅斑，血管浮腫，呼吸困難，気道攣縮，血圧低下など．

静脈炎，血管外漏出
血管外漏出時の組織障害分類：パクリタキセルは起壊死性，カルボプラチンは炎症性，ベバシズマブは非壊死性．

好中球減少
①感染予防対策（手洗い，うがい），②FNの徴候（発熱，悪寒，咽頭痛）がみられた際の抗菌薬や解熱薬の使用方法，③緊急受診の目安について事前に指導．

悪心・嘔吐
カルボプラチン（AUC≧4）を含むためHECレジメンに準じた対応が必要．アプレピタントを含む3剤併用を標準療法とし，効果不良の場合，オランザピン5 mgを追加．

便秘
普段の排便状況を聴取し，必要に応じて酸化マグネシウム，緩下剤の使用を検討．

筋肉・関節痛
パクリタキセル投与後数日内に起こりやすい．NSAIDs，芍薬甘草湯などの投与を検討．

末梢神経障害
コースを重ねるにつれ範囲，程度悪化．支持療法で改善なしはパクリタキセル減量・休薬を検討．

脱毛
ほぼ必発．初回投与後2～3週から始まる．事前にウィッグなどの情報を提供しておく．

高血圧
家庭血圧の測定を指導．ARB，ACE阻害薬で改善なければCa拮抗薬を併用．

レジメン（dose-dense TC）

65	医薬品名 投与量	投与方法 投与時間	1	2	3	4	5	6	7	8	9	10	11	12	13	14	15	16	～	21
Rp1	アプレピタント	経口	↓	↓	↓															
Rp2	ジフェンヒドラミン 50 mg	経口 1日1回	↓							↓							↓			
Rp3	パロノセトロン 0.75 mg/body デキサメタゾン 16.5 mg/body ファモチジン 20 mg/body 生理食塩液 50～250 mL	点滴注射 15～30分	↓																	
Rp3′	ファモチジン 20 mg/body デキサメタゾン 6.6 mg/body 生理食塩液 50～250 mL	点滴注射 15～30分								↓							↓			
Rp4	パクリタキセル 175 mg/m^2 5％ブドウ糖液 500 mL	点滴注射 180分	↓							↓							↓			
Rp5	カルボプラチン AUC＝6 5％ブドウ糖液 250 mL	点滴注射 60分	↓																	
Rp6	デキサメタゾン 8 mg/body	経口 1日1回		↓	↓	↓														

アプレピタントは，注射剤であるホスアプレピタントに変えることができる．その際には，生理食塩液100～250 mLに希釈して，60分で投与する．

副作用対策

副作用	1	2	3	4	5	6	7	8	9	10	11	12	13	14	15	16	～	21
過敏症状	■																	
静脈炎，血管外漏出	■																	
好中球減少										■	■	■	■	■	■	■	■	■
悪心・嘔吐	■	■	■	■	■													
便秘	■	■	■	■	■	■	■											
筋肉・関節痛			■	■	■													
末梢神経障害	■	■	■	■	■	■	■											
脱毛														■	■	■	■	■

過敏症状：パクリタキセルでは投与初期（特に1回目，2回目）に起こりやすく，カルボプラチンでは投与を繰り返してから発現しやすい（過敏症発現時の投与コース数中央値：8回）．蕁麻疹，皮膚の紅潮・紅斑，血管浮腫，呼吸困難，気道攣縮，血圧低下など．

静脈炎，血管外漏出：血管外漏出時の組織障害分類：パクリタキセルは起壊死性，カルボプラチンは炎症性，ベバシズマブは非壊死性．

好中球減少：①感染予防対策（手洗い，うがい），②FNの徴候（発熱，悪寒，咽頭痛）がみられた際の抗菌薬や解熱薬の使用方法，③緊急受診の目安について事前に指導．

悪心・嘔吐：カルボプラチン（AUC≧4）を含むためHECレジメンに準じた対応が必要．アプレピタントを含む3剤併用を標準療法とし，効果不良の場合，オランザピン5 mgを追加．

便秘：普段の排便状況を聴取し，必要に応じて酸化マグネシウム，緩下剤の使用を検討．

筋肉・関節痛：パクリタキセル投与後数日内に起こりやすい．NSAIDs，芍薬甘草湯などの投与を検討．

末梢神経障害：コースを重ねるにつれ範囲，程度悪化．支持療法で改善なしはパクリタキセル減量・休薬を検討．

脱毛：ほぼ必発．初回投与後2～3週から始まる．事前にウィッグなどの情報を提供しておく．

dose-dense TC[4)]

適応：卵巣がん初回治療・プラチナ感受性再発
1コース期間：21日間　**総コース**：6コース

□dose-dense TC療法の根拠となったJGOG3016試験は日本人を対象にした試験であり，TC療法に比べてOSの延長，PFSの延長が示されているが，海外で行われた追試[5, 6)]では差を認めなかった．dose-dense TC療法へのBevの上乗せについては積極的に推奨するデータがない．

2 抗がん薬の処方監査

□カルボプラチン（AUC≧4）を含むレジメンは高度催吐リスクに準じて扱われる[7)]ことから，NK_1受容体拮抗薬，5-HT_3受容体拮抗薬，ステロイドの3剤併用療法であることを確認する．制吐薬としてオランザピンを用いる場合は糖尿病の既往や耐糖能異常がないことを確認する．

パクリタキセル

□添加物として無水エタノールおよびポリオキシエチレンヒマシ油を含有している．このため，アルコールおよびポリオキシエチレンヒマシ油含有製剤への過敏症の既往を確認する．また，ジスルフィラム，シアナミド，プロカルバジンとは併用禁忌である（アルコール反応の懸念：顔面紅潮，血圧降下，悪心，頻脈，めまい，呼吸困難，視力低下など）．

□前投薬として，ジフェンヒドラミン，ファモチジン（またはラニチジン），デキサメタゾンが処方されていることを確認．dose-dense TC療法では明らかな過敏症の発現がない場合デキサメタゾンの漸減が可能．初回投与時8 mg→過敏症状の発現なければ2週目の投与より半量（4 mg）に減量，以降の投与週においても同様の場合，半量ずつ最低1 mgまで減量可能．

□パクリタキセルとシスプラチンの併用時，パクリタキセルをシスプラチンの後に投与した場合，逆の順序で投与した場合よりクリアランスが約25％低下し，骨髄抑制が増強することが報告されている．このため，投与順は「パクリタキセル→シスプラチン」の順とすることが勧められており，カルボプラチンでもこれに準拠して「パクリタキセル→カルボプラチン」の順で投与する．

カルボプラチン

□投与量は体表面積あたりではなく，下記のCalvert式[8]を用いて算出する．

カルボプラチンの投与量（mg）＝目標AUC×（GFR*＋25）

column カルボプラチン用量設定に用いるGFR

*GFR算出には，Jelliffe式もしくはCockcroft式による算出式で計算されたCcrが用いられることが多い．Calvert式で用いられるScrは，旧来はJaffe法での測定であったが，国内ではほとんどの施設で酵素法での測定が行われており，Jaffe法に比べてScrが約0.2 mg/dL高くなる．このため，Scrの実測値に＋0.2を加える方法や，Scr低値の場合，最低値の0.7 mg/dLを使用する方法[9]，GFRの最高値を125 mL/分とする方法[10]などが提案されている．

Jelliffe式：Ccr＝[98－16（年齢－20）/20）]/Scr×体表面積/1.73×0.9
Cockcroft式：Ccr＝（140－年齢）×体重（kg）÷（72×Scr）×0.85

ベバシズマブ

□創傷治癒遅延による合併症を防ぐため，投与前28日以内に大手術を施行していないことを確認．ポート留置などの小手術の場合は術後1週間程度を目処に創部を確認の上，投与可能[11]．

□消化管など腹腔内の炎症を合併している患者，3レジメン以上の化学療法前治療歴のある患者では消化管穿孔の発現リスクが高い[11]ため，慎重に適応を判断．

3 抗がん薬の調剤

パクリタキセル

□パクリタキセルはTC＋Bev療法では500 mLの5％ブドウ糖液または生理食塩液に混和し，3時間かけて点滴静注する．dose-dense TC療法では250 mLの5％ブドウ糖注射液または生理食塩液に混和し，1時間かけて点滴静注する．

□調製時に，注射針に塗布されているシリコーン油により不溶物を生じることがある．特にバイアル内での注射針の上下動回数が多くなると頻度が高くなる[12]．調製後に薬液中に不溶物がないか目視で確認．

カルボプラチン

□カルボプラチンは250 mL以上の5%ブドウ糖液または生理食塩液に混和し，1時間以上かけて点滴静注する．

□生理食塩液など無機塩類を含む輸液では，分解物の生成を避けるため調製後8時間以内に投与を終了する．

ベバシズマブ

□生理食塩液100 mLに希釈．

□調製時は抗体の凝集を防ぐため，泡立つような激しい振動を加えない．

□初回投与時は90分かけて点滴静注する．忍容性が良好なら2回目の投与は60分間で，3回目以降の投与は30分間投与に短縮できる．

4 抗がん薬の投与

投与基準

TC＋Bev療法[1)]

□開始基準

PS	0～2	AST	≦75 U/L
神経障害	≦Grade 1	ALP (JSCC)	≦805 U/L
好中球数	≧1,500/μL	PT-INR	≦1.5 【ワルファリンによる治療が行われている場合】2～3
血小板数	≧10万/μL		
Scr	≦(女) 1.18 mg/dL		
T-Bil	≦2.25 mg/dL	APTT	＜44.4秒

□次コース開始基準

好中球数	≧1,500/μL	蛋白尿	UPC比＜3.5
血小板数	≧10万/μL	神経障害	≦Grade 1 (Grade 2の神経障害発現時は減量を考慮)
血圧	≦150/100 mmHg (ICON-7)		

dose-dense TC療法[4)]

□開始基準

PS	0～3	Scr	≦(女) 1.5 mg/dL
神経障害	≦Grade 1	T-Bil	≦1.5 mg/dL
好中球数	≧1,500/μL	AST	≦100 U/L
血小板数	≧10万/μL		

□day 8, 15 開始基準

好中球数	≧500/μL	血小板数	≧5 万/μL

減量・中止基準

TC＋Bev 療法[1)]

末梢神経障害	≧Grade 2	Grade 1 に改善するまで治療延期. ・再開時はパクリタキセルを減量. ・2 段階減量かつ最大 3 週間の治療延期でも改善がみられない場合は, パクリタキセルをドセタキセルに変更.
FN		治療開始基準まで治療延期. ・再開時はカルボプラチンを 1 段階減量. ・パクリタキセルをドセタキセルに変更した場合, 同様の DLT について表に沿って減量.
好中球数減少	<500/μL が 7 日間以上	
血小板数減少	≧Grade 4	
	Grade 3(出血傾向あり)	
高血圧	≧150/90 mmHg	臨床症状が改善し降圧薬で血圧コントロールできるまでベバシズマブ休薬
	有症状, <G4	
蛋白尿	UPC 比≧3.5	UPC 比<3.5 になるまでベバシズマブ休薬. ・2 か月以上改善なければ中止.

dose-dense TC 療法[4)]

末梢神経障害	≧Grade 2	パクリタキセルを減量.
FN		治療開始基準まで治療延期 再開時はカルボプラチンを 1 段階減量.
好中球数減少	<500/μL が 7 日間以上	
血小板数減少	<1 万/μL または<5 万/μL で出血傾向あり	
骨髄抑制のために 1 週間以上延期		

各薬剤の減量基準

□パクリタキセルとカルボプラチン（TC 療法, TC＋Bev 療法）

	開始用量	Level 1	Level 2	Level 3
パクリタキセル（mg/m^2）	175	135	110	中止
カルボプラチン（AUC）	6	5	4	中止

□ドセタキセル（TC＋Bev 療法でパクリタキセル→ドセタキセルに変更時）

	開始用量	Level 1	Level 2	Level 3
ドセタキセル（mg/m^2）	75	65	55	中止
カルボプラチン（AUC）	5	4	3	中止

□パクリタキセルとカルボプラチン（dose-dense TC 療法）

	開始用量	Level 1	Level 2	Level 3
パクリタキセル（mg/m^2）	80	70	60	中止
カルボプラチン（AUC）	6	5	4	中止

腎機能障害

パクリタキセル	慎重投与/減量基準なし	**ベバシズマブ**	記載なし
カルボプラチン	慎重投与/Calvert 式での算出		

肝機能障害

		TC 療法 投与量[13]	dose-dense TC 投与量[13]
パクリタキセル	AST＜300 U/L・ALT＜230 U/L かつ T-Bil≦1.88 mg/dL	175 mg/m^2	100%
	AST＜300 U/L・ALT＜230 U/L かつ T-Bil：1.89～3.0 mg/dL	135 mg/m^2	75%
	AST＜300 U/L・ALT＜230 U/L かつ T-Bil：3.1～7.5 mg/dL	90 mg/m^2	50%
	AST≧300 U/L・ALT≧230 U/L または T-Bil＞7.5 mg/dL	投与中止	
カルボプラチン	慎重投与/記載なし		
ベバシズマブ	記載なし		

注意点

パクリタキセル

□希釈液は過飽和状態にありパクリタキセルが結晶として析出する可能性があるので，0.22 μm 以下のメンブランフィルターを用いたインラインフィルターを通して投与する．

□輸液ルートは DEHP フリーのものを使用する．

□非水性注射液であり，輸液で希釈された薬液は表面張力が低下し，1 滴の大きさが生理食塩液などに比べ小さくなるため，輸液ポンプなどの流速設定に注意が必要である．自然落下方式の場合滴数を増加させて設定する，滴下制御型輸液ポンプの場合は流量を増加させて設定するなどの調整が必要である．

□血管外漏出リスク：壊死性（vesicant）．

カルボプラチン

□シスプラチンとは異なり水分負荷や利尿薬投与は不要．

□血管外漏出リスク：炎症性（irritant）．

ベバシズマブ

□ブドウ糖と混和した場合力価の減弱を生じるおそれがあるため，ブドウ糖液と同じ点滴ラインを用いた同時投与は行わない．

□アルミニウムとの接触で分解するため，投与時にアルミニウムが用いられている注射針などは使用しない．

□血管外漏出リスク：非壊死性（non-vesicant）．

5 副作用マネジメント

発現率

□TC＋Bev 療法

	海外 GOG218 試験		日本 JGOG3022 試験	
	全体（%）	Grade≧3（%）	全体（%）	Grade≧3（%）
好中球数減少	94.9	86.8	—	69.9
FN	4.4	4.4	—	4.8
高血圧	32.2	9.9	54.6	23.2
蛋白尿	8.4	1.6	47.1	12.6
静脈血栓塞栓症	4.1	2.3	3.1	1.4
動脈血栓塞栓症	3.1	3.0	—	—
創傷治癒遅延	3.6	1.6	1.3	0
消化管穿孔・瘻孔など	4.0	2.9	1.3	1.0
中枢神経系以外の出血	36.7	2.0	3.7	0
末梢神経障害	—	—	—	3.4

□dose-dense TC 療法

	全体（%）	Grade≧3（%）		全体（%）	Grade≧3（%）
好中球数減少	—	92.0	FN	—	9.0
貧血	—	69.0	神経障害（感覚性）	—	7.0
血小板減少症	—	44.0	神経障害（運動性）	—	5.0

評価と観察のポイント

投与前

□プラチナ製剤やタキサン系薬剤は他がん種でも使用される薬剤である．投与開始前に過去の治療歴を確認し，プラチナ製剤の総投与量や末梢神経障害の有無を把握する．就業の状況や普段の生活を確認し，末梢神経障害が発現した場合に生活にどの程度影響するかを患者と相談しておく．

#1 コース目

□**day 1**：パクリタキセルによる過敏症の有無を確認する．パクリタキセルによる過敏症は初回の点滴投与開始10分以内に起こりやすいため，観察を強化する．

□**day 1～7**：悪心・嘔吐，便秘，パクリタキセルによる筋肉痛・関節痛および末梢神経障害の有無を確認する．

□**day 7以降**：骨髄抑制に注意し，好中球数・血小板数を評価．dose-dense TC療法では，day 8以降のパクリタキセルの投与可否を判断．

#2 コース目以降

□パクリタキセルによる末梢神経障害は総投与量が715 mg/m^{2}以上で発現しやすいとされている[14)]．感覚性の神経障害だけでなく，運動性の神経障害も併せて評価し，神経障害の程度と患者の日常生活への影響を評価する．

□カルボプラチンによる過敏症状は反復投与で発現しやすくなる(投与コース数中央値：8回)[15)]．繰り返し投与後に過敏症状が生じる可能性について患者に十分に説明し評価．過敏症状が発現した場合，原則として再投与は不可だが脱感作療法の報告あり[16)]．

□ベバシズマブによる高血圧，蛋白尿，出血も投与回数の増加に従い発現頻度が高くなるため，継続して評価する．

副作用対策のポイント

投与前

□過敏反応発現時の初期症状や起こりやすいタイミングについて，患者および看護師と情報共有．実際に過敏反応が発現した場合に備えてあらかじめ対処法を決めておく．

□β遮断薬内服の有無を確認しておく．

投与中

□過敏反応発現時はただちに投与薬剤を中止し，ルート内から薬液を吸引して生理食塩液の点滴を開始する．症状に応じて H_1 受容体拮抗薬や副腎皮質ステロイド薬を使用するが，ショック症状が確認されれば，患者の体位をショック体位に変更し酸素投与開始，生理食塩液を全開投与として，アドレナリン（β 遮断薬服用患者ではグルカゴン）の使用を検討．

投与後

□投与数日以内に筋肉痛・関節痛が発現する場合がある．日常生活に苦痛を伴う場合には，NSAIDs の外用や内服を指導．

□排便状況を確認し，適宜緩下剤の必要性について検討．ベバシズマブ使用中で腹痛が発現した場合，消化管穿孔の可能性についても検討し除外．

□骨髄抑制の頻度が高いため，日常の感染対策とともに発熱時の対応についてあらかじめ指導．

□ベバシズマブを使用する患者では家庭血圧の測定・記録を行い，来院時に持参されるよう指導．高血圧発現時は高血圧治療ガイドラインに沿って降圧薬を投与する．

□ベバシズマブによる消化管穿孔や出血，血栓塞栓症などの重篤な副作用についてはあらかじめ患者に初期症状を説明し，頻度は少ないが緊急対応が必要な場合があること，疑わしい症状があればただちに報告してほしい旨を伝える．

6 薬学的ケア

CASE

□60 歳代女性．プラチナ感受性の再発卵巣がんに対し，TC 療法が導入された患者．カルボプラチンの投与歴が 13 回あり，最終投与は 25 か月前．過敏症リスクが高いと考えられることを医師に情報提供の上，カルボプラチンの点滴速度を 60 分→180 分として開始すること，過敏症に十分注意しながら投与を行うことを提案し，実施．初回，カルボプラチン投与開始 10 分時点で，瘙痒・皮膚発赤の発現あり，d-クロルフェニラミンマレイン酸塩の投与で速やかに症状消失．カルボプラチンによる過敏反応（Grade 2）が疑われいったん投与は中止された．

□以降のカルボプラチンの投与を中止し治療変更することが検討されたが，軽微な過敏反応であり，患者からの再投与の希望が非常に強いこと，腹水貯留があり施行できるレジメンが限られることから，前投薬や点滴速度の工夫で再投与ができないかと医師から相談あり．

□単純な再投与では過敏症再発の可能性が高く，カルボプラチンの脱感作療法について提案し，実施．入院で十分な管理下のもと脱感作療法を施行され，2コースまでは過敏反応の再燃なく投与できたが，3コース目で再度過敏反応が発現．血圧低下，悪心も認めGrade 3と判断され，以降のカルボプラチン投与は中止された．

解説

□カルボプラチンの投与歴のある患者では，前述の投与回数のほか，10か月以上空けた後の再投与で過敏反応（HSR；hypersensitivity reaction）が起こりやすい[17]との報告や，点滴時間を延長することで過敏症状の発現リスクが減少するとの報告がある．

□カルボプラチンの添付文書では白金を含む製剤に過敏症のある患者では投与禁忌であるが，卵巣がん・卵管癌・腹膜癌診療ガイドライン2020年版では，「プラチナ製剤により軽度のHSRが発生した症例では，心肺停止を含む重篤な合併症に即座に対応できる体制を整えた上で，同一薬の脱感作療法や，他のプラチナ製剤への変更を提案する（推奨の強さ2，エビデンスレベルC）」[18]との記載がされており，症例を限定し，リスクに十分に配慮した上で慎重に再投与を試みられる場合がある．

□ただし，脱感作療法を行った症例での重度のHSRの発現が見られる場合があり，十分な説明と同意，緊急時に対応できる体制のもとでの施行が必須である．

引用文献

1）Burger RA, et al：N Engl J Med 365：2473-83, 2011（PMID：22204724）
2）Perren TJ, et al：N Engl J Med 365：2484-96, 2011（PMID：22204725）
3）Ray-Coquard I, et al：N Engl J Med 381：2416-28, 2019（PMID：31851799）
4）Katsumata N, et al：Lancet 374：1331-8, 2009（PMID：19767092）
5）Pimenta L, et al：N Engl J Med 374：2602-3, 2016（PMID：27355551）
6）Clamp AR, et al：Lancet 394：2084-95, 2019（PMID：31791688）
7）日本癌治療学会（編）：制吐薬適正使用ガイドライン2015年10月【第2版】一部改訂版 ver 2.2．2018年10月（http://www.jsco-cpg.jp/item/29/index.html）

8) Calvert AH, et al：J Clin Oncol 7：1748-56, 1989 (PMID：2681557)
9) NCCN Chemotherapy Order Templates (NCCN Templates®) Carboplatin Dosing in Adults. Last updated：December 9, 2020
10) https://ctep.cancer.gov/content/docs/Carboplatin_Information_Letter.pdf
11) アバスチン® 点滴静注用，適正使用ガイド，卵巣癌に用いる際に．2021年12月
12) 松元美香，他：医療薬学 38：649-55, 2012
13) Taxol injection. Product information (Bristol-Myers)
14) Jones SE, et al：J Clin Oncol 23：5542-51, 2005 (PMID：16110015)
15) Markman M, et al：J Clin Oncol 17：1141, 1999 (PMID：10561172)
16) Castells MC, et al：J Allergy Clin Immunol 122：574-80, 2008 (PMID：18502492)
17) Sugimoto H, et al：Cancer Chemother Pharmacol 67：415-9, 2011 (PMID：20443001)
18) 日本婦人科腫瘍学会（編）：卵巣がん・卵管癌・腹膜癌診療ガイドライン 2020年版．金原出版, 2020

（日置三紀）

66 ドキソルビシン塩酸塩リポソーム製剤（ドキシル®）

POINT

- 手足症候群，口内炎はDLTであり，予防を含めた適切な症状マネジメントを要する．
- infusion reactionに対して事前の症状説明とモニタリングを行う．
- 用量依存的な心筋障害があるため治療中の症状モニタリングに加え，開始時および治療中のLVEFの確認が必要（→詳細は555頁）．

1 レジメンと副作用対策（→次頁参照）

適応：がん化学療法後に増悪した卵巣がん

1コース期間：28日

2 抗がん薬の処方監査[1)]

□プラチナ製剤を含む化学療法後6か月以内の再発症例（プラチナ製剤抵抗性再発）が最も推奨．

□催吐性リスクは軽度．制吐薬としてデキサメタゾン6.6 mgが標準．

□infusion reactionの発現を最小限に抑えるため投与速度は1 mg/分を超えない．

□初回投与前にLVEF≧50%であることを確認．治療中はLVEF 20%以上の低下または45%を下回った場合中止．

□心疾患がない，あったとしてもNYHA分類I以下であることを確認．

□ドキソルビシン総投与量500 mg/m^2を超えると心障害の発現リスクが上昇．

□縦隔への放射線照射やシクロホスファミド（エンドキサン®）などの心毒性のある薬剤の併用例ではドキソルビシン総投与量400 mg/m^2の時点で心毒性が発現する可能性があるため過去の治療歴に注意が必要．

□大豆由来成分を含むため大豆アレルギーのある患者は慎重投与．

□肝機能低下症例で副作用発現リスクが上昇．

□高齢者で心毒性，骨髄抑制の発現リスクが高いとの報告あり．

66		医薬品名 投与量	投与方法 投与時間	1	2	3	4	5	6	7	~	11	12	13	14	15	16	~	21
レジメン	Rp1	デキサメタゾン 6.6 mg/body 生理食塩液 50 mL	点滴静注 15分	↓															
	Rp2	ドキソルビシン塩酸塩リポソーム製剤 50 mg/m^2 5%ブドウ糖液 250 or 500 mL	点滴静注 1 mg/分以下	↓															
	Rp3	5%ブドウ糖液 50 mL	点滴静注 15分	↓															

Rp2：希釈液量は投与量 90 mg 未満で 250 mL，90 mg 以上で 500 mL

Rp3：・フラッシュは急速不可　・5%ブドウ糖液を使用

副作用対策

血管外漏出

当薬剤の漏出リスクは炎症性（irritant）だが，主薬のドキソルビシンは壊死性（vesicant）であり，壊死や重篤な皮膚障害の報告もある．漏出時は患部の冷却や，6時間以内であればデクスラゾキサン（サビーン®）の点滴静注も考慮．

infusion reaction

ほてり，胸部の不快感などが現れた際は一時中断．多くは30分以内に現れる．症状軽快後は 0.7 mg/分以下で再開．他の薬剤や食物アレルギー歴のある患者は特に注意が必要．

口内炎

初回発症の多くが1，2コース目．治療前の齲歯治療などの口腔ケアを指導し，ブラッシング（柔らかい歯ブラシを使用）や，水またはアズレンスルホン酸ナトリウム（アズノール® うがい薬）によるこまめなうがいで清潔を心掛ける．

手足症候群

初回発症の多くが3コース目までに発現．特に投与前日から投与後5日間のセルフケア（保湿，摩擦や圧迫の回避など）の指導や，発現時はすぐに対処し，適宜皮膚科を受診．

骨髄抑制

nadir 到達日数の中央値は白血球・好中球 21 日，血小板 15 日，Hb 22 日．感染症予防対策（手洗い，うがいなど），発熱時の抗菌薬・解熱薬の使用方法，緊急受診などについて事前に十分説明．

3 抗がん薬の調剤

□5%ブドウ糖注射液で希釈．infusion reaction の発現リスクが高くなるおそれがあるため原液投与不可．
□希釈液量は，投与量 90 mg 未満：250 mL，90 mg 以上：500 mL．
□希釈後は 2～8℃で保存し，24 時間以内に投与．

4 抗がん薬の投与

投与基準[2)]

全身状態	ECOG PS	0～2
骨髄機能	白血球数	（初回時のみ）3,000～12,000/μL
骨髄機能	好中球数	≧1,500/μL
	Hb	（初回時のみ）≧9.0 g/dL

6 婦人科がん

骨髄機能	**血小板数**	初回：≧10 万/μL
		2 回目以降：≧7.5 万/μL
肝機能	**AST, ALT**	AST≦75 U/L, ALT≦(女) 57.5 U/L (いずれも≦ULN×2.5)
	ALP (JSCC)	≦805 U/L (≦ULN×2.5)
	T-Bil	＜1.2 mg/dL
腎機能	**Scr**	≦(女) 1.19 mg/dL (いずれも≦ULN×1.5)
心機能	**LVEF**	≧50%
	心電図	正常，または所見があっても無症状かつ治療不要
	NYHA 分類	分類Ⅰまたは心疾患なし
非血液毒性	**手足症候群**	≦Grade 1
	口内炎	
	その他	≦Grade 2

減量・中止基準[2)]

□骨髄抑制

	好中球数 (/μL)	**血小板数 (/μL)**	**減量・中止基準**
Grade 1	1,500 以上 2,000 未満	7.5 万以上 15 万未満	継続
Grade 2	1,000 以上 1,500 未満	5 万以上 7.5 万未満	Grade 0, 1 に改善するまで延期
Grade 3	500 以上 1,000 未満	2.5 万以上 5 万未満	
Grade 4	500 未満	2.5 万未満	Grade 0, 1 まで延期 好中球数＜500/μL が持続(7 日以上持続または 22 日目までに回復しない場合)は G-CSF の併用または 25%減量

□その他[2)]

検査項目		**減量または中止を要する基準**		**対応**
心機能	LVEF	＜45%，または開始時より 20%以上低下		中止
非血液毒性		Grade 3, 4	最長 2 週間延長：Grade 2 以下に回復	25%減量
			最長 2 週間延長：Grade 2 以下に軽快しない	中止

腎機能障害

□記載なし.

肝機能障害

検査項目	減量または中止を要する基準		対応
T-Bil	1.2～3.0 mg/dL		25%減量
	＞3.0 mg/dL	本剤との因果関係が否定される	50%減量
		本剤との因果関係が否定できない	中止

□手足症候群，口内炎[1)]

Grade	手足症候群	口内炎	対応
1	日常の活動を妨げない軽度の紅斑，腫脹または落屑	痛みのない潰瘍，紅斑または軽度の痛み	• 過去に Grade 3 または 4 の症状経験なし：減量せず投与継続 • 過去に Grade 3 または 4 の症状を経験：最長 2 週間投与を延期し，再開時は用量を 25%減量
2	正常な身体活動を妨げるが不可能にはしない程度の紅斑，落屑または腫脹．直径が 2 cm 未満の小さな水疱または潰瘍	痛みのある紅斑，浮腫または潰瘍．食事はできる．	最長 2 週間投与を延期 • Grade 0～1 に軽快 →過去に Grade 3 または 4 の症状経験なし：減量せず投与継続 →過去に Grade 3 または 4 の症状を経験：用量を 25%減量し再開 • Grade 0～1 に軽快しない：用量を 25%減量し再開
3	正常な身体活動を妨げる程度の水疱，潰瘍または腫脹．普段の衣服を着ることができない	痛みのある紅斑，浮腫または潰瘍．食事ができない．	最長 2 週間投与を延期 • Grade 2 以下に軽快：用量を 25%減量し再開 • Grade 2 以下に軽快しない：投与中止
4	感染性合併症の原因となるびまん性または局所の進行，あるいは寝たきり状態または入院	経静脈栄養または経管栄養を必要とする．	

注意点

□リポソーム製剤につき粒子径が大きいため，インラインフィルターは使用しない．

□事前に infusion reaction や血管外漏出の症状，徴候について患者に説明し，発現時ただちに報告するよう伝える．またスタッフも迅速に対応できるようにしておく．

infusion reaction

□**発現頻度**：国内Ⅱ相 18.9%[3)]，海外Ⅲ相 12.6%[2)].

□**好発時期**：投与開始から 30 分以内.

□**好発リスク患者**：薬剤，食物問わずアレルギー歴のある患者.

□**症状の特徴**：ほてり，瘙痒，顔面潮紅，胸部不快感，動悸が起こりやすい.

□**予防法・注意点**：1 mg/分を超える速度で投与しない.

- 海外第Ⅲ相試験において，ジフェンヒドラミン塩酸塩やステロイドが前投薬として経口または静注で使用されたが，明らかな発症予防効果は認められなかった[2, 3)].

□**治療**

- 発現時は一時中断し，改善を確認．再開時や発現後の次回投与時は再開前の 2/3（0.7 mg/分）以下への減速を確認.
- 24 時間経過後も Grade 2 以上であった場合は投与中止を考慮.
- 重篤なアナフィラキシー様の症状の場合はただちに中断し，アドレナリンや抗ヒスタミン薬，ステロイド薬の投与，輸液や酸素投与など適切な処置を行う[1)].
- 発現機序は不明だが，Ⅰ型アレルギー（IgE 抗体）とは異なり，補体活性化の関与や点滴速度が大きく関係していること[4)]，中心静脈からの投与は薬剤の速やかな血液循環への移行のため高頻度に起こる可能性[5)]が報告されている.

血管外漏出

□本剤の組織障害性分類は炎症性（irritant）だが，主薬のドキソルビシンは壊死性（vesicant）に分類され，国内市販後調査において漏出による壊死および重篤な皮膚障害が報告されている.

□漏出の徴候や症状（刺痛感，灼熱感，紅斑など）が生じた場合はただちに中断し，浸潤している薬剤の吸引や漏出部位の冷却など適宜処置を行う.

□大量に漏出した場合はデクスラゾキサンの使用を考慮（Ⅲ「デクスラゾキサン」の項→885 頁).

5 副作用マネジメント

発現率[2, 3, 6, 7]

副作用		海外III相(n=239)		国内II相(n=74)	
		全体(%)	Grade≧3(%)	全体(%)	Grade≧3(%)
血液毒性	白血球減少	36.4	10.0	93.2	59.5
	好中球減少	35.1	12.1	93.2	67.6
	血小板減少	13.0	1.3	60.8	6.8
	貧血	40.2	5.9	85.1	17.6
非血液毒性	口内炎	41.4	8.3	77.0	8.1
	手足症候群	50.6	23.8	78.4	16.2
	悪心	46.0	5.4	60.8	2.7
	嘔吐	32.6	7.9	23.0	1.4
	脱毛	19.2	1.3	24.3	—
	心臓障害	3.8	—	13.5	—
	infusion reaction	12.6	—	18.9	—

評価と観察のポイント

投与開始前

□ベースラインの手足の皮膚，口腔内粘膜の状態を事前に確認しておく.

□発現時にただちに報告できるように infusion reaction，血管外漏出の症状，徴候について事前に説明しておく.

投与中

□「注意点」の項（→前頁）.

投与後

□非血液毒性の症状・所見の把握.

□スキンケアや口腔内ケアの実施状況や症状の有無を確認.

□好発部位（手掌，足底）を確認.

LVEF 測定のタイミング

□初回投与前（50%以上を確認）.

□随時：開始時より 20%以上の低下または 45%未満で中止.

□累積投与量 300 mg/m^2 を超えた時点で 1 回実施，累積投与量 400 mg/m^2 を超えた場合は毎コース実施する.

□特定使用成績調査では，比較的低用量においても心毒性の発現が認められたため，不整脈や倦怠感，動悸などにより心障害が疑われる場合は随時検査を実施．

副作用対策のポイント

悪心・嘔吐

□**催吐性リスク**：軽度

- 制吐薬適正使用ガイドライン上はデキサメタゾン 6.6 mg が推奨される．初回時に制御できていなければ 5-HT_3 受容体拮抗薬の追加など，制吐薬適正使用ガイドラインに準じて対応を行う．

口内炎

□**好発時期**：1～2 コース（日数中央値 16.0 日）

□**予防法と患者指導**

- 事前にう歯や歯周病の治療を含む口腔ケアを受けておく．
- 清潔な水，またはアズレンスルホン酸ナトリウムによるうがいを 4～5 回/日，毎日行うことが望ましい．
- 毎食後は柔らかい歯ブラシで歯を磨き口腔内の清潔を保つ．
- 酸味や刺激の強い食品（香辛料など），熱いもの，硬いものの飲食，アルコール，喫煙を避ける．
- 義歯は鋭縁を丸めるなど事前に調整を行い，治療中は歯磨き同様，義歯用洗浄剤に週 2～3 回つけるなど手入れを行う．

□**治療**

- 疼痛が強い場合は，リドカイン入りアズレン含嗽液によるうがい，スポンジブラシや綿棒を用いた口腔ケアが推奨されている．
- 細菌や真菌の感染が疑われる場合は抗菌薬や抗真菌薬の使用を適宜考慮．

手足症候群

□**好発時期**：1～3 コース（日数中央値 34.0 日）

□**予防法と患者指導**

- 手足や皮膚への摩擦や圧力を避け，特に冬は皮膚の乾燥，夏は発汗に注意する．
- 予防的にヘパリン類似物質クリームなどの保湿薬を用いてスキンケアを実施する．
- 点滴中の局所（手首足首）冷却[8, 9]，ピリドキシン塩酸塩（VB_6）の経口投与[10, 11]やステロイド系抗炎症薬の経口・静脈内投与[12]の有効性を示す報告がある．なお，局所冷却により，かえって発症率が高くなる[13]との報告もあるため施行時は注意が必要である.
- □**治療**：ステロイド外用薬の使用とともに保湿も並行し，症状増悪時は皮膚科受診を勧奨する.

6 薬学的ケア

CASE

- □60歳代女性，心疾患既往なし．卵巣がんⅣ期の診断．4年前に左側乳がん（A領域）に対し術前化学療法としてEC療法（エピルビシン＋シクロホスファミド）4コースと乳房温存手術後放射線療法の施行歴がある患者．プラチナ抵抗性となり，ドキシル® 単剤療法が開始となった.
- □初回入院時にアントラサイクリン系薬剤の投与歴とLVEF 68%（≧50%）であることを確認．事前に口内炎，手足症候群の予防法について説明し，アズレン含嗽液とヘパリン類似物質クリームの処方を提案．各用法を指導した．投与前にinfusion reactionおよび血管外漏出について各症状を再度確認した.
- □1コース目day 15，薬剤師外来にて，食事への影響はないが口腔粘膜の腫脹と軽度の疼痛（Grade 2の口内炎）の訴えがあったため，リドカイン入りアズレン含嗽液を提案．疼痛時や食前での使用と，定期的なアズレン含嗽液でのうがいも継続するよう指導した.
- □3コース目開始時，歩行時のつま先の疼痛（Grade 2の手足症候群）を聴取．発赤も認め，靴による圧迫箇所であったため靴や靴下は締め付けが少ないものを選ぶよう再度指導した．主治医へ皮膚科紹介を提案し皮膚科受診となった．ステロイド外用薬が追加となり治療は2週間後に延期．2週間後，歩行は可能であるが軽度の発赤と疼痛は持続していたため主治医へ報告し，25%減量にて3コース目の治療を開始.
- □3コース目で前治療含めドキソルビシンの累積投与量が300 mg/m^2 を超えたため次回LVEFの測定を依頼した.

解説

- □ドキシル® のDLTである手足症候群，口内炎は適切なセルフケアが発症予防に有効であるため，支持療法薬をあらかじめ処方し，各用法について患者指導を行う.
- □口内炎や手足症候群発現時はQOLの低下につながりやすい症状であるため，治療に加え適宜休薬，減量など適切な対処を行う.

□毎回ドキソルビシンの累積投与量を確認し，症状モニタリング，適宜 LVEF 検査を実施.

引用文献

1）ドキシル® 注，適正使用ガイド（持田製薬）
2）Gordon AN, et al：Gynecol Oncol 95：1-8, 2004（PMID：15385103）
3）Katsumata N, et al：Jpn J Clin Oncol 38：777-85, 2008（PMID：18927230）
4）Chanan-Khan A, et al：Ann Oncol 14：1430-7, 2003（PMID：12954584）
5）Alberts DS, et al：Oncology 11（10 Suppl 11）：54-62, 1997
6）ドキシル注 20 mg，第 2 部 CTD の概要 2.7 臨床概要（ヤンセンファーマ）
7）Gordon AN, et al：J Clin Oncol 19：3312-22, 2001（PMID：11454878）
8）Molpus KL, et al：Gynecol Oncol 93：513-6, 2004（PMID：15099971）
9）Mangili G, et al：Gynecol Oncol 108：332-5, 2008（PMID：18083217）
10）Lorusso D, et al：Ann Oncol 18：1159-64, 2007（PMID：17229768）
11）Eng C, et al：Ann Oncol 12：1743-7, 2001（PMID：11843253）
12）Drake RD, et al：Gynecol Oncol 94：320-4, 2004（PMID：15297168）
13）Tanyi JL, et al：Gynecol Oncol 114：219-24, 2009（PMID：19446868）

（牧 陽介）

67 オラパリブ（リムパーザ®）

POINT

■白金系抗悪性腫瘍薬感受性〔PFI（platinum free interval）※1 が6か月以上〕，*BRCA* 遺伝子変異，相同組換え修復欠損（HRD；homologous recombination deficiency）の有無など適応により確認する項目がある．

※1：プラチナ製剤による治療終了時から再びプラチナ製剤を投与するまでの期間．

■CYP3A の基質であり薬物間相互作用に注意する．

■悪心・嘔吐，疲労・無力症，貧血の発現頻度が高く注意する．

1 レジメンと副作用対策（→次頁参照）

適応

①白金系抗悪性腫瘍薬感受性の再発卵巣がんにおける維持療法（SOLO2 試験，Study 19）

②*BRCA* 遺伝子変異陽性の卵巣がんにおける初回化学療法後の維持療法（SOLO1 試験）

③HRD を有する卵巣がんにおけるベバシズマブを含む初回化学療法後の維持療法（PAOLA-1）

用法・用量

オラパリブとして1回 300 mg を1日2回，経口投与する．

オラパリブの投与開始時期について，臨床研究では，化学療法で奏効の維持が確認された場合，適応①②においては，直近のプラチナ製剤の最終投与から8週間以内[1,2]，適応③においては，**ベバシズマブ 15 mg/kg（点滴投与）3週に1回と併用して**，直近のプラチナ製剤/タキサン製剤の最終投与後 3～9 週間以内に投与を開始した[3]．

治療期間

適応①においては，PD または許容できない毒性が発現するまで継続する．

適応②③においては，投与開始後2年が経過した時点で**完全奏効が得られている場合**は中止する．

67		医薬品名 投与量	投与方法 投与時間	1	2	3	～	6	7	8	9	～	13	14	15	16	～	21	22	～	28
レジメン	Rp1	オラパリブ 600 mg	経口 1日2回	↓	↓	↓		↓	↓	↓	↓		↓	↓	↓	↓		↓	↓		↓

副作用対策[4]

貧血	貧血による減量・中止は16～22%と報告されている．全体の症例のうち18～24%が輸血を必要とし，そのうち5～11%は2回以上輸血必要としたことが報告されている．
好中球減少	好中球減少による減量・中止は2～4%と報告されている．またFNの発症率は1%以下と，そのリスクは低い．
血小板減少	血小板減少による減量・中止は2%と報告されている．また輸血の実施は0.4～3.6%と輸血を要する症例は少ない．
悪心・嘔吐	悪心による減量・中止は2～11%，嘔吐では0～2%と報告されているが，発現頻度の高い副作用であり，症状出現時の頓用制吐薬の処方または予防投与を考慮する．
疲労・無力症	疲労・無力症による減量・中止は3～5%と報告されている．

2 抗がん薬の処方監査

- □300 mgを投与する際には150 mg錠を使用する（100 mg錠と150 mg錠の生物学的同等性は示されていない）．
- □肝・腎機能に応じた用量調整を要する（「減量・中止基準」→次頁）．
- □CYP3A阻害薬との併用で用量調整を要する（「減量・中止基準」→562頁）．
- □グレープフルーツ含有食品摂取状況を確認し，摂取習慣のある患者には摂取しないよう指導する．
- □強いCYP3A誘導薬（リファンピシン，カルバマゼピン，フェノバルビタール，フェニトイン，セイヨウオトギリソウ含有食品など）や中程度のCYP3A誘導薬（ボセンタン，エファビレンツ，エトラビリン，モダフィニル）との併用は避ける[5]．
- □妊娠が可能な患者は，妊娠していない状態であることを確認する．
- □妊娠が可能な患者は，治療中および最終投与後少なくとも1か月間（海外添付文書では6か月間）は効果的な避妊を行うように指導する（臨床曝露量を下回る用量で胚・胎児死亡および催奇形性が報告されている）[4,5]．

3 抗がん薬の調剤

- □分包は推奨されない．粉砕や溶解時の安全性および有効性については未確立である．

□処方された用法および用量（通常用量あるいは減量）で正しく服薬できるよう，2日分の薬をセットすることができるPTPシートカバーを活用する．

4 抗がん薬の投与

投与基準（臨床試験における主な選択基準）[1-3]

ECOG PS	0～1	血小板数	≧10万/μL
Hb	≧10.0 g/dL	T-Bil	≦2.25 mg/dL（≦ULN×1.5）
好中球数	≧1,500/μL		
AST	≦75 U/L（≦ULN×2.5）【肝転移がある場合】≦150 U/L（≦ULN×5）		
ALT	≦（女）57.5 U/L（≦ULN×2.5）【肝転移がある場合】≦（女）115 U/L（≦ULN×5）		
Scr*1	≦（女）1.185 mg/dL（≦ULN×1.5）		

*1 ベバシズマブとの併用療法においてScr≦0.9875 mg/dL（≦ULN×1.25），かつCcrが50 mL/分超[3]．

□ベバシズマブとの併用療法においては，以下の選択基準による評価もされている．

□抗凝固薬の投与を受けておらず，PT-INRが1.5以下，APTTがULNの1.5倍以下であること．経口抗凝固薬を使用している場合は2週間以上用量が一定であり，INRまたはAPTTが（実施医療機関の基準で）治療範囲内にあること．

□尿定性検査で，尿蛋白が2+未満．2+以上の場合，24時間尿中蛋白が1 g未満であること

□正常血圧または適切に治療および管理された高血圧（収縮期血圧140 mmHg以下および/または拡張期血圧90 mmHg以下）であること．

減量・中止基準[5]

腎機能障害

□Ccr（重症度分類）

51～80 mL/分（軽度）	31～50 mL/分（中等度）	≦30 mL/分（重度）
開始用量の調整は不要	1回200 mgを1日2回	有効性および安全性のデータは未確立

肝機能障害

□Child-Pugh 分類（重症度分類）

A（軽度）	B（中等度）	C（重度）
開始用量の調整は不要		有効性および安全性のデータは未確立

□併用薬による用量調整[5)]

中程度の CYP3A 阻害薬	強い CYP3A 阻害薬
シプロフロキサシン，ジルチアゼム，エリスロマイシン，フルコナゾール，ベラパミルなど	イトラコナゾール，リトナビル，ボリコナゾールなど
1 回 150 mg を 1 日 2 回に減量する	1 回 100 mg を 1 日 2 回に減量する

□副作用発現時の用量調節基準

<table>
<tr><th>副作用</th><th>程度</th><th>処置</th><th>再開時の投与量</th></tr>
<tr><td>貧血</td><td>Hb＜8.0 g/dL</td><td>Hb≧9 g/dL に回復するまで最大 4 週間休薬する．</td><td rowspan="2">・1 回目の再開の場合，減量せずに投与する．
・2 回目の再開の場合，1 回 250 mg を 1 日 2 回で投与する．
・3 回目の再開の場合，1 回 200 mg を 1 日 2 回で投与する．</td></tr>
<tr><td>好中球減少</td><td>＜1,000/μL</td><td>≧1,500/μL に回復するまで休薬する．</td></tr>
<tr><td>血小板減少</td><td>＜5 万/μL</td><td>≧7.5 万/μL に回復するまで最大 4 週間休薬する．</td><td rowspan="2">・減量せずに投与する．
・管理不能の場合は減量または中止</td></tr>
<tr><td>上記以外の副作用</td><td>Grade 3 以上の場合（NCI-CTCAE v 4.0 に準じる）</td><td>Grade 1 以下に回復するまで休薬する．</td></tr>
</table>

注意点

□血液毒性に関する検査は，ベースラインおよびその後は月 1 回実施する[5)]．

5 副作用マネジメント

発現率（表 67-1）

評価と観察のポイント

□血液毒性に関する検査は，ベースラインおよびその後は月 1 回実施する[5)]．

□貧血の 3 か月以内の発現率は 63〜74％であり，発現日数の中央値 1.54 か月（PAOLA-1 試験）と早期から貧血症状に注意が必要である[4)]．

表 67-1 副作用の発現率

副作用		SOLO2試験[1]*2 (n=195)		SOLO1試験[2]*2 (n=260)		PAOLA-1試験[3]*2 (n=535)		使用成績調査[6] (n=838)	
		全体 (%)	Grade 3以上 (%)	全体 (%)	Grade 3以上 (%)	全体 (%)	Grade 3以上 (%)	全体 (%)	Grade 3以上 (%)
血液毒性	貧血	44	19	39	22	41	17	40	27
	好中球減少症	19	5	23	9	18	6	2	<1
	血小板減少症	14	1	11	1	8	2	<1	<1
非血液毒性	悪心	76	3	77	1	53	2	34	1
	嘔吐	37	3	40	<1	22	1	6	<1
	食欲不振	22	0	20	0	8	<1	4	<1
	味覚異常	27	0	26	0	8	<1	7	0
	便秘	21	0	28	0	10	0	<1	0
	下痢	33	1	34	3	18	2	2	<1
	腹痛	24	3	25	2	19	1	<1	0
	疲労，無力症	66	4	63	4	53	5	6	<1
	頭痛	25	<1	23	<1	14	<1	1	0
	関節痛	15	0	25	0	22	1	<1	0
	呼吸困難	12	1	15	0	8	1	<1	0
	めまい	13	<1	20	0	5	<1	<1	0

*2 日本人を含む国際共同試験

□貧血の原因の特定には，鉄，ビタミンB_6，ビタミンB_{12}，葉酸，エリスロポエチン濃度をモニタリングする必要がある．

□臨床試験において悪心の発現の中央値は4～5日，また嘔吐38～45日と報告されており[4]，服用開始直後から症状が発現することを念頭に観察する必要がある．

□疲労および無力症の発現日数中央値は0.72～1.91か月，持続期間は2.10～3.48か月と早期から症状が現れ持続的な特性を有している[4]．

副作用対策のポイント

□Hb 7～8 g/dLを下回ったら輸血の適応を検討することが推奨される．また，頻回の輸血は鉄過剰症をきたすことがあるため，総赤血球輸血量が40単位を超える，あるいは2か月以上にわたって血清フェリチン値が1,000 ng/mLを超える場合には，経口の鉄キレート療法をすることが推奨されている[4]．

□悪心・嘔吐に対しては，必要に応じた標準的な制吐薬の投与

(メトクロプラミド，ドンペリドン，プロクロルペラジンなど)またはオラパリブの休薬または減量により管理可能である．NCCN ガイドライン(2021 年版)においては中等度～高度催吐リスクに分類されており，5-HT$_3$受容体拮抗薬(グラニセトロン，オンダンセトロンなど)の予防投与が推奨されている[7]．

□疲労および無力症に対してはオラパリブの休薬または減量が基本の対策となる．

6 薬学的ケア

CASE

□60 歳代女性，卵巣がんⅢ期，高異型度漿液性がん．

□Ⅲ期の卵巣がんに対して術前・術後に化学療法(カルボプラチン＋パクリタキセル)が行われ，ベバシズマブによる維持療法を行っていたが，17 コース後に再発が確認され，カルボプラチン＋パクリタキセルを再投与し，奏効した患者．その維持療法としてオラパリブが導入となった．

□肝・腎機能は正常，オラパリブ以外の内服薬はないことから CYP3A に関する相互作用は問題ないと判断され，1 回 300 mg，1 日 2 回で治療が開始された．オラパリブ開始 2 日目に Grade 1 の悪心が出現，4 日目には中等度となり薬剤師の提案により頓用で処方されていたメトクロプラミド(5 mg/回)を 2 回内服した．投与開始から 8 日目の受診まで悪心は持続しており，メトクロプラミドを 1 日 1～2 回服用していた．

□患者はメトクロプラミドを服用することで悪心の軽減を自覚していたことから，8 日目よりメトクロプラミド(5 mg)を 1 回 1 錠，1 日 3 回の定期内服を医師に提案し処方となった．メトクロプラミドの定期内服により悪心は軽減したものの完全には消失しないため，オラパリブ服用期間中はメトクロプラミドを併用して治療を行った．その間，錐体外路障害の出現は認めなかった．

解説

□経口抗がん薬の制吐療法に関して，国内外のガイドラインを参考にすると，制吐薬適正使用ガイドライン(2018 年版)では，「何らかの支持療法」→「休薬」→「減量」の原則を守ることとなっている[8]．一方，MASCC/ESMO ガイドライン(2019 年版)，ASCO ガイドライン(2020 年版)，には明確な対応方法は記載されていない．NCCN ガイドライン（2021 年版）では $5\text{-}HT_3$ 受容体拮抗薬の予防投与が推奨されている[7]．

□臨床試験では，必要に応じた標準的な制吐薬の投与または本剤の休薬または減量により管理可能であったとされている．悪心や嘔吐はオラパリブ内服開始後早期から発現することから，頓用の制吐薬をあらかじめ用意しておくとよい．

引用文献

1）Pujade-Lauraine E, et al：Lancet Oncol 18：1274-84, 2017（PMID：28754483）
2）Moore K, et al：N Engl J Med 379：2495-505, 2018（PMID：30345884）
3）Ray-Coquard I, et al：N Engl J Med 381：2416-28, 2019（PMID：31851799）
4）リムパーザ® 錠，適正使用のためのガイド，卵巣癌
5）LYNPARZA®，海外添付文書
6）リムパーザ® 錠，使用成績調査，最終報告（2021 年 4 月）
7）NCCN ガイドライン antiemesis version1. 2021
8）日本癌治療学会（編）：制吐薬適正使用ガイドライン，第 2 版（一部改訂版 ver. 2.2），日本癌治療学会，2018

（山本扇里，飯原大稔）

68 ニラパリブ（ゼジューラ®）

POINT

- 白金系抗悪性腫瘍薬感受性や相同組換え修復欠損の有無など適応により確認する項目がある．
- 錠剤は室温，カプセル剤は冷所（2～8℃），遮光保存である．
- 悪心・嘔吐，疲労，血液毒性に加えて，高血圧，可逆性後白質脳症症候群に注意が必要である．

1 レジメンと副作用対策 （→次頁参照）

適応

①卵巣がんにおける初回化学療法後の維持療法（PRIMA 試験）

②白金系抗悪性腫瘍薬感受性の再発卵巣がんにおける維持療法（NOVA 試験，2001 試験※1）

③白金系抗悪性腫瘍薬感受性の相同組換え修復欠損を有する再発卵巣がん（QUADRA 試験，2002 試験※1）

※1：国内第Ⅱ相試験

用法・用量

ニラパリブとして1日200 mgを1日1回，経口投与する（初回投与前の体重が77 kg以上かつ血小板数が15万/μL以上の場合，1日300 mgを1日1回，経口投与する）．

ニラパリブの投与開始時期について，臨床試験では，化学療法で奏効の維持が確認された場合，適応①においては，プラチナ製剤の最終投与から12週間以内[1)]，適応②においては，プラチナ製剤の最終投与後3～8週間以内[2)]，適応③においては，最終の化学療法から4週間以上経過してから投与を開始した[3)]．

治療期間

PDまたは許容できない毒性が発現するまで継続する（適応①においては，添付文書に3年を超えて投与した場合の有効性および安全性は未確立と記載があるが，PRIMA 試験において投与期間の上限は指定されていない）．

68		医薬品名 投与量	投与方法 投与時間	1	2	3	4	5	6	7	8	9	～	14	15	16	～	21	22	～	28
レジメン	Rp1	ニラパリブ 200mg[*1]	経口 1日1回	↓	↓	↓	↓	↓	↓	↓	↓	↓	↓	↓	↓	↓	↓	↓	↓	↓	↓
副作用対策[1～4)]	貧血																				
	貧血による減量・中止は15～29%と報告されている．全体の症例のうち28%が輸血をしたという報告（NOVA試験）や，21%が輸血またはエリスロポエチンの投与を受けたという報告（QUADRA試験）がある．																				
	好中球減少																				
	好中球減少による減量・中止は7～16%と報告されている．しかし，FNの発症率は1%以下（PRIMA試験）と，そのリスクは低い．																				
	血小板減少																				
	血小板減少による減量・中止は26～52%であり，輸血の実施も10～20%と高率である．																				
	悪心・嘔吐																				
	発現頻度の高い副作用であり，症状出現時の頓用制吐薬の処方または予防投与を考慮する．																				
	疲労，無力症																				
	疲労・無力症による減量・中止は9%（NOVA試験）と報告されている．																				
	高血圧																				
	高血圧よる減量・中止は1%以下～2%であるが，Grade 3以上の症例は2～8%とあり，血圧の測定方法の指導および継続した評価を実施する．																				

*1 体重が77 kg以上かつ血小板数が15万/μL以上の成人には300 mg.

2 抗がん薬の処方監査

□薬物相互作用（併用禁忌・併用注意薬）は設定されていない．

□肝・腎機能に応じた用量調整を要する（「減量・中止基準」→次頁）．

□妊娠が可能な患者は，妊娠していない状態であることを確認．

□妊娠が可能な患者は，治療中および最終投与後少なくとも1か月間（海外添付文書では6か月間）は効果的な避妊を行うように指導する（生殖発生毒性試験は実施されていないが，ニラパリブの作用機序から，胚・胎児死亡および催奇形性が誘発される可能性がある）[4, 5)]．

3 抗がん薬の調剤

□遮光保存であり分包は推奨されていない．脱カプセルのデータなし．崩壊・懸濁性および経管投与チューブの通過性については，個別に担当MR/武田薬品工業株式会社くすり相談室に照会する．

□錠剤は室温保存だが，カプセル剤は冷蔵庫（2～8℃かつ遮光下）で保管する．保管・持ち運びのため，メーカーが専用保冷遮光ポーチを提供している．

4 抗がん薬の投与

投与基準（臨床試験における主な選択基準）[1-3]

項目	基準
ECOG PS	0〜1
Hb	≧10.0 g/dL （NOVA 試験においては≧9.0 g/dL）
好中球数	≧1,500/μL
血小板数	≧10 万/μL （QUADRA 試験においては≧15 万/μL）
T-Bil	≦2.25 mg/dL （≦ULN×1.5）

項目	基準
AST	≦75 U/L（≦ULN×2.5） 【肝転移がある場合】≦150 U/L （≦ULN×5）
ALT	≦（女）57.5 U/L（≦ULN×2.5） 【肝転移がある場合】≦115 U/L （≦ULN×5）
Scr	≦（女）1.185 mg/dL（≦ULN×1.5）
Ccr	Cockcroft-Gault 式で 60 mL/分以上

減量・中止基準[5]

腎機能障害

□Ccr（重症度分類）

60〜89 mL/分（軽度）	30〜59 mL/分（中等度）	＜30 mL/分（重度）
開始用量の調整は不要		有効性および安全性のデータは未確立

肝機能障害

□T-Bil（重症度分類）

≦2.25 mg/dL（≦ULN×1.5）（軽度）	2.25〜4.5 mg/dL（ULN×1.5〜3）（中等度）	＞4.5 mg/dL（＞ULN×3）（重度）
開始用量の調整は不要	減量を考慮	有効性および安全性のデータは未確立

□副作用発現時の用量調節基準（1 回量）

初回投与量	1 段階減量	2 段階減量	3 段階減量
200 mg	100 mg	投与中止	—
300 mg	200 mg	100 mg	投与中止

副作用	程度	処置	再開時の投与量
貧血	Hb ＜8.0 g/dL	Hb≧9 g/dL に回復するまで最大 4 週間休薬する（4 週間休薬しても回復しない場合は中止）	1 段階減量
好中球減少	＜1,000/μL	≧1,500 /μL に回復するまで最大 4 週間休薬する（4 週間休薬しても回復しない場合は中止）	1 段階減量
血小板減少	＜10 万/μL	≧10 万/μL に回復するまで最大 4 週間休薬する（4 週間休薬しても回復しない場合は中止）	1 回目の発現時の場合，同量または 1 段階減量 2 回目の発現時の場合，1 段階減量
	＜7.5 万/μL	≧10 万/μL に回復するまで最大 4 週間休薬する（4 週間休薬しても回復しない場合は中止）	1 段階減量
上記以外の副作用	Grade 3 以上の場合（NCI-CTCAE v4.03 に準じる）	ベースラインまたは Grade 1 以下に回復するまで最大 4 週間休薬する（4 週間休薬しても回復しない場合は中止）	1 段階減量

注意点

□血液毒性に関する検査は，ベースラインおよび投与開始後 1 か月間は週 1 回，投与開始後 2〜11 か月間は月 1 回，投与開始後 12 か月以降は定期的に実施する[5]．また，血圧や心拍数などのバイタルサインは，ベースラインおよび投与開始後 2 か月間は週 1 回以上，投与開始後 3〜10 か月間は月 1 回，投与開始後 11 か月以降は定期的に実施する[5]．

5 副作用マネジメント

発現率（表 68-1）

評価と観察のポイント

□貧血，好中球減少，血小板減少に対し，治験時には，事象の発現時および回復後 4 週間までは週 1 回モニタリングを実施，その後は 4 週ごとに採血を実施されている[4]．

□貧血の発現の中央値は，29〜45 日と報告されており，早期からの注意が必要である．またその持続期間の中央値は約 60 日と，症状発現時には継続した観察が必要となる[4]．

□血小板の発現の中央値は，18〜56.5 日と早期から血小板減少に関する症状に注意する[4]．

□悪心・嘔吐については詳細なデータはないものの，そのほとん

表 68-1 副作用の発現率

副作用		PRIMA 試験[1]		NOVA 試験[2]		QUADRA 試験[3]		市販直後調査[6]	
		(n=484)		(n=367)		(n=463)		(n=556)	
		全体(%)	Grade 3以上(%)	全体(%)	Grade 3以上(%)	全体(%)	Grade 3以上(%)	全体(%)	重篤(%)
血液毒性	貧血症	63	31	50	25	62	24	10	3
	好中球減少症	26	13	30	20	18	11	8	4
	血小板減少症	46	29	61	34	58	29	37	11
非血液毒性	悪心	57	1	74	<1	61	4	23	<1
	嘔吐	22	<1	34	2	34	4	4	<1
	食欲不振	19	<1	25	<1	19	<1	5	<1
	味覚異常	—	—	10	0	—	—	<1	0
非血液毒性	便秘	39	<1	40	<1	17	1	4	0
	下痢	19	<1	19	<1	9	<1	<1	0
	腹痛	22	1	23	1	4	1	<1	<1
	疲労	35	2	59	8	44	5	3	<1
	頭痛	26	<1	26	<1	11	0	3	0
	関節痛	18	<1	12	<1	4	<1	<1	0
	呼吸困難	18	<1	19	1	4	<1	<1	0
	めまい	15	0	17	0	—	—	3	<1
	高血圧	17	6	19	8	3	2	9	<1

どが1か月以内に発現しており（NOVA 試験），服用開始直後に発現することを念頭に観察する必要がある．

□高血圧の発現の中央値は，29～45 日と報告されており，早期から注意が必要である．血圧の評価を確実に行うために，血圧測定においては開始時に測定タイミングや方法の丁寧な指導が必要である[4]．

□ニラパリブの可逆性後白質脳症症候群（症状：痙攣発作，頭痛，精神状態変化，視覚障害，皮質盲など）は未治療の場合，後遺症が残る可能性があるため，発症が疑われる場合には頭部 MRI 検査などの画像診断を実施し，ニラパリブの中止，血圧コントロールなどの治療を開始できるように対策を行う．

副作用対策のポイント

□悪心・嘔吐に対しては，必要に応じた標準的な制吐薬の投与（メトクロプラミド，ドンペリドン，プロクロルペラジンなど）またはニラパリブの休薬または減量により管理可能である．またNCCNガイドライン（2021年版）においては中等度〜高度催吐リスクに分類されており，5-HT$_3$受容体拮抗薬（グラニセトロン，オンダンセトロンなど）の予防投与が推奨されている[7]．

□ニラパリブによる脈拍数および血圧に対する影響には，ドパミントランスポーター，ノルアドレナリントランスポーターおよびセロトニントランスポーターの関与が示唆されている．降圧薬の投与またはニラパリブの休薬または減量により管理可能である[4]．

6 薬学的ケア

CASE

□60歳代女性，卵巣がんⅣA期，高異型度漿液性がん（HGSC；high-grade serous carcinoma）．

□術前，術後化学療法としてカルボプラチン＋パクリタキセル療法を計6コース施行．ニラパリブによる維持療法が導入された．肝・腎機能は正常，体重は37 kg，治療開始時の血小板数は18.8万/μLであり，ニラパリブ1回200 mg，1日1回で治療が開始された．

□投与開始から28日目の血小板数が8.2万/μLまで低下したためニラパリブを休薬した．36日目（休薬して8日目）の結果は5.2万/μLであり休薬を継続，50日目（休薬して22日目）に19.9万/μLに回復した．ニラパリブは100 mgへ減量して治療を再開した．減量後は血小板数が10万/μLに低下することなく治療を継続中である．また，悪心発現や血圧の上昇は認めなかった．

解説

□ニラパリブの血小板減少は内服開始早期から現れる頻度が高い副作用である．そのため導入初期には定期的な検査を実施する．血小板減少時の基本は休薬である．回復後は毒性の強さに応じて減量を検討する．

□血小板輸血の適応となる基準値は1万/μL以下であるが，血小板数の急激な低下時や，血小板製剤の入手に制限がある場合（連休前など）など，患者の状態や医療環境に即し出血リスクが高い場合などは1万/μL以上でも輸血を検討する[8]．

引用文献

1）González-Martín A, et al：N Engl J Med 381：2391-402, 2019（PMID：31562799）
2）Mirza MR, et al：N Engl J Med 375：2154-64, 2016（PMID：27717299）
3）Moore KN, et al：Lancet Oncol 20：636-48, 2019（PMID：30948273）
4）ゼジューラ® カプセル，適正使用の手引き
5）ZEJULA™ 海外添付文書
6）ゼジューラ® カプセル，「市販直後調査」結果のお知らせ（令和3年10月）
7）NCCN ガイドライン antiemesis version1. 2021
8）高見昭良，他：日本輸血細胞治療学会誌 65：544-61, 2019

（山本扇里，飯原大稔）

69 RT＋シスプラチン

RT＋CDDP

POINT

■子宮頸がん術後病期ⅠB～Ⅱ期で再発リスクの高い患者を対象とした術後補助療法やⅠB～ⅣA期の局所進行子宮頸がん患者に対する主な治療法である.
■シスプラチンによる腎機能障害を予防するために水分負荷と利尿が必要.
■放射線療法（RT）は照射野に骨盤腔内を含むため，骨髄抑制や粘膜障害を含む消化器毒性に対するマネジメントが重要となる.

1 レジメンと副作用対策（→次頁参照）

1コース期間：7日間
総コース：5コース〔海外第Ⅲ相試験（GOG120）では総コースは6コース〕
全骨盤照射：50.0～50.4 Gy/25～28Fr（±腔内照射24 Gy/4Fr）

2 抗がん薬の処方監査

□ⅠB～ⅣA期（リンパ節転移陽性などの再発高リスク，手術不能進行期）であることを確認.
□アプレピタント（初日125 mgを点滴開始60～90分前，2～3日目80 mgを午前中内服）あるいはホスアプレピタント（静脈炎が生じやすいので150 mgを250 mLの輸液に希釈して60分投与を検討）の当日点滴と5-HT_3受容体拮抗薬，4～5日間のデキサメタゾン（初日9.9 mg点滴，2～5日目8 mg内服）が使用されているか確認.
□治療開始前に腎機能障害がないか確認．また，シスプラチンによる腎機能障害予防として，適当な輸液の負荷（2,000 mL/日以上）がシスプラチンの投与前後にあるか確認[1].
□高齢者や心機能低下，胸腹水のある患者では水分負荷が過剰となっていないか注意.
□シスプラチンの聴覚障害は，1回投与量80 mg/m^2，総投与量300 mg/m^2を超えると出現しやすい．特に高音域で出現しやすいとされ，開始前の聴覚を把握しておくことも重要.

69		医薬品名 投与量	投与方法 投与時間	1	2	3	4	5	～	8	9	10	11	12	～	15	16	17	18	～	21
レジメン（RT＋CDDP）	Rp1	硫酸Mg注20mEq KCL注20mEq 生理食塩液 1,000mL	点滴注射 4時間	↓						↓						↓					
	Rp2	パロノセトロン 0.75mg/body デキサメタゾン 9.9mg/body	点滴注射 15分	↓						↓						↓					
	Rp3	シスプラチン 40 mg/m^2 生理食塩液 250mL	点滴注射 120分	↓						↓						↓					
	Rp4	フロセミド20mg 生理食塩液50mL	点滴注射 15分	↓						↓						↓					
	Rp5	KCL注20mEq 生理食塩液 1,000mL	点滴注射 4時間	↓						↓						↓					
	Rp6	アプレピタント	経口 1日1回	↓	↓	↓				↓	↓	↓				↓	↓	↓			
	Rp7	デキサメタゾン 8mg/body	経口 1日1回		↓	↓	↓				↓	↓	↓				↓	↓	↓		
副作用対策	悪心・嘔吐				■	■	■				■	■	■				■	■	■		
	HECレジメンに分類されるためアプレピタントを含む3剤併用を標準療法とし，効果不良の場合，オランザピン5mgを追加する．																				
	好中球減少																■	■	■	■	■
	①感染予防対策（手洗い，うがい），②FNの徴候（発熱，悪寒，咽頭痛）がみられた際の抗菌薬や解熱薬の使用方法，③緊急受診の目安について事前に指導する．																				
	腎機能障害									■	■	■	■	■	■	■	■	■	■	■	■
	IN/OUTのバランスを確認する．硫酸マグネシウム入りの補液を用い予防する．定期的に臨床検査値（Scr）をモニタリングする．																				
	便秘				■	■	■				■	■	■				■	■	■		
	5-HT$_3$受容体拮抗薬により便秘になりやすい．また，手術療法の影響を受ける場合もあるため，排便状況により緩下剤を使用する．																				
	下痢																■	■	■	■	■
	放射線の照射回数が増えてくると出現しやすい．便秘と下痢が生じやすい理由をあらかじめ説明し患者の理解を深めて，止瀉薬を使用したセルフマネジメントができるよう支援を実施する．																				
	皮膚障害																■	■	■	■	■
	放射線療法に伴う皮膚障害は，照射回数が増えてくる後半で出現しやすい．																				
	電解質異常																■	■	■	■	■
	電解質のモニタリングを実施．特に低K血症，低Mg血症が出現しやすい．異常値出現時には早期から補正する．																				

（シスプラチンに対する注）国内第Ⅱ相試験（JGOG1066）では1回投与量の上限を70mg/bodyに設定

（アプレピタントに対する注）アプレピタントは，注射剤であるホスアプレピタントに変えることができる．その際には，生理食塩液250mLに希釈して，60分以上かけて投与する．

3 抗がん薬の調剤

□シスプラチンは光により分解するため遮光して投与する．特に調製後から投与終了までに6時間以上かかる場合は，遮光する．

- □Cl⁻濃度が低い輸液をシスプラチンの希釈液として用いると活性が低下する．必ず生理食塩液または生理食塩液にブドウ糖を混和したハーフ生理食塩液を希釈液として使用する．
- □シスプラチンはアミノ酸輸液，乳酸ナトリウムを含む輸液で分解するため配合不可．高カロリー輸液との混和を避け，点滴ルートにも注意する．

4 抗がん薬の投与

投与基準[2,3]

		JGOG1066 試験	GOG120 試験
血液	白血球数	—	≧3,000/μL
	好中球数	≧2,000/μL	—
	Hb	≧10 g/dL	—
	血小板数	≧10 万/μL	≧10 万/μL
肝臓	T-Bil	≦1.5 mg/dL	—
腎臓	Scr	≦（女）1.2 mg/dL	≦2.0 mg/dL
心臓	心電図	正常または治療を要さない	—

減量基準[2,3]

JGOG1066 試験（休止/再開基準）

<table>
<tr><th colspan="2" rowspan="2">検査項目・副作用</th><th colspan="2">放射線治療</th><th>化学療法</th></tr>
<tr><th>休止基準
（いずれかに該当）</th><th>再開基準
（すべてを満たす）</th><th>投与継続
（再開）基準
（すべてを満たす）</th></tr>
<tr><td colspan="2">PS</td><td>4</td><td>≦3</td><td>≦2</td></tr>
<tr><td colspan="2">体温</td><td>≧38.5℃</td><td><38.0℃</td><td><38.0℃</td></tr>
<tr><td rowspan="2">血液</td><td>好中球数</td><td><500/μL</td><td>≧750/μL</td><td>≧1,000/μL</td></tr>
<tr><td>血小板数</td><td><2.5 万/μL</td><td>≧2.5 万/μL</td><td>≧7.5 万/μL</td></tr>
<tr><td rowspan="2">肝臓</td><td>AST</td><td>—</td><td>—</td><td><100 U/L</td></tr>
<tr><td>T-Bil</td><td>—</td><td>—</td><td>≦3.0 mg/dL</td></tr>
<tr><td>腎臓</td><td>Scr</td><td>—</td><td>—</td><td>≦（女）1.5 mg/dL</td></tr>
<tr><td rowspan="4">消化器</td><td>悪心</td><td>—</td><td>—</td><td>≦Grade 2</td></tr>
<tr><td>嘔吐</td><td rowspan="3">Grade 3</td><td rowspan="3">≦Grade 2</td><td>≦Grade 1</td></tr>
<tr><td>下痢</td><td rowspan="2">≦Grade 2</td></tr>
<tr><td>消化管イレウス</td></tr>
</table>

検査項目・副作用		放射線治療		化学療法
		休止基準（いずれかに該当）	再開基準（すべてを満たす）	投与継続（再開）基準（すべてを満たす）
代謝	Na/K/Ca（補正値）	—	—	≦Grade 1
神経	運動性/感覚性障害	—	—	≦Grade 1
	聴力障害	—	—	≦Grade 1
感染	好中球減少を伴わない発熱	—	—	≦Grade 2
	FN	Grade 3	Grade 0	Grade 0
	Grade 3, 4 の好中球減少を伴う発熱			
皮膚	放射線性皮膚炎	Grade 3	≦Grade 2	≦Grade 2
	粘膜炎			

JGOG1066 試験（減量基準と用量）

検査項目・副作用	レベル 1（30 mg/m^2）	レベル 2（化学療法中止）
好中球減少	Grade 3	Grade 4
血小板減少	Grade 3	Grade 4
Scr	（女）1.2<，≦（女）2.0 mg/dL	>（女）2.0 mg/dL
T-Bil	>3.0 mg/dL	—
神経障害（運動性/感覚性）	—	Grade 2
聴力障害	—	Grade 2
悪心・嘔吐	Grade 3	—

化学療法を 2 週連続で中止した場合は，放射線治療のみを実施し化学療法は中止

GOG120 試験（減量基準と用量）

検査項目・副作用	レベル 1（30 mg/m^2）	レベル 2（化学療法中止）
Scr	—	≧（女）2.0 mg/dL
T-Bil	>3.0 mg/dL	—
神経障害（運動性/知覚性）	Grade 2	Grade 3
悪心・嘔吐	Grade 4	—

白血球 2,000/μL 以下，血小板 5 万/μL 以下で化学療法延期，白血球 2,500/μL 以上，血小板 5 万/μL 以上で 100%量を再開

腎機能障害[4)]

GFR または Ccr（mL/分）	シスプラチンの投与量
60≦	100%
46～60	25%減量
31～45	50%減量
≦30	禁忌だが必要な場合は 50%減量

肝機能障害

□記載なし．

注意点

□シスプラチンは炎症性抗がん薬に分類され，血管外漏出時には解毒剤としてチオ硫酸ナトリウムの局注が有効との報告がある．臨床では，起壊死性抗がん薬に準じて，薬剤の除去，冷却，ステロイドの局所注射，ステロイド外用薬の塗布を実施することが多い．各施設で，血管外漏出マニュアルを作成することが望ましい．

□シスプラチンの過敏反応はまれだが，繰り返し投与によって発現することがあり注意が必要．初期症状である瘙痒感や蕁麻疹について患者へ指導し，症状出現時は早期に対処すべきである．

5 副作用マネジメント

発現率[2, 3)]（表 69-1）

評価と観察のポイント

□**治療開始前**：広汎子宮全摘出術後の合併症として排尿・排便障害および骨盤内リンパ節郭清に伴う下肢や外陰の浮腫が認められることがある．患者の状態や腎機能について治療開始前の状況を確認しておくことが，副作用をモニタリング，アセスメントしていく上で重要．

□**投与初期（day 0～7）**：悪心・嘔吐，電解質，腎機能，便秘，アレルギー反応について評価．

□**投与後期（day 7 以降）**：悪心や味覚障害，腎機能の変化を確認する．投与ごとに好中球数や血小板数，下痢などを評価し治療継続基準を満たしているか確認する．放射線治療後半には，照射野の粘膜や皮膚への障害を確認する．手術でリンパ節郭清を実施している患者では，リンパ浮腫の有無，浮腫部位の感染徴候の有無を確認する．

表 69-1 副作用の発現率

副作用		GOG120 試験（n=176）		JGOG1066 試験（n=72）	
		全体（%）	≧Grade 3（%）	全体（%）	≧Grade 3（%）
血液毒性	白血球減少	66.0	23.0	—	—
	血小板減少	21.0	2.0	46.4	3.0
	好中球減少	—	—	77.4	44.0
	貧血	—	—	78.8	14.0
非血液毒性	消化器毒性	72.0	12.0	—	—
	下痢	—	—	76.0	6.0
	皮膚障害	15.0	2.0	14.0	1.0
	神経障害	15.0	1.0	1.4	0
	体重減少	5.0	1.0	42.2	0
	低 Mg 血症	8.0	3.0	—	—
	FN	—	—	—	3.0

副作用対策のポイント

- □シスプラチンの1回の用量は少ないが，HEC に該当する薬剤であり，悪心・嘔吐対策は3剤併用で実施する．効果不良の場合は，糖尿病の既往がないことを確認し，オランザピン 5 mg/回[5]併用も検討．
- □悪心の原因として，味覚障害や電解質異常も挙げられる．電解質（Na，Ca，K，Mg，Zn）の値をモニタリングし，必要に応じ補充．
- □腎機能障害が出現しないよう尿量や浮腫を確認し，IN/OUT のバランスを確認．
- □術後は便秘傾向のことが多い上に，5-HT_3 受容体拮抗薬が毎週使用されるため，排便状況を確認する．便秘時には緩下剤で調節する．
- □放射線治療後期では，粘膜障害のために下痢症状が出現する場合もあるため，症状出現時にはロペラミドなどの止瀉薬を使用するとともに，止瀉薬の調節方法について指導する．
- □放射線性皮膚障害は治療後半で出現しやすく，照射部位のびらんや疼痛を伴うことがある．皮膚や粘膜の適切な洗浄方法と外用薬の使用方法について，放射線科や看護師と情報共有し支援する．

6 薬学的ケア

CASE

□子宮頸がんⅣb期で同時化学放射線療法（毎週シスプラチン40 mg/m^2）開始．腎機能障害なし（体重50.6 kg，Scr 0.65 mg/dL）を確認．悪阻による入院加療歴と乗り物酔い歴を聴取．パロノセトロン，デキサメタゾン，アプレピタントの3剤併用を確認．

□1コースday 3，Grade 1の悪心が出現．メトクロプラミド錠1回10 mg 1日3回毎食前服薬を提案し改善．酸化マグネシウムを定期服用し排便調節良好．

□3コース開始2日前にGrade 1の悪心の訴えあり．点滴のことを考えると悪心が増強することを聴取．予測性の悪心と考えアルプラゾラム 1回0.4 mgを提案し開始．悪心は緩和され悪心なく治療継続．

□4コースday 2よりGrade 1の下痢．酸化マグネシウム中止と整腸剤を提案し開始．その後，下痢症状はGrade 2相当へ悪化し，電解質異常（血清K値2.9 mEq/L）あり．ロペラミドとカリウム製剤内服追加を提案し指示あり．下痢はGrade 1へ改善傾向，電解質も徐々に正常値へ回復．

解説

□治療開始前には，使用するレジメンで出現する副作用を予測する上で必要な患者情報を収集しておく．

□シスプラチンの投与量は40 mg/m^{2}と比較的低用量ではあるが，高度催吐リスクに分類されるため，悪心・嘔吐に対する予防策を検討しておく．特に，若年女性で悪阻の経験や，乗り物酔いの経験がある[6)]場合は，患者側のリスク因子として支持療法を検討する上で重要なポイントである．また患者は，さまざまな表現で悪心を訴える．患者の訴えを引き出し，アセスメントすることによって悪心に対する薬物療法を検討する．

□下痢症状は多くの場合，治療の後半で出現する．治療開始初期には，酸化マグネシウムを使用して排便の調節をする場合もあるため，下痢出現時には服薬している薬剤情報を把握し，原因が何であるか鑑別しながら評価する必要がある．また，下痢のコントロール不良例では，電解質のバランスを崩すこともあるため注意し，止瀉薬を適切に使用する．

引用文献

1）ランダ®注，インタビューフォーム
2）Toita T, et al：Int J Gynecol Cancer 22：1420-6, 2012（PMID：22932262）
3）Rose PG, et al：N Engl J Med 340：1144-53, 1999（PMID：10202165）
4）がん薬物療法時の腎障害診療ガイドライン 2016．p 16，ライフサイエンス出版，2016
5）ジプレキサ®，インタビューフォーム
6）Tamura K, et al：Int J Clin Oncol 20：855-65, 2015（PMID：25681876）

（組橋由記）

70 AP（ドキソルビシン＋シスプラチン）

POINT

■子宮体がんの再発高リスク症例における術後補助化学療法の標準治療である．再発子宮体がんでは，前治療を勘案した上で選択可能な治療の1つである．
■ドキソルビシンの累積投与量は心機能障害の発現率と相関するため，アントラサイクリン系薬剤の投与歴，LVEF，心不全徴候をモニタリングする．
■シスプラチンによる悪心・嘔吐，腎障害，聴覚障害をモニタリングする．

1 レジメンと副作用対策（→次頁参照）

適応：再発高リスク群の術後補助化学療法，進行・再発子宮体がん
1コース期間：21日間
総コース：術後化学療法は6コース，進行・再発症例では可能な限り継続

2 抗がん薬の処方監査

□過敏症の有無を確認する（シスプラチンは他の白金を含む薬剤に対して過敏症の既往歴のある患者にも禁忌）．
□ドキソルビシンによる心機能障害予防のため，心疾患の既往の有無，心電図検査で正常，または無症状かつ治療を要さない状態であること，LVEF 50％以上であること，過去のアントラサイクリン系薬剤の投与歴および総投与量が500 mg/m^2（ドキソルビシン換算）以下であることを確認する．
□シスプラチンによる腎機能障害予防目的に水分負荷を行うため，腎機能の評価，心疾患，胸水や腹水の有無を確認する．
□投与禁忌となる患者[1, 2]．
- ドキソルビシン…心機能異常またはその既往歴のある患者．
- シスプラチン…重篤な腎機能障害のある患者．

□シスプラチンによる腎機能障害予防目的の水分負荷として，次の方法がある．

70		医薬品名 投与量	投与方法 投与時間	1	2	3	4	5	6	7	8	9	10	11	～	14	15	～	19	20	21
レジメン（AP）	Rp1	パロノセトロン 0.75 mg/body デキサメタゾン 9.9 mg/body 生理食塩液 50 mL	点滴注射 15 分	↓																	
	Rp2	ドキソルビシン 60 mg/m² 生理食塩液 50 mL	点滴注射 10 分	↓																	
	Rp3	塩化カリウム 10 mEq 硫酸マグネシウム 8 mEq 開始液 500 mL	点滴注射 1 時間	↓																	
	Rp4	20%マンニトール 200 mL	点滴注射 20 分	↓																	
	Rp5	シスプラチン 50 mg/m² 生理食塩液 500 mL	点滴注射 2 時間	↓																	
	Rp6	維持液 500 mL 塩化カリウム 10 mEq	点滴注射 1 時間	↓																	
	Rp7	アプレピタント 125 mg/body	経口 1 日 1 回	↓																	
	Rp8	アプレピタント 80 mg/body	経口 1 日 1 回		↓	↓															
	Rp9	デキサメタゾン 8 mg/body	経口 1 日 1 回		↓	↓	↓														

アプレピタントは，注射剤であるホスアプレピタントに変えることができる．その際には，生理食塩液 100 mL に希釈して，30 分で投与する．

副作用対策

静脈炎，血管外漏出

ドキソルビシンは壊死性抗がん薬に該当する．ドキソルビシンは，投与時間を短縮（ワンショット静注）すると静脈炎が少ない．漏出時早期（6 時間以内）は，解毒薬としてデクスラゾキサン（サビーン®）の点滴静注が有効

好中球減少

感染予防対策（手洗い，うがい），FN の自覚症状と受診の目安について指導を行う．

悪心・嘔吐

高度催吐性レジメンに分類されるため，アプレピタント，5-HT_3 受容体拮抗薬，デキサメタゾンを含む 3 剤併用を標準療法とする．

脱毛

ほぼ必発で 2～3 週後がピーク．事前にウィッグなどの情報を提供する．治療終了後は回復する．

腎機能障害

水分摂取量の指導を行う．シスプラチン投与終了後 3～5 日間は，尿量，体重，飲水量の確認を行う．尿量低下や体重増加がみられる場合は，利尿薬の追加を検討する．

聴覚障害

治療開始前の状態を把握する．シスプラチンの総投与量が 300 mg/m² を超えると発現頻度が高くなる．高音域の聴力低下，耳鳴の出現有無を確認する．

心機能障害

心機能障害の発現率は，ドキソルビシンの累積投与量に相関する．治療開始前，および開始後に定期的な心機能検査を行う．

- 添付文書[2)]…シスプラチン投与前後にそれぞれ1,000～2,000 mLの適当な輸液を4時間以上かけて点滴する．必要に応じて，マンニトールまたはフロセミドを併用する．
- ショートハイドレーション法[3)]…シスプラチン投与前後にそれぞれ500 mL以上の適当な輸液を硫酸マグネシウム（合計8mEq）と併せて点滴する．利尿薬（マンニトールまたはフロセミド）の併用，シスプラチン投与終了までに1,000 mL程度の経口補液を行う．

□高度催吐性リスクのレジメンに該当するため，NK_1受容体拮抗薬，5-HT_3受容体拮抗薬，デキサメタゾンの3剤が処方されていることを確認する．

□HBV感染の有無を確認し，HBVキャリアおよび既感染例は適切に対応を行う．

□JGOG2043試験[4)]（n＝263）の適格基準は，20歳～74歳，ECOG PS 0～2.

3 抗がん薬の調剤

□**ドキソルビシン**：生理食塩液で溶解する場合，ゆっくり溶解するとスタッキング現象（浮遊物・沈殿物の発生）を起こしやすいため，10 mgあたり1 mL以上で速やかに調製を行う．

□**シスプラチン**：クロールイオンを含まない輸液と配合すると活性が低下するため，生理食塩液で希釈する．調製から投与終了まで6時間を超える場合は，遮光する．

4 抗がん薬の投与

投与基準[4)]

検査項目	治療開始前投与基準	コース内投与基準
好中球数	≧2,000/μL	≧1,500/μL
血小板数	≧10万/μL	≧7.5万/μL
Hb	≧9.0 g/dL	—
AST，ALT	≦（女）100 U/L	≦（女）100 U/L（≦150 U/L＊1）
T-Bil	≦1.5 mg/dL	≦1.5 mg/dL
Scr	≦（女）1.2 mg/dL	≦（女）1.5 mg/dL＊2
Ccr	≧60 mL/分	

＊1 肝転移による異常が明らかな場合
＊2 Scr≧1.2 mg/dLの場合，Ccr≧50 mL/分であること

減量・中止基準[4)]

□前コースで下記の有害事象を認めた場合，1段階ずつ減量する．2段階減量しても減量基準に該当する有害事象を認めた場合は，投与を中止する．

□前コース投与開始から最大6週間経過した時点でコース内投与基準を満たさない場合は，投与を中止する．

□心臓一般所見の異常，またはLVEF≦50%もしくは基準値から20%以上減少している場合，ドキソルビシンの投与を中止する．

ドキソルビシン

□①FN，②好中球500/μL未満が5日以上持続，③Grade 3以上の非血液毒性（悪心・嘔吐，食欲不振，倦怠感を除く）のいずれかに該当する場合，下記の減量基準に従う．

通常量	1段階減量	2段階減量	3段階減量
60 mg/m^2	50 mg/m^2	40 mg/m^2	中止

シスプラチン

□①Scr≧1.2の場合にCcrを測定し，≦50 mL/分，②Grade 3以上の非血液毒性（悪心・嘔吐，食欲不振，倦怠感を除く）のいずれかに該当する場合，下記の減量基準に従う．

通常量	1段階減量	2段階減量	3段階減量
50 mg/m^2	40 mg/m^2	30 mg/m^2	中止

□臨床試験では上記の基準があるが，実臨床で腎臓および肝機能低下症例に投与が必要な際は下記の基準を参考にする．

腎機能障害

□ドキソルビシン：調節不要．

□シスプラチン

• Kintzel[5)]らの報告

Ccr（mL/分）	＞60	46～60	31～45	＜30
投与量	通常量	25%減量	50%減量	中止

• Krens[6)]らの報告

GFR（mL/分/1.73 m^2）	≧60	50～59	40～49	＜40
投与量	通常量	25%減量	50%減量	中止

肝機能障害

□シスプラチン：調節不要.

□ドキソルビシン

• 米国の添付文書[7)]

T-Bil (mg/dL)	1.2～3.0	3.1～5.0	>5.0
投与量	50%減量	75%減量	中止

• Floyd[8)]

AST (U/L)	60～90（2～3×ULN）	>90（>3×ULN）
ALT (U/L)	（女）46～69（2～3×ULN）	>（女）69（>3×ULN）
投与量	25%減量	50%減量

注意点

□ドキソルビシンは壊死性抗がん薬，シスプラチンは炎症性抗がん薬に分類される．穿刺前に血管外漏出のリスクを評価し，患者には投与中に点滴部位の違和感・疼痛・腫脹がある場合はすぐに報告するよう指導する．血管外漏出時は適切な処置を行い，ドキソルビシンが大量に漏出した場合はデクスラゾキサンの投与を考慮する．漏出直後に症状がなくても帰宅後に遅発性の症状（発赤，紅斑）が出現する可能性があることを説明する．

□シスプラチン投与中～終了後3日間は尿量・体重管理・飲水量の記録を行い，必要に応じて利尿薬を追加投与する．

5 副作用マネジメント

発現率[4, 9)]（表70-1）

評価と観察のポイント

投与初期（day 1～7）

□悪心・嘔吐回数，食事摂取量，排便状況を確認し，副作用・支持療法の効果を評価する．

□水分の摂取状況，尿量，体重増加や浮腫の有無を確認する．

投与後期（day 7以降）

□好中球や血小板，Hb減少の確認，および発熱や悪寒などの感染徴候の有無を確認する．

#2コース目以降

□腎機能を継続的に評価する．

□心不全徴候（息切れ，浮腫，急激な体重増加）の有無を確認す

表 70-1 副作用の発現率

副作用	GOG122*3		JGOG2043*4
	All Grade (%)	Grade 3, 4 (%)	Grade 3 以上 (%)
好中球減少	93	85	96.6
血小板減少	70	21	12.6
Hb 減少	—	—	34.1
感染症*3, FN*4	10	7	15.7
胃腸障害*3, 悪心・嘔吐・食欲不振*4	78	20	19.1
心機能障害	32	15	—
神経障害	42	7	0
脱毛	75	—	—

*3 GOG122 試験 (n=194): 海外第 III 相試験 (進行子宮体がん術後対象, 全腹部照射と AP 療法の比較)
*4 JGOG2043 試験 (n=261): 国内第 III 相試験 (術後再発高リスク例対象, AP 療法とパクリタキセル+カルボプラチン療法, またはドセタキセル+シスプラチン療法の比較)

る. 定期的に心機能検査を行う.

□聴覚障害 (4,000〜8,000 Hz の高音域の聴力低下, 難聴, 耳鳴り), 手足のしびれ・感覚障害などの神経障害の有無を確認する.

副作用対策のポイント

□高度催吐性リスクのレジメンであり, NK_1 受容体拮抗薬, 5-HT_3 受容体拮抗薬, デキサメタゾンで対応する. ASCO[10] や NCCN[11] のガイドラインでは, 3 剤にオランザピンを加えた 4 剤での対応が推奨されている. オランザピンは糖尿病およびその既往患者に禁忌であるため, 既往歴や HbA1c を確認する. 消化器症状による水分摂取の低下が持続する場合は, 腎前性腎障害を回避するために追加の補液を行う.

□腎機能モニタリングのため, Scr 値の変動や電解質異常の有無を確認する. 腎機能障害発現のリスク因子として, 腎障害の既往やシスプラチンの投与歴, NSAIDs などの腎障害リスクがある薬剤の併用が挙げられる.

□好中球減少は高頻度で発現するため, 手洗い・うがいなどの感染予防対策を行い, 発熱時は必ず病院へ連絡するよう指導する.

□ドキソルビシンによる心機能障害は投与中, および終了後 1 年間で出現する可能性が高いため, 心不全徴候が出現したら必ず病院に連絡するよう指導する．75 歳以上，縦隔・胸部への放射線治療歴，心疾患の既往，高血圧，糖尿病，喫煙は，心機能障害のリスク因子[12]である．投与前にリスク因子を評価し，ドキソルビシン投与中は血圧や血糖値をコントロールすることも心機能障害予防に重要である．

□シスプラチンによる聴覚障害は，累積投与量の増加に伴い発現率が上昇する．総投与量が 300 mg/m^2 を超えるとその傾向は顕著となる．

6 薬学的ケア

CASE

□子宮体がんⅢA 期（類内膜がん，Grade 2）の診断にて，準広汎子宮全摘，両側付属器切除，大網切除術を施行．術後にパクリタキセル＋カルボプラチン療法を 6 コース施行．腹膜播種再発のため AP 療法開始．

□投与前の心臓エコー検査にて，LVEF 63％と問題なし．既往に高血圧，脂質異常症，肥満があり，ドキソルビシンによる心機能障害予防のための血圧コントロールの重要性，家庭血圧の測定を行うよう説明．アムロジピン錠 1 回 2.5 mg 1 日 1 回内服下，家庭血圧 120/70 mmHg で推移．

□糖尿病の合併がないため，オランザピンを含む 4 剤併用の制吐療法で治療開始．1 コース目 day 3 より Grade 2 の悪心を認め，プロクロルペラジン錠 1 回 5 mg 1 日 3 回内服，ロラゼパム錠 1 回 0.5 mg 頓用で対応し，Grade 1 に改善．2 コース目 day 1 の前日，「入院してくるだけで気持ち悪い」との発言があり，予測性の悪心と考え，ロラゼパムを投与前日の夜から 1 日 3 回定時内服することを提案．ロラゼパムで悪心は消失したが，Grade 2 の傾眠の訴えがあり，3 コース目からロラゼパム 1 日 1 回眠前に用法を変更．予測性の悪心は認めず，傾眠の改善を認めた．

解説

□ドキソルビシンによる心機能障害予防のための血圧のコントロール目標値や降圧薬の種類については現時点でエビデンスが不十分であるため，高血圧治療ガイドラインに準じて対応する．

□予防的な制吐薬使用で悪心・嘔吐のコントロールが不良の場合は，各種ガイドラインに基づき突出性の悪心・嘔吐として対応を行う．さまざまな作用機序の薬剤から，患者の訴えに基づき適切な薬剤を選択する．

□抗がん薬の投与を受けたときに悪心・嘔吐を経験した患者では，次回のがん化学療法を受ける前から，悪心や嘔吐が生じることがあり，これを「予期性悪心・嘔吐」という．各種制吐薬のガイドラインでは，ベンゾジアゼピン系抗不安薬の有効性が示されている．

□オランザピンとドパミン D_2 受容体拮抗薬の併用時は錐体外路障害に，ロラゼパムとの併用時は傾眠の副作用増強に注意する．

□本症例はFN発症なく経過したが，FN発症時は緑膿菌をカバーする広域のβ-ラクタム系抗菌薬を投与する．子宮体がんの術後は，術式によってリンパ嚢胞，下肢のリンパ浮腫，排尿障害を合併症として生じることがある．患者背景により骨盤内感染や皮下膿瘍が形成された蜂窩織炎などが疑われる場合は，嫌気性菌カバーを考慮する．

引用文献

1) ドキソルビシン，添付文書
2) シスプラチン，添付文書
3) 日本肺癌学会ガイドライン検討委員会，日本臨床腫瘍学会ガイドライン委員会：シスプラチン投与におけるショートハイドレーション法の手引き（https://www.haigan.gr.jp/uploads/files/photos/1022.pdf）
4) Nomura H, et al：JAMA Oncol 5：833-40, 2019（PMID：30896757）
5) Kintzel PE, et al：Cancer Treat Rev 21：33-64, 1995（PMID：7859226）
6) Krens SD et al：Lancet Oncol 20：e200-7, 2019（PMID：30942181）
7) Doxorubicin Hydrochloride for Injection, USP Package Insert
8) Floyd J, et al：Semin Oncol 33：50-67, 2006（PMID：16473644）
9) Randall ME, et al：J Clin Oncol 24：36-44, 2006（PMID：16330675）
10) Hesketh PJ, et al：J Clin Oncol 35：3240-61, 2017（PMID：28759346）
11) NCCN Guidelines, Antiemesis. Version 1.2021（https://www.nccn.org/professionals/physician_gls/pdf/antiemesis.pdf Published December 23, 2020. Accessed December 1, 2021）
12) Curigliano G, et al：Ann Oncol 31：171-90, 2020（PMID：31959335）

（末廣真理維，湊川紘子）

71 BEP（エトポシド＋シスプラチン＋ブレオマイシン）

POINT

- ■高度催吐性リスクレジメンに該当するので，制吐療法として NK_1 受容体拮抗薬，5-HT_3 受容体拮抗薬，デキサメタゾンの3剤併用が基本となる．
- ■高度の骨髄抑制が起こるが，治療強度を保つために，抗がん薬の安易な減量や投与間隔の延長は避ける．適切なG-CSF製剤の使用により治療は継続可能である．
- ■ブレオマイシンの肺障害とエトポシドによる2次発がんに注意を要する．

1 レジメンと副作用対策（→次頁参照）

適応：胚細胞腫瘍の術後補助化学療法（標準治療）

1コース期間：21日間　**総コース**：3～4コース

2 抗がん薬の処方監査

シスプラチン

□高度催吐性リスク薬剤に分類され，分割投与においても，高度催吐性リスクに対する NK_1 受容体拮抗薬，5-HT_3 受容体拮抗薬，デキサメタゾンの3剤併用の制吐療法が推奨される．

□腎機能障害予防のため，シスプラチン投与前後にそれぞれ1,000～2,000 mLの輸液を投与する．

□輸液量を少なくし，経口補水を活用するショートハイドレーション法も選択肢である．シスプラチン投与におけるショートハイドレーション法の手引き2015年では，対象患者は，①年齢75歳未満，②Scrが施設基準値以下かつCcr≧60 mL/分，③ECOG PS 0～1，④胸水・腹水貯留がない，⑤1時間あたり500 mL程度の補液に耐えうる心機能（LVEF≧60％）とされている．また，シスプラチン投与日から3日間は1,000 mL/日程度の経口補給が可能であることが条件となる．

ブレオマイシン

□投与量が30 mg/body/回の固定用量であることに注意する．

□投与量累積的に肺障害が発生する．一般的に総投与量は300

71		医薬品名 投与量	投与方法 投与時間	1	2	3	4	5	6	7	8	9	10	11	12	13	14	15	16	~	21
レジメン（BEP）	Rp1	生理食塩液 1,000 mL	点滴注射 4 時間	↓	↓	↓	↓	↓													
	Rp2	グラニセトロン 1 mg/body デキサメタゾン 6.6 mg/body 生理食塩液 50 mL	点滴注射 15 分	↓	↓	↓	↓	↓													
	Rp3	エトポシド 100 mg/m^2 生理食塩液 500 mL	点滴注射 2 時間	↓	↓	↓	↓	↓													
	Rp4	シスプラチン 20 mg/m^2 生理食塩液 500 mL	点滴注射 2 時間	↓	↓	↓	↓	↓													
	Rp5	ブレオマイシン 30 mg/body 生理食塩液 100 mL	点滴注射 30 分		↓							↓							↓		
	Rp6	生理食塩液 1,000 mL	点滴注射 4 時間	↓	↓	↓	↓	↓													
	Rp7	アプレピタント 125 mg	経口，シスプラチン投与 60~90 分前	↓																	
	Rp8	アプレピタント 80 mg	経口， 午前中		↓	↓															
副作用対策	悪心・嘔吐			■	■	■	■	■	■	■											
	高度催吐性リスクレジメンに分類されるためアプレピタントを含む 3 剤併用を標準療法とする．効果不良の場合，パロノセトロンへの変更，アプレピタントの投与期間延長（最大 5 日間まで投与可能），オランザピン 5 mg/日の追加を検討．																				
	好中球減少										■	■	■	■	■	■	■	■	■	■	■
	感染対策が必要であり，うがい，手洗い，マスク着用を指導．																				
	腎機能障害			■	■	■	■	■	■	■	■	■	■	■	■	■	■	■	■	■	■
	水分摂取を心がけ尿量を確保．																				
	脱毛																	■	■	■	■
	投与開始後 2~3 週後がピーク．多くの場合治療終了後 3~6 か月で回復する．髪質が変わることがある．																				
	神経障害																	■	■	■	■
	末梢神経障害や聴力障害をきたし，コースの増加とともに増強しやすい．																				
	肺障害					■	■	■	■	■	■	■	■	■	■	■	■	■	■	■	■
	治療前には肺機能検査を行い，肺機能の評価を行う．発熱，咳，労作性呼吸困難の初期症状を確認．																				

mg/body であるが，BEP 療法では 360 mg/body まで投与可能である．

3 抗がん薬の調剤

エトポシド

□結晶析出が認められることがあるため，最終濃度が0.4 mg/mL 以下となるように生理食塩液や5%ブドウ糖液で希釈する．

□調製濃度が高いほど結晶析出までの時間が短くなるため，溶解後は速やかに使用する．

シスプラチン

□生理食塩液またはブドウ糖-食塩液で希釈する．

□アルミニウムと反応して沈殿物を形成するため，アルミニウムを含む医療用器具を用いない．

4 抗がん薬の投与

投与基準

□明確な基準はなし．

減量・中止基準

□治療強度を保つために，投与量および治療スケジュールの厳守が求められる．

□**減量基準**[1]：精巣胚細胞腫瘍に対し米国では，「FN が生じるか，血小板減少により出血が生じた場合にのみエトポシドを20%減量する」と規定されている．

□**中止基準**[1, 2]：精巣胚細胞腫瘍における欧州のガイドラインでは，「発熱，好中球数500/μL 未満，血小板数10万/μL 未満のいずれかを認める場合，延期は3日を限度に考慮する」と規定されている．

腎機能障害[3]

エトポシド	Ccr（mL/分）	>50	減量なし	米国添付文書
		15～50	25%減量	
		<15	データなし	
シスプラチン	記載なし			米国添付文書
	Ccr（mL/分）	>60	減量なし	日本腎臓病薬物療法学会[3]
		45～60	25%減量	
		30～45	50%減量	
		<30	投与中止	

ブレオマイシン	Ccr (mL/分)	＞50	減量なし	米国添付文書
		40〜50	30%減量	
		30〜40	40%減量	
		20〜30	45%減量	
		10〜20	55%減量	
		5〜10	60%減量	

肝機能障害[4)]

エトポシド	記載なし			米国添付文書
	T-Bil (mg/dL)	＜1.5	減量なし	BC Cancer Drug Manual[4)]
		1.5〜3.0	50%減量	
		3.0〜5.0	75%減量	
		＞5.0	投与中止	
シスプラチン	記載なし			米国添付文書
ブレオマイシン	記載なし			米国添付文書

注意点

□エトポシド，シスプラチン，ブレオマイシンはともに炎症性抗がん薬に分類される．

エトポシド

□急速静脈内投与により一過性の血圧低下，不整脈が報告されているため，30分以上かけて点滴する．

□可塑剤（DEHP）が溶出するため，DEHPを含む点滴セットやカテーテルの使用を避ける．

シスプラチン

□光により分解するため，点滴時間が長時間に及ぶ場合には遮光して投与する．

□腎機能障害予防のため，水分負荷を行い100 mL/時以上の尿量を確保する．適宜D-マンニトールやフロセミドを投与する．

□急性腎障害の診断基準（AKIN分類）は，48時間以内にScrの1.5倍以上もしくは0.3 mg/dL以上の増加，または6時間超の尿量減少（＜0.5 mL/kg/時）とされている[5)]．

ブレオマイシン

□発熱が投与後4〜5時間あるいはさらに遅れて発現することがあるため，症状の有無を観察する．

5 副作用マネジメント

発現率[6)]

(n=147)	Grade 3，4 (%)	(n=147)	Grade 3，4 (%)
好中球減少症	36	下痢	3
血小板減少症	5	低K血症	1
感染	17	肺障害	4
悪心・嘔吐	7		

評価と観察のポイント

#1 コース目

□**投与中**：過敏症，血管外漏出，発熱・悪寒の確認.

□**投与初期（day 1～7）**：悪心・嘔吐，腎機能障害の有無.

□**投与後期（day 7 以降）**：好中球減少，発熱時はブレオマイシンによるものか鑑別が必要.

#2 コース目以降

□ブレオマイシンによる肺障害，シスプラチンによる腎機能障害や末梢神経障害を評価.

□卵巣機能障害[1, 7)]についてはBEP療法による卵巣機能障害は少ないとされている．化学療法中に62％の患者が無月経となったが，そのうち92％が治療終了後に正常月経周期を有したという報告がある.

2 次発がん

□エトポシドによる蓄積性の2次発がんが報告されているが，総投与量が2,000 mg/m^{2}未満での2次性白血病発症リスクは低いとされている[1)].

□精巣胚細胞腫瘍では，初回治療としてBEP療法を3～4コース施行した348例中2例がエトポシドに関連した白血病に罹患したと報告されている[8)].

副作用対策のポイント

悪心・嘔吐

□悪心・嘔吐のリスク因子として「若年，女性，飲酒習慣なし」が挙げられる[9)]．胚細胞腫瘍患者は若年者が多いことから，リスク因子を考慮し，オランザピン錠の追加を検討する.

好中球減少[10)]

□胚細胞腫瘍に対し，G-CSF製剤の1次予防的投与が保険で承認されており，抗がん薬投与終了後（翌日以降）から，フィルグラスチムおよびレノグラスチムが使用可能である．

□G-CSF 製剤の 1 次予防的投与については，推奨する意見と否定的な意見がある．ただし，1 次予防的投与を実施せず，前コースで重篤な感染が合併した場合は，次コース以降の 2 次予防的投与が推奨されている．治療強度を維持するため，積極的な G-CSF 製剤の使用を検討する．

□ペグフィルグラスチムについては，精巣胚細胞腫瘍において，7 日目（エトポシドおよびシスプラチン投与 2 日後）に使用し，フィルグラスチムよりも好中球減少期間が短縮された報告がある．なお，ペグフィルグラスチムは抗がん薬投与の 14 日前から投与終了後 24 時間以内の投与は，添付文書上安全性が確立されていない投与方法であるため，使用する場合は，好中球数の推移に注意する[11]．

末梢神経障害[12〜14]

□四肢末梢，顔面や体幹の感覚異常が生じやすい．

□シスプラチンの総投与量が 300 mg/m^2 を超えると起こりやすい．

□シスプラチンは投与終了した後も 2〜6 か月にわたり末梢神経障害が増悪する場合がある（coasting）．

□がん薬物療法に伴う末梢神経障害マネジメントの手引き 2017 年版では，デュロキセチン 保険適用外 について，推奨できるだけの十分なエビデンスはないが，特定の患者に試してみてもよいと記載がある．

□血液循環をよくする日常生活上の工夫（入浴時の患部のマッサージ，手足の屈曲運動）や，やけど・転倒・けがに注意することを指導する．

聴力障害[15]

□シスプラチンの総投与量が 300 mg/m^2 を超えると起こりやすい．

□多くが不可逆であり，高音域の聴力低下をきたすことが多い．

肺障害[16]

□ブレオマイシンの総投与量と肺障害（間質性肺炎，肺線維症）の発現頻度は相関し，ブレオマイシンの総投与量 150 mg 以下で 6.5%，151〜300 mg で 10.2%，301 mg 以上で 18.8% と報告されている．

□肺に基礎疾患を有する患者や 60 歳以上の高齢者はリスクが高い．

□発熱，咳，労作性呼吸困難の観察を十分に行い，胸部X線や動脈血酸素分圧の検査を実施する．

6 薬学的ケア

CASE

□20歳代女性．卵巣胚細胞性腫瘍に対しBEP療法が4コース予定となった．

□1コース目day 3よりGrade 2の悪心が出現．制吐薬はNK_1受容体拮抗薬，5-HT_3受容体拮抗薬，ステロイドを併用していたため，オランザピンの追加を提案．オランザピン錠 1回5 mg 1日1回就寝前を6日間服用し，症状は軽快した．day 9, 16投与のブレオマイシンは最小度催吐性リスクであり，制吐薬は未使用だったが悪心・嘔吐の出現もなく経過した．

□ブレオマイシンを投与したday 9に38.3℃の発熱を認めた．発熱は一過性であり，アセトアミノフェン錠400 mgを1回服用し解熱した．発熱はブレオマイシンの影響と考え，day 16のブレオマイシン投与時にヒドロコルチゾンコハク酸エステルナトリウム注100 mgを投与し，発熱は認められなかった．以降，ブレオマイシン投与時はヒドロコルチゾンを併用し，発熱なく経過した．

解説

□高度催吐性リスクレジメンであり，制吐薬は3剤併用が基本となるが，オランザピン錠の上乗せ効果が報告されている．1日5 mgで，最大6日間を目安として使用可能である．一方，日本がんサポーティブケア学会では，投与期間として原則4日間を推奨している[17]．

□ブレオマイシンによる発熱・悪寒は39.8%の割合で認められるため，その際はステロイドを予防的に使用する[16]．

引用文献

1) 日本婦人科腫瘍学会（編）：卵巣がん・卵管癌・腹膜癌治療ガイドライン2020年版．金原出版，2020
2) Krege S, et al：Eur Urol 53：497-513, 2008（PMID：18191015）
3) 日本腎臓病薬物療法学会：腎機能低下時に最も注意が必要な薬剤投与量一覧（2021年改訂34.1版），2021
4) BC Cancer Drug Manual：Etoposide
5) Mehta RL, et al：Crit Care 11：R31, 2007（PMID：17331245）
6) Cushing B, et al：J Clin Oncol 22：2691-700, 2004（PMID：15226336）

7) Low JJ, et al：Cancer 89：391-8, 2000 (PMID：10918171)
8) Nichols CR, et al：J Natl Cancer Inst 85：36-40, 1993 (PMID：7677934)
9) Tamura K, et al：J Clin Oncol 20：855-65, 2015 (PMID：25681876)
10) 日本泌尿器科学会 (編)：精巣腫瘍診療ガイドライン 2015 年版．金原出版，2015
11) Iwamoto H, et al：In Vivo 32：899-903, 2018 (PMID：29936477)
12) 荒川和彦：日本緩和医療薬学会 4：1-13，2011
13) 厚生労働省：重篤副作用疾患別対応マニュアル　末梢神経障害．平成 21 年 5 月
14) 日本がんサポーティブケア学会 (編)：がん薬物療法に伴う末梢神経障害マネジメントの手引き 2017 年版，金原出版，2017
15) 厚生労働省：重篤副作用疾患別対応マニュアル　難聴．平成 22 年 3 月
16) ブレオ® 注，添付文書．2015 年 8 月改訂 38 (日本化薬)
17) 日本がんサポーティブケア学会：制吐薬としてのオランザピンについて注意喚起，2017 年 8 月 21 日公開

(小林美奈子)

第7章

泌尿器がん

□転移性腎がん患者に対する治療選択の指標に予後因子としてMSKCC分類が提唱されていたが，最近では，VEGF標的治療薬による治療を施行した転移性腎がん患者の成績を解析して生命予後と関連する因子を同定したIMDC分類が使用されている．

□1次治療として，淡明細胞型の低リスクでは，72スニチニブ，77パゾパニブ，中〜高リスクでは78カボザンチニブが推奨グレードB，高リスクの淡明細胞型では76テムシロリムス，72スニチニブが推奨グレードCとされている（カボザンチニブ，免疫チェックポイント阻害薬が使用できない場合）．また，中〜高リスクにおいてニボルマブ，イピリムマブ併用療法（→407頁）が推奨グレードAとされている．さらに，免疫チェックポイント阻害薬とVEGFR-TKIとの併用療法として淡明細胞型の全リスクにおいて79アキシチニブ＋アベルマブが推奨グレードB，80アキシチニブ＋ペムブロリズマブが推奨グレードAとされており，VEGFR-TKI，免疫チェックポイント阻害薬の単独やこれらの併用療法まで多岐にわたる併用療法が導入された．

□2次治療として，前治療としてサイトカイン療法あるいは分子標的治療に抵抗性となった場合，74アキシチニブが推奨グレードAであり，アキシチニブが使えない場合は73ソラフェニブが推奨グレードCとなっている．また，前治療としてチロシンキナーゼ阻害薬に抵抗性となった場合，75エベロリムスは推奨グレードBとされている．78カボザンチニブは，チロシンキナーゼ阻害薬治療抵抗性の2次治療として推奨グレードAとして使用可能となった．また，血管新生阻害薬による2次治療以降として38ニボルマブ単独治療（→272 頁）が推奨グレード A とされている．非淡明細胞型においては，テムシロリムス，スニチニブが選択肢とされている．

□前立腺がんの薬物療法は，ホルモン療法から開始し，その後，去勢抵抗性期へと移行するものとして治療戦略は組み立てられていた．しかし，現在は，「遠隔転移の有無」「去勢抵抗性の有無」を基本として，治療戦略が組み立てられている．去勢抵抗性前立腺がんに対する化学療法としてドセタキセルが最初に適応され，現在も使用されている．その後，ドセタキセル抵抗性を対象に81カバジタキセル，82エンザルタミド，83アビラテロンが使用可能であった．しかし，現在では，遠隔転移を有する前立腺がん（去勢抵抗性ではない）に対して82エンザルタミド（適応を拡大），84アパルタミドが使用可能となっている．さらに遠隔転移を有しない去勢抵抗性前立腺がんに対し，84アパルタミド，85ダロルタミドが承認されている．

□転移性，再発性膀胱がんに対し，GC 療法の忍容性が高いことから86GC（ゲムシタビン＋シスプラチン）療法が広く実施されている．GC 療法の標準は 4 週間隔（day 1，2，8，15）であるが骨髄抑制などの有害事象軽減のため day15 のゲムシタビンを省略した 3 週間隔のレジメンも考案され，標準的治療として実施されている．GC 療法は 4～6 サイクル行うことが標準であり，終了時点で疾患進行が認められていない場合，維持療法として87アベルマブ単独療法が初の維持療法として確立した．この GC 療法後の新たな治療戦略として，プラチナ製剤併用化学療法後に再発または進行した，あるいは術前後の治療終了後 12 か月以内の再発，転移の膀胱がんに対して39ペムブロリズマブ（→283 頁）が導入された．

（高田慎也）

72 スニチニブ（スーテント®）

POINT

- ■有害事象は「血液毒性」「非血液毒性（心臓系を除く）」「心臓系毒性」に分類され，それぞれCTCAEによる休薬・減量基準がある．
- ■治療開始時に心血管系疾患（高血圧，心疾患，不整脈，脳血管障害）のある患者，QT延長を起こす可能性のある薬剤の併用，CYP3A4を誘導・阻害する薬剤の併用に注意．
- ■他のマルチキナーゼ阻害薬より血液毒性の頻度が高いため，減量・休薬により治療継続性を確保する．

1 レジメンと副作用対策[1]（→次頁参照）

適応：根治切除不能または転移性の腎細胞がん

1コース期間：42日間　**総コース**：規定なし

イマチニブ抵抗性の消化管間質腫瘍に対しては同様の投与量とスケジュール．

神経内分泌腫瘍に対しては1日1回37.5 mgを連日投与．

2 抗がん薬の処方監査

- □適応疾患を確認し，投与量とスケジュールを確認．
- □心機能検査（心エコー，MUGA scan※1）によりLVEF≧50％（LLN）を確認．
  - ※1：心臓スキャンマルチゲート収集法
- □心血管系疾患（高血圧，心疾患，不整脈，脳血管障害）のある患者では症状の増悪の可能性があるため継続的にモニタリング．
- □QT延長を起こす可能性のある薬剤（イミプラミン，ピモジド，アナモレリン，抗不整脈薬）の併用に注意．
- □CYP3A4を誘導・阻害する薬剤との併用に注意．
- □手術または大きな侵襲を伴う処置を行う場合，明確な基準はないが十分な休薬を検討．

3 抗がん薬の調剤

- □曝露対策の観点から脱カプセルおよび簡易懸濁法は避ける．

<table>
<tr><th colspan="2">72</th><th>医薬品名
投与量</th><th>投与方法
投与時間</th><th>1</th><th>2</th><th>～</th><th>7</th><th>8</th><th>～</th><th>～</th><th>16</th><th>～</th><th>～</th><th>22</th><th>～</th><th>～</th><th>29</th><th>～</th><th>～</th><th>42</th><th>次コース</th></tr>
<tr><td>レジメン</td><td>Rp1</td><td>スニチニブ
50 mg</td><td>経口
1日1回</td><td>↓</td><td>↓</td><td>↓</td><td>↓</td><td>↓</td><td>↓</td><td>↓</td><td>↓</td><td>↓</td><td>↓</td><td>↓</td><td>↓</td><td>↓</td><td></td><td></td><td></td><td></td><td></td></tr>
<tr><td></td><td></td><td></td><td></td><td colspan="18">【1コース期間】 28日間内服 14日間休薬</td></tr>
<tr><td rowspan="12">副作用対策</td><td colspan="3">口内炎</td><td colspan="18"></td></tr>
<tr><td colspan="21">治療開始時より口腔ケアや刺激物摂取回避を指導．炎症にはアズレンスルホン酸ナトリウム含嗽液やステロイド口腔用外用薬を，疼痛にはNSAIDsを使用．悪化時は歯科医と連携．休薬で比較的速やかに改善．</td></tr>
<tr><td colspan="3">手足症候群</td><td colspan="18"></td></tr>
<tr><td colspan="21">治療開始時より保湿外用薬の使用と手足の刺激回避による保護を指導．発症時はステロイド外用薬を使用し，悪化傾向があれば休薬し，重症化を回避．</td></tr>
<tr><td colspan="3">骨髄抑制</td><td colspan="18"></td></tr>
<tr><td colspan="21">血小板減少：治療開始前に出血リスクの有無を確認し，転倒・打撲を避けるよう指導．day 14～28が高発現時期であり，血液検査を行い，出血傾向（点状紫斑，鼻出血，歯肉出血）の有無を確認．
好中球減少：治療開始前に感染予防対策（手洗い，うがいなど）を指導．day 28～42が高発現時期であり，血液検査を行い，感染徴候（発熱，悪寒，咽頭痛など）の有無を確認．抗菌薬や解熱薬を使用．</td></tr>
<tr><td colspan="3">高血圧</td><td colspan="18"></td></tr>
<tr><td colspan="21">治療開始時より血圧測定を指導．血圧上昇時は降圧薬を併用しながら治療を継続する．降圧薬はARB，ACE阻害薬，Ca拮抗薬，利尿薬，β遮断薬を使用．</td></tr>
<tr><td colspan="3">LVEF低下，心不全</td><td colspan="18"></td></tr>
<tr><td colspan="21">治療開始前に心機能検査を行い，LVEFを確認．2コース以内の発症頻度が高いため，1か月ごとにLVEFを評価する．動悸，息切れの症状を認めた場合は循環器科へコンサルテーション．ACE阻害薬や利尿薬，β遮断薬を使用．</td></tr>
<tr><td colspan="3">甲状腺機能障害</td><td colspan="18"></td></tr>
<tr><td colspan="21">治療開始前より甲状腺機能検査を行い，TSH，FT_4を確認．4コース以内の発症頻度が高いため，各コース開始時に甲状腺機能を評価する．一過性の破壊性甲状腺機能亢進症の後に低下症を発症することがある．甲状腺機能低下症を認めた場合は，甲状腺ホルモン補充療法を使用．</td></tr>
</table>

4 抗がん薬の投与

投与基準[1]（表72-1）

減量・中止基準[1]（表72-2）

腎機能障害

□腎機能障害での減量規定はないが，血液透析では除去されないもののAUCが47%減少するため注意しながら2倍量を投与することを考慮する[2]．

肝機能障害

□Child-Pugh分類のAまたはBは減量規定なし．Cはデータなし（臨床試験で除外）[1]．

注意点

□本剤は食事の影響を受けないため食後投与．

表 72-1　投与基準

好中球数	≧1,500/μL
血小板数	≧10 万/μL
Hb	≧9 g/dL
AST	≦75 U/L（≦ULN×2.5） 【肝転移の場合】≦150 U/L（≦ULN×5）
ALT	≦（男）105 U/L，（女）57.5 U/L（いずれも≦ULN×2.5） 【肝転移の場合】≦（男）210 U/L，（女）115 U/L（いずれも≦ULN×5）
T-Bil	≦2.25 mg/dL（≦ULN×1.5）
Scr	≦（男）1.6 mg/dL，（女）1.19 mg/dL（≦ULN×1.5）
アルブミン	≧3 g/dL
血清 Ca	≦12 mg/dL
甲状腺ホルモン（TSH，FT_4）	施設基準値内

表 72-2　減量・中止基準

Grade	血液毒性	非血液毒性（心臓系を除く）	心臓系毒性
2	同一投与量で継続	同一投与量で継続	休薬し，Grade 1 以下に回復後に再開．再開時は 1 段階減量*1 して投与．
3	休薬し，Grade 2 以下またはベースラインに回復後に再開．再開時は同一投与量で投与可能（リンパ球減少は同一投与量で継続可能）．	休薬し，Grade 1 以下またはベースラインに回復後に再開．再開時は同一投与量または必要に応じて 1 段階減量して投与*2．	休薬し，Grade 1 以下またはベースラインに回復後に再開．再開時は 1 段階減量*1 して投与．
4	休薬し，Grade 2 以下またはベースラインに回復後に再開．再開時は 1 段階減量*1 して投与．	投与中止もしくは休薬し，Grade 1 以下またはベースラインに回復後に再開．再開時は 1 段階減量して投与*2．	投与中止

*1　1 段階減量は 12.5 mg.
*2　以下の場合は，同一投与量で投与可能．
- Grade 3〜4 の血清リパーゼ増加またはアミラーゼ増加で，臨床的または画像診断上確認された膵炎の徴候がない場合．
- 臨床症状を伴わない Grade 4 の高尿酸血症および Grade 3 の低 P 血症．

5 副作用マネジメント

発現率[1)]

副作用		海外第III相試験（n=544）		国内第II相試験（n=51）	
		全 Grade（%）	Grade 3 以上（%）	全 Grade（%）	Grade 3 以上（%）
血液毒性	貧血	10.3	2.4	54.9	7.8
	血小板減少	18.8	8.1	92.2	54.9
	白血球減少	11.9	3.9	84.3	15.7
	好中球減少	15.8	7.9	78.4	51.0
非血液毒性	下痢	51.8	4.2	43.1	9.8
	悪心	46.0	2.6	45.1	3.9
	嘔吐	26.3	2.8	23.5	2.0
	口内炎	38.4	2.0	51.0	3.9
	疲労	53.7	8.1	58.8	19.6
	手足症候群	18.0	4.6	52.9	15.7
	発疹	22.6	0.6	52.9	0
	高血圧	23.7	7.5	51.0	11.8
	LVEF 低下	11.4	2.2	3.9	2.0
	心不全	0	0	2.0	0
	QT 延長	0	0	3.9	0
	甲状腺機能低下症	1.5	0	21.6	0
	甲状腺機能亢進症	0	0	2.0	0

評価と観察のポイント

投与初期（day 1〜14）

□ **口内炎**：治療開始前に義歯や歯科治療の有無を確認．治療開始前から継続して口腔内の状態を確認し，好発部位（口唇裏側，頬粘膜，舌縁部，舌腹，軟口蓋）や性状（びらん，潰瘍，アフタ性，カンジダ性，ウイルス性，歯肉炎，う歯）を観察．

□ **高血圧**：治療開始前に高血圧既往と降圧薬使用の有無を確認．治療開始後は診察時の血圧と家庭血圧を確認．

□ **QT 間隔延長・心室性不整脈**

- 12 誘導心電図を測定し，症状（めまいや動悸，心窩部痛，意識消失）の有無を確認．
- QT 間隔延長は Grade 2（平均 QTc が 481〜500 ミリ秒）の場

合，同一用量で継続可能（減量も可能），Grade 3（平均 QTc が ≧501 ミリ秒またはベースラインから 60 ミリ秒の変化）は休薬で再開時は，同一用量または減量も可能.

- 心室性不整脈があり，症状を認める場合や抗不整脈薬の適応となる場合は休薬.

投与中期～後期（day 15～28 以降）

□ **骨髄抑制**：日本人では Grade 3 以上の骨髄抑制の頻度が高い．好発時期は血小板減少で day 14～28，好中球減少で day 28～42 のため定期的な血液検査を実施.

□ **甲状腺機能低下症**

- 4 コース目以内の発症頻度が高い．自覚症状が非特異的であり，FT_3，FT_4，TSH を各コースで測定.
- 甲状腺ホルモン補充療法の適応に自覚症状や身体所見の有無が関連するため，低下症を疑う場合は倦怠感，傾眠傾向，食欲不振，嗄声，体重増加，徐脈，血圧低下を確認.

□ **手足症候群**：手掌，足底部に限局した知覚過敏，発疹，腫脹，紅斑，角化，亀裂，水疱が生じることが多い．投与開始 2～3 週間後から発症しやすい．物理的刺激で発症しやすいため職業や趣味で圧力のかかる動作がないか確認.

副作用対策のポイント

口内炎

□ スニチニブの口内炎は Grade 3 以上の頻度は高くないため，適切な対処で比較的経過良好である．口腔ケア（特にブラッシングと含嗽）により口腔内を清潔に保つ．含嗽は生理食塩液やアズレンスルホン酸ナトリウム含嗽液を使用し，炎症部位にはステロイド口腔用外用薬を塗布し，疼痛には NSAIDs を使用する.

□ Grade 3 では休薬し，標準的ケアで対応困難な場合は，歯科医と連携し，専門的口腔ケアや局所管理ハイドロゲル被覆・保護剤（エピシル® 口腔溶液）による処置を検討する[3].

高血圧

□ 白衣高血圧の場合があり，家庭血圧を優先する．可能であれば 1 日 2 回測定し，その平均値を確認し，血圧 140/90 mmHg 以上で降圧薬を開始する.

□ 有効性のバイオマーカーとして高血圧が示唆されているため[4, 5]，スニチニブの休薬・減量を回避するよう迅速な血圧管理が重要である．

□マルチキナーゼ阻害薬の高血圧に使用される降圧薬に明確なエビデンスはないため，わが国の高血圧治療ガイドライン[6)]に準じるが，臨床的に ARB，ACE 阻害薬，Ca 拮抗薬が多く使用される．スニチニブ投与患者で治療開始前と開始後のいずれにおいても ARB，ACE 阻害薬の併用で OS の延長が示唆されたレトロスペクティブの報告がある[7)]．しかし，ARB では高齢者や腎機能障害時では腎機能悪化を起こしやすく，ACE 阻害薬の多くが腎排泄型であり，少量から開始していく必要があるため，迅速な血圧管理が必要な場合は Ca 拮抗薬が使いやすい．

手足症候群

□保湿，保護が重要である．治療開始時から保湿薬を塗布し，特に角化が進行した場合は尿素配合剤が適している．手袋着用や厚手の靴下着用により物理的刺激を避ける．

□炎症部位には very strong クラスのステロイド外用薬を使用し，改善が乏しい場合は strongest クラスに躊躇せずランクアップする．疼痛が強い場合は NSAIDs，瘙痒感には抗ヒスタミン薬を使用する．ステロイド外用薬は経験的な対策方法であり，Grade 2 から改善しない場合は減量・休薬を推奨し，治療継続性を確保する．

骨髄抑制

□感染予防対策（手洗い，うがい），発熱時の対応を指導する．

□血中濃度に応じて重篤な血小板減少の可能性が高くなり，スニチニブ血中濃度＜100 ng/mL で重篤化回避できる可能性があるため[8)]，血中濃度測定が保険適用の対象となっている．

甲状腺機能低下症

□有効性のバイオマーカーとして甲状腺機能低下症が示唆されているため[9, 10)]，適切なモニタリングと甲状腺ホルモン補充療法によりスニチニブの休薬・減量を回避することが重要である．

□Grade 2 以上でレボチロキシンを少量から開始し，FT_4 や自覚症状を確認し用量調節する．スニチニブ治療終了後 FT_4 が上昇する可能性があるため，レボチロキシンの過剰投与に注意する．

6 薬学的ケア

CASE 1

□80 歳代男性．進行腎細胞がん，多発肺転移．高齢で ADL は自立しているが体表面積 1.36m^2 と小柄であり，医師と協議し 37.5 mg を提案し，開始した．

□day 14 に血小板数 7.3 万/μL，好中球数 1,800/μL に低下，倦怠感 Grade 1，食欲不振 Grade 1 と確認．血小板減少 Grade 2 であるが，高齢であり，非血液毒性は Grade 1 を複数認めていることから 4 週間投与はリスクが高いと判断し，2 週間投与 1 週間休薬を提案し承認された．

□2 コース目以降，重篤な有害事象なく継続できた．6 コース施行し，SD であったが PS 低下傾向あり，BSC[※1] へ移行となった．

※1：がんに対して抗がん薬などの積極的な治療は行わず，症状などを和らげる治療に徹すること．

解説 1

□スニチニブは他のマルチキナーゼ阻害薬と比較して血小板減少，好中球減少の頻度が高く，国内第Ⅱ相試験では血小板減少と好中球減少の Grade 3 の頻度が 54.9%，51.0% と海外第Ⅲ相試験より高頻度である．日本人における用量の妥当性を検討した報告では 37.5 あるいは 25 mg であることや[8]，2 週間投与 1 週間休薬により重篤な有害事象の減少や投与中止例の減少の報告[11] を参考に治療継続性を確保する．

□スニチニブの重篤な副作用のリスク因子として女性，高齢，体表面積が小さい[12] があり，該当する場合は減量して治療開始することを検討する．

CASE 2

□70 歳代男性．進行腎細胞がん，骨転移．既往に高血圧，2 型糖尿病，脂質異常症．血圧は近医でイルベサルタン錠 100 mg 内服し 140/80 mmHg 台で安定していた．

□day 14 に血圧 160/90 mmHg 台に上昇，尿蛋白 2+ であり，近日中に近医受診の予定のため，アムロジピン錠 5 mg 追加を提案し了承され，近医へ情報提供した．

□day 28 に血圧 130/80 mmHg 台に低下，尿蛋白 1+ に改善し，治療継続できた．

解説 2

□高血圧の既往がある場合は降圧薬の使用状況や血圧管理状況を確認する．他院で治療している場合は，スニチニブによる血圧上昇リスクを情報提供する．

□高血圧は効果予測因子であることが示唆されていることから，休薬・減量を回避するよう迅速な血圧管理が重要である．Ca拮抗薬は比較的効果発現が速く，高用量のARBより尿蛋白減少効果が優れる．ARBやACE阻害薬とCa拮抗薬併用による尿蛋白減少効果はL/N型Ca拮抗薬のシルニジピンが優れているが糖尿病患者では有意差がなかったことからアムロジピン錠を提案した[6]．

引用文献

1）スーテント® カプセル，適正使用ガイド，消化管間質腫瘍 腎細胞癌．2021年8月改訂（第14版）（ファイザー）
2）HIGHLIGHTS OF PRESCRIBING INFORMATION, SUTENT®（sunitinib malate）capsules, oral Initial U.S. Approval：2006
3）日本がんサポーティブケア学会，他（編）：がん治療に伴う粘膜障害マネジメントの手引き2020年版．pp 51-53, 89-90，金原出版，2020
4）Rautiola J, et al：BJU Int 117：110-7, 2016（PMID：25252180）
5）Donskov F, et al：Br J Cancer 113：1571-80, 2015（PMID：26492223）
6）日本高血圧学会：高血圧治療ガイドライン2019．pp 76-83，ライフサイエンス出版，2019
7）Izzedine H, et al：Ann Oncol 26：1128-33, 2015（PMID：25795198）
8）Nagata M, et al：Bio Pharm Bull 38：402-10, 2015（PMID：25757921）
9）Riesenbeck LM, et al：World J Urol 29：807-13, 2011（PMID：21153827）
10）Schmidinger M, et al：Cancer 117：534-44, 2011（PMID：20845482）
11）Jonasch E, et al：J Clin Oncol 36：1588-93, 2018（PMID：29641297）
12）van der Veldt AA, et al：Br J Cancer 99：259-65, 2008（PMID：18594533）

（臼井浩明）

73 ソラフェニブ（ネクサバール®）

POINT

■発現頻度が高い副作用として，皮膚障害･手足症候群があげられる．
■複数の薬物代謝酵素阻害活性を有するため，薬物相互作用に注意が必要．
■肝細胞がん・腎細胞がんと甲状腺がんでは休薬・減量規定，減量時の投与量が異なる．

1 レジメンと副作用対策[1]（→次頁参照）

適応：根治切除不能または転移性の腎細胞がん
1コース期間：規定なし（連日内服）
総コース：可能な限り継続
（切除不能な肝細胞がん，根治切除不能な甲状腺がんも同様である）

2 抗がん薬の処方監査

□適応する疾患により，休薬・減量規定，減量方法が異なることに留意（腎細胞がんと肝細胞がんは同じであるが，甲状腺がんのみ異なる）．

□高脂肪食（900～1,000 kcal，脂肪含有率50～60％）摂取後に服用すると，本剤の血漿中濃度が低下する．食生活習慣に配慮するか，食間投与とする．

□本剤は主に*CYP3A4*，*UGT1A1*により代謝されるため，酵素活性に影響する薬剤の併用には留意する（本剤の血中濃度を上昇もしくは低下させる可能性がある）．

- *CYP3A4*酵素を誘導する薬剤・食品の例…リファンピシン，フェニトイン，カルバマゼピン，セントジョーンズワート．
- *CYP3A4*酵素を阻害する薬剤の例…アゾール系抗真菌薬（ケトコナゾール，イトラコナゾール，フルコナゾール），クラリスロマイシン，エリスロマイシン，ジルチアゼム．

□本剤は*UGT1A1*, *UGT1A9*, *CYP2B6*, *CYP2C9*, *CYP2C8*の阻害作用が示されているため，上記酵素にて代謝される薬剤の併用には留意する（併用薬剤の血中濃度を上昇させる可能性がある）．

73	医薬品名 投与量	投与方法 投与時間	1	~	8	~	15	~	22	~	29	~	36	~	43	~	50	~	57	~	64	~	71
Rp1	ソラフェニブ 800 mg	経口 1日2回	1回400 mgを1日2回連日投与．内服・休薬期間の規定はない（副作用症状に応じて適宜休薬・減量する）																				

副作用対策

手足症候群

治療開始前に角質肥厚部位があれば対応し，保湿・保清，刺激除去，除圧に関する指導，支持療法を実施する．投与初期から出現する可能性があり，3週以内に3割強，9週以内に半数に発現が認められる．症状増悪時にはステロイド外用薬の使用を含め，休薬・減量も検討する．

脱毛，皮膚障害

脱毛は国内第Ⅱ相試験では4割弱，特定使用成績調査では2割に発現が認められた．発疹・紅斑を中心とした皮膚症状の大半は外用ステロイドなどの局所療法で対応することが可能であるが，SJS・TENが疑われる場合は速やかに皮膚科に依頼する．

高血圧

特定使用成績調査では全体の4割弱に発現が認められ，日本人に発現頻度が高い傾向がある．家庭血圧の測定・記録するよう指導が必要である．高血圧治療ガイドラインを参考に治療を行う．

消化器症状（下痢，食欲不振，悪心）

発現時期は特定されない．一般的な制吐療法・止痢薬にて対応が可能であり，適切な支持療法を実施する．

臨床検査値異常（膵酵素上昇）

投与初期に一過性，無症候性に発現する傾向がある．そのため，投与開始から1か月は2週間ごと，その後は1か月ごとに膵酵素の測定が推奨される．腹痛などの症状発現時は膵炎や消化管穿孔にも留意した対応を行う．

出血性事象（鼻出血，消化管出血）

VEGFシグナルを阻害することで，鼻出血などの出血性事象を認めることがある．止血困難である場合や腹痛時は受診対応が必要である．同様の作用機序にて創傷治癒遅延を起こす場合がある．

急性肺障害，間質性肺炎

初期症状として，呼吸困難，発熱，咳嗽などを認めた場合，速やかに画像検査やSpO_2の測定を行う．

□ワルファリンを併用する際は，INR値の上昇・出血の可能性があるためモニタリングを行う．

□VEGF受容体のチロシンキナーゼに対する阻害活性を有するため，手術または侵襲を伴う処置を実施する場合は，休薬期間を考慮する（臨床試験では，4週間以内に大手術を施行した症例は除外[1]された）．

□肝予備能が低下した症例（Child-Pugh分類C）については臨床試験にて安全性が評価されていないため推奨されない．

3 抗がん薬の調剤

□アルミ袋開封後は吸湿にて本剤の溶出性が低下するため，湿気を避けて保存する．

□動物実験（ラット）にて，胚・胎児毒性および催奇形作用，乳汁中への移行が報告されているため，妊産婦・授乳婦に対する投与は避ける．

- FDA（米国食品医薬品局）胎児危険度分類は“D”（ヒトの胎児に明らかに危険性を示す確かな根拠がある）[2]．

4 抗がん薬の投与

投与基準

□臨床検査値に基づいた投与基準は定められていないが，高齢者を含めて臓器能が低下した患者は相対的に忍容性が低いことが多く，十分なモニタリングが推奨される．

- **参考**…米国添付文書[3]：減量不要（透析時を除く）
- **参考**…腎機能・肝機能低下患者に対する海外第I相試験（CALGB 60301）[4]

腎機能障害

Ccr(mL/分)	<20	20～39	40～59
投与量	1回200 mg 1日1回	1回200 mg 1日2回	1回400 mg 1日2回

肝機能障害

1.5 mg/dL<T-Bil≦2.25 mg/dL (ULN<T-Bil≦ULN×1.5) and/or AST>30 U/L (AST>ULN)	1回400 mg 1日2回
2.25 mg/dL<T-Bil≦4.5 mg/dL (ULN×1.5<T-Bil≦ULN×3) (ASTによらず)	1回200 mg 1日2回
Alb<2.5 g/dL (T-Bil，ASTによらず)	1回200 mg 1日1回
4.5 mg/dL<T-Bil≦15.0 mg/dL (ULN×3<T-Bil≦ULN×10) (ASTによらず)	本試験では1日1回　3日ごと1回200 mgの投与においても忍容性が認められなかった．

減量・休薬基準[1]

□甲状腺がんに投与する際は，下記と異なるため添付文書参照．

□皮膚毒性発症時の減量・休薬基準

Grade	発現回数	継続の可否	再開時用量
Grade 1：手足の皮膚の感覚障害，刺痛，痛みを伴わない腫脹や紅斑，日常生活に支障をきたさない程度の不快な症状	回数問わず	本剤の投与を継続し，症状緩和のための局所療法を考慮する．	変更なし
Grade 2：手足の皮膚の痛みを伴う紅斑や腫脹，日常生活に支障をきたす不快な症状	1 回目	本剤の投与を継続し，症状緩和のための局所療法を考慮する．	変更なし
	1 回目[*1]あるいは 2 回目または 3 回目	Grade 0～1 に軽快するまで休薬する．	1 段階減量
	4 回目	本剤の投与を中止する．	中止
Grade 3：手足の皮膚の湿性落屑，潰瘍形成，水疱形成，激しい痛み，仕事や日常生活が不可能になる重度の不快な症状	1 回目または 2 回目	Grade 0～1 に軽快するまで休薬する．	1 段階減量
	3 回目	本剤の投与を中止する．	投与中止

[*1] 7 日以内に改善がみられない場合

□血液学的毒性・非血液学適毒性発症時の減量・中止基準

- 血液学的毒性

Grade	投与継続の可否	用量調節
Grade 0～2	投与継続	変更なし
Grade 3	投与継続	1 段階減量[*3]
Grade 4	Grade 0～2 に軽快するまで休薬[*2]	1 段階減量[*3]

[*2] 30 日を超える休薬が必要となり，投与の継続について臨床的に意義がないと判断された場合，投与中止とする．
[*3] 2 段階を超える減量が必要な場合，投与中止とする．

- 非血液学的毒性[*4]

Grade	投与継続の可否	用量調節
Grade 0～2	投与継続	変更なし
Grade 3	Grade 0～2 に軽快するまで休薬[*2]	1 段階下げる[*3]
Grade 4	投与中止	投与中止

[*4] 薬物治療を行っていない嘔気・嘔吐または下痢は除く．

注意点

投与中の観察項目については「副作用マネジメント」．

5 副作用マネジメント

発現率[5)]

副作用		国内第Ⅱ相試験（n=131）		特定使用成績調査（n=3,255）	
		全 Grade n（%）	Grade≧3 n（%）	全 Grade n（%）	Grade≧3 n（%）
血液毒性	白血球減少	2（1.5）	1（0.8）	81（2.5）	14（0.4）
	好中球減少	2（1.5）	2（1.5）	13（0.4）	6（0.2）
	血小板減少	3（2.3）	2（1.5）	197（6.1）	53（1.6）
	貧血	4（3.1）	2（1.5）	121（6.1）	42（1.3）
非血液毒性	手足症候群	72（55.0）	12（9.2）	1,914（58.8）	175（5.4）
	皮疹	49（37.4）	5（3.8）	804（24.7）	217（6.7）
	AST 上昇	13（9.9）	4（3.1）	82（2.5）	19（0.6）
	ALT 上昇	13（9.9）	6（4.6）	73（2.2）	23（0.7）
	T-Bil 上昇	5（3.8）	2（1.5）	15（0.5）	5（0.2）
	高血圧	36（27.5）	16（2.2）	1,171（36）	55（1.7）
	リパーゼ上昇	73（55.7）	40（30.5）	448（13.8）	14（0.4）
	アミラーゼ上昇	50（38.2）	7（5.3）	456（14）	12（0.4）
	下痢	44（33.6）	1（0.8）	679（20.9）	42（1.3）

評価と観察のポイント

手足症候群

□手足の紅潮や色素沈着，皮膚亀裂などの症状を経時的に評価する．

□投与前の状態を写真に撮り，比較すると外観変化に気が付きやすい．

□手足以外も圧がかかりやすい箇所の観察も重要である．マルチキナーゼ阻害薬による手足症候群はフッ化ピリミジン系と異なり，限局性の紅斑から始まることが特徴である．比較的早期から発症を認める場合があり，角化・亀裂が生じやすい[6)]．リスク因子として累積投与量があり[7)]，日本人の発現頻度は欧米に比べ高い傾向にある[8)]．

その他の皮膚毒性

□**脱毛**：国内第Ⅱ相臨床試験では38.9％の患者に軽度の脱毛を認め，特定使用成績調査では17.8％と報告されている．事前に説明が必要．

□**皮疹・紅斑**：頻度は低いが，高熱を合併，表皮下水疱・環状浮腫を認める際はTEN・SJSを念頭に，専門医へコンサルトを行う必要がある．

高血圧

□日本人に多く認める傾向がある．自宅における血圧測定・記録を指導する．高血圧の既往がある場合や薬物療法を行っている場合は，かかりつけ医療機関と連携を行い緊急時の対応について決めておくとよい．

肝機能障害

□肝細胞がんにおける特定使用成績調査の死亡例報告では，投与初期（3週目以内）の急激なアミノトランスフェラーゼ上昇が報告されている．投与初期は定期的に肝機能検査を行い，AST，ALT，T-Bilの急激な上昇が認められた場合，またはAST，ALTが200 U/Lを超える場合，T-Bilが3.0 mg/dLを超える場合はただちに休薬し肝庇護薬の投与を検討する．

膵酵素上昇

□主に一過性であるが，有意症状を合併する場合は他疾患の存在に留意，精査を行う必要がある．

消化器症状

□2割程度，Grade 1，2の下痢を認める．便性状・回数を把握し，水分摂取の可否や脱水様症状に留意する．

副作用対策のポイント

手足症候群

□保湿外用薬・尿素軟膏による予防の有用性が報告されている[9, 10]が，エビデンスレベルの高い報告は少ない．その他，皮膚の保清，除圧（締め付けの緩い衣服や靴の着用）が推奨される．症状時には薬剤の休薬やstrong～very strongステロイド外用薬の使用を考慮する[11]．角質肥厚部位については，サリチル酸製剤の使用も考慮．複合的なケアが重要であるということが一般的なコンセンサスである[12]．手足症候群の発生および重症度は治療効果と相関する報告があり[13]，適切な支持療法の実施，休薬・減量を行い，治療を継続することが重要．疼痛に対してはNSAIDsの使用を補助的に検討してもよい[14]．

□塗布量はFTU換算を用い（詳細は9「カペシタビン」の項→69頁），残薬量から使用状況を推測することもアドヒアランスの確認に役立つ．

□予防処方例

Rp1：ヘパリン類似物質クリーム　乾燥部位に頻回に塗布
Rp2：尿素クリーム 20%　角質肥厚部位に塗布

□治療処方例

Rp1：酪酸プロピオン酸ベタメタゾン軟膏 0.05%　疼痛部位に保湿剤の上から塗布
*疼痛改善し Grade 1 となった後は下記処方に変更し，引き続き塗布継続
Rp2：プロピオン酸ベクロメタゾン軟膏 0.1%　疼痛部位に保湿剤の上から塗布

高血圧

□高血圧症治療ガイドラインを参考に対応を行う．治療対象は 140/80 mmHg 以上，単剤・少量からの薬物療法を検討する[15]．
□処方例

テルミサルタン錠　1回 20 mg　1日1回　朝食後

間質性肺炎

□初期症状として呼吸困難，発熱，咳嗽などがみられた際は速やかに連絡するよう指導する．
□治療開始前に間質性肺炎のマーカー（KL-6，SP-D，SP-A）を測定すると診断時に役立つ．
□治療開始前のベースライン CT 撮像時に胸部も含めて撮像することで，比較評価が可能となる．治療時にはステロイドパルス療法が行われる．
□処方例

注射用メチルプレドニゾロン　1日1g　3日間

6 薬学的ケア

CASE

□60 歳代男性．腎細胞がん肝転移．脂質異常症の既往あり．Child-Pugh 分類 A を確認．尿蛋白は認めず，血圧は 125/65 mmHg．角質肥厚は認めず．手足症候群の予防として，ヘパリン類似物質含有クリーム塗布を指導．保清・保湿・除圧指導

を看護師と共同で実施．本人の了承を得て治療開始前の皮膚症状を電子カルテに記録，家庭血圧測定を指導する．退院時に very strong クラスのステロイド外用薬が症状時薬として処方．

□翌週の外来受診面談時，血圧 150/85 mmHg（Grade 2，I 度高血圧）のため主治医へ報告，相互作用を認めない ARB を提案し了承された．また，尿蛋白検査予定が組まれていなかったため，定期受診時の検査を提案し了承された．

□翌週，かかりつけ薬剤師より「手足症候群 Grade 2，ステロイド外用薬開始．血圧は治療開始前と同等に低下」と報告．症状増悪時は休薬の上で受診するよう指導．

□翌定期受診時，手足症候群は Grade 1．尿蛋白は認めず，家庭血圧 130/75 mmHg とコントロールされており，服用継続中．

解説

□マルチキナーゼ阻害薬の手足症候群は複合的かつ継続的なケアが必要であり，多職種にて観察，指導が実施された．退院後はかかりつけ薬剤師からの情報，指導を経て治療継続が行えている．休薬すべき症状やステロイド外用薬の使用タイミングをあらかじめ共有するとよい．

□副作用発現時期は投与初期に多いとされるが，投与開始から時間が経ってから認めることもあり，継続的な観察，セルフケアが必要である．

□ネフローゼ症候群，蛋白尿の確認のため，定期的な尿検査を実施する．

□血圧は 1 日 2 回，朝・晩の測定を推奨し，継続するよう指導する．

□降圧薬を選択する際，相互作用影響が少ないものおよび，既往症に注意し選択する．

□降圧薬の効果判定は 1 週間を目安に，朝・晩の値の平均値を用いる．

引用文献

1）ネクサバール® 錠，適正使用ガイド．2020 年 3 月（第 9 版）（バイエル薬品）
2）米国食品医薬品局：薬剤胎児危険度分類基準
3）NEXVAR®（sorafenib）. Drug label information Revised 12/2018
4）Miller AA, et al：J Clin Oncol 27：1800-5, 2009（PMID：19255312）

5) ネクサバール®錠，インタビューフォーム．2021年10月改訂（改訂第18版）
6) Kiyohara Y：Gan To Kagaku Ryoho 39：1597-602, 2012（PMID：23152009）
7) Azad NS, et al：Clin Cancer Res 15：1411-6, 2009（PMID：19228742）
8) Naito S, et al：BJU Int 108：1813-9, 2011（PMID：21481133）
9) Ren Z, et al：J Clin Oncol 33：894-900, 2015（PMID：25667293）
10) 志田敏宏：日本病院薬剤師会雑誌 49：1293-7, 2013
11) 日本がんサポーティブケア学会（編）：がん治療におけるアピアランスケアガイドライン 2021年版．pp 78-83，金原出版，2021
12) 白藤宜紀：臨床医薬 32：951-8, 2016
13) Strunberg D, et al：Eur J Cancer 42：548-56, 2006（PMID：16426838）
14) Rimassa L, et al：Cancer Treat Rev 77：20-8, 2019（PMID：31195212）
15) 日本高血圧学会高血圧治療ガイドライン作成委員会（編）：高血圧症治療ガイドライン 2019．p 47，日本高血圧学会，2019

（辻 俊輔）

74 アキシチニブ（インライタ®）

POINT

- 開始後の増量，高血圧や蛋白尿など副作用発現時の減量について投与方法を把握しておく．
- CYP3A4/5 で代謝されるため，その活性に影響を及ぼす薬剤との併用に注意する．
- 高血圧，蛋白尿，甲状腺機能障害などがあるため，高血圧症，甲状腺機能障害などの既往を事前に確認する．

1 レジメンと副作用対策（→次頁参照）

適応：根治切除不能または転移性の腎細胞がん
1コース期間：規定なし　**総コース**：可能な限り継続

2 抗がん薬の処方監査[1)]

□1回5 mg 1日2回，2週間連続投与し忍容性が認められる場合には，1回7 mg 1日2回投与に増量できる．連続2週間投与して忍容性が認められる場合には，さらに最大1回10 mg 1日2回に増量できる．

□CYP3A4/5で代謝されるため，その活性に影響を及ぼす薬剤との併用に注意する．

□CYP3A4/5阻害薬であるアゾール系抗真菌薬，マクロライド系抗菌薬，HIVプロテアーゼ阻害薬やグレープフルーツジュースとの併用により本剤の血中濃度が上昇する可能性がある．

□CYP3A4/5誘導薬であるデキサメタゾン，フェニトイン，カルバマゼピン，リファンピシン，フェノバルビタールや，セイヨウオトギリソウ（セントジョーンズワート）含有食品併用により本剤の血中濃度が低下する可能性がある．

3 抗がん薬の調剤

□投与量を確認し，5 mg錠と1 mg錠の数に間違いがないことを確認する．

4 抗がん薬の投与

投与基準[1)]

□国際共同第Ⅲ相試験（AXIS）における患者選択基準

74	医薬品名 投与量	投与方法 投与時間	1	～	8	～	15	～	22	～	29	～	36	～	43	～	～	64	～	71
レジメン Rp1	アキシチニブ 10 mg	経口 1日2回	↓	↓	↓	↓	↓	↓	↓	↓	↓	↓	↓	↓	↓	↓	↓	↓	↓	↓

1回5 mg 1日2回，2週間連続投与し忍容性が認められる場合には，1回7 mg 1日2回投与に増量できる．連続2週間投与して忍容性が認められる場合には，さらに最大1回10 mg 1日2回に増量できる．

副作用対策

高血圧

来院時の血圧測定値に基づく高血圧発現（収縮期血圧＞150 mmHgまたは拡張期血圧＞100 mmHg）までの日数の中央値は投与開始後29日[1]．患者の状況に合わせACE阻害薬，ARB，Ca拮抗薬，利尿薬，β遮断薬などの降圧薬投与を行う[2]．

蛋白尿

蛋白尿の発現までの日数の中央値は投与開始後29日[1]．尿蛋白の予防・治療法はなく，定期的に尿蛋白の定性・定量測定を行い，早期発見に努める．

甲状腺機能低下症

甲状腺機能低下症の発現までの日数の中央値は投与開始後30日[1]．TSH＞10 μU/mLではレボチロキシンを検討．

手足症候群

開始2週間程度の早期から発現可能性があり，開始時には皮膚の保湿・保清や物理的刺激の回避など生活指導を行う．症状に応じて，休薬・減量とvery strong～strongestクラスの副腎皮質ホルモン外用薬の塗布を行う．

下痢

下痢の発現までの日数の中央値は投与開始後85日[1]．水分摂取による脱水の回避の患者指導と，症状によりロペラミドなどの投与を考慮する．

肝機能障害

ALT増加の発現までの日数の中央値は投与開始後29日，AST増加の発現までの日数の中央値は投与開始後33日[1]．投与開始前および投与期間中は定期的に肝機能検査を行う．

ECOG PS	0～1
全身状態	全身療法による前治療，放射線療法または外科療法によるすべての毒性（脱毛症，甲状腺機能低下症を除く）がGrade 1以下もしくはベースラインまで回復している
血圧	収縮期≦140 mmHgかつ拡張期≦90 mmHg
Hb	≧9.0 g/dL
好中球数	≧1,500/μL
血小板数	≧7.5万/μL
AST/ALT	AST≦75 U/L（≦ULN×2.5）【肝転移患者】≦75 U/L（≦ULN×5） ALT≦（男）105 U/L，（女）57.5 U/L（いずれも≦ULN×2.5）【肝転移患者】≦（男）210 U/L，（女）115 U/L（いずれも≦ULN×5）
T-Bil	≦2.25 mg/dL（≦ULN×1.5）

尿蛋白	<2+
Scr または Ccr	Scr≦(男) 1.605 mg/dL, (女) 1.185 mg/dL(いずれも≦ULN ×1.5) または Ccr 60 mL/分以上

減量・中止基準[1)]

□増量および減量における用量レベル

用量レベル	投与量
+2	1回10 mg, 1日2回投与
+1	1回7 mg, 1日2回投与
0(開始用量)	1回5 mg, 1日2回投与
−1	1回3 mg, 1日2回投与
−2	1回2 mg, 1日2回投与

□高血圧発現時

<table>
<tr><td>収縮期血圧≦150 mmHg かつ
拡張期血圧≦100 mmHg</td><td>同一用量で投与継続</td></tr>
<tr><td rowspan="2">収縮期血圧>150 mmHg または
拡張期血圧>100 mmHg</td><td>最大限の降圧薬投与を行っていない場合，降圧薬の追加・増量により同一用量で投与継続</td></tr>
<tr><td>最大限の降圧薬投与を行っている場合，1レベル減量</td></tr>
<tr><td>収縮期血圧>160 mmHg または
拡張期血圧>105 mmHg</td><td>休薬，降圧薬の調節で血圧<150/100 mmHg に回復していれば1レベル減量して投与再開</td></tr>
</table>

□蛋白尿発現時

<table>
<tr><td>尿試験紙法にて尿蛋白定性2+未満</td><td colspan="3">同一用量で投与継続</td></tr>
<tr><td rowspan="2">尿試験紙法にて尿蛋白定性2+以上</td><td rowspan="2">24時間蓄尿による尿蛋白値の測定</td><td>24時間蓄尿にて尿蛋白値<2 g/24時間</td><td>同一用量で投与継続</td></tr>
<tr><td>24時間蓄尿にて尿蛋白値≧2 g/24時間</td><td>休薬後，尿蛋白値<2 g/24時間に回復した場合同一用量または1レベル減量して投与再開</td></tr>
</table>

□血液毒性発現時：Grade 1～3では同一用量での投与継続が可能．Grade 4の場合，休薬後Grade 2以下に回復していれば，1レベル減量して再開する．

□非血液毒性（高血圧，蛋白尿除く）：Grade 1～2では同一用量での投与継続が可能．Grade 3では1レベル減量，Grade 4の場合，休薬後Grade 2以下に回復していれば，1レベル減量して再開する．

腎機能障害[1)]

□開始用量の調節は不要と考えられている．

□臨床試験では，Scr値が正常値上限の1.5倍を超える患者またはCcr<60 mL/分の患者を除外している．

肝機能障害[1)]

□軽度肝機能障害（Child-Pugh分類A）では開始用量の調節不要と考えられている．

□中等度肝機能障害（Child-Pugh分類B）では開始用量の減量（1回2 mgを1日2回投与など）を考慮する．

□重度肝機能障害（Child-Pugh分類C）への使用経験はない．

5 副作用マネジメント

発現率[1)]

副作用	国際共同第III相試験（AXIS）（n=356）		日本人患者（n=107）*1	
	全Grade（%）	Grade 3，4（%）	全Grade（%）	Grade 3，4（%）
高血圧	39.3	15.7	75.7	57.9
甲状腺機能低下症	18.3	0.3	39.3	0
ALT増加	2.0	0.3	15.9	1.9
AST増加	1.1	0.3	17.8	0.9
蛋白尿	10.7	3.1	45.8	8.4
手足症候群	27.0	4.8	71.0	17.8
下痢	50.8	9.8	62.6	3.7
疲労	34.8	9.8	53.3	10.3
発声障害	27.5	0	55.1	0

*1 国内臨床試験および日本人を含む国際共同第III相試験における107例

評価と観察のポイント

高血圧

□開始前に腎実質性高血圧，原発性アルドステロン症，甲状腺機能亢進症などの既往の有無を確認する．

□白衣性高血圧も考慮し来院時血圧が 160/100 mmHg を超えていても，家庭血圧を評価後に対応する．

□高血圧治療ガイドライン 2019 では診察室血圧と家庭血圧に差がある場合，家庭血圧を優先することが示されており[2]，血圧手帳などで患者自身が家庭血圧を記録･管理できるようしておく．

□血圧が 180/120 mmHg を超える場合，高血圧クリーゼの可能性があり，循環器科にコンサルトを行う．

□高血圧クリーゼは，脳症や眼底出血，心筋梗塞，腎機能障害などが急速に進行するため，ただちに降圧治療を開始しなければ致命的になりうる[3]．

手足症候群[4, 5]

□局所的で過角化を呈する傾向があり，手掌，足底など圧力のかかりやすい部分に発現することが多い．

□発赤，皮膚知覚過敏，感覚異常（ヒリヒリ，チクチクなど），疼痛が初発症状となる．

□進行すると高度疼痛を伴う発赤・腫脹，水疱，潰瘍やびらんが生じ，歩行困難などの機能障害を生じる．

□手足症候群は足が重症化しやすい報告があるため，足裏の観察が重要である[6]．

□重症度は症状と皮膚所見および日常生活制限の程度により判定し，身の回りの日常生活ができない場合は Grade 3 である．

甲状腺機能低下症[7, 8]

□主な自覚症状は，疲労，寒がり，倦怠感，食欲低下，便秘，徐脈，体重増加などがある．

□甲状腺機能低下症が疑われる場合は，TSH 高値，FT_3 低値，FT_4 低値がないか確認する．

蛋白尿

□投与開始時に蛋白尿の有無と，IgA 腎症，糖尿病性腎症など既存の腎疾患の有無を評価しておく．

□浮腫や体重増加，尿の泡立ちを認めるが，軽い蛋白尿であれば自覚症状はほぼみられない．

□尿蛋白の予防・治療法はないため定期的に尿蛋白の定性・定量測定を行い，早期発見が重要．

□24時間蓄尿による評価は特に外来診療では現実的ではなく，推定値として随時尿による尿蛋白/クレアチニン比で定量評価する[9]．

□高齢者，低栄養，甲状腺機能低下症などクレアチニン排泄量が変動する疾患では尿蛋白/クレアチニン比が大きくなり過大評価される可能性があり注意を要する．

□3.5 g/日以上の蛋白尿ではネフローゼ症候群の可能性がある．

□ネフローゼ症候群では低蛋白血症や低アルブミン血症が認められる[10]．

副作用対策のポイント

高血圧

□ACE阻害薬，ARB，Ca拮抗薬，利尿薬，β遮断薬などの降圧薬投与を行う[2]．

□CYP3A4/5阻害作用のある降圧薬はアキシチニブの血中濃度が上昇する可能性があるため注意が必要．Ca拮抗薬の使用時は，アムロジピンなどのCYP3A4/5阻害作用がないまたは阻害作用の程度が低い薬剤を使用する．

□休薬する場合は，降圧薬の投与を受けている患者では低血圧の発現に注意する．

手足症候群

□服薬開始2週間程度の早期から発現可能性があり，開始時には皮膚の保護，保湿・保清や物理的刺激の回避など生活指導行う．

□保湿は尿素含有製剤，ヘパリン類似物質含有製剤，ビタミンA含有軟膏，白色ワセリンなどを使用する．

□悪化の程度に応じて，very strong～strongestクラスの副腎皮質ホルモン外用薬を塗布する．

□痛みを伴う場合には，鎮痛薬の内服も考慮する．

□びらん・潰瘍化した場合は，病変部を洗浄し，アズレン含有軟膏などで保護する．

6 薬学的ケア

CASE

□50歳代男性，腎細胞がん患者．高血圧の既往なし．2次治療としてアキシチニブ1回5 mgを1日2回で開始するにあたり，既存の皮膚疾患がないことを確認し，手足症候群対策の保湿など副作用対策を指導した.

□2週間後忍容性があることを確認しながら1回7mgを1日2回まで増量された.

□さらに2週間後の受診でヘパリン類似物質軟膏塗布は指示通り行っていたが掌と足底の荷重部分に過角化，水疱と疼痛を伴い，薬をPTPシートから出せなくなっていることを確認，手足症候群Grade 3と評価した．生活状況を再確認，体力づくりに連日長距離のサイクリングをしていたことが判明．再度圧迫を避けることを説明した上で2週間の休薬とサリチル酸ワセリンとジフルプレドナート軟膏の2：1混合処方を提案し開始された.

□2週間後，手足症候群はGrade 1に軽快していたためアキシチニブ1回5mgを1日2回での再開を提案し開始された．以降，手足症候群はGrade 1から悪化することはなく経過した.

解説

□アキシチニブの開始前に手足症候群のリスク因子でもある既存の皮膚疾患の有無を確認する．手足症候群が発現した場合は保湿の状況，生活状況など適切にマネジメントできているかを確認し，アキシチニブの休薬や減量，対症療法薬の提案が必要である．過角化には尿素含有製剤やサリチル酸ワセリンなど角質軟化作用のある外用薬が使用される．治療中の患者は体力の衰えを感じ，独自に運動を開始することがあり，本症例では自転車のハンドルとペダルによる長時間頻回の加圧が手足症候群の発現と悪化を招いた．指導ごとに生活状況を確認し，物理的刺激を避け，保湿・保清の徹底を指導していく必要がある．重症度の評価も適切に行われる必要があり，「身の回り以外の日常生活動作」（食事の準備，買い物など）に支障があればGrade 2,「身の回りの日常生活動作」（入浴，着衣・脱衣，薬の内服など）に支障があればGrade 3と，具体的な生活動作を基準に評価する.

引用文献

1）インライタ®錠，適正使用ガイド．2021年7月改訂（第7版）（ファイザー）
2）日本高血圧学会高血圧治療ガイドライン作成委員会（編）：高血圧治療ガ

イドライン 2019．ライフサイエンス出版，2019
3）Motzer RJ, et al：Lancet Oncol 14：552-62, 2013（PMID：23598172）
4）厚生労働省：重篤副作用疾患別対応マニュアル 手足症候群（https://www.mhlw.go.jp/topics/2006/11/dl/tp1122-1q01_r01.pdf 2021 年 12 月アクセス）
5）Lountzis NI, et al：J Drugs Dermatol 7：588-9, 2008（PMID：18561593）
6）Nonomiya Y, et al：Oncol Res 27：551-6, 2019（PMID：29914591）
7）日本甲状腺学会：甲状腺疾患診断ガイドライン 2021（http://www.japanthyroid.jp/doctor/guideline/ 2021 年 12 月アクセス）
8）厚生労働省：重篤副作用疾患別対応マニュアル 甲状腺機能低下症（https://www.mhlw.go.jp/topics/2006/11/dl/tp1122-1d09.pdf 2021 年 12 月アクセス）
9）一般社団法人日本腎臓学会「診療ガイドライン-第 3 章 検尿の位置づけ」（https://jsn.or.jp/guideline/kennyou/15.php 2021 年 12 月アクセス）
10）厚生労働省：重篤副作用疾患別対応マニュアル ネフローゼ症候群（https://www.mhlw.go.jp/topics/2006/11/dl/tp1122-1e33.pdf 2021 年 12 月アクセス）

（伊與田友和）

75 エベロリムス（アフィニトール®）

EVE

POINT

- 間質性肺炎の症状（咳嗽，呼吸困難，発熱，倦怠感など）を確認．治療期間中は，症状の有無と定期的な画像診断により副作用モニタリングが重要．
- 治療開始前にはB型肝炎対策ガイドラインに沿って検査を行い，治療中・治療後も定期的に検査を行う．
- スニチニブまたはソラフェニブによる治療歴があることを確認．

1 レジメンと副作用対策（→次頁参照）

適応：根治切除不能または転移性の腎細胞がん

1コース期間：連日内服　**総コース**：可能な限り継続

2 抗がん薬の処方監査

□本レジメンの適応（スニチニブまたはソラフェニブによる治療歴）があることを確認．

□アフィニトール分散錠は，本疾患の適応ではないことを確認する．

□投与開始前に胸部CT検査を実施し肺に間質性陰影を認めないことを確認．KL-6やSP-Dなどのバイオマーカーも治療前・治療中も定期的に測定し，ベースラインと比較を行うことで間質性肺炎の診断の参考となる．

□HBV感染の検査の有無を治療前に免疫抑制・化学療法により発症するB型肝炎対策ガイドライン[1]に沿って行い，治療中・後も定期的に検査を実施すること．

□免疫抑制を有するため，治療前には感染症（B型肝炎，結核，真菌感染など）の確認を行うこと．

□開始前に肝機能を評価すること．Child-Pugh分類Bの患者には慎重に投与．Child-Pugh分類Cの患者では使用は推奨されない（肝機能障害患者では血中濃度が上昇するため）．

□1回10 mg　1日1回　同一時刻の空腹時（食前1時間以内，食後2時間以内は避ける）にする．食後に内服した場合，C_{max}およびAUCが低下する報告がある．1日1回10 mgを超える

75		医薬品名 投与量	投与方法 投与時間	1	2	3	4	5	6	7	～	14	～	21	～	28	～	35	～	42	～	49	～	56
レジメン	Rp1	エベロリムス 10 mg	経口 1日1回 空腹時	↓	↓	↓	↓	↓	↓	↓	↓	↓	↓	↓	↓	↓	↓	↓	↓	↓	↓	↓	↓	↓

1日1回　同一時刻の空腹時（食前1時間以内，食後2時間以内は避ける）に投与する

副作用対策

副作用	対策
間質性肺疾患	初期症状（乾性咳嗽，呼吸困難，発熱）と画像検査を行う．
感染症	治療開始前にはB型肝炎，結核の有無を確認．肺炎や帯状疱疹も起こりやすい．
口内炎	治療開始前に口腔衛生状態を確認し，治療開始時より口腔ケアと含嗽液で予防を行う．アルコールや過酸化水素，ヨードを含む含嗽水は悪化させるため使用を避けること．
貧血	治療開始4か月までが起こりやすい．血液検査以外に自覚症状も確認を行う．
皮疹	day 8～14に発現率が高い．皮膚への外部刺激（物理的，科学的，紫外線など）を避け，治療開始前より保湿薬を使用し，セルフケアができるように努める．
脂質異常症	治療開始時よりコレステロール，中性脂肪の検査を定期的に行いモニタリングを行う．
高血糖，糖尿病	治療開始時より，HbA1cや空腹時血糖をモニタリングする．治療開始3か月までの発現率が多い．その後も徐々に増加していることから，投与期間を通じて注意が必要である．

用量への増量は認められない．

□生ワクチンとは併用禁忌（生ワクチン接種により病原性を発症することがあるため）．また，不活化ワクチン（不活化インフルエンザワクチンなど）の接種を希望する場合，ワクチンに対する免疫が得られないことがあるため医師などに相談を行う．

□CYP3A4やP糖蛋白質（P-gp）の代謝や阻害・誘導を行う薬剤に影響を受けるため，相互作用のある薬剤併用には注意．グレープフルーツジュースやセイヨウオトギリソウ（セントジョーンズワート）含有食品の飲食も避けること．

3 抗がん薬の調剤

□光に不安定であり，PTPから出して調剤してはならない．

□粉砕または分割で投与した場合の安定性および有効性は確立されていない．

□職業性曝露対策を行った上で，簡易懸濁法での投与は可能（水5分崩壊，8 Fr通過）[2]．

4 抗がん薬の投与

投与基準[3)]

検査項目			基準
全身状態	Karnofsky Performance Status (KPS)		≧70%自分自身の世話はできるが正常な活動・労働はできない
骨髄機能検査	好中球数		≧1,500/μL
	血小板数		≧10 万/μL
	Hb		>9 g/dL
腎機能	Scr		≦(男) 1.61 mg/dL, (女) 1.19 mg/dL (≦ULN×1.5)
肝機能	ALT および AST	肝転移なし	AST≦75 U/L ALT≦(男) 105 U/L, (女) 57.5 U/L (≦ULN×2.5)
		肝転移あり	AST≦150 U/L ALT≦(男) 210 U/L, (女) 115 U/L (≦ULN×5.0)
	T-Bil		≦2.25 mg/dL (≦ULN×1.5)
糖代謝検査	空腹時血糖値		≦164 mg/dL (≦ULN×1.5)

減量・中止基準[3)]

投与中に観察すべき検査

□間質性肺疾患 (肺臓炎, 間質性肺炎, 肺浸潤など), 高血糖, 糖尿病, 血球減少, 腎機能障害, 感染症の検査を定期的に行い, 観察を行う.

□間質性肺疾患では Grade 2 以上で休薬・中止. 非血液毒性では Grade 4 以上は中止し, Grade 3 では休薬を行う. 再開時の投与量は, 前コースでの Grade と副作用発現回数に応じて減量基準が異なる. 血液毒性では, 副作用に応じて減量・中止基準が異なる.

□間質性肺疾患

Grade 1	Grade 2	Grade 3	Grade 4
症状はなく画像所見のみ	症状があり, 日常生活に支障なし.	症状があり, 日常生活に支障あり.	生命を脅かす (人工呼吸を要する).
投与継続	・症状が改善するまで休薬. ・投与再開の場合は 1 日 1 回 5 mg を投与.	・投与中止. ・症状が改善し, かつ治療上の有益性を上回ると判断した場合のみ 1 日 1 回 5 mg で再開.	・投与中止. ・再投与は行わない.

□血液毒性

• 血小板（/μL）

Grade 1	Grade 2	Grade 3	Grade 4
15.8万～7.5万	5万～7.5万	2.5万～5万	<2.5万
投与継続	・Grade 1以下に回復するまで休薬. ・投与再開の場合，1日1回10 mgで再開. ・2回目以降の場合，1日1回5 mgに減量して投与再開.	・Grade 1以下に回復するまで休薬. ・投与再開の場合，1日1回5 mgで開始. ・再開後，Grade 3が再発した場合は投与中止.	投与中止

• 好中球（/μL）

Grade 1	Grade 2	Grade 3	Grade 4
1,500～2,000	1,000～1,500	500～1,000	<500
投与継続	投与継続	・Grade 1以下に回復するまで休薬. ・投与再開の場合，1日1回10 mgで再開. ・再開後，Grade 3となった場合はGrade 1以下に回復するまで休薬し，1日1回5 mgに減量して再開. ・3回Grade 3が発現した場合は投与を中止	・Grade 1以下に回復するまで休薬. ・1日1回5 mgで再開. ・再開後，Grade 3，4が発現した場合は投与中止.

□非血液毒性（感染症，腎機能障害，口内炎，高血糖，皮膚障害）

Grade 1	Grade 2	Grade 3	Grade 4
投与継続	【許容可能】 投与継続 【許容不可】 ・Grade 1以下に回復するまで休薬. ・投与再開の場合，1日1回10 mgで再開 ・2回目以降の場合，1日1回5 mgに減量して投与再開	・Grade 1に回復するまで休薬. ・1日1回5 mgで再開.	投与中止

腎機能障害

□Grade 3では，Grade 1に回復するまで休薬した後，1日1回5 mgで再開.

肝機能障害

□中等度の肝機能障害（Child-Pugh 分類 B）では減量を考慮．重症の肝機能障害（Child-Pugh 分類 C）では使用は推奨しない．

注意点[3)]

□飲み忘れた場合には，通常時間の 6 時間以内であれば内服可能．6 時間以上経過した場合はその日の内服は飛ばし，翌日通常の内服時間に投与を行う．

5 副作用マネジメント

発現率[4～6)]

副作用		第III相国際共同臨床試験（n=385，国内 24 例も含む）		特定使用成績調査（n=1,694）	
		全体（%）	Grade 3≧(%)	全体（%）	Grade 3≧(%)
血液毒性	貧血	26.8	8.6	13.34	6.96
	高コレステロール血症	19.2	2.4	-	-
	高トリグリセリド血症	15.8	1.3	-	-
	高血糖	8.6	3.4	14.23	6.37
	リンパ球減少	8.1	3.9	-	-
	血小板減少	6.2	1.3	-	-
	Cr 上昇	4.2	0	5.61	1.12
	白血球減少	2.3	0.3	-	-
非血液毒性	口内炎	34.8	3.6	45.45	3.90
	発疹	28.3	1	-	-
	疲労	25.2	4.2	-	-
	下痢	22.3	1.3	-	-
	食欲減退	18.7	0.5	-	-
	悪心	17.7	0.3	-	-
	感染症	15.1	3.4	11.57	4.01
	肺臓炎	7.5	2.3	0.47	0.12

評価と観察のポイント[3)]

□投与初期（day 1～14）は，口内炎や下痢の程度を評価する．口腔内の出血，乾燥，粘膜腫脹の他，咀嚼，嚥下，味覚障害などの自覚的症状変化を聴き取る．また，口腔内の発赤，びらん，潰瘍などの症状が発現していないか口腔内の観察を行い，主治医や歯科口腔外科医へ連絡を行う．アフタ性口内炎であり，可動粘膜（口唇裏面，頬粘膜，舌腹，舌側縁など）に発症する[7]．下痢は，排便回数，形状，水分の摂取状況などを確認．

□投与開始して day 15〜28 は，皮疹の評価を確認する．発疹・紅斑や皮膚乾燥，ざ瘡様皮疹，爪囲炎の症状が出現しやすい．皮疹が Grade 3 以上の場合（体表面積＞30％を占める落屑や日常生活に支障をきたす皮膚乾燥，皮膚瘙痒感）では休薬が必要となるため，皮疹の範囲や瘙痒感の程度を確認[8]．

□投与開始して day 29 以降では，間質性肺疾患と感染症の評価をする．呼吸苦や乾性咳嗽，喘鳴，発熱などの初期症状の有無を確認．また，胸部 CT 検査は，day 57，その後は 8 週おきに定期的に評価を行い，症状出現時には主治医に相談を行うこと[9]．HBV キャリアや，HBV 既感染者では，免疫抑制・化学療法により発症する B 型肝炎対策ガイドラインに従い，HBV-DNA 定量や肝機能検査にてモニタリングを行う[1,10]．

副作用対策のポイント

間質性肺炎[3,9]

□投与開始前は画像所見，検査，呼吸器系の症状の確認を行い，投与中，投与後も定期的に画像検査を実施していく．症状出現時は，感染症との鑑別のために，KL-6 や SP-D 以外に β-D グルカン，サイトメガロウイルス抗原，尿中レジオネラ抗原，細菌塗抹・培養・DNA 検査などを行う．

□患者や患者家族には，乾性咳嗽，呼吸困難，発熱などの症状発現に注意し，症状出現時には，ただちに受診するように指導を行う（風邪の初期症状に似ているため注意が必要）．

□軽症では投与中止し，中等症ではステロイド治療を開始する．ステロイドパルス療法（メチルプレドニゾロン　1 日 500〜1,000 mg　3 日間）もしくはプレドニゾロン　0.5〜1 mg/kg/日で治療を開始し，臨床症状の改善をみながら，漸減をしていく．副腎皮質ステロイド開始後は，副腎皮質ステロイド重症副作用（major side effect）を起こさないように，血糖管理，ニューモシスチス肺炎予防，消化管潰瘍，骨粗鬆症などの対策を行っていく．副腎皮質ホルモンによる効果が不十分な場合，免疫抑制薬（シクロホスファミドなど）の使用を行う場合もあるが 保険適用外 であるため注意が必要．

口内炎[7)]

□治療開始前には歯科口腔外科で口腔衛生状態（う歯，歯周病，義歯不適合，喫煙の有無など）の確認．口腔のセルフケアに関してブラッシングや義歯の取り扱い，口腔内保湿を患者に指導する[11,12)]．

□治療開始時より口腔ケアと含嗽液（生理食塩水やアズレンスルホン酸ナトリウム）による保存的処置を行う．含嗽液は最低1日3回，できれば1日8回（2時間ごと）に行う．アルコール，過酸化水素，ヨードを含有する含嗽液は，口腔内潰瘍を悪化するので使用しない[13)]．RECORD-1試験ではday 8～14，特定使用成績調査ではday 15～21に発現頻度が高かった．

□びらんまたは潰瘍を伴う口内炎が出現した場合には，口腔用ステロイド軟膏の塗布を行う[14)]．ただし，口腔カンジダ症を発症する可能性があるため，長期間の投与は避ける．

皮疹[8)]

□副作用の発現時期を伝え，皮膚の乾燥を防ぐために，患者にスキンケア指導[15)]を行う．物理的刺激・科学的刺激を避け，1日1回は入浴などで清潔に皮膚を保ち，保湿を実施すること．ヘパリン類似物資，尿素配合薬，白色ワセリンなどを1日2回以上は保湿薬を使用して塗布を行い，症状や発現部位に応じてステロイド外用薬や抗ヒスタミン薬の処方を行う．

6 薬学的ケア

CASE

□40歳代男性．腎細胞がんの肺転移（StageⅣ）の3次治療にてエベロリムス1日10 mgを開始．治療開始前に歯科口腔外科を受診．う歯なく，歯科衛生士よりブラッシング指導を実施．口内炎予防として，アズレンスルホン酸ナトリウムの処方を提案し処方があり口腔ケアの指導を行った．開始時の血小板は21万/μLであった．

□治療開始day 21の外来時面談にて，鼻出血を頻回に起こすことを聴取．歯肉出血なく，口内炎はGrade 1，血小板はGrade 2となり，休薬となった．day 28には血小板Grade 1に改善し，同量で再開．

□day 35の面談時に疼痛を伴う口内炎Grade 2が出現．局所麻酔薬を加えたアズレンスルホン酸ナトリウム含嗽液と口腔用ステロイド軟膏を提案し了承された．含嗽液と軟膏の使用方法について指導を実施．

□ day 42 には疼痛・アフタ性口内炎も Grade 1 まで改善し．アズレンスルホン酸ナトリウムで口内炎予防をするように指導をした．その後の治療中は口内炎 Grade 1 で経過している．

解説

□ 口内炎の発生頻度が高いため，口腔衛生状態の確認を行う．好発部位としては可動粘膜にできやすく，予防として口腔内の感染制御と保湿乾燥対策と疼痛コントロールを行い口内炎の重症化，2 次感染を回避すること．

□ 口腔ケアとしては，歯ブラシの選択（ナイロン製でヘッドが小型なもの），歯磨剤の選択（研磨剤，発泡剤，清涼剤などが入っていない低刺激），ブラッシング回数（1 日 4 回）を指導する．保湿乾燥対策として，生理食塩水での含嗽や市販の口腔保湿剤を使用することも口腔粘膜炎の悪化を防ぐ．市販の保湿薬はスプレーやジェルタイプがあり，口腔内の状況や患者の好み（使用感や味）によって上手に使い分けること．また，予防として含嗽液を使用する場合は，口腔内全体に薬剤が行きわたるように含みうがいを指導すること．

□ 口内炎の Grade に応じて中止・治療を行う．Grade 1 に改善が得られれば，口腔用ステロイド外用薬を中止し，口腔ケアと含嗽液（生理食塩水やアズレンスルホン酸ナトリウム）による保存的処置を続ける．

□ 疼痛を伴う場合，局所麻酔薬を加えたアズレンスルホン酸ナトリウムでの含嗽液や鎮痛薬などを使用する．また，Grade 3 の難治性の場合には，がんなどに関わる放射線療法または化学療法を実施する患者の医科歯科連携（歯科口腔外科の専門歯科医への紹介）として，周術期等専門的口腔衛生処置 2 でエピシル® 口腔用液を使用することもできる．口腔内病変の被覆および保護を目的とする非吸収性の液状機器であり，医薬品ではないことに注意が必要である．薬剤師としては，エピシル® 口腔用液の成分にプロピレングリコール，大豆レシチン，ペパーミントオイルが含まれるため，これらの成分に対するアレルギー歴に注意を払うこと．

□ 血液毒性では，症状の有無以外と血液検査でモニタリングが重要である．血小板4万/μL以下でも外傷を受けない限り歯肉出血は起こらない．感染リスクを増加させるため，口腔ケアは中止しないこと[16]．

引用文献

1）日本肝臓学会肝炎診療ガイドライン作成委員会（編）：B型肝炎治療ガイドライン，第3.4版．pp 78-87, 2021
2）天野 学，他：社会薬学 32：43-7, 2013
3）アフィニトール® 錠，適正使用ガイド
4）Motzer RJ, et al：Lancet 372：449-56, 2008（PMID：18653228）
5）アフィニトール® 錠，特定使用成績調査
6）上沢 修，他：Organ Biol 25：41-50, 2018
7）アフィニトール® 副作用マネジメント No. 1 口内炎（ノバルティスファーマ）
8）アフィニトール® 副作用マネジメント No. 4 皮膚障害（ノバルティスファーマ）
9）アフィニトール® 副作用マネジメント No. 2 間質性肺疾患（ノバルティスファーマ）
10）アフィニトール® 副作用マネジメント No. 3 感染症（ノバルティスファーマ）
11）日本がんサポーティブケア学会粘膜炎部会（監訳）：EOCC 口腔ケアガイダンス（第1版日本語版）
12）Lalla RV, et al：Cancer 120：1453-61, 2014（PMID：24615748）
13）Porta C, et al：Eur J Cancer 47：1287-98, 2011（PMID：21481584）
14）太田嘉英，他：癌と化療 43：203-9, 2016
15）国立がん研究センター研究開発費がん患者の外見支援に関するガイドラインの構築に向けた研究班（編）：がん患者に対するアピアランスケアの手引き，2016年版．金原出版，2016
16）Keefe DM, et al：Cancer 109：820-31, 2007（PMID：17236223）

（上ノ段友里）

76 テムシロリムス（トーリセル®）

TEM

POINT

- ■対象患者は根治切除不能または転移性の腎細胞がんであるが，現在では非淡明細胞がんの1次治療に用いられることが多い.
- ■間質性肺疾患（ILD）の早期発見および口腔内粘膜炎の予防に努め，血小板減少症の有無を確認.
- ■infusion reactionの予防として抗ヒスタミン薬の前投与を行い，アルコール過敏の有無についても確認.

1 レジメンと副作用対策（→次頁参照）

1コース期間：7日間　**総コース**：PDまで

2 抗がん薬の処方監査

□infusion reactionを予防するため抗ヒスタミン薬（d-クロルフェニラミンマレイン酸塩など）の前投与を確認.

□催吐性リスクは最小度であり，5-HT_3受容体拮抗薬やデキサメタゾンは不要.

□投与前に胸部CTおよびX線検査，KL-6などの測定を必要に応じて実施して肺の基礎疾患の有無を確認．投与前から肺の基礎疾患がある患者では，特に注意して投与後の経過観察を行う.

□免疫抑制作用があるため，肝炎ウイルス，結核などの感染の有無を確認し，投与前に適切な処置を行う．特に，HBVキャリアの患者またはHBs抗原陰性の患者においてHBVの再活性化による肝炎が現れることがあるためB型肝炎治療ガイドラインに基づいて検査・治療がなされているか確認.

□投与に使用する輸液セットは，可塑剤としてDEHPを含まないものを使用する.

□孔径5μm以下のインラインフィルターを使用する.

□**投与禁忌**：本剤に過敏症の既往歴のある患者，妊婦または妊娠している可能性のある女性，生ワクチンを接種しないこと.

76		医薬品名 投与量	投与方法 投与時間	1	2	3	4	5	6	7	8	9	10	11	~	16	17	~	28	29	~
レジメン	Rp1	生理食塩液 50 mL	点滴注射	↓							↓									↓	
	Rp2	生理食塩液 100 mL d-クロルフェニラミン 10 mg	点滴注射 30分	↓							↓									↓	
	Rp3	テムシロリムス点滴静注液 25 mg 生理食塩液 250 mL	点滴注射 60分 （infusion reaction の忍容性を確認して 30分まで短縮可.）	↓							↓									↓	
	Rp4	生理食塩液 100 mL																			
副作用対策	infusion reaction			■							■									■	
	初期症状：咳嗽，紅潮，発熱，呼吸困難，低血圧. 2回目以降の投与時にも発現する可能性あり．毎回患者の状態に十分注意する. 対策：重症度に応じて，ヒドロコルチゾン 100 mg＋生理食塩液 50 mL，抗ヒスタミン薬，アドレナリンなどの追加を考慮.																				
	間質性肺炎																		■	■	■
	間質性肺疾患は Grade 1～2 が多い傾向であるが，びまん性肺胞障害パターンの症例も認めることから，呼吸器症状などの発現には十分な注意が必要.																				
	口内炎																		■	■	■
	含嗽および口腔ケアを早期から行い，症状に応じて消炎および鎮痛薬等の処置を行う.																				
	貧血，血小板減少症																		■	■	■
	動悸，倦怠感，頭痛，立ちくらみ，点状出血，紫斑																				
	高血糖，脂質代謝異常																		■	■	■
	投与前，投与中は定期的に空腹時血糖値，HbA1c，TC，TG などを測定する.																				
	感染症																		■	■	■
	免疫抑制作用により，日和見感染などの感染症が発現または悪化する可能性があるため，肺炎や尿路感染を含めて観察を十分に行う.																				

3 抗がん薬の調剤

□必ず添付希釈用液を用い，直接，生理食塩液で希釈しないよう注意.

4 抗がん薬の投与

投与基準[1]（表 76-1）

減量・中止投与基準

間質性肺疾患以外

□25 mg/週を投与開始後，Grade 0～2 までであれば同一投与量で治療継続.

表 76-1　投与基準

項目	基準	項目	基準
PS	0～2	AST/ALT	AST≦90 U/L（≦ULN×3.0），ALT≦（男）126 U/L，（女）69 U/L（≦ULN×3.0） 【肝転移がある場合】AST≦150 U/L（≦ULN×5.0），ALT≦（男）210 U/L，（女）115 U/L（いずれも≦ULN×5.0）
好中球数	≧1,500/μL		
Hb	≧8.0 g/dL		
血小板数	≧10 万/μL		
Scr	≦（男）1.61 mg/dL，（女）1.19 mg/dL（≦ULN×1.5）	TC	≦350 mg/dL
		TG	≦400 mg/dL
BUN	≦30 mg/dL（≦ULN×1.5）	HbA1c	10%未満
		空腹時血糖	≦164 mg/dL（≦ULN×1.5）
T-Bil	≦2.25 mg/dL（≦ULN×1.5）	胸部 CT	間質性肺疾患などを疑う異常所見なし

- □Grade 3 以上で休薬し，回復後には 5 mg/週ずつ減量して投与再開.
- □回復基準：好中球数≧1,000/μL，血小板数≧7.5 万/μL，NCI-CTCAE≦Grade 2.
- □減量方法：初回投与量（25 mg/週）→1 段階減量（20 mg/週）→2 段階減量（15 mg/週）→3 段階減量（10 mg/週）.
- □10 mg/週以下への減量が必要な場合には投与中止.
- □一度減量を行った場合は，再増量しない.
- □休薬前の最終投与から 3 週以上経過しても回復が認められなかった場合には投与中止.

間質性肺疾患

- □「副作用対策のポイント」（→637 頁）.

腎機能障害

- □腎機能低下患者および血液透析患者を対象とした臨床試験は実施されていない[2].
- □透析患者においては，非透析患者の体内薬物動態と有意差はないと報告されている[3, 4].

肝機能障害

- □肝機能正常患者に比べて，平均 AUC は軽度～中等度の肝機能障害患者では 1.4～1.7 倍.
- □重度の肝機能障害患者では 1.7 倍と報告されている[1].
- □AST＞30 U/L（＞ULN）かつ T-Bil≦1.5 mg/dL（≦ULN）：15

mg に減量[2].

□1.5 mg/dL（ULN）＜T-Bil≦2.25 mg/dL（≦ULN×1.5）：15 mg に減量[2].

□T-Bil≧2.25 mg/dL（≧ULN×1.5）：投与中止[2].

注意点

□投与開始後はバイタルサインのモニタリングを行うなど患者の状態を十分に観察する.

□infusion reaction が発現した場合には，すべての徴候および症状が完全に回復するまで患者を十分に観察.

5 副作用マネジメント

発現率[5]

副作用名	国際共同（アジア）第II相試験での副作用発現率[1]		多施設共同第III相試験での副作用発現率[6]		市販後全例調査での副作用発現率[7]	
	発現率	発現率	発現率	発現率	発現率	発現率
	全Grade（%）	Grade 3 以上（%）	全Grade（%）	Grade 3 以上（%）	全Grade（%）	Grade 3 以上（%）
発疹	58.5	1.2	47	4	20.9	1.8
口内炎	57.3	4.9	20	1	27.9	3.8
高コレステロール血症	42.7	3.7	24	1	14.0	1.9
高トリグリセリド血症	39.0	3.7	27	3	14.0	1.9
食欲不振	36.6	2.4	32	3	—	—
ALT 増加	32.9	2.4	8	1	—	—
高血糖	31.7	4.9	26	11	13.1	4.0
貧血	29.3	4.9	45	20	—	—
疲労	29.3	1.2	—	—	—	—
低リン酸血症	28.0	4.9	—	—	3.9	1.6
血小板減少	25.6	—	14	1	—	—
体重減少	25.6	—	19	1	—	—
下痢	22.0	2.4	27	1	4.3	0.6
血中クレアチニン増加	20.7	—	14	3	—	—

評価と観察のポイント

間質性肺疾患

□無症候性である場合も多く，定期的な画像検査により発見され臨床症状を認めないことも多い.

□発熱，呼吸困難，空咳，低酸素症，倦怠感といった症状の有無を確認する．
□投与期間中は定期的にCTによる肺のモニタリングを行う．
□間質性肺炎マーカー（KL-6やSP-D）を確認．

infusion reaction

□初期徴候として，発疹，紅潮，胸痛，瘙痒感，呼吸困難，低血圧，無呼吸，意識消失，アナフィラキシーがある．特に初回はバイタルサインのモニタリングに注意し，2回目以降の投与時にも重篤な症状が発現する可能性を考慮して対応する．

糖尿病

□投与開始前，投与開始後は定期的に空腹時血糖の測定などの十分なモニタリングを行う．
□糖尿病の既往を有する症例では，HbA1cについても定期的に測定してモニタリングを行う．
□骨髄抑制と併発すると，赤血球寿命が短縮することでHbA1cが偽性低値となることもある．

脂質異常

□脂質代謝異常は30～50％の頻度で生じるため，投与前，投与中は定期的にTCやTGを測定する．

感染症

□B型肝炎治療ガイドラインを遵守したモニタリングおよび投与中～投与終了後も定期的な検査を行う．
□呼吸器内科に紹介し，ニューモシスチス肺炎が疑われる場合，間質性肺炎との鑑別診断を行う．

口内炎

□義歯口内炎（義歯使用者や高齢者で多い），ウイルス性口内炎（免疫低下で発症しやすい），口腔カンジダ症（特にステロイドに伴う免疫機能低下で日和見感染として発症しやすい）など，他の疾患と鑑別する．
□口内炎，口腔内潰瘍形成，口腔内痛，舌炎の有無を確認．

副作用対策のポイント

間質性肺疾患

□画像所見の異常のみで臨床症状なし：投与継続可．慎重に経過観察．
□画像所見の異常＋軽度の臨床症状（Grade 1）：休薬してステロ

イド薬の投与を考慮．より厳重な経過観察．状況に応じてステロイドの投与を考慮する．

□以下①～③のいずれか：投与中止してメチルプレドニゾロン 500～1,000 mg/日を 3 日間のパルス療法を考慮（血糖値の管理とニューモシスチス肺炎予防，ステロイド性骨粗鬆症の管理も行う）．

- ①臨床症状が増悪傾向＋肺機能検査で肺拡散機能低下．
- ②日常生活に支障があって酸素療法を要する．
- ③肺の基礎疾患あり＋臨床症状または画像所見の異常．

□患者側のリスク因子：年齢，PS，合併症の有無（肺疾患，間質性肺疾患），腎障害，対象疾患診断時の病期，罹患期間[8]．

□発現頻度は全抗がん薬の中でも比較的高く，全期間を通じて発現する．投与開始から 8 週間以内の発現が約 6 割と多い傾向あり．

□投与中止のみで臨床症状が改善する症例もあり．

□感染症を除外するための各種検査を実施（β-D グルカン，サイトメガロウイルス抗原，喀痰培養，尿中レジオネラ抗原など）

□無症候性でも画像所見のみ認める症例もあるため，本剤投与中には 2 か月に 1 回程度は胸部 CT 検査を行う．

□テムシロリムスによる間質性肺疾患を発現した場合の死亡率は高いとはいえず，比較的 Grade 1～2 が多い傾向だが，びまん性肺胞障害に至った症例も認めているため，呼吸器症状の発現には注意．

□免疫が抑制されている患者では，末梢血リンパ球数を注意深くモニタリングし，ST 合剤などの抗菌薬の予防投与も考慮．

infusion reaction

□初期症状として発熱，悪寒，頭痛，瘙痒感，発疹などが現れることがある．

□前投薬として抗ヒスタミン薬を投与し，点滴時間を遵守する．

□重度な infusion reaction を認めた場合は，投与をただちに中止し，症状に応じて抗ヒスタミン薬，気管支拡張薬，ステロイド，アドレナリン，輸液を投与するなどの適切な処置を行う．

糖尿病

□潜在的な患者要因：投与開始時の糖尿病の既往．

□過度の口渇，多飲，尿量および排尿回数の増加が現れた場合には連絡するよう指導．

□低血糖にも注意しつつ，血糖値<200 mg/dL で管理できるよう，血糖降下薬療法，インスリン療法の開始または増量を検討.

脂質異常

□投与開始前から脂質異常の既往がある場合は，特に注意.

□コレステロールやトリグリセリドが高値の場合，食事療法だけでなくスタチン系の内服開始も検討.

感染症

□感染症を合併している患者においては，免疫抑制作用により感染症が悪化するおそれがある.

□投与前に感染の有無を確認し，感染症に罹患している場合には，投与前に適切な処置を行う.

□真菌感染に対してアゾール系抗真菌薬を投与する場合には，CYP3A4 を介した薬物相互作用があることに配慮した薬剤選択を行う.

口内炎

□口内炎に対して確立した治療法はなく，対症療法となる.

□含嗽および口腔ケア：口内炎の治療においても保清と保湿は継続. 早期から予防的に行い，症状に応じて消炎および鎮痛薬などの処置を行う.

□ヨードやアルコール，過酸化水素を含有する含嗽薬は使用しない. 具体的には，アズレンスルホン酸ナトリウムや生理食塩液などの含嗽薬を使用し，口内炎が生じた場合には，口腔内の保清後に口腔用ステロイド外用薬を塗布[9].

□疼痛が強い場合にはリドカイン含嗽液も考慮し，歯科にコンサルテーションして局所管理ハイドロゲル創傷被覆・保護剤「エピシル® 口腔用液」による疼痛緩和も有効.

6 薬学的ケア

CASE

□60 歳代男性. 腎細胞がん肺転移. PS 0. テムシロリムスの投与が開始され，間質性肺炎の初期症状および口内炎の予防について説明. 含嗽薬の処方がなく，アズレンスルホン酸ナトリウムを医師に処方依頼. 使い切った，もしくは外出先などに持参するのを忘れた場合には，ペットボトルのキャップ 1 杯の食塩と 500 mL の水で作製できる 0.9％食塩水で代用可能であることを説明.

□day 32：患者より口内炎の痛みで食事が摂れないと電話連絡を受けた．Grade 3 の口内炎に対して，デキサメタゾン口腔用軟膏およびインドメタシン外用液（院内製剤）の処方を提案．Grade 2 に改善したが，相変わらず食事は摂りにくいと相談あり．歯科紹介およびエピシル® 口腔用液の併用を主治医に提案．歯科よりエピシル® およびリドカイン含嗽液の処方が追加され，食事摂取が可能となった．同時に義歯の接触部位が原因と判明し，歯科治療後に口内炎は軽快した．

解説

□テムシロリムスの口内炎に薬剤師が関わった事例．

□痛みを伴う場合には酸味や香辛料は避け，室温に冷ます，軟食やミキサー食といった食事の工夫も重要である．疼痛はできる限り制御すべきであり，鎮痛薬を積極的に併用する．鎮痛薬の選択に関しては，WHO の 3 段階除痛ラダーに準じて，痛みの程度に応じて局所麻酔薬（リドカイン）による含嗽，アセトアミノフェン，NSAIDs，オピオイド製剤を使用する．デキサメタゾン口腔用軟膏は，びらんまたは潰瘍を伴う難治性口内炎や舌炎に対して使用する．エピシル® は口腔内の水と混じることで逆ミセル化してゲル状の保護膜を形成し，物理刺激を回避することから口腔内の痛みを軽減するものであり，効果は 8 時間持続するとされているが個人差があり，油物を多く食べると剝がれやすい．

□症状の改善が認められない場合には，早めの歯科へのコンサルテーションを心がけるべきである．

引用文献

1）トーリセル® 点滴静注液，適正使用ガイド
2）NIH（https://dailymed.nlm.nih.gov/dailymed/）
3）Klajer E, et al：Semin Oncol 47：103-16, 2020（PMID：32522380）
4）Lunardi G, et al：Clin Ther 31：1812-9, 2009（PMID：19808140）
5）Mok TS, et al：N Engl J Med 361：947-57, 2009（PMID：19692680）
6）Hudes G, et al：N Engl J Med 356：2271-81, 2007（PMID：17538086）
7）Sugiyama S, et al：Jpn J Clin Oncol 50：940-7, 2020（PMID：32458996）
8）トーリセル® 適正使用情報 Vol. 2 特定使用成績調査の最終報告 2016 年 10 月作成（ファイザー）
9）Vigarios E, et al：Support Care Cancer 25：1713-39, 2017（PMID：28224235）

（矢野琢也）

77 パゾパニブ（ヴォトリエント®）

POINT

- 他のマルチキナーゼ阻害薬同様に肝機能障害，高血圧，手足症候群，甲状腺機能低下，LVEF 低下に留意する．
- 肝機能障害の頻度が高く，個別の減量基準および中等度以上の肝機能障害を有する場合は最大耐用量が設定されている．
- 有害事象に対する減量後に増量は可能であるが 800 mg を上限とする．

1 レジメンと副作用対策[1)]

適応：根治切除不能または転移性の腎細胞がん
1 コース期間：規定なし　**総コース**：規定なし
悪性軟部腫瘍に対しても同様のスケジュールである．

77		医薬品名 投与量	投与方法 投与時間	1	～	8	～	15	～	22	～	29	～	36	～	43	～	50	～	71	～
レジメン	Rp1	パゾパニブ 800 mg	経口 1日1回	↓	↓	↓	↓	↓	↓	↓	↓	↓	↓	↓	↓	↓	↓	↓	↓	↓	↓

1 回 800 mg を 1 日 1 回食事の 1 時間以上前または食後 2 時間以降に連日投与．スケジュール規定なし．

副作用対策	
肝機能障害	減量および休薬における第 1 指標〔ALT＞(男) 126 U/L，(女) 69 U/L (＞ULN×3.0)〕である肝機能障害が投与開始 18 週以内にほぼ発現するため定期的なモニタリングを少なくとも 9～10 週間は実施する必要がある．
高血圧	患者へ自己測定の指導および状況に応じた降圧薬を選択する．Ca 拮抗薬，ARB，ACE 阻害薬，利尿薬，β 遮断薬を選択する．「高血圧に対する減量・休薬基準」を準拠する．
心機能検査，QT 延長（※頻度しては稀だが不定期かつ重篤）	各々に規定されている「心機能障害に対する減量・休薬基準」および「QT 延長に対する減量・休薬基準」を準拠する．QT 延長に関しては必要に応じて電解質(Ca，Mg，K) を補正する．QT 延長を誘発する併用薬にも注意する．
手足症候群	投与開始 2～3 週間程度で浮腫性紅斑と足底を中心に知覚過敏，しびれなどが生じる (マルチキナーゼに特有)．治療開始時より予防目的で保湿薬を使用し，症状に併せてステロイド外用薬などを選択していく．
毛髪変色，皮膚色素脱色	使用開始 5～6 週後で発症するため，その内容を適切に患者に説明する．一方で，可逆的で投与中止後 2～3 週間で回復する傾向がある．

2 抗がん薬の処方監査

□食後投与にて AUC 2.3 倍（高脂肪食），1.9 倍（低脂肪食）に増加，C_{max} はいずれも 2.1 倍に上昇するので食間投与を原則とする．

□本剤は主に CYP3A4（一部 CYP1A2 および 2C8 が関与）により代謝されるため本酵素活性に影響を与える薬剤の併用には留意する．

□本剤は CYP2B6，2C8，2E1，3A4，UGT1A1，OATP1B1 を阻害するため，これらの酵素により代謝される他の薬剤の併用には留意する．また P 糖蛋白質（P-gp）および BCRP（乳がん耐性蛋白）の基質である．

□PPI との併用で本剤の AUC および C_{max} がそれぞれ約 40％および 42％低下するため併用を避ける．

□手術または侵襲を伴う処置を実施する場合，創傷治癒を遅らせる可能性があるため，休薬期間[※1]を十分考慮する（臨床試験では 4 週間以内の大手術を施行した症例は除外している）．

※1：米国添付文書：術前 7 日以上前の休薬が推奨されている

□臨床試験において，中等度の肝機能障害[※2]を有する患者に対する最大耐用量は 200 mg であり，この最大耐用量を超えることは推奨されていない．

※2：米国添付文書：ALT にかかわらず T-Bil≧2.25～4.5

3 抗がん薬の調剤

□FDA（米国食品医薬品局）胎児危険度分類は「D」（ヒトの胎児に明らかに危険性を示す確かな証拠がある）である[2]．

4 抗がん薬の投与

投与前基準[1]（表 77-1）

減量・中止基準[1]

□副作用全般（肝機能障害，高血圧，心機能障害，QT 延長を除く）

- 副作用の発現により用量を減量して投与を継続する場合は，症状，重症度などに応じて，200 mg ずつ減量すること．また，本剤を減量後に増量する場合は，200 mg ずつ増量すること．ただし，800 mg を超えないこと．

表 77-1 投与前基準

WHO の一般状態 (PS)	0〜1	AST	≦75 U/L (≦2.5×ULN)
血圧	収縮期≦140 mmHg 拡張期≦90 mmHg	ALT	≦(男) 105 U/L, (女) 57.5 U/L (いずれも≦2.5×ULN)
好中球数	≧1,500/μL		
血小板数	≧10 万/μL		
ヘモグロビン	≧9 g/dL	T-Bil	≦2.25 mg/dL
PT または PT-INR	PT≦14.4 秒 (≦ULN×1.2), PT-INR≦1.32 (≦ULN×1.2)	Scr	≦1.5 mg/dL
		尿蛋白	陰性または 1.0 g/24 時間未満
APTT	APTT≦48 秒 (≦ULN×1.2)	甲状腺機能検査	正常
		心機能検査	LVEF≧50%

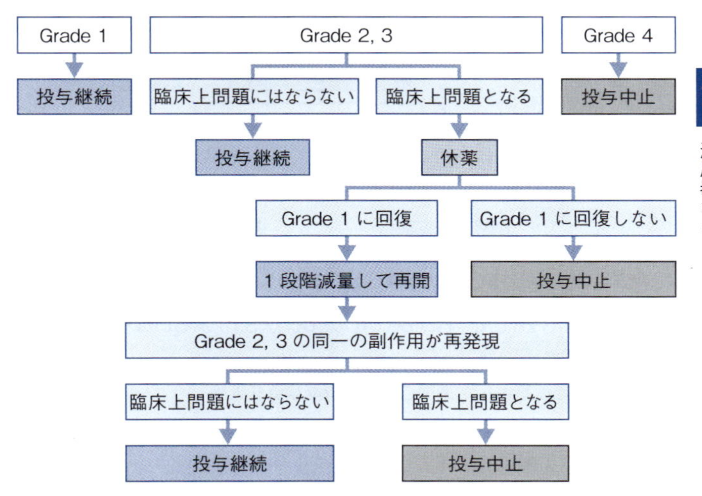

腎機能障害

□米国添付文書[3)]

腎機能障害	用量調節
正常・軽度・中等度腎機能障害 (Ccr 30〜150 mL/分)	不要
重度腎機能障害 (Ccr<30 mL/分)	データなし

尿中排泄率が経口投与量の 4%のため，腎機能障害による薬物動態の変動は小さい．

肝機能障害

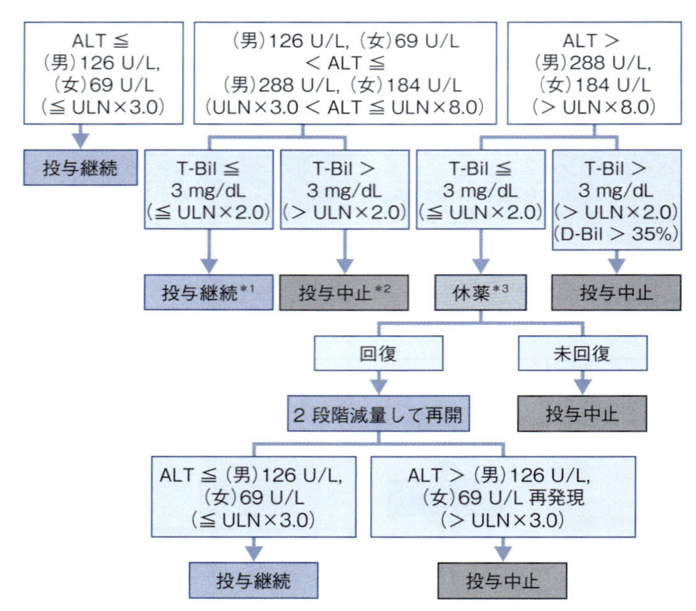

*1 ALT≦(男) 126 U/L, (女) 69 U/L (≦ULN×3.0) あるいは投与前値に回復するまで 1 週間ごとに肝機能検査を実施
*2 ALT≦(男) 126 U/L, (女) 69 U/L (≦ULN×3.0) あるいは投与前値に回復するまで経過を観察
*3 ALT≦(男) 126 U/L, (女) 69 U/L (≦ULN×3.0) あるいは投与前値に回復するまで休薬中も 1 週間ごとに肝機能検査を実施

□米国添付文書[3)]

肝機能障害	用量調節
軽度肝機能障害*4	不要
中等度肝機能障害*5	200 mg/日
重度肝機能障害*6	投与中止

*4 ALT≧(男) 42 U/L, (女) 23 U/L (≧ULN) であるが T-Bil 正常範囲内または ALT にかかわらず T-Bil≧1.5～2.25 mg/dL (≧ULN×1.0～1.5)
*5 ALT にかかわらず T-Bil≧2.25～4.5 mg/dL (>ULN×1.5～3.0)
*6 ALT にかかわらず T-Bil≧4.5 mg/dL (>ULN×3.0)

注意点

□本剤は食事の影響を受けるため食間（空腹時）投与.

5 副作用マネジメント

発現率[4)]

症状		全体集団（n=554）		日本人（n=29）	
		全 grade n（%）	Grade≧3 n（%）	全 grade n（%）	Grade≧3 n（%）
血液毒性	白血球減少	46（8）	4（<1）	4（14）	0
	好中球減少	59（11）	18（3.2）	7（24）	3（10）
	血小板減少	54（10）	10（1.8）	4（14）	1（3）
	貧血	27（5）	5（<1）	2（7）	0
非血液毒性	手足症候群	159（29）	32（6）	14（48）	0
	皮疹	75（14）	4（<1）	5（17）	0
	AST 上昇	138（25）	39（7）	14（48）	6（21）
	ALT 上昇	161（29）	64（11.6）	14（48）	7（24）
	T-Bil 上昇	48（9）	5（<1）	2（7）	0
	高血圧	240（43）	79（14）	14（48）	9（31）
	甲状腺機能低下症	58（10）	0	5（17）	0
	毛髪変色	165（30）	0	3（10）	0

評価と観察のポイント

投与初期（1～6 週目）

□肝機能障害：ALT 増加とリスク因子[5)]

ALT >（男）126 U/L,（女）69 U/L（>ULN×3）	「女性」「60 歳以上」「ベースライン ALT>（男）42 U/L,（女）23 U/L（≧ULN）」「抗がん薬治療歴なし」「ベースライン時 PS 良好」
ALT >（男）210 U/L,（女）115 U/L（>ULN×5）	「60 歳以上」「ベースライン ALT>（男）42 U/L,（女）23 U/L（≧ULN）」「抗がん薬治療歴なし」
ALT >（男）336 U/L,（女）184 U/L（>ULN×8）	「60 歳以上」

各患者のリスクに応じてモニタリングを個別に行うことが重要である.

□**高血圧**：高血圧の既往がない患者には診察室での測定以外に自宅での血圧測定の指導を行う. また, 仮面高血圧や白衣高血圧を識別するため, 両者測定値の較差を評価する.

□**手足症候群**：手足の紅潮, 色素沈着, 亀裂などの症状を継時的に評価する. 限局性紅斑から始まり角化や亀裂が生じやすいのがキナーゼ阻害薬の特徴である.

□**毛髪の変色・皮膚の色素脱失**：使用開始5〜6週後[6]で発症するため，その内容を適切に患者に説明する.

副作用対策のポイント

□**肝機能障害**：統合解析の結果，全発現の中央値は42日であり91%が18週以内に発現．一方でALTピーク値〔ALT>(男)126〜798 U/L，(女)69〜437 U/L (ULN×3〜19)〕別の回復率はすべて90%と高く回復期間中央値は30日である[5]．つまり減量・休薬基準を準拠することが重要である．また，投与開始後少なくとも10週間は定期検査を行う必要がある.

□**高血圧**：高血圧治療の対象は140/90 mmHg以上である．降圧薬治療の原則は1日1回の薬物を低用量から開始し，増量時には1日2回を考慮する．Ⅱ度以上の高血圧には初期からの併用療法を考慮する[7].

□**手足症候群**：発現時期は初期に多く短期間で増悪する可能性があるため，慎重な観察が必要である．痛みなどで生活に支障がある状態はGrade 3に相当するため休薬する.

□**毛髪の変色・皮膚の色素脱失**：この変化は可逆的で投与中止後2〜3週間で回復する[8].

6 薬学的ケア

CASE

□70歳代女性，腎細胞がん肝転移にてパゾパニブ導入目的にて介入となる．パゾパニブ開始時に処方を確認したところ食後の指示であったため，起床時（空腹時）への変更を提案．また患者から「おやつ程度であれば問題ないか」との質問に対し，低脂肪食でも影響を受けることを説明し避けるように指導．またグレープフルーツとの食べ合わせについても説明した.

□パゾパニブ投与中に胃腸障害が出現したため，ランソプラゾール錠が追加となった．しかし，併用により本剤のAUCの低下が懸念されるため，疑義照会を行い，ファモチジン錠へ変更となった.

□面談時の肝機能はAST/ALTは51/41 U/L（AST/ALT増加Grade 1），T-Bilは正常範囲内かつChild-Pugh分類Aであったため標準用量で開始となる．主治医と協議した結果，患者のリスク因子を考慮し内服開始1か月は1週間ごとの肝機能検査をすることとなった．

□内服開始3週目においてALT 199 U/L（ALT＞ULN×8）（T-Bil正常範囲内）となり休薬となる．3週間後の採血でGrade 1まで回復したため再開用量に関して主治医と協議し通常のアルゴリズム通り2段階減量の400 mg/日で再開となる．その後，ALT＜69 U/L（＜ULN×3）（Grade 1）を維持することが可能となり忍容性が保持できた．

解説

□代謝は主にCYP3A4が，一部CYP1A2および2C8が関与することから，以下の薬剤と併用する場合は，本剤の薬物動態に影響する可能性がある．

- PPI
- CYP3A4阻害薬，グレープフルーツ（ジュース）
- CYP3A4誘導薬

□固形がん患者に本剤800 mgを単回投与した時のAUCおよびC_{max}は絶食下に比べて，高脂肪食摂取後のAUCは絶食下の約2.3倍に，低脂肪食摂取後では約1.9倍に増加し，高脂肪食および低脂肪食摂取後のC_{max}はいずれも約2.1倍に増加する．

□統合解析よりALT＞69 U/L（＞ULN×3）となるリスク因子である「女性」「60歳以上」「ベースラインALT＞ULN」「抗がん薬治療歴なし」「ベースライン時PS良好」の5項目すべてに該当していたため比較的タイトな定期精査を推奨した．その結果，早期に肝機能障害を確認でき適切な休薬が実施可能となった．

□中等度肝機能障害での最大耐用量は200 mg/日であり，本症例がこれに合致するか否か判断しなければならない．T-Bilが正常範囲内であるため米国添付文書に基づき軽度肝機能障害と判断，さらにChild-Pugh分類もAであるため400 mg/日を推奨した．肝機能値による減量・休薬を遵守すると同時に，肝機能障害度を定期的に評価し適切な用量設定を行うことが本剤では重要である．

引用文献

1）ヴォトリエント®錠，適正使用ガイド．2021年1月（ノバルティスファーマ）

2）米国食品医薬品局による胎児危険度分類
3）VOTRIENT® (pazopanib). Drug label information Revised：9/2021
4）ヴォトリエント®錠，インタビューフォーム．2020年12月改訂（第10版）
5）Powles T, et al：Eur J Cancer 51：1293-302, 2015（PMID：25899987）
6）Robert C, et al：Lancet Oncol 6：491-500, 2005（PMID：15992698）
7）高血圧治療ガイドライン，第3版．p 77，日本高血圧学会，2019
8）がん治療におけるアピアランスケアガイドライン，第2版．p 46，日本がんサポーティブケア学会，2021

（小林一男）

78 カボザンチニブ（カボメティクス®）

POINT

- ■顎骨壊死のリスクがあるため治療開始前の歯科受診と治療中の継続フォローを行う.
- ■他のマルチキナーゼ阻害薬と同様，下痢，血圧上昇，手足症候群，肝機能障害に留意する.
- ■食欲不振が出現することがあるため，食事摂取状況に加えて体重測定を行う.

1 レジメンと副作用対策（→次頁参照）

適応：根治切除不能または転移性の腎細胞がん

1コース期間：規定なし　**総コース**：規定なし

ニボルマブとの併用においては1回40 mgを空腹時に経口投与すること.

2 抗がん薬の処方監査

- □食事の影響：食事の1時間前から食後2時間までの間の服用を避けること（食後に本剤を服用した場合，C_{max}およびAUCが増加するとの報告がある）[1].
- □60 mgを投与する際には60 mg錠を1錠使用すること（20 mg錠と60 mg錠の生物学的同等性は示されていない）[1].
- □本剤は主にCYP3A4で代謝されるため，本酵素活性に影響を与える薬剤および食品の併用には留意[1].
- □消化管内のpHに影響を及ぼす薬剤との併用は可能[1].

3 抗がん薬の調剤

- □NIOSH（米国国立労働安全衛生研究所）により，グループ1（hazardous drugとして扱うべき抗がん薬）に指定されており，FDA胎児危険度分類ではグループDに分類されている[2].

78		医薬品名 投与量	投与方法 投与時間	1	～	15	～	22	～	29	～	36	～	43	～	64	～	71	～
レジメン	Rp1	カボザンチニブ 60 mg	経口 1日1回 空腹時	↓	↓	↓	↓	↓	↓	↓	↓	↓	↓	↓	↓	↓	↓	↓	↓
副作用対策	手足症候群				■	■	■	■	■	■	■	■	■	■	■	■	■	■	■
	治療開始前に白癬の有無を確認し，必要な場合には白癬の治療を始めておく．角質軟化作用を有する保湿薬を予防的に用い，症状出現時には very strong のステロイド外用薬を塗布できるよう，治療導入時に処方し使用方法を説明しておく必要がある．																		
	下痢				■	■	■	■	■	■	■	■	■	■	■	■	■	■	■
	下痢発現時は感染性を除外した上でロペラミドなどの止痢薬を用いる．改善しない場合はプロバイオティクスを試みる．																		
	高血圧				■	■	■	■	■	■									
	家庭血圧の記録が重要，血圧上昇が速やかなケースでは降圧作用発現が速やかな Ca 拮抗薬を考慮．																		
	蛋白尿					■	■	■	■	■	■	■	■	■					
	定期的な尿定性を実施し，尿定性 2＋以上においては UPC 比の測定を行う．																		
	肝機能障害											■	■	■	■				
	食思低下を伴う倦怠感が初期症状，定期的な肝機能検査を実施し肝庇護薬の処方を検討．																		
	倦怠感					■	■	■	■	■	■	■	■	■	■				
	薬剤そのものに加えて，甲状腺機能低下症，下痢に伴う脱水症状，体重減少や食欲不振に伴い生じる．また，非薬物的な介入も試みることも必要である．																		
	体重減少と食欲減退							■	■	■	■	■							
	体重測定を行い，体重の経過を記録する．D_2 受容体拮抗薬や 5-HT_3 受容体拮抗薬などの処方を検討．																		
	甲状腺機能低下症									■	■	■	■	■	■	■	■	■	■
	定期的に TSH，FT_4 を測定，TSH＞10 μU/mL 以上でレボチロキシン錠を 25 μg/日程度の少量から開始．																		

4 抗がん薬の投与

投与基準

□規定なし

減量・中止基準

□減量・中止する場合の投与量[1)]

減量レベル	投与量
通常投与量	60 mg/日
1 段階減量	40 mg/日
2 段階減量	20 mg/日
中止	20 mg/日で忍容不能な場合，投与を中止する

□副作用発現時の休薬，減量または中止基準の目安[1)]

Grade 2	管理困難で忍容不能な場合は，Grade 1 以下に回復するまで 1 段階ずつ減量または休薬．休薬後に投与を再開する際には，1 段階減量した用量から開始（休薬前の用量まで再増量可）．
Grade 3	Grade 1 以下に回復するまで 1 段階ずつ減量または休薬する．休薬後に投与を再開する際には，1 段階減量した用量から開始する（休薬前の用量まで再増量可）．
Grade 4	Grade 1 以下に回復するまで休薬する．投与を再開する際には 1 段階減量した用量から再開する（休薬前の用量まで再増量不可）

肝機能障害

□Child-Pugh 分類 A において減量は行わず，B において AUC が 63％増加した報告があり，開始用量として 40 mg/日を考慮する，なお C は投与を避けることとされている[3-5)]．

腎機能障害

□AUC は軽度腎機能障害患者において 30％，中等度腎機能障害患者において 6％増加したと報告されているが用量の調節は不要とされている．なお重度腎機能障害患者における投与の経験はない[3-5)]．

注意点

□本剤は食事の影響を受けるため空腹時投与．

5 副作用マネジメント

発現率（表 78-1）[6-8)]

□初回発現までの期間[1)]

	Cabozantinib-2001 試験（n＝35）	METOR 試験（n＝331）	CABOSUN 試験（n＝78）
	中央値（範囲）	中央値（範囲）	中央値（範囲）
手足症候群	20.5 日（2～173）	25.0 日（4～829）	22.0 日（22～275）
下痢	38.0 日（5～228）	35.0 日（1～500）	63.0 日（22～596）
高血圧	14.5 日（1～29）	22.0 日（1～691）	22.0 日（22～485）
蛋白尿	16.0 日（15～43）	31.0 日（13～813）	64.0 日（22～500）
AST または ALT 増加	45.0 日（8～197）	—	—

評価と観察のポイント

□比較的速やかに発現することが多いが，治療中は常に注意が必要．

□**投与初期（day 1～28）**：手足症候群，下痢，高血圧，蛋白尿，

表 78-1 副作用の発現率

	Cabozantinib-2001 試験[6] (n=35)		METOR 試験[7] (n=331)		CABOSUN 試験[8] (n=78)	
	全体 (%)	≧Grade 3 (%)	全体 (%)	≧Grade 3 (%)	全体 (%)	≧Grade 3 (%)
手足症候群	62.9	8.6	43.0	8.5	42.0	7.7
下痢	54.3	8.6	70.0	12.0	72.0	9.0
高血圧	40.0	11.4	33.0	15.0	56.0	22.0
蛋白尿	40.0	8.6	13.0	2.7	6.4	2.6
AST 増加	25.7	2.9	17.0	0.9	60.0	1.3
ALT 増加	20.0	2.9	16.0	1.8	54.0	3.8
口内炎	34.3	0	20.0	2.1	37.0	5.1
味覚異常	31.4	0	23.0	0	41.0	0
食欲減退	25.7	5.7	40.0	2.4	45.0	5.1
発声障害	17.1	0	18.0	0.9	21.0	1.3
倦怠感	17.1	0	53.0	9.7	62.0	5.1
甲状腺機能低下症	14.3	0	21.0	0	22.0	0
悪心	11.4	0	45.0	3.3	31.0	2.6
発疹	11.4	0	13.0	0	14.0	0
嘔吐	11.4	0	24.0	0.9	19.0	1.3

肝機能障害.

- □**投与中期（day 28〜42）**：下痢，肝機能障害.
- □**投与後期（day 42〜70）**：肝機能障害.

副作用対策のポイント[1,9]

- □有害事象により投与中止および減量，休薬に至った患者がいる.
- □Cabozantinib-2001 試験では，有害事象により本剤を減量した患者は 85.7%，休薬した患者は 77.1%，平均 1 日用量の中央値は 26 mg（用量強度の中央値は 43%）であった.
- □有害事象による初回用量調整（減量または休薬）までの日数の中央値は 25.0 日（2〜87）であり，有害事象による 2 回目の用量調整（減量または休薬）までの日数の中央値は 47.0 日（21〜150）であったことから，投与初期の副作用モニタリングと用量調整が重要.

□ **高血圧**：家庭血圧の把握が重要であるため，毎日記録を行うよう患者教育を行う．その際に自宅の血圧測定器の有無の確認と，測定するタイミングについての指導も併せて行う．高血圧症の治療の有無の確認を事前に行うことが重要である．高血圧の合併症がある患者の場合，血圧上昇時の対応を自施設で行うか，かかりつけ医で行うか，主治医と事前に話し合っておくことも必要である．

□ **手足症候群（HFS）**

- **予防**…投与初期から出現することがあるため，角質軟化作用を有する尿素製剤による予防的な保湿薬塗布を行う．また，仕事などで回避できないこともあるが，可能な限り除圧を行うことをすすめる．症状発生時にはステロイド外用薬の塗布を行うが，治療開始前に白癬の有無を確認しておくことも必要である．
- **対策**…自宅で症状が出現し，次回外来受診日までに悪化する可能性もあるため，治療導入時にHFS出現時の対応としてステロイド外用薬を塗布開始できるよう処方し，その使用方法について説明を行うことが重要である．

□ **倦怠感**[9]：METEOR試験において初期投与量60 mg/日から開始した患者のうち10％が倦怠感のため減量となった．薬剤そのものに加えて，甲状腺機能低下症，下痢に伴う脱水症状，体重減少や食欲不振に伴い生じる．重度の倦怠感を訴える男性患者においては低テストステロン血症が誘発されていることがあるため，テストステロン値の評価を行うことも必要．また，非薬物的な介入も試みることも必要である．

□ **下痢**：METEOR試験において初期投与量60 mg/日から開始した患者のうち16％が下痢のため減量となった．多くの患者に影響を及ぼすため，早期に発見し適切な管理が必要となる．薬物的な介入としてロペラミド，プロバイオティクスの投与が考えられ，非薬物的介入として便意を催す可能性のある食物を避けることがあげられる．

□ **体重減少と食欲減退**：METEOR試験において体重減少35％，食欲減退40％，Grade 3以上はそれぞれ3％に認めた．体重の経過を記録すること，食欲減退の原因について嘔気や下痢，味覚異常などの症状に伴うのか，食思低下によるものなのかについて評価することが重要である.

- □開始前の歯科受診と定期的なフォロー（顎骨壊死のリスクがあるため）：METEOR 試験で顎骨壊死が 1 例（0.3%）に認めた. 本剤の投与開始前は口腔内の管理状態を確認し, できる限り非侵襲的な歯科処置を受けるよう指導すること. また定期的な歯科受診と, 口腔内を清潔に保つこと, 侵襲的な歯科処置はできる限り避けることを患者に十分に説明を行う.

6 薬学的ケア

CASE

- □40 歳代男性, 高血圧症の既往なし, 腎がん術後, 多発骨転移に対し 2 次治療としてカボザンチニブ 60 mg/日で治療導入となった.
- □**高血圧症**：day 14 に家庭血圧が Grade 3 の血圧上昇を認めニフェジピン CR 錠 40 mg/日の開始を提案し処方となり, その後は 130～140/80～90 mmHg で経過. day 70 に Grade 2 の血圧上昇を認めニフェジピン CR 錠 80 mg/日への増量を提案し, その後 130～140/80～90 mmHg で経過した. day 126 に再度 Grade 2 の血圧上昇を認めたためアジルサルタン錠 20 mg/日の追加を提案した. いずれの経過においても尿蛋白定性は陰性で経過していた. その後 120～130/70～80 mmHg で経過している.
- □**HFS**：治療開始時に HFS 対策として尿素クリームでの保湿を指導. また, 仕事は荷物の仕分けのため仕事中の除圧について患者と対応を相談した. HFS 出現時に後手にならないようジフルプレドナート軟膏をあらかじめ処方し症状出現時の対応を指導. day 14 に Grade 2 の HFS を認めジフルプレドナート軟膏を塗布していたことを確認してクロベタゾール軟膏へのランクアップを依頼し使用方法を指導した. day 28 に Grade 2 の HFS だが増悪傾向のためカボザンチニブ 40 mg/日へ減量. その後 HFS は Grade 1 で経過している.
- □**下痢**：治療開始時に下痢対策としてロペラミド錠をあらかじめ処方し指導した. day 77 に Grade 2 の下痢を認めたためロペラミド錠にて対応し, その後は Grade 1 で経過していた. day 245 に Grade 2 の下痢を再燃し, ロペラミド錠で対応したが効果は乏しく, ビフィズス菌製剤錠　1 回 20 mg　1 日 3 回を追加投与したがGrade 1～2の下痢が持続していた．その際の下痢の特徴として食後に泥状～水様便を認め，かつ便の性状は脂肪便であることを確認した．膵外分泌不全による消化不全を疑いジアスターゼ配合カプセル（ジアスターゼとして40 mg）1回2カプセル 1日3回を提案し処方された．その後下痢症状は改善傾向となった．

解説

- □カボザンチニブは速やかな血圧上昇を認めるため，降圧薬としてCa拮抗薬を初めに選択することも考慮する．
- □HFSが速やかに出現することがあるため，治療導入の段階から保湿を行うよう指導することや，対応が後手にならないようあらかじめステロイド外用薬（very strongクラス）の処方を行い，症状出現時の対応を指導しておくことが重要である．
- □カボザンチニブの下痢については治療初期に出現することがあるため非薬物的介入およびロペラミド錠の処方と症状出現時の対応を指導しておくことが重要である．有症時にはプロバイオティクスの投与も検討する．下痢が持続する場合，カボザンチニブは外分泌性膵臓機能の低下により下痢が引き起こされている可能性も報告[9]されているため主治医と相談を行い，消化酵素薬の投与を検討してもよいかもしれない．

引用文献

1）カボメティクス® 錠，適正使用ガイド．2020年5月（武田薬品工業）
2）NIOSH List of Antineoplastic and Other Hazardous Drugs in Healthcare Settings, 2016（https://www.cdc.gov/niosh/docs/2016-161/pdfs/2016-161.pdf）
3）CABOMETYX（cabozantinib）UK Summary of Product Characteristics.（https://www.medicines.org.uk/emc/product/4331.Accessed December 15, 2021）
4）CABOMETYX（cabozantinib）US Summary of Product Characteristics.（https://www.accessdata.fda.gov/drugsatfda_docs/label/2019/208692s003lbl.pdf）
5）Nguyen L, et al：J Clin Pharmacol 56：1130-40, 2016（PMID：26865195）
6）Tomita Y, et al：Int J Urol 27：952-9, 2020（PMID：32789967）
7）Choueiri TK, et al：Lancet Oncol 17：917-27, 2016（PMID：27279544）
8）Choueiri TK, et al：J Clin Oncol 35：591-7, 2017（PMID：28199818）
9）Schmidinger M：EJC Suppl 11：172-91, 2013（PMID：26217127）

（梅原健吾）

79 アキシチニブ＋アベルマブ

POINT

- ■アキシチニブは高血圧，下痢，手足症候群が高頻度に起こる．投与前の血圧，排便状況について確認しておき，投与後もモニタリングをする必要がある．血圧測定方法についても指導を行う．手足の確認も必要である．
- ■疲労，肝障害，下痢，甲状腺機能異常など両剤いずれかが原因で生じるものもある．この場合は両剤をいったん休薬し，原因精査を行う．
- ■アベルマブは infusion reaction が初回起こることが予想されるため，前投薬の処方があるかを必ず確認する．

1 レジメンと副作用対策[1]（→次頁参照）

適応：根治切除不能または転移性の腎細胞がんの1次治療

1コース期間：14日間（アベルマブ），1日2回連日内服（アキシチニブ）

総コース数：PDまたは許容できない毒性の発現まで（規定なし）

2 抗がん薬の処方監査[2-5]

- □組織学的に淡明細胞型腎細胞がんと診断されていることを確認．
- □アキシチニブとして1回5 mgを1日2回経口投与する．
- □アキシチニブは食事による薬物動態への影響は少ないとされている．食後30分以内の服用を基本とする．
- □アキシチニブは主に肝臓でCYP3A4/5によって代謝され，一部（10％未満）がCYP1A2，CYP2C19およびUGT1A1によって代謝される．併用薬の確認をしておく．
- □アベルマブは1回10 mg/kg（体重）を2週間間隔で1時間以上かけて点滴静注する．
- □アベルマブのinfusion reactionを軽減させるため，前投薬として抗ヒスタミン薬，解熱鎮痛薬などの処方があるかを確認する．

3 抗がん薬の調剤[2, 4]

- □アベルマブは希釈液として生理食塩液を使用する．

79		医薬品名 投与量	投与方法 投与時間	1	2	3	4	5	6	7	8	9	10	11	12	13	14
レジメン	Rp1	アセトアミノフェン 500～650 mg/body クロルフェニラミン 5 mg/mL 生理食塩液 50 mL	点滴注射 15～30 分	↓													
	Rp2	アベルマブ 10 mg/kg 生理食塩液 250 mL	点滴注射 60 分	↓													
	Rp5	アキシチニブ 10 mg	経口 1 日 2 回	↓	↓	↓	↓	↓	↓	↓	↓	↓	↓	↓	↓	↓	↓
副作用対策	infusion reaction																
	投与前に抗ヒスタミン薬，解熱鎮痛薬などを投与する．クロルフェニラミンおよびアセトアミノフェン 500～650 mg の静注または同等量の経口投与．																
	高血圧																
	投与前の血圧の確認，血圧測定の指導を実施．血圧のモニタリングを継続．血圧上昇時は患者に応じて適切な降圧薬を選択する．																
	肝機能障害																
	両剤をいったん休薬し，原因精査を行う．併用薬についても確認する．																
	手足症候群																
	足白癬や角質肥厚がないかを事前に確認．治療開始時より予防目的で保湿薬を使用し，症状に合わせてステロイド外用薬を選択する．																
	下痢																
	排便状態を事前に確認．下痢時の対応策についてあらかじめ説明しておく．																
	irAE																
	患者およびその介護者にあらかじめ予想される副作用や対応策を教育する．早期発見・早期対応ができる体制にしておく．																

□アベルマブは必要量を注射筒で抜き取り，通常 250 mL の生理食塩液に添加して希釈する．泡立たないように静かに転倒混和し，激しく撹拌しない．

4 抗がん薬の投与

投与基準[1, 2, 4]（表 79-1）

□高血圧症の患者は高血圧が悪化するおそれに注意する．

□甲状腺機能障害のある患者は甲状腺機能障害が悪化するおそれがある．

□血栓塞栓症またはその既往歴のある患者は血栓塞栓症が悪化もしくは再発するおそれがある．

□脳転移を有する患者は脳出血が現れるおそれがある．

□外科的処置後，創傷が治癒していない患者は創傷治癒遅延が現れることがある．

□中等度以上の肝機能障害を有する患者は薬剤の血中濃度が上昇

表 79-1　投与基準

項目	内容
診断名および対象	根治切除不能または転移性の腎細胞がん 抗悪性腫瘍剤（サイトカイン製剤を含む）による治療歴がない患者であり，PD-1/PD-L1 阻害薬と併用する予定がない術後補助療法である．評価可能病変が 1 以上である 少なくとも 3 か月の生存が期待される
ECOG PS	0 または 1
年齢	日本人は 20 歳以上
血圧	降圧薬の投与により血圧がコントロールされており，投与開始時の血圧が，収縮期血圧 140 mmHg 以下かつ拡張期血圧 90 mmHg 以下を満たしている
Hb	≧9.0 g/dL
好中球数	≧1,500/μL
血小板数	≧7.5 万/μL
AST，ALT	【肝転移なし】AST≦75 U/L，ALT≦（男）105 U/L，（女）57.5 U/L（≦ULN×2.5） 【肝転移あり】AST≦150 U/L，ALT≦（男）210 U/L，（女）115 U（≦ULN×5.0）
T-Bil	≦2.25 mg/dL
尿蛋白	2＋未満．2＋以上の場合 24 時間蓄尿を実施し，尿蛋白が 2 g/24 時間未満
Scr または Ccr	Scr≦（男）1.61，（女）1.19，もしくは Ccr 60 mL/分以上のいずれか一方の基準を満たしている

するおそれがある．

□適切な骨髄機能，腎機能，肝機能，LVEF を有する患者を対象とする[3]．

減量・中止基準

□アベルマブによる免疫関連有害事象（irAE）なのか，そうでないのか（non irAE）を診断された上で判断する．アベルマブによる重篤な irAE と疑われる場合には，専門医の判断のもと，速やかにステロイド投与を検討する．

□アベルマブの適正使用ガイド[2]では，irAE と特定された場合のアベルマブの投与調節と処置について記載している．一方，アキシチニブの適正使用ガイドは，irAE か non irAE かが特定されていない場合のアベルマブとアキシチニブの投与調節と処置について記載している．

□副作用の重症度評価（Grade）は，NCI-CTCAE v5.0 の Grade

分類に準じて設定している.

□アキシチニブの副作用と判断された場合は，必要に応じて，本剤を減量，休薬または中止する．アキシチニブを減量して投与を継続する場合は，副作用の症状，重症度などに応じて，1回3 mg，1日2回(6 mg/日)，または1回2 mg，1日2回(4 mg/日)に減量する.

□アキシチニブの適正使用ガイド[3]では，以下のような記載があるが，まずはirAEなのか，irAEでないのかを診断された上で判断する．そして患者に応じて判断するため，内容は目安として参考にする.

- 血液系副作用発現時の用量調節…Grade 4で休薬→Grade 2以下に回復→1段階減量して投与再開(ただし，Grade 4のリンパ球減少については，休薬せず同一用量で投与継続可能).
- 非血液系副作用(高血圧，蛋白尿を除く)発現時の用量調節…Grade 2までは同一用量で投与継続，Grade 3で1段階減量，Grade 4で休薬→Grade 2以下に回復→1段階減量して投与再開(ただし，対症療法によりコントロール可能なGrade 3の非血液毒性またはGrade 3の無症候性の生化学的検査値異常については，医師の判断により同一用量で投与継続可能．Grade 4の無症候性の生化学的検査値異常については，休薬せず同一用量で投与継続可能である).

用量調節基準(アキシチニブの適正使用ガイド[3]より)

□血液系副作用発現時

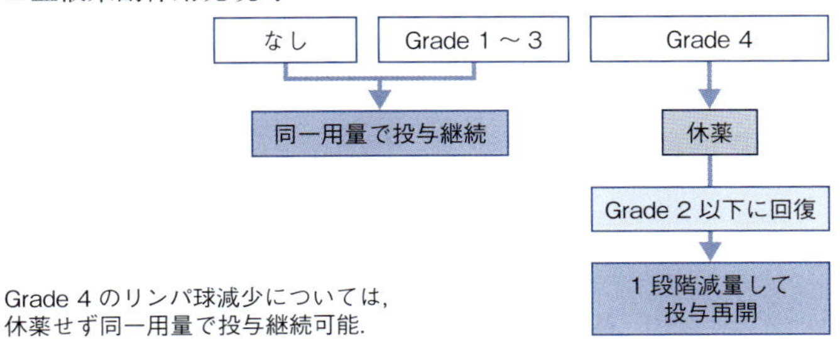

□非血液系副作用（高血圧，蛋白尿を除く）発現時

- なし／Grade 1, 2 → 同一用量で投与継続
- Grade 3 → 1 段階減量
- Grade 4 → 休薬 → Grade 2 以下に回復 → 1 段階減量して投与再開

対症療法によりコントロール可能な Grade 3 の非血液毒性または Grade 3 の無症候性の生化学的検査値異常については，医師の判断により同一用量で投与継続可能.
Grade 4 の無症候性の生化学的検査値異常については，休薬せず同一用量で投与継続可能.

□高血圧発現時

- 収縮期血圧 ≦150 mmHg かつ 拡張期血圧 ≦100 mmHg → 同一用量で投与継続
- 収縮期血圧 ＞ 150 mmHg または 拡張期血圧 ＞ 100 mmHg
  - 最大限の降圧薬投与を行っていない場合 → 降圧薬の追加か増量により同一用量で投与継続
  - 最大限の降圧薬投与を行っている場合 → 1 段階減量
- 収縮期血圧 ＞ 160 mmHg または 拡張期血圧 ＞ 105 mmHg → 休薬 降圧薬の調節 → 血圧 ＜150/100 mmHg に回復 → 1 段階減量して投与再開

□蛋白尿発現時

- 尿試験紙法にて尿蛋白 2＋未満 → 同一用量で投与継続
- 尿試験紙法にて尿蛋白 2＋以上 → 24 時間蓄尿による尿蛋白値の測定
  - 24 時間蓄尿にて尿蛋白値 ＜ 2 g/24 時間 → 同一用量で投与継続
  - 24 時間蓄尿にて尿蛋白値 ≧ 2 g/24 時間 → 休薬 → 尿蛋白値 ＜ 2 g/24 時間に回復 → 同一用量または 1 レベル減量して投与再開

用量調節基準（アベルマブの適正使用ガイド[2]より）

副作用	程度	処置
間質性肺疾患	Grade 2 の場合	Grade 1 以下に回復するまで休薬する.
	Grade 3，4 または 再発性の Grade 2 の場合	本剤の投与を中止する.
肝機能障害	AST≦90～150 U/L もしくは ALT(男) 126～210 U/L,(女) 69～115 U/L または，T-bil 2.25～4.5 mg/dL	Grade 1 以下に回復するまで休薬する.
	AST≧150 U/L もしくは ALT(男)≧210 U/L，(女)≧115 U/L または，T-bil≧4.5 mg/dL	本剤の投与を中止する.
大腸炎・下痢	Grade 2 または 3 の場合	Grade 1 以下に回復するまで休薬する.
	Grade 4 または 再発性の Grade 3 の場合	本剤の投与を中止する.
甲状腺機能低下症，甲状腺機能亢進症，副腎機能不全，高血糖	Grade 3 または 4 の場合	Grade 1 以下に回復するまで休薬する.
心筋炎	新たに発現した心徴候，臨床検査値または心電図による心筋炎の疑い	休薬または投与中止する.
腎障害	Grade 2 または 3 の場合	Grade 1 以下に回復するまで休薬する.
	Grade 4 の場合	本剤の投与を中止する.
infusion reaction	Grade 1 の場合	投与速度を半分に減速する.
	Grade 2 の場合	投与を中断する．患者の状態が安定した場合（Grade 1 以下）には，中断時の半分の投与速度で投与を再開する.
	Grade 3 または 4 の場合	本剤の投与を中止する.
上記以外の副作用	Grade 2 または 3 の場合	Grade 1 以下に回復するまで休薬する.
	Grade 4 または再発性の Grade 3 の場合 副作用の処置としての副腎皮質ホルモン薬をプレドニゾロン換算で 10 mg/日相当量以下まで 12 週以内に減量できない場合 12 週間を超える休薬後も Grade 1 以下まで回復しない場合	本剤の投与を中止する.

用量調節基準（アキシチニブとICI治療併用時）[6]

□下痢発現時

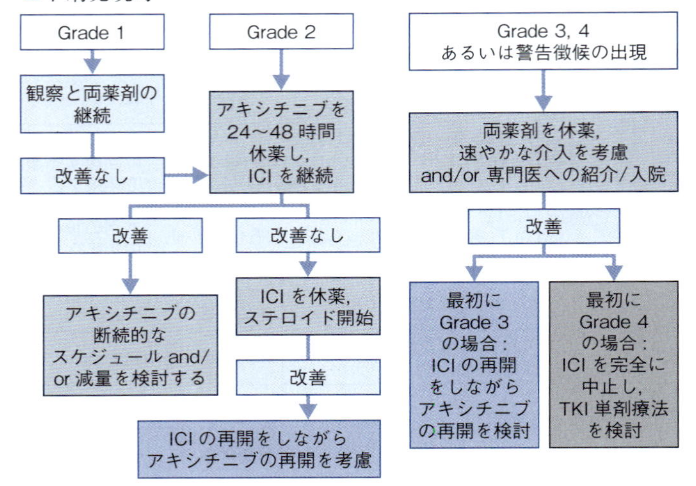

□肝炎発現時

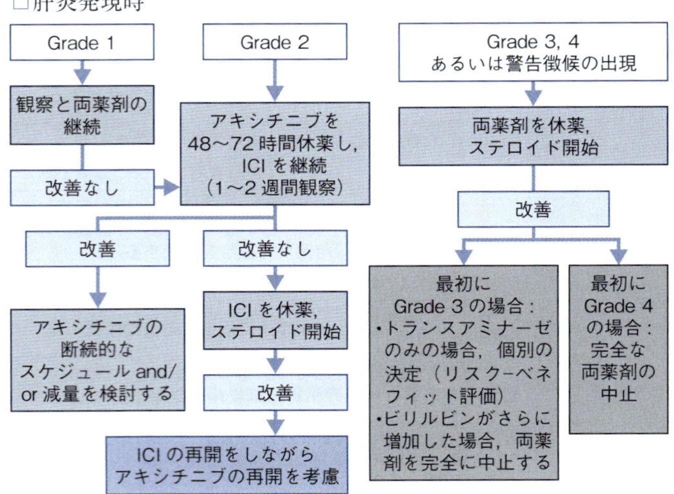

□疲労発現時

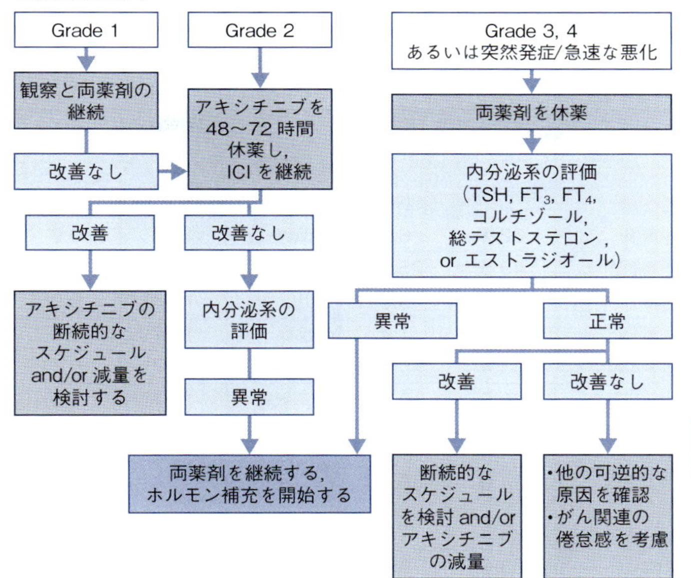

注意点

アキシチニブ

□アドヒアランスを確認，飲み忘れ時の対応，副作用出現時の休薬・再開の基準について説明しておく．

□本治療は腎がんの1次治療として投与される．初めての化学療法となり，抗がん薬治療に対して不安を抱く患者も多い．悪心や脱毛は非常に頻度が低いことを説明し，不安を軽減しておく．

□溶解度はpHに依存し，低pH（酸性）で上昇するが制酸薬併用例と非併用例でアキシチニブの C_{max} および $AUC_{0\text{-}24}$ は類似しているため，併用禁忌ではない．

アベルマブ

□infusion reactionに注意する．初回投与時は頻回にバイタルサインをモニタリングするなど患者の状態を十分に観察する必要があることを看護師と情報共有しておく．

□他剤との混注はしない．

□抗体製剤であり，溶解時に激しく振盪すると凝集体が生成し，微粒子が生成する可能性がある．0.2μmのインラインフィルターの使用は必須である．

5 副作用マネジメント

発現率[1)]

副作用	国際共同第III相試験(n=434)		副作用	国際共同第III相試験(n=434)	
	全体(%)	Grade≧3(%)		全体(%)	Grade≧3(%)
下痢	62.2	6.7	関節痛	19.6	0.9
高血圧	49.5	25.6	体重減少	19.6	2.8
疲労	41.5	3.5	嘔吐	18.4	0.9
悪心	34.1	1.4	背部痛	17.7	0.5
手足症候群	33.4	5.8	便秘	17.7	0
発音障害	30.6	0.5	ALT上昇	17.1	6.0
食欲不振	26.3	2.1	悪寒	15.9	0.2
甲状腺機能低下症	24.9	0.2	無力症	14.7	2.5
			AST上昇	14.5	3.9
口内炎	23.5	1.8	皮疹	14.3	0.5
咳	23.0	0.2	粘膜炎	14.1	1.2
頭痛	20.5	0.2	瘙痒感	14.1	0
呼吸困難	19.8	3.0	腹痛	13.6	1.2

評価と観察のポイント

投与前

- □適正使用ガイドに基づき，ベースラインの採血検査〔HBVスクリーニング，甲状腺機能（FT_3, FT_4, TSH），リウマトイド因子，抗核抗体，副腎機能（副腎皮質刺激ホルモン，コルチゾール），アミラーゼ，リパーゼ，血糖，HbA1c，腎・肝機能，T-Bil，CK，心筋酵素（トロポニン，脳性ナトリウム利尿ペプチド），電解質（Na, Cl, Ca, Kなど），血液凝固能，Hb，血小板，白血球，好中球，リンパ球など〕，心エコー検査，心電図検査，胸部X線，胸部CT検査，尿検査（尿糖，尿蛋白など）を実施する．
- □既往・合併症・家族歴および投与前の症状について確認する．
- □もともとの排便状況・回数，手足の白癬の有無，肺炎歴や徴候（発熱，咳，息切れなど），収縮期血圧・拡張期血圧・脈拍数，血圧測定方法についての正しい理解，腎・肝・心機能，併用薬のアドヒアランスに問題がないか，などを確認する．特に，倦怠感・疲労など患者の主観と医療者の判断で乖離しやすい症状の程度についてはよく確認する．

投与初期（day 1〜7）

□アキシチニブは血中濃度半減期が5〜6時間と短いため，定常状態に到達する時間は1〜2日程度と予想される．そこでアキシチニブによる血圧上昇早期から注意が必要であり，血圧測定を行うことが望ましい

投与後期（day 7以降）

□高血圧，手足症候群，下痢，口内炎，疲労，蛋白尿，甲状腺機能障害などアキシチニブによる副作用出現に注意しつつ，アベルマブによるirAEの発現にも注意して観察する．疲労・倦怠感，下痢，甲状腺機能障害，肺障害，皮膚障害，食欲不振などはアキシチニブ，アベルマブのいずれでも出現する場合があるため，注意観察を継続する．程度に応じて重篤な場合は休薬を行い，休薬後も症状の変動を観察する．

□最終投与後にも副作用が現れることがあるため，投与終了後も観察を十分に行う．

□ICIのアベルマブの投与後，投与を継続する場合には，適正使用ガイドに基づき，定期的に採血，尿検査を実施してフォローアップ検査を実施する．

副作用対策のポイント

アベルマブによるirAE

□投与前から以下の項目について確認しておくことが必要である．

□重要なirAE（肺障害，肝障害，甲状腺機能障害，大腸炎，心筋炎，1型糖尿病，重症筋無力症，腎炎，皮膚障害，副腎機能低下症，脳炎など）を観察するため，ICIを使用する場合には，投与前に必ず，検査は項目が抜けることがないよう実施し，実施されたかどうかを確認しておく．

□治療を行う患者のみならず，その家族および介護者すべてに対して，いつもと違う変わった症状が出てきた場合には，速やかに病院に連絡することを指導しておく．緊急時の連絡先については多職種で教育を行う．

アキシチニブによる手足症候群

□手足症候群の予防のために投与開始までに角質のケアや白癬の治療を事前に行っておく．治療開始とともに保湿薬による保湿を行うこと，治療中保湿を継続することを指導する．発赤，炎症が出現した場合にはステロイド外用薬の塗布が必要となるため，それも合わせて処方しておき，どのタイミングで塗布がどこに必要なのかを指導する．ステロイド外用薬塗布に対して嫌悪感がある患者もいるため，説明をしておく．皮膚科の診断で白癬がある患者の場合には，抗真菌薬の塗布を併用することを説明する．アキシチニブとの相互作用があるため，抗真菌薬の内服薬は併用しない．ステロイド外用薬の使用については，皮膚科の指示に従う．

アキシチニブによる口内炎

□口腔環境に問題がある場合の歯科治療や，抜歯などの処置も事前に済ませておく．定期的なブラッシングにより治療中は口腔内の保清を心がけることを指導する．義歯がある患者には，毎日義歯洗浄をすることを指導する．

アキシチニブによる高血圧

□血圧測定方法については，測定方法の知識がない患者もいるため，看護師とも協力して指導をしておく．また高血圧が出現した場合の降圧薬もあらかじめ処方しておき，その降圧薬の服用方法，タイミングについてもよく指導をしておく．腎がん患者は根治的腎摘除術により，片腎の患者が多く，腎機能が不良な患者もいるため，降圧薬の選択については腎機能や尿蛋白発現に配慮した薬剤選択を行う．患者の合併症および腎・肝機能，併用薬との相互作用に配慮し，高血圧治療ガイドラインに基づいた薬剤選択を行う．また，アベルマブによる副腎機能低下症が出現した場合には，血圧低下が起こることもあるため，血圧低下時にも注意をするように指導する．血圧は毎日自己測定を行い，日誌に記録し，診察日に持参するように指導する．

心機能障害

□投与前の心機能が不良な患者の場合には，定期的かつ頻回に心機能検査や採血を実施し，息切れや浮腫，体重増加がないかを確認する．

肺障害

□咳，息切れ，発熱を認めた場合には，速やかに病院に連絡するように指導する．

下痢

□アキシチニブおよびアベルマブが原因の可能性があるため，症状が出現した場合には休薬して観察する．アキシチニブによるものと判断される場合には止瀉薬を用いることは問題ではない．併用薬や食事の影響がないかも確認する．専門医によりアベルマブによる大腸炎と診断された場合には，ステロイド治療を開始する．

肝障害

□アキシチニブおよびアベルマブが原因の可能性があるため，症状が出現した場合には休薬して観察する．併用薬や市販薬，漢方薬，サプリメントの併用についても確認する．専門医によりアベルマブによる肝障害と診断された場合には，ステロイド治療を開始する．

疲労・倦怠感，甲状腺機能障害

□疲労・倦怠感，甲状腺機能異常はアキシチニブおよびアベルマブが原因の可能性がある．採血で電解質（Na など），甲状腺機能，副腎機能，腎機能などを確認し原因精査を行う．アベルマブによる副腎機能低下が出現していないか確認する．

□アベルマブによる irAE でステロイド治療が開始された場合には，ステロイド治療による副作用対策およびステロイドの漸減状況，漸減後の内服薬のアドヒアランス管理にも注意を払い，患者指導を行う．

6 薬学的ケア

CASE

□60 歳代男性．PS 0．アキシチニブ，アベルマブ併用治療開始後，day 14，倦怠感の訴え（Grade 1）があった．甲状腺機能，副腎機能，電解質は基準値範囲内を確認．肝機能は，AST 311 U/L，ALT 384 U/L，T-Bil 1.0 mg/dL であった．併用薬，市販薬，サプリメント，漢方薬など，治療開始後新たに併用された薬がないかを患者に確認した．肝機能 Grade 3 以上であることを確認．主治医より肝臓内科専門医にコンサルテーションとなった．治療は両剤を休薬．休薬後，倦怠感の訴えはなくなった．肝生検を実施．肝生検の結果，アベルマブによる肝障害であると診断され，ステロイド治療が開始となった．ステロイド治療開始後，肝機能は基準値まで改善した．もともと糖尿病の合併症があったため，糖尿病管理については内分泌内科にもコンサルテーションとなった．

解説

□本治療の場合，肝障害はアキシチニブ，アベルマブのいずれかあるいは両剤が原因になることがあるため，その場合は両剤をまずは休薬し，専門医にコンサルテーションを行うようにする．

□倦怠感の訴えを認めた場合にも，アキシチニブ，アベルマブのいずれかあるいは両剤が原因になることがある．甲状腺機能，副腎機能，電解質，心機能，腎機能，肝機能など広く検査を実施し，診断できるように主治医に伝える．併用薬の影響がないかも評価する．

□肝障害を認めた場合には，薬剤師として併用薬，市販薬，サプリメント，漢方薬など考えられるすべての併用薬について確認するようにする．休薬後の検査値の変動についても確認する．

□ステロイド治療が開始された場合，特に糖尿病合併患者では，血糖上昇を認めるため，血糖管理に注意する．またステロイドを含めた内服薬のアドヒアランス管理も行う．

引用文献

1）Motzer RJ, et al：N Engl J Med 380：1103-15, 2019（PMID：30779531）
2）バベンチオ® 点滴静注，適正使用ガイド．2021 年 2 月改訂
3）インライタ® 錠，適正使用ガイド．2021 年 7 月改訂
4）バベンチオ® 点滴静注，インタビューフォーム．2021 年 2 月改訂
5）インライタ® 錠，インタビューフォーム．2020 年 8 月改訂
6）Grünwald V, et al：Br J Cancer 123：898-904, 2020（PMID：32587360）

（藤堂真紀）

80 アキシチニブ+ペムブロリズマブ

POINT

■対象患者は，根治切除不能または転移性腎細胞がんの 1 次治療.
■本併用療法は，各単剤投与と比較して AST 増加および ALT 増加の発現割合が高いため，irAE や副作用，臨床検査値異常に迅速に対応することが重要である.
■両剤との関連が疑われる副作用が出現した場合は，因果関係の評価を最初に行うことが重要であり，まずは半減期が短く連日投与であるアキシチニブを休薬し，関連性を評価する.

1 レジメンと副作用対策 (→次頁参照)

適応：根治切除不能または転移性の腎細胞がんの 1 次治療
1 コース期間：21 日間（または 42 日間）
総コース：可能な限り継続（臨床試験時は最大 35 サイクル）

2 抗がん薬の処方監査

□本レジメンの適応（根治切除不能または転移性の腎細胞がん）であることを確認.
□組織学的に淡明細胞型腎細胞がんと診断されていることを確認.

アキシチニブ[1)]

□アキシチニブとして 1 回 5 mg を 1 日 2 回経口投与する.
□アキシチニブは食事による薬物動態への影響は少ないとされている．食後 30 分以内の服用を基本とする.
□単剤使用時同様に本併用療法においても，増減が可能である[1)].

	+2	+1	開始用量	−1	−2
用量	10 mg BID*1	7 mg BID*1	5 mg BID*1	3 mg BID*1	2 mg BID*1

*1 1 日 2 回内服

□増量：6 週間以上の忍容性があり，Grade 2 を超える副作用が認められず，血圧が 150/90 mmHg 以下にコントロールされている場合に増量が可能.
□減量：副作用の程度に応じて適宜減量.
□アキシチニブは CYP3A4/5 で代謝されるため，CYP3A4 阻害

80		医薬品名 投与量	投与方法 投与時間	1	2	3	4	5	6	7	8	9	10	11	12	13	14	15	16	~	21
レジメン	Rp1	生理食塩液 50 mL	点滴注射（プライミング用）	↓																	
	Rp2	ペムブロリズマブ 200 mg/body 生理食塩液 100 mL	点滴注射 30 分	↓																	
	Rp3	生理食塩液 50 mL	点滴注射（フラッシュ用）	↓																	
	Rp4	アキシチニブ 10 mg	経口 1 日 2 回	↓	↓	↓	↓	↓	↓	↓	↓	↓	↓	↓	↓	↓	↓	↓	↓	↓	↓

ペムブロリズマブは，400 mg/body（6 週ごと）での投与も可能である．

副作用対策

手足症候群（アキシチニブ関連：14 日目〜）
治療開始時より，保湿薬での予防を十分に行う．症状出現時はステロイド外用薬にて対処する．症状増悪時は，アキシチニブの休薬を検討．

高血圧（アキシチニブ関連：2 日目〜）
血圧を十分にコントロールした上で投与を開始し，投与期間中は定期的な血圧測定を実施する．外来治療移行後は，家庭血圧の測定を支援する．症状に応じて降圧薬を使用する．

下痢（アキシチニブ関連：1 日目〜／irAE：治療期間中はいずれの時期でも発現しうる．）
両薬剤で起こる可能性があるため，原因の精査を十分に行う．irAE の場合，ロペラミドなどの止瀉薬の使用は慎重に行う．脱水に注意し，飲水指導も行う．

蛋白尿（アキシチニブ関連：8 日目〜）
投与期間中は定期的に蛋白尿を測定する．蛋白尿が認められた場合は，必要に応じてアキシチニブの休薬を行う．

発声障害（アキシチニブ関連：8 日目〜）
発声障害が起こる可能性を事前に伝えておく．

甲状腺機能低下症（アキシチニブ関連：15 日目〜／irAE：同上）
両薬剤で起こる可能性がある．自覚症状は疲労感，食欲不振などわかりづらく，診断には FT_4 および TSH 値が有用である．投与開始前，投与期間中は定期的に測定を実施し，低下時は甲状腺ホルモン補充を行う．

肝機能異常（アキシチニブ関連：1 日目〜／irAE：同上）
両薬剤で起こる可能性がある．定期的に肝機能検査を行い，異常が認められた場合は休薬/中止・減量基準に従い対応を行う．

食欲不振（アキシチニブ関連：1 日目〜）
食べやすいものを無理なく食べ，食事が摂れない場合には，こまめに水分を摂るよう指導する．irAE（内分泌障害や 1 型糖尿病など）の可能性も考慮し，注意してモニタリングを行う．

■アキシチニブ関連　■irAE

薬やグレープフルーツジュースとの併用で血中濃度が上昇し，CYP3A4 誘導薬やセイヨウオトギリソウ含有食品との併用で血中濃度が低下する可能性があるため注意する．

ペムブロリズマブ[2)]

□ペムブロリズマブは，1回200 mgを3週間間隔または，1回400 mgを6週間間隔で30分以上かけて点滴静注する．

□単剤使用時同様に本併用療法においても，投与症例の病状や生活に応じて，1回200 mgの3週間間隔，または1回400 mgの6週間間隔投与を投与開始時に選択することができ，治療経過中の切り替えも可能である．

□ペムブロリズマブのinfusion reactionを軽減させるため，前投薬として抗ヒスタミン薬，解熱鎮痛薬を必要に応じて併用する．

3 抗がん薬の調剤[2)]

□必要量200 mg（8 mL），400 mg（16 mL）をバイアルから抜き取り，生理食塩液または5%ブドウ糖注射液で希釈して使用する．

□最終濃度は1～10 mg/mLとする．

□希釈時は，過度に振盪すると白色の蛋白質性粒子がみられることがあるため，ゆっくり反転して混和する．

□保存料を含まないため，調製後すぐに使用しない場合は，25℃以下で6時間以内または2～8℃で96時間以内に使用する．

4 抗がん薬の投与

投与基準[1-3)]

□臨床試験において実施された治療開始前検査．

- バイタルサイン（体重，体温，脈拍，呼吸数，血圧）
- 12誘導心電図
- 妊娠検査
- 凝固系検査（PT-INR）
- 血液学的検査（ヘマトクリット，Hb，血小板数，白血球数，好中球絶対数，リンパ球絶対数，単球絶対数，好酸球絶対数，好塩基球絶対数）
- 血液生化学検査〔アルブミン，ALP，ALT，AST，重炭酸塩，尿素窒素，Ca（補正Ca），Cl，Cr，血糖値，LD，P，K，Na，T-Bil，総蛋白〕
- 尿検査（潜血，糖，蛋白，比重）
- 甲状腺検査（T_3またはFT_3，FT_4およびTSH）
- 画像検査

□臨床試験における投与開始基準（KEYNOTE-426 試験）[1, 2]

		臨床検査値
血液	好中球絶対数	≧1,500/μL
	血小板数	≧10 万/μL
	Hb	≧5.6 mmol/L
腎機能	Scr または Ccr（GFR も可）	≦Scr（男）1.605 mg/dL，（女）1.185 mg/dL（≦ULN×1.5）または Ccr≧40 mL/分
	尿蛋白	尿試験紙法により<2+，尿試験紙法により≧2+の場合は 24 時間尿蛋白<2 g または尿蛋白/クレアチニン比<2
肝機能	T-Bil	≦3.0 mg/dL（≦ULN×1.5）
	AST および ALT	AST≦75 U/L，ALT≦（男）105 U/L，（女）57.5 U/L（≦ULN×2.5）
凝固系	PT-INR	≦1.725（≦ULN×1.5）

減量・中止基準[1, 2]

□上述の臨床試験において実施された治療開始前検査（妊娠検査を除く）の定期的な測定を継続する．

□irAE の出現を疑った場合は，診断のための必要な検査を積極的に実施（詳細は39「ペムブロリズマブ」の項→283 頁）．

腎機能障害

	Grade	対処	経過	投与再開の可否
アキシチニブ*2	Grade 3	1 段階減量して継続		
	Grade 4	休薬	Grade 2 以下に回復	1 段階減量して再開
ペムブロリズマブ*3	Grade 2	休薬	Grade 1 以下に回復	再開
			回復せず（12 週間超）	中止
	Grade 3 以上	中止		

*2 適正使用ガイド「非血液毒性の減量基準」より
*3 適正使用ガイドより

肝機能障害

□臨床的に重要な肝機能障害※1 がある場合：両剤ともに投与を中止（再開は許容しない）

□臨床的に重要な肝機能障害※1 がない場合：図 80-1，2 に従っ

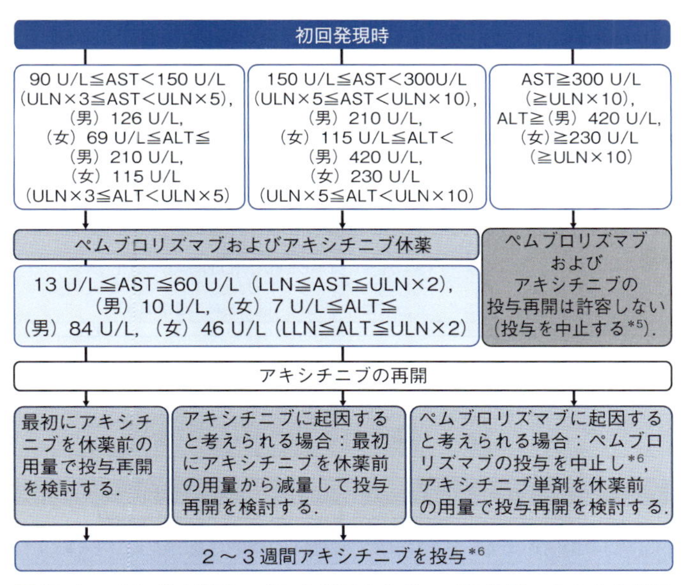

図 80-1　ペムブロリズマブおよびアキシチニブの休薬・中止ならびに再開規定(臨床的に重要な肝機能障害がない場合*4, アキシチニブの再開まで)

*4 AST/ALT が ULN×3 を超え, 同時に T-Bil が ULN×2 以上(胆道閉塞を除く). または PT-INR が ULN×1.5 以上.

*5 ペムブロリズマブによる irAE の対処および管理は, 適正使用ガイドを参考にする.

*6 週に 1 回の肝機能検査を検討する.

て中止または休薬.

※1：AST≧90 U/L, ALT≧(男) 126 U/L, (女) 69 U/L, 同時に T-Bil ≧2.25 mg/dL (胆道閉塞を除く) または PT-INR≧ULN×1.5

□アキシチニブは「血液系副作用」「非血液系副作用(高血圧, 蛋白尿を除く)」「高血圧発現時」「蛋白尿発現時」において減量・休薬基準あり, 単剤療法に準じて対応する[1] (詳細は74「アキシチニブ」→616 頁).

□ペムブロリズマブの減量は行わない. irAE と診断された場合の休薬・中止については, 単剤療法に準じる[2] (39「ペムブロリズマブ」の項→285 頁).

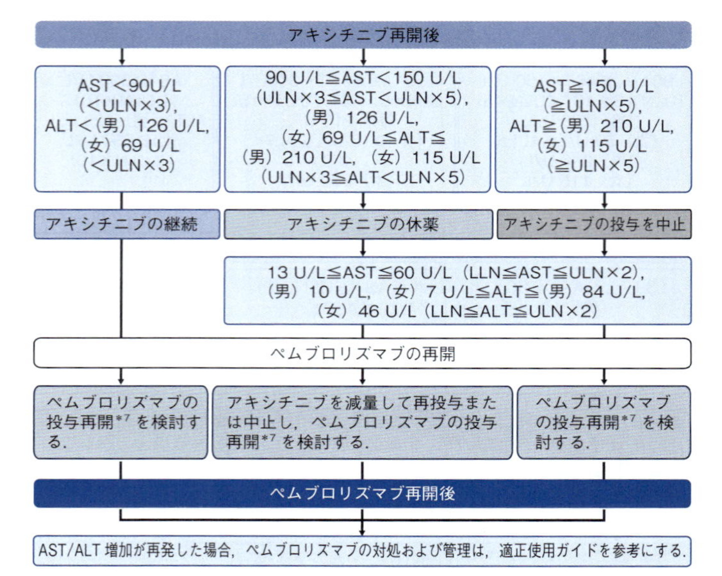

図 80-2 ペムブロリズマブおよびアキシチニブの休薬・中止ならびに再開規定（臨床的に重要な肝機能障害がない*4場合，アキシチニブの再開後）

*7 添付文書では，T-Bil が ULN×1.5 以下に回復するまで，ペムブロリズマブを休薬すると規定されている.

注意点

□infusion reaction に注意する（ただし前投薬は必須とはされていない）.

□血管外漏出分類は非壊死性抗がん薬：投与部位に発赤や腫脹，疼痛が認められた場合は，必要に応じてステロイド外用薬で処置を行う.

□投与時インラインフィルター（0.2～5 μm）を使用する.

□配合変化のデータはないため，同一の点滴ラインを使用して他の薬剤を同時投与しない.

5 副作用マネジメント

発現率[3)]

□主な副作用：国際共同第Ⅲ相試験（KEYNOTE-426 試験）

	ASaT 集団（n＝429）		日本人集団（n＝44）	
	全 Grade（%）	Grade 3〜5（%）	全 Grade（%）	Grade 3〜5（%）
副作用発現例	96.3	62.9	100.0	68.2
甲状腺機能低下症	31.5	0.2	31.8	—
甲状腺機能亢進症	12.1	0.9	15.9	—
下痢	49.0	7.2	40.9	9.1
悪心	21.2	0.5	4.5	—
口内炎	14.2	0.7	20.5	2.3
疲労	30.3	2.3	18.2	2.3
肝機能異常	—	—	27.3	11.4
ALT 増加	23.8	12.1	13.6	9.1
AST 増加	22.6	6.8	13.6	2.3
食欲減退	21.9	2.1	22.7	2.3
蛋白尿	15.4	2.6	36.4	4.5
発声障害	22.8	0.2	36.4	—
手足症候群	27.7	5.1	56.8	4.5
高血圧	41.7	21.2	52.3	13.6

適正使用ガイドより引用

評価と観察のポイント

□各単剤投与において発現する副作用をしっかりと抑える（39「ペムブロリズマブ」の項→288 頁，74「アキシチニブ」の項→619 頁）.

□患者の状態を定期的に観察し，irAE や副作用，臨床検査値異常に迅速に対処する.

□本併用療法は，各単剤投与と比較して AST 増加および ALT 増加の発現割合が高いため，肝機能値には特に注意してモニタリングする.

□両剤との関連が疑われる副作用が出現した場合：因果関係の評価を最初に行うことが重要であり，まずは半減期が短く連日投与であるアキシチニブを休薬し，関連性を評価する.

• 有害事象がステロイド薬を投与せずにアキシチニブの休薬によ

り迅速に回復した場合…アキシチニブとの関連性が考えられる.

- 有害事象がアキシチニブの休薬により回復せず，ステロイド薬により反応した場合…ペムブロリズマブによるirAEであることが考えられる（甲状腺機能低下症および1型糖尿病は除く）.

□両剤ともに発現率の高い副作用として下痢があるが，対処方法が異なるため迅速な評価が必要である．血便・粘血便，発熱や脱水を伴う急激な下痢の場合には，irAEを先に疑う[4].

副作用対策のポイント

□両剤との関連が疑われる副作用が出現した場合，早期に専門医へのコンサルトを行う.

□甲状腺機能低下症が発現した場合，アキシチニブが原因であれば可逆性，ペムブロリズマブが原因（irAE）であれば不可逆性である．治療休薬中や終了後も定期的に甲状腺機能評価を行い，適量の甲状腺ホルモン薬による補充を継続する.

6 薬学的ケア

CASE

□60歳代男性．全身状態良好な左腎淡明細胞がんの患者.

□術後の経過フォロー中に再発を認め，アキシチニブ＋ペムブロリズマブ療法を導入.

□1コース目day 10に血圧上昇を認め，アムロジピン5 mgを開始.

□4コース目開始時，Grade 2の甲状腺機能低下症およびGrade 2の肝機能障害を認め，両薬剤ともに休薬．内分泌専門医より，甲状腺機能低下症（irAE）と診断され，チラーヂン®50 μg/日の補充を開始.

□3週間の休薬延長を経て，肝機能障害はGrade 1に改善を認めたため，4コース目はアキシチニブを1段階減量し治療再開．5コース目開始時，再度Grade 2の肝機能障害が出現しており，アキシチニブによる薬剤性肝障害と判断し，ペムブロリズマブのみ投与した．6コース目開始時，Grade 3の肝機能障害を認め，肝臓専門医よりirAE肝障害と診断された.

□ステロイドパルス療法（メチルプレドニゾロン1 g/日，3日間）施行，その後，経口ステロイド薬（プレドニゾロン：開始用量1 mg/kg）の漸減投与を継続したが肝酵素は改善なく，ステロイド不応と判断しミコフェノール酸モフェチル2,000 mg/日を併用．ミコフェノール酸モフェチルを併用しながらプレドニゾロンを慎重に漸減し，肝機能障害はGrade 1まで改善した．

□肝機能障害は改善したが，本レジメンによる治療再開には至っていない．

解説

□血圧は開始早期より上昇することが多く，治療開始時より血圧モニタリングを実施する．降圧薬による治療開始時は，相互作用にも注意して薬剤選択を行う．

□チラーヂン® 開始時は，副腎機能障害を併発していないことを確認する．併発している場合は，副腎皮質ホルモン薬の投与を先行する．

□免疫チェックポイント阻害薬単剤での肝障害の発症率は，2～10％とされており，他剤併用時は25～30％（全Grade，うちGrade 3以上は約15％）と発症率が増加し，初回治療から6～12週に発症することが多い[5]．肝障害発現時は，**図80-1**に沿って対応を行うが，Grade 2の肝障害から肝不全までの進行が速いケースもあるため，早期に肝臓専門医へのコンサルトを行い，診断・治療を開始することが重要である．

□irAEに対してステロイド不応の場合，がん免疫療法ガイドライン[6]を参考に，適応外の免疫抑制薬による治療も検討する．

引用文献

1) インライタ®，添付文書，インライタ®，適正使用ガイド
2) キイトルーダ®，添付文書，キイトルーダ®，適正使用ガイド
3) Rini BI, et al：N Engl J Med 380：1116-27, 2019（PMID：30779529）
4) Grünwald V, et al：Br J Cancer 123：898-904, 2020（PMID：32587360）
5) Brahmer JR, et al：J Clin Oncol 36：1714-68, 2018（PMID：29442540）
6) 日本臨床腫瘍学会（編）：がん免疫療法ガイドライン，第2版．金原出版，2019

（南　晴奈）

81 カバジタキセル（ジェブタナ®）

POINT

- ■FN が高頻度で発症するため，患者ごとのリスク評価に基づいた G-CSF の 1 次予防が重要である．
- ■用量設定には効果と忍容性のバランスを考慮する必要があり，安易な減量には注意が必要である．
- ■過敏反応予防に前処置薬が必須である．

1 レジメンと副作用対策（→次頁参照）

適応：外科的または内科的去勢術を行い進行または再発が確認された前立腺がん

1 コース期間：3 週間　**総コース**：可能な限り継続

2 抗がん薬の処方監査

□本剤は添加剤としてポリソルベート 80，添付溶解液にはエタノールが含有されているのでアルコール忍容性とドセタキセルによる過敏反応の状況を把握しておく．

□プレドニゾロン 10 mg/日を原則併用するため処方を確認する．

□過敏反応予防である抗ヒスタミン薬，副腎皮質ホルモン薬および H_2 ブロッカーの前投薬があることを確認すること．前処置薬はレジメンにより初期設定されている場合が多いが，閉塞隅角緑内障や下部尿路に閉塞性疾患を有する患者には抗ヒスタミン薬が禁忌のため留意する．また，腎機能が低下している患者には H_2 ブロッカーの用量調節を考慮する．

□主に CYP3A で代謝されるため強力な CYP3A 阻害薬と併用する際は 25％減量を考慮する[1]．ケトコナゾール注を反復併用投与したとき，カバジタキセルのクリアランスが 20％低下した（AUC の 25％増加に相当）．

□OATP1B1 の阻害作用の報告があるため，OATP1B1 が基質となる薬剤（スタチン系薬剤，ARB）との併用には留意する[2]．

□FN 発現率が高いため，リスク因子を有する患者には G-CSF の 1 次予防を検討する．

81		医薬品名 投与量	投与方法 投与時間	1	2	3	4	5	6	7	8	9	10	11	12	13	14	15	~	20	21
レジメン	Rp1	d-クロルフェニラミン 5 mg デキサメタゾン 6.6 mg ファモチジン 20 mg 生理食塩液 100 mL	点滴注射 15 分	↓	過敏反応を軽減させるため，カバジタキセル投与 30 分前までに抗ヒスタミン薬，副腎皮質ホルモン薬，H_2 ブロッカーの前処置を実施する．																
	Rp2	カバジタキセル 25 mg/m^2 生理食塩液 250 mL	点滴注射 60 分	↓																	
	Rp3	プレドニゾロン 10 mg	5 mg を 2 回 または 10 mg を 1 回	↓	↓	↓	↓	↓	↓	↓	↓	↓	↓	↓	↓	↓	↓	↓	↓	↓	↓

副作用対策	1	2	3	4	5	6	7	8	9	10	11	12	13	14	15	~	20	21
過敏反応	■																	
投与開始数分から発現する可能性があるため，投与開始から 1 時間は頻回にバイタルをモニタリングする． 初回および 2 回目の投与中は患者の状態を注意深く観察する．																		
好中球減少症								■	■	■	■	■	■	■	■	■	■	■
投与から nadir までの期間と回復（1,500/μL 以上）時期（中央値） G-CSF あり：9 日（6～16），4.5 日（1～22） G-CSF なし：13 日（7～14），7 日（4～21） 市販後調査における最好発時期は投与 8 日目となっている（FN 含む）．																		
下痢			■	■	■	■	■	■	■	■	■	■						
好中球減少時期に発現することが多いため骨髄抑制の評価も併せて実施する． 国内第 I 相試験ではロペラミド 4 mg を回復まで投与し下痢が起こるごとに 2 mg を追加（16 mg/日以内）としていたが，保険適応外の用量のため留意すること．																		
末梢神経障害	不定期に発現																	
主に末梢性感覚ニューロパチーが出現するが Grade 3 以上の頻度は少ない（国内第 I 相試験では報告なし）． Grade 2 以上の場合は添付文書の減量・休薬規定に準じて減量または中止する．																		
悪心・嘔吐	■	■	■	■	■	■	■											
催吐性リスクは低リスクであるため，急性期悪心に対しては過敏症予防のステロイドにて代替可能である． 遅発性の悪心・嘔吐に関しては状況に応じてドパミン受容体拮抗薬を使用する．																		

3 抗がん薬の調剤

- □全量に対し添付溶解液全量を使用して溶解することで，カバジタキセル濃度 10 mg/mL のプレミックス液を調製する．
- □最終濃度が 0.10～0.26 mg/mL となるよう必要量を注射筒で抜き取り，ただちに生理食塩液または 5% ブドウ糖液と混和し，1 時間かけて点滴静注する．
- □やむをえず保存する場合は，室温で 8 時間，冷蔵保存で 48 時間以内に使用する．

4 抗がん薬の投与

投与基準[2)]

項目	概要	項目	概要
年齢	20〜75 歳	肝機能	T-Bil≦2.25 mg/dL (≦ULN×1.5)
全身状態	PS＜1		AST≦45 U/L, ALT≦(男) 63 U/L (≦ULN×1.5)
骨髄機能	好中球数≧2,000/μL	末梢性ニューロパチー	<Grade 1
	血小板数≧10 万/μL	その他	CYP3A4 の強力な阻害薬の投与を受けていない．または 1 週間以上の休薬期間を設けている．
	Hb≧9.0 g/dL		
腎機能	Scr≦(男) 1.5 mg/dL		

減量・中止基準[2)]

Grade 3 以上の好中球減少症（1 週間以上）	好中球が 1,500/μL を超えるまで休薬し，その後用量を 20 mg/m^2 に減量して投与を再開
FN または好中球減少性感染	症状が回復または改善し，好中球数が 1,500/μL を超えるまで休薬し，その後，用量を 20 mg/m^2 に減量して投与を再開
Grade 3 以上の下痢，または水分・電解質補給等の適切な治療にもかかわらず持続する下痢	症状が回復または改善するまで休薬し，その後，用量を 20 mg/m^2 に減量して投与を再開
Grade 3 以上の末梢性ニューロパチー	投与中止
Grade 2 の末梢性ニューロパチー	用量を 20 mg/m^2 に減量

肝機能障害

□米国添付文書[1)]

軽度	T-Bil 1.5〜2.25 mg/dL (ULN×1〜1.5) または AST>45 U/L (>ULN×1.5)	20 mg/m^2 へ減量
中等度	T-Bil 2.25〜4.5 mg/dL (ULN×1.5〜3)	15 mg/m^2 へ減量
高度	T-Bil>4.5 mg/dL (>ULN×3)	投与不可

□高度の肝機能障害患者では，軽度の肝機能障害の患者と比較してクリアランスの 39%減少が観察されているが，高度肝機能障害患者におけるカバジタキセルの最大耐量は確立されていな

いので留意する.

腎機能障害

□米国添付文書[1)]

軽度	50 mL/分≦Ccr＜80 mL/分	減量不要
中等度	30 mL/分≦Ccr＜50 mL/分	減量不要
高度	Ccr＜30 mL/分	指標なし

□高度腎機能障害患者（Ccr＜15 mL/分）において 25 mg/m^2 投与での報告があるものの，限られた薬物動態の結果のため患者の忍容性を十分考慮し妥当性を判断する.

注意点

□ポリ塩化ビニル製の輸液バッグおよびポリウレタン製の輸液セットの使用は避ける.

□0.2 または 0.22 μm のインラインフィルターを通して投与する.

□血管外漏出時における組織障害性に基づく分類は壊死性抗がん薬である[3)].

5 副作用マネジメント

発現率[4)]

	症状	海外第Ⅲ相臨床試験（n＝371）	
		全 grade〔n（%）〕	Grade≧3〔n（%）〕
血液毒性	白血球減少	355（96）	253（68）
	好中球減少	347（94）	303（82）
	FN	—	28（8）
	血小板減少	176（47）	15（4）
	貧血	361（97）	39（11）
非血液毒性	下痢	173（47）	23（6）
	疲労	136（37）	18（5）
	悪心	127（34）	7（2）
	嘔吐	84（23）	7（2）
	腹痛	43（12）	7（2）
	背部痛	60（16）	14（4）
	下肢痛	30（8）	6（2）
	関節痛	39（11）	4（1）

評価と観察のポイント

投与前

①有効性と安全性を考慮した用量設定

□重篤な骨髄抑制が必発するため患者の忍容性を勘案した用量調節が重要であり，以下の条件に該当する場合は減量を考慮する.
- 前治療においてドセタキセルの総投与量が多い患者
- 65歳以上の高齢者
- 広範囲放射線照射などの強い前治療歴を有する患者
- 腫瘍の骨髄浸潤を有する患者

□国内市販後調査では減量（20 mg/m^2）により全Gradeおよび Grade 3以上の有害事象が有意に減少するが，奏効率や生存期間においてはやや劣る傾向がある[5]．一方で米国における第Ⅲ相試験ではカバジタキセル 25 mg/m^2 と 20 mg/m^2 で非劣性が証明されている[6]．当該試験ではアジア人が若干名含まれているものの人種差を問わないエビデンスではないため日本人に対しては慎重な解釈が必要である.

□治療効果のリスク因子として，Hb＜10 g/dL およびドセタキセルの治療が10サイクル以上が報告されている[7]．また別報では，カバジタキセル治療前 PSA≧100 ng/mL，内臓転移および単球＜400/μL が報告[8]されておりリスク因子数で層別化した際，保有数が多いほど生存期間が短縮する傾向がある．そのため，これら因子の保有状況は，効果を担保するうえでの用量設定に対する判断材料として利用できる可能性がある.

投与後

①FN

□多くの場合外来治療となるため，投与後の血球減少や感染症に対しては自己マネジメントを基本とした医療施設との連絡体制が重要である．そのためには患者および家族への十分な説明と発症疑いの時におけるトリアージが求められる.

□複数から報告されているFNリスク因子[9-12]を統合的に照合し，患者ごとのFN発症リスクを評価する（**表 81-1**）.

□カバジタキセルにおける Grade 3以上の好中球減少に対するリスク因子は，血清アルブミン値＜3.6 g/dL と報告されている[13]．この背景としてカバジタキセルは蛋白結合が高い（89～92%）ため，血清アルブミン値が低下することで遊離型の割合

表 81-1 FN リスク因子の一覧

ASCO[9]	NCCN[10]	EORTC[11]	JSMO[12]
65 歳以上	full dose のがん薬物療法を受ける高齢者（65 歳以上）	高齢者（65 歳以上）	65 歳以上
PS 不良	PS 不良	—	—
腎機能障害	腎機能障害（Ccr＜50 mL/分）	—	腎機能障害
肝機能障害	肝機能障害（T-Bil＞2.0 mg/dL）	—	肝機能障害
心血管疾患	—	—	—
複数の合併症	—	—	—
感染の存在	—	—	—
HIV 感染	—	—	—
進行がん	—	進行がん	持続する好中球減少症
がん薬物療法歴，放射線治療歴	がん薬物療法歴	—	がん薬物療法歴，放射線治療歴
最近の手術歴	最近の手術歴	—	最近の手術歴
治療前の好中球減少または腫瘍の骨髄浸潤	治療前の好中球減少	—	腫瘍の骨髄浸潤
その他	—	レジメンの異なる先行がん薬物療法における FN の既往歴	—

が増え毒性が増強されたと推察される．

□各種ガイドラインが定義づけしている FN における発熱の程度（腋窩体温≧37.5℃）をトリアージポイントとし倦怠感や消化器症状といった FN に付随する症状を評価する．さらに FN に対する予防的投薬（レボフロキサシン）や MASCC スコアを算出し重症化リスクをあらかじめ想定しておくことが重要である．

②タキサン急性疼痛症候群

□筋肉痛と関節痛が主体であり，タキサン系薬剤投与後 3 日目をピークに 1 週間程度持続するが一過性であり消失する[14]．神経障害性疼痛との関連性は今後のさらなる検証が待たれる．少なくとも投与後における疼痛の有無，程度および持続性を評価し，必要な支持療法を早期に導入する．

副作用対策のポイント

FN

①予防

□ペグフィルグラスチムを含む予防的 G-CSF はカバジタキセルによる FN または Grade 3 以上の好中球減少を 1/7 まで低下[15]させるため，FN リスク評価の結果を勘案しリスクが高い患者には G-CSF の 1 次予防を積極的に導入していく必要がある．

□ペグフィルグラスチムの効果を最大限に引き出すには「クリアランス」と「投与時期」がポイントである．ペグフィルグラスチムは主に好中球介在性クリアランスにより消失するため末梢血好中球とクリアランスに正の相関があることが報告されている[16]．つまり，化学療法後に好中球数が加速度的に低下する day 3 以降が最適な投与時期と推察できる．この理論に基づいた報告では，FN 発症を最小限にする最適なペグフィルグラスチムの投与時期は「day 3 または day 4」と示唆されている[17]．

②治療

□基本的には入院にてエンピリックな抗菌薬治療となるが，重症化リスクが低い患者には経口抗菌薬（シプロフロキサシン，アモキシシリン・クラブラン酸）の治療も選択肢の 1 つである．その背景として重症化リスクが低い FN 患者において「経口抗菌薬 vs. 静注抗菌薬」および「入院治療 vs. 外来治療」の両者で治療転帰に差はないことが示唆されている[18]．

タキサン急性疼痛症候群

□対症療法として NSAIDs，ステロイド，抗ヒスタミン薬，ガバペンチン，プレガバリンおよび芍薬甘草湯（しゃくやくかんぞうとう）の報告があるが効果としては不明瞭であり限定的である．

6 薬学的ケア

CASE

□70 歳代男性．前立腺がん骨転移（腰椎 L2-3 浸潤）で前治療にドセタキセル 10 サイクル後，PD．カバジタキセル（25 mg/m^2）導入予定であったが患者背景を考慮し 20 mg/m^2 を提案し了承された．なお，ペグフィルグラスチムの投与は減量していることを考慮し主治医判断で様子をみる方針となった．

□初回コースは有害事象なく経過．2 コース目からは外来治療へ移行し投与5日後に，倦怠感と胸部圧迫を主訴に電話連絡があった．血圧89/60 mmHg，脈拍115/分，腋窩体温37.2℃および意識混濁を聴取した．急性下痢症もなくFNの定義には合致しないもののショックバイタルに近い状況のため早急に救急外来受診をすすめた．

- □病着後のバイタルが血圧88/65 mmHg，脈拍110/分，腋窩体温39.0℃かつ好中球が200/μLであるためFNによる敗血性ショック疑いで入院．血液培養，急速輸液およびエンピリックな抗菌薬治療が開始となる．
- □回復した後，3コース目以降は2次予防としてペグフィルグラスチムをday 3へ導入する旨を提案し了承された．6コース終了時点でPDとなりBSCとなる．

解説

- □ドセタキセルの総投与量が多く高齢かつ骨髄浸潤しており減量が推奨される条件におおむね合致している．さらに当該患者は食欲不振が継続しており血清アルブミンが低値であり好中球減少のリスクも高かったため忍容性を優先するべく20 mg/m^2を提案した．
- □また,FNリスク因子を複数保有しているのでペグフィルグラスチムの1次予防が妥当だと考えたが経過をみる方針となった．
- □FNの定義には厳密には該当していないが，ショックを疑うバイタルでありオンコロジーエマージェンシーに近い状況と判断できる．なおMASCCスコアでは17点のためFNを念頭においた処置を想定する．
- □ペグフィルグラスチムの2次予防投与は，状況的には必須の条件であり，クリティカルな効果を期待するため化学療法後day 3での投与を実施．

引用文献

1) JEVTANA® (cabazitaxel) injection. Drug label information Revised：12/2021
2) ジェブタナ®，適正使用ガイド．2020年1月（第1版）（サノフィ）
3) 日本臨床腫瘍薬学会：臨床腫瘍薬学．pp 728，じほう，2019
4) de Bono JS, et al：Lancet 376：1147-54, 2010 (PMID：20888992)
5) Matsuyama H, et al：BMC Cancer 20：649, 2020 (PMID：32660451)
6) Eisenberger M, et al：J Clin Oncol 35：3198-206, 2017 (PMID：28809610)

7) Yasuoka S, et al：Anticancer Res 39：5803-9, 2019 (PMID：31570485)
8) Kosaka T, et al：Mol Clin Oncol 9：683-8, 2018 (PMID：30546902)
9) Smith TJ, et al：J Clin Oncol 33：3199-212, 2015 (PMID：26169616)
10) NCCN Guidelines Version 2.2016 Myeloid growth factors
11) Aapro MS, et al：Eur J Cancer 47：8-32, 2011 (PMID：21095116)
12) 日本臨床腫瘍学会（編）：発熱性好中球減少症（FN）診療ガイドライン，改訂第2版．南江堂，2017
13) Kageyama A, et al：Gan To Kagaku Ryoho 46：279-81, 2019 (PMID：30914534)
14) Loprinzi CL, et al：J Clin Oncol 29：1472-8, 2011 (PMID：21383290)
15) Di Lorenzo G, et al：Anticancer Drugs 24：84-9, 2013 (PMID：23044721)
16) Green MD, et al：Ann Oncol 14：29-35, 2003 (PMID：12488289)
17) Hayama T, et al：Int J Clin Pharm 40：997-1000, 2018 (PMID：29855985)
18) Teuffel O, et al：Ann Oncol 22：2358-65, 2011 (PMID：21363878)

（葉山達也）

82 エンザルタミド（イクスタンジ®）

POINT

- ■CYP3A4をはじめとして複数のCYP分子種を誘導することで，併用薬の血中濃度を低下させる可能性がある．また，本剤中止後にはCYPの誘導が解除される点も考慮する．
- ■半減期が長く（4.7～8.4日），投与終了後も相互作用の持続に注意が必要である．
- ■添付文書や臨床試験では減量基準はないが，実臨床においては疲労・食欲減退の副作用が強い場合に，減量により投与継続が可能なことがある．

1 レジメンと副作用対策

適応：去勢抵抗性前立腺がん，遠隔転移を有する前立腺がん
1コース期間：なし　**総コース**：可能な限り継続

82		医薬品名 投与量	投与方法 投与時間	1	2	3	4	5	6	7	8	9	10	11	12	13	14	15	16	～	21
レジメン	Rp1	エンザルタミド 160 mg	経口 1日1回	↓	↓	↓	↓	↓	↓	↓	↓	↓	↓	↓	↓	↓	↓	↓	↓		↓

副作用対策	
疲労，倦怠感	最も発現しやすい．重度の倦怠感を訴えることもあり，休薬・減量の原因となりやすい．
食欲減退	休薬・減量の原因となる副作用．体重減少にも関係．
筋肉痛，関節痛	アセトアミノフェン，NSAIDsで対応．
ほてり	抗アンドロゲン薬に共通した副作用．ホルモンバランスが崩れることにより，更年期障害様の症状が発現する．顔面のほてり，発汗が主な症状．
悪心	ドンペリドン，メトクロプラミドで対応．
痙攣発作	頻度は低い（0.2%）が，異常が認められた場合は本薬の投与を中止．

2 抗がん薬の処方監査

□本剤の適応は「去勢抵抗性前立腺がん」であり，外科的または内科的去勢術（LH-RHアナログや抗アンドロゲン薬により男性ホルモンの作用を低く抑える治療）を実施したにもかかわら

ず，病状が悪化した患者であることを確認する[1]．また，2020年5月に「遠隔転移を有する前立腺がん」の適応が追加された[1]．

□てんかんなどの痙攣性疾患またはこれらの既往歴のある患者，痙攣発作を起こしやすい患者（脳損傷，脳卒中の合併またはこれらの既往歴のある患者，痙攣発作の閾値を低下させる薬剤を投与中の患者）は痙攣発作を誘発するおそれがあるため，慎重投与である．

□痙攣発作の閾値を低下させる主な薬剤として，フェノチアジン系抗精神病薬，三環系および四環系抗うつ薬，ニューキノロン系抗菌薬があり，併用注意である．

□エンザルタミドが痙攣発作の閾値を低下させる機序は不明だが，非臨床試験において，本剤および*N*-脱メチル体がGABA開口性クロライドチャネルに結合し，活性化を抑制することが示されている[2]．これによりCl^-の流入が阻害され，神経細胞の異常興奮が生じ，痙攣を誘発する可能性が指摘されている．

□本剤は主として薬物代謝酵素CYP2C8で代謝される．また，CYP3A4，CYP2C9，CYP2C19，CYP2B6，UGTおよびP糖蛋白質（P-gp）に対して誘導作用を示す一方，P-gp，乳がん耐性蛋白質（BCRP），有機カチオントランスポーター1（OCT1）および有機アニオントランスポーター3（OAT3）に対して阻害作用を示す．これらの特性から，種々の薬物と相互作用を生じる[1,3]．

□エンザルタミドの血中濃度が変化する相互作用

分子種	阻害/誘導	併用薬	AUCの変化
CYP2C8	阻害	ゲムフィブロジル*1	2.17倍*2
CYP2C8	誘導	リファンピシン	0.63倍*2

*1 国内未承認
*2 エンザルタミドの未変化体と活性代謝物（*N*-脱メチル体）の合計

□併用薬の血中濃度が変化する相互作用

分子種	阻害/誘導	併用薬	AUCの変化
CYP3A4	誘導	ミダゾラム	0.14倍
CYP2C9	誘導	S-ワルファリン	0.44倍
CYP2C19	誘導	オメプラゾール	0.30倍

□特にCYP3A4の誘導によるAUCの低下は大きく無視できな

い．また本剤の投与終了後はCYPの誘導が解除されるため，併用薬の血中濃度が上昇する可能性にも注意が必要である．

□本剤の消失半減期は4.7〜8.4日と非常に長いため，投与終了後も代謝酵素およびトランスポーターの誘導あるいは阻害が持続する可能性に注意が必要である[1, 4]．

□添付文書や臨床試験においてはエンザルタミドの減量基準はない．しかし，実臨床においては疲労や食欲減退といった副作用発現時に減量することもある[5]．

3 抗がん薬の調剤

□前立腺がんの患者は高齢者が多く，嚥下機能が低下していることも多い．以前は，カプセル製剤であり，サイズも大きかったため服薬アドヒアランスを低下させる可能性があったが，服用時の負担軽減のため，2018年6月よりイクスタンジ®錠40 mg，80 mgが発売され，服用の負担が軽減された．カプセルは終売となっている．

4 抗がん薬の投与

投与基準[6]

□AFFIRM試験のプロトコールより

好中球数	≧1,500/μL	ALT	≦(男) 84 U/L (≦ULN×2)
血小板数	≧10万/μL	T-Bil	≦3.0 mg/dL (≦ULN×2)
Hb	≧9 g/dL	Scr	≦(男) 2 mg/dL
AST	≦60 U/L (≦ULN×2)	アルブミン	≦3.0 g/dL

減量・中止基準[6, 7]

□ARCHES試験のプロトコールより，Grade 3以上または忍容できない副作用発現時は，休薬（1週間あるいはGrade 2以下になるまで）または減量（120 mgあるいは80 mgを1日1回経口投与）を考慮する．なお，再開時には減量を考慮する．

好中球	≦750/μL	T-Bil	＞7.5 mg/dL (＞ULN×5)
血小板	＜5万/μL	Scr	＞(男) 4.0 mg/dL
AST	＞150 U/L (＞ULN×5)	QT間隔	＞500ミリ秒
ALT(男)	＞210 U/L (＞ULN×5)		

腎機能障害

□減量不要．

□健康成人男性（59例）および去勢抵抗性前立腺がん患者（873例）を対象とした母集団薬物動態解析の結果，軽度（60≦Ccr＜90 mL/分，332例）および中等度障害（30≦Ccr＜60 mL/分，88例）の未変化体のクリアランス（CL/F）の中央値は，正常者（Ccr≧90 mL/分，512例）と比較してそれぞれ0.95倍および0.91倍と推定された．なお，腎機能障害が本剤の薬物動態に及ぼす影響を評価するための臨床試験は実施していない[1)]．

肝機能障害

□減量不要．

□軽度～重度障害者（Child-Pugh分類A～C）において，健康成人男性と比較したところ，半減期は中等度～重度障害（Child-Pugh分類B～C）で延長したものの，AUCはいずれにおいても大きく変わらなかった[1)]．

5 副作用マネジメント

発現率[6-8)]

	PREVAIL試験 (n=872)*3		AFFIRM試験 (n=800)*3		ARCHES試験 (n=572)*3	
	全体 (%)	Grade ≧3 (%)	全体 (%)	Grade ≧3 (%)	全体 (%)	Grade ≧3 (%)
疲労	35.6	1.8	33.6	6.3	19.6	0.9
背部痛	26.9	2.5	—	—	—	—
便秘	22.1	0.5	—	—	—	—
関節痛	20.3	1.4	—	—	—	—
食欲減退	18.1	0.2	—	—	—	—
ほてり	18.0	0.1	20.3	0.0	27.1	0.3
下痢	16.3	0.2	21.4	1.1	—	—
高血圧	13.4	6.8	—	—	—	—
無力症	13.0	1.3	—	—	—	—
転倒	11.6	1.4	—	—	—	—
体重減少	11.5	0.6	—	—	—	—
浮腫	10.6	0.2	—	—	—	—
頭痛	10.4	0.2	11.6	0.8	—	—
筋肉痛	—	—	13.6	1.0	—	—

*3 エンザルタミド群において10%以上の患者に発現し，かつ，プラセボ群に比較して2%以上発現率の高かった有害事象．

評価と観察のポイント

□最もよく認められ，かつ，エンザルタミドの減量・中止を考慮することになる可能性のある副作用は疲労（倦怠感）である．前立腺がんの患者は高齢者が多いこともあり，エンザルタミド服用前から疲労・倦怠感を訴える患者も少なくない．治療開始時の状態を把握しておくことが重要である．

□背部痛，関節痛，筋肉痛もエンザルタミドの減量・中止を考慮することになる可能性のある副作用である．治療開始後に発現・増悪した痛みであるかどうかも併せて評価する．

□国内長期特定使用成績調査の最終報告の結果，年齢が高い，またはBMIが低いほど食欲減退の副作用発現割合が高い傾向が認められた[9]．また，年齢の影響はみられなかったがBMIが低いほど倦怠感・疲労の副作用発現割合が高い傾向が認められた[9]．これらのことから，BMIの低い患者（18.5 kg/m^2 未満）は副作用発現に特に注意する．BMIについては，前立腺がん患者でアンドロゲン遮断療法によってテストステロン値が低下することで筋肉量が低下し，体重が減少することで倦怠感を引き起こす可能性が示唆されていることにも留意する[10]．

副作用対策のポイント

□疲労や食欲減退に対しては，エンザルタミドの減量・休薬による対応が一般的である．エンザルタミド服用のタイミングを朝食後から夕食後に変更し，疲労が軽減したとの報告もある[11]．

□関節痛，筋肉痛はアセトアミノフェンやNSAIDsにより対応する．長期投与になる場合，NSAIDsによる胃腸障害・腎機能障害に注意が必要である．

□ほてりはホルモン療法において一般的に認められる副作用である．症状軽減のため，漢方薬（加味逍遙散（かみしょうようさん），当帰芍薬散（とうきしゃくやくさん），桂枝茯苓丸（けいしぶくりょうがん）など）やホルモン薬（エストラムスチン，クロルマジノン）などが用いられる[12]．

□エンザルタミドの効果はすぐに抵抗性を示す群（primary resistance群），いったん効果があった後に徐々に抵抗性を示す群（acquired resistance群），長期間効果が持続する群（sensitive群）の3群にほぼ1/3ずつ分かれるとされる[13]．特にsensitive群においては副作用による治療中止は避けたいところであり，減量を含めた副作用マネジメントを行っていく．

6 薬学的ケア

CASE

- □60歳代男性．前立腺がん骨転移に対して，エンザルタミド160 mg/日が開始された．
- □骨転移による痛みに対して，アセトアミノフェン錠 1回500 mg 1日3回，ロキソプロフェン錠 1回60 mg 1日3回を使用していたが疼痛緩和されず，オキシコドン徐放錠 1回10 mg 1日2回が開始となった．
- □オキシコドン開始後も痛みが緩和されず，1回20 mg 1日2回に増量となったが，痛みが緩和されなかった．オキシコドンがCYP3A4で代謝されるため，エンザルタミドによるCYP3A4誘導により血中濃度が低下していることが懸念されたことから，腎機能に問題ないことを確認の上，CYP3A4を介さないモルヒネ徐放錠 1回30 mg 1日2回への変更を提案した．
- □モルヒネ徐放錠に変更48時間後には痛みが緩和された．

解説

- □エンザルタミドはCYP3A4を誘導するため，CYP3A4を基質とする薬剤の血中濃度を低下させることが示唆されている[14]．
- □前立腺がんは骨転移を起こしやすいため，骨転移による疼痛緩和は非常に重要となる．鎮痛薬としては，オピオイド鎮痛薬も用いられることが多い．オピオイド鎮痛薬のなかでは，オキシコドン，フェンタニル，トラマドール，メサドン，ブプレノルフィンといった薬剤がCYP3A4で代謝されることが知られている[14]．
- □エンザルタミド服用患者において，オキシコドンやフェンタニルを使用して疼痛コントロールが不良だったが，薬剤変更やエンザルタミド中止にて疼痛コントロールが良好となったケースが報告されている[15]．
- □エンザルタミド服用中は併用薬の代謝酵素を確認し，相互作用を起こす可能性がないか注意しつつ，患者の状態についてモニタリングを行うことが重要である．

引用文献

1) イクスタンジ® 錠，インタビューフォーム

2）Foster WR, et al：Prostate 71：480-8, 2011（PMID：20878947）
3）Gibbons JA, et al：Clin Pharmacokinet 54：1057-69, 2015（PMID：25929560）
4）Gibbons JA, et al：Clin Pharmacokinet 54：1043-55, 2015（PMID：25917876）
5）井口太郎，他：泌尿器外科 28：1685-91, 2015
6）Scher HI, et al：N Engl J Med 367：1187-97, 2012（PMID：22894553）
7）Beer TM, et al：N Engl J Med 371：424-33, 2014（PMID：24881730）
8）飯野裕子，他：泌尿器外科 33：417-33, 2020
9）Armstrong AJ, et al：J Clin Oncol 37：2974-86, 2019（PMID：31329516）
10）Bylow K, et al：Cancer 110：2604-13, 2007（PMID：17960609）
11）関永彩夏，他：日病薬誌 55：1211-15, 2019
12）青木裕章，他：薬局 67：3099-104, 2016
13）Rathkopf D, et al：Cancer J 19：43-9, 2013（PMID：23337756）
14）Del Re M, et al：Cancer Treat Rev 55：71-82, 2017（PMID：28340451）
15）Westdorp H, et al：J Pain Symptom Manage 55：e6-8, 2018（PMID：29175468）

（渡邊裕之）

83 アビラテロン（ザイティガ®）

POINT

- 主な副作用は肝機能障害および低K血症，高血圧，体液貯留．いずれも投与開始3か月以内の発現頻度が高い．
- 食事の影響を受けるため，空腹時に服用する．また，鉱質コルチコイド過剰状態に起因する副作用（低K血症，高血圧，体液貯留）を予防するために，プレドニゾロンを併用．

1 レジメンと副作用対策

適応：去勢抵抗性前立腺がん，内分泌療法未治療のハイリスクの予後因子を有する前立腺がん

1コース期間：28日間　**総コース**：可能な限り継続

83		医薬品名 投与量	投与方法 投与時間	1	2	3	4	5	6	7	8	9	10	11	12	13	14	15	16	～	28
レジメン	Rp1	アビラテロン 1,000 mg	経口 1日1回 空腹時	↓	↓	↓	↓	↓	↓	↓	↓	↓	↓	↓	↓	↓	↓	↓	↓		↓
	Rp2	プレドニゾロン[*1]	経口	↓	↓	↓	↓	↓	↓	↓	↓	↓	↓	↓	↓	↓	↓	↓	↓		↓
副作用対策	肝機能障害																				
	食欲不振，倦怠感，腹痛，発熱，尿濃染，眼の黄染が現れた場合には，すぐに連絡するよう指導する．投与開始後，最初の3か月間は2週ごと，以降は月1回の肝機能検査を実施する．																				
	低K血症																				
	低K血症に伴う症状（筋力低下，痙攣，動悸，倦怠感，悪心）の有無や血清K値を定期的に確認する．																				
	高血圧																				
	家庭血圧を測定するように指導する．																				
	体液貯留・浮腫																				
	急激な体重増加，眼瞼や足首の浮腫が現れた場合には，すぐに連絡するよう指導する．																				
	高血糖																				
	随時血糖，HbA1cを定期的にモニタリングする．																				

*1 去勢抵抗性前立腺がんでは10 mg/日，内分泌療法未治療のハイリスクの予後因子を有する前立腺がんでは5 mg/日

2 抗がん薬の処方監査

□本薬剤の適応（去勢抵抗性前立腺がん，内分泌療法未治療のハイリスクの予後因子を有する前立腺がん）であることを確認．

- 「去勢抵抗性」の定義…外科的または内科的去勢術により去勢状態であるが，病勢進行やPSA上昇（25～50％以上，かつ1.0～2.0 ng/mL以上）した場合．
- 「ハイリスクの予後因子を有する」の定義…①Gleasonスコアが8以上，②骨スキャンで3か所以上の骨病変あり，③内臓転移あり（リンパ節転移を除く）のうち，2つ以上を有する患者．

□投与禁忌の確認：本剤の成分に対し過敏症の既往歴のある患者，重度の肝機能障害患者（Child-Pugh分類C）．

□アビラテロンは空腹時の服用で処方されていることを確認．

- 食事の影響を強く受けて，血中濃度が上昇するため，食事1時間前から食後2時間までの間の服用を避ける．
- 血漿中アビラテロンのC_{max}およびAUC_{∞}は，空腹時の服用と比較して低脂肪食後が7倍および5倍，高脂肪食後が17倍および10倍に増加（本剤1,000 mg単回投与）[1]．

□プレドニゾロンが併用されていることを確認．

- プレドニゾロンは鉱質コルチコイド過剰による高血圧，低K血症，体液貯留を予防および緩和するために併用．
- アビラテロンのCYP17阻害作用によりコルチゾールが低下．フィードバック作用が働き，副腎皮質刺激ホルモン（ACTH）の濃度が上昇．CYP17の影響を受けない鉱質コルチコイドが上昇[1]（**図83-1**）．プレドニゾロンを投与することでACTHの上昇を抑制．
- プレドニゾロンの併用量は，去勢抵抗性前立腺がんでは10 mg/日，内分泌療法未治療のハイリスクの予後因子を有する前立腺がんでは5 mg/日（鉱質コルチコイド過剰による副作用の発現時には5 mg/日ずつ増量可能）．

3 抗がん薬の調剤

□ザイティガ®錠（アビラテロン）は，ザルティア®錠（タダラフィル）と名称が類似しているため，取り違えに注意．ザルティア®錠の適応症は前立腺肥大症に伴う排尿障害．

□錠剤を割らない（割線がなく，分割時の含有量を担保できない）．

□錠剤を粉砕しない（粉砕後の安定性データなし．調剤者，患者家族への曝露リスクあり）．

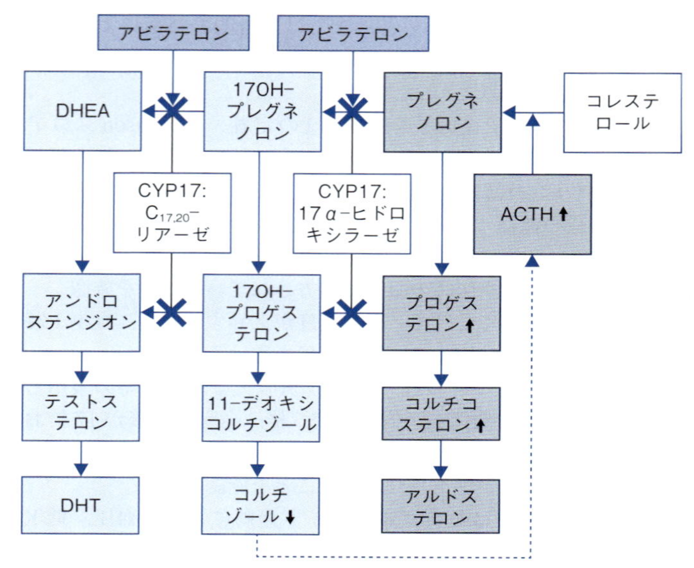

図 83-1 アビラテロンによる合成経路への影響[1]
DHEA：デヒドロエピアンドロステロン，DHT：ジヒドロテストステロン，ACTH：副腎皮質刺激ホルモン

4 抗がん薬の投与

投与基準[1]

□重度の肝機能障害患者が禁忌であることを除き，明確な基準がない．

□中等度の肝機能障害患者（Child-Pugh 分類 B）の患者への投与は慎重投与．心血管疾患またはその既往歴のある患者，低 K 血症の患者，合併症や併用薬により低 K 血症を起こすおそれのある患者も慎重投与．

□内分泌療法未治療のハイリスクの予後因子を有する前立腺がんを対象とした国際共同第Ⅲ相試験の患者適格基準の一部を示す（表 83-1）[2]．

減量・中止基準[1]

□前コースで Grade 3 以上の肝機能障害，低 K 血症，高血圧および Grade 2 以上の浮腫が発現した場合は減量・休薬を考慮．

表 83-1　適格基準の一部

全身状態	ECOG PS 0〜2
骨髄機能	好中球数≧1,500/μL
	Hb≧9.0 g/dL
	血小板数≧10 万/μL
電解質	血清 K 値≧3.5 mmol/L
肝機能	AST≦75 U/L（≦ULN×2.5）
	ALT≦（男）105 U/L（≦ULN×2.5）
	T-Bil≦2.25 mg/dL（≦ULN×1.5） 【ジルベール症候群の場合】≦15 mg/dL（≦ULN×10）
腎機能	Scr＜（男）1.6 mg/dL（＜ULN×1.5）
	または Ccr≧50 mL/分

減量後に再増量しない．

初回投与量	1 段階減量	2 段階減量
1,000 mg	750 mg	500 mg

□低 K 血症

Grade	定義	対応	再開時の投与量
Grade 2 以下	3.0≦血清 K＜3.5 mmol/L	休薬不要	減量不要
Grade 3 以上	血清 K＜3.0 mmol/L	投与中止	—

□高血圧

Grade	定義	対応	再開時の投与量
Grade 1	収縮期血圧 120〜139 mmHg または拡張期血圧 80〜89 mmHg	休薬不要	減量不要
Grade 2	以前正常であった場合は，収縮期血圧 140〜159 mmHg または拡張期血圧 90〜99 mmHg 再発性または持続性（≧24 時間） 症状を伴う＞20 mmHg（拡張期血圧）の上昇		
Grade 3	収縮期血圧≧160 mmHg または拡張期血圧≧100 mmHg	Grade 1 以下に回復するまで休薬	初回は減量不要 2 回目は 1 段階減量 3 回目は 2 段階減量 4 回目は再投与不可
Grade 4	生命を脅かす（例：高血圧クリーゼ）		

□体幹浮腫

Grade	定義	対応	再開時の投与量
Grade 1	腫脹または解剖学的構造が不明瞭になっていることが注意深い診察でわかる	休薬不要	減量不要
Grade 2	解剖学的構造が不明瞭になっていることが診察で容易にわかる 皮膚のしわの消失 解剖学的な輪郭の異常が容易にわかる	Grade 1 以下に回復するまで休薬	初回は減量不要 2 回目は 1 段階減量 3 回目は 2 段階減量 4 回目は再投与不可
Grade 3	解剖学的な輪郭の異常が著明である		

足部に限局した浮腫は休薬および減量不要

腎機能障害

□減量不要：血液透析を受けている末期腎疾患患者における血漿中アビラテロンの C_{max} および AUC_{last} は腎機能正常者と比較して増加しない（本剤 1,000 mg 単回投与）[3]．

肝機能障害

□ベースラインで中等度の肝機能障害（Child-Pugh 分類 B）を有する患者では，アビラテロンを 1 日 1 回 250 mg への減量を考慮[4]．中等度の肝機能障害患者における血漿中アビラテロンの C_{max} および AUC_{last} は肝機能正常者と比較し，それぞれ 2.74 倍および 3.62 倍に増加（本剤 1,000 mg 単回投与）[1]．

注意点

□スピロノラクトン併用時に PSA が上昇した症例が報告されており[5]，国内臨床試験において併用禁忌薬に設定されていた（アンドロゲン枯渇環境下において，スピロノラクトンはアンドロゲン受容体にアゴニストとして作用）．

5 副作用マネジメント

発現率[6-8]（表 83-2）

評価と観察のポイント（表 83-3）

□いずれの副作用も投与開始 4 サイクル以内の発現が多い（1 サイクル 28 日）．そのため，投与開始 3 か月間および再開時は検査値や自他覚症状を慎重にモニタリングする．

表 83-2　副作用の発現率

有害事象	COU-AA-302 試験，海外第Ⅲ相（n=542）		LATITUDE 試験，国際共同第Ⅲ相（n=597）		LATITUDE 試験，日本人サブ解析（n=35）	
	全体（%）	Grade ≧3（%）	全体（%）	Grade ≧3（%）	全体（%）	Grade ≧3（%）
肝機能障害	—	—	24.5	8.9	37.1	8.6
AST 上昇	12.0	3.3	15.4	4.5	25.7	2.9
ALT 上昇	13.3	5.9	16.9	5.7	25.7	2.9
低 K 血症	18.6	2.6	24.0	11.7	42.9	14.3
高血圧	23.8	4.6	40.7	21.9	51.4	34.3
体液貯留・浮腫	30.8	1.1	13.6	8.0	2.9	0
高血糖，糖尿病	—	—	15.7	5.9	22.9	11.4

表 83-3　評価と観察のポイント

確認項目	投与前	投与中	推奨検査頻度	関連する副作用	主な自他覚症状
Child-Pugh 分類	●		—	—	—
AST，ALT，T-Bil	●	●	開始後 3 か月まで：1 回/2 週 4 か月以降：1 回/月	劇症肝炎，肝機能障害	全身倦怠感，食欲不振，微熱，黄疸，暗色尿
血清 K 値	●	●	1 回/月 *2, 3	低 K 血症	脱力，筋力低下，痙攣
血小板数	●	●	1 回/月	血小板減少	点状出血，口腔内出血，鼻出血
血圧	●	●	1 回/月 *3	高血圧，血圧の上昇	頭痛，めまい，悪心
体重 眼瞼・足首の浮腫	●	●	1 回/月	体液貯留，浮腫	体重増加，眼瞼・足の浮腫
随時血糖，HbA1c	●	●	1 回/月	高血糖，耐糖能異常	口渇，多飲，多尿，体重減少

*2　投与期間中に低 K 血症が認められた場合または低 K 血症の既往歴を有する場合は，1 週間に 1 回以上の頻度で検査を実施する．
*3　心血管疾患の重大なリスクがある患者に対しては，投与開始（再開）後 3 か月間は 2 週ごと，以降は月 1 回検査を実施する．

副作用対策のポイント

□プレドニゾロンは低K血症，高血圧，体液貯留を予防および緩和するために処方されるため，自己判断で服用を中止しないよう患者指導する．

肝機能障害

□アビラテロン開始前のAST，ALT，T-BilがULNより高値の患者ではGrade 3以上の肝機能障害の発現率が高い．
□薬物性肝機能障害の治療は被疑薬を中止することが基本．
□ウルソデオキシコール酸やグリチルリチン製剤を投与することがある．グリチルリチン製剤による偽アルドステロン症（低K血症，血圧上昇，体液貯留）の発現に注意．
□重症化のおそれがある場合は，速やかに肝臓専門医にコンサルト．プロトロンビン時間の低下，黄疸や意識障害があり，劇症肝炎が疑われる場合は血漿交換やステロイドパルス療法を考慮．

低K血症

□アビラテロン開始前に低K血症がある場合は血清K値を補正してから治療を開始．
□低K血症を引き起こす可能性のある薬剤（ループ利尿薬，サイアザイド系利尿薬，インスリン，グリチルリチン含有薬）を併用している場合は，特に注意して経過を観察．
□血清K値が3.5 mmol/L未満に低下した場合はK製剤を投与．

L-アスパラギン酸カリウム（アスパラ®カリウム）錠
　1回300～900 mg　1日3回　毎食後（血清K値を3.5～5.0 mmol/Lに維持）

高血圧

□高血圧の発現時はCa拮抗薬やARBを投与して，血圧を160/100 mmHg未満に維持．
□血圧の改善が不十分な場合は鉱質コルチコイド受容体アンタゴニストの投与を検討．

エプレレノン（セララ®）錠　1回50 mg　1日1回朝食後
　Ccrが50 mL/分未満の患者およびK製剤を投与中の患者は禁忌

体液貯留/浮腫

□薬剤性以外の原因も考慮する（例：腎機能障害，深部静脈血栓症，低栄養）.

□心血管疾患（高血圧，うっ血性心不全，不整脈）を有する患者では体液貯留により，原疾患が悪化する可能性がある．呼吸困難や動悸，胸部不快感の有無を確認.

□胸水を示唆する症状（呼吸困難，乾性咳嗽）を認めた場合は，胸部X線検査を実施.

6 薬学的ケア

CASE

□60歳代男性．去勢抵抗性前立腺がん．アビラテロン1,000 mg/日とプレドニゾロン10 mg/日の併用療法が開始（治療開始時の血清K値は3.7 mmol/L）.

□day 29：低K血症Grade 1（血清K値3.2 mmol/L）が発現したため，L-アスパラギン酸カリウム錠1,800 mg/日を追加し，治療継続．day 29の血清K値は3.3 mmol/L（Grade 1）で，改善が乏しいため，プレドニゾロンを15 mg/日に増量することを提案．また，重篤な低K血症の初期症状について再指導.

□day 57の血清K値は3.8 mmol/L（Grade 0）に改善．その後，低K血症は発現することなく，プレドニゾロン10 mg/日，L-アスパラギン酸カリウム錠900 mg/日に減量し，治療継続.

解説

□国内第Ⅱ相試験において，低K血症の多くは4サイクル（1サイクル28日）までに発現していた．本症例はGrade 1の低K血症のため，カリウム製剤を経口投与し，治療を継続できる．しかし，血清K値が3.0 mEq/L未満に低下すると筋力低下や脱力感，イレウス，不整脈が発現することがある．そのため，疑わしい症状が発現した場合は，すぐに連絡するよう患者および家族に指導する.

□国際共同第Ⅲ相において，鉱質コルチコイドの過剰状態に起因する副作用が発現した場合は，プレドニゾロンを5 mg/日ずつ増量することが許容された．また，通常と異なるストレスにさらされると生体のコルチゾール必要量が増加するため，発熱や外傷，手術のようなストレス増加時は，プレドニゾロンの増量やヒドロコルチゾンの補充を検討する.

引用文献

1）ザイティガ®錠，インタビューフォーム
2）Fizazi K, et al：N Engl J Med 377：352-60, 2017（PMID：28578607）
3）Marbury T, et al：J Clin Pharmacol 54：732-41, 2014（PMID：24374856）
4）DailyMed-ABIRATERONE ACETATE tablet ABIRATERONE ACETATE tablet, film coated（nih. gov）
5）Dhondt B, et al：Acta Clin Belg 74：439-44, 2019（PMID：30477405）
6）Ryan CJ, et al：Lancet Oncol 16：152-60, 2015（PMID：25601341）
7）Fizazi K, et al：Lancet Oncol 20：686-700, 2019（PMID：30987939）
8）Suzuki H, et al：Jpn J Clin Oncol 50：810-20, 2020（PMID：32188988）

（新井隆広）

84 アパルタミド（アーリーダ®）

POINT

- ■エンザルタミドと化学構造は酷似しているが，皮疹や甲状腺機能低下症など，副作用プロファイルの違いが認められる．
- ■痙攣発作は，頻度こそ低いものの，発現した際には投与を中止し，再開も原則しない．
- ■皮疹は他の第2世代抗アンドロゲン薬と比べても頻度が高く，開始後3か月以内の発現が多い．大抵はGrade 1～2程度で外用薬の対症療法にて対応可能だが，重篤例の報告もあるため，皮疹発現の際には粘膜疹や発熱などの全身症状についても忘れずに聴取を行う．

1 レジメンと副作用対策（→次頁参照）

適応：遠隔転移を有しない去勢抵抗性前立腺がん（nmCRPC；non-metastatic castration-resistant prostate cancer），遠隔転移を有する前立腺がん（mCSPC；metastatic castration-sensitive prostate cancer）

1コース期間：規定なし　**総コース**：PDまで

多くは外科的去勢術を受けているか，アンドロゲン除去療法（ADT；androgen deprivation therapy）としてのLH-RHアゴニスト製剤などとの併用治療がなされている．

2 抗がん薬の処方監査

- □頻度は低いが痙攣発作が出現することがあり，てんかんなどの痙攣性疾患の既往や，脳損傷，脳卒中などの痙攣発作を起こしやすい既往の有無を確認する．また，投与中の自動車の運転などの危険を伴う機械の操作についての注意喚起が必要になるため，生活環境やライフスタイルなどをあらかじめ確認する．
- □痙攣発作の閾値を低下させる薬剤（アミノフィリン，テオフィリン，オランザピンなどの非定型抗精神病薬，炭酸リチウム，クロルプロマジンなどのフェノチアジン系抗精神病薬，ミルタザピンなどの抗うつ薬など）の服用歴についても確認する．
- □頻度は低いが狭心症，心筋梗塞，心不全および心房細動などの心

84		医薬品名 投与量	投与方法 投与時間	1	2	3	4	5	6	7	8	9	10	11	12	13	14	15	~	20	21
レジメン	Rp1	アパルタミド 240 mg	経口 1日1回	↓	↓	↓	↓	↓	↓	↓	↓	↓	↓	↓	↓	↓	↓	↓		↓	↓

副作用対策

疲労

最も発現頻度としては高い．時に重度となり，休薬や減量が必要なこともあるため注意深く聴き取りをしていく．

皮疹

他の第2世代抗アンドロゲン薬（エンザルタミド，ダロルタミド）と比べても特徴的に頻度の高い事象である．また，稀だが多形紅斑やTENなどの重篤症例の報告があるため，注意を要する．多くは投与開始から3か月以内に発現しているため，投与早期からの観察が重要．

関節痛

発現機序は不明であるが，基本的にアセトアミノフェンやNSAIDsなどの対症療法を行う．

転倒，骨折

血液脳関門を超える本薬剤の中枢神経系有害事象と長期の内分泌療法に伴う骨への影響の双方が原因と考えられる事象である．

甲状腺機能低下

発現機序は不明であるが，臨床試験の際にはプラセボ群より多く発現しており，他の第2世代抗アンドロゲン薬（エンザルタミド，ダロルタミド）と比べても特徴的な事象である．

痙攣発作

頻度は1%未満と低いが，発現した際には中止し，再投与も原則行わない．臨床試験では6か月以上服用後に発現している例が多いが，服用中に自動車の運転など危険を伴う機械を操作する可能性がある場合にはあらかじめ注意喚起が必要である．

臓障害が臨床試験で認められているため，投与開始前および投与中の心電図や心エコーなどの心機能検査についても確認する．

□本剤は主にCYP2C8，CYP3A4およびカルボキシラーゼによって代謝され，CYP2C9，CYP2C19，CYP3A，P糖蛋白質（P-gp），乳がん耐性蛋白質（BCRP）および有機アニオン輸送ポリペプチド1B1（OATP1B1）を誘導する．各種阻害薬や基質薬との併用の際の影響の程度については以下を参照．

□アパルタミドの血中濃度が変化する相互作用（海外健常成人での相互作用試験データ）[1)]

関連酵素	阻害/誘導	併用薬	AUCの変化
CYP2C8	阻害	ゲムフィブロジル*1	68%増加
CYP3A	阻害	イトラコナゾール	影響なし
CYP3A/CYP2C8	誘導	リファンピシン	34%減少*2

*1 国内未承認
*2 シミュレーション結果による推定値

□併用薬の血中濃度が変化する相互作用（海外健常成人での相互作用試験データ）[1]

関連酵素	阻害/誘導	併用薬	AUCの変化
CYP3A4	誘導	ミダゾラム	92%減少
CYP2C9	誘導	S-ワルファリン	46%減少
CYP2C19	誘導	オメプラゾール	85%減少
P糖蛋白質	誘導	フェキソフェナジン	30%減少
BCRP/OATP1A1	誘導	ロスバスタチン	41%減少

□CYP2C8や3A阻害薬との併用によるアパルタミドそれ自体の減量の必要はないと結論づけている報告がある一方で[2]，上の表のごとく併用薬の血中濃度への影響が大きい薬剤もあり（CYP2C19, CYP3A4には特に強い誘導作用あり）注意を要する．本薬剤の半減期は単回投与では7日程度と長いとされているが，反復投与時にはCYP3Aの自己誘導の影響もあり，実質的な半減期は3日程度とも言われている[3]．

3 抗がん薬の調剤

□小児や幼児の誤飲防止機能を持たせつつ，高齢者への負担を軽減したPTPシート一体型内装箱〔CRSF（Child Resistant and Senior Friendly）パッケージ〕が採用されている．外箱に具体的な取り扱いについての記載はあるが，PTPシートのみではなく，箱ごと払い出すことを想定されているため，調剤時には注意する．

4 抗がん薬の投与

投与基準[4]

年齢	18歳以上	ECOG PS	0～1
好中球数	≧1,500/μL	Hb	≧9.0 g/dL
血小板数	≧10万/μL	T-Bil	≦2.25 mg/dL（≦ULN×1.5）
Scr	≦（男）2.14 mg/dL（≦ULN×2.0）	AST	≦75 U/L（≦ULN×2.5）
		ALT	≦（男）105 U/L（≦ULN×2.5）

〔SPARTAN試験のプロトコールより引用〕

減量・中止基準[1, 4]

副作用（Grade；NCI-CTCAE）	処置
痙攣発作	発現を認めた場合，程度の如何を問わず投与中止
上記以外の副作用でGrade 1～2の場合	Grade 1もしくは治療開始前の状況に改善するまで投与を中断し，医師の判断で1段階減量（180 mg）も許容
上記以外の副作用でGrade 3以上の場合	Grade 1もしくは治療開始前の状況に改善するまで投与を中断し，1段階減量（180 mg）して投与を再開する．それ以降2段階減量（120 mg）まで許容する

〔SPARTAN試験のプロトコール，インタビューフォームより引用〕

□副作用によって投与を中止してから28日経過しても改善を認めない場合には，投与を永続的に中止する．

腎機能障害[3)]

□減量の必要なし（eGFR 30～89 mL/分/1.73 m^{2}においては，薬物動態試験において，腎機能正常患者の血中濃度推移と比べて臨床的に有意な差を認めなかったとする報告あり）．ただし，eGFR 29 mL/分/1.73 m^{2}以下の場合における検討はされておらず減量の必要性は不明．

肝機能障害[3)]

□減量の必要なし（Child-Pugh分類A，Bの肝機能低下患者においては，薬物動態試験において，肝機能正常患者の血中濃度推移と比べて臨床的に有意な差を認めなかったとする報告あり）．ただし，Child-Pugh分類Cの場合における検討はされておらず減量の必要性は不明．

5 副作用マネジメント

発現率[4, 5]（表84-1）

評価と観察のポイント

□疲労は，頻度こそ高いものの有効な対症療法は確立されていない．疾患の特性から，患者の多くは75歳以上の高齢者であり（臨床試験では75歳以上が40%を占めていた[3)]），併存症に起因する多くの薬剤を併用していることが多いため，併用薬の変更や開始がないかという観点も含めて評価する必要がある．

□皮疹は他の第2世代抗アンドロゲン薬（エンザルタミド，ダロルタミド）と比べても頻度が高く，いずれの第III相試験においてもプラセボ群に比して高い発現割合となっている．SPAR-

表 84-1 副作用の発現率

	SPARTAN (n=803)		TITAN (n=524)	
	全 Grade (%)	Grade 3 以上 (%)	全 Grade (%)	Grade 3 以上 (%)
疲労	30.4	0.9	19.7	1.5
高血圧	24.8	14.3	17.7	8.4
皮疹	23.8	5.2	27.1	6.3
関節痛	15.9	0	17.4	0.4
転倒	15.6	1.7	7.4	0.8
骨折	11.7	2.7	6.3	1.3
甲状腺機能低下	8.1	0	6.5	0
痙攣	0.2	0	0.6	0.2

TAN 試験の日本人集団 (n＝34) では，55.9％と全体集団 (n＝803) の 23.8％に比して多く発現しており，投与開始 3 か月以内の発現が最も多くなっている．

□皮疹の臨床像としては，麻疹・風疹などのウイルス性急性発疹症で認められることの多い斑状丘疹状皮疹が最も多かった．まれだが多形紅斑や TEN などの重篤症例の報告があるため，粘膜疹や発熱の有無などの全身症状の聴き取りも忘れずに行う．

□転倒・骨折は，痙攣や意識消失との関連性はないとされており，血液脳関門を超える本薬剤の中枢神経系有害事象と長期の内分泌療法に伴う骨への影響の双方が原因と考えられている．また，発現時期の中央値も臨床試験によってバラツキがあるため〔SPARTAN 試験：314 日 (範囲：20〜953 日)，TITAN 試験：56 日 (範囲：2〜111 日)〕，患者の治療歴 (ステロイド使用歴) などを加味して骨密度などの検査の実施を考慮する[3]．

□甲状腺機能低下は SPARTAN，TITAN 試験ともにプラセボ群より多く発現しており，他の第 2 世代抗アンドロゲン薬 (エンザルタミド，ダロルタミド) と比べても特徴的な事象である．臨床試験の際には 4 か月ごとの評価によって TSH (甲状腺刺激ホルモン) 高値を 25％に認めたが，Grade 3〜4 の重篤例は認めなかった[3]．

□痙攣は 6 か月以上服用後に発現している例が多く[6]，発現した際には中止し，再投与も原則行わないと臨床試験において規定されていた．高齢患者が多いものの，仕事や居住地域によっては重機や自動車などの運転も想定されるため，あらかじめライフスタイルを確認して注意喚起しておくことが重要である．

副作用対策のポイント

□疲労は，基本的に類薬と同様に休薬・減量にて対応する．特に mCSPC の患者では，治療開始時に無症状のことが多く，遷延する症状によって治療継続のモチベーションを下げないためにも，開始後の患者や家族からの聴き取りが重要である．

□斑状丘疹状皮疹は，通常重症皮疹への進展は少ないとされており，ステロイド薬，抗ヒスタミン薬などで多くの症例が回復する[6]（SPARTAN 試験では 80.6%が回復し，回復までの中央値は 59.5 日）．Grade 1～2 の際には局所ステロイド薬などでの対処が中心となり，Grade 3 以上では皮膚科医へのコンサルテーションが推奨され，全身投与のステロイドも考慮される．

□関節痛は類薬であるエンザルタミドでも比較的高頻度に発現している副作用であるが，基本的な対処はアセトアミノフェンや NSAIDs などの鎮痛薬での対症療法となる．

□甲状腺機能低下症に対しては，甲状腺ホルモンの補充療法を考慮する．SPARTAN 試験では実際 4.9%に甲状腺ホルモン製剤が投与された[3]．投与後の服薬アドヒアランスの確認と定期的な TSH, FT_4 などのモニタリングに注意を払う．

6 薬学的ケア

CASE

□80 歳代男性．ゴセレリン酢酸塩およびビカルタミドの併用治療を 5 年近く継続した後に PSA の上昇を認めた nmCRPC に対して，ビカルタミドに替えてアパルタミド 240 mg/日が開始となり，外来での服薬指導の依頼を受けた．

□服薬指導の傍ら既往症やその他の内服薬剤の確認をする中で，心筋梗塞および胃潰瘍の既往と，それ以降 2 次予防としてのアスピリン腸溶錠 100 mg/日とオメプラゾール錠 20 mg/日を継続服用していることを確認した．心筋梗塞はその後再燃することなく経過しているとのことであったが，オメプラゾール錠との相互作用を懸念して，より影響の少ないと考えられるラベプラゾール 10 mg/日を主治医に提案し了承された．

□稀ではあるが本薬剤によって心筋梗塞などの心臓障害が報告さ

れていることから，併診している他院の循環器内科に情報提供し，開始前の心機能検査などについて確認を依頼することを提案した．患者に聞くと併診医には翌日にも受診が可能とのことで，受診後の精査の結果次第で本薬剤を開始することとなった．心電図，心エコーなどの検査をし，翌週いずれも「問題がない」と報告を受けて，慎重に経過を見つつアパルタミド 240 mg/日が開始となった．

解説

□本症例は，アパルタミドによる CYP2C19 の誘導作用に着目して介入した事例である．これは先述の通り，アパルタミド 240 mg/回とオメプラゾール 40 mg/回との単回投与によって，オメプラゾールの AUC が 85％低下したという外国人での相互作用試験の結果が基になっている[1)]．

□心筋梗塞の 2 次予防としてのアスピリン腸溶錠は必要な薬剤であり，かつ胃潰瘍の既往もあることから，PPI も可能な限り併用すべきと考えられる．その PPI が，アパルタミドの併用によって意図せずに効果の減弱をきたす可能性が示唆されたため，ラベプラゾールを提案した．ラベプラゾールは CYP2C19 の寄与はあるものの，オメプラゾールやランソプラゾールよりもその寄与率が低く，影響が少ないと考えられている[7)]．

□また，そもそもアパルタミドには過去の臨床試験の際に心筋梗塞などの心臓障害の報告が少ないながらにあり（3.7〜4.4％）[4, 5)]，冠動脈疾患の既往がある患者は登録を除外されていた背景もあったため，併診科への情報共有の意味も込めて精査の提案をした．

引用文献

1）アーリーダ® 錠 60 mg，インタビューフォーム
2）Van den Bergh A, et al：Clin Pharmacokinet 59：1149-60, 2020（PMID：32338346））
3）ERLEADA（Apalutamide tablet, film coated），米国添付文書. 2021 年 9 月更新版
4）Smith MR, et al：N Engl J Med 378：1408-18, 2018（PMID：29420164）
5）Chi KN, et al：N Engl J Med 381：13-24, 2019（PMID：31150574）
6）アーリーダ® 錠 60 mg，適正使用ガイド
7）本間真人：Organ Biology 19：91-7, 2012

（大橋養賢）

85 ダロルタミド（ニュベクオ®）

POINT

■アンドロゲン受容体に対するアンドロゲンの結合阻害に加え，アンドロゲン受容体の核内移行を阻害，アンドロゲン受容体を介した転写活性を抑制することで，去勢抵抗性前立腺がんに効果を示す．
■ダロルタミドの副作用発現率は，国際共同第Ⅲ相試験（ARAMIS試験）で13.2%に認められた疲労を除いて，プラセボと比較して大きな差はない[1]．
■重大な副作用に心臓障害があり，RMP（risk management plan；医薬品リスク管理計画書）で重要な潜在的リスクに設定されている[2]．

1 レジメンと副作用対策

適応：遠隔転移を有しないCRPC（castration resistant prostate cancer；去勢抵抗性前立腺がん）
1コース期間：なし　**総コース**：可能な限り継続

85		医薬品名 投与量	投与方法 投与時間	1	2	3	4	5	6	7	8	9	10	11	12	13	14	15	16	～	21
レジメン	Rp1	ダロルタミド 1,200 mg	1日2回 食後内服	↓	↓	↓	↓	↓	↓	↓	↓	↓	↓	↓	↓	↓	↓	↓	↓		↓

副作用対策

- **疲労**：最も発現しやすい．重度の倦怠感を訴えることもあり，休薬・減量の原因となりやすい副作用である．
- **背部痛，関節痛，四肢痛**：アセトアミノフェン，NSAIDsで対応する．
- **高血圧**：降圧薬で対応する．
- **吐き気**：ドンペリドン，メトクロプラミドで対応する．
- **心臓障害**：投与開始前および投与中は適宜心機能検査（心電図など）を行う．

2 抗がん薬の処方監査

□CRPCは「外科的去勢，薬物による去勢状態で，かつ血清テストステロンが50 ng/dL未満であるにもかかわらず，病勢の増悪，PSA（前立腺特異抗原）の上昇をみた場合，抗アンドロゲン剤投与の有無にかかわらず，去勢抵抗性前立腺がんとする」

と定義されている[3]．ニュベクオ®の投与症例がCRPCであるか確認する．

□ダロルタミドの有効性および安全性を評価した国際共同第Ⅲ相試験（ARAMIS試験）は，両側精巣摘除術が施行された患者，またはLH-RHアナログによる治療が継続されている患者を対象としている[1]．

□ダロルタミドを食後に単回投与した際の血漿中濃度は投与後約5〜6時間（中央値）でC_{max}に達し，$t_{1/2}$は14〜15時間であった[4]．このため，1日2回内服が規定されている．

□ダロルタミドは，食後に内服することが規定されている．食後投与時のC_{max}は空腹時投与と比べて約2.5〜2.8倍，$AUC_{0\text{-}tlast}$は約2.5倍であった[4]．食後服用によって高い曝露量が得られる．

□ダロルタミドは，主にCYP3A4によって代謝される．また，ダロルタミドはBCRP（乳がん耐性蛋白），OATP（有機アニオン輸送ポリペプチド）1B1およびOATP1B3の阻害作用を示す[4]．これらの基質となる薬剤との併用は各薬剤の添付文書を参照の上，患者状態を慎重に観察し，副作用発現に留意する．

3 抗がん薬の調剤

□特記事項なし．

4 抗がん薬の投与

投与基準[1]（ARAMIS試験のプロトコールから引用）

好中球数	≧1,500/μL	ALT	≦（男）105 U/L（≦ULN×2.5）
血小板数	≧10万/μL	T-Bil	≦2.25 mg/dL（≦ULN×1.5）
Hb	≧9.0 g/dL	Scr	≦（男）2 mg/dL
AST	≦75 U/L（≦ULN×2.5）		

減量・中止基準

□Grade 3以上または忍容できない副作用が現れた場合は，回復するまで休薬するとともに，回復後は1回300 mg 1日2回に減量した用量での再開を考慮すること．ただし，患者の状態により，通常用量に増量することができる[4]．

腎機能障害

□減量不要．

□重度（eGFR15〜29 mL/分/1.73m^2）の腎機能障害を有する被験者（外国人，非がん患者）において，ダロルタミドの曝露量の増加（$AUC_{0\text{-}48\,h}$ および C_{max} は，健康成人と比較してそれぞれ 2.5 および 1.6 倍）が報告されている[4]．

□透析を受けている末期腎不全患者（eGFR15 mL/分/1.73m^2 未満）における薬物動態は検討されていない[4]．

肝機能障害

□減量不要．

□中等度（Child-Pugh 分類 B）の肝機能障害を有する被験者（外国人，非がん患者）において，ダロルタミドの曝露量の増加（$AUC_{0\text{-}48\,h}$ および C_{max} は，健康成人と比較してそれぞれ 1.9 および 1.5 倍）が報告されている[4]．

□重度（Child-Pugh 分類 C）の肝機能障害患者を対象とした臨床試験を実施されていない[4]．

注意点

□本剤は食後投与．

5 副作用マネジメント

発現率[1]

□ARAMIS 試験でいずれかの投与群で 5％以上の発現が認められた副作用．

	ダロルタミド群（n＝954）		プラセボ群（n＝554）	
	全 Grade n（%）	Grade 3 以上 n（%）	全 Grade n（%）	Grade 3 以上 n（%）
疲労	126（13.2）	4（0.4）	46（8.3）	5（0.9）
高血圧症	74（7.8）	33（3.5）	36（6.5）	13（2.3）
不整脈	70（7.3）	17（1.8）	24（4.3）	4（0.7）
ホットフラッシュ	57（6.0）	0	25（4.5）	0
骨折	52（5.5）	10（1.0）	20（3.6）	5（0.9）
転倒（事故を含む）	50（5.2）	9（0.9）	27（4.9）	4（0.7）

□副作用発現率は，ダロルタミド群およびプラセボ群で 85.7％と 79.2％で大きな差は認められなかった．有害事象による試験中止の割合は，ダロルタミド群およびプラセボ群で 8.9％と 8.7％であり，差がなかった[1]．

□ARAMIS 試験において，すべての心臓障害の発現割合（因果関係が否定されたものを含む）はダロルタミド群で 10.6％〔101/954 例，うち重篤な心臓障害は 44 例（4.6％）〕，プラセボ群で 6.3％〔35/554 例，うち重篤は 14 例（2.5％）〕で認められた．ダロルタミドとの因果関係が否定できない重篤な心臓障害はダロルタミド群で0.2％（2/954例），プラセボ群では0.2％（1/554例）であった[2]．

□ARAMIS試験ではすべての被験者がADT（アンドロゲン遮断療法）を併用していた．ADTは心血管障害のリスクの上昇傾向をもたらすことが知られている[5,6]．ARAMIS試験において発現した心臓障害は，ADTによる可能性もあるが，ダロルタミド群でプラセボ群より高い発現割合であったこと，ダロルタミドとの因果関係が否定できない重篤例が認められたことから，ニュベクオ®錠300 mgに係る医薬品リスク管理計画書には重要な潜在的リスクとして設定されている[2]．

評価と観察のポイント

□最もよく認められ，かつ，ダロルタミドの減量・中止を考慮することになる可能性のある副作用は疲労である．前立腺がんの患者は高齢者が多いこともあり，ダロルタミド服用前から疲労を訴える患者も少なくない．治療開始時の状態を把握しておくことが重要である．

□ダロルタミドの投与開始前および投与中は適宜心機能検査（心電図など）を行うなど，患者の状態を十分に確認する．

□ダロルタミドの服用によって，心臓の働きが悪くなり，脈の打ち方が不規則になる（不整脈），脈を打つ速度が遅くなる（徐脈），胸がどきどきする（動悸）などの症状がみられたらすぐに，医療スタッフに伝えるよう指導を行う．また，投与開始前に心疾患を診断されたことがないか．高血圧，糖尿病の治療をしていないかを確認する．

副作用対策のポイント

□疲労はダロルタミドの減量・休薬による対応が一般的である．

□背部痛，関節痛，四肢痛はアセトアミノフェンやNSAIDsで対応する．長期投与になる場合，胃腸障害，肝障害，腎機能障害に注意が必要である．

□悪心はGrade 2以下であることが多く，ドンペリドン，メトクロプラミドで対応を行う．

6 薬学的ケア

Case

□80歳代男性．6年前に前立腺がんと診断され前立腺全摘を施行された．前立腺全摘後1年半でPSAの再上昇を認め，リュープロレリン単独でアンドロゲン遮断療法を開始した．4年間PSAは1.0 ng/mLであったが，直近3回の測定でPSAが1.0を超えたためCRPCと診断された．また，CTによる全身検索では遠隔転移は認められなかったため，ダロルタミド 1回600 mg 1日2回朝夕食後で治療開始となった．

□ダロルタミド開始後速やかにPSA低下がみられ，PSA 0.1 ng/dL前後を半年以上維持していた．

□患者本人より「最近，疲れやすくなった．1度治療を中断したい」と申し出があった．主治医と相談の結果，いったん休薬する方針となった．

□休薬後は3か月に1度の通院でPSAの推移を確認されていた．緩やかにPSAの上昇がみられ，ダロルタミドを1回300 mg 1日2回に減量して投与再開となった．

解説

□ダロルタミドによる疲労か年齢による影響なのかは判断が困難であるが，忍容できない疲労の発現と評価される．また，PSAは低値が持続できており，病勢のコントロールがされていると考えられる．

□休薬中のPSAの推移を確認しPSAの上昇が確認されればダロルタミドの再開を検討する．

□Grade 3や忍容できない疲労が現れ休薬に至った場合の再開時の用量は1回300 mg 1日2回に減量し投与再開を考慮する．ただし，患者の状態により，通常用量に増量することができる．

引用文献

1) Fizazi K, et al：N Engl J Med 383：1040-9, 2020（PMID：32905676）
2) ニュベクオ® 医薬品リスク管理計画書，2021年7月
3) 日本泌尿器科学会，他：前立腺癌取扱い規約，第4版．pp101-103，金原出版，2010
4) ニュベクオ® 錠，インタビューフォーム．2021年5月作成（第6版）
5) Michaelson MD, et al：CA Cancer J Clin 58：196-213, 2008（PMID：18502900）
6) Keating NL, et al：J Clin Oncol 24：4448-56, 2006（PMID：16983113）

（吾妻慧一）

86 GC（ゲムシタビン＋シスプラチン）

GEM＋CDDP

POINT

- 進行膀胱がん症例は高齢者が多く，腎機能低下がみられる場合が多いため，本レジメン開始前に腎機能の評価を行い，シスプラチンの忍容性について検討する．
- シスプラチンの腎障害を予防するには，適切な水分負荷と利尿が必要となり，Scr，尿量，体重増加のモニタリングが重要である．
- 重篤な骨髄抑制（Grade≧3）として，好中球減少が71%，血小板減少が57%と高頻度に発現するため，注意が必要である．

1 レジメンと副作用対策（→次頁参照）

1コース期間：28日間
実施コース：最大6コース（PDもしくは許容できない毒性の発現がない場合）

2 抗がん薬の処方監査

ゲムシタビン（GEM）

- □画像上明らかな臨床症状を伴う間質性肺炎，肺臓炎がある場合，投与禁忌．
- □胸部への放射線療法との併用で，重篤な食道炎，肺炎が報告されているため，併用は禁忌．
- □点滴時間は30分で投与．

シスプラチン（CDDP）

- □溶解液は生理食塩水であることを確認．
- □高度催吐性抗がん薬であるため，5-HT_3受容体拮抗薬，デキサメタゾンおよびNK_1受容体拮抗薬を併用した制吐対策を選択．
- □腎障害予防を目的として，尿量を1日3,000 mL以上確保するため，シスプラチン投与前後に1,000～2,000 mLの細胞外補充液を4時間以上かけて投与し，水分摂取を行うよう指導（シスプラチン投与日より3日間，1日1,000 mL）[1]．尿量が少ない場合は，適宜利尿薬を用いる．
- □点滴時間は2時間以上かけて投与．

86		医薬品名 投与量	投与方法 投与時間	1	2	3	4	5	6	7	8	9	10	11	12	13	14	15	16	～	28
レジメン(GC)	Rp1	酢酸リンゲル液 500 mL	点滴注射 2時間	↓																	
	Rp2	デキサメタゾン 6.6 mg/body 生理食塩液 100 mL	点滴注射 30分	↓		↓	↓	↓			↓							↓			
	Rp3	ゲムシタビン 1,000 mg/m^2 5%ブドウ糖液 100 mL	点滴注射 30分	↓							↓							↓			
	Rp4	アプレピタント 125 mg	経口 1日1回		↓																
	Rp5	酢酸リンゲル液 2,500 mL	点滴注射 10時間		↓																
	Rp6	グラニセトロン 3 mg/body デキサメタゾン 9.9 mg/body	点滴注射 30分		↓																
	Rp7	シスプラチン 70 mg/m^2 生理食塩水 250 mL	点滴注射 120分		↓																
	Rp8	アプレピタント 80 mg	経口 1日1回			↓	↓														
	Rp9	酢酸リンゲル液 2,000 mL	点滴注射 8時間			↓															
	Rp10	酢酸リンゲル液 1,000 mL	点滴注射 4時間				↓														

副作用対策

	1	2	3	4	5	6	7	8	9	10	11	12	13	14	15	16	～	28
悪心・嘔吐		━	━	━	━	━	━	━										
神経障害																		
腎障害		━	━	━	━	━	━	━	━	━	━	━	━	━	━	━	━	━
好中球減少											━	━	━	━	━	━	━	━
脱毛																		

悪心・嘔吐

HEC レジメンに分類されるためアプレピタントを含む3剤併用を標準療法とし，効果不良の場合，オランザピン 5 mg を追加（糖尿病患者には禁忌），もしくはグラニセトロン 3 mg からパロノセトロン 0.75 mg への変更を考慮する．

神経障害

シスプラチンによる手足に発現する末梢神経障害と高音域聴力障害に分類される．蓄積毒性であり，累積投与量が 300～500 mg/m^2 以上になると聴力障害の頻度が高くなり，症状が重篤化する前にシスプラチンの休薬が必要となる．

腎障害

シスプラチン投与時は，水分摂取の励行，尿量の確保，体重測定を行い，適宜利尿薬を投与する．

好中球減少

感染予防対策（手洗い，うがいなど），FN の徴候（発熱，悪寒，咽頭痛など）がみられた際の抗菌薬や解熱薬の使用方法，緊急受診の目安について事前に十分指導しておく．

脱毛

投与 2～3 週後がピーク．事前にウィッグなどの情報を提供しておく．治療終了後は回復する．

3 抗がん薬の調剤

□シスプラチンは Cl^- の低い輸液と配合すると活性が低下し，アミノ酸輸液および乳酸 Na を含有する輸液を用いると分解が起きるため，生理食塩液で希釈する．

□ゲムシタビン，シスプラチンは冷蔵庫保存すると結晶が析出することがある．

4 抗がん薬の投与

投与前基準[2)]

治療開始前

KPS	≧70	T-Bil	≦1.875 mg/dL（≦ULN×1.25）
白血球数	≧3,500/μL	AST	≦75 U/L（≦ULN×2.5）
血小板数	≧10 万/μL	ALT	≦（男）105 U/L，（女）57.5 U/L（≦ULN×2.5）
Hb	≧10.0 g/dL	Ccr	≧60 mL/分

day 8，15 のゲムシタビン投与時

白血球数	≧2,000/μL	血小板数	≧5 万/μL

2 コース目以降

白血球数	≧3,000/μL	血小板数	≧10 万/μL

減量・休薬基準

神経障害[2)]

WHO Grade	ゲムシタビンの用量	シスプラチンの用量
0～1	100%	100%
2	100%	50%減量
3	50%減量または休薬	休薬
4	50%減量または投与中止	投与中止

腎機能障害[3)]

□ゲムシタビン：記載なし．

□シスプラチン

eGFR（mL/分）	≧50	10～50	＜10
シスプラチンの用量	100%	25%減量	50%減量

肝機能障害

□ゲムシタビン，シスプラチンともに記載なし．

□その他の非血液毒性（悪心・嘔吐および脱毛症を除く）[2]

WHO Grade	ゲムシタビンの用量	シスプラチンの用量
0～2	100%	100%
3	50%減量または休薬*1	50%減量または休薬*1
4	50%減量または投与中止	50%減量または投与中止

*1 観察された非血液毒性の種類および医師が医学的に妥当であると判断した方針に従って決定する．

注意点

ゲムシタビン

□ゲムシタビンの点滴時間は30分で投与すること（60分以上かけて投与することで骨髄抑制や肝機能障害が高頻度に認められたため）[4]．

□血管痛が起こることがあるため，ゲムシタビンを5%糖液に溶解すること（ゲムシタビンを生理食塩水に溶解した時と比較して5%糖液に溶解することで，血管痛の発現頻度が有意に減少することが報告されているため）[5]．

□炎症性抗がん薬（irritant drug）に分類される．詳細は下記シスプラチンと同様である．

シスプラチン

□シスプラチン投与日より3日間，1日1,000 mLの経口補水を指導[1]．飲水が難しい場合は，腎障害の予防を目的とした輸液の追加を考慮する．

□シスプラチンの過敏症の発現率は5～20%であり，ほとんどが投与開始から数分で発現するが，投与終了後に発現する遅発性の症状もあるため注意が必要である．好発時期は4～8サイクル目に起こりやすい[6]．

□アルミニウムを含む医療器具を用いない（アルミニウムと反応すると，沈殿物を形成し，活性が低下するため）．

□炎症性抗がん薬（irritant drug）に分類され，かゆみ，熱感，疼痛などが刺入部や静脈に沿って起こることがある．また，壊死や潰瘍形成までには至らないが，大量漏出時には強い炎症や疼痛を起こすことがある．漏出時にはステロイド外用薬の使用を考慮する．

5 副作用マネジメント

発現率（Grade 3 以上）

副作用名	海外第Ⅲ相試験[1, 7] n＝203（%）	副作用名	海外第Ⅲ相試験[1, 7] n＝203（%）
好中球減少症	71.1	口内炎	1.0
FN	2.0	悪心・嘔吐	22.0
貧血	27.0	脱毛	10.5
血小板減少	57.0	感染	2.5
下痢	3.0		

□上記の通り，GC 療法を施行した場合，Grade 3 以上の好中球減少は 71.1％と高頻度に発現する．GC 療法は 4 週間インターバルで，3 投 1 休でゲムシタビンの投与が予定されるが，好中球減少（Grade 3 以上）の発現によって day 15 のゲムシタビンがスキップされることが多い．

□GC 療法の 4 週間レジメン（ゲムシタビン：day 1, 8, 15，シスプラチン：day 2）と 3 週間レジメン（ゲムシタビン：day 1, 8，シスプラチン：day 2）を比較した第Ⅱ相試験[8]では，Grade 3 以上の好中球減少の発現率は，3 週間レジメンで有意に低かった（54.9％ vs. 77.0％，p 値＝0.003）．1 週間あたりに投与されたゲムシタビンの用量強度は，3 週間レジメンで 639.7 mg/m^2/週，4 週間レジメンで 605.6 mg/m^2/週であった．

□OS および PFS の中央値（月）は，それぞれ，両群間で有意な差はなく（OS：12.5 vs. 14.7，p 値＝0.40，PFS：9.77 vs 8.60，p 値＝0.14），重篤な好中球減少が day 15 にて発現する患者においては 3 週間レジメンも選択肢の 1 つとなりうる．

評価と観察のポイント

悪心・嘔吐

□GC 療法は HEC レジメンであり，5-HT_3 受容体拮抗薬，デキサメタゾンおよび NK_1 受容体拮抗薬の予防投与が推奨される．効果不十分の時は，オランザピン（5 mg を 1 日 1 回経口投与）の追加により改善が期待できる．ただし，オランザピンは糖尿病患者には禁忌であることと，高齢者に投与する場合はめまい，動悸，立ちくらみの発現に注意する必要がある．

好中球減少

□Grade 3 以上の好中球減少が高頻度に発現する．本レジメンが対象となる膀胱がんには高齢者が多いことから[9]，FN の回避が肝要である．好中球減少時の感染症は，適切な予防と早期発見が重要であることから，うがいの励行をはじめとした日常における感染症予防と発熱時の医療機関への連絡について指導を徹底することが必要である．

神経障害

□シスプラチンの神経障害には，末梢神経障害と聴覚障害の 2 つが知られている．

□聴覚障害はシスプラチンの累積投与量が 300 mg/m^2 を超えると発現しやすくなる．初期症状としては，耳鳴りや高音域の聴力低下がみられる．末梢神経障害は主に手足にみられ，手足のしびれ，うずくような痛み，腕・脚部の反射，感覚消失や運動機能消失といった症状が現れる．どちらも軽度なものは投与中止により軽減するが，重篤化すると不可逆的になるため注意が必要である．

腎機能障害

□シスプラチンの腎機能障害の作用機序は，遊離型シスプラチンが近位尿細管の細胞壊死を引き起こすことで生じる．静脈内投与されたシスプラチンは速やかに蛋白と結合し，結合したシスプラチンは糸球体ろ過されないが，一方で，結合しなかった一部の遊離型シスプラチンは糸球体ろ過される．遊離型シスプラチンは，投与終了後 2 時間で測定限界まで低下することが報告されている[10]．すなわち，投与開始時から投与終了後 2 時間までに腎機能障害が起こると考えられる．予防として，ハイドレーションおよび強制利尿を行うことで，遊離型シスプラチンが近位尿細管と接触する時間を短くすることができる．ポイントとしては投与開始から終了後 2 時間の間の尿量の確認と，水分摂取の指導（シスプラチン投与日より 3 日間 1,000 mL/日）[3] および尿量低下時の利尿薬の追加をしっかり実践することである．

6 薬学的ケア

CASE

□70 歳代，男性．GC 療法 1 コース目開始前の検査にて，eGFR が 47.3 mL/分であった．そのため，主治医と協議し，シスプラチンの用量を 75％量に減量した上で投与開始となった．加えて，水分摂取を十分に行うよう服薬指導を行い（シスプラチン投与後 1,000 mL/日を 3 日間），医師および看護師に尿量低下時には，輸液を追加し，フロセミド注 10 mg を用いた強制利尿を行うことを共有した．1 コース目 day 2 にシスプラチンが投与され，患者は 1 日 1,000 mL の飲水が実践でき，尿量も確保できていたため，輸液追加や強制利尿を行うことなく経過した．day 8，15 のゲムシタビン投与時，さらに 2 コース目開始時の検査でも eGFR の低下はみられず，その後腎機能障害をきたすことなく，6 コースの治療を継続できた．

□GC 療法 1 コース目の day 5 に標準制吐対策（グラニセトロン，アプレピタント，デキサメタゾン）下で，Grade 1 の嘔吐と Grade 2 の悪心の訴えがあった．主治医と協議し，合併症に糖尿病がないことを確認した上で，オランザピン（5 mg/日）を追加投与した．その結果，day 6 に嘔吐は消失，悪心は Grade 1 に軽減した．しかし，日中の眠気が強く，ふらつきがみられた．2 コース目では，標準制吐対策に 2.5 mg/日に減量したオランザピン（day 1〜5）を追加した予防対策を行うことにより，嘔吐はなく，悪心も Grade 1 でコントロールできた．眠気やふらつきはなく経過した．

解説

□GC 療法が施行される膀胱がんにおいては，高齢者が多いことが報告されていることから[7]，開始前に腎機能評価とそれに基づくシスプラチンの用量調整が重要となる．また，高齢者の中には，水分摂取量の確保が困難な症例を経験するため，早期に補液および強制利尿を実施できるように，医師や看護師と協議することが望まれる．

□本レジメンは HEC に分類されることに留意し，NK_1 受容体拮抗薬のアプレピタントを含めた制吐対策を適切に実施した上で，制吐不良例には，オランザピンを上乗せすることで改善が期待できる．ただし，オランザピンは糖尿病患者には禁忌であるため，糖尿病の既往歴がないことを確認する必要がある．さらに，前述の通り，膀胱がんは高齢者が多いことから[9]，オランザピン追加の際には，眠気の副作用が発現することを指導した上で，その評価と必要に応じてオランザピンの減量も考慮する必要がある．

引用文献

1) 日本肺癌学会，他：シスプラチン投与におけるショートハイドレーション法の手引き．2015
2) von der Maase H, et al：J Clin Oncol 18：3068-77, 2000（PMID：11001674）
3) Aronoff GR, et al：Drug Prescribing in Renal Failure. American College of Physicians, 2007
4) Pollera CF, et al：Investigational New Drugs 15：115, 1997（PMID：9220290）
5) Nagai H, et al：Supportive Care in Cancer 21：3271, 2013（PMID：23877927）
6) Makrilia N, et al：Met Based Drugs 2010：207084, 2010（PMID：20886011）
7) von der Maase H, et al：J Clin Oncol 23：4602-8, 2005（PMID：16034041）
8) Als AB, et al：Acta Oncol 47：110-9, 2008（PMID：17851853）
9) Galsky MD, et al：J Clin Oncol 29：2432-8, 2011（PMID：21555688）
10) M Horiuchi, et al：Gan To Kagaku Ryoho 9：632-7, 1982（PMID：6892197）

（藤井宏典）

87 アベルマブ（バベンチオ®）

POINT

- 根治切除不能な尿路上皮がんで，1次化学療法（プラチナ製剤を含む）を施行後の維持療法として使用する．
- infusion reactionの発現に注意し，初回投与時は点滴中に血圧，脈拍，体温，SpO_2などのバイタルサインのモニタリングを行う．
- irAEの発現により，重篤または死亡に至る可能性がある．患者の観察を十分に行い，異常が認められた場合には発現した事象に応じた専門医と連携して適切な診断を行い，処置を行うことが必要である．

1 レジメンと副作用対策（→次頁参照）

適応：根治切除不能な尿路上皮がんにおける化学療法後の維持療法

1コース期間：14日間　**総コース**：PDまで

2 抗がん薬の処方監査

□根治切除不能な尿路上皮がんに対する化学療法の治療歴があることを確認する．

□infusion reactionを予防・軽減させるため，投与前にジフェンヒドラミン塩酸塩25～50 mgおよびアセトアミノフェン500～650 mgの静注または同等量の経口投与などを行う．

□本剤の成分に対し過敏症の既往歴のある患者は禁忌である．

□0.2 μmのインラインフィルターを通して投与する．

□希釈液として250 mLの生理食塩液を使用する．

□1時間以上かけて点滴静注する．

3 抗がん薬の調剤

□アベルマブの必要量を抜き取って，生理食塩液250 mLに希釈する．

□希釈後すぐに使用せず保存する場合には，25℃以下で4時間または2～8℃で24時間以内に投与を完了する．希釈液を冷蔵保存した場合には，投与前に室温に戻すこと．

87		医薬品名 投与量	投与方法 投与時間	1	2	3	4	5	6	7	8	9	10	11	12	13	14
レジメン	Rp1	ジフェンヒドラミン 50 mg アセトアミノフェン 600 mg	経口 1日1回	↓													
	Rp2	生理食塩液 50 mL	点滴静注	↓													
	Rp3	アベルマブ 10 mg/kg 生理食塩液 250 mL	点滴静注 1時間以上	↓													
	Rp4	生理食塩液 50 mL	点滴静注	↓													
副作用対策	infusion reaction			■													
	特徴：発熱，悪寒，悪心・嘔吐，頭痛，瘙痒，発疹，倦怠感など投与初期に発現する可能性がある．																
	間質性肺疾患			■	■	■	■	■	■	■	■	■	■	■	■	■	■
	乾性咳嗽，呼吸困難，息切れ，発熱などの症状が現れた場合，KL-6，SP-A，SP-D の測定や胸部 X 線検査，胸部 CT 検査の実施を検討し，必要に応じて 1.0～2.0 mg/kg/日のプレドニゾロンまたは同等の副腎皮質ホルモン薬を投与する．																
	肝機能障害			■	■	■	■	■	■	■	■	■	■	■	■	■	■
	AST，ALT，T-Bil の増加などの肝機能障害，肝炎が現れることがある．Grade 2 まで上昇すれば休薬し，Grade 3 以上になれば投与中止の上，1.0～2.0 mg/kg/日のプレドニゾロンまたは同等の副腎皮質ホルモン薬を投与する．																
	大腸炎，下痢			■	■	■	■	■	■	■	■	■	■	■	■	■	■
	下痢，腹痛，血便などの症状が現れることがある．Grade 2 の下痢が現れたら Grade 1 以下に回復するまで休薬し，Grade 3 以上になれば投与中止の上，1.0～2.0 mg/kg/日のプレドニゾロンまたは同等の副腎皮質ホルモン薬を投与する．																
	甲状腺機能低下症および亢進症			■	■	■	■	■	■	■	■	■	■	■	■	■	■
	TSH，FT_3，FT_4 の測定を行い，異常がみられたら内分泌内科専門医と相談の上，必要に応じて甲状腺ホルモン薬や抗甲状腺薬の投与を開始する．																
	副腎不全			■	■	■	■	■	■	■	■	■	■	■	■	■	■
	易疲労感，食欲低下，脱力感，無気力，体重減少，悪心，嘔吐などの症状が現れたらコルチゾールや ACTH の測定を行い，異常がみられたら内分泌内科専門医と相談の上，必要に応じて，副腎皮質ホルモン（ヒドロコルチゾンなど）の投与を開始する．																
	急性 1 型糖尿病			■	■	■	■	■	■	■	■	■	■	■	■	■	■
	口渇，悪心，嘔吐などの症状の発現や急激な血糖値の上昇が現れた場合，内分泌内科医と相談の上，必要に応じてインスリン製剤の投与を開始する．																
	心筋炎			■	■	■	■	■	■	■	■	■	■	■	■	■	■
	動悸，息切れ，胸部圧迫感，脈拍異常，CK，BNP，トロポニンの上昇などが現れた場合，循環器専門医に相談の上，1.0～2.0 mg/kg/日のプレドニゾロンまたは同等の副腎皮質ホルモン薬を投与する．																
	腎障害			■	■	■	■	■	■	■	■	■	■	■	■	■	■
	Scr の上昇が Grade 2 以上まで上昇した場合，腎臓専門医に相談の上，1.0～2.0 mg/kg/日のプレドニゾロンまたは同等の副腎皮質ホルモン薬を投与する．																

4 抗がん薬の投与

投与基準[1)]

□1 次化学療法開始時に Stage Ⅳ（TNM 分類の第 7 版に基づく）で，開始前の測定可能病変≧1.

□1 次化学療法として，「ゲムシタビン＋シスプラチン」または「ゲムシタビン＋カルボプラチン」を 4～6 コース実施し，完了後に，RECIST v1.1 に基づく PD が認められていない（CR，PR または SD を持続している）．
□18 歳以上（日本では 20 歳以上）．
□少なくとも 3 か月の生存が期待される．
□ECOG PS が 0 または 1．
□適切な骨髄機能，腎機能，肝機能を有する．

減量・中止基準[2)]

腎機能障害

Scr	対処
Grade 2，3	Grade 1 以下に回復するまで休薬
Grade 4	投与を中止

肝機能障害

		対処
AST	>90～150 U/L（>ULN×3～5）	≦90 U/L（≦ULN×3）に回復するまで休薬
	>150 U/L（>ULN×5）	投与を中止
ALT	（男）126 U/L，（女）69 U/L～（男）210 U/L，（女）115 U/L（>ULN×3～5）	≦（男）126 U/L，（女）69 U/L（≦ULN×3）に回復するまで休薬
	>（男）210 U/L，（女）115 U/L（>ULN×5）	投与を中止
T-Bil	>2.25～4.5 mg/dL（>ULN×1.5～3）	≦2.25 mg/dL（≦ULN×1.5）に回復するまで休薬
	>4.5 mg/dL（>ULN×3）	投与を中止

□間質性肺疾患（以下の Grade は NCI CTCAE v5 による）

重症度	対処
Grade 2	Grade 1 以下に回復するまで休薬
Grade 3，4 または再発性の Grade 2	投与を中止

□下痢，大腸炎

重症度	対処
Grade 2, 3	Grade 1 以下に回復するまで休薬
Grade 4 または再発性の Grade 3	投与を中止

□甲状腺機能低下症，甲状腺機能亢進症，副腎機能不全，高血糖

重症度	対処
Grade 3, 4	Grade 1 以下に回復するまで休薬

□心筋炎

重症度	対処
新たに発現した心徴候，臨床検査値または心電図による心筋炎の疑い	休薬または投与中止

□infusion reaction

重症度	対処
Grade 1	投与速度を半分に減速．
Grade 2	投与を中断．患者の状態が安定した場合（Grade 1 以下）には，中断時の半分の投与速度で投与を再開．
Grade 3, 4	投与を中止．

□上記以外の副作用

重症度	対処
Grade 2, 3	Grade 1 以下に回復するまで休薬
Grade 4 または再発性の Grade 3 の場合 副作用の処置としての副腎皮質ホルモン薬をプレドニゾロン換算で 10 mg/日相当量以下まで 12 週間以内に減量できない場合 12 週間を超える休薬後も Grade 1 以下まで回復しない場合	投与を中止

注意点

□infusion reaction（呼吸困難，低血圧，喘鳴，気管支痙攣，頻脈，紅潮，悪寒，発熱など）の発現に注意する．発現時期の多くは 1 コース目で，初回投与時は点滴中に血圧，脈拍，体温，SpO_2 などのバイタルサインのモニタリングを行う必要がある．

□点滴は 1 時間以上かけて行う．

5 副作用マネジメント

発現率[1)]

症状	アベルマブ＋BSC 群 (n=344)		症状	アベルマブ＋BSC 群 (n=344)	
	全体 (%)	Grade≧3 (%)		全体 (%)	Grade≧3 (%)
倦怠感	61 (17.7)	6 (1.7)	食欲低下	47 (13.7)	1 (0.3)
かゆみ	59 (17.2)	1 (0.3)	咳嗽	44 (12.8)	1 (0.3)
尿路感染	59 (17.2)	15 (4.4)	嘔吐	43 (12.5)	4 (1.2)
下痢	57 (16.6)	2 (0.6)	甲状腺機能低下症	40 (11.6)	1 (0.3)
関節痛	56 (16.3)	2 (0.6)			
無力症	56 (16.3)	0	発疹	40 (11.6)	1 (0.3)
便秘	56 (16.3)	2 (0.6)	貧血	39 (11.3)	13 (3.8)
背部痛	55 (16.0)	4 (1.2)	血尿	36 (10.5)	6 (1.7)
悪心	54 (15.7)	1 (0.3)	infusion reaction	35 (10.2)	3 (0.9)
発熱	51 (14.8)	1 (0.3)			

評価と観察のポイント[2, 3)]

- □投与時：投与開始から 24 時間以内に infusion reaction（呼吸困難，低血圧，喘鳴，気管支痙攣，頻脈，紅潮，悪寒，発熱など）が発現することがある．投与中および投与後は患者の状態を十分に観察する．
- □間質性肺疾患を発現することがある．初期症状（息切れ，呼吸困難，咳嗽など）の確認および胸部 X 線検査の実施など，観察を十分に行う．必要に応じて胸部 CT，血清マーカー（KL-6，SP-A，SP-D）などの検査を実施する．
- □肝機能障害や肝炎を発現することがあり，AST，ALT，γ-GTP，ビリルビンなどの肝機能検査を定期的に実施する．
- □重度の下痢・大腸炎を発現することがあり，排便状況について観察を十分に行う．
- □甲状腺機能障害，副腎機能障害および下垂体機能障害が現れることがあるので，定期的に内分泌機能検査（TSH，FT_3，FT_4，ACTH，血中コルチゾールなどの測定）を行う．また，必要に応じて画像検査などの実施も考慮する．
- □1 型糖尿病を発現することがあり，口渇，悪心，嘔吐などの症状の発現や血糖値の上昇に十分注意する．

□心筋炎を発現することがあるので，胸痛，CK 上昇，心電図異常などの観察を十分に行う．

□急性腎障害，尿細管間質性腎炎などの腎障害を発現することがある．定期的な腎機能検査（Cr，尿素窒素，尿蛋白，尿潜血，尿沈渣など）を行い，患者の状態を十分に観察する．

□筋炎，横紋筋融解症を発現することがあるので，筋力低下，筋肉痛，CK 上昇，血中および尿中ミオグロビン上昇などの観察を十分に行う．

□重症筋無力症を発現することがあるので，筋力低下，眼瞼下垂，呼吸困難，嚥下障害などの観察を十分に行う．

副作用対策のポイント[3)]

□投与時：infusion reaction が認められた場合は，投与をいったん中止し，症状に応じて副腎皮質ホルモン薬や抗ヒスタミン薬，酸素吸入や β 作動薬などの処置を行う．重度の症状（アナフィラキシー様症状，急性呼吸促迫症候群などの呼吸器障害など）であれば再投与は避け，軽度～中等度の症状（発熱，悪寒，悪心，嘔吐，疼痛，頭痛，咳嗽，めまい，発疹，無力症など）であれば，次回投与時にステロイドなどの前投薬追加を考慮する．

□治療継続中および治療終了後：irAE として間質性肺疾患，膵炎，肝不全，肝機能障害，肝炎，大腸炎，重度の下痢，内分泌障害（甲状腺機能障害，副腎機能障害，下垂体機能障害，1 型糖尿病），心筋炎，神経障害，腎障害，筋炎，横紋筋融解症，重症筋無力症などの副作用が発現する可能性がある．

□間質性肺疾患を疑う症状が発現した場合，呼吸器専門医などと連携し速やかに他の疾患との鑑別を行う．Grade 2 以上であればアベルマブを休薬し，1.0～2.0 mg/kg/日のプレドニゾロンまたは同等の副腎皮質ホルモン薬を投与する．1～3 日ごとに評価し，症状が Grade 1 以下に改善した場合，少なくとも 1 か月かけて副腎皮質ホルモン薬の投与量を徐々に減量する．副腎皮質ホルモン薬投与 48 時間後に改善が認められないまたは悪化を認めた場合，新たに免疫抑制薬（インフリキシマブ，シクロホスファミド，免疫グロブリン静注またはミコフェノール酸モフェチルなど 保険適用外 ）を追加する．

□肝機能に異常が現れた場合，AST，ALT，ビリルビンの観察を継続し，Grade 2 以上になればアベルマブを休薬する．Grade 3 以上であれば 1.0〜2.0 mg/kg/日のプレドニゾロンまたは同等の副腎皮質ホルモン薬を投与する．1〜2 日ごとに評価し，症状が Grade 1 以下に改善した場合，少なくとも 1 か月かけて副腎皮質ホルモン薬の投与量を徐々に減量する．3〜5 日を超えて持続するまたは悪化を認める，もしくは再燃を認めた場合，ミコフェノール酸モフェチル 保険適用外 ×1 回 1 g 1 日 2 回を追加投与する．

□下痢が発現した場合，Grade 1 であれば，止瀉薬などの対症療法を行う．Grade 2 の下痢や腹痛・粘液または血液が便に混じることがあれば，アベルマブを休薬し Grade 1 以下に回復するまで対症療法を行う．Grade 3 以上の下痢や高度の腹痛・腸管運動の変化が発現した場合，アベルマブを休薬し消化器病専門医と連携の上，1.0〜2.0 mg/kg/日のプレドニゾロンまたは同等の副腎皮質ホルモン薬を投与する．症状が Grade 1 以下に改善した場合，少なくとも 1 か月かけて副腎皮質ホルモン薬の投与量を徐々に減量する．3〜5 日を超えて持続するまたは悪化を認める，もしくは再燃を認めた場合，5 mg/kg のインフリキシマブ 保険適用外 を追加投与する．ただし，穿孔または敗血症に対してインフリキシマブを投与しない．

□甲状腺機能障害が発現した場合，内分泌代謝科専門医の意見を求め，必要に応じて甲状腺ホルモン補充療法（甲状腺機能低下症），抗甲状腺薬（甲状腺機能亢進症）の投与を開始する．ただし，副腎皮質機能不全，脳下垂体機能不全による 2 次的な甲状腺機能障害の場合，甲状腺ホルモン補充療法により，副腎クリーゼが現れることがあるので，血中 ACTH およびコルチゾールを測定し下垂体機能低下症や下垂体炎の可能性を排除してから甲状腺ホルモン補充療法を行う．

□副腎機能不全を発現した場合，内分泌代謝科専門医の意見を求め，必要に応じて副腎皮質ホルモン補充療法（ヒドロコルチゾンなどの投与）を開始する．

□下垂体機能低下症を発現した場合，内分泌代謝科専門医と連携し副腎皮質ホルモン補充療法（ヒドロコルチゾンなどの投与）を開始する．2 次性の甲状腺機能不全が出現している場合は，副腎皮質ホルモン補充療法を 5〜7 日間先行投与した後，甲状腺ホルモン補充療法を行う[4, 5]．下垂体炎を発現した場合は1.0〜2.0 mg/kg/日のプレドニゾロンまたは同等の副腎皮質ホルモン薬を投与し，少なくとも1か月かけて副腎皮質ホルモン薬の投与量を徐々に減量する．

□1型糖尿病を発現した場合，糖尿病専門医や内分泌代謝科専門医と連携し，必要に応じて，インスリンの投与を開始する．特にケトーシス，ケトアシドーシス合併例では，生理食塩水の輸液および速効型インスリン少量持続静脈内投与，電解質管理などを行い改善後は皮下注射による強化インスリン療法に移行する．

□心筋炎を発現した場合，循環器専門医と連携して日本循環器学会ガイドラインまたは欧州心臓病学会ガイドライン，米国心臓協会ガイドラインなどを参照して対症療法を行う．免疫介在性の心筋炎であれば1.0〜2.0 mg/kg/日のプレドニゾロンまたは同等の副腎皮質ホルモン薬を投与し，少なくとも1か月かけて副腎皮質ホルモン薬の投与量を徐々に減量する．改善も悪化も認められない場合，免疫抑制薬（アザチオプリン，シクロスポリンAなど）の追加を考慮する．

□Crの増加を認めた場合，Grade 2以上であれば腎臓専門医と連携し，腎生検の実施を考慮する．また，1.0〜2.0 mg/kg/日のプレドニゾロンまたは同等の副腎皮質ホルモン薬を投与し，Grade 1以下に改善すれば少なくとも1か月かけて副腎皮質ホルモン薬の投与量を徐々に減量する．

□筋炎または横紋筋融解症を発現した場合，膠原病を専門とする医師または神経内科専門医等と連携し，Grade 2以上であれば1.0〜2.0 mg/kg/日のプレドニゾロンまたは同等の副腎皮質ホルモン薬を投与し，Grade 1以下に改善すれば少なくとも1か月かけて副腎皮質ホルモン薬の投与量を徐々に減量する．

□重症筋無力症を発現した場合，神経内科専門医と連携し，Grade 2以上であれば1.0〜2.0 mg/kg/日のプレドニゾロンまたは同等の副腎皮質ホルモン薬を投与し，Grade 1以下に改善すれば少なくとも1か月かけて副腎皮質ホルモン薬の投与量を徐々に減量する．

6 薬学的ケア

CASE

□70歳代女性．膀胱がんで1次治療のゲムシタビン＋カルボプラチン療法を6コース施行した後の維持療法としてアベルマブを投与することとなった．投与開始前のスクリーニングではACTH 39.4 pg/mL，血中コルチゾール 12.4 μg/dL と正常範囲内であった．アベルマブ投与6コース後に悪心・嘔吐，食欲低下，動悸，倦怠感の症状を認め，血清ナトリウム値は124 mmol/L で低 Na 血症をきたしていた．

□副腎機能不全や2次性の甲状腺機能不全の可能性も考え，ACTH および血中コルチゾール，TSH，FT_4 の測定を提案した．血液検査が実施され，ACTH 11.5 pg/mL，血中コルチゾール 2.09 μg/dL と治療開始前に比べて血中コルチゾールが正常値未満まで低下を認めたが，TSH 3.58 μU/mL，FT_4 1.34 ng/dL で甲状腺ホルモンは正常値範囲内であった．

□即日入院となり，糖尿病内分泌内科と連携して CRH 負荷試験および ACTH 負荷試験が実施された．結果，CRH 負荷試験ではコルチゾール無反応で ACTH 過大反応なし，ACTH 負荷試験ではコルチゾールの頂値が感度以下であったことから，アベルマブ投与による原発性副腎機能低下症と診断された．その後，ヒドロコルチゾン 10 mg/日から開始され，15 mg/日まで増量した時点で自覚症状は軽快し，血中コルチゾールも 16.4 μg/dL まで改善した．ヒドロコルチゾン併用下でアベルマブの投与再開となった．

解説

□アベルマブ単独投与による副腎機能障害の発現頻度は低く，根治切除不能な尿路上皮がんにおける化学療法後の維持療法の国際共同第Ⅲ相試験（B9991001 試験）において，副腎機能不全4例（1.2％）が報告されている[6)]．稀な副作用であるが，易疲労感，食欲低下，脱力感，無気力，体重減少，消化器症状（悪心，嘔吐，下痢，腹痛）などの症状が特徴的であり，また低 Na 血症や低血糖，好酸球上昇などの血液検査所見も参考になりうる．

□本症例では悪心・嘔吐，食欲低下，倦怠感，低 Na 血症を認めたことから早期の段階で副腎機能障害の発見に至った．また，下垂体機能低下による2次性甲状腺機能不全や下垂体炎が発現している場合，対処法が若干異なるため内分泌代謝科専門医と連携して適切な検査を実施する必要がある．

引用文献

1) Powles T, et al：N Engl J Med 383：1218-30, 2020 (PMID：32945632)
2) バベンチオ® 点滴静注，添付文書 (メルクバイオファーマ)
3) バベンチオ® 点滴静注，適正使用ガイド
4) 日本臨床腫瘍学会 (編)：がん免疫療法ガイドライン，第2版．金原出版，2019
5) 日本内分泌学会：免疫チェックポイント阻害薬による内分泌障害の診療ガイドライン．日本内分泌学会雑誌 94 (Suppl)：1-11, 2018
6) バベンチオ® 点滴静注，インタビューフォーム (メルクバイオファーマ)

(槙原克也)

第8章

頭頸部がん

□頭頸部がんは発生部位によって口腔がん，上顎洞がん，咽頭がん，喉頭がんなどに分類される．それぞれの部位で機能が異なり，機能・形態温存の位置づけなど治療戦略も異なる．

□組織型としては扁平上皮がんが約90%を占め，放射線に対する感受性が高い．

□放射線治療の効果増強（放射線感受性増感作用）や微小な遠隔転移の抑制を狙って，放射線治療と抗がん薬を組み合わせた化学放射線療法が広く用いられる．

□局所進行がんでは，放射線療法とシスプラチンの同時併用療法（88RT＋シスプラチン）により喉頭温存が可能になる症例があり，標準治療とされている．また，術後再発リスクの高い症例に対する術後補助療法として推奨される．

□進行頭頸部がんに対する化学療法として，シスプラチン＋5-FU＋放射線療法が推奨される．

□再発・転移頭頸部がんに対するペムブロリズマブ単剤または化学療法との併用，あるいはニボルマブの有用性が示され，頭頸部がんにおいても免疫チェックポイント阻害薬が標準治療として推奨される．一方，殺細胞性抗がん薬を含む89セツキシマブ＋パクリタキセルは，早期縮小効果が期待でき，進行病変や重要臓器に接する病変，腫瘍量が多い症例では選択肢として考慮される．

（池末裕明）

88 RT＋シスプラチン

RT＋CDDP

POINT

■対象患者は頭頸部がんの進行再発および術後補助化学療法.
■シスプラチンだけでなく放射線による副作用に対しても対策を立てる必要がある.
■咽頭痛に対してオピオイド鎮痛薬を使用することが多いため，用量調節，副作用対策には注意が必要.

1 レジメンと副作用対策[1, 2] （→次頁参照）

適応：進行再発および術後補助化学療法の頭頸部がん
1コース期間：21日間　**総コース**：3コース

2 抗がん薬の処方監査

□投与前の腎機能を確認する．Ccr＜60 mL/分の場合には減量開始を検討する[3]．
□腎機能保護のため大量の補液療法を行うため，K，Mgの補充も行う．
□シスプラチンの最終投与が放射線照射中であるかを確認する．
□アプレピタント（初日125 mg，2，3日目80 mg）またはホスアプレピタントの処方を確認する．また，糖尿病の既往歴がなければオランザピン5 mgが処方されていることを確認する．
□化学療法前にHBV感染の検査の有無を確認する．HBV抗原陽性例ではエンテカビル0.5 mgが処方されているか確認する．またHBs抗原が陰性であってもHBs抗体およびHBc抗体が陽性の場合には，HBV-DNA定量を行う．

3 抗がん薬の調剤[4]

□Cl^-濃度が低い輸液を用いる場合には，シスプラチンの活性が低下するので生理食塩液と混和する．
□シスプラチン100 mg/m^{2}と投与量が多くなるため，補液に入らない可能性が高い．必要に応じてセーフミック® などの大きい空バッグに入れ換える．

88		医薬品名 投与量	投与方法 投与時間	1	2	3	…	19	20	21	22	23	24	…	39	40	41	42	43	44	45	…
レジメン（RT＋CDDP）	Rp1	塩化カリウム 20 mL 硫酸マグネシウム 20 mL 生理食塩液 1,000 mL	点滴注射 120 分	↓							↓								↓			
	Rp2	パロノセトロン 0.75 mg/body デキサメタゾン 9.9 mg/body	点滴注射 15 分	↓							↓								↓			
	Rp3	デキサメタゾン 6.6 mg/body 生理食塩液 50 mL	点滴注射 15 分		↓	↓						↓	↓							↓	↓	
	Rp4	マンニトール注射液 300 mL	点滴注射 36 分	↓							↓								↓			
	Rp5	シスプラチン 100 mg/m^2 生理食塩液 250 mL	点滴注射 60 分	↓							↓								↓			
	Rp6	塩化カリウム 20 mL 生理食塩液 1,000 mL	点滴注射 120 分-240 分	↓							↓								↓			
	Rp7	生理食塩液 1,000 mL	点滴注射 240 分		↓	↓						↓	↓							↓	↓	
	Rp8	フロセミド 20 mg 生理食塩液 50 mL	点滴注射 15 分		↓	↓						↓	↓							↓	↓	
	Rp9	アプレピタント	経口	↓	↓	↓					↓	↓	↓						↓	↓	↓	
	Rp10	放射線照射 2Gy/回 total 66～70Gy		↓	↓	↓	↓	↓	↓	↓	↓	↓	↓	↓	↓	↓	↓	↓	↓	↓	↓	↓
副作用対策		口腔粘膜炎							■	■	■	■	■	■	■	■	■	■	■	■	■	■
		放射線により生じる副作用であり，治療の後半ではほとんどの患者で痛みを伴う．痛みで食事が摂れない場合にはアセトアミノフェンなどの鎮痛薬を使用する．それでも効果が不十分な場合にはオピオイド鎮痛薬の使用を検討する．治療の後半に食事摂取困難になることを想定し，胃瘻を造設することもある．																				
		味覚障害							■	■	■	■	■	■	■	■	■	■	■	■	■	■
		シスプラチンと放射線の両方で生じる可能性がある副作用である．味覚障害から食事摂取量の低下につながるため，食事の味，形態には工夫する必要がある．味覚障害が起こっても，味の濃いものは受け入れやすい傾向がある．																				
		口腔内乾燥						■	■	■	■	■	■	■	■	■	■	■	■	■	■	■
		口腔粘膜炎が発現する前に生じることが多い．症状が発現したら頻繁にうがいを行ったり，口腔内スプレーなどを用いて口腔内の乾燥を防ぐ．																				
		骨髄抑制						■	■	■						■	■	■				
		シスプラチンだけでなく放射線でも骨髄抑制が生じるため，治療後半は常に感染に注意するように指導する．																				
		食欲不振，悪心				■	■				■	■	■	■	■	■	■	■	■	■	■	■
		HEC レジメンに分類されるためアプレピタントを含む 3 剤併用を標準治療とし，オランザピンも可能な限り追加する．シスプラチンの悪心は制吐薬でカバーできるが，治療後半に発現する放射線による食欲不振は難渋することもある．																				
		放射線皮膚炎													■	■	■	■	■	■	■	■
		治療の後半で発現することが多く，照射範囲，照射量に依存する．乾燥により痛みが強く生じるため，炎症部位にはアズレン軟膏などで保湿を行う．																				

アプレピタントは，注射薬であるホスアプレピタントに変えることができる．その際には，生理食塩液 100 mL に希釈して，60 分で投与する．

4 抗がん薬の投与

投与基準[3)]

白血球数	≧2,500/μL	腎機能	Scr≦1.5 mg/dL あるいは Ccr 50 mL/分
血小板数	≧10 万/μL		

減量・中止基準[3)]

□Grade 4 以上の血液毒性または FN があればシスプラチンの投与量を 20%減量する.

□Scr≧1.5 mg/dL または 40 mL/分≦Ccr≦50 mL/分の場合はシスプラチンの投与量を 40%減量する.

□Scr≧1.5 mg/dL かつ Ccr＜40 mL/分の場合はシスプラチンの投与を中止する.

腎機能障害　肝機能障害

□記載なし.

注意点[4)]

□光により分解するので直射日光を避ける．また，点滴時間が長時間に及ぶ場合には遮光して投与する.

□静脈内投与に際し，薬液が血管外に漏れると注射部位に硬結・壊死などを起こすことがあるので，薬液が血管外に漏れないように慎重に投与する.

5 副作用マネジメント[3)]

発現率

副作用	国内（n=20）		副作用	国内（n=20）	
	全体（%）	Grade≧3		全体（%）	Grade≧3
白血球減少	95	50	粘膜炎	100	45
好中球減少	95	35	口内炎	100	45
貧血	90	20	腎機能障害	75	0
血小板減少	40	5	皮膚炎	90	0
嘔吐	60	30	神経障害	5	0

評価と観察のポイント

#1 コース目

□シスプラチンの副作用評価が中心となる．悪心や食欲不振の程度を評価する．また，制吐薬により便秘傾向になる患者が多いため注意する.

□腎機能が急激に悪化する場合があるため，Ccrの推移を確認する．悪心が強くなければ飲水を促す．
□耳鳴り，聴力障害が出現する場合があるため確認を行う．
□放射線療法が始まると，味覚障害が発現することがある．食事量だけでなく，味が変わりづらい食事を聴取するとよい．
□胃瘻を造設する場合は創部の確認を行う．

#2 コース目

□シスプラチンによる悪心，腎機能低下は1コース目と同様にモニタリングする．悪心が継続する場合は放射線による宿酔の可能性も考えられる．適切に評価することが重要である．
□このぐらいの時期から口腔粘膜炎の訴えが強くなる．痛みの有無だけでなく，痛みの強度（NRSなど）や痛みの生じるタイミングを聴取する．また口腔内乾燥が痛みを増強することがあるため確認する．

#3 コース目

□骨髄抑制が強く，治療開始が延期になることもある．血球の推移に注意する．
□放射線が40Gy以上になると咽頭痛はピークを迎え，オピオイド鎮痛薬を使用している可能性が高くなる[5]．特に中咽頭，下咽頭が照射野になっている場合にはオピオイド鎮痛薬を使用する可能性が高い[6]．痛みの強度，タイミングだけでなく，オピオイド鎮痛薬の副作用である眠気，便秘などの評価も必要になる．
□食事摂取困難な場合は胃瘻から栄養剤を投与する場合がある．その場合にも悪心が発現することがあるため注意する．
□放射線により照射部が赤くただれることが多い．リンパ節転移が複数あり，照射範囲が広範囲の場合には注意する必要がある．

副作用対策のポイント

□**口腔粘膜炎**：放射線により生じる副作用であり，治療の後半ではほとんどの患者で痛みを伴う．痛みで食事が摂れない場合にはアセトアミノフェンなどの鎮痛薬を使用する．それでも効果が不十分な場合にはオピオイド鎮痛薬の使用を検討する．治療の後半に食事摂取困難になることを想定し，胃瘻を造設することもある．
□**味覚障害**：シスプラチンと放射線の両方で生じる可能性がある副作用である．味覚障害から食事摂取量の低下につながるため，食事の味，形態には工夫する必要がある．味覚障害が起こっても，味の濃いものは受け入れやすい傾向がある．

- □**口腔内乾燥**：口腔粘膜炎が発現する前に生じることが多い．症状が発現したら頻繁にうがいを行ったり，口腔内スプレーなどを用いて口腔内の乾燥を防ぐ．
- □**骨髄抑制**：シスプラチンだけでなく放射線でも骨髄抑制が生じるため，治療後半は常に感染に注意するように指導する．
- □**食欲不振，悪心**：HEC レジメンに分類されるためアプレピタントを含む 3 剤併用を標準治療とし，オランザピンも可能な限り追加する．シスプラチンの悪心は制吐薬でカバーできるが，治療後半に発現する放射線による食欲不振は難渋することもある．
- □**放射線皮膚炎**：治療の後半で発現することが多く，照射範囲，照射量に依存する．乾燥により痛みが強く生じるため，炎症部位にはアズレン軟膏などで保湿を行う．

6 薬学的ケア

CASE

- □中咽頭がんで RT＋シスプラチン療法を施行中の患者．前半は順調に治療をしていたが，42/66 Gy 照射時に咽頭痛が増強（NRS 4）した．オキシコドン速放散 2.5 mg が開始となり，54/66 Gy 照射時にオキシコドン徐放カプセル 10 mg/日が開始となった．その後，痛みに合わせて，オキシコドン徐放カプセル 20 mg/日，オキシコドン速放散 5 mg まで増量になり 62/66 Gy 照射時にシスプラチンの指導目的で面談を行った．
- □痛みはさらに悪化（NRS 5）しており，「つばを飲み込んでも痛い」とのことであった．錠剤を服用するのは困難であると考え，アプレピタントカプセルからホスアプレピタント注への変更を提案．また，オキシコドン徐放カプセルも同様に服用困難であったため，フェンタニルクエン酸塩テープ 1 mg への変更を提案．変更後も痛みの改善はみられず，3 日後には NRS 7 まで上昇したため，フェンタニルクエン酸塩テープ 2 mg への増量を提案し，処方された．
- □その後の痛みは NRS 4 まで改善し，治療を完遂し退院することができた．退院 4 週間後の外来では咽頭痛はない（NRS 0）ことを聴取したため，1 週間フェンタニルクエン酸塩テープ 1 mg を貼付後に中止するよう提案を行った．フェンタニルクエン酸塩テープ1mgを剝がした後，退薬症状は確認されなかった．

解説

□中咽頭は嚥下時に重要な役割を果たしており，がんの治療で障害されると食事量に影響がでてくる．放射線治療が後半に入るとオピオイド鎮痛薬を使用する症例が多い．そのため，オピオイド鎮痛薬開始のタイミングとその評価が重要である．

□シスプラチンの投与が3コース目になると，嚥下困難のため食事だけではなく，内服薬も服用できない患者の割合が増加してくる．そこで，アプレピタントカプセルからホスアプレピタント注へ変更する患者が散見される．その際は患者に投与スケジュールや注意事項について説明する必要がある．

□経口オピオイド鎮痛薬が服用できない場合には貼付剤や点滴に変更することがある．オピオイドローテーションを行う場合には投与量に注意すること．また，フェンタニルクエン酸塩テープのように定常状態に達するまでに時間がかかる薬剤は適切に評価を行い，過剰投与にならないよう副作用に注意する．

□照射終了後，口腔粘膜炎が改善しはじめる時期は3週間程度との報告がある[7]．癌性疼痛とは異なり，ほとんどの患者の咽頭痛が改善してくるため，使用していたオピオイド鎮痛薬が過剰になり，眠気などの副作用が強く出現することがある．オピオイド鎮痛薬の減量を提案することは痛みの再燃の可能性があるため困難であると考えられるが，麻薬であることを考慮すると漫然と使用する薬剤ではないため，積極的に減量・中止を提案していくべきである．

引用文献

1) Bernier J, et al：N Engl J Med 350：1945-52, 2004（PMID：15128894）
2) Cooper JS, et al：N Engl J Med 350：1937-44, 2004（PMID：15128893）
3) Zenda S, et al：Jpn J Clin Oncol 37：725-9, 2007（PMID：17925299）
4) シスプラチン，添付文書（日医工）
5) 秦 浩信，他：日口粘膜誌 13：57-61, 2007
6) 高橋淳人，他：耳鼻臨床 103：657-63, 2010
7) Sakashita T, et al：Acta Otolaryngol 135：853-8, 2015（PMID：25814008）

（前 勇太郎）

89 セツキシマブ+パクリタキセル

Cmab+PTX

POINT

■プラチナ製剤を含む治療後6か月以内にPDの場合はプラチナ製剤不応，プラチナ製剤が高齢・PS不良・臓器機能低下・併存疾患を理由として使用できない場合をプラチナ製剤不耐とされ，当該レジメンはプラチナ製剤を含まないことから，いずれかの場合に再発転移性頭頸部における緩和的化学療法として使用される．

■プラチナ製剤不耐の症例においてペムブロリズマブやニボルマブのようなICIが使用できるが，殺細胞性抗がん薬を含むレジメンは早期縮小効果が期待できるため，進行病変・重要臓器に接する病変・腫瘍径が大きい・腫瘍量が多い症例においては当該レジメンが治療選択に挙がる．

1 レジメンと副作用対策（→次頁参照）

適応：再発転移性頭頸部がんにおける緩和的化学療法

1コース期間：7日間　**総コース**：PDとなるまで

2 抗がん薬の処方監査

セツキシマブ[1, 2]

□頭頸部がんは大腸がんと異なり*RAS*遺伝子変異の頻度がかなり低い[3]ため確認せずに投与できる．

□初回「400 mg/m^{2}を2時間投与」，2回目以降「250 mg/m^{2}を1時間投与」と投与量，投与速度が異なる．投与速度は10 mg/分以下．

□infusion reaction予防の前投薬は，パクリタキセルの前投薬に含まれているため，それに合わせる．パクリタキセルの一時的な休薬の際は抗ヒスタミン薬と副腎皮質ホルモンのみでよい．マダニ咬傷，牛肉アレルギー，魚卵アレルギーはリスクとされるため，それらの情報を聴取する．

□間質性肺炎，心疾患リスクがあるため，治療前にあらかじめ既往歴やベースラインを確認しておく．低Mg血症，低K血症，低Ca血症をきたすため，それらの値が毎回の採血検査に含まれているかを確認する．

89		医薬品名 投与量	投与方法 投与時間	1	2	3	4	5	6	7	8	9	10	11	～	15	～
レジメン（Cmab＋PTX）	Rp1	d-クロルフェニラミン 2 mg/body ファモチジン 20 mg/body デキサメタゾン 6.6 mg/body 生理食塩液 50 mL	点滴静注 30 分	↓							↓					↓	
	Rp2	生理食塩液 250 mL セツキシマブ 初回：400 mg/m² 2 回目以降：250 mg/m²	点滴静注 初回：2 時間 2 回目以降： 1 時間	↓							↓					↓	
	Rp3	生理食塩液 50 mL	点滴静注 5 分	↓							↓					↓	
	Rp4	生理食塩液 250 mL パクリタキセル 80 mg/m²	点滴静注 60 分	↓							↓					↓	
	Rp5	生理食塩液 50 mL	点滴静注 5 分	↓							↓					↓	

副作用対策

過敏症，infusion reaction

症状：顔面紅潮，血圧低下，徐脈，発汗，発疹，瘙痒感．
対策：前投薬は必須．初回投与時は特に注意してバイタルを測定．説明を実施し，他職種と協力して早期発見に努める．

末梢神経障害

症状：手足のしびれ，感覚鈍麻．投与回数とともに症状が増強．
対策：エビデンスが高い対処法が現時点ではないため，適宜一時的な休薬，減量を行う．デュロキセチンやプレガバリンを使用する場合は副作用，相互作用に注意．

白血球減少，好中球減少

症状：投与後 10〜14 日後に減少傾向となる．症状はないが，37.5℃以上の発熱時には FN として診断されることもある．
対策：感染予防（うがい，手洗い）を指導し，発熱時には病院に連絡するように患者に説明．

脱毛

症状：脱毛は必ずきたし，投与後 2〜3 週後がピーク．一律に毛髪が抜けるわけではなくまばらに抜ける．眉毛や口髭なども抜けるが差がある．
対策：事前に説明を行い，毛髪を事前に短く切りそろえたりニット帽子やウィッグなどを用意して対応する．

関節痛，筋肉痛

症状：関節痛，筋肉痛を 1，2 コース目の投与翌日から 3 日目に発現することがある．一過性で 5〜6 日で改善する．
対策：痛みが気になる場合は NSAIDs で対応．時間の経過とともに改善することを説明．

皮膚毒性

症状：時系列に瘙痒感，ざ瘡様皮疹，皮膚乾燥，手足指の亀裂や爪囲炎をきたす．また，続発する炎症性および感染性の皮膚障害も発現することもある．
対策：支持療法薬を初期から使用し，看護師とともに薬剤指導，生活指導を行う．対応に難渋する症状，非典型的な皮膚症状をきたした場合は皮膚科に速やかに相談する．

低 Mg 血症

症状：セツキシマブの投与回数が多くなると発生しやすくなり，症状としてはこむら返りが手足に起こりやすい．
対策：マグネシウム注射による補充が主となるが，経口による補充は下痢をきたしやすいので注意．

心毒性

症状：セツキシマブは心疾患リスクを有する．胸痛や違和感をきたす．
対策：治療前より循環器疾患の把握と治療中の変化を確認．

間質性肺炎

症状：稀であるが，パクリタキセルもセツキシマブもリスクがある．初期症状は痰を伴わない乾性咳嗽や呼吸困難であるが急速に進行する．
対策：症状を説明の上，毎回聴取し，疑わしい場合は CT 検査を行う．

□皮膚毒性に対する支持療法薬（保湿薬，ミノサイクリン，ステロイド外用薬）を確認．

パクリタキセル[4)]

□当該レジメンは毎週投与であるが，日本におけるパクリタキセルの添付文書では，頭頸部がんはB法（6週連続投与2週間休薬）で規定されている．実臨床においては3週連続投与1週間休薬の投与方法を行うこともある．

□パクリタキセルおよびその溶媒のポリオキシエチレンヒマシ油で過敏症が発現するとされるため予防前投薬は必須．過敏反応の予防前投薬として抗ヒスタミン薬，H_2ブロッカー，デキサメタゾンが処方されていることを確認．

□溶剤として無水エタノールを含むため，アルコール過敏症の既往歴がある患者には投与禁忌．消毒用アルコール綿に対してかぶれをきたす場合やアルコールに弱い場合，機会飲酒が可能な程度であれば使用可能．投与日において自動車の運転をはじめとする危険を伴う機械作業に従事しないように説明を行う．

□溶剤として無水エタノールを含むため，ジスルフィラム，シアナミド，プロカルバジンと併用禁忌．

□アゾール系抗真菌薬，マクロライド系抗真菌薬，シクロスポリン，ベラパミルの併用により代謝が阻害され，血中濃度が上昇する可能性がある．

3 抗がん薬の調剤

セツキシマブ[1)]

□生理食塩液に希釈して調製し，振盪しない．

パクリタキセル[4)]

□生理食塩液もしくは5%ブドウ糖液に希釈し，0.3～1.2 mg/mLの濃度となるように調製．

□粘稠性が高いため，細い注射針での調製は難しい．希釈調製時に泡立ちやすいので注意．

□調製時に，注射針に塗布されているシリコーン油により不溶物を生じることがあるため，調製後に薬液中に不溶物がないか目視で確認する．

4 抗がん薬の投与[1,4,5]

投与基準

白血球数	≧3,000/μL	Hb	≧9.0 g/dL
好中球数	≧1,500/μL	末梢神経障害	≦Grade 2
血小板数	≧7.5 万/μL	PS	0〜2

減量・中止基準

セツキシマブ

□(2 回目以降) 1 段階減量 200 mg/m^2，2 段階減量 150 mg/m^2.

□非血液毒性

- Grade 3 以上の infusion reaction を発現した場合は使用を中止する．Grade 1〜2 の場合，次回以降は流速を減速して対応．
- Grade 3 以上の皮膚毒性を発現した場合は一時的な休薬を行い，2 週経過しても皮膚毒性が 2 回以上発現した場合，減量を考慮する．休薬を行っても Grade 3 が持続し，Grade 4 が発現する場合，投与中止を考慮．

パクリタキセル

□1 段階減量 60 mg/m^2 (既報[5] では 25%減量).

□血液毒性：Grade 4 の白血球減少症，好中球減少症，FN を発現した場合は減量を考慮.

腎機能障害

□腎排泄率が 10%未満であるため減量は必ずしも必要ではない.

肝機能障害

□肝代謝であるため，適宜減量を検討 (米国添付文書より)

AST，ALT		T-Bil	パクリタキセル投与量
AST＜300 U/L または ALT＜(男) 420 U/L，(女) 230 U/L (＜ULN×10)	かつ	1.89〜3.0 mg/dL (ULN×1.26〜2.0)	25%減量
AST＜300 U/L または ALT＜(男) 420 U/L，(女) 230 U/L (＜ULN×10)	かつ	3.01〜7.5 mg/dL (ULN×2.01〜5.0)	50%減量
AST≧300 U/L または ALT≧(男) 420 U/L，(女) 230 U/L (≧ULN×10)	または	＞7.5 mg/dL (＞ULN×5.0)	中止

□非血液毒性

- 過敏症を発現した場合は使用を中止.

- 末梢神経障害（Grade 2 以上）の場合は一時的な休薬を行い，Grade 3 は減量を考慮する．

注意点[4)]

□セツキシマブのフラッシュはルートにセツキシマブがあることを考慮する．

□パクリタキセルは過飽和状態にあり，結晶として析出する可能性があるため 0.22 μm 以下のメンブランフィルターを通して投与する．希釈液の表面張力が小さくなるため 1 滴の大きさが生理食塩水に比較して小さくなるため，滴数または流量を増加させて設定して調節が必要．投与時には DEHP フリーの点滴用セットを使用．壊死性抗がん薬に分類され，血管外漏出により硬結・壊死をきたす．漏出した場合は院内のルールに従い対処．

5 副作用マネジメント[2, 5)]

発現率

副作用	Grade 3, 4 (%)	副作用	Grade 3, 4 (%)
痤瘡様皮疹	24	粘膜炎	7
無力症	17	結膜炎	4
好中球減少	13	infusion reaction	4
FN	2	下痢	2
末梢神経障害	11		

評価と観察のポイント

投与中〜投与直後

□過敏症，infusion reaction：アナフィラキシー症状は投与開始直後から数分以内，infusion reaction も初回に 9 割生じるとされているため，特に 1〜2 コース目においては患者への説明と症状のモニタリングを行う．

□infusion reaction に備えた環境下で投与を行い，投与中および投与後少なくとも 1 時間はバイタルサインをモニターする．発疹，呼吸困難，血圧低下が発現していないか確認．

□前投薬の抗ヒスタミン薬で眠気をきたすため説明が必要であり，投与中に入眠する場合が多いが，気を失っていることも考慮して患者をモニタリングする．頭頸部がん患者では特に原疾患に伴う気道狭窄をきたしていることがあるため致死的となる可能性がある．

投与後

□**infusion reaction**：数時間後に蕁麻疹や発疹が発現した例もあるため注意.

□**皮膚毒性**：投与後1～4週間でざ瘡様皮膚炎，3～5週間後に皮膚乾燥，亀裂，6～8週間後に爪囲炎が発現する.

□**間質性肺炎**：セツキシマブ，パクリタキセルいずれも頻度は低いがリスクがある．治療中は空咳，息切れ，呼吸困難，発熱をモニタリングし，疑われる症例についてはCT画像検査を行う．頭頸部がん患者では原疾患に伴う気道狭窄や誤嚥性肺炎の可能性もあるが，いずれも早期の対応が必要.

□**低Mg血症**：セツキシマブはMg再取り込みを阻害するため徐々に低Mg血症が発現する．無症状なことが多いが，こむら返りをきたすことがある．MgとCa，Kは相関しているため，他の電解質もモニタリングする.

□**骨髄抑制**：用量依存的に重篤になる傾向がある．治療ごとに血液検査を行い，以上が認められる場合はパクリタキセルの休薬・減量を行う.

□**末梢神経障害**：パクリタキセルにより蓄積的に生じ，長期使用になるほど頻度が高くなる．手足のしびれ，刺痛，遠位感覚消失を確認．用量規制因子であるため，慎重に対応する．感覚神経障害が主であるが，運動神経障害が発現することもあり，転倒転落につながるため注意.

□**関節痛・筋肉痛**：パクリタキセル投与後の数日に比較的早期に生じることがある．非蓄積性であり，時間の経過とともに無治療で改善する.

□**脱毛**：投与後2～3週間後に発現．投与後は6～8週で回復傾向となるが，脱毛に対する対応を説明するとともに治療に対する理解を得る.

対策のポイント[2, 4]

□**過敏症，infusion reaction**：症状が発現した場合に備えて初期対応マニュアルの整備や救急カートの用意を行う．発現時はただちに投与を中止し，症状に応じてアドレナリン，副腎皮質ステロイド薬，抗ヒスタミン薬による治療を行う．Grade 2の場合は上記と同じく治療するが，症状改善後は慎重に評価の上，投与再開の可否を検討する．再開する場合は投与速度を減速して投与する．Grade 1 の場合は患者の様子を観察しながら投与速度を減速して投与する．前投薬を増量することで infusion reaction を防ぐことはできない[6] ため，発現時の対応を万全にする．

□**皮膚毒性**：投与開始時より保湿薬を使用し，ミノサイクリン（アレルギーもしくは有害事象時にはクラリスロマイシン）を内服する．皮膚発疹が生じた場合，顔にはヒドロコルチゾン酪酸エステルクリームを，体にはジフルプレドナート軟膏を 1 日 2 回塗布する．爪囲炎は痛みを伴い，生活に著しく支障をきたすため，皮膚科と連携して薬物治療，テーピング，生活指導を行う．長期間治療がなされて皮膚毒性が落ち着いた場合はミノサイクリン内服中止を検討する．

□**低 Mg 血症**：Mg 注射薬による補充が主な対処法であるが，外来化学療法時には経口マグネシウムも使用されるため，その場合は下痢をきたさないか注意．

□**骨髄毒性**：白血球，好中球の nadir 期は易感染状態となるため感染予防対策（うがい，手洗い，生活行動）について指導する．

□**FN**：37.5℃以上の発熱をきたす場合は連絡するように指導を行う．あらかじめ院内で対応を決め，その共通認識のもと重症度に応じた適切な抗菌薬治療を行う．

□**末梢神経障害**：軽度であれば中止後に徐々に回復するが重症の場合は回復に長期間を要する．薬物治療としてデュロキセチンやプレガバリンが臨床で使用されることがあるが，有害事象（悪心，眠気）と薬物間相互作用に注意．

□**関節痛，筋肉痛**：痛みが気になる場合は NSAIDs を使用．時間の経過とともに改善することを説明の上，痛みがなければ中止してよいことを説明する．

6 薬学的ケア

CASE

□40 歳代男性．前治療における喉頭摘出のため失声の転移再発下咽頭がん．入院で当該レジメンによる治療を開始．アルコールにアレルギーがあるかを聴き取りの上，パクリタキセルの過敏症とセツキシマブの infusion reaction について説明．抗がん薬投与時に症状を感じる際はナースコールを使用することを説明し，担当看護師にも定期的な確認を依頼した．

□day 7にて胸部に瘙痒感と発疹の主訴あり，ジフルプレドナート軟膏の使用を指導．2コース目実施後は外来にて通院で化学療法を継続することとなる．パクリタキセルにアルコールが含まれていること，また，今回の入院でオピオイド鎮痛薬が導入されていることから，自動車運転はできないことを説明．

□4コース目実施時における指導時において，発疹が胸部に加え顔面と背中に広がり，爪囲炎も生じていたことから外来看護師とともに外用薬の使用とテーピングを指導し，生活におけるアドバイスを行う．5コース目において発疹に加えて顔面発赤・腫脹を確認し，主治医に相談の上，皮膚科にコンサルトを実施．

解説

□infusion reactionは早期対応が必要であるため，緊急時におけるコミュニケーションについて説明する．転移再発の頭頸部がんでは，前治療で失声していることもあるため，他職種と連携して対応する．パクリタキセルにも過敏症があるため，注意を怠らない．

□当該レジメンは主に外来で行うレジメンであるため，アルコールを含むパクリタキセルを使用する場合，自動車運転による通院はできない．また，オピオイド鎮痛薬を定期使用している場合は投与日以外も不可となることを説明しなくてはならない．

□EGFR抗体薬であるセツキシマブによる時系列に発症する皮膚毒性への支持療法は薬剤師による薬剤説明と看護師による生活指導により初期は対応可能であるが，非典型的な皮膚毒性は，セツキシマブ以外の原因やステロイド外用薬による有害事象，感染症の可能性もあるため，迅速に皮膚科受診を勧める．

引用文献

1) アービタックス® 注射液，添付文書（メルクバイオファーマ）
2) アービタックス® 注射液，適正使用ガイド，頭頸部癌（メルクバイオファーマ）
3) Bissada E, et al：Int J Otolaryngol：848021, 2013（PMID：23737793）
4) タキソール® 注射液，添付文書（ブリストル・マイヤーズ スクイブ）
5) Hitt R, et al：Ann Oncol 23：1016-22, 2012（PMID：21865152）
6) Ikegawa K, et al：J Int Med Res 45：1378-85, 2017（PMID：28606015）

（鈴木真也）

第9章

造血器腫瘍

□本章では悪性リンパ腫，多発性骨髄腫，慢性骨髄性白血病で使用される主なレジメンについて概説する．

□悪性リンパ腫はホジキンリンパ腫（HL）と非ホジキンリンパ腫（NHL）に大別され，NHLの30％超を占めるびまん性大細胞型B細胞性リンパ腫（DLBCL）に対する標準療法としてCHOP療法（B細胞性の場合はリツキサンを併用する；90R-CHOP療法）がある．その他，NHLの10～20％を占める濾胞性リンパ腫に対する標準療法として91GB療法がある．また，HLに対する標準治療として92ABVD療法，進行期では93BV併用AVD療法がある．NHLの初回治療抵抗例や再発例に対する救援化学療法は多岐にわたるため，本書では割愛する．

□多発性骨髄腫（MM）は，免疫調節薬（IMiDs），プロテアソーム阻害薬以外に，ヒストン脱アセチル化酵素阻害薬，新規モノクローナル抗体製剤など近年の新規治療薬の登場により，治療成績が劇的に向上している．MMに対する治療戦略として新規薬剤を含む3剤併用療法が有用で，94パノビノスタット＋ボルテゾミブ＋デキサメタゾン療法，95 96カルフィルゾミブあるいはイキサゾミブ＋デキサメタゾン＋レナリドミド療法，抗体製剤として，97デキサメタゾン＋エロツズマブ＋レナリドミド療法，98 99 100ダラツムマブ＋レナリドミドあるいはボルテゾミブあるいはカルフィルゾミブ＋デキサメタゾン療法，101イサツキシマブ＋ポマリドミド＋デキサメタゾン療法はいずれも高い有効性が報告されている．

□慢性骨髄性白血病（CML）の治療は，BCR-ABLチロシンキナーゼ阻害薬（TKI）の開発により劇的に変わった．初発症例には患者背景を考慮して，102 イマチニブ，103 ニロチニブ，104 ダサチニブのいずれかが選択される．治療効果が failure（不成功）と判定された場合には，イマチニブで治療されていた場合には第2世代 TKI へ，ニロチニブであればダサチニブまたは 105 ボスチニブへ，ダサチニブであればニロチニブまたはボスチニブへと薬剤を変更する．BCR-ABL 変異解析で T315I 点突然変異が確認された場合は，106 ポナチニブへの変更が必要となる．

（内田まやこ）

90 R-CHOP（リツキシマブ+シクロホスファミド+ドキソルビシン+ビンクリスチン+プレドニゾロン）

POINT

- リツキシマブの infusion reaction に注意．前投薬や投与速度，希釈濃度を確認．
- FN の発現率は比較的高く，時に致死的となるため，患者のリスク因子を確認し，適切な予防対策と患者指導を行う．
- ドキソルビシンによる心毒性，ビンクリスチンによる末梢神経障害や便秘，プレドニゾロンによる高血糖など多彩な副作用管理が必要．

1 レジメンと副作用対策（→次頁参照）

適応：CD20 陽性の B 細胞性非ホジキンリンパ腫（DLBCL および濾胞性リンパ腫）

1 コース期間：21 日間

総コース：進行期：6～8 コース，限局期：3 コース（+放射線療法）あるいは 6～8 コース

2 抗がん薬の処方監査

リツキシマブ（リツキサン®）

□infusion reaction は初回点滴静注開始後 30 分～2 時間より 24 時間以内に現れやすい．前投薬が必須であり，抗ヒスタミン薬，解熱鎮痛薬の処方を確認．必要に応じて副腎皮質ホルモン薬の前投与も考慮．

ドキソルビシン（アドリアシン®）

□重篤な心筋障害を起こすことがあるため，アントラサイクリン系抗がん薬の累積投与量を確認．ドキソルビシン換算で 500 mg/m^2 を超えないこと．治療前に心エコー検査にて LVEF の結果が 50% 以下でないことを確認[1)]．

ビンクリスチン（オンコビン®）

□1 回量 2 mg を超えないことを確認．

□CYP3A4 で代謝されるため，アゾール系抗真菌薬との併用により筋神経系の副作用が増強することがある．ビンクリスチン投与日と前後数日は，強力な CYP3A4 阻害作用を持つイトラ

90		医薬品名 投与量	投与方法 投与時間	1	2	3	4	5	6	7	8	9	10	～	13	14	15	～	19	20	21
レジメン（R-CHOP）	Rp1	リツキシマブ 375 mg/m^2 生理食塩液 500 mL	点滴注射	↓																	
	Rp2	パロノセトロン 0.75 mg 生理食塩液 50 mL	点滴注射 15～30 分	↓																	
	Rp3	ドキソルビシン 50 mg/m^2 生理食塩液 20 mL	点滴注射 or 静注	↓																	
	Rp4	ビンクリスチン 1.4 mg/m^2 生理食塩液 20 mL	点滴注射 or 静注	↓																	
	Rp5	シクロホスファミド 750 mg/m^2 生理食塩液 500 mL	点滴注射 2 時間	↓																	
	Rp6	プレドニゾロン 100 mg/body	経口 朝昼食後	↓	↓	↓	↓	↓													

副作用対策

TLS

多くは初回治療で発症．PD が速い，腫瘍量が多いなど TLS リスクが高い場合，大量補液やフェブキソスタット，ラスブリカーゼなどの予防策が講じられていることを確認．電解質変動や尿酸値，腎機能に注意．

infusion reaction

投与初期に発熱，悪寒，頭痛が出現．抗ヒスタミン薬，解熱鎮痛薬を治療 30 分前に投与．腫瘍量が多い場合は発現率が高い．

静脈炎，血管外漏出

ドキソルビシンとビンクリスチンは起壊死性抗がん薬に該当．ドキソルビシン漏出時早期（6 時間以内）は，解毒薬としてデクスラゾキサンの点滴静注が有効．

悪心・嘔吐

HEC レジメンに分類されるためアプレピタントを含む 3 剤併用を標準療法とする．ただし高用量のステロイドの使用のため悪心リスクが低く，実臨床ではアプレピタントを使用しないこともある．

脱毛

ほぼ必発で 2～3 週後がピーク．事前にウィッグなどの情報を提供しておく．治療終了後は回復．

高血糖

糖尿病の既往を確認．血糖上昇が著明ならインスリンを投与．

便秘

治療開始前より排便状況確認．酸化マグネシウムの予防投与も検討．イレウスの発現に注意．

好中球減少，FN

38℃以上の発熱があれば受診するよう説明．FN 出現時は，次コースより Peg-G-CSF の 2 次的予防投与を検討．65 歳以上の高齢者では Peg-G-CSF の 1 次予防的投与も考慮．

末梢神経障害

ビンクリスチンの用量規制因子．コース数とともに増強．感覚異常以外にも自律・運動神経障害をきたす．治療終了後も長期間継続することが多く，あらかじめ説明が必要．

コナゾールやボリコナゾールの休薬を検討.

□プレドニゾロン（プレドニン®）：高血糖に注意．糖尿量の既往がある場合は血糖を測定.

□HBV 再活性化による劇症肝炎に注意．特にリツキシマブを用いる化学療法は HBV 再活性化の高リスクである．あらかじめ HBV キャリアおよび既往感染者をスクリーニングする．既往感染者の場合，治療中および治療終了後少なくとも 12 か月の間，HBV-DNA と肝機能検査を月 1 回モニタリングする．キャリアまたは HBV-DNA 量が規定値を超えた場合は核酸アナログを投与.

□制吐薬適正使用ガイドラインでは，高度催吐性リスクに該当．しかし高用量のプレドニゾロンを 5 日間投与するため遅発性の悪心・嘔吐リスクは低いと考えられており，実臨床ではアプレピタント（イメンド®）を使用せず，5-HT_3 拮抗薬とレジメン内のプレドニゾロンで対処することもある．アプレピタント併用の際もプレドニゾロンは減量してはならない.

□白血球減少やリンパ球減少に伴い，ヘルペスウイルス感染，帯状疱疹，ニューモシスチス肺炎，サイトメガロウイルス感染などの日和見感染のリスクがある．ST 合剤の予防投与を考慮.

□特に初回治療にて TLS に注意．PD が速い病型，腫瘍量が多い（血液検査にて LDH 値が高値），腎障害合併例ではリスクが高まる．治療前にリスク評価を行い，リスクに準じ大量補液やフェブキソスタット（フェブリク®），ラスブリカーゼ（ラスリテック®）の予防策を講じる．腫瘍量減量を目的としたシクロホスファミド，ステロイド，ビンクリスチンの先行投与も可能[2].

3 抗がん薬の調剤

リツキシマブ

□生理食塩液または 5%ブドウ糖液で溶解し，1～4 mg/mL に調製.

□抗体が凝集するおそれがあるため，泡立つような強い振動を加えない.

シクロホスファミド

□揮発性が高く，安全キャビネット内で閉鎖式接続器具を使用する.

□調製時は溶けにくいため溶解後はよく振り，結晶が残っていないことを確認.

ドキソルビシン

□溶解液が微量だとゲル状の浮遊物，コロイド状の沈殿物が生じ溶けにくくなる（スタッキング現象）．溶解時は10 mgあたり1 mL以上の生理食塩液で速やかに行う．

4 抗がん薬の投与

投与基準[3]

□好中球数＞1,500/μL.

□血小板数＞10万/μL.

減量・中止基準

腎機能障害

薬剤	基準
リツキシマブ[4]	該当なし
ドキソルビシン[5]	減量の必要なし
ビンクリスチン[6]	減量の必要なし

薬剤	条件	減量
シクロホスファミド[4]	Ccr 10～50 mL/分	25%減量
	Ccr＜10 mL/分	50%減量

肝機能障害

薬剤	条件	減量
リツキシマブ[4]	減量の必要なし	
シクロホスファミド[4]	T-Bil 3.0～5.0 mg/dL または AST＞180 U/L	25%減量
	T-Bil＞5.0 mg/dL	投与不可
ドキソルビシン[5]	T-Bil 1.5～3.0 mg/dL または AST 60～180 U/L	50%減量
	T-Bil 3.1～5.0 mg/dL または AST＞180 U/L	75%減量
	T-Bil＞5.0 mg/dL	投与不可
ビンクリスチン[6]	T-Bil 1.5～3.0 mg/dL	50%減量
	T-Bil＞3.0 mg/dL	75%減量

注意点

リツキシマブ

□初回投与時は，最初の30分は50 mg/時間の速度で開始し，患者の状態を十分観察しながら，その後注入速度を30分ごとに50 mg/時間ずつ上げて，最大400 mg/時間まで上げることができる．

□2回目以降は以下のいずれかの速度を選択する．

- 初回投与時に発現した副作用が軽微であった場合…100 mg/時

間で開始し，その後 30 分ごとに 100 mg/時間ずつ上げる（最大 400 mg/時間）.

• 臨床的に重篤な心疾患がなく，初回投与時に発現した副作用が軽微であり，かつ投与前の末梢血リンパ球数が 5,000/μL 未満である場合…90 分間で投与（最初の 30 分で投与量の 20%を投与し，その後 60 分で投与量の 80%を投与）.

□初回投与はできるだけ入院で実施．注入速度を守るために必ず輸液ポンプを使用する.

□ドキソルビシン，ビンクリスチン：壊死性抗がん薬のため，血管外に漏出した場合は可能な限り吸引し，ステロイド＋リドカイン局注，およびステロイド外用薬の塗布を検討．皮膚科にコンサルト．ドキソルビシンは冷罨法，ビンクリスチンは温罨法にて対応.

ドキソルビシン

□血管外漏出があった場合，6 時間以内にデクスラゾキサン（サビーン®，アントラサイクリン系抗がん薬の血管外漏出治療薬）を投与開始．抗腫瘍効果減弱の可能性について患者に説明.

□ドキソルビシン投与後数日間は尿が赤くなることを説明.

5 副作用マネジメント

発現率（表 90-1）

評価と観察のポイント

□**投与前**：TLS のリスク評価，適切な予防策が講じられていることを確認.

□**投与時**：infusion reaction の主な症状（発熱，悪寒，悪心，頭痛，疼痛，瘙痒，発疹，咳，虚脱感，血管浮腫）を確認．血管外漏出に注意（ドキソルビシンとビンクリスチンは壊死性抗がん薬）.

□**投与初期（day 1〜7 頃）**：悪心・嘔吐，高血糖，便秘，出血性膀胱炎，TLS について評価．次コースでの介入について事前に検討.

□**投与初期（day 7 以降）**：好中球減少，感染症状，口内炎について確認．好中球数を評価.

□**2 コース目以降**：末梢神経障害と心毒性はコース数とともにリスクが高まる.

表 90-1　副作用の発現率

副作用	未治療 DLBCL (n=202) *1	未治療 DLBCL (n=703) *2
	全 Grade (%)/Grade 3, 4 (%)	全 Grade (%)/Grade>3 (%)
発熱	64/2	—
感染	65/12	—/15.5
口内炎	27/3	—
肝障害	46/3	—
心毒性	47/8	—
神経障害	51/5	—
腎障害	11/1	—
肺障害	33/8	—
悪心・嘔吐	42/4	28.3 (悪心)/—
便秘	38/2	24.5/—
脱毛	97/39	—
白血球減少	—	—/10.1
好中球減少	—	40.7/38.1
貧血	—	—/7.5
FN	—	—/15.2

*1 未治療 DLBCL に対する CHOP と R-CHOP の比較試験[3)]
*2 未治療 DLBCL に対する R-CHOP と G-CHOP の比較試験 (GOYA 試験)[7)]

副作用対策のポイント

□**infusion reaction**：リツキシマブ投与 30 分前に抗ヒスタミン薬，解熱鎮痛薬を投与．投与中から投与終了後 1 時間は，バイタルサインのチェックと自他覚症状を観察．軽度～中等度の症状が認められた場合，注入速度を緩めるか投与中断を考慮．重篤な症状が認められた場合には，ただちに投与を中止し，適切に対処．投与を再開する場合は，症状が完全に消失した後，中止時点の半分以下の注入速度で投与を開始．

□**悪心・嘔吐**：悪心出現時はメトクロプラミド（プリンペラン®）やドンペリドン（ナウゼリン®）で対応．糖尿病の既往や高血糖の出現がなければ day 1～6 のオランザピン（ジプレキサ®）の上乗せも検討可能．

□**便秘**：ビンクリスチンは便秘が発現しやすく，時に腸閉塞（麻痺性イレウス）をきたす．あらかじめ酸化マグネシウム製剤などを投与して便秘の予防に努める．消化管に腫瘍がある場合は腸管穿孔のリスクとなるため，初回投与時はビンクリスチンを抜くことがある．

□**TLS**：TLSは適切に予防し，起こさせないことが重要．電解質変動や尿酸値，腎機能に異常がないか確認．

□**出血性膀胱炎**：シクロホスファミド代謝物のアクロレインが原因となる．CHOP療法におけるシクロホスファミドの用量での出現リスクは低く，予防のメスナは不要．十分な飲水と排尿を促すことで，予防に努める．

□**FN**：発現率は15%程度．治療後10日目ごろより好中球減少が起こり，2週間頃にピークを迎える．根治目的の悪性リンパ腫のCHOP療法では，FNが出現した場合，次コース以降にて抗がん薬の減量よりもG-CSFの2次予防的投与が推奨される．65歳以上の高齢者では，初回コースよりG-CSFの1次予防的投与を行うことも検討[8]．

□**高血糖**：プレドニゾロンによる高血糖に注意．高血糖が著明な場合はインスリンにて対処．

□**口内炎**：抗がん薬による直接作用と，白血球減少に伴う口腔内の局所感染により発症する．口腔内を清潔に保ち，歯ブラシは柔らかいものを使用するよう指導．

□**脱毛**：治療後2〜3週間頃から出現．全治療終了後は回復することを伝える．

□**末梢神経障害**：ビンクリスチンによる蓄積性の毒性．治療終了後は徐々に軽快するが，長期間継続することが多い．箸やペンが持ちにくい，ボタンがとめられないなどの症状がないか聴取する．Grade 2以上であれば次コースより減量や中止を考慮する．

□**心毒性**：ドキソルビシンによる蓄積性の毒性．不整脈や頻脈，労作時呼吸困難などの症状に注意．治療前，治療中，また治療終了後も定期的な心機能検査が望ましい（目安：240 mg/m^2，500 mg/m^{2}時点，治療終了時，終了後6か月，12か月）．LVEFがベースラインよりも10%を超えて低下し，かつ50%を下回る場合は早急に循環器内科にコンサルトを行う[1]．

6 薬学的ケア

CASE

□60歳代女性．初回リツキシマブ投与開始2時間後，100 mg/時間へ速度を上げたところ，悪寒と咽頭違和感の訴えあり．主治医へ報告し，投与を中断．メチルプレドニゾロン（ソル・メドロール®）投与後に症状改善．25 mg/時間での再開を提案．症状発現なく50 mg/時間へアップし最後まで投与できた．2コース目も初回速度での開始を提案．症状発現なく，400 mg/時間までアップし投与終了できた．

□初回コースのday 13にて好中球減少Grade 4，またFNが出現．セフェピム点滴静注で対処された．2コース目実施の際，ペグフィルグラスチム（ジーラスタ®）の2次予防的投与を提案．day 3に投与され，2コース目は発熱なく経過．次コース以降もペグフィルグラスチムの投与を行い，FNや好中球減少による治療遅延なく治療完遂することができた．

解説

□infusion reactionが疑われる症状が出現した場合は投与中止を検討．投与を再開する場合は，中止時点の半分以下の注入速度で開始．

□通常，延命目的の化学療法の場合，FN出現時は次コース以降の抗がん薬減量が推奨される．しかし根治目的の悪性リンパ腫に対するR-CHOP療法では，治療強度を保つため減量よりもG-CSFの2次予防的投与をまず検討する．

引用文献

1）日本心エコー図学会：抗がん剤治療関連信金障害の診療における心エコー図検査の手引（http://www.jse.gr.jp/contents/guideline/data/guideline_onco2020-10.pdf）
2）日本臨床腫瘍学会：腫瘍崩壊症候群（TLS）診療ガイダンス，第2版．金原出版．2021
3）Coiffier B, et al：N Engl J Med 346：235-42, 2002（PMID：11807147）
4）Chu E：Physicians' cancer chemotherapy drug manual, 16th ed. JONE & BARTLETT LEARNING, 2016
5）アドリアシン®注用，インタビューフォーム
6）オンコビン®注射用，インタビューフォーム
7）Vitolo U, et al：J Clin Oncol 35：3529-37, 2017（PMID：28796588）
8）日本癌治療学会：G-CSF適正使用ガイドライン，2013年版Ver. 5．金原出版（http://www.jsco-cpg.jp/item/30/index.html）

（中村花絵）

91 GB（オビヌツズマブ＋ベンダムスチン）

POINT

- ■オビヌツズマブの infusion reaction に注意する．点滴速度の確認や前投薬（抗ヒスタミン薬，解熱鎮痛薬）が必須．また，ステロイドの前投薬を考慮する．
- ■好中球減少やリンパ球減少による日和見感染の報告があり，抗ウイルス薬や ST 合剤の予防投与を考慮する．
- ■ベンダムスチンによる皮膚障害（発疹，皮疹，瘙痒感，皮膚潮紅，蕁麻疹）は定期的なモニタリングを行い，早期発見に努める．発現時は抗アレルギー薬やステロイド外用薬，重症度に応じてステロイドの全身投与も考慮する．

1 レジメンと副作用対策（→次頁参照）

1 コース期間：28 日間　**総コース**：6 コース

2 抗がん薬の処方監査

□CD20 陽性の濾胞性リンパ腫患者であることを確認．

□本レジメンにおける使用薬剤に含まれる成分に対する過敏症の既往歴の有無を確認．

□HBV の再活性化の報告[1]があるため，投与前に HBs 抗原，HBs 抗体，HBc 抗体を確認．HBs 抗原陰性例でも HBc 抗体もしくは HBs 抗体が陽性の場合は治療終了 12 か月間までは 1 か月に 1 回 HBV-DNA 定量を行い，基準値（1.3 log copies/mL）以上の場合は核酸アナログ製剤を開始．

□妊婦または妊娠している可能性のある女性に対する投与は禁忌．

□オビヌツズマブ投与により infusion reaction が現れることがある．抗ヒスタミン薬，解熱鎮痛薬の前投薬が必須．また，ステロイドの必要性を確認．腫瘍量が多く infusion reaction の発現リスクが高い場合[1]にはベンダムスチンを先行投与した後にオビヌツズマブの投与を実施することも検討．

□腫瘍量が多い場合や，腎機能障害患者では TLS のリスクが高い[2]ため，フェブキソスタットやラスブリカーゼ，補液，飲水による摂取水分量が適切か確認（投与 1～2 日前から約 3 L/日

91		医薬品名 投与量	投与方法 投与時間	1	2	3	4	5	6	7	8	9	10	11	12	13	14	15	16	～	28
レジメン（GB）	Rp1	オビヌツズマブ 1,000 mg/body 生理食塩液 210 mL	点滴注射	↓							↓*							↓*			
	Rp2	パロノセトロン 0.75 mg/body 生理食塩液 50 mL	点滴注射 30 分	↓																	
	Rp3	ベンダムスチン 90 mg/m^2 生理食塩液 250 mL	点滴注射 60 分	↓	↓																

*オビヌツズマブは 1 コース目のみ day 1, 8, 15 に投与．2 コース目以降は day 1 のみ投与．

副作用対策	
infusion reaction	オビヌツズマブ投与中または投与開始後 24 時間以内に起こりやすい．オビヌツズマブ投与 30～60 分前に抗ヒスタミン薬，解熱鎮痛薬の前投与を行う．投与中は血圧や血中酸素飽和度のモニタリングを行い，症状発現時には適切な措置を行う．
注射部位反応，血管障害	注射部位局所や注射部位中心に疼痛，炎症が発現することがある．血管痛の場合，温罨法や点滴速度を遅くすることで軽減する場合がある．
TLS	腫瘍量の多い患者，腎機能障害がある患者はリスクが高い．フェブキソスタットやラスブリカーゼの投与，補液を行う．血清中電解質，腎機能検査，心電図検査などを行いモニタリングする．
悪心・嘔吐	中等度催吐リスクであり，5-HT$_3$ 拮抗薬とデキサメタゾンによる予防．患者個々のリスクに応じてアプレピタントを併用する．
感染症	ヘルペスウイルス感染や帯状疱疹，ニューモシスチス肺炎などの報告があり．日和見感染予防としてアシクロビルと ST 合剤の予防投与の必要性を確認する．手洗い，うがいの励行を指導する．
皮膚症状	発疹，瘙痒感，皮膚乾燥など多岐にわたり発現時期もさまざまである．症状に合わせて抗アレルギー薬，ステロイド外用薬，ステロイドの全身投与を行う．
HBV の再活性化	継続的に肝機能検査や肝炎ウイルスマーカーのモニタリングを行う．

の水分摂取が目標）．アロプリノールはベンダムスチンとの併用により，重篤な皮膚障害の報告[3)]があり，注意が必要．

□好中球減少，リンパ球減少によるウイルス感染，ニューモシスチス肺炎といった日和見感染予防としてアシクロビル 保険適用外 と ST 合剤の予防投与の必要性を確認．

□中等度催吐リスクであり，5-HT$_3$ 拮抗薬とデキサメタゾンの予防投与を確認．また，患者個々のリスクに応じてアプレピタントの必要性を検討．

3 抗がん薬の調剤

□オビヌツズマブは1バイアルを生理食塩液210 mLに希釈する[1].

□ベンダムスチンは凍結乾燥製剤と液剤があり，調製後の安定性が異なるため注意が必要である．凍結乾燥製剤は100 mg製剤1バイアルあたり注射用水40 mLに溶解後必要量を秤取．生理食塩液で希釈し最終投与液量を250 mLとする．調製後は3時間以内に投与を終了する．液剤は生理食塩液で希釈し最終投与液を250 mLに調製する．調製後は室温保存で6時間以内，2～8℃保存では24時間以内に投与を終了する．ベンダムスチンは揮発性が高く，閉鎖式接続器具を用いて調製を行う[3].

4 抗がん薬の投与

投与基準[4]

好中球数	≧1,000/μL	T-Bil	＜2.0 mg/dL
血小板数	≧7.5万/μL	Scr	＜2.0 mg/dL

減量・中止基準[1, 3, 5]

□オビヌツズマブは減量しない．Grade 4のinfusion reactionが発現した時は投与中止．再投与不可．また，Grade 3のinfusion reactionが発現し，再開後再度Grade 3のinfusion reactionが発現した場合も投与を中止し，再投与は不可．

□ベンダムスチンは下記の副作用発現時に90 mg/m^2→60 mg/m^2に減量する．

好中球数	＜500/μL	血小板数	＜2.5万/μL	非血液毒性	≧Grade 3

腎機能障害

□オビヌツズマブ：基準なし．

□ベンダムスチン：Ccr＜30 mL/分は使用を避ける．

肝機能障害

□オビヌツズマブ：基準なし．

□ベンダムスチン

<table>
<tr><td colspan="2">4.5 mg/dL＜T-Bil（ULN×3＜T-Bil）</td><td rowspan="3">投与中止</td></tr>
<tr><td>75 U/L＜AST＜300U/L（ULN×2.5＜AST＜ULN×10）</td><td rowspan="2">かつ2.25 mg/dL＜T-Bil＜4.5 mg/dL（ULN×1.5＜T-Bil＜ULN×3）</td></tr>
<tr><td>（男）105 U/L，（女）57.5 U/L＜ALT＜（男）420 U/L，（女）230 U/L（ULN×2.5＜AST＜ULN×10）</td></tr>
</table>

注意点

オビヌツズマブ

□0.2 または 0.22 μm のインラインフィルターを用いて投与する．

□投与中は infusion reaction の発現に注意し，モニタリングする．

投与速度

□第 1 サイクル初回投与：50 mg/時間で開始し，患者の状態を観察しながら 30 分ごとに 50 mg/時間ずつ，最大 400 mg/時間まで上げることができる．

□第 1 サイクル 2 回目以降：前回の投与で Grade 2 以上の infusion reaction が発現しなかった場合，100 mg/時間で開始し，患者の状態を観察しながら 30 分ごとに 100 mg/時間ずつ，最大 400 mg/時間まで上げることができる．

□第 2 サイクル目以降：第 1 サイクルの投与で Grade 3 以上の infusion reaction が発現しなかった場合は，最初の 30 分は 100 mg/時間で開始し，その後最大 900 mg/時間まで上げることができる．なお，前回の投与で Grade 3 の infusion reaction が発現した場合は，初回投与時の速度で行う．

ベンダムスチン

□1 時間かけて投与する．調製後の安定性に注意が必要．

□ベンダムスチンは炎症性抗がん薬[4,6]とされているものの，壊死性抗がん薬との報告[7]もあり，血管外漏出に注意が必要．

□血管痛や静脈炎といった血管障害や注射部位局所や周辺部位の疼痛，炎症の発現に注意．

5 副作用マネジメント

発現率[1,8]

□海外第Ⅲ相試験（n＝204）：濾胞性リンパ腫 168 例，辺縁帯リンパ腫 28 例，小リンパ球性リンパ腫 12 例（**表 91-1**）

評価と観察のポイント

投与中

□infusion reaction は初回投与時の投与中～投与開始 24 時間以内に発現することが多いが[2]，それ以降や 2 回目投与以降にも認められている．アナフィラキシー，血圧低下，悪心，悪寒，気管支痙攣，咽頭・咽喉刺激感，喘鳴，咽頭浮腫，心房細動，動悸，過敏症などの有無を確認．

□血管痛，静脈炎や注射部位反応をモニタリング．

表 91-1 副作用の発現率

副作用	全 Grade (%)	Grade 3 以上 (%)	副作用	全 Grade (%)	Grade 3 以上 (%)
好中球減少症	37.7	34.8	心機能障害	11.8	4.4
FN	5.9	5.9	皮膚障害	39.2	2.0
貧血	11.8	7.4	悪心	52.0	1.0
血小板減少症	14.7	10.8	嘔吐	22.1	2.0
infusion reaction	72.5*1	13.7*1	下痢	27.9	1.0
感染症	67.6	22.5	便秘	20.6	—

*1 審査報告書（オビヌツズマブ，平成 30 年 4 月 24 日，PMDA より）

投与後

□悪心，嘔吐，食欲不振や便秘，下痢といった消化器症状を評価する．

□骨髄抑制に関連する免疫能の低下によるものと考えられる重度の感染症が報告[3]されていることから採血結果を確認するとともに咳，発熱，血圧低下といった感染症状の有無を確認．

□血小板減少に関しては投与後 24 時間以内に発現するケースも認められており[2]，初回投与直後より継続的に出血傾向に注意．

□HBV の再活性化の報告があり，HBV キャリア患者または既往感染者では肝機能検査や肝炎ウイルスマーカーの継続的なモニタリングを行うとともに発熱，全身倦怠感，黄疸などの症状の発現を確認．

副作用対策のポイント

infusion reaction

□**予防**：オビヌツズマブ投与 30～60 分前に抗ヒスタミン薬（ジフェンヒドラミン 50 mg など），解熱鎮痛薬（アセトアミノフェン 1,000 mg など）を投与．必要に応じてステロイドも考慮．ただしヒドロコルチゾンは infusion reaction の軽減に有効ではないため避け，プレドニゾロンやデキサメタゾン，メチルプレドニゾロンを使用．

□**発現時**：Grade 1, 2 の場合は投与中断もしくは投与速度を下げて抗ヒスタミン薬や解熱鎮痛薬，ステロイドの投与を行う．Grade 3 の場合は投与を中断し適切な処置を行う．再開時は投与中断前の半分の速度で再開し，患者の症状を観察しながら

30分ごとに50 mg/時間ずつ上げ最大400 mg/時間まで可能．第2サイクル目以降の投与方法においてGrade 2以下の場合には最大900 mg/時間まで上げることが可能．発熱や発疹，息苦しさなどを自覚した場合にはすぐに医療従事者に伝えるよう指導．

骨髄抑制，感染症

□骨髄抑制，特にリンパ球減少が高頻度で発現し，重症の免疫不全が発現または増悪することがある．ウイルス感染，ニューモシスチス肺炎などの日和見感染予防としてアシクロビルとST合剤の予防投与の必要性を確認．

□手洗い，うがいを励行し，発熱が認められた場合には医師へ連絡するよう指導．

□鼻出血や歯肉からの出血といった出血傾向を患者自身でモニタリングするよう指導．また，転倒にも十分注意するよう指導．

皮膚障害

□ベンダムスチンによる皮膚障害は好発時期，重症度に一定の傾向が認められていないが[3]，皮疹に関し男性と比較し女性で発現しやすく，70歳未満でより発現頻度が高いという報告[9]がある．定期的なモニタリングを行い，早期発見に努める．発現時は抗アレルギー薬やステロイド外用薬，重症度に応じてステロイドの全身投与も考慮する．日々の皮膚の状態を患者自身で観察するよう指導．

6 薬学的ケア

CASE

□60歳代男性．初回オビヌツズマブ投与開始30分後，100 mg/時間に速度を上げた時点で訪床．訪床中，喉の違和感と寒気の訴えを聴取．38.3℃の発熱あり，SpO_2が90％と低下を認め，ただちに医師へ報告．Grade 3のinfusion reactionとの診断となり投与中断となった．メチルプレドニゾロン80 mgを投与し，症状は軽減．再開時の点滴速度として100 mg/時間の半分の50 mg/時間からの投与を提案し投与再開．その後は順調に400 mg/時間まで速度を上げることができinfusion reactionを疑うような症状の発現なく投与終了となった．

□4コース目のオビヌツズマブ＋ベンダムスチン投与前の患者面談時，患者より「前回投与した後から点滴した腕の血管が黒く浮き出ていて痛みがある」との訴えを聴取．確認したところ血管に沿って硬結，圧痛あり．医師に診察を依頼し，Grade 2の静脈炎との診断．医師へ硬結部分に対しステロイド外用薬の提案を行い，ベタメタゾン酪酸エステルプロピオン酸エステル軟膏が開始となった．また，今までとは逆の腕から投与を行うこと，投与中は温罨法を施行することを併せて提案した．5コース目投与前の面談時，硬結，圧痛の軽減が認められた．

解説

- □Grade 3のinfusion reaction発現時は投与を中断し，ステロイドや抗ヒスタミン薬の投与を行う．また，再開時に再度出現した場合には投与を中止する．本症例は点滴速度を上げるタイミングを意識して訪床し，患者の変化にいち早く気付き素早く対応できた症例である．
- □静脈炎や血管痛に関しては投与中だけでなく，投与終了後においても高頻度で発現するとの報告[10]もあり，継続的な観察が重要である．本症例においては患者の訴えを傾聴し副作用の発現を疑い，医師や看護師と情報共有することにより，安心かつ安全な薬物治療の継続に寄与できた．

引用文献

1）ガザイバ® 点滴静注，インタビューフォーム，第3版（中外製薬）
2）ガザイバ® 点滴静注，適正使用ガイド
3）トレアキシン® 点滴静注用/点滴静注液，インタビューフォーム，第15版（シンバイオ製薬）
4）トレアキシン® 点滴静注用/点滴静注液，適正使用ガイド
5）TREANDA® (bendamustine) 米国添付文書
6）日本がん看護学会（編）：外来がん化学療法看護ガイドライン，2014年版．金原出版，2014
7）Pérez Fidalgo JA, et al：Ann Oncol 23 (Suppl 7)：vii167-73, 2012 (PMID：22997449)
8）Cheson BD, et al：J Clin Oncol 36：2259-66, 2018 (PMID：29584548)
9）Uchida M, et al：J Pharm Pharm Sci 24：16-22, 2021 (PMID：33440131)
10）粂 哲雄，他：日病薬誌 50：41-44，2014

（柏村友一郎，内田ゆみ子）

92 ABVD (d)（ドキソルビシン+ブレオマイシン+ビンブラスチン+ダカルバジン）

POINT

- ダカルバジンは血管痛予防のため溶解直後から遮光が必要.
- ドキソルビシンとビンブラスチンは起壊死性抗がん薬であるため血管外漏出に注意し，発現時は速やかに対処.
- ドキソルビシンによる心筋障害やブレオマイシンによる肺障害は蓄積性の副作用のため，各薬剤の累積投与量を算出する.

1 レジメンと副作用対策（→次頁参照）

適応：古典的ホジキンリンパ腫

1コース期間：28日間（day 1とday 15に投与）

限局期[1]：（予後良好）ABVD 2コース＋放射線療法20 Gy，（予後不良）ABVD 4コース＋放射線療法30 Gy．Bulky病変を認めない限局期であれば放射線を省略したABVD 6コースも推奨される治療の1つ

進行期[1]：ABVD 6または8コース

2 抗がん薬の処方監査

□制吐薬適正使用ガイドラインでは高度催吐リスクに分類され，「アプレピタント＋5-HT_3拮抗薬＋デキサメタゾン」の併用が推奨される.

ドキソルビシン

□重篤な心筋障害を起こすことがあるため，累積投与量は500 mg/m^2を超えないことを確認する．治療開始前に心エコー検査の実施を確認．LVEFの測定結果が50％以下でないことを確認する．心疾患が併存する場合は心毒性の出現リスクが増大する.

ブレオマイシン

□肺障害を起こすことがあるので，投与前に，重篤な肺機能障害がないことを確認する．重篤な肺機能障害や胸部への放射線照射歴がある患者には投与しない．投与前と投与終了後数か月間は，胸部X線写真や非観血的SpO_2などをモニターする.

□最高投与量15 mg/回．累積投与量について添付文書には300

92 レジメン〔ABVD(d)〕

92	医薬品名 投与量	投与方法 投与時間	1	2	3	4	~	7	~	10	~	13	14	15	16	17	18	19	~	28
Rp1	パロノセトロン 0.75 mg/body デキサメタゾン 9.9 mg/body 生理食塩液 50 mL	点滴静注 15 分	↓											↓						
Rp2	ドキソルビシン 25 mg/m² 生理食塩液 100 mL	点滴静注 30 分	↓											↓						
Rp3	ブレオマイシン 10 mg/m² 最大 15 mg/body/回 生理食塩液 100 mL	点滴静注 30 分	↓											↓						
Rp4	ビンブラスチン 6 mg/m² 最大 10 mg/body/回 生理食塩液 50 mL	点滴静注 全開	↓											↓						
Rp5	ダカルバジン 375 mg/m² (ABVd では 250 mg/m²) 生理食塩液 500 mL	点滴静注 60 分	↓											↓						
Rp6	アプレピタント	経口	↓	↓	↓									↓	↓	↓				
Rp7	デキサメタゾン 8 mg/body	経口		↓	↓										↓	↓				

副作用対策

血管外漏出

ドキソルビシン，ビンブラスチンは起壊死性抗がん薬に該当する．発現時は，投与中止し吸引．ステロイド+リドカインの局所注射．冷罨法（温罨法）．ステロイド外用薬塗布．ドキソルビシンの漏出時早期（6 時間以内）は，解毒薬としてデクスラゾキサンの点滴静注が有効．

血管炎，血管痛

ダカルバジンは溶解後速やかに遮光．投与経路も遮光．疼痛が強い場合は埋め込み式中心静脈カテーテル留置を考慮．

好中球減少

感染予防対策（手洗い，うがい）について指導．抗菌薬としてレボフロキサシン使用の場合，酸化マグネシウムと同時服用を避ける．G-CSF はブレオマイシンの肺毒性発現リスクを高める．

悪心・嘔吐

高度催吐リスクであり，アプレピタント+5-HT_3拮抗薬+デキサメタゾンを投与する．パロノセトロンも考慮．効果不良の場合，オランザピン 5 mg など他剤追加を検討．

薬剤熱

ブレオマイシンに多く，解熱鎮痛薬やステロイドで対応する．

脱毛

刺激の強いシャンプーは避ける．事前にウィッグなどについて情報提供する．全治療終了数か月後頃より回復することを説明する．

末梢神経障害

コース数とともに増強．箸やペンが持ちにくい，ボタンがかけられない，薬を PTP 包装シートから出しにくいなどの症状があれば申し出るように伝える．Grade 2 の場合はビンブラスチン 50%減量，Grade 3 の場合は中止を検討する．

肺障害

治療前に肺機能評価．咳や労作時呼吸困難があれば申し出るよう説明する．

便秘

治療開始前より便通状況確認．酸化マグネシウムの予防投与を検討する．イレウスの発現を念頭に置く．

mg/body と記載されているが，JCOG9305 試験では 180 mg/body とされている[2]．

ビンブラスチン

☐1 回投与量 10 mg を超えないことを確認する．

☐代謝に CYP3A が関与することから，CYP3A を阻害する薬剤との併用により血中濃度が上昇する可能性がある．

ダカルバジン

☐悪心などの消化器毒性の軽減目的で 250 mg/m^2 に減量した ABVd 療法の良好な治療成績がわが国より報告された (JCOG9305)[2]．ただし，ダカルバジンの消化器毒性は近年の制吐薬の進歩により軽減されている．

3 抗がん薬の調剤

ビンブラスチン

☐1 mg/mL となるよう溶解．

ダカルバジン

☐溶解後速やかに遮光する．

☐ヘパリン，ヒドロコルチゾンなど他剤と混合すると結晶析出あるいは外観変化を生じることがある．

☐アルカリの添加により主薬が析出するおそれがある．

4 抗がん薬の投与

投与基準[2]

好中球数	≧1,500/μL	BUN	≦25 mg/dL (≦ULN×1.25)
血小板数	≧10 万/μL	Scr	Scr≦(男) 1.34 mg/dL，(女) 0.99 mg/dL (≦ULN×1.25)
AST, ALT	AST≦60 U/L (≦ULN×2) ALT≦(男) 84 U/L, (女) 46 U/L (≦ULN×2)	肺機能	PaO_2≧70 mmHg
		心機能	LVEF≧50%

減量・中止基準

☐白血球数<2,500/μL，血小板数<7.5 万/μL，AST/ALT>ULN×4，T-Bil>2 mg/dL のいずれかに該当する場合，回復するまで，または少なくとも 1 週間は投与を延期する[2]．

☐ABVD では G-CSF の併用や薬剤の減量，治療の延期を行わずに治療を継続しても FN の発症頻度は極めて低いため，治療強度を保つために好中球数による減量や延期，G-CSF の使用は不要とする報告がある[3]．

腎機能障害

• ブレオマイシン[4)]

Ccr (mL/分)	40～50	30～40	20～30	10～20	5～10
投与量	30%減量	40%減量	45%減量	55%減量	60%減量

肝機能障害

• ドキソルビシン[5)]

T-Bil 1.5～3.0 mg/dL または AST 60～180 U/L	T-Bil 3.1～5.0 mg/dL または AST＞180 U/L	T-Bil＞5.0 mg/dL
50%減量	75%減量	投与不可

• ビンブラスチン[6)]

T-Bil 1.5～3.0 mg/dL	50%減量	T-Bil＞3.0 mg/dL	75%減量

□神経障害

• ビンブラスチン

Grade 2	50%減量	Grade 3 以上	中止

□便秘

• ビンブラスチン…Grade 4 以上は中止.

□心機能障害

• ドキソルビシン…LVEF≦40%または不整脈や心不全出現の場合，中止.

□肺機能障害

• ブレオマイシン…PaO_2＜70 mmHg または 10 mmHg 以上の低下の場合，中止.

注意点

ドキソルビシン

□投与後 1～2 日間の尿が赤色になることがある.

□血管外漏出時は，6 時間以内にデクスラゾキサン（アントラサイクリン系抗がん薬血管外漏出治療薬）を開始し，3 日間投与する．抗腫瘍効果減弱の可能性について患者に説明する.

□起壊死性抗がん薬のため，血管外に漏出した場合は可能な限り吸引しステロイド＋リドカイン局注およびステロイド外用薬塗布が多いが，有用性は明確ではない[7)]．皮膚科受診を検討．エビデンスは不十分だが，冷罨法にて対応することを考慮する.

ブレオマイシン

□発熱や悪寒などの過敏症状が出現することがある．多くの場合投与4～5時間までに出現．初回投与時は25%の患者に発現するが2回目以降は頻度も程度も減少する．

□肺障害が出現することがある．肺線維症に至る頻度は総投与量と相関する．胸部への放射線照射，G-CSF製剤使用，喫煙，酸素投与などがリスク因子となる．

□血管痛を起こすことがある．

ダカルバジン

□血管痛を起こすことがある．

ビンブラスチン

□起壊死性抗がん薬のため，血管外に漏出した場合は可能な限り吸引しステロイド＋リドカイン局注およびステロイド外用薬を塗布することが多いが，その有用性は明確ではない[7]．皮膚科受診を検討する．エビデンスは不十分だが，温罨法にて対応することを考慮．

5 副作用マネジメント

発現率[2,8]（表92-1）

評価と観察のポイント

□**投与時**：血管痛，静脈炎など血管障害を評価．発熱の確認．

□**投与初期（day 1～7頃）**：悪心・嘔吐，食欲不振，倦怠感，便秘について評価．次コースでの介入について事前に検討する．

□**投与後期（day 7以降）**：好中球減少，感染症状，悪心・嘔吐について確認．

□**2コース目以降**：蓄積毒性の評価．ドキソルビシンによる心毒性，ブレオマイシンによる肺障害，ビンブラスチンによる末梢神経障害は，総投与量の増加に伴い発現率が増加する．

副作用対策のポイント

□**悪心・嘔吐**：「アプレピタント＋5-HT_3拮抗薬＋デキサメタゾン」を投与する．出現した場合はGradeを評価，発現時期を考慮し制吐薬適正使用ガイドラインを参考に次回以降の支持療法の強化を検討する．

□**発熱（投与当日）**：ブレオマイシンによる薬剤熱ならばヒドロコルチゾン100 mgなどのステロイドや解熱鎮痛薬で対応．

□**発熱（好中球減少期）**：FNの発現率は3～4%（G-CSF適正使

表 92-1　副作用の発現率

副作用名	JCOG9305 (%)				ECHELON-1 (%)	
	Grade 1	Grade 2	Grade 3	Grade 4	全 Grade	Grade ≧3
貧血	26.6	31.3	7.0	—	10	4
白血球数減少	8.6	38.3	46.9	5.5	—	—
好中球数減少	6.3	12.5	34.4	45.3	45	39
血小板数減少	8.6	2.3	0.8	0.8	—	—
T-Bil 上昇	—	12.5	3.1	0.8	—	—
AST 上昇	43.8	10.9	2.3	0	—	—
ALT 上昇	41.4	21.1	4.7	0	—	—
Scr 上昇	4.7	1.6	0	0	—	—
静脈炎	—	42.2	0	0	—	—
肺障害	—	—	—	—	7	3
呼吸困難	3.9	3.9	0.8	0	—	—
低酸素血症	43.8	10.2	0.8	0.8	—	—
不整脈	1.6	0.8	0	0	—	—
感染症	16.4	7.1	0	0.8	—	—
FN	—	—	—	—	8	8
末梢神経障害	25.8	3.9	0.8	—	43	2
悪心・嘔吐	39.1	33.6	10.9	—	(悪心) 56 (嘔吐) 28	(悪心) 1 (嘔吐) 1
脱毛	49.2	31.3	—	—	22	0
便秘	26.6	8.6	0.8	0.8	37	<1
口内炎	9.4	2.3	0	0	16	<1

用ガイドライン）である．G-CSF はブレオマイシンの肺障害の発現リスクを高めることがあり，かつ ABVD は FN 発症リスクが低いため G-CSF の 1 次予防は不要と考えられる[3]．ニューモシスチス肺炎予防に ST 合剤を投与する．

□**便秘**：ビンブラスチンは便秘を引き起こし，時に腸閉塞（麻痺性イレウス）をきたす．あらかじめマグネシウム製剤を用いて便秘の予防に努める．腹痛・腹部膨満などがあれば申し出るよう伝える．

□**脱毛**：治療後 2〜3 週頃から発現．シャンプーは刺激の強いものを避け，外出時は帽子や日傘により直射日光を避ける．

□**肺毒性**：咳・発熱・労作時息切れなどの症状や SpO_2 低下に注意．肺毒性を疑えば胸部CT，血液ガス検査などを行い，投与中止しステロイド投与と呼吸器専門医へのコンサルトを検討．

□**心毒性**：不整脈，頻脈，労作時呼吸困難が発現した場合は速やかに申し出るよう伝える．

□**不妊症**：男性・女性ともに低リスクに分類される[9]が，妊孕性について説明する．

□**2次がん発症**：2次がん発症の可能性があるため，検診を勧める．

6 薬学的ケア

CASE

□30歳代女性．ダカルバジン投与時，血管痛の訴えあり．遮光は正しくできていることを確認．ダカルバジンの投与順序を変更し薬剤調製後速やかに投与することを提案，その後訴えはなかった．

解説

□ダカルバジンによる血管痛は，光分解による生成物（Diazo-IC；5-diazoimidazole-4-carboxamide）の影響であり点滴経路をすべて遮光することが必要．また，調製から投与までの準備時間が短いほうが血管痛は生じにくいとの報告があることから，投与順を変更することも検討する．改善しない場合は温罨法やNSAIDsの前投与，CVポートの留置を検討する．

引用文献

1）日本血液学会（編）：造血器腫瘍診療ガイドライン，2018年版．金原出版，2018
2）Ogura M, et al：Int J Hematol 92：713-24, 2010（PMID：21076995）
3）Evens AM, et al：Br J Haematol 137：545-52, 2007（PMID：17459049）
4）ブレオマイシン，米国添付文書
5）アドリアシン® 注用，インタビューフォーム
6）エクザール® 注射用，インタビューフォーム
7）日本がん看護学会：外来がん化学療法看護ガイドライン，2014年版．金原出版，2014
8）Connors JM, et al：N Engl J Med 378：331-44, 2018（PMID：29224502）
9）日本癌治療学会（編）：小児，思春期・若年がん患者の妊孕性温存に関する診療ガイドライン，2017年版．金原出版，2018

（向山直樹）

93 BV併用AVD（ドキソルビシン+ビンブラスチン+ダカルバジン+ブレンツキシマブ ベドチン）

A+AVD

POINT

- ブレンツキシマブ ベドチン（アドセトリス®）は抗CD30抗体と微小管阻害薬モノメチルアウリスタチンE（MMAE）を結合させた抗体薬物複合体であり，CD30抗原が陽性である患者が投与対象.
- 高頻度にFNが認められることから，予防投与（1次予防）を含めたG-CSF製剤の使用を考慮する.
- ダカルバジン投与時の血管痛が軽減するため，遮光の上，調製し，点滴経路全般を遮光して投与する.

1 レジメンと副作用対策[1]（→次頁参照）

適応：進行期古典的ホジキンリンパ腫
1コース期間：28日（day 1とday 15に投与）
総コース：6コース

2 抗がん薬の処方監査

□各抗がん薬の成分に対し重篤な過敏症の既往歴の有無を確認.
□ドキソルビシン（アドリアシン®）の累積投与量（500 mg/m^2未満），心疾患および胸部あるいは腹部の放射線療法既往の有無，LVEFの確認.
□本レジメンの適応（CD30陽性のホジキンリンパ腫）であることを確認.
□高度催吐性リスクに応じた制吐薬（アプレピタント，5-HT_3受容体拮抗型制吐薬，デキサメタゾン）の処方を確認.

3 抗がん薬の調剤

ビンブラスチン（エクザール®）

□1 mg当たり1 mLの割合で注射用水または生理食塩液を加えて溶解する.

ダカルバジン

□遮光の上，1バイアル100 mgに注射用水10 mLを加えて溶解し，生理食塩液または5%ブドウ糖注射液で希釈する.
□ヘパリン，ヒドロコルチゾンコハク酸エステルと混合すると結晶析出あるいは外観変化を生じることがあるので，混合同時投

93		医薬品名 投与量	投与方法 投与時間	1	2	3	4	5	6	7	8	~	13	14	15	16	17	18	19	~	28
レジメン（A＋AVD）	Rp1	パロノセトロン 0.75 mg/body デキサメタゾン 9.9 mg/body 生理食塩液 50 mL	点滴注射 15 分	↓											↓						
	Rp2	ドキソルビシン 25 mg/m^2 生理食塩液 50 mL	点滴注射 15 分	↓											↓						
	Rp3	ビンブラスチン 6 mg/m^2(max：10 mg/回) 生理食塩液 50 mL	点滴注射 15 分	↓											↓						
	Rp4	ダカルバジン 375 mg/m^2 生理食塩液 100 mL	点滴注射 30 分	↓											↓						
	Rp5	ブレンツキシマブ ベドチン 1.2 mg/kg 生理食塩液 100 mL～250 mL	点滴注射 30 分	↓											↓						
	Rp6	アプレピタント	経口 1 日 1 回	↓	↓	↓									↓	↓	↓				
	Rp7	デキサメタゾン 8 mg/body	経口 1 日 1 回		↓	↓	↓									↓	↓	↓			
	Rp8	ペグフィルグラスチム 3.6 mg/body	皮下注		↓											↓					

副作用対策	1	2	3	4	5	6	7	8	~	13	14	15	16	17	18	19	~	28
アレルギー症状	■																	
対策：重度の infusion reaction に備えて緊急時に十分な対応のできる準備を行った上で投与を開始する.																		
血管痛	■																	
対策：太く軟らかい静脈から投与し，ダカルバジンは調製時から投与終了まで遮光する.																		
悪心・嘔吐	■	■	■	■														
対策：HEC レジメンに分類されるため，アプレピタント，5-HT$_3$ 受容体拮抗型制吐薬，デキサメタゾンの 3 剤併用を標準療法とし，効果不良の場合，オランザピンを加えた 4 剤併用を考慮する.																		
便秘		■	■	■	■	■	■	■	■	■	■	■	■	■	■	■	■	■
対策：緩下薬を使用する.																		
好中球減少						■	■	■	■	■	■	■	■	■	■	■	■	■
対策：感染予防対策（手洗い，うがい），FN の徴候（発熱，悪寒，咽頭痛）がみられた際の抗菌薬や解熱薬の使用方法，緊急受診の目安について事前に指導する.																		
末梢神経障害													■	■	■	■	■	■
対策：ブレンツキシマブ ベドチンを基準に従い減量する.																		

与を避ける．また，水溶液はアルカリの添加により主薬が析出するおそれがある．

ブレンツキシマブ ベドチン（アドセトリス®）

□1バイアル50 mgに注射用水10.5 mLを加え濃度5 mg/mLの溶解液とし，最終濃度が0.4～1.2 mg/mLとなるように生理食塩液または5%ブドウ糖注射液で希釈する．

4 抗がん薬の投与

投与基準[2)]

好中球数	≧1,500/μL	血小板数	≧7.5万/μL

減量・中止基準

腎機能障害

□**ドキソルビシン**[3)]：減量の必要なし．

□**ビンブラスチン**[4)]：減量の必要なし．

□**ダカルバジン**：日本，米国ともに添付文書上記載なし．

□**ブレンツキシマブ ベドチン**[5)]：Ccr＜30 mL/分では使用を避ける．

肝機能障害

	肝機能検査値	用量調節
ドキソルビシン[3)]	T-Bil 1.5～3.0 mg/dL またはAST 60～180 U/L	50%減量
	T-Bil 3.1～5.0 mg/dL またはAST＞180 U/L	75%減量
	T-Bil＞5.0 mg/dL	中止
ビンブラスチン[6)]	T-Bil 1.5～3.0 mg/dL	50%減量
	T-Bil 3.0 mg/dL以上	75%減量
ダカルバジン	日本，米国ともに添付文書上記載なし	
ブレンツキシマブ ベドチン[5)]	Child-Pugh分類A	0.9 mg/kgに減量
	Child-Pugh分類BおよびC	使用を避ける

ブレンツキシマブ ベドチンの末梢神経障害発現時の用量調節の目安

Grade	処置
Grade 1（機能障害はなく，知覚障害，反射障害のみ）	同一用量で投与を継続
Grade 2（機能障害はあるが，日常生活に支障はない）	0.9 mg/kg に減量して投与を継続
Grade 3（日常生活に支障がある）	Grade 2 以下に回復するまで休薬
Grade 4（障害をきたす感覚ニューロパチー，生命を脅かすまたは麻痺をきたす運動ニューロパチー）	投与を中止

注意点

□ドキソルビシン，ビンブラスチンは起壊死性抗がん薬であることを医療スタッフへ注意喚起し，患者へ刺入部周辺の違和感があればすぐに申し出ることを説明する．

□ダカルバジン投与時の血管痛を軽減させるため，点滴経路全般を遮光して投与する．

□ブレンツキシマブ ベドチン投与中はバイタルサイン（血圧，脈拍，呼吸数）および自他覚症状を観察する．

□ブレンツキシマブ ベドチン投与前後には，ラインを生理食塩液または5%ブドウ糖注射液でフラッシュする．

5 副作用マネジメント

有害事象発現率（国際共同第Ⅲ相試験，n＝662）[2)]

副作用	全体（%）	Grade 3 以上（%）	副作用	全体（%）	Grade 3 以上（%）
好中球減少	58	54	下痢	27	3
便秘	42	2	発熱	27	3
嘔吐	33	3	末梢神経障害	26	4
倦怠感	32	3	腹痛	21	3
末梢感覚神経障害	29	5	口内炎	21	2

評価と観察のポイント

投与中〜投与後

□infusion reaction：悪心，悪寒，瘙痒感，咳嗽，蕁麻疹，呼吸困難，低酸素症の有無を確認する．

□**血管痛，血管外漏出，静脈炎**：刺入部とその周辺の腫脹，疼痛の有無を確認する．

投与後

□**悪心・嘔吐**：嘔吐回数，食事の摂取状況を確認する．

□**便秘**：便の性状，食事の摂取内容を確認する．

□**感染症**：好中球，リンパ球減少を評価し，発熱，悪寒，振戦，バイタルサインを確認する．

□**末梢神経障害**：しびれ，筋力低下の症状を確認する．

□**肺障害**：息切れ，呼吸困難，乾性咳嗽，発熱を確認する．

副作用対策のポイント

infusion reaction

□**好発時期**：投与中．

□**治療**：酸素吸入，昇圧薬，解熱鎮痛薬，副腎皮質ホルモン薬を投与．ブレンツキシマブ ベドチンの投与を再開する場合は投与速度を下げる．

血管外漏出

□**好発時期**：投与中．

□**治療**：ドキソルビシンの漏出時早期（6時間以内）は，解毒薬としてデクスラゾキサン（サビーン®）の点滴静注が有効．エビデンスは十分ではないが，ドキソルビシンは冷罨法，ビンブラスチンは温罨法を考慮．

骨髄抑制[7)]

□**好発時期**：1コース目．

□**予防**：G-CSF製剤の予防投与を考慮．

末梢神経障害[7)]

□**好発時期〔中央値（範囲）〕**：8.0週（0〜29週）．

□**発現から消失までの期間〔中央値（範囲）〕**：10.0週（0〜139週）．

6 薬学的ケア

CASE

□60歳代女性．進行期ホジキンリンパ腫，今後放射線照射の可能性あり肺障害のリスクを考慮し医師へABVD療法ではなくA＋AVD療法のレジメン提案を行った．

□また，FN発症リスクを考慮し1コース目からG-CSF製剤の1次予防的投与の実施について医師と協議し，投与することとなった．

□3 コース施行後，「これまで指先だけ違和感があったが，今回しびれが広がってきた」と訴えがあり，末梢神経障害 Grade 2 への増悪と判断し，4 コース目のブレンツキシマブ ベドチンの用量について 0.9 mg/kg への減量を医師へ提案した．

解説

□A＋AVD 療法の肺障害の発現率は 2%であり，ABVD 療法の 7%に比較して低い[7]．また，60 歳以上の高齢者においてはブレオマイシンの肺障害の発現率が高くなるため，副作用も考慮してレジメンを選択する．

□FN の発現率（18%）が高いため，最新のガイドラインを参考に予防投与（1 次予防）を含めた G-CSF 製剤の使用を考慮する[7]．

□A＋AVD 療法の 5 年間のフォローアップにおいて末梢神経障害が持続している割合は 19%あり，ABVD 療法の 9%に比較して高い[8]．ホジキンリンパ腫の年齢分布は若年者層（20 歳代）と中年層（50 歳代）にピークがある 2 峰性を呈し[1]，末梢神経障害の発現は日常生活ばかりでなく趣味や仕事への影響も大きいため，発現した場合には適切に減量する．

引用文献

1）造血器腫瘍診療ガイドライン 2018 年版補訂版
2）Connors JM, et al：N Engl J Med 378：331-44, 2018（PMID：29224502）
3）アドリアシン® 注用，インタビューフォーム
4）VINBLASTINE SULFATE ®，米国添付文書
5）ADCETRIS®，米国添付文書
6）エクザール® 注射用，インタビューフォーム
7）アドセトリス® 点滴静注用，適正使用ガイド
8）Straus DJ, et al：Lancet Haematol 8：e410-21, 2021（PMID：34048680）

（陶山登之）

94 パノビノスタット＋ボルテゾミブ＋デキサメタゾン

PAN＋BTZ＋DEX

POINT

- ■パノビノスタットは2015年にわが国において承認となったヒストン脱アセチル化酵素阻害薬（HDAC inhibitor）である.
- ■「パノビノスタット＋ボルテゾミブ＋デキサメタゾン」は標準的な治療が無効，治療後再発の患者が対象.
- ■消化器症状，特に激しい下痢を起こしやすく，十分な管理が必要である.

1 レジメンと副作用対策（→次頁参照）

適応：再発または難治性多発性骨髄腫

1コース期間：21日間　**総コース**：16コースまで

2 抗がん薬の処方監査

- □ボルテゾミブ，マンニトール，ホウ素に対して過敏症の有無を確認.
- □パノビノスタットはボルテゾミブおよびデキサメタゾン以外の抗がん薬との併用，単独投与における有効性および安全性は確立していないため処方内容を確認.
- □16コースを超えて投与した場合の有効性および安全性は確立していないため総投与コース数に注意.
- □投与前に血液検査（白血球数，白血球分画，血小板数，肝機能など），肝炎ウイルス，結核などの感染の有無，血中電解質（K，Mg，Pなど），心電図，心エコー検査，肺機能検査（胸部X線，胸部CT，SpO_2）に異常がないことを確認.
- □強いCYP3A阻害薬（イトラコナゾール，ボリコナゾール，リトナビル，サキナビル，クラリスロマイシンなど）との併用によりパノビノスタットの血中濃度が上昇する可能性があり，併用する場合は減量を考慮するとともに有害事象の発現に十分に注意.
- □強いCYP3A4誘導薬（リファンピシン，カルバマゼピン，フェノバルビタール，フェニトイン，セイヨウオトギリソウ含有食品など）との併用により，パノビノスタットの血中濃度が

94		医薬品名 投与量	投与方法 投与時間	1	2	3	4	5	6	7	8	9	10	11	12	13	14	15	16	17	～	21
レジメン	Rp1	ボルテゾミブ 1.3 mg/m^2 生理食塩液 1.2 mL	皮下注	↓			↓				↓			↓		1～8 コースは左記. 9～16 コースは day 1, 8						
	Rp2	パノビノスタット 20 mg	経口 1 日 1 回 朝食後	↓		↓		↓			↓		↓		↓							
	Rp3	デキサメタゾン 20 mg	経口 1 日 1 回 朝食後	↓	↓		↓	↓			↓	↓		↓	↓	1～8 コースは左記. 9～16 コースは day 1, 2, 8, 9						
副作用対策	好中球減少												■	■	■	■	■	■	■	■	■	■
	13%ほど現れることがある. 定期的に血液検査（血球数算定, 白血球分画など）を行い, 異常が認められた場合は, 通常の感染対策に加えて, 休薬, 減量または中止などの適切な処置を行う.																					
	貧血												■	■	■	■	■	■	■	■	■	■
	13%ほど現れることがある. 定期的に血液検査（血球数算定, Hb）を行い, 異常が認められた場合は, 休薬, 減量または中止などの適切な処置を行う.																					
	血小板減少												■	■	■	■	■	■	■	■	■	■
	約半数に出現し, 重篤な例も 20%程度. 定期的な血液検査を行う. 出血に注意し必要時に輸血の対応を行う.																					
	下痢									■	■	■	■	■	■	■	■	■	■	■	■	■
	初回発現までの期間中央値は 6.0（1～301）日. 内服開始後すぐに出現することもある. 止痢薬を投与. 脱水に注意し必要に応じて補液, 電解質補充などを行う.																					
	悪心・嘔吐			■	■	■	■	■	■	■	■	■	■	■	■	■						
	パノビノスタットは 30%以上の催吐性リスクあり. ドパミン受容体拮抗薬や 5-HT_3 受容体拮抗薬の使用を考慮する.																					
	出血																					
	初回発現までの期間中央値は 27.0（8～82）日. 重篤例には播種性血管内凝固（DIC）などがあり, 定期的な血液検査, 患者状態の十分な観察が必要.																					
	起立性低血圧, 失神, 意識消失																					
	初回発現までの期間中央値は 40.0（5～161）日. 本剤投与中は自動車の運転など危険を伴う機械の操作に従事させないよう注意する.																					
	肺炎																			■	■	■
	6.6%程度報告あり. 初回発現までの期間中央値は 17.5（3～244）日であり初期に発現が認められることも多い. 本剤投与中は十分に注意し, 必要に応じ抗菌薬投与, 本剤の休薬, 減量または中止を考慮.																					
	QT 延長																	■	■	■	■	■
	初回発現期間中央値は 15 日であり投与初期に発現が認められる. 定期的に心電図検査および電解質検査を行い患者の状態を十分に観察する.																					

低下する可能性があり併用を避けることが望ましい.

□CYP2D6 の基質となる薬剤（デキストロメトルファン, タモキシフェン, プロパフェノン, リスペリドンなど）との併用によりこれらの薬剤の血中濃度が上昇する可能性があり併用に注意.

□抗不整脈薬（アミオダロン, ジソピラミド, プロカインアミド, キニジン, ソタロールなど）, QT 間隔を延長させることが知られている薬剤（クラリスロマイシン，メサドン，モキシフロキサシン，ベプリジル，ピモジド，オンダンセトロン）との併用は，相加的な QT 間隔延長を起こすことがあり併用を避けることが望ましい．

□パノビノスタット，デキサメタゾンの内服スケジュールが複雑なため処方内容を慎重に監査．

3 抗がん薬の調剤

ボルテゾミブ

□皮下投与：1 バイアルを生理食塩液 1.2 mL で溶解して使用（ボルテゾミブ最終濃度 2.5 mg/mL）．

□溶解後 8 時間以内に使用．

4 抗がん薬の投与

投与基準

□治療初期は入院環境で行う．

□パノビノスタット[1)]

好中球数	血小板数	QTc 間隔	血中電解質（K，Mg，P）
≧1,500/μL	≧10 万/μL	<450 ミリ秒	異常なし

□ボルテゾミブ[2)]

<table>
<tr><td>好中球数</td><td>≧1,000/μL</td><td>末梢神経障害</td><td>≦Grade 2</td></tr>
<tr><td>血小板数</td><td>≧7.5 万/μL</td><td rowspan="5">肝機能</td><td rowspan="5">AST≦75 U/L
（≦ULN×2.5），
ALT（男）≦105 U/L，
（女）≦57.5 U/L
（いずれも≦ULN×2.5），
T-Bil≦2.25 mg/dL
（≦ULN×1.5）</td></tr>
<tr><td>Hb</td><td>≧8.0 g/dL</td></tr>
<tr><td>PS</td><td>0〜2</td></tr>
<tr><td>心機能</td><td>正常</td></tr>
<tr><td>肺機能</td><td>正常</td><td></td><td></td></tr>
</table>

減量・中止基準

パノビノスタット[1)]

□減量・中止基準

副作用発現時の投与量	20 mg	15 mg	10 mg
減量後の投与量	15 mg	10 mg	休薬/中止

5 mg 単位で減量を行い，10 mg/日未満にしない．

□好中球数

好中球数 500/μL 以上 1,000/μL 未満	休薬．1,000/μL 以上に回復したら再開．再開時は休薬前と同量で投与．
好中球数 500/μL 未満	休薬．1,000/μL 以上に回復したら再開．再開時は前出の減量基準に従い投与．
FN（好中球数が 1,000/μL 未満で，かつ，1 回でも 38.3℃を超える，または 1 時間を超えて持続する 38℃以上の発熱：CTCAE v5.0）	休薬．発熱の消失かつ好中球数 1,000/μL 以上に回復したら再開．再開時には前出の減量基準に従い投与．

□血小板数

血小板数 2.5 万/μL 未満，または 5 万/μL 未満かつ出血を伴う場合	休薬．5 万/μL 以上に回復したら再開．再開時は前出の減量基準に従い投与．

□下痢（止瀉薬の使用にもかかわらず持続する場合）

Grade 2	投与中止．Grade 1 以下に回復するまで休薬．再開時には休薬前と同量で投与．
Grade 3	投与中止．Grade 1 以下に回復するまで休薬．再開時には上記減量基準に従い投与．
Grade 4	投与を中止．

□悪心・嘔吐

Grade 3 以上	Grade 1 以下に回復するまで休薬．再開時には前出の減量基準に従い投与．

□QT 間隔

480 ミリ秒以上 500 ミリ秒以下の延長またはベースラインから 60 ミリ秒を超える延長の場合	休薬し，7 日以内に回復しない場合には，投与を中止．7 日以内に回復した場合には，休薬前と同じ用量で再開．再開後に再び発現し，7 日以内に回復した場合，再開時には前出の減量基準に従い投与．
500 ミリ秒を超える延長の場合	投与を中止．

□その他の副作用

Grade 3 以上の副作用または Grade 2 の副作用の再発がある場合	Grade 1 以下に回復するまで休薬し，再開時には前出の減量基準に従い投与．

ボルテゾミブ[2)]

□減量・中止基準

副作用発現時の投与量	1.3 mg/m^2	1.0 mg/m^2	0.7 mg/m^2
減量の目安	1.0 mg/m^2	0.7 mg/m^2	投与中止

□好中球数

発熱を伴う好中球減少症(Grade 3 以上)，または7日間を超えて持続する好中球減少症(Grade 4)の場合	好中球数 750/μL 以上に回復するまで最長2週間本剤を休薬．副作用が上記の基準まで回復しない場合には投与中止．副作用が上記の基準まで回復した場合には，前出の減量基準に従い投与．
本剤投与日(各コースの day 1 以外)に好中球数 750/μL 未満の場合	投与を最長2日間延期し，2日を超える延期を要する場合は休薬．

□血小板数

条件	対応	経過	対応
血小板数1万/μL 未満の場合	血小板数 2.5 万/μL 以上に回復するまで最長2週間休薬．	本剤休薬後も副作用が上記の基準まで回復しない場合	投与を中止．
		副作用が上記の基準まで回復した場合	前出の減量基準に従い投与．
投与開始日以外の投与日に血小板数 2.5 万/μL 未満の場合		投与を最長2日間延期し，2日を超える延期を要する場合は休薬．	

□非血液毒性(末梢性ニューロパチーまたは神経障害性疼痛以外)

Grade 3 以上	Grade 2 以下に回復するまで休薬．回復した場合は，前出の減量基準に従い投与．

□末梢性ニューロパチーまたは神経障害性疼痛

疼痛を伴う Grade 1 または Grade 2	前出の減量基準に従い投与．
疼痛を伴う Grade 2 または Grade 3	回復するまで休薬，症状が回復した場合は，0.7 mg/m^2 に減量した上で週1回投与に変更．
Grade 4	投与中止．

腎機能障害

パノビノスタット	調節不要[3)]	ボルテゾミブ	調節不要[4)]	デキサメタゾン	調節不要

肝機能障害

パノビノスタット[5, 6]	軽度	15 mg から開始
	中等度	10 mg から開始
	重度	使用しない
ボルテゾミブ[7]	軽度	調節不要
	中等度，重度	0.7 mg/m^2 から開始．忍容性を確認し，増量の場合は 1 mg/m^2，減量の場合は 0.5 mg/m^2
デキサメタゾン	調節不要	

注意点[2, 8]

□ボルテゾミブ投与直後は急性毒性症状（起立性低血圧，過敏症，心電図異常など）が現れないか経過観察を行う．

□治療期間中に体重が 8%以上増減した場合は，体表面積を確認し，投与量を再計算．

5 副作用マネジメント

発現率[1, 9, 10]

副作用		特定使用成績調査 日本人（n=576）		国際共同第Ⅲ相試験（n=381）		国際共同第Ⅲ相試験 日本人（n=18）	
		全体（%）	Grade 3 以上（%）	全体（%）	Grade 3 以上（%）	全体（%）	Grade 3 以上（%）
血液毒性	血小板減少	55.9	N/A	50.7	43.5	83.3	72.2
	好中球減少	13.5	N/A	21.8	16.5	44.4	27.8
	貧血	13.1	N/A	25.5	7.8	38.9	11.1
非血液毒性	下痢，悪心，嘔吐，脱水	42.0	10.2	61.4	24.2	66.7	27.8
	感染症	10.8	8.5	12.9	10.0	27.8	11.1
	肝機能障害	9.7	4.0	7.4	2.6	38.9	5.6
	腎機能障害	8.3	2.4	6.8	1.3	27.8	0
	起立性低血圧，低血圧，失神，意識消失	3.5	1.4	12.1	6.3	16.7	5.6
	出血	3.3	2.3	9.2	2.6	11.1	5.6
	QT 延長	1.2	0.5	1.8	0.3	0	0

評価と観察のポイント[2, 10]

□全コース

- ボルテゾミブ皮下投与時…投与翌日より皮下投与による硬結，瘙痒感，発赤，腫脹，圧痛を観察．

□**投与初期（1～2 週目）**：下痢，悪心・嘔吐，脱水に注意．初回発現までの期間中央値 6.0（1～301）日．特に下痢は頻度が高く，重篤な場合もあるため注意が必要．

□**投与初期（1～3 週目）**：QT 延長が起こることがある．初回発現までの中央値 15.0（1～26）日．大部分は無症状．

□**投与初期（1～2 週目）**：骨髄抑制，特に血小板減少には注意が必要．重篤な骨髄抑制のうち血小板減少は 21.8％報告あり．

□**投与前期（1～2 コース目）**：肺障害，間質性肺炎および肺関連事象に注意．息切れ（呼吸困難を含む），咳嗽の出現，発熱のみが先行あるいは同時期に認められることもある．1～14 日目の出現が最も多い．

□**投与後期（数コース後）**：起立性低血圧，失神，意識消失に注意．主訴は倦怠感，めまい，ふらつき，浮遊感．初回発現までの期間中央値 40.0（5～161）日と早期に現れることもある．末梢神経障害は投与前の神経症状の把握，前治療歴（ビンカアルカロイド系抗がん薬，サリドマイド），現病歴（末梢神経障害，糖尿病）の確認が重要．

副作用対策のポイント[1, 2)]

□**全コース**

- パノビノスタットはルーチンの制吐薬予防投与は不要であるが[11)]，日常臨床では悪心出現時は，ドパミン受容体拮抗薬，デキサメタゾン，プロクロルペラジン，5-HT_3 受容体拮抗薬などの内服を考慮．
- ボルテゾミブ皮下投与時…左右の大腿部，腹部に交互に投与するなど，前回と同じ位置への投与を避ける．症状に応じ発赤部位へステロイド外用薬を使用．

□**投与初期（1～2 週目）**：下痢にはロペラミドなどの止瀉薬を投与するが，感染の関与がある場合は慎重に検討．必要に応じて電解質を含む糖液や補液で補正を行う．下痢が続く場合は減量，休薬または中止を考慮．

□**投与初期（1～3 週目）**：投与開始前，投与中は定期的に心電図検査および電解質検査を行う．QT 間隔延長は薬剤による影響の他，下痢，嘔吐，脱水などによる電解質異常も一因となるため注意．

□**投与初期（1～2 週目）**：定期的に血液検査を行い骨髄抑制の程

度を確認．必要に応じ休薬，減量，血小板減少については輸血も考慮する．

□**投与前期（1〜2コース目）**：肺障害を疑う主訴や診療所見があった場合，ただちに休薬または中止を検討．同日に胸部X線，胸部CT検査および動脈血ガス分析を実施し適切な処置を実施．

□**投与後期（数コース後）**：低血圧，失神などが起こることがあるため自動車の運転など危険を伴う機械の操作に従事させないよう注意．末梢神経障害は用量依存的に増悪するため投与休止，休薬の延長を検討．プレガバリンの投与も検討．

6 薬学的ケア

CASE

□70歳代男性．8次治療として「パノビノスタット＋ボルテゾミブ＋デキサメタゾン」を開始．

□1コース目，入院導入であることを確認した．

□採血にて，好中球数3,900/μL（1,500/μL以上），血小板数13.5万/μL（10万/μL以上），QTc間隔377ミリ秒（450ミリ秒未満），血中電解質（K, Mg, P）に異常がないことを確認した．

□投与前に神経症状の有無，前治療歴，現病歴を確認．

□day 1：夜間下痢Grade 1，脱水によるふらつきあり．医師へ下痢時ロペラミド1 mg頓用，脱水是正目的の細胞外液組成輸液（乳酸リンゲル液500 mL×2）点滴を提案，使用により症状改善．

□day 3〜：悪心Grade 1あり．医師へメトクロプラミド5 mg朝食後内服を処方提案，使用により症状軽減．

□day 10：血小板数3.6万/μLと低下（Grade 3）．出血傾向がないことを確認．医師と相談．血小板輸血を併用し治療継続．

解説

□本レジメンは，内服投与日数が変則的なため，治療開始前に患者の自己管理が可能か否かの評価，患者（または薬剤管理者）への確実な服薬指導による服薬間違いの防止が重要．看護師とも情報共有を行う．

□下痢，悪心は高頻度で起こる副作用であり，下痢時はロペラミドの止痢薬投与に加えて，電解質異常や脱水の異常に注意し適切な補正を行う．感染による下痢との区別も必要．悪心に対してはドパミン受容体拮抗薬の内服に加え，必要時 5-HT_3 受容体拮抗薬を追加.

引用文献

1) ファリーダック® カプセル，適正使用ガイド
2) ベルケイド® 適正使用ガイドハンドブック．2021 年 8 月（第 3.0 版）（ヤンセンファーマ）
3) Sharma S, et al：Cancer Chemother Pharmacol 75：87-95, 2015（PMID：25377157）
4) Leal TB, et al：Cancer Chemother Pharmacol 68：1439-47, 2011（PMID：21479634）
5) Slingerland M, et al：Cancer Chemother Pharmacol 74：1089-98, 2014（PMID：25253045）
6) FARYDAK®（panobinostat），米国添付文書
7) VELCADE®（bortezomib），米国添付文書
8) ベルケイド® 注射用，添付文書
9) San-Miguel JF, et al：Lancet Oncol 15：1195-206, 2014（PMID：25242045）
10) ファリーダック特定使用成績調査（CLBH589D1401，多発性骨髄腫）の中間集計結果
11) NCCN Clinical Practice Guidelines in Oncology-Antiemesis-ver. 1.2022

（伊藤佳織）

95 KRd（カルフィルゾミブ＋デキサメタゾン＋レナリドミド）

POINT

■カルフィルゾミブは心障害に注意が必要であり，投与開始前より心機能評価を行う．
■レナリドミドの投与に際しては，「適正管理手順 RevMate®」に従い，患者指導と服薬状況の確認を行うとともに，感染症と静脈血栓塞栓症への予防薬が処方されているか確認する．
■腎機能障害患者では，レナリドミドの減量が必要であり，高齢や多発性骨髄腫の進行による腎機能悪化にも注意を要する．

1 レジメンと副作用対策（→次頁参照）

適応：再発または難治性の多発性骨髄腫
1 コース期間：28 日間
総コース：PD まで（カルフィルゾミブの投与は 18 コースまでしか有効性・安全性の確認がされていない）[1]

2 抗がん薬の処方監査

□前治療歴が 1 レジメン以上であることを確認．
□体表面積が 2.2 m^2 を超える患者では，体表面積 2.2 m^2 としてカルフィルゾミブの投与量を算出する．TLS 予防のため 1 コース目 day 1, 2 のカルフィルゾミブは低用量（20 mg/m^2）となっていることを確認．
□KRd 療法のカルフィルゾミブは 10 分間で点滴静注（Kd 療法は 30 分間）．
□TLS のリスクを評価し，頻回の血液検査，補液投与，開始の 1〜2 日前から尿酸合成阻害薬フェブキソスタット投与を検討．
□治療前に心疾患既往の有無を確認し，心機能検査から心機能評価．治療中も定期的に心電図，心エコー，心機能のバイオマーカー（BNP やトロポニン）を検査しモニタリング．
□感染症対策として，ニューモシスチス肺炎予防に ST 配合薬，ヘルペスウイルス感染症予防にアシクロビルを併用する．
□腎機能障害により，カルフィルゾミブとレナリドミドの減量や休薬を検討．

95		医薬品名 投与量	投与方法 投与時間	1	2	3	~	7	8	9	~	14	15	16	17	~	21	22	23	~	28
レジメン（KRd）	Rp1	5%ブドウ糖液 50 mL	点滴静注 5分程度	↓	↓				↓	↓			↓	↓							
	Rp2	5%ブドウ糖液 50 mL カルフィルゾミブ 27 mg/m²	点滴静注 10分	↓	↓				↓	↓			↓	↓							
	Rp3	5%ブドウ糖液 50 mL	点滴静注 5分程度	↓	↓				↓	↓			↓	↓							
	Rp4	デキサメタゾン 40 mg/body	経口 1日1回	↓					↓				↓					↓			
	Rp5	レナリドミド 25 mg/body	経口 1日1回	↓	↓	↓	↓	↓	↓	↓	↓	↓	↓	↓	↓	↓	↓				

（Rp2 注記）1コース目 day 1, 2は，20 mg/m²

（Rp2 注記）13コース目以降，カルフィルゾミブの投与日はday 1, 2, 15, 16となる．

副作用対策

心障害
対策：治療前から定期的に心機能検査を行い，投与前に心不全症状を確認する．重篤例では循環器を専門とする医師との連携を図る．

高血圧
対策：毎日の血圧測定を行う．血圧上昇時は降圧薬の追加を検討．

好中球減少
対策：定期的に血液検査を行い，感染症予防薬を投与．重篤な場合はカルフィルゾミブとレナリドミドの休薬・減量やG-CSF投与を検討．感染予防や症状発現時の対応について患者指導を行う．

血小板減少
対策：定期的に血液検査を行い，カルフィルゾミブとレナリドミドの休薬や減量を検討．重篤例では，予防目的の抗血栓薬の休薬も検討．

静脈血栓塞栓症
対策：治療開始時から静脈血栓塞栓症予防薬を併用し，Dダイマーをモニタリング．

高血糖
対策：デキサメタゾンによる高血糖に注意．血糖値とHbA1c値を確認し，場合によっては投与当日・翌日の血糖降下薬の増量を検討．

□レナリドミドによる治療中は静脈血栓塞栓症予防のため低用量アスピリンまたは抗凝固薬を併用し，Dダイマーをモニタリングする．

□レナリドミドの処方について，処方医と患者がRevMate®に登録されていることを確認し，妊娠の可能性のある患者やパートナーには，治療開始前に妊娠反応検査を実施済みかを確認．

□レナリドミドの服薬状況を確認し，残薬のカプセル数に応じた処方量となっているか確認する．

□デキサメタゾンとレナリドミドを併用するレジメンであり，治療前にB型肝炎のスクリーニング検査を行い，感染パターンに応じて抗ウイルス薬の投与や1〜3か月ごとのHBV-DNA定量検査のモニタリングと肝機能検査値を確認する．

3 抗がん薬の調剤

- □カルフィルゾミブは注射用水で溶解し（濃度：2 mg/mL），その後の希釈は50 mLまたは100 mLの5％ブドウ糖液で行う．Cl^-を含む溶液と配合変化を起こすため，生理食塩液などは使用しない．泡立ちが発生しないように注射用水は緩徐に注入し，溶け残りがないようにしっかりと穏やかに転倒混和．泡立ちがあれば消えるまで静置する[2)]．
- □一部の閉鎖式薬物移送システム使用で白色浮遊物発生の報告があり，カルフィルゾミブを調製時は粒子状物質や変色がないか目視で確認する[3)]．
- □カルフィルゾミブは調製後4時間以内に投与を終了する．
- □レナリドミド処方時は，医師が記載する遵守状況確認表とRev Mate®キット内の空シート，残薬数を確認し処方量に過不足がないことを確認する．
- □レナリドミドは脱カプセルしない[4)]．

4 抗がん薬の投与

投与基準

カルフィルゾミブ投与可能基準[3, 5)]

Ccr	≧15 mL/分	貧血	≧Grade 3
好中球数	≧1,000/μL	非血液毒性（脱毛症または Grade 3*1 の以上の悪心・嘔吐，下痢および疲労を除く）	≧Grade 2*1
血小板数	≧2.5万/μL		
リンパ球数	≧200/μL		

*1 基準を満たさない場合は，回復するまで休薬し，再開時は減量を考慮

減量・中止基準

カルフィルゾミブの用量調節の目安[3, 5)]

副作用発現時の投与量	27 mg/m²	20 mg/m²	15 mg/m²
投与再開時の投与量の目安	20 mg/m²	15 mg/m²	投与中止

デキサメタゾン，レナリドミドの用量調節の目安[3)]

薬剤	基準量	1段階目	2段階目	3段階目
デキサメタゾン	40 mg	20 mg	12 mg	中止
レナリドミド	25 mg	15 mg	10 mg	5 mg

血液毒性によるレナリドミドの用量調節と対応

□血小板減少症[3)]

血小板数	対応
3万/μL 未満 (1回目)	レナリドミドを中断. 抗血栓薬の予防的投与を中断. 3万/μL以上に回復後, 1段階減量してレナリドミドを再開する.
3万/μL 未満 (2回目以降)	レナリドミドを中断. 抗血栓薬の予防的投与を中断. 3万/μL以上に回復後, 2段階減量してレナリドミドを再開する.

□好中球減少症[3)]

好中球数	対応
750/μL 未満 (1回目)	レナリドミドを中断し, G-CSF製剤を投与する. 750/μL以上に回復後, 中断前と同じ用量で再開する.
750/μL 未満 (2回目以降)	レナリドミドを中断し, G-CSF製剤を投与する. 750/μL以上に回復後, 1段階減量して再開する.

腎機能障害

□カルフィルゾミブ[3, 5)]

腎機能	用法用量
Ccr が 15 mL/分未満	休薬し, Ccr が 15 mL/分以上まで回復した場合には再開を検討する. 透析を要する場合には, 再開時の用量は 20 mg/m^2 を超えないこととし, 透析後に投与する.

□レナリドミド[3)]

腎機能	用法用量
Ccr が 30 mL/分以上かつ 50 mL/分未満	レナリドミド 10 mg を 1 日 1 回に減量.
Ccr が 15 mL/分以上かつ 30 mL/分未満	投与を中断し, Ccr が投与前値まで回復した場合, 1段階下の用量で再開. 投与再開後, 顕著な Ccr 減少が再発した場合, 15 mg/48 時間まで減量する.
Ccr が 15 mL/分未満	上記の Ccr が 15 mL/分以上かつ 30 mL/分の場合と同様であるが, 透析を要する場合は, 5 mg 1 日 1 回まで減量し透析当日は透析後に投与する.

肝機能障害[3)]

□特に基準なし.

注意点

□レナリドミド内服日に服用を忘れた時の対応[6)]：服用を忘れた場合, 通常の服用時刻から 12 時間以上経過しているときは, 服用しないで, 次の分から服用する. 事前に患者指導を行う.

5 副作用マネジメント

発現率[3)]（n＝392）

副作用	全 grade (%)	≧Grade 3 (%)	副作用	全 grade (%)	≧Grade 3 (%)
好中球減少症	34.2	27.0	高血圧	6.6	1.0
感染症	30.4	10.5	心障害	3.8	2.0
貧血	25.5	8.4	FN	2.8	2.0
血小板減少症	22.4	14.3	急性腎障害	2.8	1.3
infusion reaction	22.4	1.8	肺高血圧症	1.1	0.6
静脈血栓塞栓症	12.2	5.4	間質性肺疾患	1.0	1.0
肝機能障害	7.4	3.6	TLS	0.8	0.8

評価と観察のポイント

治療開始前

□**心障害**：心疾患，心障害の既往と心機能検査の結果を確認する．

□**TLS**：早期の治療ラインにおいては TLS への注意が必要．治療開始前に TLS 発症リスクを評価．

投与開始～投与開始後 24 時間

□**infusion reaction**：投与が始まったら頻回に発熱，瘙痒感，血圧低下，呼吸困難，体調不良の有無を確認し早期発見に努める．

投与開始後 24 時間以降

□**心障害**：治療前から定期的に心機能検査を行う．QT 延長と関係のある電解質（K，Mg，P）の値も確認．

□**高血圧，高血圧クリーゼ**：毎日の血圧推移を確認する．

□**骨髄抑制，感染症**：血液検査をモニタリングし，発熱や感染徴候の有無，感染症予防薬のアドヒアランスを確認．

□**静脈血栓塞栓症**：治療開始時より血栓症予防薬を併用し，D ダイマーのモニタリングも行う．D ダイマー値上昇時は下肢静脈エコーや造影 CT 検査を行い，血栓を認めた場合は治療を中断し DOAC やワルファリンでの抗凝固療法を開始．

□**血糖上昇**：デキサメタゾンによる血糖上昇に注意．血糖値と HbA1c 値をモニタリング．

副作用対策のポイント

□**TLS**：リスクに応じて大量補液や 1～2 日前からフェブキソスタットを併用．開始後初期は頻回に血液検査を実施する．

□infusion reaction の症状発現時はすぐに医療従事者に連絡する

よう指導．症状に応じて，中断や抗ヒスタミン薬や副腎皮質ステロイド薬投与を検討．症状改善したら投与再開を検討．重篤な場合は中止し，アドレナリンを投与する．

□ **心障害**：心電図，心エコー検査を定期的に行い，投与前には心不全症状の有無や電解質を確認する．

□ **高血圧，高血圧クリーゼ**：治療中は毎日の血圧測定を行う．血圧上昇時は，降圧薬の追加を検討する．

□ **骨髄抑制，感染症**：骨髄抑制の程度と感染徴候の有無を確認．治療開始時よりニューモシスチス肺炎とヘルペスウイルス感染症の予防薬を併用．予防薬服用の重要性をしっかりと説明．緊急受診先の確認も事前に行う．重篤例ではレナリドミドの減量を検討．

ST配合錠　1回0.5錠（スルファメトキサゾール200 mg・トリメトプリム40 mg）　1日1回
アシクロビル顆粒　1回200 mg　1日1回

□ **静脈血栓塞栓症**：レナリドミド併用中は抗血栓薬による静脈血栓塞栓症の予防薬を併用．アドヒアランスの確認を継続して行う．

アスピリン錠　1回100 mg　1日1回

□ **血糖上昇**：場合によっては投与当日・翌日の血糖降下薬の追加や増量を検討．

6 薬学的ケア

CASE

□ 70歳代男性．3次治療としてKRd療法が開始予定となる．腎機能とDダイマー正常．心エコーでも異常所見はみられなかった．

□ 主治医に心機能マーカーの検査を提案し，トロポニンIとNT-proBNPの検査が追加され，トロポニンIは検出限界未満，NT-proBNP 52.0 pg/mLと正常であった．

□ 副作用予防にST配合錠，アシクロビル，低用量アスピリンの処方を確認．

□ 患者に「適正管理手順RevMate®」に従った説明・指導を行った．心障害や血栓症の症状がある場合は，医療スタッフに申し出るよう指導した．

□1 コース目 day 10 に倦怠感 Grade 1 の訴えあり．NT-proBNP 976 pg/mL と上昇．胸水とベースライン＋3.0 kg の体重増加を認め，心臓血管内科より左室拡張障害と診断．NT-proBNP 値が正常化するまでカルフィルゾミブは休薬となり，レナリドミドとデキサメタゾンは継続．フロセミド 40 mg/日を 3 日間内服が追加となった．
□1 コース目 day 14 で NT-proBNP 52.9 pg/mL と正常化し，体重はベースライン－0.4 kg に低下．1 コース目 day 15 からカルフィルゾミブを再開した．
□1 コース目 day 17 に NT-proBNP 値 465 pg/mL と再上昇し，体重はベースライン＋2.0 kg まで上昇．カルフィルゾミブは再度休薬となり，フロセミド 40 mg/日を 2 日間内服した．
□1 コース目 day 28 に疾患進行し治療変更となった．

解説

□カルフィルゾミブ投与中は，定期的な心電図検査，電解質検査，心障害マーカーのモニタリングを行う．
□多職種による患者の症状と心機能検査のモニタリングを行うことで早期発見につなげることができる．
□心機能障害の重篤化に備え，循環器専門医との連携体制を構築しておく必要がある．
□カルフィルゾミブとレナリドミドは腎機能による減量・中止基準があり，毎回確認する．レナリドミドの副作用予防薬の処方・アドヒアランスの確認も重要である．
□レブラミドは「適正管理手順 RevMate®」に従った厳重な管理が必要．開始前に必ず患者に説明し理解してもらう．

引用文献

1) Stewart AK, et al：N Engl J Med 372：142-52, 2015（PMID：25482145）
2) カイプロリス® 調製方法
3) カイプロリス® 点滴静注用，適正使用ガイド
4) レブラミド® カプセル，添付文書
5) カイプロリス® 点滴静注用，添付文書
6) レブラミド® カプセル，適正使用ガイド

（髙橋毅行）

96 IRd（イキサゾミブ+デキサメタゾン+レナリドミド）

POINT

- ■イキサゾミブは空腹時服用であり，患者のアドヒアランス維持が重要.
- ■下痢や消化器症状，皮膚障害の発現率が高く，症状モニタリングを行い，対症療法や減量をしながら治療継続を図る.
- ■レナリドミドを併用するため，感染症や静脈血栓塞栓症予防薬の併用・アドヒアランスも確認が必要.

1 レジメンと副作用対策（→次頁参照）

適応：再発または難治性の多発性骨髄腫，多発性骨髄腫における維持療法

1コース期間：28日間　**総コース**：PDまで

2 抗がん薬の処方監査

- □前治療歴が1レジメン以上であることを確認.
- □イキサゾミブ：空腹時に週1回を3週間服用し，13日間休薬. C_{max}, AUCが低下するため，食事の1時間前から食後2時間までの間は服用を避ける.
- □開始用量：適応によって異なる. 再発または難治性では4 mg, 初回治療で部分奏効以上の奏効を得られた患者の維持療法では3 mgで開始し，5コース目以降は4 mg.
- □下痢発現時に服用の止瀉薬をあらかじめ処方することを検討.
- □血液検査を確認し，骨髄抑制の程度，腎機能と肝機能に応じた休薬・減量の必要性を検討.
- □イキサゾミブはCYP3A誘導薬との併用で効果減弱のおそれ（併用注意）.
- □感染症・静脈血栓塞栓症予防薬の併用，「適正管理手順RevMate®」，HBV再活性化スクリーニングは，95「KRd」の項（→788頁）.

3 抗がん薬の調剤

- □イキサゾミブは3種類の規格があるため，取り間違いに注意. 脱カプセルはしない[1].

96		医薬品名 投与量	投与方法 投与時間	1	2	3	4	~	8	9	10	11	~	15	16	17	~	22	23	~	28
レジメン(IRd)	Rp1	イキサゾミブ 4 または 3 mg/body	経口 1 日 1 回 (空腹時)	↓					↓					↓							
	Rp2	デキサメタゾン 40 mg/body	経口 1 日 1 回	↓					↓					↓							
	Rp3	レナリドミド 25 mg/body	経口 1 日 1 回	↓	↓	↓	↓	↓	↓	↓	↓	↓	↓	↓	↓	↓	↓				

再発・難治は 4 mg/body，維持療法は 3 mg/body で開始.

副作用対策	
下痢	対策：ベースラインの排便状況を把握し，治療開始後は排便回数と便の性状を確認．症状発現時は止痢薬の使用と飲水を指導する.
悪心	対策：症状発現時は，制吐薬の追加を検討．悪心リスクによっては，制吐薬の予防投与も検討.
皮膚障害	対策：皮膚症状をモニタリングし，外用薬や抗アレルギー薬の投与を検討．重篤例では，イキサゾミブ，レナリドミドを休薬や減量を検討.
好中球減少	対策：感染症予防薬を投与．定期的に血液検査を行い，重篤な場合はイキサゾミブとレナリドミドの休薬・減量や G-CSF 投与を検討．感染予防や症状発現時の対応について患者指導を行う.
血小板減少	対策：定期的に血液検査を行い，イキサゾミブとレナリドミドの休薬や減量を検討．重篤例では予防目的の抗血栓薬の休薬も検討.
静脈血栓塞栓症	対策：治療開始時から静脈血栓塞栓症予防薬を併用し，D ダイマーをモニタリング.
末梢神経障害	対策：日常生活への影響とともに疼痛の有無を確認．症状の程度，疼痛の有無に応じてイキサゾミブの休薬・減量を検討.
高血糖	対策：デキサメタゾンによる高血糖に注意．血糖値と HbA1c 値を確認し，場合によっては投与当日・翌日の血糖降下薬の増量を検討.

□レナリドミドの調剤については，95「KRd」の項（→790 頁）.

4 抗がん薬の投与

投与基準

□イキサゾミブのコース開始基準[1)]

好中球数	≧1,000/μL
血小板数	≧7.5 万/μL
非血液毒性	ベースラインまたは Grade 1 以下に回復

減量・中止基準

イキサゾミブの減量ステップ[1)]

	再発・難治	維持療法　1〜4 コース目	維持療法　5 コース目以降
通常用量	4 mg	3 mg	4 mg
1 段階目	3 mg	2.3 mg	3 mg
2 段階目	2.3 mg	投与中止	2.3 mg
3 段階目	投与中止	—	投与中止

□レナリドミド，デキサメタゾン：95「KRd」の項（→790 頁）.

副作用による減量・休薬基準

□臨床試験では，好中球減少，血小板減少，皮膚障害による減量は，レナリドミドから減量し，その後イキサゾミブとレナリドミドを交互に減量された[2)].

□血液毒性

薬剤	好中球減少	血小板減少
イキサゾミブ[1)]	500/μL 以上になるまで休薬．回復後は同一用量で再開可能．再び 500/μL 未満となった場合は，500/μL 以上になるまで休薬し，回復後，1 段階減量して再開．	3 万/μL 以上になるまで休薬．回復後は同一用量で再開可能．再び 3 万/μL 未満となった場合は，3 万/μL 以上になるまで休薬し，回復後，1 段階減量して再開．
レナリドミド[3)]	1,000/μL 以上になるまで休薬．その後 1,000/μL 以上に回復した場合は同一用量で再開可能．再び 1,000/μL 未満となった場合は，1,000/μL 以上になるまで休薬し，回復後，1 段階減量して再開．	3 万/μL 以上になるまで休薬．その後 3 万/μL 以上に回復した場合，1 段階減量で再開．再び 3 万/μL 未満となった場合は，3 万/μL 以上になるまで休薬し，回復後，さらに 1 段階減量して再開．

□非血液毒性

- イキサゾミブ[1)]

	程度	処置
皮膚障害	Grade 2	対症療法を行い，投与継続できる．
	Grade 3	Grade 1 以下に回復するまで休薬．回復後，1 段階減量して再開．
	Grade 4	投与中止

	程度	処置
末梢神経障害	疼痛を伴う Grade 1 または疼痛伴わない Grade 2	ベースラインまたは Grade 1 以下に回復するまで休薬．回復後，同一用量で再開．
	疼痛伴う Grade 2 または Grade 3	ベースラインまたは Grade 1 以下に回復するまで休薬．回復後，1 段階減量で再開．
	Grade 4	投与中止

- 上記（好中球減少，血小板減少，皮膚障害，末梢神経障害）以外の副作用でのイキサゾミブの休薬・減量

程度		処置
Grade 3		ベースラインまたは Grade 1 以下に回復するまで休薬．回復後，1 段階減量して再開．
Grade 4	再発・難治	投与中止．
	維持療法	投与中止または治療上の有益性を考慮し，1 段階減量して投与再開．

- レナリドミド[3]

その他の副作用（好中球減少，血小板減少以外）Grade 3 以上	レナリドミドを休薬．Grade 2 以下に回復した場合には，1 段階減量して再開．

腎機能障害

- イキサゾミブ[1, 4]…減量基準はないが，Ccr 30 mL/分未満の重度腎障害患者または透析を要する末期腎不全患者では，AUC が 38％上昇したとの報告があり，減量を考慮する．イキサゾミブは透析で除去されない．
- デキサメタゾン…減量基準なし．
- レナリドミド[3]

	30≦Ccr＜60 mL/分	透析不要 Ccr＜30 mL/分	透析必要 Ccr＜30 mL/分
用法用量	10 mg を 1 日 1 回で開始し，2 コース目終了後認容可能な場合は 15 mg に増量できる．	15 mg を 2 日に 1 回．	5 mg を 1 日 1 回（透析日は透析後に投与）．

肝機能障害

□減量基準なし．

注意点

□イキサゾミブ内服日に服用を忘れた時の対応：次の服用予定時間まで 72 時間以上時間があれば，1 回分を服用．72 時間未満

であれば，次の予定日に1回分を服用[2)].

□レナリドミド：95「KRd」の項（→791頁）.

5 副作用マネジメント

発現率[2)]

□C16010試験（再発・難治），C16019試験・C16021試験（維持療法）

副作用		C16010試験（n=361）		C16019試験（n=394）		C16021試験（n=426）	
		全grade（%）	≧Grade 3（%）	全grade（%）	≧Grade 3（%）	全grade（%）	≧Grade 3（%）
血液毒性	好中球減少症	26	19	2	<1	2	2
	血小板減少症	21	14	3	<1	2	<1
	貧血	17	5	3	0	1	0
非血液毒性	皮膚障害	35	6	24	2	17	2
	下痢	30	5	22	2	18	2
	悪心	19	1	31	<1	22	<1
	嘔吐	16	1	22	2	19	2
	末梢性感覚ニューロパチー	16	2	6	<1	12	1
	上気道感染症	4	0	3	<1	2	0

評価と観察のポイント

投与開始前～投与開始以降

□**悪心**：悪心リスクを判断．投与開始直後からの症状発現に注意．

□**下痢**：ベースラインでの排便状況を確認し，その後も治療日誌などを活用し排便状況を確認．下痢発現時は，発熱や感冒症状の有無を確認し，感染症の可能性を検討．

□**皮膚障害**：イキサゾミブとレナリドミドによる皮膚障害に注意し，症状の有無や程度を確認．

投与開始後1週間以降

□**骨髄抑制，感染症，静脈血栓塞栓症，高血糖**：95「KRd」の項（→792頁）.

□**末梢神経障害**：具体的に日常生活への影響を把握し，疼痛の有無も確認．

副作用対策のポイント

□**悪心**：悪心リスクが高い患者や症状発現時は制吐薬を併用．

□**下痢**：治療開始時に，下痢発現時に服用する止痢薬をあらかじめ処方することを検討．感染症の症状がない場合は止痢薬を使用．飲水励行も行い，症状が改善しない場合は医療機関へ連絡するよう指導．

ロペラミド錠 1回1〜2 mg 下痢時

- □**骨髄抑制・感染症**：血液検査からイキサゾミブおよびレナリドミドの休薬・減量を検討．感染症予防薬のアドヒアランスを確認．
- □**皮膚障害**：急激な悪化があればただちに医療機関に報告するよう指導．症状の程度に応じて保湿薬やステロイド外用薬を使用．血液検査では好酸球増多にも注意．
- □**静脈血栓塞栓症，高血糖**：95「KRd」の項（→793 頁）．
- □**末梢神経障害**：症状の程度，疼痛の有無に応じてイキサゾミブの休薬・減量を検討．

6 薬学的ケア

CASE

- □70 歳代女性．3 次治療として IRd 療法開始．イキサゾミブは day 1, 8, 15 に 4 mg/body を朝食後 2 時間後で処方された．開始にあたってイキサゾミブによる下痢発現の可能性を考慮し，主治医にロペラミドの頓服処方を提案し，処方が追加された．
- □服薬指導時に，イキサゾミブは食事により効果減弱のおそれがあることを患者に説明した．また，イキサゾミブの効果減弱につながる併用薬や健康食品，サプリメントの使用はないことを確認した．
- □患者に下痢の有無や排便回数を治療日誌に記録するよう指導し，下痢発現時は発熱や感冒症状がなければロペラミド内服とともに水分補給を行うよう指導した．
- □2 コース目 day 8, 9 に Grade 1 の下痢が出現．発熱や感冒症状はなかったため患者自身でロペラミド 1 回 1 mg 頓服にて対応．
- □3 コース目 day 16〜18 に下痢が Grade 3 となったため，4 コース目以降はイキサゾミブ 3 mg/body へ 1 段階減量．その後は，下痢が Grade 1 以下でコントロールできた．
- □5 コース目 day 1 に顔面，両手首に Grade 1 の発疹の訴えあり．保湿薬と顔面に mild クラス，両手首に very strong クラスのステロイド外用薬が追加となり，その後発疹の増悪なく治療継続できた．

解説

□イキサゾミブは空腹時投与であり，患者のアドヒアランスが重要．また，下痢や消化器症状といった患者に苦痛を与える副作用の発現率も高く，副作用マネジメントを十分に行い，患者のQOLやアドヒアランス低下を防ぐ必要がある．治療日誌を活用することを考慮する．

□下痢発現時は，感染症の除外が必要．発熱，咳嗽，喀痰，鼻水，鼻閉，咽頭痛，頭痛の有無を確認し，これらの症状がなければ止痢薬の投与やイキサゾミブを減量しながら治療継続を行う．

引用文献

1）ニンラーロ® カプセル，添付文書
2）ニンラーロ® カプセル，適正使用ガイド
3）レブラミド® カプセル，適正使用ガイド
4）Gupta N, et al：Br J Haematol 174：748-59, 2016（PMID：27196567）

（髙橋毅行）

97 ERd（デキサメタゾン＋エロツズマブ＋レナリドミド）

POINT

- ■エロツズマブは，infusion reactionの発現率が高く，投与速度と希釈液量が投与回数や体重により条件設定されている．
- ■前投薬のデキサメタゾンは経口と静脈内投与に分割する．外来での治療では，処方漏れに注意し，患者には投与時刻の遵守をしっかりと指導する必要がある．
- ■エロツズマブ投与中に，白内障や間質性肺疾患の発現が報告されており，事前に患者に説明するとともに症状のモニタリングを行う．

1 レジメンと副作用対策（→次頁参照）

適応：再発または難治性の多発性骨髄腫

1コース期間：28日間　**総コース**：PDまで

2 抗がん薬の処方監査

□前治療が1レジメン以上であることを確認．

□エロツズマブ投与の前投薬として抗ヒスタミン薬（ジフェンヒドラミン25～50 mg相当），H_2ブロッカー（ラニチジン50 mg相当），解熱鎮痛薬（アセトアミノフェン300～1,000 mg相当）がエロツズマブ投与の24時間前から3時間前に投与されることを確認．

□デキサメタゾンとして，経口で28 mg（エロツズマブ投与の24時間前から3時間前に投与），静脈内投与で6.6 mg（エロツズマブ投与の45分前までに投与完了）に分割投与であることを確認する．

□外来治療時は，次回分の前投薬はあらかじめ処方する必要があるか確認．

□感染症・静脈血栓塞栓症予防薬の併用，「適正管理手順RevMate®」，HBV再活性化スクリーニングは，95「KRd」の項（→789頁）．

3 抗がん薬の調剤

エロツズマブ[1)]

□調製方法：18G以下の注射針を用いて300 mg製剤は13 mL,

97		医薬品名 投与量	投与方法 投与時間	1	2	3	～	7	8	9	10	～	14	15	16	～	21	22	23	～	28
レジメン（ERd）	Rp1	デキサメタゾン 28＋6.6 mg/body	経口と静脈内投与に分割	↓					↓					↓				↓			
	Rp2	生理食塩液 希釈液量は体重で規定 エロツズマブ 10 mg/kg	点滴静注（投与回数によって投与速度を変更）	↓					↓					↓				↓			
	Rp3	生理食塩液 50 mL	点滴静注 5 分	↓					↓					↓				↓			
	Rp4	レナリドミド 25 mg/body	経口 1日1回	↓	↓	↓	↓	↓	↓	↓	↓	↓	↓	↓	↓	↓	↓				

3 コース目以降は，エロツズマブの投与日は day 1, 15 となる．

副作用対策

infusion reaction

特徴：1，2 サイクル目に出現することが多い．

対策：抗ヒスタミン薬，H_2 ブロッカー，解熱鎮痛薬を治療 1 時間～30 分前に投与．

注：エロツズマブ投与日のデキサメタゾンは，経口投与（28 mg を本剤投与の24～3 時間前に投与）と静脈内投与〔デキサメタゾンリン酸エステル 8 mg（デキサメタゾンとして 6.6 mg）を本剤投与の 45 分前までに投与完了〕に分割して投与する．

好中球減少

対策：感染症予防薬を投与．定期的に血液検査を行い，重篤な場合はレナリドミドの休薬・減量や G-CSF 投与を検討．

感染予防や症状発現時の対応について患者指導を行う．

血小板減少

対策：定期的に血液検査を行い，レナリドミドの休薬や減量を検討．重篤例では，予防目的の抗血栓薬の休薬も検討．

リンパ球減少

特徴：エロツズマブ投与中は，リンパ球減少をきたした期間に感染症発現が多い．

対策：リンパ球減少の発現期間では，感染予防と感染症の症状発現時の対応を十分に指導する．

心障害

対策：治療前から定期的に心機能検査を行い，投与前に心不全症状を確認する．重篤例では循環器を専門とする医師との連携を図る．

静脈血栓塞栓症

対策：治療開始時から静脈血栓塞栓症予防薬を併用し，D ダイマーをモニタリング．

便秘，下痢

対策：ベースラインの排便状況を把握し，治療開始後は排便回数と便の性状を確認．症状に応じて，対症療法を検討．

高血糖

対策：デキサメタゾンによる高血糖に注意．血糖値と HbA1c 値を確認し，場合によっては投与当日・翌日の血糖降下薬の増量を検討．

400 mg 製剤は 17 mL の注射用水で溶解（濃度：25 mg/mL）．溶解後は 5～10 分間静置し，生理食塩液または 5% ブドウ糖注射液で希釈．

□希釈液量：50 kg 未満は 150 mL，50～90 kg は 250 mL，90 kg 超は 350 mL．

レナリドミド

□95「KRd」の項（→790 頁）．

4 抗がん薬の投与

投与基準[2)]

□エロツズマブの投与基準は特になし．

減量・中止基準

□各薬剤の減量の目安[2, 3)]：エロツズマブは減量規定なし．レナリドミド，デキサメタゾンは95「KRd」の項（→790 頁）．

腎機能障害[2, 3)]

□**レナリドミド**：減量基準あり．95「KRd」の項（→791 頁）．

□**エロツズマブ，デキサメタゾン**：減量基準なし．

肝機能障害[2, 3)]

□特に基準なし．

注意点

エロツズマブ

□投与速度：

（初回）投与開始 0～30 分は 0.5 mL/分．30～60 分は 1 mL/分．60 分以降は 2 mL/分．

（2 回目）投与開始 0～30 分は 3 mL/分. 30 分以降は 4 mL/分.

（3 回目以降）5 mL/分で投与.

□0.22 μm 以下のメンブレンフィルターを用いたインラインフィルターを使用.

レナリドミド

□95「KRd」の項（→791 頁）．

5 副作用マネジメント

発現率[2)]

□国際共同第Ⅲ相試験（CA204004 試験）（n＝318）（**表 97-1**）

評価と観察のポイント

投与開始～投与開始後 24 時間

□infusion reaction：エロツズマブ投与開始直後から 5 分以内に生じることがあり，通常 30 分以内に症状が出現[1)]．投与開始後から頻回に血圧や体温，初期症状の有無を確認する．

表 97-1　副作用の発現率

副作用	全体 (%)	≧Grade 3 (%)	副作用	全体 (%)	≧Grade 3 (%)
感染症	81.4	30.5	高血糖	13.8	6.3
infusion reaction	72.3	8.5	白内障	12.3	6.6
下痢	18.6	3.8	悪心	12.3	0.6
便秘	14.5	0.6	間質性肺疾患	2.2	0.3
リンパ球減少	13.8	9.1			

投与開始後 24 時間以降

□**リンパ球減少**：臨床試験において，リンパ球減少の発現期間に感染症の発現が多かった[2]．4 年間フォローアップの結果でも，対照群と比較してエロツズマブ併用群ではリンパ球減少と感染症が増加していた[4]．リンパ球数も注意してモニタリングする．

□**感染症，静脈血栓塞栓症**：95「KRd」の項（→792 頁）．

□**白内障，間質性肺疾患**：臨床試験において白内障と間質性肺疾患の発現が報告されており，症状の有無を確認する．

副作用対策のポイント

□**infusion reaction**：前投薬が決められた投与時刻の範囲内に服用できているか確認．初期症状を十分に説明し，症状出現時には医療従事者にただちに報告するよう指導．症状出現時は投与を中断．Grade 1 以下への回復を確認し，減速して投与再開．Grade 3 以上の症状出現には投与を中止．

□**感染症，静脈血栓塞栓症，高血糖**：95「KRd」の項（→793 頁）．

□**白内障，間質性肺疾患**：事前に患者に初期症状を説明し症状発現の有無を確認．場合によっては専門医への受診をすすめる．

6　薬学的ケア

CASE

□50 歳代男性．体重 75.7 kg，Scr 値 1.19 mg/dL，Ccr 76.0 mL/分．移植後再発に Kd 療法を開始したが，肝機能障害のため中止となり，肝機能回復後，ERd 療法に治療変更となった．

□infusion reaction の初期症状を事前に患者に説明し，体調変化を感じた場合はただちに医療スタッフへ報告するよう指導．

□エロツズマブは 1 回目，2 回目，3 回目以降と投与回数に応じて投与速度を段階的に上昇させたが，infusion reaction の発現なし.

□1 コース目 day 22, エロツズマブ投与日の入眠障害の訴えあり. 同日のデキサメタゾン投与によるものと判断され, ゾルピデム 15 mg/回の頓服処方が追加. その後は睡眠不足の訴えなし.

□低用量アスピリン予防内服中であったが, 4 コース目 day 15 に D ダイマー 6.5 μg/mL と上昇, 左ヒラメ静脈外足肢に血栓を認め, ERd 療法は休薬. エドキサバン 60 mg/日が開始され, 低用量アスピリンは中止となった.

□エドキサバン開始 2 週間後に D ダイマーは正常化し, 血栓消失. その後はエドキサバン併用で ERd 療法が再開された.

解説

□エロツズマブは infusion reaction の発現率が高く, 前投薬や初期症状, 症状発現時の医療従事者への報告について患者に十分に説明し理解してもらうことが重要.

□外来で治療継続する際は, エロツズマブの開始予定時刻から前投薬の投与時刻を設定し, 場合によっては自宅でデキサメタゾンを内服してからの来院となることもあり, 安全に治療を行うために患者のアドヒアランスが重要となる.

□多発性骨髄腫は凝固異常をきたしやすい疾患の 1 つ. レナリドミドやステロイド併用時にはさらに薬剤によるリスクが加わる. 凝固異常モニタリングを継続し, 血栓症の早期発見に努め, 発症時にはただちに抗凝固薬による治療を開始する.

引用文献

1) エムプリシティ® 点滴静注用, 添付文書
2) エムプリシティ® 点滴静注用, 適正使用ガイド
3) レブラミド® カプセル, 適正使用ガイド
4) Dimopoulos MA, et al : Cancer 124 : 4032-43, 2018 (PMID : 30204239)

(髙橋毅行)

98 DLd（ダラツムマブ＋レナリドミド＋デキサメタゾン）

POINT

- ダラツムマブは，ヒト型抗 CD38 モノクローナル抗体で，初回投与時には高率に発現する infusion reaction に注意する．
- 赤血球膜表面上の CD38 へ結合することによる間接クームス試験偽陽性や輸血に配慮する．
- レナリドミドは腎機能別による投与量に注意する．

1 レジメンと副作用対策

適応：移植非適応で未治療の多発性骨髄腫

1 コース期間：28 日間　**総コース**：PD まで

98		医薬品名 投与量	投与方法 投与時間	1	2	3	～	7	8	9	10	～	15	16	17	～	21	22	23	～	28
レジメン（DLd）	Rp1	デキサメタゾン 20 mg/body 生理食塩液 50 mL	点滴静注 5 分 （or 経口 1 日 1 回）	↓	↓				↓	↓			↓	↓				↓	↓		
				3～6 コース目：day 1, 2, 15, 16（day 8, 22 は 40 mg/回　経口） 7 コース目以降：day 1, 2（day 8, 15, 22 は 40 mg/回　経口）																	
	Rp2	ダラツムマブ 16 mg/kg 生理食塩液	点滴静注 初回 7 時間半～ 2 回目以降 4 時間～	↓					↓				↓					↓			
				3～6 コース目：day 1, 15（2 週 1 回投与） 7 コース目以降：day 1（4 週 1 回投与）																	
	Rp3	レナリドミド 25 mg/body	経口 1 日 1 回	↓	↓	↓	↓	↓	↓	↓	↓	↓	↓	↓	↓	↓	↓				
				コース開始時の腎機能（Ccr など）に応じ，投与量決定																	
副作用対策	infusion reaction			■					■				■					■			
	特徴：発熱，鼻汁，咳嗽，咽頭違和感が投与開始初期に出現． 対策：抗ヒスタミン薬および解熱鎮痛薬を治療 30 分～1 時間前に投与．必要に応じてモンテルカスト服用考慮．																				
	好中球減少，血小板減少										■	■	■	■	■	■	■	■	■	■	■
	対策：治療初期は 1，2 週ごとに採血し，レナリドミドを適宜減量，休薬．																				
	血栓症			■	■	■	■	■	■	■	■	■	■	■	■	■	■	■	■	■	■
	対策：血栓症発現リスクの評価を行った上で，血栓症予防薬を併用．消化管出血に留意し制酸薬を併用．																				
	便秘，下痢			■	■	■	■	■	■	■	■	■	■	■	■	■	■	■	■	■	■
	対策：便秘および下痢が発現する可能性がある．治療中は排便状況に注意し緩下剤や下剤を適宜使用．																				
	皮疹・瘙痒感					■	■	■	■	■	■	■	■	■	■	■	■	■	■	■	■
	対策：レナリドミドの影響により発現することがあるので，Grade 評価を行い，Grade 2 以上であれば適宜減量，休薬．																				

2 抗がん薬の処方監査

□適応は移植非適応で未治療の多発性骨髄腫．腎機能を中心とした検査値をはじめ全身状態を確認．

□ダラツムマブ投与前に infusion reaction 予防のための解熱鎮痛薬，抗ヒスタミン薬が処方されていることを確認．呼吸器症状に関連した infusion reaction 発現の高リスク群として，COPD などの呼吸器疾患既往歴のある患者が挙げられており，モンテルカスト 10 mg 併用の有効性が報告されている[1,2]．

□infusion reaction 予防も兼ねて「デキサメタゾン→ダラツムマブ」の順に投与．

□感染予防薬，HBV 再活性化マネジメントは 95「KRd」の項（→788 頁）．

□レナリドミドに対する静脈血栓塞栓症予防薬および RevMate® 管理は 95「KRd」の項（→789 頁）．

□治療前に一般的な輸血前検査の実施状況を確認．

□間接抗グロブリン（間接クームス）試験への干渉：ダラツムマブは赤血球膜表面上に発現する CD38 と結合するため，不規則抗体の検出を目的とする間接クームス試験において偽陽性になることがある．この干渉は最終投与から 6 か月後まで続く可能性があるため注意を要する．

- 対応策…治療開始前に不規則抗体スクリーニング検査を含めた一般的な輸血前検査を実施する．患者には治療開始前に検査結果を記載した「患者 ID カード」の内容説明を行い，同カードを携帯するよう指導する．また検査輸血部門とダラツムマブ投与患者のリスト共有を行うなど，関係部門との連携を図るための体制構築を行う．

3 抗がん薬の調剤

□ダラツムマブの希釈液は生理食塩液とし，初回投与時の輸液総量は 1,000 mL とする．初回の投与開始から 3 時間以内に infusion reaction が認められなかった場合は，次回以降の希釈液の輸液総量を 500 mL とすることが可能である．

□ダラキューロ® に関しては「column」（→813 頁）．

□レナリドミド調剤時は，処方ごとに医師が記載する遵守状況確認票を確認．RevMate® に準拠した薬剤管理・調剤監査を行う．95「KRd」の項（→789 頁）．

4 抗がん薬の投与

投与基準[3]

□ダラツムマブの開始基準は特になし．コース開始時は，併用するレナリドミドの開始基準を参考に判断．

□レナリドミド[4]

好中球数	≧1,000/μL	血小板数	≧5万/μL	非血液毒性	≧Grade 3

減量・中止基準

□臨床試験でのダラツムマブの休薬基準

Grade 4	血液毒性．
Grade 3 以上	出血を伴う血小板減少症，非血液毒性．
全 Grade	FN，感染を伴う好中球減少症．

□ダラツムマブの減量，休薬基準はなし．好中球減少および血小板減少では，併用するレナリドミドを減量・休薬．

□休薬の目安[5]

• レナリドミド

好中球数	≧1,000/μL	血小板数	≧5万/μL	非血液毒性	≧Grade 3

□減量の目安[5]

ダラツムマブ	レナリドミド	デキサメタゾン
なし	25 mg 連日→15 mg 連日 →10 mg 連日→15 mg 隔日 →5 mg 連日	40 mg→20 mg →8～10 mg→4 mg

腎機能障害

ダラツムマブ デキサメタゾン	減量基準なし		
レナリドミド[4]	コースごとにCcrを計算し，投与量を決定	Ccr＞60 mL/分	25 mg 連日
		30≦Ccr＜60 mL/分	10 mg 連日 （15 mg 連日へ増量可）
		Ccr＜30 mL/分 （透析不要）	15 mg 隔日
		Ccr＜30 mL/分 （透析必要）	5 mg 連日

肝機能障害

□減量基準なし.

注意点

□ダラツムマブ投与速度[5)]

投与時間	希釈後の総量	投与開始からの投与速度（mL/時間）			
		0～1 時間	1～2 時間	2～3 時間	3 時間以降
初回投与	1,000 mL	50	100	150	200
2 回目投与	500 mL				
3 回目投与	500 mL	100	150	200	

5 副作用マネジメント[5)]

発現率

□初発〔Grade 3/4（%），n＝737〕

副作用	発現率	
	DLd 群（n＝368）	Ld 群（n＝369）
好中球減少症	51	35
白血球減少症	11	6
リンパ球減少症	15	11
貧血	14	21
肺炎	15	9
低 K 血症	10	10

〔国際共同第Ⅲ相試験（MAIA）結果より引用〕

□再発・難治〔全 Grade（%），n＝283〕

副作用	発現率	副作用	発現率
好中球減少症	59.4	帯状疱疹	2.1
血小板減少症	26.9	腎機能障害	7.1
リンパ球減少症	6	infusion reaction	77.4
全感染症および寄生虫関連事象	84.1		

〔国際共同第Ⅲ相試験 MMY3003（POLLUX）結果より引用〕

評価と観察のポイント

投与開始～24 時間

□infusion reaction：多くは初回の投与中に発現し，症状重篤度は Grade 1～2 だが，Grade 3 以上の事象も認める．好発時期は，投与開始から 70～90 分後，特に最初の投与速度変更後は注意を要する．24 時間以降の遅発性の報告もある．

投与初日〜数日

□**TLS**：腫瘍崩壊に関連する種々の項目（腫瘍量，腎機能，尿酸値・P値・K値）を確認し，TLSの発症リスクを評価した上で，尿酸生成阻害薬，尿酸分解酵素製剤による予防策を実施する．また骨髄腫においては治療後期の遅発期TLSにも留意する必要がある．

□**悪心・嘔吐**：本療法は催吐リスクが低いため，原則として予防制吐薬は不要であるが，個々の患者ごとに消化器症状の有無を評価し，必要に応じて支持療法薬の検討を行う．

投与後期（day 10以降）

□**骨髄抑制**：未治療多発性骨髄腫の初回治療では，骨髄腫細胞の骨髄機能への影響により，特に治療開始初期の骨髄抑制の重篤度が高い傾向がある．Grade 3以上の好中球減少，血小板減少の発現頻度が高くなるため，この時期は必ず1〜2週ごとに血液検査を行う．

全コース

□**感染症**：95「KRd」の項（→792頁）．

□**皮疹**：レナリドミド服用開始に伴い皮疹発現の有無を継続して観察．特に開始1〜2コース目において好発するが，コースが進んでから発現することもあるので注意を要する．Grade 2の段階で減量・中止を検討．

□**静脈血栓塞栓症**：95「KRd」の項（→792頁）．

副作用対策のポイント

投与開始〜数日

□**TLS**：95「KRd」の項（→792頁）．

投与開始〜24時間

□**infusion reaction**：解熱鎮痛薬，抗ヒスタミン薬を投与した後，「デキサメタゾン→ダラツムマブ」の順に投与．投与中は心電図モニターを着用し，投与2時間後までは，初回投与時のみ15分ごと，投与2回目以降は30分ごとのバイタルチェックを行う．

□**前投薬**：アセトアミノフェン1,000 mg，ジフェンヒドラミン25〜50 mg，適宜モンテルカスト10 mg追加．

□**症状出現時**：ヒドロコルチゾン100〜200 mgを静注，喘息発作用の呼吸器症状の場合は短時間作用型気管支拡張薬吸入（サルブタモール，プロカテロール），吸入ステロイド薬.

投与後期（day 10 以降）

□**骨髄抑制**：コース内採血にて好中球減少，血小板減少を認める場合は投与基準を参考にレナリドミドの減量，休薬を検討．治療継続中に好中球減少，血小板減少の回復遷延を認める場合は，治療効果を踏まえ本療法の継続可否の検討を行う.

全コース

□**感染症**：95「KRd」の項（→793 頁）.

□**皮疹**：患者には皮膚症状好発時期の指導を行うとともに，症状発現時の連絡先を明記し，早期発見につなげるための報告と情報共有が可能な体制を整備する．プレドニゾロン 20～30 mg/日　3～5 日，ステロイド外用薬塗布

□**静脈血栓塞栓症**：95「KRd」の項（→793 頁）.

6 薬学的ケア

CASE

□70 歳代男性．症候性多発性骨髄腫（ベンズジョーンズタイプ）と診断され，DLd 療法開始の方針となる．既往歴に心房細動など静脈血栓塞栓症を惹起する疾患がないことを確認．また，腎機能評価を行い（24 時間 Ccr：66.8 mL/分），レナリドミド 25 mg/body で開始することを確認した.

□ダラツムマブ初回投与開始時をモニタリング．投与開始後 30 分後に咽頭違和感の訴えがみられたが，それ以外の症状発現はなかったため慎重に経過観察を行う．投与速度基準に沿い流速を上げていったが，その後も同症状以外の発現がみられず投与終了となる.

□1 コース目 day 16 より，瘙痒感と発疹の聴取を行う．観察より斑状，膨隆疹もみられたため，Grade 2 の皮疹の診断となりレナリドミドを一時中止とし，day 22 のダラツムマブ投与も skip とした．このまま 1 コース目を終了とし経過観察したところ皮疹消失したため，医師と協議し，次コースも治療効果をふまえレナリドミドを 25 mg/body で開始とした.

□2 コース目 day 5 より再び皮疹出現．レナリドミドの減量，治療変更を含め医師と協議を行う．24 時間 Ccr は 61.3 mL/分と減量基準値に近いことも確認し，レナリドミド 10 mg/body に変更後，皮疹の増悪があれば治療変更を行うことを確認し．そ

の後，皮疹は消失し，レナリドミド 10 mg/body で治療継続を行った．

解説

□レナリドミド投与前には腎機能評価を行い用量設定を行う．また静脈血栓塞栓症の報告があるため，既往歴にて静脈血栓塞栓症を惹起する疾患の有無を確認する．必要に応じて，血栓症予防薬の投与を検討する．

□ダラツムマブ初回投与では高率に infusion reaction が発現することが報告されているが，一定数症状がみられない患者も存在する．患者の状態を詳細にモニタリングしながらステロイドの追加投与の必要性について検討する．

□レナリドミドでは皮疹の報告があり，用量調節により投与継続が可能な患者と薬剤自体で皮疹が惹起される不耐容な患者が存在する．皮疹の状態や Grade 評価を適切に行い，減量・休薬，治療変更も含めた検討を行う．

column　ダラキューロ®（ダラツムマブ・ボルヒアルロニダーゼアルファ）

□ダラツムマブ（1,800 mg）にボルヒアルロニダーゼアルファ（rHuPH20※1）3 万単位を配合した皮下投与を可能にした製剤．1 バイアル 15 mL．

※1：ボルヒアルロニダーゼアルファ（rHuPH20）：皮下間隙における細胞外マトリックスの構成成分の 1 つであるヒアルロン酸を，*N*-アセチルグルコサミンの四糖類，または六糖類のサブユニットおよびグルクロン酸に脱重合することにより，皮下組織に薬剤を注入する際の抵抗を減少させ，薬剤の体内への浸透と分散を促進する成分．

□国際共同第Ⅲ相試験（COLUMBA）により，ダラツムマブ点滴静注に比して非劣性が示された．

メリット

□点滴時間の大幅な短縮が見込まれることから，特に外来施行時の患者の拘束時間が減少する．

□固定用量のため，患者の体重別による用量設定や監査の必要がなくなる（医療安全に寄与）．

□薬剤師の薬剤調製手順が簡略化されるため，調製手技の労力が減少し，時間短縮がはかられる（シリンジへの抜き取りのみのため）．

□点滴静注時にみられる即発性 infusion reaction の減少が見込まれる.
□DCd 療法初回投与時の分割投与が不要.

デメリット

□皮下注射時の医師，看護師の拘束時間が発生する（所要時間 3～5 分）.
□皮下注射による体内動態から，遅発性 infusion reaction の発生が懸念される.
□調製から施行までの保存時間が 4 時間という規定がある（点滴静注製剤は 16 時間）.

調製時の注意点

□医師，看護師によるシリンジを用いた直接皮下投与法：皮下注射製剤 15 mL をシリンジに正確に測り取る.
□皮下投与ルートを用いた間接皮下投与法：ルート使用時のデッドスペースが生じるため，余剰分も含め製剤全量をシリンジに測り取る（約 16 mL）.

引用文献

1）Chari A, et al：Cancer 124：4342-49, 2018（PMID：30395359）
2）Moore DC, et al：Clin Lymphoma Myeloma Leuk 20：e777-81, 2020（PMID：32660902）
3）Chapuy CI, et al：Transfusion 55（6 Pt 2）：1545-54, 2015（PMID：25764134）
4）Oostendorp M, et al：Transfusion 55（6 Pt 2）：1555-62, 2015（PMID：25988285）
5）ダラザレックス® 点滴静注，適正使用ガイド

（網野一真）

99 DBd（ダラツムマブ＋ボルテゾミブ＋デキサメタゾン）

POINT

- ■ダラツムマブにおける注意点は98 DLdに準じる．
- ■ボルテゾミブにおける末梢神経障害，下痢および便秘の発現に注意．

1 レジメンと副作用対策（→次頁参照）

適応：再発または難治性の多発性骨髄腫
1コース期間：21日間（9コース目からは28日間）
総コース：PDまで（ボルテゾミブは8コース目まで）

2 抗がん薬の処方監査

- □適応は，再発または難治性の多発性骨髄腫．1レジメン以上の治療歴を確認．肝機能を中心とした検査値をはじめ全身状態を確認．
- □ダラツムマブにおけるinfusion reactionの予防対策は98「DLd」の項（→808頁）．
- □感染予防薬，HBV再活性化マネジメントは95「KRd」の項（→788頁）．
- □胸部画像検査（胸部X線検査，胸部CT検査）にて間質性病変の有無を確認．
- □末梢神経障害，糖尿病などの現病歴を確認する．
- □治療前に一般的な輸血前検査の実施状況を確認．
- □ダラツムマブの間接抗グロブリン（間接クームス）試験への干渉は98「DLd」の項（→808頁）．

3 抗がん薬の調剤

- □ダラツムマブの希釈液は生理食塩液とし，初回時の輸液総量は1,000 mLとする．初回の投与開始から3時間以内にinfusion reactionが認められなかった場合は，次回以降の希釈液の輸液総量を500 mLとすることが可能である（後述の「注意点」→818頁）．
- □ボルテゾミブは，投与経路により調製時の濃度が異なる．
  - •静脈内投与の場合…3 mg 1バイアルを生理食塩液3 mLで溶解し，1 mg/mLの濃度にする．充塡シリンジは3 mLシリンジ．

99		医薬品名 投与量	投与方法 投与時間	1	2	3	4	5	6	7	8	9	10	11	12	13	14	15	16	～	21
レジメン（DBd）	Rp1	デキサメタゾン 20 mg/body 生理食塩液 50 mL	点滴静注 5分 （or 経口 1日1回）	↓	↓		↓	↓			↓	↓		↓	↓						
	Rp2	ダラツムマブ 16 mg/kg 生理食塩液	点滴静注 初回 7時間半～ 2回目以降 4時間～	↓							↓							↓			
	Rp3	ボルテゾミブ 1.3 mg/m² 生理食塩液	点滴静注 or 皮下注	↓			↓				↓			↓							

Rp1：1～8コース目：day 1, 2, 4, 5, 8, 9, 11, 12（infusion reaction の出現が懸念される場合は，day 15 の投与も検討）．9コース目以降：day 1 のみ．

Rp2：4コース目以降は day 1（3週1回投与）に変更

Rp3：9コース目以降は中止

副作用対策	1	2	3	4	5	6	7	8	9	10	11	12	13	14	15	16	～	21
infusion reaction	■							■							■			
好中球減少，血小板減少										■	■	■	■	■	■	■	■	■
発熱	■	■	■	■	■	■	■	■	■	■	■	■	■	■	■	■	■	■
皮疹	■			■				■			■							
皮下注射時の局所注射部位反応		■	■		■	■			■	■		■	■					
末梢神経障害	■	■	■	■	■	■	■	■	■	■	■	■	■	■	■	■	■	■
便秘，下痢	■	■	■	■	■	■	■	■	■	■	■	■	■	■	■	■	■	■

infusion reaction
特徴：発熱，鼻汁，咽頭違和感が投与開始初期に出現．
対策：抗ヒスタミン薬および解熱鎮痛薬を治療30分～1時間前に投与．

好中球減少，血小板減少
対策：治療初期は1，2週ごとに採血し，Grade 4 では G-CSF 投与，血小板輸血，休薬を考慮

発熱
対策：一過性のため必要に応じ解熱鎮痛薬にて対応可．ただし，感染症・肺障害による発熱との鑑別に注意．

皮疹
対策：発疹の有無をモニタリング．ステロイド外用薬を適宜使用．

皮下注射時の局所注射部位反応
対策：左右の大腿部，腹部に交互に注射部位を変えて投与すること．硬結，瘙痒感，発赤などがあれば適宜ステロイド外用薬を使用．

末梢神経障害
対策：症状モニタリング継続にて重篤度を評価．適宜ボルテゾミブの休薬・減量を適宜行う他，週1回投与法も検討．

便秘，下痢
対策：便秘および下痢が発現する可能性がある．治療中は排便状況に注意し緩下剤や下剤を適宜使用．

- 皮下投与の場合…3 mg 1バイアルを生理食塩液 1.2 mL で溶解し，2.5 mg/mL の濃度にする．充填シリンジは 1 mL シリンジ．

4 抗がん薬の投与

投与基準[1)]

□ダラツムマブ：開始基準は特になし．コース開始時は，併用するボルテゾミブの開始基準を参考に判断する．

□ボルテゾミブ[1)]

好中球数	≧1000/μL	AST	≦75 U/L（≦ULN×2.5）
血小板数	≧7.5万/μL	ALT	≦（男）105 U/L，（女）57.5 U/L（いずれも≦ULN×2.5）
Hb	≧8.0 g/dL		
末梢神経障害	≦Grade 2	T-Bil	≦2.25 mg/dL（≦ULN×1.5）

減量・中止基準

ダラツムマブ

□臨床試験での休薬基準

Grade 4	血液毒性
Grade 3以上	出血を伴う血小板減少症，非血液毒性
全Grade	FN，感染を伴う好中球減少症

□減量，休薬基準：なし．好中球減少および血小板減少では，併用するボルテゾミブを減量・休薬．

ボルテゾミブ

□休薬の目安[2)]

好中球数	≦1,000/μL	非血液毒性	≧Grade 3
血小板数	≦5万/μL		

□減量の目安[2)]

ボルテゾミブ	デキサメタゾン
1.3 mg/m^2/週2回 →1 mg/m^2/週2回 or 1.3 mg/m^2/週1回 →1 mg/m^2/週1回 →0.7 mg/m^2/週1回 →休薬	40 mg →20 mg →10～8 mg →4 mg

腎機能障害

□減量基準なし．

肝機能障害

ダラツムマブ	減量基準なし	
デキサメタゾン	減量基準なし	
ボルテゾミブ[3)]	軽度肝障害→調節不要	
ボルテゾミブ[3)]	中等/重度肝障害→0.7 mg/m^{2}から開始し，忍容性を確認．	増量の場合：1 mg/m^{2}へ
		減量の場合：0.5 mg/m^{2}へ

注意点

ダラツムマブ

□投与速度[2)]

投与時間	希釈後の総量	投与開始からの投与速度（mL/時間）			
		0～1 時間	1～2 時間	2～3 時間	3 時間以降
初回投与	1,000 mL	50	100	150	200
2 回目投与	500 mL	50	100	150	200
3 回目投与	500 mL	100	150	200	200

ボルテゾミブ

□**静脈内投与**：投与前後を生理食塩液でフラッシュする．他剤との配合は不可のため専用ルートを留置して投与する．

□**皮下投与**：皮下組織が十分にある左右の大腿部，腹部に，硬結防止のため注射部位を変えて投与する．

□溶解後 8 時間以内に使用．

5 副作用マネジメント[2)]

発現率〔全 Grade（%），n＝243〕

副作用	発現率	副作用	発現率
好中球減少症	22.6	帯状疱疹	5.3
血小板減少症	25.5	腎機能障害	2.1
リンパ球減少症	3.8	infusion reaction	64.2
全感染症および寄生虫関連事象	50.9		

〔国際共同第Ⅲ相試験 MMY3004（CASTOR）結果より引用〕

評価と観察のポイント

治療前

□**心肺機能**：ボルテゾミブによる急性肺障害および心障害に注意．治療前に間質性肺炎，肺線維症などの既往歴確認や胸部 X 線検査，CT 検査，心機能検査などを行い，必要に応じて呼吸器内科医と連携し，治療の適応を評価．

投与開始～24 時間

□**infusion reaction**：98「DLd」の項（→810 頁）．

□**発熱**：ボルテゾミブ単剤投与時に発現頻度が増し，38℃前後の発熱が認められるが，その多くは一過性であり，自然軽快する．

投与初日〜数日

□**TLS**：98「DLd」の項（→811 頁）.

□**悪心・嘔吐**：98「DLd」の項（→811 頁）.

投与後期（day 10 以降）

□**骨髄抑制**：98「DLd」の項（→811 頁）.

全コース

□**感染症**：95「KRd」の項（→792 頁）.

□**皮疹**：ボルテゾミブ治療中は皮疹発現の有無を継続して観察.ボルテゾミブの皮疹の特徴として，紫斑性または毛包炎様の発疹を認めるが，瘙痒感や熱感などはあまり認めないことが多い.数日で全身に拡大することもある.早期発見が重要となるため，患者にも皮疹の特徴について十分な指導を行う.

□**末梢神経障害**：用量依存性，蓄積毒性であるため，総量 30 mg/m^2 を超えてからのモニタリングを慎重に行っていく[4].手足末端のしびれ.手袋靴下型感覚異常，筋力低下などの症状変化に注意.

副作用対策のポイント

投与開始〜数日

□**TLS**：95「KRd」の項（→792 頁）.

投与開始〜24 時間

□**infusion reaction**：98「DLd」の項（→811 頁）.

□**発熱**：適宜，解熱鎮痛薬で対応.

投与後期（day 10 以降）

□**骨髄抑制**：コース内採血にて好中球減少，血小板減少を認める場合は投与基準を参考にボルテゾミブの減量，休薬を検討.治療継続中に好中球減少，血小板減少の回復遷延を認める場合は，治療効果を踏まえ本療法の継続可否の検討を行う.

全コース

□**感染症**：95「KRd」の項（→793 頁）.

□**皮疹**：98「DLd」の項（→812 頁）.

□**末梢神経障害**：投与前に前治療歴，糖尿病などの基礎疾患を確認し，発現リスクの評価を行う.用量依存，累積投与量依存的に発症頻度が高くなるため，手足の手袋靴下型感覚異常や疼痛を含めた感覚変化を説明し，症状発現時は早期に連絡，相談を行うよう指導する.

- 対処法…ボルテゾミブによる神経障害の発現率は静脈内投与より皮下投与の方が低いことや，週1回投与法において神経障害の減少が報告されている[5]．症状増悪時には，投与経路の変更，「週2回投与法→週1回投与法」への切り替え，1回量の1段階減量を検討する．

6 薬学的ケア

CASE

□70歳代女性．初回治療としてBD療法を開始し，DBd療法に変更となる．ボルテゾミブは週2回法（day 1, 4, 8, 11）で投与されており，末梢神経障害の増悪がないことを確認．またダラツムマブ投与開始にあたり，喘息・COPDの既往歴がないことを確認．

□ダラツムマブ初回投与開始時をモニタリング．60分が経過し流速を50 mL/時間から100 mL/時間に変更，15分後（投与開始から75分後）に悪寒，発熱（体温38.3℃），咳嗽，呼吸困難感を認めたため，一時投与を中断する．infusion reaction Grade 2の診断となりヒドロコルチゾンコハク酸エステルナトリウム200 mgが投与された．1時間後に症状消失が確認された後，50 mL/時間から投与再開．投与速度基準に沿い流速を上げていったが，著変なく投与終了となる．

□1コース目day 15（ダラツムマブ3回目投与時）時に，手指の感覚異常，足底の感覚鈍麻を聴取したため，医師と協議を行い，次コースよりボルテゾミブを週1回法（weekly投与）に変更を行い，さらに増悪などが認められるようであれば減量も考慮するという方針を確認．その後症状増悪は認められなかったため，用量変更なく投与継続となる．

□通院治療にて同療法を継続され，適宜モニタリングを行っていたところ，3コース目day 15投与前に家人より，「発熱・呼吸苦の訴えがある」との連絡あり．ボルテゾミブによる間質性肺炎など急性肺障害との鑑別が必要と考え，ただちに受診をすすめた．その後細菌性肺炎の診断がなされ，治療後に同療法再開となった．

解説

□ダラツムマブのinfusion reactionに特徴的な症状として喘息様の呼吸器症状が報告されており，治療前にCOPDや気管支喘息の既往を確認しておく必要がある．また，患者背景や状況により，モンテルカスト 10 mg の予防投与も検討する．

□ダラツムマブ初回投与では高率に infusion reaction が発現するため，症状の有無を確認し，発現を認めた場合は投与を一時中断し，ステロイド，解熱鎮痛薬にて対応を行う．特に流速変更時には注意を要する．

□ボルテゾミブによる末梢神経障害はしびれ症状に加え，知覚異常・感覚低下や筋力低下を伴うこともある．末梢神経に影響を与えるメカニズムは神経細胞体障害[6]であり，不可逆的であるため，症状を認めた場合には速やかに基準に沿って減量・休薬の検討を行う．週 2 回法（day 1, 4, 8, 11）から週 1 回法（weekly 投与）に変更することで症状軽減が期待でき，BD 療法における試験では，週 2 回法と週 1 回法で治療効果は同等であったとの報告もある[5]．

□ボルテゾミブには間質性肺炎など重篤な肺障害の報告もあるため，患者から発熱・呼吸苦症状などの訴えがあれば，ただちに受診・鑑別など医療機関での対応を推奨する．

引用文献

1）Chapuy CI, et al：Transfusion 55（6 Pt 2）：1545-54, 2015（PMID：25764134）
2）ダラザレックス® 点滴静注，適正使用ガイド
3）VELCADE（bortezomib），米国添付文書
4）Richardson PG, et al：J Clin Oncol 24：3113-20, 2006（PMID：16754936）
5）Bringhen S, et al：Blood 116：4745-53, 2010（PMID：20807892）
6）河野 豊，他：日内会誌 96：1585-90, 2007

（網野一真）

Ⅲ 多発性骨髄腫

100 DCd（ダラツムマブ＋カルフィルゾミブ＋デキサメタゾン）

POINT

- ダラツムマブにおける注意点は 98 DLd に準じる．
- カルフィルゾミブは心障害合併患者で慎重投与．治療開始前に心機能を評価し，治療中の定期的な心機能検査を実施する．

1 レジメンと副作用対策

適応：再発または難治性の多発性骨髄腫

1 コース期間：28 日間　**総コース**：PD まで

100		医薬品名 投与量	投与方法 投与時間	1	2	3	～	7	8	9	10	～	14	15	16	17	～	22	23	～	28
レジメン（DCd）	Rp1	デキサメタゾン 20 mg/body 生理食塩液 50 mL	点滴静注 5 分（or 経口 1 日 1 回）	↓	↓				↓	↓				↓	↓			↓			
		3～6 コース目：day 1, 2, 15, 16（day 8, 9, 22 は 1 回 40 mg　経口） 7 コース目以降：day 1, 2（day 8, 9, 15, 16, 22 は 1 回 40 mg　経口）																			
	Rp2	ダラツムマブ 16 mg/kg 生理食塩液	点滴静注 初回 7 時間半～ 2 回目以降 4 時間～	↓	↓*1				↓					↓				↓			
		*1 1 コース目のみ：8 mg/kg ずつ day 1, 2 で分割投与 3～6 コース目：day 1, 15（2 週 1 回投与） 7 コース目以降：day 1（4 週 1 回投与）に変更																			
	Rp3	カルフィルゾミブ 56 mg/m² 5％ブドウ糖	点滴静注 30 分	↓*2	↓*2				↓	↓				↓	↓						
		*2 1 コース目 day 1, 2 のみ 20 mg/m² で投与 コース開始時の腎機能（Ccr など）に応じ，投与量決定																			
副作用対策		infusion reaction		■					■					■				■			

副作用対策

infusion reaction
特徴：発熱，鼻汁，咽頭違和感が投与開始初期に出現．
対策：抗ヒスタミン薬および解熱鎮痛薬を治療 30 分～1 時間前に投与．

好中球減少，血小板減少
対策：治療初期は 1，2 週ごとに採血し，レナリドミドを適宜休薬．

血栓症
対策：全例で血栓症予防薬を併用．消化管出血に留意し制酸薬を併用．

便秘，下痢
対策：便秘および下痢が発現する可能性がある．治療中は排便状況に注意し緩下剤や下剤を適宜使用．

皮疹，瘙痒感
対策：レナリドミドの影響により発現することがあるので，Grade 評価を行い，Grade 2 以上であれば適宜減量，休薬．

2 抗がん薬の処方監査

□適応は，再発または難治性の多発性骨髄腫．1レジメン以上の治療歴を確認．

□ダラツムマブ投与時の infusion reaction の予防と対策については98「DLd」の項（→811頁）．

- 対応策…治療開始前に不規則抗体スクリーニング検査を含めた一般的な輸血前検査を実施する．患者には治療開始前に検査結果を記載した「患者IDカード」の内容説明を行い，同カードを携帯するよう指導する．また検査輸血部門とダラツムマブ投与患者のリスト共有を行うなど，関係部門との連携を図るための体制構築を行う．

□感染予防薬，HBV再活性化マネジメントは95「KRd」の項（→788頁）．

□初回（1コース目 day 1, 2）のみダラツムマブの用量（16 mg/kg）を分割投与（8 mg/kg ずつ2日間）することに注意．

□TLS対策として，カルフィルゾミブ初回（1コース目 day 1, 2）は投与量が異なることに注意．

□TLSリスクが高い場合は，ハイドレーション（細胞外液）や尿酸生成阻害薬フェブキソスタットなどのTLS予防策を実施．

□心障害の既往の有無を確認し，心エコーや心電図検査にて治療前の心機能を評価．定期的に電解質検査，心電図検査を測定し定期的モニタリングを実施．

□治療前に一般的な輸血前検査の実施状況を確認．

□ダラツムマブの間接抗グロブリン（間接クームス）試験への干渉：98「DLd」の項（→808頁）．

3 抗がん薬の調剤

□ダラツムマブは生理食塩液で希釈し，総量を500 mLとする．初回投与時に投与開始から3時間以内に infusion reaction が認められなかった場合は，次回以降の投与速度を速める．（後述の投与速度参照）

□DCd は初回分割投与のため，希釈輸液総量は全コース通じて500 mL（DLd, DBd との違いに注意）．

□カルフィルゾミブは Cl^- を含む溶液と配合変化を起こし，分解物が生成されるため，生理食塩水を希釈液や調製液に用いることは不可．調製時は注射用水で2 mg/mL の濃度に溶解し，

5%ブドウ糖にて希釈．溶解時は泡立つため，注射用水を緩徐に注入後，穏やかに転倒混和し，2〜5分静置後希釈液に注入[1]．

4 抗がん薬の投与

投与基準[2]

□ダラツムマブ：開始基準は特になし．コース開始時は，併用するカルフィルゾミブの開始基準を参考に判断．

□カルフィルゾミブ[3]

好中球数	≧1,000/μL	血小板数	≧ 7.5 万/μL	非血液毒性	≧Grade 3

減量・中止基準

ダラツムマブ

□臨床試験での休薬基準

Grade 4	血液毒性
Grade 3 以上	出血を伴う血小板減少症，非血液毒性．
全 Grade	FN，感染を伴う好中球減少症．

□減量，休薬基準はなし．好中球減少および血小板減少では，併用するカルフィルゾミブを減量・休薬．

カルフィルゾミブ

□休薬の目安[4]

好中球数	≧1,000/μL	貧血	≧Grade 3
血小板数	≧2.5 万/μL	非血液毒性	≧Grade 3
リンパ球減少	≧200/μL		

□減量の目安[4]

カルフィルゾミブ	デキサメタゾン
56 mg/m²→45 mg/m²→36 mg/m²→27 mg/m²	40 mg→20 mg→12 mg→8 mg

腎機能障害

ダラツムマブ	減量基準なし
デキサメタゾン	減量基準なし
カルフィルゾミブ[3]	急性腎不全 Ccr 15 mL/分以下→休薬 透析を要する場合は，透析後に投与を行う．

肝機能障害

□減量基準なし.

注意点

□ダラツムマブ投与速度[4)]

投与時間	希釈後の総量	投与開始からの投与速度（mL/時間）			
		0〜1 時間	1〜2 時間	2〜3 時間	3 時間以降
初回投与	500 mL	50	100	150	200
2 回目投与		100	150	200	

5 副作用マネジメント[4)]

発現率〔全 Grade（%），n＝308〕

副作用	発現率	副作用	発現率
血小板減少症	33.1	呼吸困難	15.3
貧血	18.2	疲労	14.9
好中球減少症	9.7	下痢	14.9
リンパ球減少症	8.4	発熱	8.8
高血圧，高血圧クリーゼ	25.6	肺炎	8.8
心障害	10.4	筋攣縮	8.4
不眠症	16.6	高血糖	7.5

〔国際共同第 III 相試験（CANDOR）結果より引用〕

評価と観察のポイント

治療前

□**心血管イベント**：カルフィルゾミブによる心障害に注意．治療前に既往歴を確認するとともに，BNP，NT-proBNP の測定，心電図検査，血圧測定，心エコー検査を行い，治療の適応を評価．また高血圧症，糖尿病，脂質異常症，喫煙等是正可能なリスク因子について把握，介入を行う．

投与開始〜24 時間

□**infusion reaction**：98「DLd」の項（→810 頁）.

投与初日〜数日

□**TLS**：98「DLd」の項（→811 頁）.

□**悪心・嘔吐**：98「DLd」の項（→811 頁）.

投与後期（day 10 以降）

□**骨髄抑制**：98「DLd」の項（→811 頁）．

全コース

□**感染症**：95「KRd」の項（→792 頁）．

□**心毒性**：カルフィルゾミブは心障害合併症例では慎重投与．定期的に心電図，心エコーを行い，QT 延長，心嚢水貯留，電解質異常（K, Mg, P）の有無を確認．

□**高血圧**：血圧上昇に留意し，血圧モニタリングを継続する．DCd 療法においても，他のカルフィルゾミブ併用療法と同様に，肺性高血圧症が生じることがあるため，注意を要する．

□**末梢神経障害**：ボルテゾミブ治療と比較し末梢神経障害発症頻度は低い．前治療の影響が残存している患者も多いため治療中の症状変化を確認し，日常生活への影響を継続評価．

副作用対策のポイント

投与開始〜数日

□**TLS**：95「KRd」の項（→792 頁）．

投与開始〜24 時間

□**infusion reaction**：98「DLd」の項（→811 頁）．

投与後期（day 10 以降）

□**骨髄抑制**：コース内採血にて好中球減少，血小板減少を認める場合は投与基準を参考にカルフィルゾミブの減量，休薬を検討．治療継続中に好中球減少，血小板減少の回復遷延を認める場合は，治療効果を踏まえ本療法の継続可否の検討を行う．

全コース

□**感染症**：95「KRd」の項（→793 頁）．

□**心毒性**：95「KRd」の項（→793 頁）．

□**高血圧**：95「KRd」の項（→793 頁）．

6 薬学的ケア

CASE

□70 歳代男性．腰痛所見から IgA 型多発性骨髄腫として診断され，2 レジメン治療後に DCd 療法に変更となる．本治療に変更となるにあたり，心機能，血圧変動など心血管イベントアセスメントを行う（BNP：15.3 pg/mL，収縮期血圧：120 台）．

□DCd 開始に伴い，ダラツムマブの分割投与法を含めた用量，輸液量を確認．投与速度基準に沿い流速を 50 mL/時間から

100 mL/時間に変更し，10分後（投与開始から70分後）で悪寒，シバリング（偶発性低体温）の症状発現．ヒドロコルチゾンコハク酸エステルナトリウム200 mgが投与された．1時間後に症状消失が確認された後，50 mL/時間から投与再開．その後症状発現なく投与終了となった．また医師と事前協議の上，分割投与2日目にはヒドロコルチゾンコハク酸エステルナトリウム200 mgを前投薬することで，infusion reaction関連の症状発現なく投与終了となった．

- □通院治療にて同療法を継続し適宜モニタリングを行っていたところ，4コース目開始時の収縮期血圧が150台であることを確認した．家庭での血圧管理においても，140台がしばしば測定されるということを聴取したため，医師と協議の上，アムロジピン5 mgを追加．その後収縮期血圧は120台で推移した．
- □5コース目day 8での採血所見にて，腎機能の急激な低下，LD上昇，Hb低値を認めた．医師と確認を行い，溶血性貧血の診断が下された．原因検索を行ったところ，カルフィルゾミブによる影響が最も疑われたため，DCd療法を中止し治療変更となった．

解説

- □カルフィルゾミブはQT延長，高血圧クリーゼなど重篤な心血管イベントが報告されているため，施行前にはBNP，心エコー検査などを行い，心機能評価を行う．また血圧モニタリングのため，1日1回の血圧測定も推奨する．
- □DCd療法ではダラツムマブが分割投与となるため，初日のinfusion reactionに対してDLd, DBdに準じた対応を行い，2日目は初日と同様の対応を予防的に行うことが望ましい．
- □DCd療法における高血圧は投与期間を通して発現しており，他のカルフィルゾミブを含む治療群に比べ，高い傾向がみられている．高血圧治療ガイドラインに沿い，Ca拮抗薬，ARB, ACE阻害薬，利尿薬などを適切に組み合わせ，低リスク群に相当するまで降圧コントロールを行うことが望ましい（**表100-1**）．
- □カルフィルゾミブには稀ではあるが，血栓性微小血管症（TMA；thrombotic microangiopathy）が報告されており[5]，本症例の溶血もその疾患群に関連したものと考えられる．詳細

表 100-1 診察室血圧に基づいた脳心血管病リスク層別化

リスク層 ＼ 血圧分類	高値血圧 130〜139/80〜89 mmHg	Ⅰ度高血圧 140〜159/90〜99 mmHg	Ⅱ度高血圧 160〜179/100〜109 mmHg	Ⅲ度高血圧 ≧180/≧110 mmHg
リスク第 1 層：予後影響因子がない	低リスク	低リスク	中等リスク	高リスク
リスク第 2 層：年齢（65 歳以上），男性，脂質異常症，喫煙のいずれかがある	中等リスク	中等リスク	高リスク	高リスク
リスク第 3 層：脳心血管病既往，非弁膜症性心房細動，糖尿病，蛋白尿のある CKD のいずれか，または，リスク第 2 層の危険因子が 3 つ以上ある	高リスク	高リスク	高リスク	高リスク

〔日本高血圧学会高血圧治療ガイドライン作成委員会（編）：高血圧治療ガイドライン 2019．p50，ライフサイエンス出版，2019 より〕

な機序は不明とされているが，カルフィルゾミブによる NF-κB を介した VEGF 障害が関係しているものと考えられている[6]．本症例に発現した症状のほか，Hb 尿，肝障害も認めることがあるため，注意が必要となる．

引用文献

1）カイプロリス®，調製方法
2）Chapuy CI, et al：Transfusion 55（6 Pt 2）：1545-54, 2015（PMID：25764134）
3）カイプロリス® 点滴静注用，適正使用ガイド
4）ダラザレックス® 点滴静注，適正使用ガイド
5）Keir L, et al：Pediatr Nephrol 26：523-33, 2011（PMID：20949284）
6）Lodhi A, et al：Clin Kidney 8：632-6, 2015（PMID：26413293）

（網野一真）

101 IsaPd（イサツキシマブ＋ポマリドミド＋デキサメタゾン）

POINT

- イサツキシマブは，IgGκ 型抗 CD38 モノクローナル抗体．初回投与時に発現する infusion reaction に注意する．
- 赤血球膜表面上の CD38 へ結合することによる間接クームス試験偽陽性や輸血に配慮する．
- ポマリドミドは肝機能別による投与量に注意する．

1 レジメンと副作用対策

適応：再発または難治性の多発性骨髄腫

1 コース期間：28 日間　**総コース**：PD まで

101		医薬品名 投与量	投与方法 投与時間	1	2	3	～	7	8	9	10	～	14	15	16	17	～	22	23	～	28
レジメン（IsaPd）	Rp1	デキサメタゾン 20 mg/body 生理食塩液 50 mL	点滴静注 5 分 （or 経口 1 日 1 回）	↓	↓				↓	↓				↓	↓			↓	↓		
		2 コース目以降：day 1, 2, 15, 16（day 8, 22 は 40 mg/回　経口）																			
	Rp2	イサツキシマブ 10 mg/kg 生理食塩液	点滴静注 初回 7 時間半～ 2 回目以降 4 時間～	↓					↓					↓				↓			
		2 コース目以降：day 1, 15（2 週 1 回投与）に変更																			
	Rp3	ポマリドミド 4 mg/body	経口 1 日 1 回	↓	↓	↓	↓	↓	↓	↓	↓	↓	↓	↓	↓	↓	↓				
		コース開始時の腎機能（Ccr など）に応じ，投与量決定																			
副作用対策	infusion reaction			■					■					■				■			
	特徴：発熱，鼻汁，咽頭違和感が投与開始初期に出現． 対策：抗ヒスタミン薬および解熱鎮痛薬を治療 30 分～1 時間前に投与．																				
	好中球減少，血小板減少										■	■	■	■	■	■	■	■	■		
	対策：治療初期は 1，2 週ごとに採血し，ポマリドミドを適宜休薬．																				
	血栓症			■	■	■	■	■	■	■	■	■	■	■	■	■	■	■	■	■	■
	対策：全例で血栓症予防薬を併用．消化管出血に留意し制酸薬を併用．																				
	便秘，下痢			■	■	■	■	■	■	■	■	■	■	■	■	■	■	■	■	■	■
	対策：便秘および下痢が発現する可能性がある．治療中は排便状況に注意し緩下剤や下剤を適宜使用．																				
	皮疹，瘙痒感					■	■	■	■	■	■	■	■	■	■	■	■	■	■	■	■
	対策：ポマリドミドの影響により発現することがあるので，Grade 評価を行い，Grade 2 以上であれば適宜減量，休薬．																				

2 抗がん薬の処方監査

□適応は，再発または難治性の多発性骨髄腫．1レジメン以上の治療歴がある患者が対象．レナリドミドおよびプロテアソーム阻害薬の治療歴を確認．

□イサツキシマブ投与前にinfusion reaction予防の解熱鎮痛薬，抗ヒスタミン薬が処方されていることを確認．COPDなどの呼吸器疾患既往がある患者では，呼吸器症状のinfusion reactionが強く発現する傾向があることが注意喚起されており，モンテルカスト10 mgを併用する場合もある．

□infusion reaction予防も兼ねて「デキサメタゾン→イサツキシマブ」の順に投与．

□感染予防薬，HBV再活性化マネジメントは95「KRd」の項(→788頁)．

□ポマリドミドに対するRevMate® 管理はレナリドミドと同様のため95「KRd」の項(→789頁)．

□ポマリドミドに対する血栓症予防薬については，後述(→833頁)．

□治療前に一般的な輸血前検査の実施状況を確認．

□イサツキシマブの間接抗グロブリン(間接クームス)試験への干渉：イサツキシマブは赤血球膜表面上に発現するCD38と結合するため，不規則抗体の検出を目的とする間接クームス試験において偽陽性になることがある．この干渉は最終投与から6か月後まで続く可能性があるため注意を要する．

• 対応策…治療開始前に不規則抗体スクリーニング検査を含めた一般的な輸血前検査を実施する．患者には治療開始前に検査結果を記載した「患者IDカード」の内容説明を行い，同カードを携帯するよう指導する．また検査輸血部門とダラツムマブ投与患者のリスト共有を行うなど，関係部門との連携を図るための体制構築を行う．

3 抗がん薬の調剤

□イサツキシマブは生理食塩液または5%ブドウ糖を用いて希釈し，総量を250 mLとする．初回投与時に投与開始から3時間以内にinfusion reactionが認められなかった場合は，次回以降の投与速度を速める(後述→832頁)．

□ポマリドミド調剤時は，処方ごとに医師が記載する遵守状況確認票を確認．RevMate® に準拠した薬剤管理・調剤監査を行う．95「KRd」の項（→789 頁）．

4 抗がん薬の投与

投与基準

□イサツキシマブ：開始基準は特になし．コース開始時は，併用するポマリドミドの開始基準を参考に判断．

□ポマリドミド[1)]

好中球数	≧1,000/μL	非血液毒性	≦Grade 3
血小板数	≧5 万/μL		

減量・中止基準

イサツキシマブ

□臨床試験での休薬基準

血液毒性	Grade 4	感染を伴う好中球減少症	全 Grade
出血を伴う血小板減少症	≧Grade 3	非血液毒性	≧Grade 3
FN	全 Grade		

□減量，休薬基準はなし．好中球減少および血小板減少では，併用するポマリドミドを減量・休薬．

ポマリドミド

□休薬の目安[2)]

好中球数	≦500/μL	血小板数	≦2.5 万/μL	非血液毒性	≧Grade 3

□減量の目安[2)]

ポマリドミド	デキサメタゾン
4 mg 連日→3 mg 連日→2 mg 連日→1 mg 連日	40 mg→20 mg→8～10 mg→4 mg

腎機能障害

イサツキシマブ	減量基準なし
デキサメタゾン	減量基準なし
ポマリドミド[3)]	減量基準なし．ただし透析患者のみ 3 mg（25%減量）から開始

肝機能障害

イサツキシマブ	減量基準なし	
デキサメタゾン		
ポマリドミド[3]	Child-Pugh 分類 A または B	3 mg（25%減量）から開始
	Child-Pugh 分類 C	2 mg（50%減量）から開始

注意点

□イサツキシマブの投与速度[2]

投与時間	希釈後の総量	投与開始からの投与速度（mg/時間）					
		0～1時間	1～1.5時間	1.5～2時間	2～2.5時間	2.5～3時間	3時間以降
初回投与	250 mL	175	225	275	325	375	400
2回目投与		175	275	375	400		

5 副作用マネジメント[2]

発現率〔全 Grade（%），n＝283〕

好中球減少症	46.7	下痢	25.7
上気道感染	28.3	疲労	17.1
気管支炎	23.7	infusion reaction	38.2
肺炎	20.4		

〔国際共同第Ⅲ相試験 ICARIA 結果より引用〕

評価と観察のポイント

投与開始～24 時間

□**infusion reaction**：多くは初回の投与中に発現し，症状重篤度は Grade 1～2 だが，Grade 3 以上の事象も認める．好発時期は，投与開始から 70～90 分後，特に最初の投与速度変更後は注意を要する．24 時間以降の遅発性の報告もある．

投与初日～数日

□**TLS**：関連する種々の項目（腫瘍量，腎機能，尿酸値・P 値・K 値）を確認し，TLS の発症リスクを評価した上で，尿酸生成阻害薬，尿酸分解酵素製剤による予防策を実施する．また骨髄腫においては治療後期の遅発期 TLS にも留意する必要がある．

□**悪心・嘔吐**：本療法は催吐リスクが低いため，原則予防制吐薬は不要であるが，個々の患者ごとに消化器症状の有無を評価し，必要に応じて支持療法薬の検討を行う．

投与後期（day 10 以降）

□**骨髄抑制**：本治療施行時は，骨髄腫治療における 1 レジメン以上の治療歴があるため，治療効果における正常造血機能回復の影響により，投与後期においても重篤な骨髄抑制や血球変動は比較的少ない傾向がある．治療経過によっては骨髄抑制が遷延することもあるため，投与ごとの血液検査を行う．

全コース

□**感染症**：95「KRd」の項（→792 頁）．

□**静脈血栓塞栓症**：発現時期に特定の傾向はない．急激な片側下肢の腫脹・疼痛，胸痛，突然の息切れ，四肢麻痺の症状を評価．

- 対応…95「KRd」の項（→792 頁）．

副作用対策のポイント

投与開始～数日

□**TLS**：95「KRd」の項（→792 頁）．

投与開始～24 時間

□**infusion reaction**：98「DLd」の項（→792 頁）．

day 10 以降

□**骨髄抑制**：コース内採血にて好中球減少，血小板減少を認める場合は投与基準を参考にポマリドミドの減量，休薬を検討．治療継続中に好中球減少，血小板減少の回復遷延を認める場合は，治療効果を踏まえ本療法の継続可否の検討を行う．

全コース

□**感染症**：95「KRd」の項（→793 頁）．

□**皮疹**：98「DLd」の項（→812 頁）．

□**静脈血栓塞栓症**：ポマリドミドについては expert panel consensus statement[4] にて静脈血栓塞栓症のリスク評価に基づく抗血栓薬または抗凝固薬の予防投与が推奨されているため，投与患者の発症リスクの評価を十分に行い，アスピリン，ワルファリン，DOAC の予防投与を検討する．

6 薬学的ケア

CASE

□80 歳代男性．治療開始から 3 レジメン目の Pd 療法にて，MRD（微小残存病変）陰性を維持していたが，陽性化したため

IsaPd に変更の方針となる．既往歴に心房細動あり，DOAC 内服中であることを確認．

□イサツキシマブ初回投与開始時をモニタリング．60 分が経過し流速を 175 mg/時間から 225 mg/時間に変更し，10 分後（投与開始から 70 分後）から心電図モニター上にて af（atrial fibrillation；心房細動）がみられ，頻拍となったため一時投与を中断した．患者の自覚症状はなかったため，医師と協議の上，175 mg/時間から再開し，流速を上げずに投与継続とした．その後自覚症状発現せず，モニター上も変化ないまま投与終了となった．

□1 コース目 day 22 の採血所見にて，Grade 4 の白血球減少を認める．ポマリドミド休薬期間を経て，次コース開始時のポマリドミドの用量について医師と協議を行った．治療が奏効していることやイサツキシマブの投与間隔が 2 週間おきになることから，4 mg で継続することとなった．その後，減量基準に相当する白血球減少が生じることなく，投与継続となった．

解説

□IsaPd 療法を施行する際は，肝・腎機能など臓器機能を評価する他，静脈血栓塞栓症を誘発する既往歴の有無の確認．抗血栓薬の服用の有無を確認することが重要となる．本症例は心房細動の既往歴のある患者であり，DOAC の服用を含めた継続的なモニタリングが必要となる．

□イサツキシマブにおいても infusion reaction は高率に発現することが報告されている．症状を認めた場合は投与一時中断の上，適宜ステロイド，解熱鎮痛薬の投与を行う．本症例では，既往に心房細動があったため，心電図モニターの確認も重要であった．自覚症状のない af の発現のみであり，流速の調節のみで投与完遂となった．

□IsaPd 療法では好中球減少が高率に報告されているため，血球モニタリングが重要である．本症例は，Pd 療法を 18 か月継続しており，その間 Grade 2 以上の血球減少は生じていないが，IsaPd 療法にて重篤な血球減少を認めていることから，抗体薬が追加となるレジメン変更の場合は，投与ごとの血算など検査値の確認が重要となる．また本症例では治療経過からポマリドミドの用量を減ぜずに継続したが，Grade 3 以上の血球減少が生じた場合には，減量・休薬を含めた検討と対応が必要となる．

column DPd療法とIsaKd療法

□2021年11月にDPd（ダラツムマブ＋ポマリドミド＋デキサメタゾン）療法とIsaKd（イサツキシマブ＋カルフィルゾミブ＋デキサメタゾン）療法の2レジメンが保険適用承認を受けたので簡単に紹介する．

DPd療法

□適応は，再発または難治性の多発性骨髄腫．1レジメン以上の治療歴を確認．

□国際共同第Ⅲ相試験（APOLLO）[5]によりPd群との比較試験にてPFS，ORRに有意な改善効果が認められた．

□ダラツムマブについては，すべての免疫調節薬（サリドマイド，レナリドミド，ポマリドミド）と併用が可能となったため，各薬剤の特徴や直接腫瘍効果，免疫修飾効果など治療効果における相違点，肝，腎機能の状態，有害事象の発現頻度による使い分けが，今後の骨髄腫治療において重要となってくる．

IsaKd療法

□適応は，再発または難治性の多発性骨髄腫．1レジメン以上の治療歴を確認．

□国際共同第Ⅲ相試験（IKEMA）[6]によりKd群との比較試験にてPFSに有意な改善効果が認められた．

□イサツキシマブについては，IsaKdの他，デキサメタゾンのみとの併用[7]，単剤療法[8]も同時承認となった．この2療法については，イサツキシマブの用量が10 mg/kgから20 mg/kgに変更になっていることにも留意が必要となる．

ダラツムマブとイサツキシマブ両剤の特徴

□抗CD38抗体薬とプロテアソーム阻害薬，免疫調節薬との併用パターンが増加し，複雑化してくる中，各治療法の特徴，有害事象プロファイルを理解することで，治療選択への介入や患者フォローアップが可能となる．

□参考までにダラツムマブとイサツキシマブの違いについて以下の表にまとめた[9].

作用機序，併用薬他	ダラツムマブ	イサツキシマブ
補体依存性細胞傷害（CDC）活性	★★★	★
抗体依存性細胞傷害（ADCC）活性	★★	★★
抗体依存性細胞貪食（ADCP）活性	★★★	—
直接的アポトーシス誘導	—	★★
Fc 領域架橋形成によるアポトーシス誘導	★★★	★★★
CD38 細胞外酵素活性阻害	★	★★★
1q21 転座	—	★★★
t（11；14）転座	★★	—
単剤投与	不可	可
併用免疫調節薬	すべて可	ポマリドミドのみ
投与間隔（維持期）	4 週間隔	2 週間隔

引用文献

1）サークリサ®，適正使用ガイド
2）ポマリスト® カプセル，適正使用ガイド
3）POMALYST（pomalidomide）米国添付文書
4）Dimopoulos MA, et al：Leukemia 28：1573-85, 2014（PMID：24496300）
5）Dimopoulos MA, et al：Lancet Oncol 22：801-12, 2021（PMID：34087126）
6）Moreau P, et al：Lancet 397：2361-71, 2021（PMID：34097854）
7）Dimopoulos MA, et al：Blood 137：1154-65, 2021（PMID：33080623）
8）Sunami K, et al：Cancer Sci 111：4526-39, 2020（PMID：32975869）
9）van de Donk NWCJ , et al：Blood 131：13-29, 2018（PMID：29118010）

（網野一真）

102 イマチニブ（グリベック®）

103 ニロチニブ（タシグナ®）

104 ダサチニブ（スプリセル®）

POINT

- 初発 CML 慢性期の治療薬として，第 1 世代 TKI のイマチニブ，第 2 世代のニロチニブ，ダサチニブ，ボスチニブのいずれかが用いられる．第 2 世代 TKI は，イマチニブに比較しより早く，より深い治療奏効が得られ，ELTS score 高リスク CML においては第 2 世代 TKI を用いることで予後の改善が期待できるとの報告がなされており，特に避けなければいけない理由がなければ第 2 世代 TKI にて治療を開始することが推奨される[1]．
- 十分な治療効果を得るには TKI の服薬アドヒアランス確保がポイントとなる．
- CML 患者に対する TKI 治療は長期間継続されるため，晩期に生じる心血管合併症のモニタリングを適切に行うことが極めて重要である．

1 レジメンと副作用対策 （→次頁参照）

イマチニブ[1]

適応：慢性期 CML
用法・用量：1 回 400 mg　1 日 1 回　食後　経口投与
1 回 600 mg　1 日 1 回まで増量可，原則 PD まで連日投与

適応：移行期または急性期 CML
用法・用量：1 回 600 mg　1 日 1 回　食後　経口投与
1 日 800 mg（1 回 400 mg 1 日 2 回）まで増量可，原則 PD まで連日投与

ニロチニブ[2]

適応：初発慢性期 CML
用法・用量：1 回 300 mg　1 日 2 回（食事の 1 時間以上前または食後 2 時間以降）経口投与

102, 103, 104		医薬名，投与量	投与方法 投与時間	1	2	3	4	5	6	7	8	9	10	11	12	13	14	15	16	～	28
レジメン	Rp1	イマチニブ 400 mg ※慢性期 CML として	内服 1日1回 朝食後	↓	↓	↓ 【1 コース期間】：連日投与 治療タイミングにより用量が異なる	↓	↓	↓	↓	↓	↓	↓	↓	↓	↓	↓	↓	↓	↓	↓
	Rp1	ニロチニブ 600 mg ※初発慢性期 CML として	内服 1日2回 12時間ごと（空腹時）	↓	↓	↓ 【1 コース期間】：連日投与 CML の病期により用量が異なる	↓	↓	↓	↓	↓	↓	↓	↓	↓	↓	↓	↓	↓	↓	↓
	Rp1	ダサチニブ 100 mg ※慢性期 CML として	内服 1日1回 朝食後	↓	↓	↓ 【1 コース期間】：連日投与 CML の病期により用量が異なる	↓	↓	↓	↓	↓	↓	↓	↓	↓	↓	↓	↓	↓	↓	↓

副作用対策	
悪心・嘔吐	イマチニブで比較的生じやすい．多めの水で内服し，空腹時内服を避けるように心がける．
皮膚障害	3剤共通の副作用．発疹，湿疹，紅斑，瘙痒感，脱毛症などの報告がある．投薬開始1か月以内に発現し，晩期には安定してくることが多い．
下痢	3剤共通の副作用．比較的軽度なことが多く，ロペラミド，タンニン酸アルブミンなどを投与し，患者の状態を観察しながら投与量を調節すること．
筋肉痛，筋痙攣	イマチニブで比較的生じやすい．多くは一過性である．発現時期に関する記載なし．
浮腫・体重増加	イマチニブで比較的生じやすい．体重を定期的に測定し，症状を認める場合には利尿薬を考慮．
胸水（発現期間中央値：28週間（範囲：4～88週間））	ダサチニブに特異的な副作用．呼吸困難，乾性咳嗽などが認められた場合，胸部X線検査を実施．
QT 延長	ニロチニブで特に注意．適宜心電図検査を実施するとともに電解質異常がないか確認すること．
肝機能障害	ニロチニブで比較的生じやすい．症状によりグリチルリチン製剤やウルソデオキシコール酸製剤，副腎皮質ステロイド投与の投与を考慮．
好中球減少	3剤共通の副作用．多くは一過性であり，投与開始後16週までに発現する．
血小板減少	ダサチニブで比較的生じやすい．投与開始後4～8週間で最も低下しやすい．

適応：イマチニブ抵抗性の慢性期または移行期 CML

用法・用量：1回 400 mg　1日2回（食事の1時間以上前または食後2時間以降）経口投与

※急性期 CML に対する適応を有していない点に注意する

（小児の場合）
通常，体表面積にあわせてニロチニブとして1回約230 mg/m^2　1日2回（食事の1時間以上前または食後2時間以降）経口投与

ダサチニブ[3)]

適応：慢性期CML
用法・用量：1回100 mg　1日1回　食後　経口投与
1回140 mg　1日1回まで増量可，原則PDまで連日投与

適応：移行期または急性期CML
用法・用量：1回70 mg　1日2回　食後　経口投与
1回90 mg　1日2回まで増量可，原則PDまで連日投与

2 抗がん薬の処方監査

- □染色体検査または遺伝子検査によりCMLと診断されていることを確認する．また，CMLの病期により投与量が異なるため，病期と投与量を必ず確認する．
- □薬物相互作用：TKI 3剤はともにCYP3A4の基質であり，かつ阻害作用を有するため，治療中は併用される薬剤との相互作用に注意する．

併用注意薬剤		臨床症状・対応
CYP3A4阻害薬	アゾール系抗真菌薬 マクロライド抗菌薬 など	TKIの血中濃度が上昇する可能性あり 阻害作用が弱い薬剤への代替を検討
CYP3A4誘導薬	リファンピシン フェニトイン デキサメタゾン など	TKIの血中濃度が低下する可能性あり 誘導作用の弱い薬剤へ代替を検討
CYP3A4の基質となる薬剤	シンバスタチン シクロスポリン ミダゾラム　など	併用薬の血中濃度が上昇する可能性あり

- □イマチニブは，高脂血症治療薬ロミタピドとの併用は禁忌．CYP3A4阻害作用によりロミタピドの血中濃度が著しく上昇する可能性がある．
- □TKI 3剤はともに妊婦または妊娠している可能性のある女性に禁忌．
- □ニロチニブは，食事の影響を受けやすいため，空腹時投与を厳

守．（食後に投与した場合，ニロチニブの血中濃度が上昇する）また，12 時間毎を目安に服用時間を設定する．

□ニロチニブとダサチニブは，胃内 pH を上昇させる薬剤（PPI や H_2 ブロッカーなど）との併用で吸収が低下することが知られており，併用を避けることが望ましい．

3 抗がん薬の調剤

□TKI 3 剤ともに，抗がん薬曝露を避けるため粉砕や脱カプセルは原則行わない．また，簡易懸濁法も同様の理由から推奨されない．簡易懸濁法は，治療上の有益性が危険性を上回ると判断される場合にのみ考慮され，曝露対策の担保が重要．

4 抗がん薬の投与

投与基準[2, 3]

□TKI 3 剤において，いずれの添付文書などに明確な目安の記載はない．

減量・中止基準[4-7]

イマチニブ

□休薬・再開基準

項目	慢性期 CML	移行期・急性期 CML
好中球数	≧1,500/μL	原則として，患者の全身状態に十分に注意し少なくとも 1 か月治療を継続後 • 血球減少が白血病に関連しているか否かを確認し対応を検討する． • 白血病に関連しない血球減少が 4 週間続く場合は，好中球数 1,000/μL 以上，および血小板数 2 万/μL 以上に回復するまで休薬
血小板数	≧7.5 万/μL	

□減量・中止基準

項目	慢性期 CML	移行期・急性期 CML
好中球数	<1,000/μL	<500/μL
血小板数	<5 万/μL	<1 万/μL

腎機能障害[7]

Ccr (mL/分)	<20	慎重投与
	20～39	初回投与時は 50%減量にて開始し，忍容性に応じて漸増することを考慮．1 日 400 mg 以上の投与量は避けることが望ましい．
	40～59	1 日 600 mg 以上の投与量は避けることが望ましい．

肝機能障害

□T-Bil≧4.5 mg/dL（ULN×3）または AST≧150 U/L（ULN×5），ALT≧180 U/L（ULN×5）で休薬．T-Bil<2.25 mg/dL（ULN×1.5）または AST<75 U/L（ULN×2.5），ALT<90 U/L（ULN×2.5）に低下するまで休薬し，回復後，減量して再開．

ニロチニブ

□休薬・再開基準

項目	慢性期 CML	イマチニブ抵抗性慢性 CML	移行期 CML	小児の CML
好中球数	≧1,500/μL	≧1,000/μL	≧1,000/μL	≧1,500/μL
血小板数	≧7.5 万/μL	≧5 万/μL	≧2 万/μL	≧7.5 万/μL
Hb	≧10 g/dL	—	—	—
リパーゼ	<79.5 U/L（<ULN×1.5）			
QT 延長	2 週間以内に，450 ミリ秒未満かつベースライン値からの延長が 20 ミリ秒以内まで回復			

□減量・中止基準

項目	慢性期 CML	イマチニブ抵抗性慢性 CML	移行期 CML	小児の CML
好中球数	<1,000/μL	<1,000/μL	<500/μL	<1,000/μL
血小板数	<5 万/μL	<5 万/μL	<1 万/μL	<5 万/μL
Hb	<8 g/dL	—	—	—
リパーゼ	>106 U/L（>ULN×2）			
QT 延長	480 ミリ秒以上の延長			

腎機能障害

□記載なし．

肝機能障害

□初発慢性期 CML

休薬の目安	投与量調節
T-Bil≧2.25 mg/dL（ULN×1.5）かつ≦4.5 mg/dL（ULN×3）または 75 U/L<AST≦150 U/L（ULN×2.5<AST≦ULN×5），（男）105 U/L，（女）57.5 U/L<ALT≦（男）210 U/L，（女）115 U/L（ULN×2.5<ALT≦ULN×5）	T-Bil<2.25 mg/dL（ULN×1.5）または AST<75 U/L（ULN×2.5），ALT<（男）105 U/L，（女）57.5 U/L（いずれも<ULN×2.5）に低下するまで休薬し，回復後，1 回 300 mg 1 日 2 回の用量で再開．

休薬の目安	投与量調節
T-Bil>4.5 mg/dL（ULN×3）または AST>150 U/L（ULN×5），ALT>（男）210 U/L，（女）115 U/L（いずれも>ULN×5）	T-Bil<2.25 mg/dL（ULN×1.5）または AST<75 U/L（ULN×2.5），ALT<（男）105 U/L，（女）57.5 U/L（いずれも<ULN×2.5）に低下するまで休薬し，回復後，1 回 400 mg 1 日 2 回の用量で再開

□イマチニブ抵抗性の慢性期 CML

休薬の目安	投与量調節
T-Bil≧4.5 mg/dL（ULN×3）または AST>150 U/L（ULN×5），ALT>（男）210 U/L，（女）115 U/L（いずれも>ULN×5）	T-Bil<2.25 mg/dL（ULN×1.5）または AST<75 U/L（ULN×2.5），ALT<（男）105 U/L，（女）57.5 U/L（いずれも<ULN×2.5）に低下するまで休薬し，回復後，1 回 400 mg 1 日 1 回の用量で再開

□小児の CML

休薬の目安	投与量調節
T-Bil>2.25 mg/dL（ULN×1.5）または AST>150 U/L（ULN×5），ALT>（男）210 U/L，（女）115 U/L（いずれも>ULN×5）	T-Bil<2.25 mg/dL（ULN×1.5）または AST<75 U/L（ULN×2.5），ALT<（男）105 U/L，（女）57.5 U/L（いずれも<ULN×2.5）に低下するまで休薬． 回復後，①休薬前に 230 mg/m² 1 日 2 回を投与していた場合は，230 mg/m² 1 日 1 回に減量して再開．②230 mg/m² 1 日 1 回を投与していた場合は，4 週間以内に回復しなければ本剤の投与を中止．

ダサチニブ

□休薬・再開基準

項目	慢性期 CML	移行期・急性期 CML
好中球数	≧1,000/μL	原則として，患者の全身状態に十分に注意し少なくとも治療開始 14 日間は治療を継続した後 ・血球減少が白血病に関連しているか否かを確認し対応を検討する ・白血病に関連しない場合は，好中球数 1,000/μL 以上および血小板数 2 万/μL 以上に回復するまで休薬
血小板数	≧5 万/μL	
非血液毒性	≦Grade 1 またはベースラインに回復するまで	

□減量・中止基準

項目	慢性期 CML	移行期・急性期 CML
好中球数	<1,000/μL	<500/μL
血小板数	<5 万/μL	<1 万/μL
非血液毒性	≧Grade 3	

腎機能障害

□記載なし．

肝機能障害

	休薬の目安	投与量の調節
慢性期CML	≧Grade 3	Grade 1 以下に回復するまで休薬し減量して再開（1回 100 mg 1 日 1 回の場合は 1 回 80 mg 1 日 1 回）．
移行期CML	≧Grade 3	Grade 1 以下に回復するまで休薬し減量して再開（1回 70 mg 1 日 2 回の場合は 1 回 50 mg 1 日 2 回）．

増量

□イマチニブ，ダサチニブでは，患者の安全性と忍容性を考慮して下記に該当する場合では，増量を考慮．

- 病状が進行した場合
- イマチニブで 3 か月，ダサチニブで 1 か月以上の治療後も，十分な血液学的効果がみられない場合
- イマチニブ継続中にこれまで認められていた血液学的効果がみられなくなった場合

TDM による投与量調節

□イマチニブは，薬物血中濃度モニタリング（TDM）が保険診療で認められており，イマチニブのトラフ値は分子遺伝学的効果（MMR）達成率と関係していることが示されている[8]．イマチニブの目標トラフ値は 1,000 ng/mL で，以下の場合に TDM の実施が考慮される．

- 服薬アドヒアランス不良が疑われる場合
- 薬物相互作用による血中濃度への影響が疑われる場合
- イマチニブの治療効果が十分に得られない場合
- 服薬量に比して重篤な副作用を認める場合

注意点

□TKI の種類により服用回数や食事との間隔が決まっているため，患者のライフスタイルに合わせて服薬時間などを設定し，服薬アドヒアランスを維持できるよう指導する．

□**治療効果の評価**：日本血液学会の造血器腫瘍診療ガイドライン（2018 年版補訂版）による CP-CML 治療効果判定基準に従い，血液学的奏効（HR），細胞遺伝学的奏効（CyR），分子遺伝学的奏効（MR）の 3 つのレベルで判定する．治療開始後 3 か月ごとに評価し，至適（optimal），要注意（warning），失敗（failure）として判定する．

□**治療目標**：慢性期 CML 治療では，少なくとも MMR の治療効果を得ることが大切である．近年，TKI 長期投与に伴う過剰な治療と晩期毒性を避け，医療経済の見地から，STIM 試験[9]の結果に代表されるように，治療目標が TKI を中止しても分子遺伝学的に再発・再燃してこない寛解状態（TFR；treatment free remission）を得ることへシフトしてきている．TFR に向けた深い分子遺伝学的奏効（DMR；deep molecular response）の獲得が望まれる[※1]．

※1：ただし，ガイドラインでは，臨床試験以外で TKI を中止すべきではないとされていることに注意する．

5 副作用マネジメント

発現率[2, 3]

□各 TKI の標的となるキナーゼの違いが，各薬剤の有害事象プロファイルの発現の違いとなっている．患者背景，合併症，患者の希望を十分に考慮し，慎重に薬剤を選択する．

□初発慢性期 CML 治療におけるイマチニブとニロチニブの比較試験（ENESTnd 試験）の副作用データ

副作用		イマチニブ 400 mg/日 (n=280)		ニロチニブ 300 mg/日 (n=279)	
		全 Grade (%)	Grade 3/4 (%)	全 Grade (%)	Grade 3/4 (%)
血液毒性	好中球減少	68	20	43	12
	血小板減少	56	9	48	10
	貧血	47	5	38	3
非血液毒性	皮疹	11	1	31	<1
	頭痛	8	0	14	1
	悪心	31	0	11	<1
	嘔吐	14	0	5	0
	下痢	21	1	8	1
	瘙痒	5	0	15	<1
	筋肉痛	10	0	7	0
	筋痙攣	24	1	7	0
	倦怠感	8	<1	11	0
	末梢浮腫	14	0	5	0
	眼瞼浮腫	13	<1	1	0

副作用		イマチニブ 400 mg/日 (n=280)		ニロチニブ 300 mg/日 (n=279)	
		全 Grade (%)	Grade 3/4 (%)	全 Grade (%)	Grade 3/4 (%)
生化学検査異常	T-Bil 上昇	10	1	53	4
	ALT 上昇	20	2	66	4
	AST 上昇	23	1	40	1
	リパーゼ上昇	11	3	24	6
	アミラーゼ上昇	12	1	15	<1
	血糖上昇	20	0	36	6

□初発慢性期 CML 治療におけるイマチニブとダサチニブの比較試験（DASISION 試験）の副作用データ

副作用		イマチニブ 400 mg/日 (n=258)		ダサチニブ 100 mg/日 (n=258)	
		全 Grade (%)	Grade 3/4 (%)	全 Grade (%)	Grade 3/4 (%)
血液毒性	好中球減少	58	20	65	21
	血小板減少	62	10	70	19
	貧血	84	7	90	10
非血液毒性	表在性浮腫	36	<1	9	0
	胸水	0	0	10	0
	下痢	17	1	17	<1
	悪心	20	0	8	0
	嘔吐	10	0	5	0
	筋肉痛	12	0	6	0
	筋炎	17	<1	4	0
	骨格筋痛	14	<1	11	0
	皮疹	17	1	11	0
	頭痛	10	0	12	0
	倦怠感	10	0	8	<1

評価と観察のポイント

□**血液毒性**：投与後早期に血液毒性が認められる例がある．特にダサチニブ開始後は，頻度は低いながらも脳出血や消化管出血などの重篤な出血の報告があるため，特に投与後早期の血小板減少に注意を要する．

□**体液貯留**：イマチニブの外国臨床試験では，軽度～中等度の表在性浮腫の発現頻度は65歳以上の高齢者で若年者より高いとの成績が報告されている[4]．他のTKIも含め，高齢者では慎重な経過フォローが求められる．

□**心機能障害**：イマチニブの心機能障害への関与が指摘されている．うっ血性心不全徴候が認められる場合には，速やかに必要な検査を実施し対応する．TKI投与開始前（特にイマチニブ）には，LVEFなどの心機能検査を行う．

□**胸水**：ダサチニブ特有の有害事象で，5年フォローアップデータでは28％の患者に認められており，高齢者（65歳以上）に多く，半数以上が開始後1年以降の発症であった．投与から数年経過して発症する例もあり，呼吸器症状の有無に注意し，定期的な胸部X線検査を行う．

□**高血糖，膵酵素上昇**：ニロチニブで特異的な副作用で，投与前に耐糖能異常の評価をしておく．必要に応じ糖尿病治療を行い，TKI治療中断に至らないよう支援する．膵酵素上昇については，適宜休薬等の対応で改善することが多く，膵炎をきたすことは稀である．

□**QT延長**：特にニロチニブで注意喚起されている．TKI開始前および投与中は，定期的に心電図検査，電解質モニタリングが行われているか確認する．

□**晩期有害事象**：TKI投与の長期化によって特徴的な晩期有害事象が明らかになってきている．ニロチニブでは末梢動脈閉塞性疾患，虚血性心疾患，イマチニブ，ダサチニブでは肺高血圧症などの発症に注意を要する．TKI治療開始前には心血管合併症リスクを評価し，治療中の適切なモニタリングが重要．循環器内科と連携を取りながら治療を継続することが推奨される．

副作用対策のポイント

□**悪心・嘔吐**：イマチニブで比較的頻度が高く中等度の催吐性リスクに分類されている．適宜制吐剤を併用する．また200 mL以上の多めの水で内服，空腹時内服を避けることなどで改善することもある．

□**皮疹**：イマチニブとニロチニブで比較的頻度が高い．重篤例は少なく，抗ヒスタミン薬の内服やステロイド外用薬で対応することが一般的．重篤な場合は休薬や減量を行い，ステロイド全身投与を検討．

□**浮腫**：眼瞼，四肢の浮腫などが多い．利尿薬を併用し対応することが一般的．重篤な場合は休薬，減量を検討．

□**胸水**：ダサチニブ投与中は定期的に胸部X線検査を実施．Grade 2以上の場合にはダサチニブの減量・休薬，利尿剤投与，短期的なステロイド投与．

□**筋肉痛，筋痙攣**：イマチニブで代表的な副作用．それに伴う慢性の倦怠感が30〜50%と高頻度で認められ患者のQOLに大きく影響する．支持療法として漢方薬（芍薬甘草湯（しゃくやくかんぞうとう）など）やCa，Mgなどの電解質補充が用いられることがある．

□**QT延長**：定期的な心電図検査，電解質モニタリングが重要である．ニロチニブは，QT間隔≧480ミリ秒の場合は，原則投与中止．血清K値，Mg値は基準値内を維持することが重要．脱水，下痢を発症している場合は電解質異常をきたしやすく，特に注意を要する．

□**血管閉塞性事象（VOE；veno-occlusive disease）**：ニロチニブの場合，2週間以上の休薬を行っても改善が認められない場合は投与中止が推奨され，VOE発症後にもニロチニブを継続した場合，1年以内のVOE再発リスクが高まることから，ほかのTKIへの変更が推奨される．

□**心血管イベント**：治療期間が長くなるほど，用量が多くなるほど，発症率は高くなることが示唆されている[10]．治療中は諸検査により心血管疾患や糖尿病，脂質代謝異常の有無をモニタリングし，必要に応じて加療する．TKI服用中の心血管有害事象予防に対し「ABCDEステップ」が提唱されている[10]．

□心血管有害事象予防のためのABCDEステップ

A	• 心血管疾患のサインと症状に気付けるよう患者指導（Awareness of cardiovascular disease signs and symptoms） • 抗血小板療法（アスピリン投与）〔Antiplatelet therapy (Aspirin) in select patients〕 • 足関節上腕血圧比測定〔Ankle-brachial index (ABI) measurement〕
B	• 血圧管理（Blood pressure control）
C	• 禁煙（Cigarette Cessation） • 脂質管理（Cholesterol）
D	• 糖尿病管理（Diabetes mellitus） • 食事と体重管理（Diet and weight management）
E	• 運動（Exercise）

6 薬学的ケア

CASE

□50歳代男性．会社員．初発慢性期CMLと診断．TKIの選択において，仕事の関係で食事時間が不規則であったため，ダサチニブ100 mg/日による治療が選択された．服用開始1か月後より胸水を認め，利尿薬による対症療法が開始された．適宜，胸部X線検査によるモニタリングが行われ，利尿薬のアドヒアランス確保に努めた．

□ダサチニブ開始し3年後，胸水の悪化に伴い休薬し，70 mgへ減量再開したが，さらに増悪したため，ダサチニブからニロチニブへ変更となった．患者に通常の食事時間を確認し，ニロチニブの服薬時間を10時，22時に服薬時間を設定．食事を避ける時間帯を指導した．また，ニロチニブ開始時には，心血管イベント発症リスクの軽減を目的に，胸部X線検査，12誘導心電図，血圧測定，心エコー検査を行い，循環器内科にコンサルトされた．患者には，血圧，脂質，血糖の定期的な評価と厳密なコントロールおよび禁煙や適度な運動，食事や体重コントロールに関する指導を実施し，家庭血圧測定の実施を推奨した．

□ニロチニブ開始して3年後，治療効果は得られていたが，T315I変異が検出されたため，ポナチニブに治療が変更となった．

解説

□TKI治療の効果を十分に得るためには，服薬アドヒアランスの確保が重要である．TKIの種類により服用回数や食事との間隔が決まっているため，患者のライフスタイルに合わせて服薬時間などを設定し，服薬アドヒアランスを維持できるよう指導する．TKI治療は長期にわたるため，軽度の副作用でも患者のアドヒアランスを低下させる要因となりうることを念頭に，継続的な介入を行う．

□副作用の多くは，対症療法によりマネジメント可能であるが，適切な対応を行っても改善しない場合は，他のTKI治療薬への変更も選択肢になる．

□5種類のTKIにより多くのCML患者を寛解状態に導くことが可能となり，CML治療は劇的に改善したが，それらの長期使用に伴い心血管合併症を生じることが明らかになっている．晩期に生じる心血管合併症のモニタリングを適切に行うことが極めて重要であり，患者本人にもどのような心血管合併症が起こりうるのかを理解してもらうことが重要である．

引用文献

1） Sato E, et al：Leuk Lymphoma 59：1105-12, 2018（PMID：28838287）
2） Saglio G, et al：N Engl J Med 362：2251-9, 2010（PMID：20525993）
3） Kantarjian H, et al：N Engl J Med 362：2260-70, 2010（PMID：20525995）
4） グリベック® 錠，添付文書
5） タシグナ® カプセル，添付文書
6） スプリセル® 錠，添付文書
7） GLEEVEC（imatinib）米国添付文書
8） Picard S, et al：Blood 109：3496-9, 2007（PMID：17192396）
9） Etienne G, et al：J Clin Oncol 35：298-305, 2017（PMID：28095277）
10） Moslehi JJ, et al：J Clin Oncol 33：4210-8, 2015（PMID：26371140）

（根本真記）

105 ボスチニブ（ボシュリフ®） 106 ポナチニブ（アイクルシグ®）

POINT

- ■ボスチニブの特徴的な有害事象は下痢と肝障害である．投与開始初期に発現しやすいこれらの副作用を乗り越えれば，長期にわたり忍容性が高い薬剤であり，高齢の患者にも選択しやすい．
- ■ポナチニブは血管閉塞性事象に注意が必要．治療効果を確認しながら減量する戦略が有用．T315I 変異にはポナチニブのみが有効．
- ■服薬順守が治療効果に直結するため，アドヒアランス向上を指導する．*BCR-ABL*^{IS}%の推移にて治療効果を患者と共有するとともに，有害事象をモニタリングしていく．

1 レジメンと副作用対策（→次頁参照）

ボスチニブ

適応：慢性骨髄性白血病

用法用量：初発の場合は1日1回400 mg，前治療抵抗性・不耐容の場合は1日1回500 mgを食後経口投与．1日1回600 mgまで増量可．

ポナチニブ

適応：前治療抵抗性・不耐容の慢性骨髄性白血病，再発・難治性のフィラデルフィア染色体陽性急性リンパ性白血病

用法用量：1日1回45 mgを経口投与（食事の影響を受けない）．製造販売後調査では，慢性骨髄性白血病患者の78%が15～30 mgで治療を開始し，その後2年間の平均投与量（休薬期間を含む）も85%が15～30 mgを維持していた．

2 抗がん薬の処方監査

- □両剤ともに妊婦は禁忌．
- □ボスチニブは1次治療より使用可能となった[1]．
- □ボスチニブは投与初日より下痢が生じうるため，あらかじめ止瀉薬を投与しておくとよい．
- □血管閉塞性事象の既往歴がある場合にはポナチニブを回避する[2]．

105, 106		医薬品名 投与量	投与方法 投与時間	1	2	3	4	5	6	7	8	9	10	11	12	13	14～
レジメン	Rp1	ボスチニブ 400/500 mg	経口 1日1回	↓	↓	↓	↓	↓	↓	↓	↓	↓	↓	↓	↓	↓	↓
	Rp1	ポナチニブ 15～45 mg	経口 1日1回	↓	↓	↓	↓	↓	↓	↓	↓	↓	↓	↓	↓	↓	↓

副作用対策		
ボスチニブ	下痢	開始初日より発現し始める．止瀉薬ロペラミドや整腸薬を投与し，水分補給を促して脱水に注意する．程度に応じてボスチニブの休薬・減量を検討．数日間で自然に軽快することが多い．
	肝機能障害	開始2～3週間で発現し始める．減量規定に従って，休薬・減量を図る．肝細胞障害型の場合は肝庇護薬，アレルギー型の場合は少量ステロイドの投与を検討．
ポナチニブ	血管閉塞性事象・心血管障害	発現時期中央値は，国内第Ⅰ/Ⅱ相試験で7か月，海外第Ⅲ相試験では13.4か月と報告されているが，早期から晩期まで幅広く発現する．経過を通じて心電図やABI，胸部X線，心エコー，頸動脈エコーなどを定期的に実施する．動脈硬化や心血管障害のハイリスク症例には，低用量アスピリンなどの抗血小板薬の投与も考慮．
	高血圧	国内第Ⅰ/Ⅱ相試験の発現開始中央値が1.1か月と，早期より発現する．診察時のみならず家庭血圧測定も推奨し，降圧薬にて厳格に血圧管理を行う．
	膵酵素上昇	膵炎の発現時期中央値は，海外第Ⅲ相試験で0.5か月と報告されている．リパーゼ，アミラーゼを確認．腹部症状がなく，検査値異常のみの場合が多いが，腹部エコーで膵炎の有無を確認する．
共通	皮疹	皮疹発現時には，休薬もしくは減量をはかり，保湿薬に加えてステロイド外用薬や抗アレルギー薬（抗ヒスタミン薬）を投与する．重篤な皮膚障害（TEN，SJS，多形紅斑，剝脱性皮膚炎など）の発現報告もあり，注意が必要．
	血小板減少，好中球減少	両剤ともにおおむね開始1か月程度（4～6週）で発現する場合がある．適宜用量調節を図る．血球減少が遷延する場合には，G-CSFや輸血によるサポートも検討可能．

□ポナチニブ投与開始前には特に，心血管リスク評価〔心電図，足関節上腕血圧比（ABI；ankle-brachial index），胸部X線〕，血圧測定，脂質異常や糖尿病の状態，喫煙の有無を確認する．

□薬物相互作用（**表105, 106-1**）

□両剤ともにCYP3A4で主に代謝されるため，CYP3A4を阻害または誘導する薬剤を併用する場合には，両剤の血中濃度が変動する可能性を考慮．

3 抗がん薬の調剤

□曝露回避のため粉砕や簡易懸濁法は行わない．

表 105, 106-1　薬物相互作用

CYP3A4 阻害薬	アゾール系抗真菌薬	イトラコナゾール＊＊＊，ボリコナゾール＊＊＊，ポサコナゾール＊＊＊，ケトコナゾール＊＊＊，フルコナゾール＊＊
	抗菌薬	クラリスロマイシン＊＊＊，エリスロマイシン＊＊，シプロフロキサシン＊＊
CYP3A4 阻害薬	抗 HIV 薬	リトナビル＊＊＊，ネルフィナビル＊＊＊，アタザナビル＊＊
	Ca 拮抗薬	ジルチアゼム＊＊，ベラパミル＊＊
	柑橘類	グレープフルーツジュース＊＊＊
	制吐薬	アプレピタント＊＊，ホスアプレピタント＊
CYP3A4 誘導薬	抗結核薬	リファンピシン§§§，リファブチン§§§
	抗てんかん薬	カルバマゼピン§§§，フェノバルビタール§§§，フェニトイン§§§
	ハーブ	セントジョーンズワート§§§

＊＊＊：強い阻害，＊＊：中程度の阻害，＊：弱い阻害，§§§：強い誘導
（厚生労働省：医薬品開発と適正な情報提供のための薬物相互作用ガイドラインを参考に作成）

4 抗がん薬の投与

投与基準

□特記なし．

減量・中止基準[3, 4]

肝機能障害

□ボスチニブ

投与開始時 Child-Pugh 分類 A, B or C	AST＞150 U/L（＞ULN×5）または ALT＞（男）210 U/L,（女）115 U/L（＞ULN×5）	AST≧90 U/L（≧ULN×3）または ALT≧（男）126 U/L,（女）69 U/L（≧ULN×3）かつ T-bil＞3.0 mg/dL（＞ULN×2）かつ ALP（JSCC）＜644 U/L（＜ULN×2）
1 日 1 回 200 mg への減量を考慮	AST≦75 U/L（≦ULN×2.5）または ALT≦（男）105 U/L,（女）58 U/L（≦ULN×2.5）まで休薬．回復後，1 日 1 回 400 mg にて再開．4 週以内に回復しない場合は投与中止．	投与中止

□ポナチニブ

AST≧90 U/L（≧ULN×3）または ALT≧（男）126 U/L，（女）69 U/L（≧ULN×3）（≧Grade 2）	AST≧90 U/L（≧ULN×3）または ALT≧（男）126 U/L，（女）69 U/L（≧ULN×3）かつ T-bil>3.0 mg/dL（>ULN×2）かつ ALP（JSCC）<644 U/L（<ULN×2）
AST<90 U/L（<ULN×3）または ALT<（男）126 U/L，（女）69 U/L（<ULN×3）（≦Grade 1）まで休薬．回復後，15 mg 減量し再開．15 mg で発現した場合は投与中止．	投与中止

腎機能障害

□ボスチニブ

Ccr	<30 mL/分	30～50 mL/分	>50 mL/分
初発治療	200 mg	300 mg	用量調節不要
2 次治療以降	300 mg	400 mg	用量調節不要

□ポナチニブ：用量調節不要．

骨髄抑制

□ボスチニブ

好中球<1,000/μL または血小板<5 万/μL	好中球≧1,000/μL および血小板≧5 万/μL へ回復	
休薬	2 週間以内に回復の場合，同量再開	2 週間以降に回復の場合，100 mg 減量し再開

□ポナチニブ

好中球<1,000/μL または血小板<5 万/μL	好中球≧1,000/μL および血小板≧5 万/μL へ回復	
休薬	45 mg 投与時の初回発現の場合，45 mg で再開	左記以外の場合，15 mg 減量し再開

注意点

□*BCR-ABL1* 点突然変異解析を行った場合には，感受性のある TKI を選択する．T315I にはポナチニブを選択する．F317L/V/I/C，T315A，Y253H，F359V/I/C，V299L，E255V/K には両剤選択可[5]．

5 副作用マネジメント

発現率

BFORE trial：ボスチニブ 400 mg（n＝268）

□初発未治療 CML に対するイマチニブとの大規模比較国際第Ⅲ相試験[1]．ボスチニブの心血管関連有害事象の発現率は，現時点ではイマチニブと同等と考えられる．

	全 Grade (%)	Grade 3/4 (%)		全 Grade (%)	Grade 3/4 (%)
血小板減少	35.1	13.8	嘔吐	17.9	1.1
好中球減少	11.2	6.7	皮疹	19.8	0.4
貧血	18.7	3.4	AST 上昇	22.8	9.7
下痢	70.1	7.8	ALT 上昇	30.6	19.0
嘔気	35.1	0	リパーゼ上昇	13.4	9.7

PACE trial：ポナチニブ 45 mg（n＝449）

□ポナチニブ 45 mg/日を開始用量とし 5 年間追跡調査した国際第Ⅱ相試験[6]．PACE 試験を含む 3 つの臨床試験のメタアナリシスでは，心血管有害事象の発現率が 15％と報告されている[7]．

	全 Grade (%)	Grade 3/4 (%)		全 Grade (%)	Grade 3/4 (%)
血小板減少	44	36	動脈閉塞性疾患	25	20
好中球減少	25	22	静脈血栓塞栓症	6	5
貧血	25	16	頭痛	38	3
皮疹	42	4	リパーゼ上昇	22	12
高血圧	32	12	アミラーゼ上昇	6	2

評価と観察のポイント

ボスチニブ

□**下痢**：多くが Grade 1, 2 であり，止瀉薬にて対応可能．初回発現日中央値は 1 日（初日）[1,8]．

□**肝機能障害**：日本人の発現頻度が高く，特に ALT が上昇する．ALT 上昇発現までの中央値は 15 日[8]．

□**骨髄抑制**：血小板減少の頻度が高い．一方，好中球減少の頻度は低い．

□**腎機能障害**：Scr が約 20％上昇するが[9]，多くは一過性であり，休薬・中止により回復する．ボスチニブが OCT2 を阻害することに起因する[9]．

ポナチニブ

□**血管閉塞性事象**：用量（濃度）依存性に発現し，15 mg 減量するごとに動脈閉塞性イベントのリスクは33％ずつ低下する[7]．胸痛，息切れ，しびれ，視力異常などの徴候に注意．

□**高血圧**：降圧薬で血圧コントロールを図る．高血圧クリーゼが現れた場合にはただちに投与中止．

□**膵炎**：リパーゼ・アミラーゼの上昇や腹痛に注意．

□**骨髄抑制**：血小板減少，好中球減少，貧血，いずれも出現しうる．

副作用対策のポイント

ボスチニブ

□**下痢**：投与開始初日より発現することが多い．初回処方時に十分な説明と患者教育を行い，止瀉薬のロペラミドを予防的あるいは対症的に投与する．整腸薬の予防投与も効果的である．下痢は通常数日で自然収束する．脱水とならないよう水分摂取の励行を指導する．

□**皮疹**：日本人を含むアジア人で発現頻度が高い[8, 10, 11]．薬理遺伝学的差異や小さな体格による血中濃度高値に起因するが，ボスチニブの減量で対応可能である．

ポナチニブ

□**動脈閉塞性事象**：ポナチニブの至適用量を検討する国際第Ⅱ相OPTIC 試験では，開始用量を15，30，45 mg/日の3群とし，CCyR（細胞遺伝学的完全奏効：*BCR-ABL*^{IS}＜1％）達成後は15 mg/日に減量している．国際第Ⅱ相PACE 試験とOPTIC 試験を統合解析した結果，ポナチニブを減量することで動脈性閉塞事象リスクが64％低減したと報告されている[12]．そのため ELN（European LeukemiaNet）2020 では，ポナチニブはT315I 変異もしくは重複変異がない限り，毒性回避の目的で15～30 mg/日に減量して投与することを推奨している[2]．心血管イベント予防のための ABCDE ステップを励行する．102「イマチニブ」103「ニロチニブ」104「ダサチニブ」の項（→847 頁）．

6 薬学的ケア

CASE

□20 歳代男性．初発 CML 慢性期に対し，ボスチニブ 400 mg/日投与開始．初日に下痢（Grade 2）の発現あり，ロペラミドを1回1 mg×2 回内服し軽快．下痢が大学の授業出席に支障をきたすとのことで，1 週間後の再診時に相談の結果，ボスチニブをいったん 300 mg/日へ減量した．酪酸菌（ミヤ BM®）細粒が 1 日 1 回 1 g であったため，1 回 1 g×1 日 3 回への増量を主治医へ提案し受理．下痢の発現なく経過したため，2 週間後よりボスチニブを再度 400 mg/日へ増量した．

□しかし 1 日 5～10 回の下痢（Grade 3）が再出現．ロペラミドを 1 回 1 mg×1 日 2 回，確実に定期内服するよう指導．しかしながら 3 か月後の *BCR-ABL*^{IS}%が低下しておらず，患者より丁寧に聴取したところ，下痢を恐れて自己判断でボスチニブを減量内服するなど，アドヒアランス不良が発覚した．改めて服薬遵守の重要性を指導した結果，治療効果とともに下痢の管理も良好となった．

解説

□ボスチニブによる下痢は，止瀉薬・整腸薬の併用，もしくはボスチニブの減量・休薬で対応可能である．副作用対策を怠ってボスチニブの有効性が低下することのないよう，患者教育が重要．

□*BCR-ABL*^{IS}%の推移が不良の場合，アドヒアランスを確認する．いずれの ABL-TKI も高い有効性が期待できることから，治療目標と *BCR-ABL*^{IS}%の低下を患者と共有し，アドヒアランス不良が認められた場合にはその原因を分析して対策を講じる．

引用文献

1）Cortes JE, et al：J Clin Oncol 36：231-7, 2018（PMID：29091516）
2）Yilmaz U, et al：Expert Rev Hematol 13：1035-8, 2020（PMID：32814447）
3）ボシュリフ® 錠，適正使用ガイド
4）アイクルシグ® 錠，適正使用ガイド
5）Hochhaus A, et al：Leukemia 34：966-84, 2020（PMID：32127639）
6）Cortes JE, et al：Blood 132：393-404, 2018（PMID：29567798）
7）Dorer DJ, et al：Leuk Res 48：84-91, 2016（PMID：27505637）
8）Hino M, et al：Int J Hematol 112：24-32, 2020（PMID：32279228）
9）Abumiya M, et al：Sci Rep 11：6362, 2021（PMID：33737618）
10）Nakaseko C, et al：Int J Hematol 101：154-64, 2015（PMID：25540064）
11）Chuah C, et al：Int J Hematol 114：65-78, 2021（PMID：33851349）
12）Cortes JE, et al：Blood 138：2042-50, 2021（PMID：34407543）

（鐙屋舞子）

第10章

その他のがん

□本章では，化学療法と同時に行われる支持療法のうち，臨床上の重要性が高く，使用上の注意の多い薬剤について解説する．

□腎がん，乳がん，前立腺がん，肺がんなどを代表に骨転移の発症頻度が多い．骨転移は，骨関連イベント（骨折，骨への放射線照射，骨手術，脊髄圧迫，高Ca血症など）の発生が問題となり，ビスホスホネート製剤（107 ゾレドロン酸）および抗RANKL抗体（108 デノスマブ）がその予防を担う．これらは，破骨細胞の働きを抑制するなど骨に対する修飾作用を有することから，総じてBMA（bone modifying agents）と呼ばれる．骨転移が発見されたらBMAを予防的に使用することにより，骨関連イベント（骨折，骨への放射線照射，骨手術，脊髄圧迫，高Ca血症など）の発現率を大きく低減できる．BMAの適正使用としての低Caの予防，顎骨壊死対策などについて解説する．

□腫瘍崩壊症候群（TLS）は，腫瘍量の多い白血病やリンパ腫に対して殺細胞性の強い抗がん薬にて発生する高リン酸血症を機序とした急性腎不全が主体である．これまで，補液と炭酸水素ナトリウム注の投与，アロプリノールの服薬が行われていたが，それらの有効性は限定的であった．遺伝子組換え尿酸オキシダーゼ（109 ラスブリカーゼ）は，尿酸の分解酵素であり，高い有効性からTLSに対する画期的薬剤として使用が推奨されている．

□殺細胞性抗がん薬を用いた治療では，発熱性好中球減少症（FN）が用量制限因子となることが多い．既存のG-CSFは血中持続が短いことから好中球数（ANC）が回復するまで連日投与が必要であった．持続型G-CSF製剤（110 ペグフィルグラスチム）は，既存のG-CSFの血中持続性を製剤学的に改良した持効型製剤である．本剤は，好中球が低下してから使用するのではなく，治療24時間以降に使用して好中球減少を防ぎ，FNを予防する．結果としてdose-intensityを維持することに真価を発揮する．

□抗がん薬の血管外漏出は，組織の壊死や疼痛を生じるほか，その後の化学療法の継続性にも影響する．特に，アントラサイクリン系抗がん薬は，壊死起因性とされ，少量の漏出であっても重度の組織障害を生じる可能性が高い．111デクスラゾキサンは，アントラサイクリン系抗がん薬の血管外漏出に適用される治療薬である．頻繁に使用する薬剤ではないが，漏出後からの使用時間やプロトコールには注意が必要である．

（佐藤淳也）

107 ゾレドロン酸（ゾメタ®）

POINT

■高 Ca 血症の是正に用いる場合と固形がん骨転移および多発性骨髄腫による骨病変に用いる場合で投与間隔が異なる．

■ONJ の副作用があり，ゾレドロン酸投与前には抜歯などの侵襲的な歯科処置を避け局所感染とならないように口腔内環境を整えておくことが望ましい（ただし，ゾレドロン酸投与を遅らせることができない場合は歯科治療と並行して進めることもやむをえない）[1]．

■腎機能障害がある患者では，ゾレドロン酸の血中濃度が上昇するため，腎機能低下に応じた適切な減量を行うこと（ただし，高 Ca 血症に使用する場合は減量しない）．

1 レジメンと副作用対策（→次頁参照）

適応 1：悪性腫瘍による高 Ca 血症
1 コース期間：少なくとも 7 日間の投与間隔をあける

適応 2：固形がん骨転移および多発性骨髄腫による骨病変
1 コース期間：21～28 日間

2 抗がん薬の処方監査

□過敏症：0.1％程度．

□投与前に確認しておくべき検査：腎機能※1，口腔トラブルの有無．

※1：Scr，eGFR，Ccr から腎機能を評価し，腎障害に応じて減量．

□投与禁忌となる患者：本剤で過敏症の既往あり，妊婦．

□投与速度：15 分以上かけて（5 分間で点滴静脈内注射した場合に急性腎障害が発現した症例あり[2]）．

□薬物相互作用

- カルシトニン製剤，シナカルセト…血清 Ca が低下するおそれがある．
- アミノグリコシド系抗菌薬…長時間にわたり血清 Ca が低下するおそれがある．

3 抗がん薬の調剤

□ゾレドロン酸のバイアル製剤は必要量を生理食塩液または 5％ブドウ糖液 100 mL に混合．

107		医薬品名 投与量	投与方法 投与時間	1	2	3	4	5	6	7	8	9	10	11	～	21	22	23	24	～	28
レジメン(適応1)	Rp1	ゾレドロン酸 4 mg/body 生理食塩液 or 5%ブドウ糖液 100 mL	点滴注射 15分以上	↓							(少なくとも1週間の投与間隔をおくこと)										
レジメン(適応2)	Rp1	ゾレドロン酸 4 mg/body 生理食塩液 or 5%ブドウ糖液 100 mL	点滴注射 15分以上	↓												(3～4週間の投与間隔で投与)					

※ゾレドロン酸 4 mg/body：腎機能に応じて減量．

副作用対策

副作用	1	2	3	4	5	6	7	8	9	10	11	～	21	22	23	24	～	28
発熱	■	■	■	■	■													
骨痛	■	■	■	■	■													
低Ca血症	■	■	■	■	■	■	■	■	■	■								
急性腎不全	■	■	■	■	■	■	■	■	■	■	■	■	■	■	■	■	■	■
ONJ	■	■	■	■	■	■	■	■	■	■	■	■	■	■	■	■	■	■

発熱
投与後，数日以内に発熱がみられることがある．1回目で起こりやすい．NSAIDsなどの解熱鎮痛薬の使用も選択肢．多くの場合は経過観察で改善が期待できる．

骨痛
投与後，数日以内に骨痛が出現することがある．痛みが強い場合，NSAIDsなどの鎮痛薬で対処する．

低Ca血症
補正Ca値を算出して評価すること．投与1～10日ごろに出現する可能性がある．必要に応じてCaやビタミンD製剤を投与する．

急性腎不全
定期的にScrやeGFRを測定し，継続的に腎機能をモニタリングする．Scrが投与前値から1.0 mg/dL以上，もしくは腎機能が正常な患者ではScrが投与前値から0.5 mg/dL以上上昇した場合には，投与を中止するなど適切に処置すること．

ONJ
ONJを起こした多くの症例は抜歯などの侵襲的な歯科処置が行われている．治療開始前に口腔内をアセスメントし，抜歯などを済ませてからゾレドロン酸の投与を開始することが望ましい．治療中に侵襲的な歯科処置が必要となった場合には，非侵襲的な処置を受けるよう伝えること．

□ゾレドロン酸のバッグ製剤は減量投与する際，減量分を抜き取った後に，同量の生理食塩液または5%ブドウ糖液を加えて，全量を100 mLとして投与．

□調製後の安定性，配合上の注意：Mgを含有する輸液と混合しない．側管からゾレドロン酸を投与する場合にはメインルートの輸液にMg, Caが含まれていないことを確認．ゾレドロン酸はMg, Caなどの二価イオンと不溶性の複合体を形成する可能性あり[2]．

4 抗がん薬の投与

投与基準[3, 4]

□悪性腫瘍による高Ca血症治療の場合は軽度（＜12 mg/dL）や中等度（12～14 mg/dL）でも慢性で無症状であれば緊急の治療

の必要はなく，慎重に経過観察を行う．高 Ca 血症でかつ血中 Ca 濃度の急速な上昇，または有症状である場合には速やかに治療を開始する．

□骨転移を有するがん患者に対して投与する場合は骨転移関連有害事象の発現率軽減および発現までの期間延長が期待できるため，ゾレドロン酸投与がすすめられる．

□骨転移の進展抑制に対してゾレドロン酸 4 mg を 12 週間隔で投与し，4 週間隔と同等の有効性を示す可能性も報告されている[5, 6]．ただし，12 週間隔での投与方法はわが国で承認された内容ではない．日常診療で用いる際は，骨代謝マーカーの変動や生命予後，経済的な状況，患者の希望などを踏まえて検討することが望ましい．

減量・中止基準

腎機能障害

Ccr（mL/分）	30〜39	40〜49	50〜60	＞60
投与量	3.0 mg	3.3 mg	3.5 mg	4.0 mg
［バイアル製剤］抜き取る量（mL）	3.8 mL	4.1 mL	4.4 mL	5.0 mL
［バッグ製剤］抜き取る量*（mL）	25 mL	18 mL	12 mL	調整不要

*濃度調整のため規定量を抜き取った後，同量の生理食塩液または 5％ブドウ糖液をバッグに加えて全量 100 mL に調製し投与すること．

肝機能障害

□なし．

注意点

□15 分以上かけて点滴静脈注射．

5 副作用マネジメント

発現率[6]（表 107-1）

□ゾレドロン酸長期投与時の ONJ 累積発生率[7]：1 年目 2.8%，2 年目 2.0%，3 年目 2.8（引用論文では骨髄腫，喫煙，義歯の存在でリスクが高まることが報告されている）．

評価と観察のポイント

□ゾレドロン酸を投与している間は，継続的に電解質（Ca，P，Mg）をモニタリングする．

□ゾレドロン酸投与中の侵襲的な歯科処置を契機に ONJ が生じることが報告されている[8]．ゾレドロン酸の投与開始前に歯科を受診し，う歯の治療など必要な処置は投与開始前に行ってお

表 107-1　副作用の発現率

副作用	海外（n=216）		副作用	海外（n=216）	
	全体（%）	Grade≧3（%）		全体（%）	Grade≧3（%）
骨痛	30.1	6.0	上腹部痛	9.3	0
悪心	15.3	0	嘔吐	10.6	0
無力症	15.3	2.3	貧血	10.2	2.8
発熱	13.0	0	食欲不振	6.0	0
γ-GTP 上昇	6.0	3.2	倦怠感	6.0	0
頭痛	6.9	0	便秘	6.9	0
下痢	7.9	0	皮疹	6.0	0

海外第Ⅲ相試験，骨転移を有するがん患者に対してゾレドロン酸 4 mg/body/4 週間隔投与.

くことが望ましい．歯科治療後は，粘膜形成が完了した 14～21 日後に投与を開始し，十分注意を要する.

□ゾレドロン酸投与中に抜歯などの侵襲的な歯科処置が必要となった場合，中止すべきか予見できるようなデータは存在しないため，手術部位が治癒するまで治療を延期することが推奨されている[1].

□ゾレドロン酸により高頻度ではないが，腎機能障害が出現することが報告されている[9]．投与前ならびに投与後，継続的に Scr や eGFR, Ccr を確認する.

□高 Ca 血症の是正にゾレドロン酸を投与する場合は，補正 Ca 濃度を算出する.

補正 Ca 濃度 = 血清 Ca 濃度 + [4 −（血清アルブミン値）]

副作用対策のポイント

投与初期

□初回投与時に発熱がみられる場合があり，投与を重ねると発熱するケースは減少する．発熱した場合は NSAIDs などの解熱鎮痛薬の使用も選択肢である．多くの場合は経過観察で改善が期待できる.

□投与後数日以内に骨痛が出現することがある．骨痛には NSAIDs などの鎮痛薬で対処する.

投与後期

□低 Ca 血症が出現することがある．低 Ca 血症の主な臨床症状は手足の痙攣や筋硬直，不整脈であるが，しばしば無症候性で経過する．血清 Ca 値が低下した場合は，Ca 製剤やビタミン D_3 製剤を投与する．腎機能低下患者ではビタミン D の活性化が低下するため，活性型ビタミン D_3 製剤を投与する．

□頻度は低いが，ONJ が出現することがある．ONJ は口腔内の感染が発生リスクを高めるため，ゾレドロン酸治療中は口腔衛生の重要性を教育し，問診により患者の口腔内の状態に留意する．必要に応じて歯科受診をすすめる．歯科受診後，侵襲的な処置が必要となった場合はゾレドロン酸投与中止，代替薬への変更を検討する．

□頻度は低いが，腎機能障害が出現することがある．Scr が投与前値から 1.0 mg/dL 以上，もしくは腎機能が正常な患者では Scr が投与前値から 0.5 mg/dL 以上上昇した場合には，投与を中止する[2]．

6 薬学的ケア

CASE

□70 歳代女性．乳がんに対する化学療法（エリブリン）の施行中に骨転移が出現し，ゾレドロン酸を投与することになった．口腔内を確認したところ，痛みを伴うう歯があった．歯科受診し，抜歯を施行し，治療終了から 2 か月後からゾレドロン酸の投与を開始した．

□ゾレドロン酸開始時には Scr 1.1 mg/dL で，年齢・体重から Ccr を算出したところ，Ccr 34.2 mL/分であり，ゾレドロン酸の投与量は 3.0 mg/body へ減量して投与した．

□ゾレドロン酸を 2 回投与した後に，補正 Ca 濃度 7.3 mg/dL で低 Ca 血症の臨床症状はなし．Ca 補正のため，Ca 製剤，アルファカルシドールカプセル 1 回 1 μg，1 日 1 回投与を開始．服用開始 3 週間で補正 Ca 濃度は正常化した．

解説

□ゾレドロン酸の投与中に歯科処置を行うことは，ONJ のリスクを高めることとなる．そのため，投与開始前に歯科処置を実施する．高 Ca 血症に対する使用で，急を要する場合には並行してゾレドロン酸を投与することもやむをえないが，リスクベネフィットを十分説明し，ONJ の初期症状などの情報提供をしておくこと[1]．

□ゾレドロン酸は腎排泄型の薬剤であり，静脈内投与後に代謝はほとんどされず，未変化体（投与量の16.0%）が腎臓から排泄される[2]．本症例では骨転移に対する使用であり，腎機能に応じてゾレドロン酸の投与量を減量する必要がある．

□ゾレドロン酸投与中はCaだけでなく，P，Mg，Kなど電解質の変動にも注意が必要である．

□わが国で使用できる骨修飾薬（BMA）には，ほかに抗RANKL抗体であるデノスマブもある（108「デノスマブ」の項→次頁）．長期的視点での骨関連事象の予防には，デノスマブの有効性がやや高い[9]．しかしデノスマブ使用には，Ca/VD製剤（デノタス® チュアブル配合錠）の服薬が必須であるなどポリファーマシーの患者には，服薬が負担となる．患者の予後や嗜好に応じた選択も必要である．

□限定的なデータではあるが，ゾレドロン酸投与は一部のがん種において再発リスク減少に寄与する可能性も報告されている[10]．

引用文献

1）顎骨壊死検討委員会：骨吸収抑制薬関連顎骨壊死の病態と管理：顎骨壊死検討委員会ポジションペーパー2016．日本口腔外科学会（https://www.jsoms.or.jp/medical/wp-content/uploads/2015/08/position_paper2016.pdf）
2）ゾメタ® 点滴静注，添付文書，インタビューフォーム（ノバルティスファーマ）
3）福原 傑：日腎会誌 59：598-605, 2017
4）日本臨床腫瘍学会：骨転移診療ガイドライン．2015，南江堂
5）Himelstein AL, et al：JAMA 317：48-58, 2017（PMID：28030702）
6）Amadori D, et al：Lancet Oncol 14：663-70, 2013（PMID：23684411）
7）Van Poznak CH, et al：JAMA Oncol 7：246-54, 2021（PMID：33331905）
8）日本口腔外科学会：BRONJ治療に関する実態調査．2015（http://www.jsoms.or.jp/medical/work/study/bronj/）
9）Stopek AT, et al：J Clin Oncol 28：5132-9, 2010（PMID：21060033）
10）Wang L, et al：BMC Cancer 20：1059, 2020（PMID：33143662）

（山本泰大）

108 デノスマブ（ランマーク®）

POINT

- ■デノスマブによる重篤な低Ca血症の発現を軽減するため，血清電解質（血清Ca，P）のモニタリングとCaおよびビタミンD製剤の予防投与が必要である．
- ■腎機能低下患者では，ビタミンDの活性化が障害されているため，活性型ビタミンD製剤を検討する．
- ■顎骨壊死のリスクを避けるため，デノスマブ治療前に口腔内の管理状態を確認して，歯科医師の診察をすすめ，侵襲的治療をできるだけ済ませておくこと．さらに治療中は定期的な口腔内のモニタリングが行うことが重要である．

1 レジメンと副作用対策（→次頁参照）

適応1：多発性骨髄腫による骨病変および固形がん骨転移による骨病変．

コース期間：28日間　**総コース**：可能な限り継続

適応2：骨巨細胞腫

コース期間：28日間（1コース目のみday 1，8，15に投与．2コース目以降はday 1のみ）

総コース：可能な限り継続

2 抗がん薬の処方監査[1)]

□適応疾患と投与間隔を確認する（上述の「レジメンと副作用対策」）．

□禁忌：本剤の成分に対し過敏症の既往歴のある患者，妊婦または妊娠している可能性のある女性．

□血清補正Ca値を確認する．低アルブミン血症の患者では，見かけ上のCa値が低値になるため，血清アルブミンが4.0 g/dL未満の場合，以下の式により補正した値を用いる．

血清補正Ca値（mg/dL）
＝血清Ca値（mg/dL）＋4－血清アルブミン値（g/dL）

□高Ca血症でない限り，毎日少なくともCaとして500 mg（骨巨細胞腫の場合は600 mg）および天然型ビタミンDとして

108		医薬品 投与量	投与方法 投与時間	1	2	3	4	5	6	7	8	9	10	11	12	13	14	15	16	～	28
適応1	Rp1	デノスマブ 120 mg	皮下注射	↓																	
適応2	Rp1	デノスマブ 120 mg	皮下注射	↓	1コース目のみ day 1, 8, 15 に投与.																

副作用対策

急性期反応（1～3日）

・インフルエンザ様症状，発熱，骨痛，関節痛が起こることがある．症状は一過性で，出現した際は解熱鎮痛薬の使用を検討する．

低 Ca 血症（7日～28日）

・血清 Ca 値を確認する（基準値：8.5～10.4 mg/dL）*．
・低 Ca 血症の大部分は，1 コース目に出現し，初回投与数日から発現する[1]（図 108-1）．
・沈降炭酸カルシウム・コレカルシフェロール・炭酸マグネシウム配合錠（デノタス® チュアブル配合錠）を 1 回 2 錠，1 日 1 回を連日経口投与する．
・低 Ca 血症が認められた場合には，Ca の経口投与を実施，緊急を要する場合には，Ca の点滴投与を併用するなど，適切な処置を速やかに行う．
・臨床症状が現れる場合，背部および下肢の筋肉の痙攣が一般的にみられる．重度低 Ca 血症では，テタニー（口唇，舌，手指，足の感覚異常からなる感覚症状），喉頭痙攣，全身性痙攣，不整脈を引き起こす場合がある．

ONJ（1日～28日）

・デノスマブ投与前に口腔内を確認し，必要であれば歯科医による口腔内スクリーニングを行う．
・定期的に患者の口腔内の状態をモニタリングし，清潔に保つよう指導する．

*低アルブミン血症の患者では，見かけ上の Ca 値が低値になるため，血清アルブミンが 4.0 g/dL 未満の場合，以下の式により補正した値を用いる．
血清補正 Ca 値（mg/dL）= 血清 Ca 値（mg/dL）+ 4 − 血清アルブミン値（g/dL）

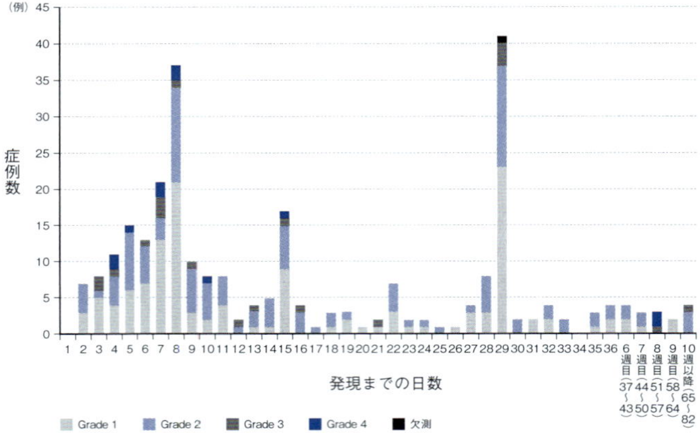

図 108-1　初回投与以降 2 回目投与当日までに，低 Ca 血症（血中 Ca 低下）を発現した日数（n=279）

副作用として報告された低 Ca 血症（血中 Ca 低下）426 例のうち，1 回目投与後 2 回目投与当日までに発現した 279 例を対象とした

400 IU の投与が必要である[2]．

例：カルシウム・コレカルシフェロール・炭酸マグネシウム配合錠（デノタス® チュアブル配合錠） 1回2錠 1日1回 連日経口投与

□腎機能障害患者では，ビタミンDの活性化が障害されているため，腎機能障害の程度に応じ，ビタミンDについては活性型ビタミンD（アルファカルシドール，エルデカルシトール）を使用するとともに，Caについては投与の必要性を判断し，投与量を適宜調整する．

□本剤は骨粗鬆症に対するプラリア® と同一成分（デノスマブ）を含むため，本剤投与中の患者にはプラリア® の投与を避ける．

3 抗がん薬の調剤

□デノスマブ皮下注 120 mg/1.7 mL バイアル製剤．

4 抗がん薬の投与[3]

投与基準

□特記なし

減量・中止基準

□本剤による Grade 3 または 4 の副作用が発現した場合，Grade 1 以下に回復するまで休薬を考慮する（Grade は CTCAE v5.0 に準じる）．

□低 Ca 血症

	Grade 1	Grade 2	Grade 3	Grade 4
血清補正 Ca	8.0～8.5 mg/dL	7.0～8.0 mg/dL	6.0～7.0 mg/dL	<6.0 mg/dL

腎機能障害　肝機能障害

□なし．

注意点

デノスマブ投与前

□冷温による不快感などを防ぐために，患者への投与前に冷蔵保存（2～8℃）下から室温に戻した後で使用する．

デノスマブ投与時

□皮下注射は，上腕，大腿または腹部に行うこと．

□皮下注射時の痛みの緩和と，薬液が高粘度なために細い注射針では吸引が困難なことを考え合わせて，投与に際しては，27

ゲージの注射針の使用を推奨する．

□注射針が血管内に刺入していないことを確認する．

5 副作用マネジメント

発現率

□多発性骨髄腫による骨病変および固形がん骨転移による骨病変：長期使用に関する特定使用成績調査 最終集計（n＝3,506）[4]

	全 Grade	Grade 3 以上
低 Ca 血症	17.5%	2.1%
ONJ	4.2%	1.1%
骨髄炎	1.4%	0.3%
大腿骨非定型骨折	0.1%	0.1%
歯痛	0.3%	—
倦怠感	0.2%	—
発熱	0.1%	—

□骨巨細胞腫患者を対象とした特定使用成績調査（n＝155）[5]

	全 Grade	Grade 3 以上
低 Ca 血症	10.3%	—
ONJ	1.9%	0.6%
低 P 血症	7.7%	2.6%

評価と観察のポイント

□デノスマブ治療前は，患者の口腔内の衛生状態を確認して，歯科受診をすすめる．

□デノスマブ投与後 3 日間は，急性期症状として，インフルエンザ様症状，発熱，骨痛，関節痛が起こることがあり，症状は一過性である．

□低 Ca 血症の大部分は，重症度を問わず初回投与後に認められる．

□低 Ca 血症はしばしば無症候性である．臨床症状が現れる場合，背部および下肢の筋肉の痙攣が一般的にみられる．重度低 Ca 血症では，テタニー（口唇，舌，手指，足の感覚異常からなる感覚症状），喉頭痙攣，全身性痙攣，不整脈を引き起こす場合がある．

□顎骨壊死関連事象（ONJ，骨髄炎）は，多くの症例で本剤投与開始から 1 年以上経過後に発現しているため，継続的なモニタリングが必要である．リスク因子は，「悪性腫瘍」「化学療法」「侵襲的な歯科処置」「口腔の不衛生」「血管新生阻害剤の併用」「コルチコステロイド使用」「放射線療法」などである[3]．

□ビスホスホネート含めて使用患者には，大腿骨転子下，大腿骨骨幹部，尺骨骨幹部などの非定型骨折が発現することがある．完全骨折が起こる数週間から数か月前に大腿部，鼠径部，前腕部の前駆痛があることから，症状が認められた場合には，X線検査などを行う[3]．

副作用対策のポイント

低Ca血症[1]

□デノスマブ投与前に，血清補正Ca値を確認すること．また，デノスマブ投与後は，頻回に血清電解質濃度（Ca，P）を確認するとともに，患者の状態に十分注意する．

□腎機能に応じた減量は不要であるが，Ccr 30 mL/分未満の安全性は確立していない．腎機能低下患者に使用する場合は，低Ca血症のリスクが高くなるので注意する．

□低Ca血症（目安：血清補正Ca値8.5 mg/dL未満）が認められた場合には，CaおよびビタミンDの経口投与に加えて，緊急を要する場合には，Caの点滴投与を併用するなど，適切な処置を速やかに行うことが重要である．

例：10%グルコン酸カルシウム　10 mLを10分かけて静脈内投与

高Ca血症[1]

□血清補正Ca値が高値の患者（血清補正Ca値>11.5 mg/dL）では，CaおよびビタミンDの補充を控える．デノスマブ投与後モニタリングを実施し，血清補正Ca値が正常範囲（8.5～10.4 mg/dL）まで低下していることが確認できた場合は，補充を開始すること．

ONJ[1, 6]

□患者に以下について説明・指導する．

- 口腔内を清潔に保つこと．
- 定期的な歯科検査を受けること．
- 歯科受診時にデノスマブの使用を歯科医師に告知して侵襲的な歯科処置はできる限り避けること．
- 顎の痛み，歯のゆるみ，歯ぐきの腫れなどの症状が現れた場合には，ただちに歯科・口腔外科を受診すること．

□デノスマブ治療前に侵襲的な歯科治療が必要な場合は，デノスマブ投与開始の2週間前までに終えておくことが望ましい．

□デノスマブ治療中に歯科治療が必要になった場合.

- 治療前の徹底した感染予防処置を行った上で休薬は行わずに，できるだけ保存的にやむをえない場合は侵襲的歯科治療を進めること.
- 侵襲的歯科治療後は，術創が治癒するまでの間は，主治医と歯科医師がデノスマブ治療継続のリスクとベネフィットを考慮し，治療の継続・休薬を判断すること.
- 休薬した場合のデノスマブの再開時期は，基本的には治療部位の十分な骨性治癒がみられる2か月前後が望ましいとされているが，投与再開を早める必要がある場合は，術創部の上皮化がほぼ終了する2週間を待ち，術部に感染がないことを確認した上で投与を再開すること.

□ONJに対しては，医科と歯科の緊密な連携で予防，治療するチーム医療体制を構築，整備することが強く望まれている[6]. チーム医療の一員として，薬剤師の積極的な患者介入と情報提供が重要となる.

6 薬学的ケア

CASE

□80歳代女性．進行再発乳がんとして，外来化学療法室で治療中．がん化学療法と併せて，大腿部骨転移に対して，デノスマブを投与することになった．医師の診療カルテには「口腔内に問題はない」と記載があったが，歯科受診の記録はなかった．服薬指導の際に，患者より「最近部分入れ歯が合わない」と報告を受けた．侵襲的な歯科治療になる可能性を考え，デノスマブ治療前に，担当医師へ歯科受診することを提案した．主治医と歯科医師が協議し，侵襲的な処置が必要となった．歯科治療後，デノスマブ投与開始となる．患者は高齢であり，腎機能低下（Ccr 40 mL/分）が継続しているため活性型ビタミンD製剤の使用を提案した．Ca製剤と活性型ビタミンD製剤を投与されデノスマブ治療が開始となる．Grade 2の血清Caの低下が認められたがデノスマブを10コース継続することができた.

解説

□抜歯，義歯の不適合，口腔衛生状態の不良は，ONJのリスク因子である．デノスマブ治療前には，口腔内管理状態を確認して，必要であれば歯科受診を受け侵襲的な治療を済ませておくことが重要である[1]．デノスマブ投与患者において，活性型ビタミンD製剤を併用しなかった症例では，Ccrが低値になるに伴い低Ca血症の発現割合は上昇していた．その傾向は特に30 mL/分未満の症例で顕著である[4]．

引用文献

1) ランマーク®の適正使用について，多発性骨髄腫による骨病変及び固形癌骨転移による骨病変（https://www.medicallibrary-dsc.info/di/ranmark/safety/pdf/RMK7AT18.pdf）
2) Body JJ, et al：Eur J Cancer 51：1812-21, 2015（PMID：26093811）
3) ランマーク®皮下注，添付文書
4) ランマーク®皮下注120 mg長期使用に関する特定使用成績調査最終集計. 2020年7月(https://www.medicallibrary-dsc.info/di/ranmark/safety/pdf/RMK9PX06.pdf)
5) ランマーク®皮下注120 mg骨巨細胞腫患者を対象とした特定使用成績調査中間集計結果（第4報）．2021年6月（https://www.medicallibrary-dsc.info/di/ranmark/safety/pdf/RMK9PX05.pdf）
6) 顎骨壊死検討委員会：骨吸収抑制薬関連顎骨壊死の病態と管理：顎骨壊死検討委員会ポジションペーパー2016．日本口腔外科学会（https://www.jsoms.or.jp/medical/wp-content/uploads/2015/08/position_paper2016.pdf）

（照井一史）

109 ラスブリカーゼ（ラスリテック®）

POINT

- ■腫瘍崩壊症候群（TLS）は oncologic emergency の 1 つであり，致命的な経過をたどることもあるため，リスク評価とリスクに応じた予防対策が重要である．
- ■TLS のリスク評価は「laboratory TLS の有無」「疾患による TLS リスク分類」「腎機能によるリスク調整」の 3 ステップで実施する．
- ■TLS 高リスク患者の予防投与や治療においては，大量補液の実施およびラスブリカーゼを投与するとともに，水分の In/Out 量および血清検査（尿酸，P，K，Scr，Ca，LDH）のモニタリングを頻回に実施する．

1 レジメンと副作用対策（→次頁参照）

適応[1)]：本項「抗がん薬の投与」の「投与基準」を参照．
1 コース期間：最大 7 日間（1 コースのみで終了，再投与の有効性および安全性は未確立なので不可）．

2 抗がん薬の処方監査[1, 2)]

- □本レジメンの適応であるかどうか TLS リスクの評価を行う．
- □腫瘍細胞が大きい場合，薬剤または放射線に対し，高い感受性を有する場合，Burkitt リンパ腫，またはその leukemic counterpart としての ALL-L3 や T リンパ芽球性リンパ腫（LBL；lymphoblastic lymphoma），あるいは白血球数の多い急性白血病（ALL や急性骨髄性白血病）はリスクファクターとなるので留意しておく[3)]．
- □TLS リスク評価については，TLS 診断基準（**表 109-1**）[4, 5)]，TLS リスク評価の手順（**図 109-1**），腎機能・腎浸潤によるリスク調整（**図 109-2**）を参照する．また，疾患別でのリスク分類は，文献 1）を参照．
- □血清検査（尿酸，P，K，Scr，Ca，LDH）の確認．
- □過敏症の既往およびアレルギーを起こしやすい体質を有する患者かどうかを確認する．
- □グルコース-6-リン酸脱水素酵素（G6PD）欠損患者またはその他の溶血性貧血を引き起こすことが知られている赤血球酵素異

109		医薬品名 投与量	投与方法 投与時間	0	1	2	3	4	5	6	7	8	9	10	11	12	13	14	15	16	~	20
レジメン	Rp1	がん化学療法			↓	(↓)	(↓)	(↓)														
	Rp2	ラスブリカーゼ 0.2 mg/kg/回 生理食塩液 50 mL	点滴注射 30 分以上	↓	↓	↓	↓	↓	↓	↓												
	Rp3	大量補液 2,500〜3,000 mL/m²/日	点滴注射 持続	↓	(↓)	(↓)	(↓)	(↓)	(↓)	(↓)												

本剤は，がん化学療法開始 4〜24 時間前に投与を開始する．なお，投与期間は最大 7 日間とする．

補液剤としては，生理食塩液もしくは 0.45%食塩水などのカリウムおよびリン酸を含まない製剤を用いる．

副作用対策	
ショック，アナフィラキシー（頻度不明*1）	アナフィラキシーショックを含む重篤な過敏症が現れることがあるので，このような症状が認められた場合には本剤の投与をただちに中止し，適切な処置を行うこと．
溶血性貧血（頻度不明*1）	溶血性貧血が現れることがあるので，患者の状態を十分に観察し，貧血症状が認められた場合は本剤の投与をただちに中止し，適切な処置を行うこと．
メトヘモグロビン血症（頻度不明*1）	メトヘモグロビン血症が現れることがあるので，チアノーゼなどの症状が認められた場合は本剤の投与をただちに中止し，適切な処置を行うこと．

(↓)：連日投与の場合
*1 海外において認められた副作用のため頻度不明．

表 109-1　TLS 診断基準[4, 5]

laboratory TLS (LTLS)	clinical TLS (CTLS)
下記の臨床検査値異常のうち 2 個以上が化学療法開始 3 日前から開始 7 日後までに認められる 高尿酸血症＞(男性) 7.8 mg/dL, (女性) 5.5 mg/dL (＞ULN) 高 K 血症＞4.8 mmol/L (＞ULN) 高 P 血症＞4.6 mg/dL (＞ULN)	LTLS に加えて下記のいずれかの臨床症状を伴う 腎機能：Scr≧(男性) 1.605 mg/dL, (女性) 1.185 mg/dL (≧ULN ×1.5) 不整脈，突然死，痙攣

常を有する患者かどうかを確認する．

□過去の投与歴を確認（中和抗体の発現や抗ラスブリカーゼ抗体陽性患者での重篤なアレルギー症状発現の報告あり）．

□がん化学療法開始 4〜24 時間前の投与開始かどうかを確認する．

□ラスブリカーゼ（ラスリテック®）として 0.2 mg/kg を 1 日 1 回 30 分以上かけて点滴静注を確認する．

□大量補液の併用（「副作用マネジメント」→876 頁）を確認する．

3 抗がん薬の調剤[2]

□本剤 1 バイアルを添付溶解液 1 アンプルで溶解し，必要量を 50 mL の生理食塩液で希釈する．希釈時にブドウ糖液を使用し

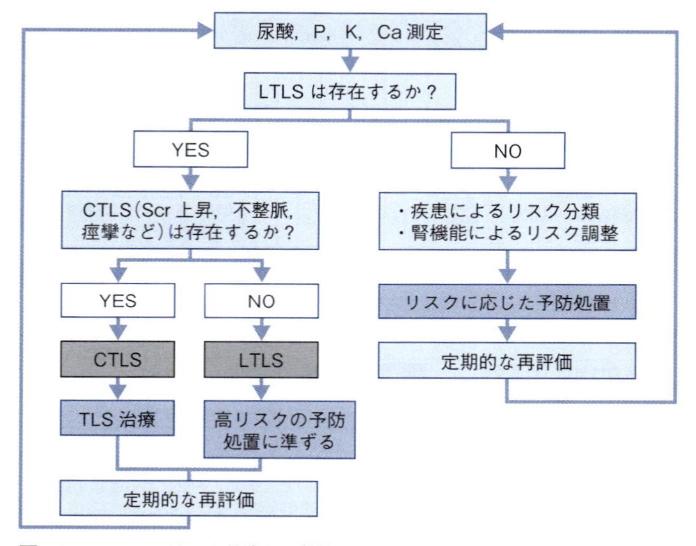

図 109-1　TLS リスク評価の手順
〔日本臨床腫瘍学会（編）：腫瘍崩壊症候群（TLS）診療ガイダンス 第 2 版，金原出版，2021 より〕

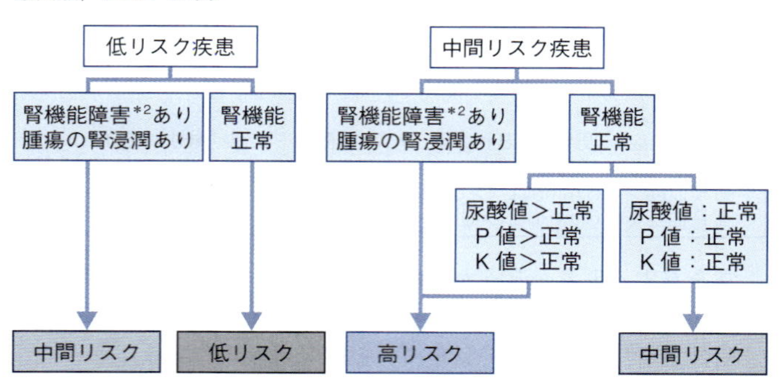

図 109-2　腎機能・腎浸潤によるリスク調整
*2 腎機能障害：Cr＞基準値.
〔日本臨床腫瘍学会（編）：腫瘍崩壊症候群（TLS）診療ガイダンス 第 2 版，金原出版，2021 より〕

ない．月齢が 24 か月以下の患者の場合，本剤の希釈に用いる生理食塩液を 10 mL まで減らすことができる．

□本剤を溶解する際，泡立てないよう穏やかに溶解する．なお，溶解後に著しい沈殿の認められるものは使用しない.

□生理食塩液と混和した後は速やかに使用し，残液は廃棄する．なお，溶解および希釈後にやむをえず保存する場合には，2～8℃で保存し，24時間以内に使用する.

4 抗がん薬の投与[1, 2]

投与基準

□がん化学療法に伴うTLS発症高リスク患者，または中間リスク患者においてアロプリノール，フェブキソスタットによる予防にもかかわらず尿酸値が持続的に上昇する場合や診断時にすでに高尿酸血症が認められる場合に投与を考慮する.

中止基準

□臨床症状および血中尿酸濃度をモニタリングし，本剤の投与を血中尿酸濃度の管理上必要最小限の期間にとどめる．また，重大な副作用を認めた場合には，ただちに投与を中止する.

腎機能障害　肝機能障害

□記載なし.

注意点

□本剤を投与する際には，フィルターを使用しない.

□本剤は他の併用薬の点滴ラインとは別のラインで投与する．なお，別のラインが使用できない場合は，本剤投与前に生理食塩液でラインを十分に洗浄する.

5 副作用マネジメント

発現率[2]

□国内の臨床試験において，成人では総数50例中23例（46.0%）に副作用（臨床検査値異常を含む）が認められた.

□ラスブリカーゼ国内臨床試験（n＝50）

副作用名	発現症例数（%）	副作用名	発現症例数（%）
肝機能障害（AST上昇など）	6（12）	悪心・嘔吐	3（6）
アレルギー反応	4（8）	注射部位反応（紅斑，硬結など）	3（6）
電解質異常（Na, K, Pの異常）	4（8）		

評価と観察のポイント[2]

□頻度不明であるが，重大な副作用として以下の症状に注意する.

□**ショック，アナフィラキシー**：口内異常感，瘙痒感，顔面や上半身の紅潮・熱感，くしゃみ，しびれ感，悪心，嘔吐，尿意，便意，喘鳴．

□**溶血性貧血**：貧血症状（動悸，息切れ，立ちくらみ，易疲労感，倦怠感，頭痛・頭重感，顔面蒼白など），黄疸，赤褐色尿．

□**メトヘモグロビン血症**：チアノーゼ，疲労感，脱力感，頭痛，めまい，頻脈，多呼吸．

副作用対策のポイント[1, 2]

□アナフィラキシーショックを含む重篤な過敏症，溶血性貧血，チアノーゼなどの症状が認められた場合は本剤の投与をただちに中止し，適切な処置を行う．

TLS に対するラスブリカーゼ以外の対策[1]

□リスク別推奨 TLS 予防処置をラスブリカーゼと並行して実施．

□高リスクの場合

- ICU もしくはそれに準じた環境での治療が望ましい．
- TLS およびその合併症発症について治療開始後，最終の化学療法薬投与 24 時間後まで頻回に（4～6 時間ごと）モニタリング（「POINT」→872 頁）．
- 大量補液〔2,500～3,000 mL/m^2/日（体重≦10 kg：200 mL/kg/日）〕．
- ラスブリカーゼの投与．
- アルカリ化は不要．
- 高 K 血症かつ/または高 P 血症に対する管理を各施設基準または TLS の治療法に基づいて施行する．
- 腫瘍量軽減のための治療の考慮．
- 白血球増多症を認める場合には，白血球除去療法，交換輸血[6]を考慮．

□採取した血液検体を室温に放置することにより本剤が尿酸を分解し，見かけ上の尿酸値が低くなるので，血液検体をあらかじめ冷却した試験管に入れ，氷浴などで速やかに低温状態にした上で保存し，採血後 4 時間以内に測定する[2]．

6 薬学的ケア

CASE

□20 歳代男性．ALL にて入院．既往歴は腰椎椎間板ヘルニア，アレルギー歴なし．白血病のプロトコールに従って治療することとなった．入院時の血液検査は，白血球数 11.5 万/μL，LDH 1,404 U/L，Ca 8.2 mg/dL，Scr 0.85 mg/dL，尿酸値 7.1 mg/

dL，TLSのリスク評価を実施し高リスクにて，医師にTLSの予防としてラスブリカーゼの投与と大量補液を提案し承諾あり．ラスブリカーゼ7.5 mgをプレドニゾロン100 mg開始5時間前に投与および補液3 L/日にて開始．血清PおよびKの検査が欠如しており，追加を医師へ依頼した（K 4.0 mmol/dL，IP 3.9 mg/dL）．ラスブリカーゼ投与後，尿酸値は0.9 mg/dLと低下した．翌日も尿酸値の上昇はみられず，ラスブリカーゼは単回で終了となり大量補液で経過をみた．その後も尿酸値は正常範囲（3～4 mg/dL）で維持され，TLSは回避された．

解説

- □血液腫瘍の場合，TLSのリスク評価は必須であり各リスクに応じた予防対策を実施する．その際，必須検査項目（尿酸，リン酸，K，Scr，Ca，LDH）のモニタリングも忘れないこと．
- □ラスブリカーゼを投与する場合は，既往歴やアレルギー歴において，過敏症の既往や，6PD欠損，赤血球酵素異常を有する患者かどうかの確認を忘れないこと．
- □投与タイミングが，がん化学療法開始4～24時間前の投与であること，大量補液が併用されていることを確認すること．
- □ラスブリカーゼの投与法に関し，5日間投与の有用性[7, 8]が示されているが，meta-analysisにて単回投与の有用性も報告されている[9]．投与継続については，臨床的に必要であれば繰り返すが，最大7日までである．

引用文献

1）日本臨床腫瘍学会（編）：腫瘍崩壊症候群（TLS）診療ガイダンス，第2版．金原出版，2021
2）ラスリテック® 点滴静注用1.5 mg・7.5 mg，添付文書（サノフィ）
3）重篤副作用疾患別対応マニュアル　腫瘍崩壊症候群，厚生労働省，平成30年6月改訂版
4）Cairo MS, et al：Br J Haematol 127：3-11, 2004（PMID：15384972）
5）Cairo MS, et al：Br J Haematol 149：578-86, 2010（PMID：20331465）
6）Szczepiorkowski ZM, et al：J Clin Apher 25：83-177, 2010（PMID：20568098）
7）Goldman SC, et al：Blood 97：2998-3003, 2001（PMID：11342423）
8）Cortes J, et al：J Clin Oncol 28：4207-13, 2010（PMID：20713865）
9）Vadhan-Raj S, et al：Ann Oncol 23：1640-5, 2012（PMID：22015451）

（桜田宏明）

110 ペグフィルグラスチム（ジーラスタ®）

POINT

- ■効能・効果は「がん化学療法による発熱性好中球減少症（FN）の発症抑制」.
- ■がん化学療法薬投与終了後の翌日以降に，化学療法 1 サイクルあたり 1 回の皮下投与が可能となった，持続型 G-CSF 製剤である.
- ■FN の発症リスクが高い場合に 1 サイクル目から使用する一次予防的投与と，1 サイクル目に FN を発症あるいは好中球減少を認めた場合に 2 サイクル目以降に使用する二次予防的投与がある.

1 レジメンと副作用対策

通常，成人にはがん化学療法薬投与終了後の翌日以降，ペグフィルグラスチム（遺伝子組換え）として，3.6 mg を化学療法 1 サイクルあたり 1 回皮下投与する[1].

110		医薬品名 投与量	投与方法 投与時間	1	2	3	4	5	6	7	8	9	～	21	22	23	24	25	26	～	31
レジメン	Rp0	抗がん薬		↓											↓						
	Rp1	ペグフィルグラスチム 3.6 mg/body	皮下注		↓											↓					
副作用対策	背部痛，骨痛					■	■	■	■												
	ペグフィルグラスチムの使用で骨痛を訴える場合がある．その場合，NSAIDs を頓用																				

がん化学療法薬の投与開始 14 日前から投与終了後 24 時間以内に投与した場合の安全性は確立していない.

1 サイクルの期間が 14 日間未満のがん化学療法の施行後における本薬の安全性は確立していないが使用例も報告されている.

2 抗がん薬の処方監査

□FN 発症リスクの確認：施行レジメンのリスク，患者因子のリスクを確認する.

□FN 発症リスク（施行レジメンによる）[2, 3]

対象疾患	臨床試験時の対象 stage and prior therapy：レジメン	発症率% (Grade 3+4)
急性骨髄性白血病	初回寛解導入療法：IDR+Ara-C（イダルビシン+シタラビン）	78.2
	初回寛解導入療法：DNR+Ara-C（ダウノルビシン+シタラビン）	77.4
	初回寛解後療法：大量 Ara-C 療法（シタラビン）	66.5

慢性リンパ性白血病	初発：FC（フルダラビン＋シクロホスファミド）	10〜35
バーキットリンパ腫	初発：hyperCVAD（シクロホスファミド＋ビンクリスチン＋ドキソルビシン＋デキサメタゾン）	86
悪性リンパ腫	初発：CHOP-21（シクロホスファミド＋ドキソルビシン＋ビンクリスチン＋プレドニゾロン）	17〜50
	再発難治：DHAP（デキサメタゾン＋シタラビン＋シスプラチン）	48
	再発難治：ESHAP（エトポシド＋シタラビン＋シスプラチン＋メチルプレドニゾロン）	30〜64
	再発難治：R-ESHAP（エトポシド＋シタラビン＋シスプラチン＋メチルプレドニゾロン）	33.5
	再発難治：ICE/R-ICE（イホスファミド＋カルボプラチン＋エトポシド/リツキシマブ）	11.5〜24
	再発難治：CHASE（シクロホスファミド＋シタラビン＋デキサメタゾン＋エトポシド）	25
NK/T 細胞リンパ腫	初発：SMILE（デキサメタゾン＋メトトレキサート＋イホスファミド＋L-アスパラギナーゼ＋エトポシド）	39
乳がん	術後：TAC（ドセタキセル＋ドキソルビシン＋シクロホスファミド）	25.2
	術前：FEC（エピルビシン＋シクロホスファミド＋フルオロウラシル）	20
	術前後：TC（ドセタキセル＋シクロホスファミド）	68.8
膀胱がん	進行初回：MVAC（メトトレキサート＋ビンブラスチン＋ドキソルビシン＋シスプラチン）	24
前立腺がん	進行 2 次治療：カバジタキセル＋プレドニゾロン	54.5
	（去勢抵抗性）進行初回：ドセタキセル＋プレドニゾロン	16.3
卵巣がん	再発：PTX（パクリタキセル）	22
骨肉腫	（非転移性）術前後：AC（ドキソルビシン＋シスプラチン）	21
小細胞肺がん	（進展型）既治療：CDDP＋VP-16＋CPT-11（シスプラチン＋エトポシド＋イリノテカン）	31
	（進展型）既治療：AMR（アムルビシン）	14
非小細胞肺がん	進行，既治療：DTX＋Ram（ドセタキセル＋ラムシルマブ）	34
	進行，初回：CBDCA＋PTX（カルボプラチン＋パクリタキセル）	18
	進行，初回：CDDP＋VNR（シスプラチン＋ビノレルビン）	18
胃がん	進行：DTX＋CDDP（ドセタキセル＋シスプラチン）	21
	進行：DTX＋CDDP＋5-FU（ドセタキセル＋シスプラチン＋フルオロウラシル）	41
食道がん	進行：DTX（ドセタキセル）	32
膵がん	進行：FOLFIRINOX（フルオロウラシル＋オキサリプラチン＋イリノテカン＋レボホリナート）	22.2

□FN 発症リスク（患者因子による）

JSMO[3]	65 歳以上，がん薬物療法歴，放射線治療歴，最近の手術歴，持続する好中球減少，腫瘍の骨髄浸潤，腎機能障害，肝機能障害
NCCN[4]	65 歳以上，PS 不良，がん薬物療法治療歴，放射線治療歴，治療前の好中球減少，腫瘍の骨髄浸潤，感染，最近の手術歴，腎機能障害，肝機能障害，HIV 感染
ASCO[5]	65 歳以上，PS 不良，進行がん，がん薬物療法歴，放射線治療歴，治療前の好中球減少，腫瘍の骨髄浸潤，感染，開放創または最近の手術歴，腎機能障害，肝機能障害，心血管疾患，複数の合併症，HIV 感染
EORTC[6]	65 歳以上，進行がん，先行するがん薬物療法での FN 既往

□投与日の確認：がん化学療法薬の投与開始 14 日前から投与終了後 24 時間以内に投与した場合の安全性は確立していないとされており，予防的投与として化学療法薬投与から 2〜4 日後が推奨されている[7].

□骨髄性白血病の患者への投与は禁忌：骨髄中の芽球が十分減少していない状態，または末梢血中に骨髄芽球が認められる骨髄性白血病患者には禁忌である.

3 抗がん薬の調剤

□プレフィルド製剤のため調製は不要．適切な注射針（22〜25G，RB 針）を取り付けて皮下投与を行う.

4 抗がん薬の投与

投与基準[2]

□FN の発症リスクが高いレジメンが施行される患者，および FN 発症リスクがある患者に対して予防的に投与する.

□初回化学療法の 1 次予防的投与での判断基準を以下に示す.

施行するレジメンの FN 発症リスク	個々のリスク因子	G-CSF 1 次予防的投与
≧20%	—	推奨（推奨グレード A）
10〜20%	FN 発症または重症化リスクが高い	考慮（推奨グレード B）
	上記以外	行わない
＜10%	—	行わない（推奨グレード D）

FN 発症リスク 20%以上のレジメンでは投与が推奨され，10〜20%では FN 発症または重症化リスクが高いと考えられる因子を持つ患者に対して投与を考慮するとされており，個々の患者で投与を判断する.

□2回目以降の化学療法での2次予防的投与の判断基準を以下に示す.

前サイクルでのFN発現と用量制限毒性	前サイクルでのG-CSF使用	対応および適否
FNあり，または好中球減少症による用量制限毒性あり	なし	治療強度を保つ必要ある場合に2次的予防投与を考慮（推奨グレードC2）
	あり	治療薬剤の減量や治療レジメンの変更を考慮（推奨グレードB）
FNなし，好中球減少症による用量制限毒性なし	—	前回同様の対応評価を継続

FNの既往あるいは好中球減少症に伴う用量制限毒性があった場合，化学療法の治療強度を保つ必要がある疾患やレジメン（悪性リンパ腫や早期乳がんの術後療法，胚細胞腫瘍などが該当）では次のサイクルから2次予防的投与が推奨される.

減量・中止基準[1)]

腎機能障害

□海外では健康成人30例に薬物動態を検討したところ，腎機能ごとに薬物動態パラメータの差異は認められず，影響を受けにくいと考えられている.

肝機能障害

□肺がん患者と悪性リンパ腫患者を対象とした臨床試験において，C_{max} および $AUC_{0-\infty}$ の肝機能検査値（ASTおよびALT）に対する分布に一定の傾向がなく，肝機能検査値による顕著な差異は認められなかったとこから，影響を受けにくいと考えられている.

注意点

□ペグフィルグラスチムの投与時期について，添付文書ではがん化学療法剤投与終了後の翌日以降とされている．一方，ガイドラインにおいてはASCOではday 2〜4，NCCNではday 3，4と記載がある．また投与時期と血液毒性やFN発症に相違がある報告[8-10)]がなされており，至適投与時期が実臨床で検証されている.

5 副作用マネジメント

発現率

□G-CSF 製剤投与時に発現が認められる有害事象（審査報告書から抜粋）

副作用	国内（n=632）		副作用	国内（n=632）	
	全体（%）	Grade 3 以上（%）		全体（%）	Grade 3 以上（%）
血中 LD 増加	31.2	0.3	骨痛	5.2	0.2
関節痛	27.2	1.4	血中 ALP 増加	12.8	0
背部痛	22.8	0			

□国内の医療情報データベースを用いた疫学調査において，本剤の投与後に血小板減少（5 万/μL 未満）のリスクが増加したとの報告があり，2020 年 3 月に使用上の注意が改訂になっている．

評価と観察のポイント

□投与直後のアナフィラキシー出現に注意．

□投与後数日で背部痛，骨痛の出現に注意．

副作用対策のポイント

□骨痛に対してはロキソプロフェンナトリウムやアセトアミノフェン，ナプロキセンの頓用の施行を考慮．

6 薬学的ケア

CASE

□50 歳代女性．HER2 陰性 Stage ⅡB．術後治療として AC（ドキソルビシン＋シクロホスファミド）followed by Doc（ドセタキセル）→RT（放射線照射）の予定で治療導入となった．AC 療法 2 サイクル目施行前の採血検査で好中球減少 Grade 3 を認めた．無熱であったが，治療スケジュールを考慮し既存のフィルグラスチムが施行され，2 サイクル目は血球の回復を確認し，当初予定の 12 日遅れで開始となった．次サイクルから治療強度を保つためにペグフィルグラスチムの予防投与が検討され施行となった．

□出現が予想される骨痛・背部痛に対しては，腎機能に問題ないことを確認し，ロキソプロフェンナトリウム 60 mg の頓用を医師に提案し，患者に対しては症状の出現しやすい時期と服薬方法の説明を行った．3 サイクル目の来院時採血では血球の施行基準を満たし，治療強度を保ちながら継続できた．

□背部痛をペグフィルグラスチム施行後4～6日で自覚されたが，ロキソプロフェン頓用により対応可能であったことを確認した．また，次治療のドセタキセル療法においても2サイクル目開始前の採血検査で好中球減少 Grade 3の遷延を認めたため，引き続きペグフィルグラスチムを予防的に施行すること医師に提案し継続となっている．

解説

□早期乳がんの術後補助療法において，アントラサイクリンベースの治療では相対治療強度が85%に満たない場合はDFS，OSとも有意に短縮する報告[11)]がある．治療強度低下の要因はFNであり，ペグフィルグラスチムの1次予防的投与が推奨される．

□本症例では1次予防的投与が行われなかったが，その後の経過を判断し，治療強度を維持し治療完遂が必要であることを医師と協議し，ペグフィルグラスチムが施行となった．

□G-CSF製剤は既存製剤を含めて，外来診療では検査データに応じて処置的に施行されることが多く，レジメンの好中球減少リスクや患者のFN発症リスクを考慮した薬剤師の関与が必要と考える．

column G-CSF適正使用ガイドラインの改訂

日本癌治療学会編集のG-CSF適正使用ガイドラインが2022年10月に第2版に改訂された．これまで多くのガイドラインがFN発症率20%を1次予防的投与実施のカットオフとしていたが，今回改訂されたG-CSF適正使用ガイドラインでは，「科学的根拠に基づいて，益と害のバランスを判断し，推奨を行う方針」となり，G-CSF 1次予防投与の益と害を評価するために，がん種ごとにシステマティックレビューを行っている．これまでにないガイドラインの取り組みでもあり，その理解を深めるために同改訂ガイドラインをあわせて確認していただきたい．

column 自動投与デバイス

ペグフィルグラスチムの自動投与デバイスである「ジーラスタ®皮下注 3.6 mg ボディーポッド」が 2022 年 7 月に製造販売承認された．国内では乳がん患者を対象とした安全性に関する第 I 相試験（n＝35）をもとに承認となった．穿刺・貼付後およそ 27 時間後に自動投与デバイスが作動し，およそ 24 分間にわたり本剤 3.6 mg/0.36 mL が単回投与なされる．がん化学療法と同日に使用することでジーラスタ® 投与のための通院が不要となりうるため，患者の通院と医療従事者の業務の負担軽減が期待される．入浴，シャワー，サウナなどは避けることとされており，投与終了後の取り扱いを含む使用時の注意点の説明が必要である．なお，海外で使用されている Amgen 社の Neulasta®（pegfilgrastim）On-pro® kit は用量が 6 mg/0.6 mL でありデバイスも異なる．

引用文献

1） ジーラスタ®，添付文書，インタビューフォーム
2） 日本癌治療学会（編）：G-CSF 適正使用ガイドライン 2018 年版 Ver. 5
3） 日本臨床腫瘍学会：発熱性好中球減少症（FN）診療ガイドライン（改訂第 2 版）
4） NCCN guidelines ver. 2 2016, Myeloid growth factors.
5） Smith TJ, et al：J Clin Oncol 33：3199-212, 2015（PMID：26169616）
6） Aapro MS, et al：Eur J Cancer 47：8-32, 2011（PMID：21095116）
7） Lambertini M, et al：Support Care Canter 24：1285-94, 2016（PMID：26306520）
8） Zwick C, et al：Ann Oncol 22：1872-77, 2011（PMID：21292644）
9） Loibl S, et al：Support Care Cancer 19：1789-95, 2011（PMID：20953803）
10） Hayama T, et al：Int J Clin Pharm 40：997-1000, 2018（PMID：29855985）
11） Chirivella I, et al：Breast Cancer Res Treat 114：479-84, 2009（PMID：18463977）

（中村勝之）

111 デクスラゾキサン（サビーン®）

POINT

- ■アントラサイクリン系抗がん薬が血管外漏出した場合のみ適用となる．
- ■血管外漏出から 6 時間以降の投与による有効性は未確認．
- ■アントラサイクリン系抗がん薬の投与量および漏出量にかかわらず，デクスラゾキサンは 1,000 mg/m^2 で投与開始（1 日目）し，24 時間後（2 日目）に 1,000 mg/m^2，48 時間後（3 日目）に 500 mg/m^2 で投与する．

1 レジメンと副作用対策

1 コース期間：3 日間

111		医薬品名 投与量	投与方法 投与時間	1	2	3	4	5	6	7	8	9	10	11	12	～	18	19	20	21	…
レジメン	Rp1	アントラサイクリン系抗がん薬の血管外濾出	血管外濾出	↓																	
	Rp2	デクスラゾキサン 1,000 mg/m^2 乳酸リンゲル液 500 mL	血管外漏出とは逆の腕に点滴静注 60 分	↓	↓																
	Rp3	デクスラゾキサン 500 mg/m^2 乳酸リンゲル液 500 mL	血管外漏出とは逆の腕に点滴静注 60 分			↓															
	Rp4	ペグフィルグラスチム（該当レジメンに含まれていた場合）3.6 mg/body	皮下注				↓														
副作用対策	血管痛			■																	
	好中球減少									■	■	■	■	■	■	■					
	悪心・嘔吐			■	■	■	■	■	■	■	■	■	■								

アントラサイクリン系抗がん薬の血管外漏出から 6 時間以内に投与開始する．

G-CSF 製剤を使用する場合，デクスラゾキサン投与最終時刻から 24 時間以上間隔を空けてから使用する．

血管痛

デクスラゾキサンの 1 次溶解液の pH は 1.4～1.8 と酸性に傾いており，デクスラゾキサン自体による注射痛を軽減するため，2 次溶解輸液は pH が塩基性に傾いている乳酸リンゲル液が最も望ましい．

好中球減少

該当するアントラサイクリン系抗がん薬が含まれたレジメンに準じて，①感染予防対策（手洗い，うがい），②FN の徴候（発熱，悪寒，咽頭痛）がみられた際の抗菌薬や解熱薬の使用方法，③緊急受診の目安について事前に指導．

悪心・嘔吐

該当するアントラサイクリン系抗がん薬が含まれたレジメンの催吐性リスクに準じた制吐薬を適宜追加することで対応する．

2 抗がん薬の処方監査

□血管外漏出した薬剤がアントラサイクリン系抗がん薬であることを確認する[1,2].

vesicant drug（起壊死性抗がん薬）	irritant drug（炎症性抗がん薬）
・ドキソルビシン　・アムルビシン ・エピルビシン　・ダウノルビシン ・イダルビシン　・アクラルビシン ・ピラルビシン	・リポソーマルドキソルビシン（vesicant drug とする場合もある） ・ミトキサントロン（vesicant drug とする場合もある）

□末梢静脈，中心静脈カテーテル，CV ポートのルートを問わず，いずれも血管外漏出した場合に適応となる．

□アントラサイクリン系抗がん薬による血管外漏出は，遅発性潰瘍形成が発現する可能性が高いため[3]，漏出時点では外観に異常が認められなくとも，多量に漏出した場合はデクスラゾキサンの使用を考慮する（皮膚科専門医へのコンサルタントが望ましい）．

□血管外漏出から 6 時間以内にデクスラゾキサンを投与開始できるか，薬剤確保を確認する．使用期限の関係から平時は在庫していない医療機関も多いが，あらかじめ薬剤部内で発注体制を整え，スムーズに薬剤供給できる手順書を作成しておくことが望ましい[4]．

□2 日目，3 日目は 1 日目と同じ時刻（24 時間ごと）に投与することが望ましい．

□小児への適応について，白血病および骨髄異形成症候群のリスク上昇が示唆されている[5]．しかし，メタアナリシスでは有意差が認められなかった．また，解析にはわが国の保険適用外である心毒性保護を目的として頻回かつ複数回デクスラゾキサンが投与されたデータが含まれていることから，血管外漏出した場合における 1 回 3 日間のみの投与であれば，深刻なリスク上昇はないと考えられる[6]．

□明確な作用機序は不明だが，デクスラゾキサンによりフェニトインの吸収が抑制されるため，フェニトイン投与患者にデクスラゾキサンを投与する場合，痙攣発作出現に注意する必要がある．

□血管外漏出によりデクスラゾキサンを投与した後，別サイクルで再度血管外漏出があった場合，デクスラゾキサンを再投与することが可能である．

□アントラサイクリン系抗がん薬の抗腫瘍効果と血管外漏出時の炎症反応および潰瘍形成の作用機序は同一と考えられ，予防的なデクスラゾキサン投与は抗腫瘍効果を減弱させる可能性があるため，原則的に行わない．

3 抗がん薬の調剤

□デクスラゾキサンは1瓶（500 mg）あたり注射用水25 mLを加え20 mg/mL溶液とした後，必要量を500 mLの乳酸リンゲル液，生理食塩液，または5％ブドウ糖溶液に希釈する．なお，デクスラゾキサンの1次溶解液のpHは1.4〜1.8と酸性に傾いており，デクスラゾキサン自体による注射痛を軽減するため，2次溶解輸液はpHが塩基性に傾いている乳酸リンゲル液が最も望ましいと考えられる[4, 7]．

□1〜2時間で投与する．

□調製から2.5時間以内に投与完了する．調製から3時間以上の経過により，類縁物質の増加および溶液の黄色変化が起こる可能性がある．

4 抗がん薬の投与

投与基準

□デクスラゾキサンに対し，過敏症の既往歴を有する患者は除外対象となる．

□妊娠中または授乳中の女性患者は除外対象となる．

減量・中止基準

□腎機能障害[5]

デクスラゾキサン	Ccr<40 mL/分より50％減量（day 1，2：500 mg/m^2，day 3：250 mg/m^2とする）

注意点

□アントラサイクリン系抗がん薬が血管外漏出した場合，漏出した腕または中心静脈から反対側の腕の静脈からデクスラゾキサンを投与する[4]．

□血管外漏出以外の副作用がない場合，デクスラゾキサンを投与後にアントラサイクリン系およびレジメン内の併用する抗がん薬の投与は慎重に行う[4]．

□デクスラゾキサンの投与は漏出から6時間以内であればいつでもよい．

□途中，アントラサイクリン系の薬剤の投与は続けてよい．
□ただし，アントラサイクリン系以外の vesicant drug の投与は慎重に判断する．
□血管外漏出に対する他の処置として，ステロイド（デキサメタゾンリン酸エステルナトリウム，ヒドロコルチゾンリン酸エステルナトリウム，ベタメタゾンリン酸エステルナトリウム）の局所注射，ステロイド（クロベタゾールプロピオン酸エステル）の軟膏塗布による併用も可能である[2, 4]．ただし，デクスラゾキサンの効果を妨げないよう冷罨法はデクスラゾキサンの投与15分前から終了して血流を確保すること[8]．

5 副作用マネジメント

発現率[9]

副作用		海外（n＝76〜80）	
		全体（%）	Grade≧3（%）
血液毒性	好中球減少（n＝79）	60.8	45.6
	血小板減少（n＝80）	26.3	21.3
	Hb 減少（n＝80）	42.5	2.5
	AST 上昇（n＝76）	27.6	2.6
	ALT 上昇（n＝78）	21.8	6.4
非血液毒性	悪心（n＝80）	27.5	0
	嘔吐（n＝80）	12.5	0
	注射部位疼痛（n＝80）	13.8	1.3
	発熱（n＝80）	13.8	2.5

評価と観察のポイント

□デクスラゾキサン自体も血管痛が発現しやすい薬剤のため，血管外漏出した腕だけでなく，新たな静脈ルートについても観察を行う必要がある．
□アントラサイクリン系抗がん薬や他の併用する抗がん薬の影響が大きいと考えられるが，デクスラゾキサン自体もトポイソメラーゼⅡ阻害作用があり，骨髄抑制，悪心・嘔吐，血中AST・ALT 上昇が発現する可能性が考えられる[10]．デクスラゾキサンを投与したサイクルのレジメンが途中で中止され，抗がん薬投与が少量だった場合にも副作用発現に注意する必要がある．

副作用対策のポイント

□骨髄抑制に対しG-CSF製剤を使用する場合は，デクスラゾキサンも殺細胞性抗がん薬と同様に考え，デクスラゾキサン投与最終日から24時間以内のG-CSF製剤の投与は避けることが推奨される．

□悪心・嘔吐発現時の対策は，該当するアントラサイクリン系抗がん薬が含まれたレジメンの催吐性リスクに準じた制吐薬を適宜追加することで対応する[11)]．

6 薬学的ケア

CASE

□40歳代女性．リンパ節転移陽性の乳がん術後患者．ハイリスク患者の術前化学療法であるTAC療法が選択された．初回の左腕末梢静脈へのドキソルビシン投与から15分後に血管外漏出があり点滴部疼痛が認められた．漏出量は不明だが，点滴終了間近であったためドキソルビシンの投与は終了し，すぐに吸引とデキサメタゾンリン酸エステルナトリウム注3.3 mg/1 mLの皮下注射を4回に分け（0.25 mL/回×4回）行った．その後，左腕注射部の冷却療法を行いつつ，右腕に静脈ルートを取り直しシクロホスファミドの投与からレジメンを再開した．

□皮膚科コンサルトの上でデクスラゾキサンの投与が推奨され，薬剤部は至急デクスラゾキサンの発注を行った．TAC療法レジメンのday 1完了後，血管外漏出から4時間後にデクスラゾキサンの納品および調製が完了した．冷却療法を終了した15分後にデクスラゾキサンが右腕静脈ルートから投与された．

□TAC療法レジメンはday 2にペグフィルグラスチムの投与が予定されていたが，デクスラゾキサンが3日間投与されるため，day 4に変更された．

□自宅では血管外露出部にクロベタゾールプロピオン酸エステル軟膏を使用してもらうよう服薬指導した．

□2サイクル目開始前に血管外漏出のあった左腕を確認したところ，潰瘍の発現や自宅での腕部の疼痛は認められなかった．2サイクル目以降は右腕静脈ルートを使用し，血管外漏出の出現およびデクスラゾキサンの投与を行うことなく，治療完遂することができた．

解説

□血管外漏出から6時間以内にデクスラゾキサンを投与するには，看護師–主治医–皮膚科専門医–薬剤師のスムーズな連携が必要となる．

□ドキソルビシン投与からすぐに血管外漏出が起こった場合は，残存分のドキソルビシンも逆側の腕部静脈あるいは中心静脈に取り直したルートから投与する．末梢静脈血管あるいは中心静脈血管の選択には，患者の血管外漏出リスクを考慮する．次は，血管外漏出のリスク因子となる[12]．

- 高齢（血管弾力性や血流量の低下）
- 栄養不良
- 糖尿病既往
- 皮膚疾患既往
- 肥満
- 化学療法回数の増加
- 多剤併用レジメン施行
- 血管に関連する手術後（上大静脈症候群，腋窩リンパ節郭清後）
- 腫瘍浸潤部位の血管
- 放射線照射部位の血管
- 創傷瘢痕がある部位の血管
- 関節運動の影響を受けやすい部位や血流量の少ない部位の血管

□漏出部位の潰瘍形成予防を目的としてステロイドが汎用される．ステロイドを使用する場合，皮下注か外用薬のどちらが有効か明確な推奨はされていないが，外用薬の塗布は皮下注の刺激がなく効果が良好なことを示唆する学会報告（山田みつぎ，他：第57回日本癌治療学会学術集会，2019）がある．外用薬を使用する場合，強度はstrongestクラスの製剤を選択した方がよいと考えられる[2, 13]．一方で，患者の自宅で簡便なステロイド密封療法を行いたい場合や，軟膏やクリームのアドヒアランスが不十分な患者に対して，強度はweakクラスであるがフルドロキシコルチド貼付薬（ドレニゾン®テープ4 $\mu g/cm^2$）も選択肢となる．

□血管外漏出を起こした部分が治癒したのにもかかわらず，再び抗がん薬を投与した際に以前漏出を起こした部分に皮膚反応を生じるリコールリアクションの出現にも注意する必要がある[14]．

引用文献

1) Pérez Fidalgo JA, et al：Ann Oncol 23（Suppl 7）：vii167-73, 2012（PMID：22997449）
2) 中村泰大：皮膚臨床 58：807-11, 2016
3) 野村香織：薬事 56：132-35, 2014
4) 河元怜史, 他：癌と化学療法 43：2517-21, 2016
5) サビーン® 点滴静注用, 添付文書（キッセイ薬品）
6) Shaikh F, et al：J Natl Cancer Inst 108：djv357, 2016（PMID：26598513）
7) 中杌直美：プロフェッショナルがんナーシング 5：76-7, 2015
8) 竹之内辰也：臨床皮膚科 69：105-9, 2015
9) サビーン® 点滴静注用, インタビューフォーム（キッセイ薬品）
10) Hellman K, et al（eds）：Razoxane and Dexrazoxane-Two Multifunctional Agents Experimental and Clinical Result. Springer, 2011
11) 日本癌治療学会（編）：制吐薬適正使用ガイドライン, 2015 年 10 月第 2 版. 金原出版, 2015
12) 西森久和：薬事 62：124-8, 2020
13) 山崎直也：皮膚病診療 42：186-90, 2020
14) 橋口浩二：薬事 60：44-9, 2018

（田中 怜）

付録1 抗がん薬の希釈後の安定性

□商品名：規格，商標は省略
〔分類〕：血管外漏出時の組織障害性に基づく抗がん薬の分類
□生理食塩液，5％ブドウ糖液：各輸液に溶解・希釈した場合，安定性が担保される（残存率 95.0％以上または，変化なしと記載があるもの）最大の時間
　×：溶解不可
　—：輸液に希釈後のデータ公表なし，または詳細な記載なし
　※：「備考・注意」に所定の溶解液で溶解した際のデータを掲載した．
□IF はインタビューフォームを示す．
□いずれの薬剤も原則，他剤との配合はせず，単剤での使用を推奨

（商品名の 50 音順）

名称（商品名）〔分類〕	生理食塩液	5%ブドウ糖液	保存条件	備考・注意	参考文献
5-FU〔炎症性〕	7日間	—	10 µg/mL・1.0 µg/mL，室温（25℃）・冷所（4℃）・冷蔵庫（−20℃）	—	IF 2019 年 7 月（改訂第 7 版）
アービタックス〔非炎症性〕	48時間	×	0.83 mg/mL・4.0 mg/mL，25℃，60％ RH	—	IF 2021 年 4 月（改訂第 12 版）
アキャルックス〔非壊死性〕	×		—	本剤は希釈して使用しない	IF 2021 年 9 月（改訂第 5 版）
アクプラ〔炎症性〕	6 時間		0.2 mg/mL，25℃，散光下	—	IF 2020 年 8 月（改訂第 11 版）
アクラシノン〔炎症性〕	—		—	生理食塩液，5％ブドウ糖液にて 2.0 mg/mL とした場合，5℃，遮光下でともに 21 日間安定	IF 2016 年 1 月（改訂第 9 版）
アドセトリス〔非炎症性〕	24時間	—	0.2～1.8 mg/mL，25℃，2～8℃	希釈後速やかに投与しない場合は，2～8℃で保存し，溶解後から 24 時間以内に投与する	IF 2019 年 12 月（改訂第 6 版）
アドリアシン〔壊死性〕	7日間	14日間	2.0 mg/mL，室温	—	IF 2021 年 9 月（改訂第 19 版）
アバスチン〔非炎症性〕	48時間	×	30℃保存下	生理食塩液に添加して約 100 mL とする	IF 2021 年 7 月（改訂第 21 版）
アブラキサン〔壊死性〕	24時間	—	5.0 mg/mL，5℃・25℃，暗所	IF 上の調製法参照．懸濁液を生理食塩液に入れて希釈しない	IF 2021 年 8 月（改訂第 12 版）

名称（商品名）〔分類〕	生理食塩液	5%ブドウ糖液	保存条件	備考・注意	参考文献
アリムタ〔非炎症性〕	48 時間		5℃	生理食塩液に混和して 100 mL として使用	IF 2019 年 6 月（改訂第 12 版）
アルケラン〔炎症性〕	0.5 時間	×	約 0.45 mg/mL	室温で用時調製，冷蔵保存はしない．少なくとも希釈後 1.5 時間以内に本剤投与を終了することが望ましい	IF 2021 年 9 月（改訂第 10 版）
イストダックス〔不明〕	※	—	—	生理食塩液 500 mL で希釈し，希釈後は速やかに使用する．なお，やむをえず保存を必要とする場合でも，24 時間以内に使用する	IF 2021 年 7 月（改訂第 4 版）
イミフィンジ〔非壊死性〕	①2 時間 ②24 時間 ③72 時間 →累積 98 時間		1～20 mg/mL， ①室温，振盪下 ②28～32℃ ③2～8℃	必要量をバイアルから抜き取り，生理食塩液または 5% ブドウ糖注射液の点滴バッグに注入し，最終濃度を 1～15 mg/mL とする．調製後は速やかに使用する．希釈液をすぐに使用せず保存する場合，2～8 ℃では 24 時間以内，室温保存では 12 時間以内に投与を開始する	IF 2021 年 3 月（改訂第 5 版）
イホマイド〔炎症性〕	※		—	注射用水 25 mL に溶解し，溶解後はなるべく速やかに使用する．保存する必要がある場合には，冷所保存では 24 時間以内，室温保存では 6 時間以内に使用する	IF 2012 年 5 月（改訂第 3 版）
エクザール〔壊死性〕	24 時間	—	1.0 mg/mL，室温（25±3 ℃），室内散光下（500±30 lx）・遮光下	—	IF 2014 年 9 月（改訂第 9 版）
エムプリシティ〔非炎症性〕	①16 時間 ②8 時間		0.9～6.6 mg/mL， ①5℃ ②室温・室内光	IF 上の調製法参照	IF 2019 年 11 月（改訂第 5 版）
エルプラット〔炎症性〕	×	24 時間	0.5 mg/mL，室温，室内散光下	—	IF 2021 年 4 月（改訂第 16 版）
エンドキサン〔炎症性〕	24 時間		1.0 mg/mL，20～25℃，室内光（蛍光灯）	—	IF 2021 年 9 月（改訂第 12 版）
エンハーツ〔炎症性〕	×	※	—	調製後は速やかに使用する．なお，調製後やむをえず保存する場合は，遮光し，2～8℃で 24 時間以内とする．室温での調製および投与は合わせて 4 時間以内に行う	IF 2021 年 8 月（改訂第 6 版）
オニバイド〔炎症性〕	※		—	本剤は，混和後速やかに投与する．やむをえず保存する場合は，遮光した上で，室温で保存する場合には 6 時間以内，2～8℃（凍結させない）で保存する場合には 24 時間以内に投与する	IF 2021 年 9 月（改訂第 4 版）

名称（商品名）〔分類〕	生理食塩液	5%ブドウ糖液	保存条件	備考・注意	参考文献
オプジーボ〔不明〕	24時間		0.35 mg/mL・4.8 mg/mL，24～26℃，室内光下	希釈後の最終濃度0.35 mg/mL未満では，溶液中の安定性が確認されていない	IF 2021年11月（改訂第31版）
オンコビン〔壊死性〕	24時間		0.1 mg/mL，室温（25±3℃），室内散光下（500±30 lx）・遮光下	—	IF 2015年9月（改訂第10版）
カイプロリス〔炎症性〕	×	24時間	0.2 mg/mL・1.8 mg/mL，室温（25℃付近），室内光下	注射用水に溶解し2 mg/mLの濃度とした後，5%ブドウ糖液で希釈する	IF 2020年11月（改訂第5版）
ガザイバ〔不明〕	※	×	—	生理食塩液で希釈して計250 mLとする．用時調製し，調製後は速やかに使用する	IF 2019年10月（改訂第3版）
カドサイラ〔炎症性〕	※	×	—	投与直前に溶解，希釈をする．調製後は速やかに使用する	IF 2021年8月（改訂第11版）
カルセド〔壊死性〕	3時間		2.0 mg/mL・10 mg/mL，25℃	左記の条件にて，5℃で保存した場合は24時間安定	IF 2019年12月（改訂第16版）
カンプト〔炎症性〕	24時間		—	各使用法における調製方法はIF上の調製法参照	IF 2020年11月（改訂第12版）
キイトルーダ〔非炎症性〕	※		—	希釈液をすぐに使用せず保管する場合は，25℃以下で6時間以内または2～8℃で合計96時間以内に使用する．希釈液を冷所保存した場合は，投与前に点滴バックを常温に戻す	IF 2021年8月（改訂第19版）
キロサイドN〔非炎症性〕	※		—	5%ブドウ糖液あるいは生理食塩液に混合して300～500 mLとする	IF 2020年10月（改訂第6版）
コスメゲン〔壊死性〕	4時間	直後	0.99 μg/mL，散光下	1.1 mLの注射用水を加え，溶解する．1.1 mLの生理食塩液では完全に溶解せずに白濁する．必ず用時調製し，使用されなかった薬液は廃棄する	IF 2019年7月（改訂第15版）
サークリサ〔非壊死性〕	※		—	ただちに使用しない場合は2～8℃で保管し，48時間以内に使用する．その後，室温では8時間以内（本剤の点滴時間を含む）に使用する	IF 2021年11月（改訂第4版）
サイラムザ〔非炎症性〕	①24時間 ②12時間	—	①2～8℃ ②室温（30℃以下）	—	IF 2020年11月（改訂第9版）
ザノサー〔炎症性〕	※		0.2 %・2.5 %，25±3 ℃，室内蛍光灯下	6時間まで変化はないが，24時間後では残存率がわずかに低下した	IF 2021年9月（改訂第7版）

名称(商品名) 〔分類〕	生理食塩液	5%ブドウ糖液	保存条件	備考・注意	参考文献
ザルトラップ 〔非炎症性〕	①24時間 ②8時間		約0.6 mg/mL・8.0 mg/mL ①2～8℃　②25℃	IF上の調製法参照	IF 2020年1月 (改訂第6版)
ジェブタナ 〔壊死性〕	①48時間 ②8時間		0.1 mg/mL・0.26 mg/mL ①5℃　②30℃	IF上の調製法参照	IF 2020年1月 (改訂第7版)
ジェムザール 〔炎症性〕	24時間		10 mg/mL，25℃，室内散光下	—	IF 2021年10月 (改訂第16版)
ジフォルタ 〔非炎症性〕	①6時間 ②24時間	—	0.2 mg/mL， ①室温，室内散光下 ②冷蔵（5±3℃）	—	IF 2019年6月 (改訂第3版)
ステボロニン 〔不明〕	×		—	他剤と混注しない	IF 2020年5月 (改訂第2版)
ダカルバジン 〔炎症性〕	①12時間 ②12時間 ③8時間 ④24時間	①8時間 ②12時間 ③12時間 ④24時間	約0.38 mg/mL， ①室温（23±2℃），1,000 lx ②室温，遮光 ③冷所（5℃），1,000 lx ④冷所，遮光	溶解・希釈後は遮光し速やかに使用することを推奨している	IF 2021年9月 (改訂第14版)
タキソール 〔壊死性〕	24時間		約0.23 mg/mL・0.54 mg/mL， 室内散光下	可塑剤としてDEHPを含有している輸液装置の使用は避ける	IF 2018年2月 (改訂第10版)
タキソテール 〔壊死性〕	4時間		0.31 mg/mL・0.88 mg/mL	IF上の調製法参照	IF 2021年9月 (改訂第17版)
ダラキューロ 〔不明〕	×		—	薬液入りのシリンジをただちに使用しない場合は，本剤調製後，室温および室内光下で4時間まで保存することができる	IF 2021年8月 (改訂第3版)
ダラザレックス 〔不明〕	※	—	—	室内光下にて室温のもと，本剤の希釈液は投与時間も含め15時間以内に投与する．希釈後ただちに投与しない場合は，遮光下にて2～8℃で24時間保管することができる	IF 2020年11月 (改訂第7版)
テセントリク 〔不明〕	24時間	×	2.4 mg/mL・9.6 mg/mL・約16.8 mg/mL， ①2～8℃，遮光 ②30℃，室内光	—	IF 2021年11月 (改訂第12版)
トーリセル 〔不明〕	6時間	×	室温，蛍光灯下	IF上の調製法参照	IF 2020年11月 (改訂第9版)
ドキシル 〔炎症性〕	—	24時間	約0.13 mg/mL，室温（16～22℃），室内散光下	希釈後は2～8℃で保存し，24時間以内に投与する	IF 2021年1月 (第3版)

付録

名称(商品名)〔分類〕	生理食塩液	5%ブドウ糖液	保存条件	備考・注意	参考文献
トポテシン〔炎症性〕	24 時間	—	約 0.08 mg/mL・0.16 mg/mL, 室温, 室内散光下	—	IF 2021 年 2 月(改訂第 17 版)
トレアキシン〔炎症性〕	3 時間	—	約 0.32 mg/mL・0.40 mg/mL・1.20 mg/mL, 室温 (25±5℃), 室内散光下	IF 上の調製法参照	IF 2021 年 8 月(改訂第 14 版)
ナベルビン〔壊死性〕	30 日		約 0.74 mg/mL, ①室温, 散光 ②室温, 遮光 ③5℃, 遮光	—	IF 2019 年 7 月(改訂第 15 版)
パージェタ〔非炎症性〕	※	×	—	250 mL の生理食塩液で希釈して用いる. 用時調製し, 調製後は速やかに使用する	IF 2021 年 10 月(改訂第 7 版)
ハーセプチン〔非炎症性〕	※	×	—	注射用蒸留水にて 21 mg/mL とした場合, 2～8℃で 24 時間安定. 生理食塩液 250 mL に希釈し, 速やかに使用する	IF 2020 年 8 月(改訂第 24 版)
ハイカムチン〔炎症性〕	24 時間	—	1.1 mg/100 mL, 室温, 自然散光下	100 mL の生理食塩液に溶解して用いる	IF 2019 年 5 月(改訂第 11 版)
バベンチオ〔非炎症性〕	①4 時間 ②24 時間	—	①室温(25℃以下) ②2～8℃	250 mL の生理食塩液で希釈して用いる. 希釈液を冷蔵保存した場合, 投与前に室温に戻す	IF 2021 年 2 月(改訂第 8 版)
ハラヴェン〔不明〕	①6 時間 ②24 時間	×	①0.01 mg/mL, 室温, 室内散光下 ②冷所 5℃	0.01 mg/mL 未満の濃度に希釈しない	IF 2020 年 7 月(改訂第 7 版)
パラプラチン〔炎症性〕	24 時間		1.0 mg/mL・2.5 mg/mL, 室温, 遮光下	250 mL 以上の 5%ブドウ糖液または生理食塩液に混和する. 混和後 8 時間までに使用することを推奨している	IF 2018 年 1 月(改訂第 10 版)
ビーリンサイト〔不明〕	※	—	—	生理食塩液を全量として 270 mL となるように調製する. 注射用蒸留水で溶解後, すぐに使用しない場合は, 溶液を冷蔵保存(2～8℃, 遮光)し, 凍結させない. 冷蔵保存する場合は 24 時間を超えない	IF 2021 年 5 月(改訂第 7 版)
ビダーザ〔非炎症性〕	1 時間	×	約 0.91 mg/mL, 室温	IF 上の調製法参照	IF 2021 年 3 月(改訂第 6 版)

名称(商品名)〔分類〕	生理食塩液	5%ブドウ糖液	保存条件	備考・注意	参考文献
ピノルビン〔壊死性〕	①7日間 ②7日間 ③24時間 ④溶解直後	①7日間 ②7日間 ③24時間 ④24時間	1 mg/mL・2 mg/mL ①5℃，遮光 ②5℃，非遮光 ③25℃，遮光 ④25℃，非遮光	室温保存では6時間以内に使用することが推奨されている	IF 2018年6月(改訂第13版)
ファルモルビシン〔壊死性〕	※	×	—	生理食塩液，注射用蒸留水にて，2.0 mg/mLとした場合，5℃（±2），室温（17〜27℃）遮光下でともに48時間変化はみられなかった	IF 2020年10月(改訂第12版)
ブレオ〔非炎症性〕	※		—	生理食塩液，注射用蒸留水にて溶解した場合，少なくとも1か月間は力価の低下をみないが，溶解後はできるだけ速やかに使用する	IF 2015年11月(改訂第7版)
ベクティビックス〔非炎症性〕	6時間	×	—	生理食塩液に添加して全量を約100 mLとする．最終濃度として10 mg/mLを超えない	IF 2019年9月(改訂第14版)
ベスポンサ〔不明〕	※	—	—	溶解から希釈は4時間以内に行い，希釈後は速やかに使用する．速やかに使用できない場合は，室温または，凍結を避け，2〜8℃で遮光保存する	IF 2021年6月(改訂第4版)
ベプシド〔炎症性〕	24時間		0.4 mg/mL，37℃	溶解時の濃度により結晶が析出することがあるので濃度は0.4 mg/mL以下になるよう調製する	IF 2020年4月(改訂第8版)
ベルケイド〔非炎症性〕	8時間※	×	1.0 mg/mL，5℃・室温，室内散光下	左記は海外市販薬のデータ	IF 2021年8月(改訂第14版)
ポートラーザ〔非壊死性〕	※	×	—	調製後は，速やかに使用する．なお，やむをえず保存を必要とする場合，冷蔵保存(2〜8℃)では24時間以内，室温保存(30℃以下)では4時間以内に投与を開始する	IF 2021年9月(改訂第4版)
ポライビー〔不明〕	①24時間 ②4時間	①72時間 ②8時間	0.72 mg/mL・2.7 mg/mL ①2〜8℃ ②30℃，室内光下	—	IF 2021年8月(改訂第5版)
マイトマイシン〔壊死性〕	※		—	生理食塩液，注射用蒸留水にて0.40 mg/mLとした場合，5℃，室温保存でともに1時間安定	IF 2019年7月(改訂第10版)
メソトレキセート(液)〔非炎症性〕	※		—	生理食塩液，5%ブドウ糖液等に加えて250〜500 mLとなるように調製する．調製後は速やかに使用する	IF 2020年12月(改訂第19版)

付録

名称（商品名）〔分類〕	生理食塩液	5%ブドウ糖液	保存条件	備考・注意	参考文献
メソトレキセート（粉）〔非炎症性〕	※		—	注射用蒸留水にて 2.5 mg/mL とした場合，室温（25℃）・冷蔵庫（5〜10℃）で 30 日間安定，冷凍庫（−20±5℃）で 60 日間安定	IF 2020 年 12 月（改訂第 19 版）
ヤーボイ〔非炎症性〕	24 時間		1〜4 mg/mL，①室温（約 21℃），室内光（約 700 lx）②5℃，暗所	—	IF 2021 年 10 月（改訂第 12 版）
ヨンデリス〔壊死性〕	48 時間	×	1.0 μg/mL・10 μg/mL ①5±3℃，遮光 ②25±2 ℃，遮光・室内散乱光下（500 lx）	溶解から 30 時間以内に投与を終了することが推奨されている	IF 2019 年 3 月（改訂第 4 版）
ランダ〔炎症性〕	3 時間	※	約 19.2 μg/mL，室温（23±2℃），蛍光灯（約 500 lx）	500〜1,000 mL の生理食塩液またはブドウ糖-食塩液に混和する．5%ブドウ糖液に希釈した場合，混合直後より含量の低下を認め，3 時間後に 85%まで低下した	IF 2021 年 4 月（改訂第 19 版）
リサイオ〔炎症性〕	26 時間		0.5〜4.4 mg/mL，室温	—	IF 2020 年 5 月（改訂第 6 版）
リツキサン〔非炎症性〕	※		—	用時，生理食塩液または 5%ブドウ糖液にて，1〜4 mg/mL に希釈調製し速やかに使用する	IF 2021 年 9 月（改訂第 26 版）
レミトロ〔不明〕	※	—	—	3 μg/mL 以上（50 倍希釈まで）の濃度となるように生理食塩液で希釈する．希釈後は速やかに使用する	IF 2021 年 5 月（改訂第 2 版）
ワンタキソテール〔壊死性〕	5 時間		約 0.31 mg/mL・0.77 mg/mL，30℃	—	IF 2021 年 9 月（改訂第 11 版）

（がん研究会有明病院）

付録2 JCOG 共用基準範囲一覧（CTCAE v5.0 対応版）

末梢血液一般			基準範囲（下限～上限）	
項目名	略語	単位	男性	女性
白血球数	WBC	$10^3/\mu L$	3.3～8.6	
好中球数※	Neut	$10^3/\mu L$	2.0～	
リンパ球数※	Lym	$10^3/\mu L$	1.0～	
CD4 リンパ球数※	CD4	$10^3/\mu L$	0.8～	
好酸球数※	eosino	%	～8.5	
赤血球数	RBC	$10^6/\mu L$	4.35～5.55	3.86～4.92
ヘモグロビン	Hb	g/dL	13.7～16.8	11.6～14.8
ヘマトクリット	Ht	%	40.7～50.1	35.1～44.4
平均赤血球容積	MCV	fL	83.6～98.2	
平均赤血球色素量	MCH	pg	27.5～33.2	
平均赤血球血色素濃度	MCHC	g/dL	31.7～35.3	
血小板数	PLT	$10^3/\mu L$	158～348	

生化学一般			基準範囲（下限～上限）	
項目名	略語	単位	男性	女性
総蛋白	TP	g/dL	6.6～8.1	
アルブミン	ALB	g/dL	4.1～5.1	
グロブリン	GLB	g/dL	2.2～3.4	
アルブミン，グロブリン比	A/G		1.32～2.23	
尿素窒素	UN	mg/dL	8～20	
クレアチニン	CRE	mg/dL	0.65～1.07	0.46～0.79
尿酸	UA	mg/dL	3.7～7.8	2.6～5.5
ナトリウム	Na	mmol/L	138～145	
カリウム	K	mmol/L	3.6～4.8	
クロール	Cl	mmol/L	101～108	
カルシウム	Ca	mg/dL	8.8～10.1	
無機リン	IP	mg/dL	2.7～4.6	
マグネシウム※	Mg	mg/dL	1.8～2.5	
鉄	Fe	μg/dL	40～188	
グルコース	GLU	mg/dL	73～109	
中性脂肪	TG	mg/dL	40～234	30～117
総コレステロール	TC	mg/dL	142～248	
HDL-コレステロール	HDL-C	mg/dL	38～90	48～103
LDL-コレステロール	LDL-C	mg/dL	65～163	

生化学一般			基準範囲（下限～上限）	
項目名	略語	単位	男性	女性
総ビリルビン	TB	mg/dL	0. 4～1. 5	
アスパラギン酸アミノトランスフェラーゼ	AST	U/L	13～30	
アラニンアミノトランスフェラーゼ	ALT	U/L	10～42	7～23
重炭酸塩※	HCO_3	mmol/L	22. 0～26. 0	
乳酸脱水素酵素	LD	U/L	124～222	
アルカリフォスファターゼ	ALP	U/L	106～322 (JSCC) 38～113 (IFCC)	
γグルタミルトランスペプチダーゼ	γGT	U/L	13～64	9～32
コリンエステラーゼ	ChE	U/L	240～486	201～421
アミラーゼ	AMY	U/L	44～132	
リパーゼ※	LIP	U/L	13～53	
クレアチン・ホスホキナーゼ	CK	U/L	59～248	41～153
C 反応性蛋白	CRP	mg/dL	0. 00～0. 14	
ハプトグロビン※	Hp	mg/dL	19～170	
免疫グロブリン	IgG	mg/dL	861～1, 747	
免疫グロブリン	IgA	mg/dL	93～393	
免疫グロブリン	IgM	mg/dL	33～183	50～269
補体蛋白 3	C3	mg/dL	73～138	
補体蛋白 4	C4	mg/dL	11～31	
ヘモグロビン A1c	HbA1c	%	4. 9～6. 0 (NGSP)	
プロトロンビン時間国際標準比※	PT-INR		0. 9～1. 15	
活性化部分トロンボプラスチン※	APTT	sec	25～37	
フィブリノゲン※	Fib	mg/dL	180～400	
pH※	pH		7. 35～7. 45	
尿蛋白※	Pro	mg/日	～120	
クレアチニンクリアランス※	Ccr	mL/min/ $1.73\ m^2$	70～	

腫瘍マーカー※	単位	基準範囲（上限）	腫瘍マーカー※	単位	基準範囲（上限）
AFP	ng/mL	～10	CEA	ng/mL	～5
CA125	U/mL	～35	NSE	ng/mL	～10
CA15-3	U/mL	～25	SCC	ng/mL	～1. 5
CA19-9	U/mL	～37			

出典：日本臨床検査標準協議会
※は JCOG 運営委員会による決定
2014 年　4 月　4 日　初版作成
2020 年 12 月 21 日　更新（CTCAE v5.0 対応）

索引

欧文

数字

A

B

C

D

E

F

G

H, I

J, K, L

N

O, P

R

う，え

お

か

て

と

な，に，ね

は

ひ

ふ

【2. 体表面積あたりの投与量・減量の表】

1. テガフール・ウラシル＋ホリナート療法におけるテガフール・ウラシル

体表面積 (m^2)	1 日用量 (mg/日) テガフール 300 mg/m^2 を基準	1 日の投与スケジュール〔テガフール (mg)〕		
		午前	午後	夜間
＜1.17	300	100	100	100
1.17～1.49	400	200	100	100
1.50～1.83	500	200	200	100
＞1.83	600	200	200	200

減量方法：規定なし.
備考：テガフール・ウラシルの内服時期（朝と夕方）に対する動態検討の結果，5-FU の AUC が夕方投与に有意に高いとの報告があるため[*1]，1 回投与量が不均等の場合には夕方の投与量を減らすことが推奨される.
*1 Muggia FM,et al：Clin Cancer Res 2：1461-7，1996（PMID：9816321）

2. トリフルリジン・チピラシル

体表面積 (m^2)	1 日用量 (mg/日) 約 70 mg/m^2/日を基準	1 日の投与スケジュール (mg)	
		朝食後	夕食後
＜1.07	70	35	35
1.07～1.22	80	40	40
1.23～1.37	90	45	45
1.38～1.52	100	50	50
1.53～1.68	110	55	55
1.69～1.83	120	60	60
1.84～1.98	130	65	65
1.99～2.14	140	70	70
≧2.15	150	75	75

減量方法：10 mg/日ずつ行い，最低投与量は 30 mg/日までとする.

3. カペシタビン

A 法：手術不能または再発乳がん
D 法：直腸がんにおける補助化学療法で放射線を併用する場合

体表面積 (m^2)	1 日用量 (mg)，2 回に分服. 1,650 mg/m^2/日を基準	
＜1.31	1,800	添付文書上は減量方法に規定なし
1.31～1.63	2,400	
≧1.64	3,000	